HARRAP'S

MINI PLUS
DICCIONARIO · DICTIONNAIRE

Español-Francés · Français-Espagnol

HARRAP

© pour cette édition : Larousse, 2010
21, rue du Montparnasse
75283 Paris Cedex 06
France

ISBN 978 0245 51006 9

HARRAP est une marque de Larousse SAS.
Harrap® est une marque déposée.
www.harrap.com

Maquette et mise en page : Chambers Harrap Publishers Ltd, Edinburgh

Coordination éditoriale/Coordinación editorial
Kate Nicholson

Rédaction/Redacción
Nadia Cornuau
David Tarradas Agea

Direction éditoriale/Dirección editorial
Anna Stevenson

Mise en page/Composición
Andrew Butterworth
Nicolas Echallier

Table des matières
Índice

Préface

Cette nouvelle édition du dictionnaire français-espagnol *Mini Plus* de Harrap's a pour but de fournir aux apprenants d'espagnol de niveau débutant ou intermédiaire un dictionnaire fiable et pratique sous forme compacte. La présentation claire et systématique en fait un outil d'usage facile, et grâce à son traitement du vocabulaire, il devrait s'avérer une aide précieuse pour l'utilisateur.

Avec plus de 40,000 références, le *Mini Plus* traite tous les mots et expressions utiles pour les situations courantes et les voyages en Espagne et en Amérique latine. Il contient des expressions familiers et idiomatiques, ainsi que des termes issus de domaines spécialisés variés tels que l'informatique, le sport ou la finance.

Des tableaux de prononciation se trouvent au début de livre, et le supplément central contient des informations sur les verbes irréguliers espagnols et français. De plus, un tout nouveau guide de conversation propose des phrases essentielles pour les voyages et les vacances aux pays hispanophones, faisant de l'ouvrage une ressource de poche essentielle.

Prefacio

Esta nueva edición del diccionario español-francés *Mini Plus* de Harrap's tiene por finalidad proporcionar a los estudiantes de francés de nivel de principiante o intermedio una obra rigurosa y práctica en un formato compacto. La presentación clara y sistemática hace de este diccionario una obra de fácil manejo y gracias al amplio vocabulario recogido en él, se convertirá sin duda en un valioso recurso de consulta.

Con sus más de 40.000 palabras y expresiones, el *Mini Plus* incluye todos los términos y expresiones útiles necesarios para comunicarse en francés en las situaciones más habituales. Se recogen un gran número de usos familiares e idiomáticos, así como numerosas palabras de diversos campos especializados como la tecnología de la información, los deportes o las finanzas.

El suplemento central de esta obra contiene la conjugación de los verbos irregulares franceses y españoles y se encontrará además información sobre la pronunciación del francés al comienzo del libro. Una nueva guía de comunicación recoge las frases esenciales a la hora de viajar y comunicarse en los países francófonos. Por todo ello esta obra será sin duda un recurso de bolsillo esencial.

Abréviations et symboles
Abreviaturas y símbolos

abréviation	*abrév/abrev*	abreviatura
adjectif	*adj*	adjetivo
adverbe	*adv*	adverbio
espagnol d'Amérique latine	*Am*	español de América
anatomie	*Anat*	anatomía
architecture	*Archit/Arquit*	arquitectura
espagnol d'Argentine	*Arg*	español de Argentina
article	*art*	artículo
astrologie	*Astrol*	astrología
astronomie	*Astron*	astronomía
automobile	*Aut*	automóvil
auxiliaire	*aux*	auxiliar
aviation	*Av*	aviación
français de Belgique	*Belg*	francés de Bélgica
biologie	*Biol*	biología
espagnol de Bolivie	*Bol*	español de Bolivia
botanique	*Bot*	botánica
espagnol d'Amérique centrale	*CAm*	español de América Central
français du Canada	*Can*	francés de Canadá
espagnol des Antilles	*Carib*	español de las Antillas
chimie	*Chim*	química
cinéma	*Cin*	cine
espagnol de Colombie	*Col*	español de Colombia
commerce	*Com*	comercio
conjonction	*conj*	conjunción
construction	*Constr*	construcción
couture	*Cout*	costura
espagnol du Costa Rica	*CRica*	español de Costa Rica
espagnol du Cône sud (Chili, Argentine, Paraguay, Uruguay)	*CSur*	español del Cono Sur
cuisine	*Culin*	cocina
sport	*Dep*	deporte
droit	*Der*	derecho
défini	*det*	determinado
économie	*Écon/Econ*	economía
espagnol d'Équateur	*Ecuad*	español de Ecuador
génie électrique, électronique	*Él/Elec*	ingeniería eléctrica, electrónica
vocabulaire scolaire	*Esc*	vocabulario escolar
espagnol d'Espagne	*Esp*	español de España

exclamation	*exclam*	interjección
féminin	*f*	femenino
familier	*Fam*	familiar
chemins de fer	*Ferroc*	ferrocarril
figuré	*Fig*	figurado
philosophie	*Fil*	filosofía
finance	*Fin*	finanzas
physique	*Fís*	física
photographie	*Fot*	fotografía
féminin pluriel	*fpl*	femenino plural
géographie	*Géog/Geog*	geografía
géologie	*Géol/Geol*	geología
grammaire	*Gram*	gramática
espagnol du Guatemala	*Guat*	español de Guatemala
histoire	*Hist*	historia
humoristique	*Hum*	humorístico
industrie	*Ind*	industria
indéfini	*indet*	indeterminado
informatique	*Informát*	informática
exclamation	*interj*	interjección
invariable	*inv*	invariable
ironique	*Iron/Irón*	irónico
journalisme	*Journ*	periodismo
vocabulaire juridique	*Jur*	vocabulario jurídico
linguistique	*Ling*	lingüística
littérature	*Lit*	literatura
littéraire	*Litt*	literario
littérature	*Littérat*	literatura
masculin	*m*	masculino
mathématiques	*Math/Mat*	matemáticas
médecine	*Méd/Med*	medicina
météorologie	*Météo/Met*	meteorología
espagnol du Mexique	*Méx*	español de México
masculin et féminin [dans la traduction, noms qui ont la même forme au masculin et au féminin, p. ex. **dentista** *nmf* dentiste *mf*]	*mf*	masculino y femenino [en la traducción, sustantivos que tienen la misma forma en masculino y en femenino, p. ej. **dentista** *nmf* dentiste *mf*]
masculin et féminin [dans la traduction, noms qui ont des formes différentes au masculin et au féminin, p. ex. **académico, -a** *nm,f* académicien(enne) *m,f*]	*m,f*	masculino y femenino [en la traducción, sustantivos que tienen una forma diferente en masculino y en femenino, p. ej. **académico, -a** *nm,f* académicien(enne) *m,f*]
masculin et féminin pluriel	*mfpl, m,fpl*	masculino y femenino plural
vocabulaire militaire	*Mil*	vocabulario militar
masculin pluriel	*mpl*	masculino plural

viii

musique	*Mus/Mús*	música
nom	*n*	nombre
nautisme	*Naut/Náut*	náutica
nom féminin	*nf*	nombre femenino
nom féminin pluriel	*nfpl*	nombre femenino plural
nom masculin	*nm*	nombre masculino
nom masculin et féminin [dans la langue source, noms qui ont la même forme au masculin et au féminin, p. ex. **dentista** *nmf*]	*nmf*	nombre masculino y femenino [en el idioma de partida, sustantivos que tienen la misma forma en masculino y en femenino, p. ej. **dentista** *nmf*]
nom masculin et féminin [dans la langue source, noms qui ont des formes différentes au masculin et au féminin, p. ex. **joueur, -euse** *nm,f*]	*nm,f*	nombre masculino y femenino [en el idioma de partida, sustantivos que tienen una forma diferente en masculino y en femenino, p. ej. **joueur, -euse** *nm,f*]
nom masculin et féminin pluriel	*nmfpl/nm,fpl*	nombre masculino y femenino plural
nom masculin ou féminin [dans la langue source, noms tels que **après-midi** *nm ou nf* ou **aleluya** *nm o nf*]	*nm ou nf/ nm o nf*	nombre masculino o femenino [en el idioma de partida, sustantivos como por ejemplo **après-midi** *nm ou nf* o **aleluya** *nm o nf*]
nom masculin pluriel	*nmpl*	nombre masculino plural
nom propre	*npr*	nombre propio
numéral	*num*	numeral
informatique	*Ordinat*	informática
espagnol de Panama	*Pan*	español de Panamá
espagnol du Paraguay	*Par*	español de Paraguay
péjoratif	*Péj/Pey*	peyorativo
philosophie	*Phil*	filosofía
photographie	*Phot*	fotografía
physique	*Phys*	física
pluriel	*pl*	plural
politique	*Pol*	política
participe passé	*pp*	participio pasado
préfixe	*préf/pref*	prefijo
préposition	*prép/prep*	preposición
pronom	*pron*	pronombre
proverbe	*Prov*	proverbio
psychologie	*Psy/Psi*	psicología
quelque chose	*qch*	algo
quelqu'un	*qn*	alguien
chimie	*Quím*	química
radio	*Rad*	radio

ix

religion	*Rel*	religión
espagnol du Río de la Plata (Argentine, Uruguay)	*RP*	español del Río de la Plata
vocabulaire scolaire	*Scol*	vocabulario escolar
sport	*Sp*	deporte
suffixe	*suff/suf*	sufijo
tauromachie	*Taurom*	tauromaquia
technique, technologie	*Tech/Téc*	técnica, tecnología
télécommunications	*Tél/Tel*	telecomunicaciones
théâtre	*Th*	teatro
télévision	*TV*	televisión
université	*Univ*	universidad
espagnol d'Uruguay	*Urug*	español de Uruguay
verbe	*v*	verbo
espagnol du Venezuela	*Ven*	español de Venezuela
verbe intransitif	*vi*	verbo intransitivo
verbe pronominal	*vpr*	verbo pronominal
verbe transitif	*vt*	verbo transitivo
verbe transitif indirect	*vt ind*	verbo transitivo indirecto
vulgaire	*Vulg*	vulgar
zoologie	*Zool*	zoología
glose	=	glosa
[introduit une explication]		[introduce una explicación]
équivalent culturel	≃	equivalente cultural
[introduit une traduction dont les connotations dans la langue cible son comparables]		[introduce una traducción con connotaciones comparables a las de la lengua origen]
le **h** est aspiré	*	la **h** inicial es aspirada y por eso no hay ligazón ni contracción al escribir

x

Guide de prononciation de l'espagnol

Pour la plupart des mots espagnols, vous pouvez déduire la prononciation à partir de l'orthographe en vous aidant du tableau ci-dessous. Cependant on ne donne dans le corps du dictionnaire la prononciation des
mots que lorsqu'elle présente une difficulté particulière. Cette prononciation est donnée suivant l'alphabet phonétique international (cf 2$^\text{e}$ colonne du tableau ci-dessous).

Lettre en espagnol	Symbole API corres-pondant	Exemple en espagnol	Prononciation (exemple en français)
a	a	ala	lac
e	e	come	**été**
i	i	iris	lis
o	o	oso	**eau**
u	u	uva	four
i *dans* ia, ie, io, iu	j	hiato, hielo, avión, viuda	bien, avion
u *dans* ua, ue, ui, uo	w	suave, fuego, luisa	foire, **oui**
b	b	bola *(en début de mot)* ; bomba *(après "m")*	**b**alle
	β	abajo *(tous les contextes sauf les précédents)*	consonne fricative prononcée seulement avec les lèvres, qu'on n'arrive pas à fermer complètement

Lettre en espagnol	Symbole API correspondant	Exemple en espagnol	Prononciation (exemple en français)
c	θ	ceca *(devant "e")* ; cinco *(devant "i")*	pointe de la langue entre incisives supérieures et inférieures ; prononciation semblable à l'anglais **th**anks
	k	casa *(tous les contextes sauf les précédents)*	**c**a**c**ahuète
ch	tʃ	chaucha	**tch**èque, **c**iao
d	d	dicho *(en début de mot)* ; donde *(après "n")* ; aldea *(après "l")*	**d**imanche
	ð	adorno *(tous les contextes sauf les précédents)*	la pointe de la langue s'appuie légèrement entre les incisives supérieures et inférieures ou contre le dos des supérieures ; semblable à l'anglais mo**th**er
f	f	furia	**f**eu
g	χ	gema *(devant "e")* ; girasol *(devant "i")*	la partie postérieure du dos de la langue s'approche du voile du palais ; semblable à l'allemand ma**ch**en
	g	gato *(début de mot)* ; lengua *(après "n")*	**g**affe
	γ	agua *(tous les contextes sauf les précédents)*	contrairement au **g**, ici le dos de la langue ne touche pas le voile du palais
j	χ	jabalí	r prononcé en rapprochant du voile du palais la partie postérieure du dos de la langue ; semblable à l'allemand ma**ch**en
l	l	lado	**l**ac

Lettre en espagnol	Symbole API correspondant	Exemple en espagnol	Prononciation (exemple en français)
ll	j	lluvia	lieu dans certaines régions d'Amérique latine, ce son est prononcé /ʒ/ comme dans jouet
m	m	mano	main
n	n	nulo	non
ñ	ɲ	ñato	campagne
p	p	papa	papa
q	k	queso	col
r	r	dorado (entre voyelles) ; hablar (fin de syllabe ou mot)	r roulé
	r̄	rosa (début de mot) ; alrededor (après "l") ; enredo (après "n")	r très roulé
rr	r̄	arroyo	r très roulé
s	s	saco	sentir
sh	ʃ	show	chacal
t	t	tela	toile
v	b	vale (en début de mot) ; invierno (après "n")	balle
	β	oval (tous les contextes sauf les précédents)	consonne fricative prononcée seulement avec les lèvres, qu'on n'arrive pas à fermer complètement
x	ks	examen	extra

Lettre en espagnol	Symbole API correspondant	Exemple en espagnol	Prononciation (exemple en français)
y	j	ayer	lieu dans certaines régions d'Amérique latine, ce son est prononcé /ʒ/ comme dans jouet
z	θ	zapato	pointe de la langue entre les incisives supérieures et inférieures ; prononciation semblable à l'anglais thanks
	s		en Amérique latine et en Espagne méridionale cette lettre est prononcée s comme dans sentir

Guía de pronunciación del francés

En este diccionario, todas las palabras francesas llevan pronunciación.
Se representa mediante los símbolos del alfabeto fonético internacional
(cf la columna del recuadro).

Símbolo API	Ejemplo en francés	Pronunciación (ejemplo en español)
a	chat	pañuelo
ɑ	âme	a más abierta que la española
e	été	reto
ə	repas	parecida al sonido de la e inglesa en *doctor, famous*
œ	feu	e pronunciada con la boca en forma de o
ɛ	beurre	e pronunciada con la boca en forma de o
e	père	e más abierta que la española
i	pizza	circo
ɔ	donner	o más abierta que la española
o	repos	color
u	coup	dulce
y	futile	i pronunciada con la boca en forma de o
ɑ	parent	a pronunciada haciendo pasar aire por la nariz
ɛ	requin	e pronunciada haciendo pasar aire por la nariz
ɔ	pont	ɔ pronunciada haciendo pasar aire por la nariz
œ	parfum	œ pronunciada haciendo pasar aire por la nariz
w	noir	fuego
j	merveille	hielo

Símbolo API	Ejemplo en francés	Pronunciación (ejemplo en español)
ɥ	huit	i pronunciada con la boca en forma de o
b	table	**b**uitre
ʃ	chaque	se pronuncia como sh inglesa, **sh**ow
d	dictionnaire	**d**ar
f	facile	**f**uente
g	argument	**g**ato
ʒ	page	sonido similar al /ʒ/ de lluvia en la pronunciación del Río de la Plata
k	raquette	pa**qu**ete
l	livre	hi**l**o
m	main	ra**m**a
n	reine	**n**iño
ŋ	parking	fa**n**go
ɲ	campagne	pa**ñ**o
p	paradis	**p**araíso
r	dernier	entre la χ (jabalí) y la r (dorado)
s	style	re**s**balar
t	tortue	**t**on**t**o
v	vie	f sonora
z	zèbre	s sonora

Español-Francés
Espagnol-Français

Aa

a *prep*

a et l'article défini **el** se contractent
en **al**.

(**a**) *(lugar, dirección)* à; **voy a Sevilla/
África/Japón** je vais à Séville/en
Afrique/au Japon; **llegó a Barcelona/
la fiesta** il est arrivé à Barcelone/la
fête; **está a más de 100 kilómetros**
c'est à plus de 100 kilomètres; **está a
la derecha/izquierda** c'est à droite/
gauche

(**b**) *(momento preciso)* **a las siete/
los once años** à sept heures/onze
ans; **al oír la noticia se desmayó**
en apprenant la nouvelle il s'est éva-
noui

(**c**) *(período de tiempo)* **a las pocas semanas** quelques semaines après; **al
mes de casados** au bout d'un mois de
mariage

(**d**) *(frecuencia, cantidad)* par; **cuarenta horas a la semana** quarante
heures par semaine; **a cientos/miles**
par centaines/milliers

(**e**) *(distribución)* à; **¿a cuánto están
las peras?** à combien sont les poires?;
ganaron por tres a cero ils ont gagné
trois à zéro

(**f**) *(con complemento directo)* **quiere
a su hijo/gato** il aime son fils/chat

(**g**) *(con complemento indirecto)* à; **dá-
selo a Juan** donne-le à Juan

(**h**) *(modo)* **a la antigua** à l'ancienne;
a lo grande en grand; **a escondidas**
en cachette; **escribir a máquina/mano**
écrire à la machine/à la main

(**i**) *(finalidad)* **entró a pagar** il entra
pour payer; **vino a buscar un libro** il
est venu chercher un livre

(**j**) *(antes de infinitivo)* **sueldo a convenir** salaire à négocier

(**k**) *(en oraciones imperativas)* **¡a comer!** à table!; **¡niños, a callar!** les enfants, taisez-vous!

(**l**) *(en busca de)* **ir a por pan** aller
chercher du pain

(**m**) *(indica desafío)* **a que** je parie
que; **¿a que no lo haces?** je parie que
tu ne le fais pas; **¡a que te caes!** tu vas
tomber!

abad, -desa *nm,f* abbé *m*, abbesse *f*
abadía *nf* abbaye *f*

abajo 1 *adv (posición)* dessous;
(dirección) en bas, vers le bas; *(en un
texto)* ci-dessous; **vive a.** il habite en
dessous; **a. del todo** tout en bas;
aquí/allí a. là-dessous; **más a.** plus
bas; **el piso de a.** l'étage en dessous;
la vecina de a. la voisine du dessous;
el estante de a. l'étagère du bas; **la
tienda de a.** le magasin d'en bas;
mirar hacia a. regarder en bas; **ir
para a.** descendre; **correr escaleras a.**
dévaler l'escalier; **calle a.** en
descendant la rue; **río a.** en aval

2 *interj* **¡a. la dictadura!** à bas la
dictature!

abalear *vt Andes, CAm, Ven* tirer sur
abandonado, -a *adj (desierto,
desamparado)* abandonné(e); *(descuidado) (persona)* négligé(e); *(jardín,
casa)* laissé(e) à l'abandon, mal
entretenu(e)

abandonar 1 *vt* abandonner; *(lugar,
profesión, cónyuge)* quitter; *(obligaciones, estudios)* négliger **2 abandonarse** *vpr (de aspecto)* se négliger,
se laisser aller; **abandonarse a**

(desesperación, dolor) s'abandonner à, succomber à; *(vicio)* sombrer dans
abandono *nm (acción)* abandon *m*; *(estado)* laisser-aller *m inv*
abanicar [58] **1** *vt* éventer **2 abanicarse** *upr* s'éventer
abanico *nm* éventail *m*
abarcar [58] *vt (incluir)* embrasser; *(espacio)* comprendre; *(temas)* recouvrir; *(con los brazos)* encercler; *(con la vista)* embrasser du regard
abarrotado, -a *adj* plein(e) à craquer, bondé(e); *(sala)* comble; *(desván, baúl)* bourré(e)
abarrotería *nf CAm, Méx* épicerie *f*
abarrotero, -a *nm,f CAm, Méx* épicier(ère) *m,f*
abarrotes *nmpl CAm, Méx* épicerie *f*
abastecer [45] **1** *vt* approvisionner, ravitailler (**de** en) **2 abastecerse** *upr* s'approvisionner, se ravitailler (**de** en)
abatible *adj (asiento)* inclinable; *(mesa)* à abattants
abatido, -a *adj* abattu(e)
abatir 1 *vt* abattre **2 abatirse** *upr* s'abattre (**sobre** sur)
abdicar [58] *vi* abdiquer
abdomen *nm* abdomen *m*
abdominales *nmpl* abdominaux *mpl*; **hacer a.** faire des abdominaux
abecedario *nm (alfabeto)* alphabet *m*
abeja *nf* abeille *f*
abejorro *nm* bourdon *m*
aberración *nf* aberration *f*
abertura *nf* ouverture *f*
abeto *nm* sapin *m*
abierto, -a 1 *participio ver* **abrir 2** *adj* ouvert(e); *Fig (liberal)* à l'esprit ouvert; **estar a. a** être ouvert à; **a. de par en par** grand(e) ouvert(e)
abismo *nm* abîme *m*
ablandar 1 *vt (material)* ramollir; *Fig (persona)* attendrir; *(carácter)* adoucir; *(rigor)* assouplir; *(ira)* apaiser **2 ablandarse** *upr (material)* se ramollir; *Fig (persona)* s'attendrir; *(carácter)* s'adoucir; *(rigor)* s'assouplir; *(ira)* s'apaiser

abofetear *vt* gifler
abogado, -a *nm,f* avocat(e) *m,f*; **hacer de a. del diablo** se faire l'avocat du diable ■ **a. defensor** avocat de la défense; **a. laboralista** = avocat spécialisé en droit du travail; **a. de oficio** avocat commis d'office
abolición *nf* abolition *f*
abolir [78] *vt* abolir
abollar 1 *vt* bosseler, cabosser **2 abollarse** *upr* se bosseler, se cabosser
abonado, -a *nm,f* abonné(e) *m,f*
abonar 1 *vt (factura, deuda)* régler; *(tierra)* amender; **a. en cuenta 1.000 euros** créditer un compte de 1000 euros; **a. algo en la cuenta de alguien** verser qch sur le compte de qn **2 abonarse** *upr (a revista)* s'abonner (**a** à); *(a piscina, teatro)* prendre un abonnement (**a** à)
abonero, -a *nm,f Méx* colporteur(euse) *m,f*
abono *nm (pase)* abonnement *m*, carte *f* d'abonnement; *(fertilizante)* engrais *m*; *(pago)* règlement *m*; *Com* crédit *m*; *Méx (plazo)* versement *m*; **pagar en abonos** payer par versements échelonnés
abordar *vt* aborder
aborrecer [45] *vt* avoir en horreur, détester
abortar 1 *vi (intencionadamente)* avorter, se faire avorter; *(espontáneamente)* faire une fausse couche **2** *vt Fig (hacer fracasar)* faire avorter
aborto *nm (intencionado)* avortement *m*; *(espontáneo)* fausse couche *f*
abrasar 1 *vt* brûler; *Fig (sujeto: calor, pasión)* embraser; *(sujeto: sed, deseo)* torturer **2** *vi (café, sopa)* être brûlant(e) **3 abrasarse** *upr* brûler; *(persona)* se brûler; *(plantas)* griller
abrazadera *nf* anneau *m*
abrazar [14] **1** *vt (con los brazos)* serrer dans ses bras **2 abrazarse** *upr (mutuamente)* s'étreindre; **abrazarse a alguien** serrer qn dans ses bras
abrazo *nm* accolade *f*; **dar un a. a**

alguien embrasser qn; **un (fuerte) a.** *(en cartas)* (très) affectueusement
abrebotellas *nm inv* ouvre-bouteille *m*
abrecartas *nm inv* coupe-papier *m*
abrelatas *nm inv* ouvre-boîte *m*
abreviar 1 *vt* abréger; *(texto)* réduire; *(viaje, estancia)* écourter; *(trámites)* accélérer **2** *vi (al hacer algo)* se dépêcher, accélérer; *(al decir algo)* abréger
abreviatura *nf* abréviation *f*
abridor *nm (abrebotellas)* décapsuleur *m*; *(abrelatas)* ouvre-boîte *m*
abrigar [37] **1** *vt (arropar) (sujeto: persona)* couvrir; *(sujeto: ropa)* tenir chaud **2 abrigarse** *vpr (arroparse)* se couvrir; **abrigarse de** *(lluvia, viento)* s'abriter de; *(frío)* se protéger de
abrigo *nm (prenda)* manteau *m*; *(refugio)* abri *m*; **al a. de** à l'abri de
abril *nm* avril *m*; **tiene catorce abriles** *(años)* elle a quatorze printemps; *ver también* **septiembre**
abrillantar *vt* faire briller
abrir 1 *vt* ouvrir; *(alas)* déployer; *(melón)* découper; *(agujero, camino, túnel)* percer; *(canal)* creuser; *(surco)* tracer; *(piernas)* écarter **2** *vi (establecimiento)* ouvrir **3 abrirse** *vpr (cielo)* se dégager; **abrirse a alguien** *(sincerarse)* s'ouvrir *ou* se confier à qn; **abrirse (con alguien)** *(comunicarse)* être ouvert(e) (avec qn)
abrochar 1 *vt* fermer; *(cinturón, cordones)* attacher **2 abrocharse** *vpr (ropa)* se fermer; *(cinturón)* s'attacher; **abróchense los cinturones** attachez vos ceintures
abrumador, -ora *adj* écrasant(e)
abrumar *vt (agobiar)* accabler; *(fastidiar)* épuiser; **el trabajo me abruma** je suis accablé de travail
abrupto, -a *adj* abrupt(e)
ábside *nm o nf* abside *f*
absolución *nf (de acusado)* acquittement *m*; *(de pecador)* absolution *f*
absolutamente *adv* absolument
absoluto, -a *adj* absolu(e); **en a.** *(en*

negativas) certainement pas; **¿te gusta? – en a.** ça te plaît? – pas du tout; **nada en a.** rien du tout
absolver [40] *vt (acusado)* acquitter; *(de pecado)* absoudre
absorbente *adj (material)* absorbant(e); *Fig (persona, carácter)* accaparant(e); *Fig (actividad)* prenant(e)
absorber *vt* absorber; **el trabajo/su hijo lo absorbe** il est accaparé par son travail/son fils
absorto, -a *adj* absorbé(e); **a. en** plongé(e) dans
abstemio, -a *adj* **es a.** il ne boit pas d'alcool
abstención *nf* abstention *f*
abstenerse [64] *vpr* s'abstenir
abstinencia *nf* abstinence *f*
abstracto, -a *adj* abstrait(e); **en a.** dans l'abstrait
absuelto, -a *participio ver* **absolver**
absurdo, -a 1 *adj* absurde **2** *nm* absurde *m*
abuelo, -a *nm,f* grand-père *m*, grand-mère *f*; *(en lenguaje infantil)* papi *m*, mamie *f*
abultado, -a *adj* volumineux(euse)
abultar 1 *vt (hinchar) (mejillas)* gonfler; *(sujeto: hinchazón)* faire enfler; *(aumentar, exagerar)* grossir **2** *vi (ocupar mucho espacio)* prendre de la place; *(formar un bulto)* faire une bosse
abundancia *nf* abondance *f*; **en a.** en abondance; **vivir en la a.** vivre dans l'abondance
abundante *adj* abondant(e)
aburrido, -a 1 *adj (que aburre)* ennuyeux(euse); **estar a.** s'ennuyer; **estar a. de hacer algo** en avoir assez de faire qch **2** *nm,f* **es un a.** il est ennuyeux, il n'est pas drôle
aburrimiento *nm* ennui *m*
aburrir 1 *vt* ennuyer **2 aburrirse** *vpr* s'ennuyer; *Fam* **aburrirse como una ostra** s'ennuyer comme un rat mort
abusado, -a *adj Méx* rusé(e)
abusar *vi* abuser; **a. de** abuser de
abusivo, -a *adj* abusif(ive)

abuso *nm* abus *m*; **¡esto es un a.!** c'est un scandale!

a. C. *(abrev antes de Cristo)* av. J.-C.

acá *adv* ici; **de a. para allá** ici et là; **de una semana a.** depuis une semaine

acabar 1 *vt* finir; *(provisiones)* épuiser **2** *vi* finir; *(volverse)* devenir; **a. bien/mal** finir bien/mal; **a. de hacer algo** *(haber hecho recientemente)* venir de faire qch; **acabo de llegar ahora mismo** je viens juste d'arriver; **a. con** *(violencia, crimen)* venir à bout de, en finir avec; *(salud)* détruire, ruiner; *(juguete, máquina)* casser; **a. con alguien** en finir avec *ou* se débarrasser de qn; **a. en** finir en; **las palabras que acaban en n** les mots qui finissent par n; **a. por hacer** *o* **haciendo algo** finir par faire qch **3 acabarse** *upr (terminarse)* se terminer; **se nos ha acabado la gasolina** nous n'avons plus d'essence; **se ha acabado la comida** il ne reste plus rien à manger; **las vacaciones se han acabado** les vacances sont finies; **acábate la sopa** finis ta soupe

academia *nf* école *f*; *(sociedad)* académie *f* ■ **a. de idiomas** école de langues; **Real A. Española** = académie de la langue espagnole, ≃ Académie française

académico, -a 1 *adj (año, diploma)* *(escolar)* scolaire; *(universitario)* universitaire; *(estilo)* académique **2** *nm,f* académicien(enne) *m,f*

acalorado, -a *adj (apasionado)* *(persona)* emporté(e); *(debate)* passionné(e); *(tema)* brûlant(e); *(excitado)* échauffé(e); **estar a.** *(tener calor)* avoir chaud

acalorar 1 *vt* donner chaud à; *(excitar)* échauffer **2 acalorarse** *upr (tener calor)* avoir chaud; *(excitarse)* s'échauffer

acampada *nf* camping *m*; **hacer a. libre** faire du camping sauvage

acampar *vi* camper

acantilado *nm* falaise *f*

acaparar *vt* accaparer, monopoliser

acápite *nm Am* paragraphe *m*

acariciar 1 *vt* caresser **2 acariciarse** *upr* se caresser

acaso *adv* peut-être: **a. venga** peut-être viendra-t-il; **vendrá** *o*. il viendra peut-être; **¿a. no lo sabías?** comme si tu ne le savais pas; **por si a.** au cas où; **si a.** *(en todo caso)* à la rigueur; *(en caso de que)* si jamais; **hoy no puedo, si a. mañana** aujourd'hui je ne peux pas, demain à la rigueur; **si a. llama** si jamais il appelle

acatarrarse *upr* s'enrhumer

acaudalado, -a *adj* fortuné(e)

acceder *vi (consentir)* consentir (**a** à); **a. a** *(tener acceso, alcanzar)* accéder à

accesible *adj* accessible

acceso *nm (entrada, paso)* accès *m* (**a** à); *(trato)* abord *m*

accesorio, -a 1 *adj* accessoire, secondaire **2** *nm (del automóvil, de vestir)* accessoire *m*; **accesorios de cocina** ustensiles *mpl* de cuisine

accidentado, -a 1 *adj (vida, viaje)* mouvementé(e); *(terreno, camino)* accidenté(e) **2** *nm,f* accidenté(e) *m,f*

accidental *adj (asunto)* secondaire, accessoire; *(muerte, choque)* accidentel(elle); *(encuentro)* fortuit(e)

accidente *nm* accident *m* ■ **a. geográfico** accident de terrain; **a. laboral** accident du travail; **a. de tráfico** *o* **de circulación** accident de la route

acción *nf* action *f*; *(hecho)* acte *m*; **poner en a.** mettre en route ■ **buena a.** bonne action

acechar *vt* guetter

aceite *nm* huile *f*

aceitoso, -a *adj* huileux(euse), gras (grasse)

aceituna *nf* olive *f*

acelerador, -ora 1 *adj* d'accélération **2** *nm* accélérateur *m*

acelerar 1 *vt* & *vi* accélérer **2 acelerarse** *upr (persona)* s'activer; *(motor)* s'emballer

acelga *nf* bette *f*

acento nm accent m

acentuar [4] **1** vt accentuer **2 acentuarse** upr s'accentuer

aceptable adj acceptable

aceptación nf (aprobación) acceptation f; (éxito) succès m; **tener buena a.** être bien reçu(e)

aceptar vt accepter

acequia nf canal m d'irrigation

acera nf (de la calle) trottoir m; (lado de la calle) côté m de la rue

acerca: acerca de prep au sujet de

acercar [58] **1** vt rapprocher, approcher; **¡acércame el pan!** passemoi le pain; **me acercó a la estación** il m'a emmené à la gare **2 acercarse** upr (aproximarse) se rapprocher, s'approcher; (ir, venir) passer; (avecinarse) approcher

acero nm (aleación) acier m ■ **a. inoxidable** acier inoxydable

acertado, -a adj (respuesta, idea) bon (bonne); (disparo) dans le mille; (observación) judicieux(euse); **estar a.** viser juste

acertar [3] **1** vt (adivinar) deviner; (elegir bien) bien choisir **2** vi (dar en el blanco) mettre dans le mille; (atinar) bien faire; **acertaste al decírselo** tu as bien fait de le lui dire; **a. a hacer algo** (conseguir) arriver à faire qch; **a. con** (hallar) trouver

acertijo nm (adivinanza) devinette f

achinado, -a adj (ojos) bridé(e); (persona) oriental(e); Am (persona) d'origine indienne

ácido, -a1 adj acide **2** nm acide m ■ **á. sulfúrico** acide sulfurique

acierto nm (a pregunta) bonne réponse f; (en quinielas) combinaison f gagnante; (habilidad, tino) discernement m; (éxito) succès m, réussite f; **tuviste mucho a.** tu as vu juste; **fue un gran a.** c'était une excellente idée

aclamar vt (ovacionar) acclamer; (elegir) proclamer

aclarar 1 vt (idea, color) éclaircir; (salsa) allonger; (ropa, cabello) rincer; **a. la voz** s'éclaircir la voix **2** v impersonal (despejarse) s'éclaircir; **está aclarando** (día) le jour se lève; (tiempo) ça se lève **3 aclararse** upr Fam (explicarse) être clair(e); (organizarse) s'y retrouver; **ya me aclaro** je vois; **no me aclaro** je n'y comprends rien

aclimatación nf acclimatation f

aclimatar 1 vt acclimater; Fig (a ambiente) habituer **2 aclimatarse** upr (al clima) s'acclimater; Fig (a ambiente) s'adapter (**a** à)

acogedor, -ora adj accueillant(e)

acoger [51] **1** vt accueillir, recevoir **2 acogerse** upr **acogerse a** (ley, protección institucional) se retrancher derrière, recourir à

acogida nf accueil m; **tener buena/ mala a.** être bien/mal accueilli(e)

acomodado, -a adj (rico) aisé(e); (instalado) calé(e)

acomodador, -ora nm,f ouvreur (euse) m,f

acomodar 1 vt (colocar, instalar) placer, faire asseoir; (disponer) arranger **2 acomodarse** upr (instalarse) se mettre à l'aise; **acomodarse en** s'installer dans

acompañamiento nm (musical) accompagnement m; (guarnición) garniture f

acompañante nmf compagnon m, compagne f; **no tengo a. para la fiesta** je n'ai personne pour m'accompagner à la fête

acompañar 1 vt accompagner; (adjuntar) joindre; **a. a alguien** (ir con) accompagner qn; (a casa) raccompagner qn; (hacer compañía a) tenir compagnie à qn **2** vi (hacer compañía) tenir compagnie

acondicionado, -a adj aménagé(e); (con material) équipé(e) (**con** de)

acondicionador nm (para el pelo) après-shampoing m; (aparato) climatiseur m

acondicionar vt aménager; (equipar) équiper (**con** de)

aconsejable *adj* conseillé(e)

aconsejar *vt* conseiller; **a. a alguien que haga algo** conseiller à qn de faire qch

acontecer *v impersonal* arriver

acontecimiento *nm* événement *m*

acoplar 1 *vt* (*encajar*) ajuster, raccorder **2 acoplarse** *vpr* (*encajarse*) s'ajuster (**a** à); (*adaptarse*) s'adapter (**a** à)

acordar [62] **1** *vt* **a. algo** décider *ou* convenir de qch, se mettre d'accord sur qch; **a. hacer algo** décider *ou* convenir de faire qch, se mettre d'accord pour faire qch; **según lo acordado** comme convenu
2 acordarse *vpr* **acordarse de algo** se souvenir de qch, se rappeler qch; **acordarse de hacer algo** penser à faire qch

acorde 1 *adj* en accord (**con** avec)
2 *nm Mús* accord *m*

acordeón *nm* accordéon *m*

acortar 1 *vt* (*longitud*) raccourcir; (*tiempo*) écourter **2 acortarse** *vpr* (*días*) raccourcir; (*reunión*) être écourté(e)

acosar *vt* (*perseguir*) traquer; (*importunar*) harceler

acoso *nm* (*persecución*) poursuite *f*; (*hostigamiento*) harcèlement *m* ■ **a. sexual** harcèlement sexuel

acostar [62] **1** *vt* (*en la cama*) coucher **2 acostarse** *vpr* (*irse a la cama, tumbarse*) se coucher; *Fam* **acostarse con alguien** coucher avec qn

acostumbrar 1 *vt* (*habituar*) habituer; **a. a alguien a algo/a hacer algo** habituer qn à qch/à faire qch
2 *vi* **a. a hacer algo** (*soler*) avoir l'habitude de faire qch
3 acostumbrarse *vpr* **acostumbrarse a algo/a hacer algo** (*habituarse*) s'habituer à qch/à faire qch; **acostumbrarse a hacer algo** (*adquirir hábito*) prendre l'habitude de faire qch

acotamiento *nm Méx* bas-côté *m*

acreditado, -a *adj* (*médico, abogado*) reconnu(e); (*marca*) réputé(e); (*embajador, enviado*) accrédité(e)

acreditar *vt* (*certificar*) certifier; (*autorizar*) autoriser; (*confirmar*) attester; (*embajador, enviado*) accréditer

acrílico, -a 1 *adj* acrylique **2** *nm* (*tejido*) acrylique *m*

acrobacia *nf* acrobatie *f*

acróbata *nmf* acrobate *mf*

acta *nf* (*de junta, reunión*) procès-verbal *m*; (*certificado*) acte *m*; **levantar a.** dresser un procès-verbal ■ **a. notarial** acte notarié

actitud *nf* attitude *f*

activar *vt* activer; (*explosivo, alarma*) déclencher

actividad *nf* activité *f*; **en a.** (*volcán*) en activité ■ **actividades extraescolares** activités extrascolaires

activo, -a 1 *adj* actif(ive); **en a.** (*en funciones*) en activité **2** *nm Econ* actif *m*

acto *nm* acte *m*; (*ceremonia*) cérémonie *f*; **en el a.** sur-le-champ; **a. seguido** immédiatement

actor, -triz *nm,f* acteur(trice) *m,f*

actuación *nf* (*proceder*) conduite *f*, façon *f* d'agir; (*papel*) rôle *m*; (*de la policía, de los bomberos*) intervention *f*; (*interpretación*) jeu *m*

actual *adj* actuel(elle)

actualidad *nf* actualité *f*; **de a.** d'actualité; **en la a.** actuellement, à l'heure actuelle; **ser a.** faire la une de l'actualité

actualizar [14] *vt* actualiser; (*datos*) mettre à jour; (*repertorio*) renouveler

actuar [4] *vi* agir; (*en película, obra*) jouer; (*humorista, cantante*) se produire; **a. como** *o* **de** (*ejercer función*) remplir la fonction de

acuarela *nf* aquarelle *f*

Acuario 1 *nm inv* (*zodiaco*) Verseau *m inv* **2** *nmf inv* (*persona*) Verseau *m inv*

acuario *nm* (*para peces*) aquarium *m*

acuático, -a *adj* aquatique

acudir *vi* (*venir*) arriver; **a. a** (*ir*) (*a cita*) se rendre à; (*a escuela, iglesia*) aller à;

(recurrir) faire appel à; **a. en auxilio de** venir en aide à

acueducto *nm* aqueduc *m*

acuerdo *nm* accord *m*; **de a.** d'accord; **de a. con** *(conforme a)* en accord avec; **estar de a.** être d'accord; **llegar a un a.** parvenir à un accord; **ponerse de a.** se mettre d'accord

acumular 1 *vt* accumuler **2 acumularse** *upr* s'accumuler

acupuntura *nf* acupuncture *f*

acusación *nf* accusation *f*

acusado, -a *adj & nm,f* accusé(e) *m,f*

acusar 1 *vt* accuser; **acuso recibo de su carta** j'ai bien reçu votre lettre **2 acusarse** *upr* s'accuser

acústico, -a 1 *adj* acoustique **2** *nf* **acústica** acoustique *f*

adaptación *nf* adaptation (**a** à)

adaptador *nm* adaptateur *m*

adaptar 1 *vt* adapter (**a** à) **2 adaptarse** *upr* s'adapter (**a** à)

adecuado, -a *adj* adéquat(e); **a. para niños** qui convient parfaitement aux enfants

adecuar [5] **1** *vt* adapter (**a** à) **2 adecuarse** *upr* **adecuarse a** s'adapter à

a. de J.C. *(abrev* antes de Jesucristo*)* av. J.-C.

adelantado, -a *adj* avancé(e), en avance; **por a.** d'avance

adelantamiento *nm* dépassement *m*

adelantar 1 *vt* avancer; **a. a** *(dejar atrás)* dépasser; *(vehículo)* doubler; **¿qué adelantas con eso?** à quoi ça t'avance?

2 *vi (progresar)* faire des progrès; *(reloj)* avancer

3 adelantarse *upr (en el tiempo)* être en avance; *(reloj)* avancer; *(en el espacio)* s'avancer, avancer; **adelantarse para hacer algo** s'y prendre à l'avance pour faire qch; **adelantársele a alguien** devancer qn; **adelantarse a los acontecimientos** anticiper sur les évènements

adelante 1 *adv* en avant; **(de ahora)**

en a. dorénavant, à l'avenir; **más a.** *(en el tiempo)* plus tard; *(en el espacio)* plus loin; *(en un texto)* plus bas **2** *interj* **¡a.!** *(¡siga!)* en avant!; *(¡pase!)* entrez!

adelanto *nm (anticipo)* avance *f*; *(progreso)* progrès *m*

adelgazar [14] **1** *vi* maigrir **2** *vt (kilos)* perdre

además *adv* en plus, de plus; **a. de ser caro es malo** non seulement c'est cher, mais en plus c'est mauvais

adentro *adv* à l'intérieur, dedans; **tierra a.** à l'intérieur des terres; **mar a.** au large; **para mis/tus/***etc* **adentros** dans mon/ton/*etc* for intérieur, intérieurement

adherir [61] **1** *vt* coller **2 adherirse** *upr* coller; *Fig* **adherirse a** *(idea)* adhérer à

adhesión *nf* adhésion *f*

adhesivo, -a 1 *adj* adhésif(ive) **2** *nm (pegatina)* autocollant *m*; *(sustancia)* adhésif *m*

adicción *nf* dépendance *f* (**a** à)

adición *nf (añadidura)* ajout *m*; *(suma)* addition *f*

adicional *adj* supplémentaire; *(cláusula)* additionnel(elle)

adicto, -a 1 *adj* dépendant (**a** de); **es a. a la tele/al chocolate** il est accro à la télé/au chocolat **2** *nm,f (partidario)* fidèle *mf*; *(a droga)* toxicomane *mf*; **un a. al alcohol/al tabaco** un alcoolique/ fumeur

adiós *(pl* adioses*)* **1** *nm* adieu *m* **2** *interj* **¡a.!** au revoir!

adivinanza *nf* devinette *f*

adivinar 1 *vt* deviner **2 adivinarse** *upr* se deviner

adivino, -a *nm,f* devin *m*, devineresse *f*

adjetivo, -a 1 *adj* adjectival(e) **2** *nm* adjectif *m*

adjuntar *vt* joindre

administración *nf* administration *f* ■ **a. de empresas** gestion *f* d'entreprise; **la a. pública** le service public

administrar 1 *vt (país, medicina)*

administrer; *(empresa, paga)* gérer; *(justicia)* rendre; *(racionar) (fuerzas)* économiser; *(alimentos)* rationner **2 administrarse** *upr (organizar dinero)* gérer son budget

administrativo, -a 1 *adj* administratif(ive) **2** *nm,f* employé(e) *m,f* de bureau

admiración *nf (valoración)* admiration *f; (sorpresa)* étonnement *m; (signo ortográfico)* point *m* d'exclamation

admirar 1 *vt* admirer; *(sorprender)* étonner **2 admirarse** *upr (sorprenderse)* s'étonner (**de** de); *(maravillarse)* être en admiration (**de** devant)

admisible *adj* acceptable

admitir *vt* admettre; *(aceptar)* accepter; **a. a alguien en** admettre qn à *ou* dans

admón. *(abrev* **administración)** admin.

adolescencia *nf* adolescence *f*

adolescente *adj & nmf* adolescent(e) *m,f*

adonde *adv* où; **la ciudad a. vamos** la ville où nous allons

adónde *adv* où; **¿a. vas?** où vas-tu?

adopción *nf* adoption *f*

adoptar *vt* adopter

adoptivo, -a *adj* adoptif(ive)

adoquín *nm* pavé *m*

adorable *adj (persona)* adorable; *(ambiente)* merveilleux(euse), délicieux(euse)

adoración *nf* adoration *f*

adorar *vt* adorer

adornar 1 *vt (habitación, tienda)* décorer; *(vestido)* orner **2** *vi* être décoratif(ive)

adorno *nm* ornement *m*, décoration *f;* **de a.** *(árbol, figura)* décoratif(ive), pour décorer

adosado, -a *adj (casa, chalet)* jumeau(elle)

adquirir [6] *vt* acquérir; *(enfermedad, vicio)* contracter

adquisición *nf* acquisition *f*

adquisitivo, -a *adj* **el poder a.** le pouvoir d'achat

adrede *adv* exprès; **lo hizo a.** il l'a fait exprès

aduana *nf* douane *f*

adulterio *nm* adultère *m*

adúltero, -a *adj & nm,f* adultère *mf*

adulto, -a *adj & nm,f* adulte *mf*

adverbio *nm* adverbe *m*

adversario, -a *nm,f* adversaire *mf*

adverso, -a *adj* adverse; *(circunstancias)* défavorable; *(destino, viento)* contraire

advertencia *nf* avertissement *m*; **servir de a.** servir de leçon

advertir [61] *vt (notar)* remarquer; *(avisar)* avertir, prévenir

aéreo, -a *adj* aérien(enne)

aeróbic *nm* aérobic *m*

aeromodelismo *nm* aéromodélisme *m*

aeromoza *nf Am* hôtesse *f* de l'air

aeronave *nf* aéronef *m*

aeropuerto *nm* aéroport *m*

aerosol *nm* aérosol *m*

afán *nm (en el trabajo)* ardeur *f; (de aventuras)* soif *f; (por aprender)* désir *m* ■ **a. de lucro** amour *m* du gain

afanador, -ora *nm,f Méx (persona)* employé(e) *m,f* du service de nettoyage; *(en casa)* personne *f* qui fait le ménage; *(mujer)* femme *f* de ménage

afección *nf* affection *f*

afectado, -a 1 *adj (sin naturalidad)* affecté(e); *(perjudicado)* atteint(e) (**de** de); *(impresionado)* affecté(e) (**por** par); **a. por las inundaciones** touché(e) par les inondations **2** *nm,f (de accidente)* victime *f; (de siniestro)* sinistré(e) *m,f; (de enfermedad)* malade *mf*

afectar *vt (afligir, fingir)* affecter; *(atañer, perjudicar)* toucher; *(sujeto: enfermedad, desastre)* frapper; *(sujeto: decisión, discusión)* porter tort à

afectivo, -a *adj (emocional)* affectif(ive); *(sensible)* sensible

afecto *nm* affection *f*; **sentir a. por alguien, tenerle a. a alguien** avoir de l'affection pour qn

afectuoso, -a adj affectueux(euse)

afeitar 1 vt raser **2 afeitarse** vpr se raser

afeminado, -a 1 adj efféminé(e) **2** nm efféminé m

afiche nm Am affiche f

afición nf (inclinación) penchant m (**a/por** pour); (conjunto de aficionados) fans mpl; (al fútbol) supporters mpl; (al arte) amateurs mpl; **por a.** par goût, pour le plaisir; **tener a. a algo** aimer bien qch; **la a. taurina** les aficionados mpl

aficionado, -a 1 adj **ser a. a algo** être un grand amateur de qch **2** nm,f amateur m; **para ser un a.** pinta bien pour un amateur, il ne peint pas mal

aficionar 1 vt **a. a alguien a algo** faire aimer qch à qn **2 aficionarse** vpr **aficionarse a algo** prendre goût à qch, se passionner pour qch

afilado, -a adj (fino) effilé(e); (cuchillo) aiguisé(e); (lápiz) taillé(e)

afilar vt (cuchillo, tijeras) aiguiser; (lápiz) tailler

afiliado, -a nm,f affilié(e) m,f; (a un partido) adhérent(e) m,f

afiliarse vpr **a. a** (asociación) s'affilier à; (partido) adhérer à

afín adj voisin(e) (**a de**); (gustos) commun(e) (**a à**); (materia) similaire (**a à**)

afinar vt (instrumento) accorder; (voz) poser; (trabajo) peaufiner; (tiro) ajuster; (hacer fino) affiner

afinidad nf affinité f; **por a.** (por parentesco) par alliance

afirmación nf affirmation f

afirmar 1 vt (decir) affirmer; (afianzar) conforter **2** vi **a. con la cabeza** acquiescer d'un signe de tête **3 afirmarse** vpr (asegurarse) se confirmer; **afirmarse en lo dicho** maintenir ce que l'on a dit

afirmativo, -a adj affirmatif(ive); **en caso a.** dans l'affirmative

afligir [23] 1 vt affliger **2 afligirse** vpr être affligé(e)

aflojar 1 vt (cinturón, nudo) desserrer;

(cuerda) donner du mou à; Fam (dinero) filer **2** vi (fiebre) baisser; (viento) tomber; (tormenta) se calmer

afluencia nf affluence f, flot m; **hubo una gran a. de público** le public est venu en masse

afluente nm affluent m

afónico, -a adj enroué(e); **se ha quedado a.** il est enroué

aforo nm capacité f (d'accueil); **el teatro tiene un a. de 1.000 plazas** le théâtre a 1 000 places

afortunadamente adv heureusement

afortunado, -a 1 adj (agraciado) chanceux(euse); (feliz) heureux (euse); **es muy a.** il a beaucoup de chance **2** nm,f (en lotería) gagnant(e) m,f

África n l'Afrique f; **el Á. subsahariana** l'Afrique noire

africano, -a 1 adj africain(e) **2** nm,f Africain(e) m,f

afrodisíaco, -a, afrodisiaco, -a 1 adj aphrodisiaque **2** nm aphrodisiaque m

afrutado, -a adj fruité(e)

afuera adv dehors, à l'extérieur; **las afueras** la banlieue, les environs mpl

agachar 1 vt baisser **2 agacharse** vpr s'accroupir

agarrar 1 vt (asir) saisir; (ladrón, enfermedad) attraper; Am (tomar) prendre; **a. a alguien por el brazo** prendre qn par le bras; Am **a. un taxi** prendre un taxi **2** vi (planta) prendre **3 agarrarse** vpr (sujetarse) s'accrocher; (la comida al cazo) attacher; **agarrarse de o a algo** se raccrocher à qch; **agarrarse fuerte (a)** se cramponner (à)

agencia nf (empresa) agence f; (bancaria) succursale f ■ **a. inmobiliaria** agence immobilière; **a. matrimonial** agence matrimoniale; **a. de publicidad** agence de publicité; **a. de viajes** agence de voyages

agenda nf agenda m; (de trabajo) programme m; **tener una a. apretada**

avoir un emploi du temps chargé ■ **a. de teléfonos** répertoire *m* téléphonique

agente 1 *nmf* agent *m* ■ **a. de aduanas** douanier *m*; **a. de cambio (y bolsa)** agent de change; **a. comercial** commercial(e) *m,f*; **a. secreto** agent secret **2** *nm* (*causa activa*) agent *m*

ágil *adj* (*movimiento, persona*) agile; (*estilo*) enlevé(e); (*mente*) alerte

agilidad *nf* agilité *f*

agitación *nf* agitation *f*

agitar 1 *vt* agiter; (*líquido*) remuer; (*alterar, perturbar*) semer le trouble parmi; **agítese antes de usar** (*en botella*) agiter avant l'emploi **2 agitarse** *vpr* (*ponerse nervioso*) devenir agité(e)

agnóstico, -a *adj & nm,f* agnostique *mf*

agobiar 1 *vt* accabler, submerger; **estoy agobiado** (*por el trabajo*) je suis débordé; (*deprimido*) je n'en peux plus; **deja de agobiarme con...** arrête, tu me soûles avec... **2 agobiarse** *vpr* **no te agobies** ne t'en fais pas

agosto *nm* (*mes*) août *m*; *ver también* **septiembre**

agotado, -a *adj* épuisé(e); **a. de trabajar** épuisé par le travail

agotador, -ora *adj* épuisant(e)

agotamiento *nm* épuisement *m*; **¡qué a.!** je n'en peux plus!

agotar 1 *vt* épuiser; **agotarle la paciencia a alguien** faire perdre patience à qn **2 agotarse** *vpr* (*cansarse*) s'épuiser; **se nos ha agotado este modelo** ce modèle est épuisé

agradable *adj* agréable

agradar *vi* être agréable; **me agrada mucho ese chico** ce garçon m'est très sympathique; **la obra no agradó al público** le public n'a pas aimé la pièce

agradecer [45] *vt* **a. algo a alguien** (*dar las gracias*) remercier qn de qch; (*estar agradecido*) être reconnaissant(e) à qn de qch

agradecido, -a *adj* reconnaissant(e); **estar a. por algo** être reconnaissant de qch

agradecimiento *nm* reconnaissance *f*

agredir [78] *vt* agresser

agregado, -a 1 *adj* (*añadido*) ajouté(e) **2** *nm,f* (*profesor*) maître *m* auxiliaire; (*de embajada*) attaché(e) *m,f* ■ **a. cultural** attaché culturel **3** *nm* (*añadido*) ajout *m*; *Econ* agrégat *m*

agregar [37] **1** *vt* **a. (algo a algo)** ajouter (qch à qch) **2 agregarse** *vpr* **agregarse (a algo)** rejoindre (qch)

agresión *nf* (*ataque*) agression *f*

agresivo, -a *adj* (*ofensivo, provocativo*) agressif(ive)

agresor, -ora *nm,f* agresseur *m*

agreste *adj* (*abrupto, rocoso*) rocailleux(euse)

agrícola *adj* agricole

agricultor, -ora *nm,f* agriculteur(trice) *m,f*

agricultura *nf* agriculture *f* ■ **a. biológica** *o* **ecológica** culture *f* biologique

agridulce *adj* aigre-doux (aigredouce)

agrio, -a 1 *adj* aigre **2** *nmpl* **agrios** agrumes *mpl*

agrupación *nf* (*asociación*) groupe *m*; (*agrupamiento*) regroupement *m*

agrupar 1 *vt* grouper, regrouper **2 agruparse** *vpr* se regrouper

agua *nf* eau *f*; (*de tejado*) pente *f*; *Fig* **estar con el a. al cuello** avoir le couteau sous la gorge; ■ **a. de colonia** eau de Cologne; **a. destilada** eau distillée; **a. mineral** eau minérale; **a. (mineral) con gas** eau gazeuse; **a. (mineral) sin gas** eau plate; **a. oxigenada** eau oxygénée; **a. potable** eau potable

aguacate *nm* (*fruto*) avocat *m*

aguacero *nm* averse *f*

aguafiestas *nmf inv* rabat-joie *mf inv*

aguamiel *nf Am* (*bebida*) = boisson à base de miel ou de sucre de canne, additionné d'eau; *Carib, Méx (jugo)* jus *m* d'agave

aguanieve *nf* neige *f* fondue

aguantar 1 *vt (sujetar)* tenir; *(resistir, tolerar)* supporter; *(contener)* retenir 2 *vi* résister 3 **aguantarse** *upr (contenerse)* se retenir; *(resignarse)* faire avec; **¡pues te aguantas!** il va pourtant falloir!

aguardar 1 *vt* être dans l'attente de 2 *vi* attendre

aguardiente *nm* eau-de-vie *f*

aguarrás *nf* white-spirit *m*

agudeza *nf (delgadez)* finesse *f; Fig (del ingenio)* acuité *f; (dicho ingenioso)* mot *m* d'esprit

agudo, -a *adj (puntiagudo)* pointu(e); *(crisis, voz, nota)* aigu(uë); *(problema, enfermedad)* grave; *(olor, sabor)* fort(e); *Fig (perspicaz) (mente)* vif (vive); *(oído)* fin(e); *(vista)* perçant(e); *Fig (ingenioso)* spirituel(elle) ■ **palabra aguda** = mot accentué sur la dernière syllabe

águila *nf* aigle *m; Fig (persona)* lumière *f*

aguinaldo *nm* étrennes *fpl*

aguja *nf* aiguille *f;* **agujas** *(de ferrocarril)* aiguillage *m;* **es como buscar una a. en un pajar** autant chercher une aiguille dans une botte de foin

agujerear 1 *vt* percer un trou dans 2 **agujerearse** *upr* trouer; **agujerearse las orejas** se faire percer les oreilles

agujero *nm* trou *m* ■ **a. negro** trou noir

agujetas *nfpl* courbatures *fpl*

ahí *adv* là; **la solución está a.** c'est là qu'est la solution; **¡a. tienes!** voilà!; **está por a.** *(en un lugar indefinido)* il est quelque part par là; *(fuera)* il est sorti; **de a. que** *(por eso)* d'où le fait que; **por a., por a.** à peu près; **por a. va la cosa** c'est à peu près ça

ahijado, -a *nm,f* filleul(e) *m,f*

ahogar [37] 1 *vt (en el agua)* noyer; *(asfixiar, extinguir, dominar)* étouffer;

(estrangular) étrangler, étouffer 2 **ahogarse** *upr (en el agua)* se noyer; *(asfixiarse)* s'étouffer; *Fig (sofocarse)* étouffer

ahora *adv* maintenant; **a. vive en México** maintenant il vit au Mexique; **a. mismo** *(enseguida)* tout de suite; *(hace poco)* à l'instant; **a. que lo dices** maintenant que tu me le fais remarquer; **a. vuelvo** je reviens tout de suite; **ha salido a. mismo** il vient juste de sortir, il est sorti à l'instant; **ven a. mismo** viens tout de suite; **por a.** pour le moment 2 *conj (pero)* mais; **dámelo, a., yo no me hago responsable** donne-le-moi, mais je n'en prends pas la responsabilité; **a. bien** cela dit

ahorcar [58] 1 *vt* pendre 2 **ahorcarse** *upr* se pendre

ahorita, ahoritita *adv Andes, CAm, Carib, Méx Fam* tout de suite

ahorrar *vt* économiser; *(en el banco)* épargner

ahorro *nm* épargne *f; Fig (de tiempo)* gain *m;* **ahorros** *(cantidad ahorrada)* économies *fpl*

ahuecar [58] *vt (poner hueco)* creuser; *(tronco)* évider; *(mullir) (almohada)* retaper; *(vestido)* faire bouffer; *(tierra)* ameublir

ahumado, -a 1 *adj* fumé(e) 2 *nm (proceso)* fumage *m;* **ahumados** = viandes ou poissons fumés

airbag ['erβaɣ, air'βaɣ] *(pl airbags)* *nm (en vehículo)* coussin *m* gonflable

aire *nm* air *m;* **al a.** *(al descubierto)* à l'air; **al a. libre** *(en el exterior)* en plein air; **estar algo en el a.** *(idea)* être dans l'air; *(proyecto)* être encore vague; **tomar el a.** prendre l'air; **a mi/tu/etc a.** à ma/ta/etc guise; **aires** *(vanidad)* airs ■ **a. acondicionado** air conditionné

airear 1 *vt (ventilar)* aérer 2 **airearse** *upr* s'aérer

airoso, -a *adj* **salir a. de algo** *(triunfante)* s'en tirer brillamment

aislado, -a *adj* isolé(e)

aislamiento *nm (de lugar, persona)* isolement *m*

aislante 1 *adj* isolant(e) **2** *nm* isolant *m*

aislar 1 *vt* isoler **2 aislarse** *upr* s'isoler

ajedrez *nm* échecs *mpl*

ajeno, -a *adj (de otro)* d'autrui; **a. a** *(impropio)* étranger(ère) à; *(acción)* extérieur(e) à; **por causas ajenas a nuestra voluntad** pour des raisons indépendantes de notre volonté; **estar a. a algo** ne pas être conscient(e) de qch

ajetreo *nm (trabajo)* agitation *f*; *(animación)* effervescence *f*

ají *(pl* **ajís** *o* **ajíes)** *nm Andes, RP, Ven* piment *m* rouge, chili *m*

ajiaco *nm Andes, Carib, Méx* = ragoût aux piments

ajillo: al ajillo *adj* = avec une sauce à base d'huile, d'ail et de piment

ajo *nm* ail *m*

ajuar *nm* trousseau *m (de mariée)*

ajustado, -a *adj (ceñido) (ropa)* moulant(e); *(tuerca, resultado)* serré(e); *(justo)* correct(e); *(precio)* raisonnable

ajustar 1 *vt (arreglar, encajar)* ajuster; *(adaptar)* adapter; *(horario)* aménager; *(apretar)* serrer; *(piezas)* façonner **2** *vi (ventana, cajón)* fermer (parfaitement) **3 ajustarse** *upr* **ajustarse a** *(adaptarse a)* s'adapter à; *(conformarse con)* cadrer avec; **ajustarse a la realidad** correspondre à la réalité

al *ver* **a, el**

ala *nf* aile *f*; *(de tejado)* pente *f*; *(de sombrero)* bord *m*; *(de mesa)* abattant *m* ■ **a. delta** Deltaplane® *m*

alabanza *nf* louange *f*

alabar *vt* faire l'éloge de

alabastro *nm* albâtre *m*

alacena *nf* placard *m* à provisions

alambre *nm (hilo)* fil *m* de fer

alameda *nf (sitio con álamos)* peupleraie *f*; *(paseo)* promenade *f* (bordée d'arbres)

álamo *nm* peuplier *m*

alardear *vi* **a. de** se targuer de

alargar [37] **1** *vt (mangas, falda)* rallonger; *(viaje, plazo, conversación)* prolonger; **a. algo a alguien** passer qch à qn **2 alargarse** *upr (hacerse más largo) (días)* rallonger; *(reunión)* se prolonger

alarma *nf (aparato, inquietud)* alarme *f*; *(alerta)* alerte *f*; **dar la a.** sonner l'alarme

alarmante *adj* alarmant(e)

alarmar 1 *vt (asustar)* alarmer **2 alarmarse** *upr (asustarse)* s'alarmer

alba *nf* aube *f*

albañil *nm* maçon *m*

albarán *nm Com* bon *m* de livraison

albaricoque *nm (fruto)* abricot *m*

albatros *nm inv* albatros *m*

albedrío *nm (antojo, elección)* guise *f*

alberca *nf* réservoir *m* d'eau; *Méx (piscina)* piscine *f*

albergar [37] **1** *vt (personas)* héberger; *(sentimientos)* nourrir; *(esperanzas)* caresser **2 albergarse** *upr* loger

albergue *nm* hébergement *m*; *(de montaña)* refuge *m* ■ **a. juvenil** *o* **de juventud** auberge *f* de jeunesse

albóndiga *nf* boulette *f (de viande)*

albornoz *nm* peignoir *m (de bain)*

alborotar 1 *vt (perturbar)* mettre en émoi; *(amotinar)* ameuter; *(desordenar)* mettre sens dessus dessous **2** *vi* chahuter **3 alborotarse** *upr (perturbarse)* s'affoler

alboroto *nm (ruido)* tapage *m*, vacarme *m*; *(jaleo)* agitation *f*; *(desorden)* désordre *m*

albufera *nf* marécage *m (du Levant espagnol)*

álbum *nm* album *m* ■ **á. de fotos** album de photos

alcachofa *nf* artichaut *m*; *Esp (de ducha, regadera)* pomme *f*

alcalde, -desa *nm,f* maire *m*; **la alcaldesa** *(mujer alcalde)* Madame le maire; *(mujer del alcalde)* la femme du maire

alcaldía *nf (cargo, oficina)* mairie *f*; *(jurisdicción)* commune *f*

alcalino, -a *adj* alcalin(e)

alcance *nm* portée *f*; **al a. de** à portée de; **al a. de la mano** à portée de (la) main; **a mi/a tu**/*etc* **a.** à ma/à ta/*etc* portée; **dar a. a alguien** rattraper qn; **fuera de a.** hors d'atteinte, hors de portée; **de corto/largo a.** *(arma)* à faible/longue portée; **de gran a.** *(discurso, reforma)* d'une grande portée

alcanfor *nm* camphre *m*

alcantarilla *nf* égout *m*

alcanzar [14] **1** *vt (llegar a, dar en)* atteindre; *(igualarse con)* rattraper; *(agarrar, pillar)* attraper; *(entregar, pasar)* passer; *(lograr)* obtenir; *(afectar)* toucher, frapper **2** *vi* **a. para algo/hacer algo** *(ser suficiente)* suffire pour qch/faire qch; **a. a hacer algo** *(poder)* arriver à faire qch

alcaparra *nf* câpre *f*

alcayata *nf (clavo)* piton *m*

alcázar *nm* alcazar *m*

alcoba *nf* chambre *f* à coucher

alcohol *nm* alcool *m*

alcohólico, -a 1 *adj (bebida)* alcoolisé(e); *(persona)* alcoolique **2** *nm,f* alcoolique *mf*

alcoholismo *nm* alcoolisme *m*

alcornoque *nm (árbol, madera)* chêne-liège *m*; *Fig (persona)* empoté(e) *m,f*

aldea *nf* petit village *m*, hameau *m*

aldeano, -a *nm,f* villageois(e) *m,f*

alegrar 1 *vt (agradar)* faire plaisir à; *(animar)* changer les idées à; *Fig (achispar)* griser; **me alegra mucho que hayas venido** je suis très content *ou* ça me fait très plaisir que tu sois venu; **me alegró el día** ça m'a mis de très bonne humeur **2** *alegrarse* *upr (sentir alegría)* se réjouir, être content(e); *Fig (achisparse)* être un peu gai(e)

alegre *adj (contento)* gai(e), joyeux(euse); *(cara)* réjoui(e); *(noticia)* heureux(euse); *(que da alegría)* réjouissant(e); *Fam (achispado)* éméché(e)

alegría *nf (sentimiento)* joie *f*; *(calidad)* gaieté *f*; **me da mucha a. verte** ça me fait très plaisir de te voir

alejar 1 *vt (poner más lejos)* éloigner, écarter **2** *alejarse* *upr* s'éloigner, s'écarter

alemán, -ana 1 *adj* allemand(e) **2** *nm,f (persona)* Allemand(e) *m,f* **3** *nm (lengua)* allemand *m*

Alemania *n* l'Allemagne *f*

alergia *nf* allergie *f*; **tener a. a algo** être allergique à qch

alérgico, -a *adj* allergique (**a** à)

alero *nm (del tejado)* auvent *m*; *Dep* ailier *m*

alerta 1 *adv* **estar a.** être sur ses gardes, être sur le qui-vive **2** *nf* alerte *f*; **dar la voz de a.** donner l'alerte **3** *interj* alerte!

aleta *nf (de pez)* nageoire *f*; *(de buzo)* palme *f*; *(de nariz, vehículo)* aile *f*

alevín *nm (cría de pez)* alevin *m*; *Dep* poussin(e) *m,f*

alfabetización *nf* alphabétisation *f*

alfabetizar [14] *vt* alphabétiser

alfabeto *nm* alphabet *m*

alférez *nm* sous-lieutenant *m*

alfil *nm* fou *m (aux échecs)*

alfiler *nm* épingle *f*

alfombra *nf* tapis *m*

alfombrilla *nf (alfombra pequeña)* carpette *f*; *(felpudo)* paillasson *m*; *(del baño)* tapis *m* de bain

alga *nf* algue *f*

álgebra *nf* algèbre *f*

algo 1 *pron* quelque chose; **¿tienes a. que decir?** as-tu quelque chose à dire?; **por a. será** il y a certainement une raison; **a. de un peu de; a. de dinero** un peu d'argent; **a. es a.** c'est mieux que rien, c'est toujours ça **2** *adv* un peu, légèrement; **es a. presumida** elle est un peu prétentieuse

algodón *nm* coton *m*

alguien *pron* quelqu'un; **¿hay a. en casa?** il y a quelqu'un?; **llegará a ser a.** il deviendra quelqu'un

alguno, -a

On utilise **algún** devant un nom masculin singulier.

1 *adj (indeterminado)* un (une), quelque; *(después de sustantivo, ninguno)* aucun(e); **algún día** un jour; **algún tiempo** quelque temps; **algunas veces** quelquefois; **en algún sitio** quelque part; **en algunos casos** dans certains cas; **no hay mejora alguna** il n'y a aucune amélioration
2 *pron (persona)* quelqu'un; **¿te gustó a.?** *(cosa)* est-ce qu'il y en a un qui t'a plu?; **algunos de, algunos (de) entre** certains(es) de, quelques-uns (quelques-unes) de; **algunos de sus amigos** certains de ses amis
alhaja *nf (joya)* bijou *m*; *(objeto valioso)* joyau *m*
aliado, -a *adj* allié(e)
alianza *nf* alliance *f*
aliar [31] **1** *vt* allier **2 aliarse** *vpr* s'allier
alicates *nmpl* pince *f*
aliciente *nm (incentivo)* encouragement *m*; *(atractivo)* attrait *m*
aliento *nm (respiración, hálito)* haleine *f*; **cobrar a.** reprendre haleine *ou* son souffle; **quedarse sin a.** *(cortarse la respiración)* être hors d'haleine, être à bout de souffle; *(sorprenderse, admirarse)* avoir le souffle coupé
aligerar *vt (peso)* alléger; *(ritmo)* accélérer; *(paso)* hâter
alijo *nm* marchandise *f* de contrebande; **se capturó un importante a. de hachís** d'importantes quantités de haschisch ont été saisies
alimentación *nf* alimentation *f*
alimentar 1 *vt (persona, animal, sentimiento)* nourrir; *(fuego, relación)* entretenir; *(máquina)* alimenter **2** *vi (nutrir)* être nourrissant(e) **3 alimentarse** *vpr* se nourrir *(con o de* de), s'alimenter *(con o de* de)
alimenticio, -a *adj* alimentaire; *(nutritivo)* nourrissant(e); **un producto a.** un produit alimentaire
alimento *nm* nourriture *f*; **este a. es**

rico **en hierro** cet aliment est riche en fer
alinear 1 *vt (colocar en línea)* aligner **2 alinearse** *vpr (colocarse en línea)* s'aligner; **alinearse con** *(apoyar)* s'aligner sur
aliñar *vt* assaisonner
aliño *nm* assaisonnement *m*
alioli *nm* aïoli *m*
alistarse *vpr (en el ejército)* s'engager; *Am (aprontarse)* se préparer *(avant de sortir)*
aliviar *vt (persona)* soulager; *(dolor)* calmer, atténuer; *(ánimo)* apaiser; *(carga)* alléger
alivio *nm* soulagement *m*
allá *adv (espacio)* là-bas; **a. abajo** là en bas; **a. arriba** là-haut; **más a.** plus loin; **más a. de** au-delà de; **a. por los años veinte** autrefois, dans les années vingt; **a. para Navidad** aux environs de Noël; **¡a. él/ella/etc!** libre à lui/elle/etc! ■ **el más a.** l'au-delà *m*
allegado, -a 1 *adj* proche **2** *nm,f (familiar)* proche parent(e) *m,f*; *(amigo)* proche *mf*; **los allegados** les proches *mpl*
allí *adv* là, là-bas; **a. nació** c'est là-bas qu'elle est née; **a. mismo** à cet endroit-là; **está por a.** il est quelque part par-là; **voy hacia a.** j'y vais
alma *nf* âme *f*; *(núcleo)* cœur *m*; **partir el a. a alguien** briser le cœur à qn; **sentirlo en o con el a.** regretter du fond du cœur; **no había ni un a.** il n'y avait pas âme qui vive
almacén *nm* magasin *m* ■ **(grandes) almacenes** grands magasins
almacenar *vt (guardar)* stocker; *(reunir)* collectionner
almeja *nf* palourde *f*
almendra *nf* amande *f*
almendrado, -a 1 *adj (forma)* en amande **2** *nm* = Esquimau® enrobé d'amandes
almendro *nm* amandier *m*
almíbar *nm* sirop *m*; **en a.** au sirop
almidón *nm* amidon *m*

almidonar *vt* amidonner, empeser
almirante *nm* amiral *m*
almohada *nf* oreiller *m*
almohadilla *nf* petit coussin *m*, coussinet *m*
almorranas *nfpl* hémorroïdes *fpl*
almorzar [30] **1** *vt (al mediodía)* manger au déjeuner; **a. un bocadillo** *(a media mañana)* prendre un sandwich en milieu de matinée **2** *vi (al mediodía)* déjeuner; *(a media mañana)* prendre un en-cas
almuerzo *nm (al mediodía)* déjeuner *m*; *(a media mañana)* = en-cas pris entre le petit déjeuner et le déjeuner ▪ **a. de trabajo** déjeuner de travail
aló *interj Andes, CAm, Carib, Méx (al teléfono)* allô?
alocado, -a *nm,f* écervelé(e) *m,f*
alojamiento *nm* logement *m*
alojar 1 *vt* loger, héberger **2 alojarse** *vpr (hospedarse)* loger; *(introducirse)* se loger; **alojarse en el hotel** descendre à l'hôtel, passer la nuit à l'hôtel
alondra *nf* alouette *f*
alpargata *nf* espadrille *f*
Alpes *nmpl* **los A.** les Alpes *fpl*
alpinismo *nm* alpinisme *m*
alpinista *nmf* alpiniste *mf*
alpino, -a *adj* alpin(e)
alpiste *nm (planta)* alpiste *m*; *(para pájaros)* millet *m* long
alquilar *vt* louer **2 alquilarse** *vpr* se louer; *(casa, oficina)* être à louer; **se alquila** *(en letrero)* à louer
alquiler *nm (acción)* location *f*; *(precio) (de casa, oficina)* loyer *m*; *(de televisión, vehículo)* location *f*; **de a.** de location; **tenemos pisos de a.** nous avons des appartements à louer
alquitrán *nm* goudron *m*
alrededor *adv (en torno)* autour (**de** de); **a tu a.** autour de toi; **de a.** environnant(e); **a. de** *(aproximadamente)* environ, aux alentours de; **alrededores** environs *mpl*, alentours *mpl*
alta *ver* **alto**

altar *nm* autel *m*
altavoz *nm* haut-parleur *m*
alteración *nf (cambio)* modification *f*; *(excitación)* agitation *f*; *(alboroto)* trouble *m*
alterar 1 *vt (cambiar)* modifier; *(perturbar) (orden)* troubler; *(persona)* perturber; *(estropear)* altérer, détériorer; *(alimentos)* gâter **2 alterarse** *vpr (perturbarse)* se troubler; *(estropearse)* se détériorer; *(alimentos)* se gâter
altercado *nm* altercation *f*
alternar 1 *vt* faire alterner **2** *vi (relacionarse)* nouer des relations; **a. con alguien** fréquenter qn; **a. con** *(sucederse)* alterner avec **3 alternarse** *vpr (en el tiempo)* se relayer; *(en el espacio)* alterner
alternativo, -a 1 *adj* alternatif(ive) **2** *nf* **alternativa** *también Taurom* alternative *f*
alterno, -a *adj (corriente)* alternatif(ive)
alteza *nf Fig (de sentimientos)* grandeur *f* d'âme; **A.** *(tratamiento)* Altesse *f*
altibajos *nmpl* **tener a.** *(fluctuaciones)* avoir *ou* connaître des hauts et des bas
altillo *nm (armario)* = placard situé en hauteur dans une niche; *(habitación)* grenier *m*
altiplano *nm* haut plateau *m*
altitud *nf* altitude *f*
altivo, -a *adj* hautain(e)
alto, -a 1 *adj* haut(e); *(persona, árbol)* grand(e); *(precio)* élevé(e); *(calidad)* supérieur(e); *(música, voz)* fort(e); *(hora)* avancé(e)
2 *nm (altura, lugar elevado)* hauteur *f*; *(interrupción)* halte *f*; **Más alto m:** **pasar por a.** passer sous silence; **por todo lo a.** en grand ▪ **a. el fuego** cessez-le-feu *m inv*
3 *adv (arriba)* haut; *(con volumen fuerte)* fort
4 *interj* halte!
5 *nf* **alta** *(de enfermedad)* = fin de

l'arrêt maladie; *(documento)* autorisation *f* de sortie; *(en organismo)* inscription *f*; **dar de alta** *o* **el alta** = donner l'autorisation de reprendre le travail

altoparlante *nm Am* haut-parleur *m*

altramuz *nm* lupin *m*

altruismo *nm* altruisme *m*

altura *nf* hauteur *f*; *(altitud)* altitude *f*; *(nivel, valor)* niveau *m*; **tener dos metros de a.** avoir deux mètres de haut; *(persona)* mesurer deux mètres; **a la a. de** au niveau de; **las alturas** *(el cielo)* les cieux *mpl*

alubia *nf* haricot *m* blanc

alucinación *nf* hallucination *f*

alucinar *vi (desvariar)* avoir des hallucinations, délirer; *Fam (quedarse sorprendido)* être scié(e)

alud *nm* avalanche *f*

aludido, -a *nm,f* personne *f* visée; **darse por a.** se sentir visé(e)

aludir *vi* **a** *(sin mencionar)* faire allusion à; *(mencionar)* évoquer

alumbrado *nm* éclairage *m*

alumbrar 1 *vt (iluminar, instruir)* éclairer; *(dar a luz)* mettre au monde **2** *vi (iluminar)* éclairer

aluminio *nm* aluminium *m*

alumno, -a *nm,f* élève *mf*

alusión *nf* allusion *f*; **hacer a. a** faire allusion à

alza *nf* hausse *f*; *(en zapato)* talonnette *f*; **en a.** en hausse

alzar [14] **1** *vt (levantar)* lever; *(voz, edificio)* élever; *(tono)* hausser; *(aumentar, enderezar)* relever; *(sublevar)* soulever **2 alzarse** *vpr (levantarse)* se lever; *(sublevarse)* se soulever

amabilidad *nf* amabilité *f*; **¿tendría la a. de...?** auriez-vous l'amabilité de...?

amable *adj* aimable; **¿sería tan a. de...?** auriez-vous l'amabilité de...?

amaestrado, -a *adj* dressé(e)

amaestrar *vt* dresser

amamantar *vt* allaiter

amanecer [45] **1** *nm* lever *m* du jour

2 *v impersonal* commencer à faire jour **3** *vi (despertarse)* se réveiller; *(llegar de mañana)* arriver au lever du jour

amanerado, -a *adj (afeminado)* efféminé(e); *(afectado)* maniéré(e)

amansar 1 *vt (animal, pasiones)* dompter **2 amansarse** *vpr* se calmer

amante *nmf (querido)* amant *m*, maîtresse *f*; *Fig* **ser (un) a. de algo** être un amoureux de qch, avoir le goût de qch

amapola *nf* coquelicot *m*

amar *vt* aimer

amargado, -a *adj & nm,f* aigri(e) *m,f*

amargar [37] **1** *vt (alimento)* donner un goût amer à; *Fig (fiesta, día)* gâcher; **amargarle la vida a alguien** empoisonner l'existence à qn **2** *vi (ser amargo)* être amer(ère) **3 amargarse** *vpr (alimento)* devenir aigre; *Fig (persona)* s'empoisonner l'existence

amargo, -a *adj* amer(ère)

amarillo, -a 1 *adj (color)* jaune; *Prensa* à sensation **2** *nm (color)* jaune *m*

amarrar *vt (barco)* amarrer; **a. algo/ alguien (a algo)** attacher qch/qn (à qch)

amarre *nm* amarrage *m*

amasar *vt (masa)* pétrir

amateur [ama'ter] *(pl* **amateurs)** *adj & nmf* amateur *m*

amazona *nf Mitología* amazone *f*; *(jinete)* cavalière *f*

Amazonas *nm* **el A.** l'Amazone *f*

amazónico, -a 1 *adj* amazonien(enne) **2** *nm,f* Amazonien(enne) *m,f*

ámbar *nm* ambre *m*

ambición *nf* ambition *f*

ambicioso, -a *adj & nm,f* ambitieux(euse) *m,f*

ambientador *nm* désodorisant *m*

ambiental *adj (música)* d'ambiance; *(físico, atmosférico)* ambiant(e); *(ecológico)* de l'environnement, environnemental(e)

ambiente 1 *adj* ambiant(e) **2** *nm*
(aire) air *m*, atmosphère *f*;
(circunstancias) environnement *m*;
(ámbito) milieu *m*; *(animación)*
ambiance *f*; *Am (habitación)* pièce *f*
ambigüedad *nf* ambiguïté *f*
ambiguo, -a *adj* ambigu(uë)
ámbito *nm (espacio, límites)* enceinte
f; *(de una ley)* portée *f*; *(ambiente)*
milieu *m*; **de á. nacional/local**
national/local
ambos, -as 1 *pron pl* tous (toutes) les
deux **2** *adj pl* les deux
ambulancia *nf* ambulance *f*
ambulante *adj* ambulant(e) ■ **vendedor a.** marchand *m* ambulant
ambulatorio *nm* dispensaire *m*;
(hospital) hôpital *m* de jour
amén *adv (en plegaria)* amen
amenaza *nf (peligro)* menace *f*;
(aviso) alerte *f* ■ **a. de bomba** alerte
à la bombe; **a. de muerte** menace de
mort
amenazar [14] *vt* menacer; **amenaza
lluvia** la pluie menace; **a. a alguien
con algo/con hacer algo** menacer qn
de qch/de faire qch; **a. a alguien de
algo** menacer qn de qch
amenizar [14] *vt* égayer
ameno, -a *adj* agréable
América *n* l'Amérique *f*; **A. Central/
del Norte/del Sur** l'Amérique
centrale/du Nord/du Sud
americana *nf (chaqueta)* veste *f*
americano, -a 1 *adj* américain(e)
2 *nm,f* Américain(e) *m,f*
ameritar *vt Am* mériter
ametralladora *nf* mitrailleuse *f*
ametrallar *vt* mitrailler
amígdala *nf* amygdale *f*
amigo, -a 1 *adj* ami(e); **hacerse a. de**
devenir ami avec; **hacerse amigos**
devenir amis **2** *nm,f* ami(e) *m,f*
amistad *nf* amitié *f*; **hacer** *o* **trabar a.
(con)** lier amitié (avec), se lier
d'amitié (avec); **amistades** amis *mpl*,
relations *fpl*
amnesia *nf* amnésie *f*
amnistía *nf* amnistie *f*

amo, -a *nm,f (dueño)* maître *m*,
maîtresse *f*; *(propietario)* propriétaire
mf; *(jefe)* patron(onne) *m,f* ■ **ama de
casa** maîtresse de maison; **ama de
cría** nourrice *f*
amodorrarse *upr* s'assoupir
amoldar 1 *vt* **a. algo (a)** adapter *ou*
ajuster qch (à) **2 amoldarse** *upr*
(adaptarse) s'adapter (a à)
amoníaco, amoniaco *nm (gas)*
ammoniac *m*; *(líquido)* ammoniaque *f*
amontonar 1 *vt (apilar)* entasser
2 amontonarse *upr (personas)* se
masser; *(problemas, trabajo)* s'accumuler; *(ideas, solicitudes)* se bousculer
amor *nm* amour *m*; **hacer el a.** faire
l'amour; **por a. al arte** pour l'amour
de l'art; **¡por el a. de Dios!** pour
l'amour de Dieu! ■ **a. platónico**
amour platonique; **a. propio** amour-
propre *m*
amordazar [14] *vt (persona)*
bâillonner; *(animal)* museler
amoroso, -a *adj (persona, ademán)*
affectueux(euse); *(relación)* amou-
reux(euse); *(carta)* d'amour
amortiguador, -ora 1 *adj*
amortisseur(euse) **2** *nm (de automóvil)* amortisseur *m*
amortiguar [11] *vt (ruido, golpe)*
amortir; *(luz, colores)* atténuer
amparar 1 *vt* protéger **2 ampararse**
upr **ampararse en** *(ley)* s'abriter
derrière; *(excusas)* se retrancher
derrière; **ampararse de** *o* **contra** se
protéger de *ou* contre
amparo *nm (protección)* protection *f*;
(refugio) abri *m*; **al a. de** *(persona, ley)*
sous la protection de; *(caridad,
fortuna)* à l'aide de; *(lluvia, desastre)* à
l'abri de
ampliación *nf (de foto, local)*
agrandissement *m*; *(de carretera)*
élargissement *m*; *(de plazo)*
prolongation *f*; *(de negocio)*
développement *m*; *(de número)*
augmentation *f* ■ **a. de capital**
augmentation de capital

ampliar [31] *vt (foto, local)* agrandir; *(poderes, carretera)* élargir; *(plazo)* prolonger; *(negocio)* développer; *(capital)* augmenter; *(estudios)* poursuivre

amplificador *nm* amplificateur *m*

amplio, -a *adj (sala, casa)* grand(e); *(mundo)* vaste; *(mayoría, ropa)* large; *(poderes, conocimientos)* étendu(e); *(exposición, estudio)* approfondi(e)

amplitud *nf* largeur *f*; *(de sala, casa)* grandeur *f*; Fig *(extensión)* étendue *f*; *(de conocimientos)* étendue *f*; *(de catástrofe)* ampleur *f* ▪ **a. de miras** largeur de vues *ou* d'esprit

ampolla *nf* ampoule *f*

amueblar *vt* meubler

amuermar Fam **1** *vt (aburrir)* raser, barber **2 amuermarse** *vpr (aburrirse)* se faire suer

amuleto *nm* amulette *f*

amurallar *vt* entourer de murailles

analfabetismo *nm* analphabétisme *m*, illettrisme *m*

analfabeto, -a *adj & nm,f* analphabète *mf*, illettré(e) *m,f*

analgésico, -a 1 *adj* analgésique **2** *nm* analgésique *m*

análisis *nm inv* analyse *f* ▪ **a. de orina** analyse d'urine; **a. de sangre** analyse de sang

analizar [14] *vt* analyser

analogía *nf* analogie *f*; **por a.** par analogie; **presentar analogías** présenter des similitudes

análogo, -a *adj* analogue; **a. a** semblable à

ananá *nm*, **ananás** *nm inv* ananas *m*

anaranjado, -a *adj* orangé(e)

anarquía *nf* anarchie *f*

anárquico, -a *adj* anarchique

anarquista *adj & nmf* anarchiste *mf*

anatomía *nf* anatomie *f*

anatómico, -a *adj* anatomique

anca *nf (de caballo)* croupe *f*; *(de rana)* cuisse *f*

ancho, -a 1 *adj* large **2** *nm* largeur *f*; **cinco metros de a.** cinq mètres de

large; **a lo a. (de)** sur (toute) la largeur (de)

anchoa *nf* anchois *m*

anchura *nf* largeur *f*

anciano, -a 1 *adj* âgé(e) **2** *nm,f* personne *f* âgée, vieux monsieur *m*, vieille dame *f*

ancla *nf* ancre *f*

ándale *interj* CAm, Méx Fam allez!

Andalucía *n* l'Andalousie *f*

andaluz, -uza 1 *adj* andalou(se) **2** *nm,f* Andalou(se) *m,f*

andamio *nm* échafaudage *m*

andar¹ [7] **1** *vi* (a) *(caminar, funcionar)* marcher; **hemos venido andando** nous sommes venus à pied; **a. por la calle** se promener dans les rues
(b) *(estar)* être; **a. preocupado** être inquiet; **a. mal de dinero** être à court d'argent; **las cosas andan mal** les choses vont mal; **a. haciendo algo** être en train de faire qch; **a. tras** *(buscar)* être à la recherche de; *(perseguir)* courir après; **a. en** *(papeleos, negocios)* être dans; *(asuntos, líos)* être mêlé(e) à; *(pleitos)* être en; *(hurgar en)* fouiller dans; **andará por los sesenta años** il doit avoir dans les soixante ans
2 *vt* parcourir; **anduvieron tres kilómetros** ils ont fait trois kilomètres (à pied)
3 andarse *vpr (obrar)* **andarse con cuidado/misterios** faire attention/ des mystères; **¡anda!** *(¡vamos!, ¡por favor!)* allez!; *(sorpresa, desilusión)* non!, sans blague!; *(incredulidad)* c'est pas vrai!; **¡anda ya!**

andar² *nm (de una persona)* démarche *f*, allure *f*; **andares** démarche *f*; **tener andares de** avoir une démarche de, marcher comme

ándele = **ándale**

andén *nm (en estación)* quai *m (de gare)*; Andes, CAm *(acera)* trottoir *m*; Am *(bancal de tierra)* terrasse *f*

Andes *nmpl* los A. les Andes *fpl*

andinismo *nm* Am alpinisme *m*

andinista *nmf* Am alpiniste *mf*

andino, -a 1 adj andin(e); (cordillera) des Andes **2** nm,f Andin(e) m,f
anécdota nf anecdote f
anecdótico, -a adj anecdotique
anemia nf anémie f
anestesia nf anesthésie f ■ **a. general** anesthésie générale; **a. local** anesthésie locale
anestesista nmf anesthésiste mf
anexo, -a adj **1** (edificio) annexe; (documento) joint(e) **2** nm annexe f
anfetamina nf amphétamine f
anfibio, -a 1 adj amphibie **2** nm amphibien m
anfiteatro nm amphithéâtre m
anfitrión, -ona 1 adj (país, organismo) d'accueil **2** nm,f hôte m, hôtesse f
angelical adj angélique
angina nf angine f; **tener anginas** avoir une angine ■ **a. de pecho** angine de poitrine
anglosajón, -ona 1 adj anglo-saxon(onne) **2** nm,f Anglo-Saxon(onne) m,f
anguila nf anguille f
angula nf civelle f
angular adj angulaire
ángulo nm angle m
angustia nf angoisse f
angustiar 1 vt angoisser **2 angustiarse** upr s'angoisser
angustioso, -a adj angoissant(e)
anhelar vt (dignidades) briguer; (gloria) aspirer à; **a. hacer algo** rêver de faire qch
anhelo nm aspiration f, désir m
anidar vi (pájaro) faire son nid, nicher
anilla nf anneau m; **anillas** (en gimnasia) anneaux
anillo nm anneau m; (sortija) bague f ■ **a. de boda** alliance f
animación nf animation f
animado, -a adj animé(e); (persona) (con buen ánimo) en pleine forme; (divertida) drôle
animal 1 adj (especie) animal(e); Fam Fig (ignorante) bête; **ser a.** être une brute **2** nmf Fam Fig (persona) brute f

3 nm animal m ■ **a. doméstico** o **de compañía** animal domestique ou de compagnie
animar 1 vt (estimular) encourager; (avivar) (diálogo, fiesta) animer; (fuego) activer; **a. a alguien** remonter le moral à qn **2 animarse** upr (fiesta, reunión) s'animer; (persona) reprendre courage; **animarse (a hacer algo)** (atreverse) se décider (à faire qch)
ánimo 1 nm (energía, valor) courage m; (aliento) encouragement m; (talante) humeur f; **dar ánimos a alguien** encourager qn; **tener ánimos para** être d'humeur à **2** interj **¡á.!** (para alentar) courage!
aniñado, -a adj (comportamiento) enfantin(e); (voz, rostro) d'enfant
aniquilar vt anéantir, exterminer
anís (pl **anises**) nm (planta) anis m; (licor) pastis m
aniversario nm anniversaire m
ano nm anus m
anoche adv hier soir, la nuit dernière; **antes de a.** avant-hier soir
anochecer [45] **1** nm **al a.** à la tombée de la nuit **2** v impersonal faire nuit; **ya empieza a a.** la nuit commence à tomber **3** vi arriver à la tombée de la nuit
anomalía nf anomalie f
anómalo, -a adj anormal(e)
anonimato nm anonymat m; **salir del a.** sortir de l'anonymat
anónimo, -a 1 adj anonyme **2** nm lettre f anonyme
anorak (pl **anoraks**) nm anorak m
anorexia nf anorexie f
anotar 1 vt (apuntar) noter; (un libro) annoter **2 anotarse** upr RP (matricularse) s'inscrire
ansia nf (ansiedad) anxiété f; (angustia) angoisse f; **a. de** (afán de) soif f de; **hacer algo con a.** faire qch avec avidité
ansiedad nf anxiété f
ansioso, -a adj (impaciente) impatient(e); (angustiado) anxieux(euse);

estar a. por *o* **de hacer algo** mourir d'impatience de faire qch

antártico, -a 1 *adj* antarctique **2** *nm* **el A.** l'Antarctique *m*

ante¹ *nm* (*piel curtida*) daim *m*; (*animal*) élan *m*

ante² *prep* devant; **a. las circunstancias** vu les circonstances; **a. el juez** par-devant le juge; **a. notario** par-devant notaire; **a. los ojos** sous les yeux; **su opinión prevaleció a. la mía** son opinion a prévalu sur la mienne; **a. todo** avant tout

anteanoche *adv* avant-hier soir

anteayer *adv* avant-hier

antebrazo *nm* avant-bras *m*

antecedente 1 *adj* précédent(e) **2** *nm* (*precedente*) précédent *m*; **antecedentes** (*experiencia*) bagage *m*; (*de asunto*) précédents *m*; **poner en antecedentes** (*informar*) aviser ■ **antecedentes penales** casier *m* judiciaire

anteceder *vt* précéder

antecesor, -ora *nm,f* (*predecesor*) prédécesseur *m*

antelación *nf* **con a.** à l'avance; **con una hora de a.** avec une heure d'avance

antemano: de antemano *adv* d'avance

antena *nf* antenne *f*; **estar en a.** être à l'antenne ■ **a. parabólica** antenne parabolique

anteojos *nmpl* (*prismáticos*) jumelles *fpl*; *Am* lunettes *fpl*

antepasado, -a *nm,f* ancêtre *mf*

antepenúltimo, -a *adj & nm,f* avant-dernier(ère) *m,f*

anterior *adj* (*delantero*) (*pata, fachada*) antérieur(e); (*fila*) de devant; (*previo*) d'avant, précédent(e); **la parada a.** l'arrêt d'avant; **la noche a.** la nuit précédente; **a. a** antérieur(e) à

antes *adv* avant; **puede inscribirse, pero a. deberá rellenar el cuestionario** vous pouvez vous

inscrire mais d'abord *ou* auparavant vous devrez remplir ce questionnaire; **mucho/poco a.** longtemps/peu de temps avant; **lo a. posible** dès que possible; **a. de algo** avant qch; **a. de hacer algo** avant de faire qch; **a. (de) que** avant que; **a. (de) que llegarais** avant que vous n'arriviez; **a.... que** (*expresa preferencia*) plutôt... que; **prefiero el mar a. que la sierra** je préfère de beaucoup la mer à la montagne; **iría a. a la cárcel a. que mentir** j'irais en prison plutôt que de mentir

2 *adj* (*anterior*) précédent(e); **el mes a.** le mois d'avant *ou* précédent

antesala *nf* hall *m*

antiarrugas *adj inv* antirides

antibiótico, -a 1 *adj* antibiotique **2** *nm* antibiotique *m*

anticiclón *nm* anticyclone *m*

anticipado, -a *adj* anticipé(e); **por a.** d'avance

anticipar 1 *vt* (*adelantar*) avancer; (*prever*) anticiper; **no te puedo a. nada** je ne peux encore rien te dire **2 anticiparse** *upr* (*adelantarse*) (*estación*) être en avance; (*fecha, reunión*) être avancé(e); **anticiparse a alguien** (*adelantarse*) précéder qn, devancer qn

anticipo *nm* (*de dinero*) avance *f*, acompte *m*; (*anticipación*) avant-goût *m*

anticonceptivo, -a 1 *adj* (*pastilla*) contraceptif(ive); (*métodos*) de contraception **2** *nm* contraceptif *m*

anticuado, -a *adj* (*objetos, música*) démodé(e); (*palabras*) vieilli(e); (*persona*) vieux jeu *inv*; (*ideas*) vieillot(otte)

anticuario, -a *nm,f* antiquaire *mf*; **en un a.** chez un antiquaire

anticuerpo *nm* anticorps *m*

antidepresivo, -a 1 *adj* antidépresseur **2** *nm* antidépresseur *m*

antifaz *nm* (*de cara*) masque *m*; (*de ojos*) loup *m*

antiglobalización *nf* antimondialisation *f*

antiguamente *adv* autrefois
antigüedad *nf (pasado)* antiquité *f*; *(vejez, veteranía)* ancienneté *f*; **antigüedades** *(objetos)* antiquités
antiguo, -a *adj* ancien(enne); *(viejo)* vieux (vieille); *(pasado de moda)* dépassé(e); **a la antigua** à l'ancienne
antihistamínico, -a 1 *adj* antihistaminique **2** *nm* antihistaminique *m*
antiinflamatorio, -a 1 *adj* anti-inflammatoire **2** *nm* anti-inflammatoire *m*
Antillas *nfpl* **las A.** les Antilles *fpl*
antílope *nm (animal)* antilope *f*
antipatía *nf (por una persona)* antipathie *f*; *(por una cosa)* répugnance *f*; **tener a. a alguien** avoir de l'antipathie pour qn
antipático, -a *adj* antipathique **2** *nm,f* personne *f* antipathique
antirrobo 1 *adj inv* antivol *inv* **2** *nm (en vehículo)* antivol *m*
antiséptico, -a 1 *adj* antiseptique **2** *nm* antiseptique *m*
antojitos *nmpl Méx* amuse-gueule *mpl*
antojo *nm* envie *f*; **a mi/tu/etc a.** à ma/ta/etc guise
antología *nf* anthologie *f*
antorcha *nf* torche *f* ■ **a. olímpica** flambeau *m* olympique ■
antro *nm Pey* boui-boui *m*
anual *adj* annuel(elle)
anuario *nm* annuaire *m*
anular¹ **1** *adj (en forma de anillo)* annulaire **2** *nm (dedo)* annulaire *m*
anular² **1** *vt (cancelar)* annuler; *(compromiso)* décommander; *(ley)* abroger; *(reprimir penalmente)* étouffer **2 anularse** *vpr (cancelarse)* être annulé(e)
anunciar 1 *vt (notificar, presagiar)* annoncer; *(hacer publicidad de)* faire de la publicité pour **2 anunciarse** *vpr* **anunciarse en** *(solicitud)* passer une annonce dans; *(publicidad)* faire de la publicité dans
anuncio *nm (notificación)* annonce *f*; *(publicitario)* publicité *f*; *(en televisión)* spot *m* publicitaire; *(en revista)* encart *m* publicitaire; *(cartel)* affiche *f* (publicitaire) ■ **anuncios por palabras** petites annonces
anzuelo *nm (para pescar)* hameçon *m*; **tragarse el a.** mordre à l'hameçon
añadidura *nf* complément *m*; **por a.** en plus, qui plus est
añadir *vt* ajouter
añicos *nmpl* **hacer a.** briser en mille morceaux; **hacerse a.** se briser en mille morceaux
año *nm* année *f*, an *m*; **en el a. 1999** en 1999; **los años 30** les années 30; **desde hace tres años** depuis trois ans; **¡Feliz a. nuevo!** Bonne année!; **años** *(edad)* âge *m*; **¿cuántos años tienes? – tengo 17 años** quel âge as-tu? – j'ai 17 ans; **cumplir años** fêter son anniversaire ■ **a. académico** *o* **escolar** année scolaire; **a. bisiesto** année bissextile; **a. luz** année-lumière *f*; **a. nuevo** nouvel an
añoranza *nf (del pasado)* nostalgie *f*; *(de una persona)* regret *m*; *(de un país)* mal *m* du pays
añorar *vt (pasado)* avoir la nostalgie de; *(persona)* regretter; **añora su país natal** il a le mal du pays; **añoro a mi hermana** ma sœur me manque
aorta *nf (arteria)* aorte *f*
apache 1 *adj* apache **2** *nmf* Apache *mf*
apacible *adj (agradable)* paisible; *(pacífico)* doux (douce)
apadrinar *vt (niño)* être le parrain de; *(artista)* parrainer
apagado, -a *adj (luz, fuego)* éteint(e); *(persona, color)* terne; *(sonido)* étouffé(e); *(voz)* faible, petit(e)
apagar [37] **1** *vt (extinguir, desconectar)* éteindre; *(aplacar)* *(dolor)* calmer; *(sed)* étancher; *(ilusiones)* faire perdre; *(rebajar)* *(color)* atténuer; *(sonido)* étouffer **2 apagarse** *vpr* s'éteindre; *(ilusiones)* s'envoler

apagón *nm* coupure *f* ou panne *f* de courant

apaisado, -a *adj* oblong(ongue)

apalabrar *vt* convenir verbalement de

apañar *Fam* **1** *vt (reparar)* retaper, rafistoler, raccommoder; *(amañar)* goupiller; **¡estamos apañados!** nous voilà bien! **2 apañarse** *upr* se débrouiller; *Fig* **apañárselas (para hacer algo)** se débrouiller (pour faire qch)

apapachar *vt Méx (mimar)* câliner; *(consentir)* gâter

apapacho *nm Méx* câlin *m*

aparador *nm (mueble)* buffet *m*; *(escaparate)* vitrine *f*

aparato *nm* appareil *m*; *(de radio, televisión)* poste *m*; *(ostentación)* apparat *m*, pompe *f*

aparcamiento *nm (parking)* parking *m*; *(hueco)* place *f* (de parking) ■ **a. en batería** stationnement *m* en double file

aparcar [58] **1** *vt (estacionar)* garer; *(posponer)* suspendre **2** *vi (estacionar)* se garer; **prohibido a.** *(en letrero)* défense de stationner

aparecer [45] *vi* apparaître; *(en una lista)* figurer; *(acudir)* arriver; *(encontrarse)* être retrouvé(e); *(publicarse)* paraître; **apareció por la puerta** il est apparu

aparejador, -ora *nm,f (de arquitecto)* métreur(euse) *m,f*

aparejo *nm (de caballerías)* harnais *m*; *(de pesca)* gréement *m*; **aparejos** matériel *m*

aparentar 1 *vt (edad)* faire; **a. algo** *(fingir)* feindre *ou* simuler qch; **a. hacer algo** faire semblant de faire qch; **no aparenta los años que tiene** il ne fait pas son âge **2** *vi (presumir)* se faire passer pour plus riche qu'on n'est

aparente *adj* apparent(e)

aparición *nf* apparition *f*; *(publicación)* parution *f*

apariencia *nf (aspecto exterior)* apparence *f*; *(falsedad)* frime *f*; **en a. en** apparence; **guardar las apariencias** sauver les apparences; **las apariencias engañan** les apparences sont trompeuses

apartado, -a 1 *adj (separado)* écarté(e); *(alejado)* retiré(e) **2** *nm (de texto)* alinéa *m*; *(de oficina)* section *f* ■ **a. de correos** boîte *f* postale

apartamento *nm* appartement *m*

apartar 1 *vt (quitar, alejar)* écarter; *(separar)* séparer; *(escoger)* mettre de côté; **a. la vista** détourner les yeux; **no a. la vista de algo/alguien** ne pas quitter qch/qn des yeux **2 apartarse** *upr* se pousser; **apartarse de** *(la gente)* s'éloigner de; *(de un tema, camino)* s'écarter de; *(del mundo)* se retirer de

aparte 1 *adv* à part; **bromas a.** trêve de plaisanterie; **a. de** *(con omisión de)* mis à part; *(además de)* en plus de; **a. de fea...** non seulement elle est laide... **2** *adj inv* à part **3** *nm (párrafo)* alinéa *m*; *(en teatro)* aparté *m*

apasionado, -a *adj & nm,f* passionné(e)

apasionante *adj* passionnant(e)

apasionar 1 *vt (entusiasmar)* passionner; **le apasiona la música** c'est un passionné de musique **2 apasionarse** *upr (entusiasmarse)* s'enthousiasmer; **apasionarse por** *o* **con** se passionner pour, être passionné(e) de

apdo. *(abrev* **apartado)** BP

apego *nm (afecto)* attachement *m*; **tener a. a** être attaché(e) à; **tomar a. a** se prendre d'affection pour

apellidarse *upr* se nommer, s'appeler; **¿cómo te apellidas?** quel est ton nom de famille?

apellido *nm* nom *m* (de famille)

apenado, -a *adj (entristecido)* triste; *CAm, Carib, Col, Méx (avergonzado)* gêné(e)

apenar 1 *vt* faire de la peine **2 apenarse** *upr* avoir de la peine;

CAm, Carib, Col, Méx (avergonzarse) être gêné(e)

apenas *adv (casi no)* à peine; *(tan pronto como)* à peine, dès que; *(tan sólo)* à peine, tout juste; **a. me puedo mover** je peux à peine bouger; **a. si** c'est à peine si; **hace a. dos minutos** ça fait à peine *ou* tout juste deux minutes; **a. llegó, le dieron la mala noticia** il était à peine arrivé qu'on lui annonça la mauvaise nouvelle; **a. se fueron, me acosté** je me suis couché dès qu'ils sont partis

apéndice *nm* appendice *m*; *(de documento)* annexe *f*

apendicitis *nf inv* appendicite *f*

aperitivo *nm (bebida)* apéritif *m*; *(comida)* amuse-gueule *m inv*

apertura *nf* ouverture *f*; *(de calle)* percement *m*; *(de exposición)* vernissage *m*; *(en rugby)* coup *m* d'envoi; *(en ajedrez)* entrée *f* de jeu; *Pol* = politique d'ouverture

apestar 1 *vi (oler mal)* **a. (a algo)** puer (qch); **este cuarto apesta a tabaco** cette chambre pue le tabac **2** *vt (hacer que huela mal)* empester; *(contagiar peste)* transmettre la peste à

apetecer [45] **1** *vi* ¿**te apetece un café?** tu as envie d'un café?; **me apetece salir** j'ai envie de sortir **2** *vt* **tenían todo cuanto apetecían** ils avaient tout ce dont ils avaient envie

apetecible *adj (comida)* appétissant(e); *(vacaciones)* tentant(e)

apetito *nm* appétit *m*; **abrir el a.** ouvrir l'appétit; **tener a.** avoir faim

apetitoso, -a *adj (sabroso)* délicieux(euse); *(deseable) (comida)* appétissant(e); *(empleo, propuesta)* alléchant(e)

apicultura *nf* apiculture *f*

apiñar 1 *vt* entasser **2 apiñarse** *upr* s'entasser, se serrer les uns contre les autres; **apiñarse en torno a** se presser autour de

apio *nm* céleri *m*

apisonadora *nf* rouleau *m* compresseur

aplanar *vt* aplanir

aplastar *vt* écraser

aplaudir *vt* applaudir

aplauso *nm* applaudissement *m*

aplazar [14] *vt* reporter

aplicación *nf* application *f*

aplicado, -a *adj* appliqué(e)

aplicar [58] **1** *vt* appliquer **2 aplicarse** *upr* s'appliquer (**en/a** à)

aplique *nm (lámpara)* applique *f*

aplomo *nm* aplomb *m*; **perder el a.** perdre son aplomb

apoderarse *upr* **a. de** s'emparer de

apodo *nm* surnom *m*

apogeo *nm* apogée *m*; **estar en (pleno) a.** être à l'apogée

aportación *nf* apport *m*; **hacer una a. a una causa** contribuer à une cause

aportar *vt* apporter; *(datos, pruebas)* fournir; *(dinero)* faire un apport de

aposta *adv* exprès

apostar¹ [62] *vt (jugarse)* parier **2** *vi (en juego)* parier *ou* miser (**por** sur); **apuesto a que llega tarde** je parie qu'il va arriver en retard **3 apostarse** *upr* **apostarse algo con alguien** parier qch avec qn; **apostarse algo a que** parier qch que

apostar² **1** *vt (emplazar)* poster **2 apostarse** *upr (colocarse)* se poster

apóstol *nm* apôtre *m*

apóstrofo *nm* apostrophe *f*

apoyar 1 *vt* appuyer **2 apoyarse** *upr (respaldarse)* s'appuyer; **apoyarse en** *(sostenerse)* s'appuyer sur; *(basarse)* reposer sur

apoyo *nm (físico)* support *m*, appui *m*; *Fig (moral)* soutien *m*

apreciable *adj (perceptible)* sensible; *Fig (estimable)* remarquable

apreciación *nf* appréciation *f*

apreciar *vt* apprécier; *(percibir)* distinguer; *(opinar)* estimer

aprecio *nm* estime *f*; **tenerle a. a alguien** avoir de l'estime pour qn

apremiar 1 *vt (meter prisa)* presser, bousculer; **a. a alguien para que**

haga algo *(obligar)* contraindre qn à faire qch **2** *vi* **me apremia resolver el problema** il est urgent que je résolve le problème; **¡el tiempo apremia!** le temps presse!

aprender **1** *vt* apprendre; *(memorizar)* retenir **2 aprenderse** *upr* apprendre; **aprenderse algo de memoria** apprendre qch par cœur

aprendiz, -iza *nm,f (ayudante)* apprenti(e) *m,f; (novato)* débutant(e) *m,f*

aprendizaje *nm* apprentissage *m*

aprensión *nf (miedo)* appréhension *f; (escrúpulo)* dégoût *m*

aprensivo, -a *adj (miedoso)* craintif(ive); *(escrupuloso)* délicat(e); *(hipocondríaco)* alarmiste

apresurado, -a *adj* pressé(e); *(huida, partida)* précipité(e)

apresurar **1** *vt (proceso, trámites)* activer; *(persona)* presser **2 apresurarse** *upr* se hâter; **apresurarse a hacer algo** se hâter de faire qch

apretado, -a *adj (comprimido)* serré(e)

apretar [3] **1** *vt (oprimir)* serrer; *(gatillo, botón)* appuyer sur; *(ropa, objetos)* tasser; *(labios)* pincer; **estos zapatos me aprietan** ces chaussures me serrent **2** *vi (lluvia, tormenta)* redoubler **3 apretarse** *upr* se serrer; **apretarse el cinturón** se serrer la ceinture

apretujar **1** *vt (objetos)* tasser; *(persona)* écraser **2 apretujarse** *upr* se masser; *(por frío, miedo)* se blottir, se pelotonner

aprisa *adv* vite

aprobado, -a **1** *adj* approuvé(e); *(candidato)* reçu(e) **2** *nm* mention *f* passable; **sacar un a.** obtenir la mention passable

aprobar [62] *vt* approuver; *(ley)* adopter; *(examen)* réussir; *(alumno)* recevoir

aprontar **1** *vt (preparar)* préparer **2 aprontarse** *upr* RP *(prepararse)* se

préparer; **¡apróntate para cuando llegue tu papá!** gare à toi quand ton père rentrera!

apropiado, -a *adj* approprié(e)

apropiarse *upr* **a.** **de algo** s'approprier qch

aprovechado, -a **1** *adj (tiempo)* bien employé(e); *(espacio)* bien conçu(e); *(alumno)* appliqué(e); **un día bien a.** une journée bien remplie **2** *nm,f (caradura)* profiteur(euse) *m,f*

aprovechar **1** *vt* profiter de; *(lo inservible)* récupérer, se servir de **2** *vi (ser provechoso)* profiter, être profitable; *(mejorar)* progresser, faire des progrès; **a. para hacer algo** en profiter pour faire qch; **aprovecha ahora que eres joven** profites-en tant que tu es jeune; **¡que aproveche!** bon appétit! **3 aprovecharse** *upr* profiter (**de** de), tirer parti (**de** de)

aproximación *nf* rapprochement *m; (mediante cálculo)* approximation *f; (en lotería)* lot *m* de consolation; **con a.** approximativement

aproximadamente *adv* approximativement

aproximar **1** *vt* approcher, rapprocher **2 aproximarse** *upr (fecha)* approcher; *(persona)* s'approcher

apto, -a *adj (adecuado)* bon (bonne); *(capaz)* apte (**para** à); **a. para el servicio militar** bon pour le service; **película no apta para menores** film interdit aux moins de dix-huit ans

apuesta **1** *ver* **apostar 2** *nf* pari *m*

apuesto, -a *adj* fringant(e)

apunado, -a *adj Andes* **estar a.** avoir le mal d'altitude

apunarse *upr Andes* avoir le mal d'altitude

apuntador, -ora *nm,f (en teatro)* souffleur(euse) *m,f*

apuntar **1** *vt (anotar)* noter; *Fig (importancia)* souligner; **a. a alguien** *(en lista)* inscrire qn; **apúntamelo** *(en la cuenta)* mets-le sur mon compte; **a. a alguien (con el dedo)** montrer qn du

apunte doigt; **a. a alguien (con un arma)** viser qn **2** *vi (alba, día)* poindre **3 apuntarse** *vpr (en lista, curso)* s'inscrire; *(participar)* être partant(e) (**a** pour)

apunte *nm (nota escrita)* note *f*; *(boceto)* esquisse *f*; *Com* écriture *f* (comptable); **apuntes** notes *fpl*, cours *mpl*

apuñalar *vt* poignarder

apurar 1 *vt (terminar)* finir; *(existencias)* épuiser; *(meter prisa)* bousculer; *(preocupar)* inquiéter; **apuró hasta la última gota** il a bu jusqu'à la dernière goutte **2 apurarse** *vpr (preocuparse)* s'inquiéter; *(darse prisa)* se dépêcher; *(avergonzarse)* avoir honte

apuro *nm (dificultad)* gros ennui *m*; *(escasez)* manque *m* (d'argent); *(vergüenza)* gêne *f*; *Am (prisa)* hâte *f*; **estar en apuros** avoir des problèmes; **sacar de un a. a alguien** tirer qn d'affaire; **me da a. decírtelo** ça me gêne *ou* ça m'ennuie de te le dire

aquel, aquella *(mpl* **aquellos,** *fpl* **aquellas)** *adj demostrativo* ce, cette; **a. libro no, éste** pas ce livre-là, celui-ci; **dame aquellos libros** donne-moi les livres qui sont là-bas; **a. edificio que se ve a lo lejos es nuevo** le bâtiment qu'on voit là-bas, au loin, est neuf; **en aquella época** à cette époque-là

aquél, aquélla *(mpl* **aquéllos,** *fpl* **aquéllas)** *pron demostrativo* celui-là, celle-là; **a. del fondo no** ce tableau(-ci) ne me plaît mais pas celui du fond; **a. fue mi último día en Londres** ce fut mon dernier jour à Londres; **aquéllos que quieran hablar que levanten la mano** que ceux qui veulent parler lèvent la main

aquello *pron demostrativo (neutro)* cela; **a. que se ve al fondo es el mar** c'est la mer que l'on voit dans le fond; **no sé si a. lo dijo en serio** je ne sais pas s'il a dit cela sérieusement

aquí *adv* ici; **a. arriba/abajo** en haut/bas; **a. cerca** près d'ici; **a. dentro** dedans; **a. fuera** dehors; **a. mismo** ici même; **por a.** par ici; **de a. a mañana** d'ici demain

árabe 1 *adj* arabe **2** *nmf* Arabe *mf* **3** *nm (lengua)* arabe *m*

Arabia Saudí *n* l'Arabie saoudite *f*

arado *nm* charrue *f*

arandela *nf* rondelle *f*

araña *nf (animal)* araignée *f*; *(lámpara)* lustre *m*

arañar *vt (con las uñas)* griffer; *(raspar)* égratigner, érafler

arañazo *nm* égratignure *f*, éraflure *f*

arar *vt* labourer

arbitrar *vt (partido)* & *Der* arbitrer; *(disponer) (medidas)* prendre; *(recursos)* employer

árbitro *nm* arbitre *m*

árbol *nm* arbre *m*; *Náut (palo)* mât *m*
■ **á. genealógico** arbre généalogique; **á. de Navidad** sapin *m* de Noël

arbusto *nm* arbuste *m*

arca *nf* coffre *m*; **el a. de Noé** l'arche *f* de Noé; **arcas** caisses *fpl*

arcada *nf (náusea)* haut-le-cœur *m inv*; *(arco)* arcade *f*; *(de puente)* arche *f*

arcaico, -a *adj* archaïque

arcángel *nm* archange *m*

arcén *nm* bas-côté *m*

archipiélago *nm* archipel *m*

archivador *nm* classeur *m*

archivar *vt (cosas)* classer; *Informát (fichero)* archiver

archivo *nm* archives *fpl*; *Informát* fichier *m*

arcilla *nf* argile *f*

arco *nm* arc *m*; *(en arquitectura)* arche *f*; *Mús* archet *m*; *Am (portería)* buts *mpl*
■ **a. iris** arc-en-ciel *m*

arder *vi* brûler; **está que arde** *(lugar o reunión)* ça chauffe, ça barde; *(persona)* il bout de colère; *Fig* **a. en deseos de hacer algo** brûler d'envie de faire qch

ardiente *adj* brûlant(e); *(deseo, defensor, brasa)* ardent(e); *(admirador)* fervent(e)

ardilla nf écureuil m
área nf (zona) zone f; (superficie)
surface f; (medida) are m ■ á.
metropolitana communauté f
urbaine; **á. (de penalti** o **castigo)**
surface de réparation; **á. de servicio**
aire f de service
arena nf sable m; (de ruedo, circo)
arène f ■ **arenas movedizas** sables
mouvants
arenoso, -a adj sablonneux(euse);
(playa) de sable
arenque nm hareng m
arepa nf Col, Ven galette f de maïs
aretes nmpl Andes, Méx boucles fpl
d'oreilles
Argelia n l'Algérie f
Argentina nf (la) A. l'Argentine f
argentino, -a 1 adj argentin(e)
2 nm,f Argentin(e) m,f
argolla nf anneau m; Col (anillo)
alliance f
argot (pl argots) nm (jerga popular)
argot m; (jerga técnica) jargon m
argüir [8] vt alléguer
argumentar vt (teoría, opinión)
argumenter; (razones, excusas) invoquer
argumento nm (razonamiento,
resumen) argument m; (trama) trame f
árido, -a 1 adj aride; (aburrido)
rébarbatif(ive) 2 nmpl **áridos** =
céréales et légumes secs
Aries 1 nm inv (zodiaco) Bélier m inv
2 nmf inv (persona) Bélier m inv
arista nf arête f
aristocracia nf aristocratie f
aristócrata nmf aristocrate mf
aritmético, -a 1 adj arithmétique
2 nf **aritmética** arithmétique f
arlequín nm arlequin m
arma nf arme f ■ **a. blanca** arme
blanche; **a. de fuego** arme à feu; **a.
homicida** arme du crime; **a. química**
arme chimique
armada nf (marina) marine f;
(escuadra) flotte f
armadillo nm tatou m
armadura nf (de guerrero) armure f;

(de tejado) charpente f; (de barco)
carcasse f
armamento nm armement m
armar 1 vt (arma, personas) armer;
(mueble, tienda de campaña) monter;
Fam (escándalo) faire 2 **armarse** vpr
(con armas) s'armer; **armarse de**
(paciencia, valor) s'armer de
armario nm armoire f ■ **a. (empotrado)** placard m
armazón nm armature f; (de edificio)
ossature f
armisticio nm armistice m
armonía nf harmonie f
armónico, -a 1 adj harmonique 2 nm
harmonique m 3 nf **armónica**
harmonica m
armonizar [14] 1 vt harmoniser 2 vi
a. con (concordar) être en harmonie
avec
aro nm (círculo) cercle m; (arandela)
bague f; (pendiente, anillo) anneau m;
Am (pendiente) boucle f d'oreille; **los
aros olímpicos** les anneaux olympiques
aroma nm arôme m
arpa nf harpe f
arqueología nf archéologie f
arqueólogo, -a nm f archéologue mf
arquero nm archer m; Am (portero de
fútbol) gardien m de but
arquitecto, -a nm,f architecte mf
arquitectura nf architecture f
arraigar [37] 1 vt enraciner 2 vi (en un
lugar) prendre racine, pousser
3 **arraigarse** vpr (establecerse)
s'installer
arrancar [58] 1 vt arracher; (árbol)
déraciner; (vehículo) faire démarrer;
(máquina) mettre en marche;
Informát (programa) lancer 2 vi
(vehículo, máquina) démarrer;
(persona) (partir) démarrer; (ponerse
a trabajar) s'y mettre; **a. de** (provenir)
provenir de 3 **arrancarse** vpr
arrancarse a hacer algo se mettre à
faire qch
arranque nm (comienzo) point m de
départ, début m; (de vehículo)

démarreur *m*; *Fig* **en un a. de generosidad** dans un élan de générosité

arrastrar 1 *vt* traîner; *(carro, vagón)* remorquer; *(sujeto: corriente, aire)* emporter; **a. a alguien a algo/a hacer algo** *(impulsar a)* pousser qn à qch/à faire qch **2** *vi* traîner (par terre) **3 arrastrarse** *vpr (por el suelo)* se traîner; *(reptil)* ramper

arrebatar 1 *vt (arrancar)* arracher **2 arrebatarse** *vpr* s'emporter

arrebato *nm (arranque)* emportement *m*; *(de pasión)* extase *f*; **a. de amor** transport *m* amoureux; **a. de ira** accès *m* de colère

arreglar 1 *vt (vehículo)* réparer; *(ordenar)* ranger; *(solucionar)* régler; *(acicalar)* préparer; *(mujer)* pomponner **2 arreglarse** *vpr (apañarse)* s'arranger; *(acicalarse)* se préparer; *(una mujer)* se pomponner; **saber arreglárselas** savoir s'y prendre

arreglo *nm* arrangement *m*; *(de ropa)* retouche *f*; **llegar a un a.** parvenir à un arrangement; **no tiene a.** cela ne peut pas s'arranger, il n'y a pas de solution

arrendatario, -a 1 *adj* de location **2** *nm,f* locataire *mf*; *(agrícola)* exploitant(e) *m,f*

arreos *nmpl* harnais *m*

arrepentirse [61] *vpr* **a. (de algo)** se repentir (de qch), regretter (qch)

arrestar *vt* arrêter

arriba 1 *adv (encima)* au-dessus; *(lugar, dirección)* en haut; *(en un texto)* ci-dessus; **vive (en el piso de) a.** il habite au-dessus; **a. de** plus de; *Am (encima de)* sur; **la vecina de a.** la voisine du dessus; **el estante de a.** l'étagère du haut; **a. del todo** tout en haut; **más a.** plus haut, au-dessus; **hacia a.** vers le haut; **ir para a.** monter; **calle a.** en remontant la rue; **río a.** en amont; **de a. abajo** *(cosa)* du début à la fin; *(persona)* de la tête aux pieds; **mirar a alguien de a. abajo** *(con desdén)* regarder qn de haut en bas

2 *interj* courage!; **¡a. la República!** vive la République!; **¡a. las manos!** haut les mains!

arribeño, -a *nm,f Am Fam* habitant(e) *m,f* des hauts plateaux

arriesgado, -a *adj (peligroso)* risqué(e); *(temerario)* audacieux(euse)

arriesgar [37] **1** *vt* risquer **2 arriesgarse** *vpr* s'exposer, prendre des risques; **arriesgarse a** se risquer à

arrimar 1 *vt (acercar)* approcher, rapprocher **2 arrimarse** *vpr (en el espacio)* s'approcher, se rapprocher; **arrimarse a algo** s'appuyer sur qch

arroba *nf Informát* arobas *m*, arobase *f*

arrodillarse *vpr* s'agenouiller

arrogancia *nf* arrogance *f*

arrogante *adj* arrogant(e)

arrojar 1 *vt (lanzar)* jeter; *(despedir) (humo, lava)* cracher; *(olor)* dégager; *(echar)* chasser; *(resultado)* faire apparaître, mettre en évidence; *(vomitar)* rendre **2 arrojarse** *vpr* se jeter

arroyo *nm (riachuelo)* ruisseau *m*; *(de la calle)* caniveau *m*

arroz *nm* riz *m*

arruga *nf (de ropa)* pli *m*; *(de piel)* ride *f*

arrugar [16] **1** *vt (ropa, papel)* froisser; *(piel)* rider **2 arrugarse** *vpr (ropa)* se froisser; *(piel)* se rider

arruinar 1 *vt* ruiner **2 arruinarse** *vpr* se ruiner

arsenal *nm (de barcos, armas)* arsenal *m*; *(de cosas)* stock *m*

arsénico *nm* arsenic *m*

arte *nm* of art *m*; *(astucia)* ruse *f*; **por o con malas artes** par des moyens pas très catholiques; **artes** arts ■ **artes gráficas** arts graphiques; **artes plásticas** arts plastiques; **bellas artes** beaux-arts *mpl*

artefacto *nm* engin *m*; *(bomba)* engin *m* explosif

arteria *nf* artère *f*

artesanal *adj* artisanal(e)

artesanía *nf* artisanat *m*; **de a.**

(producto) artisanal(e), de fabrication artisanale

artesano, -a *nm,f* artisan(e) *m,f*

ártico, -a 1 *adj* arctique **2** *nm* el Á. l'Arctique *m*

articulación *nf* articulation *f*

articulado, -a *adj* articulé(e)

articular *vt* articuler; *(plan, proyecto)* élaborer

artículo *nm* article *m* ■ **a. de fondo** article de fond; **a. de primera necesidad** produit *m* de première nécessité

artificial *adj* artificiel(elle)

artificio *nm (aparato)* engin *m*; *Fig (artimaña)* artifice *m*

artista *nmf* artiste *mf*

artístico, -a *adj* artistique

arveja *nf Am* petit pois *m*

arzobispo *nm* archevêque *m*

as *nm* as *m*

asa *nf* anse *f (poignée)*

asado *nm (horno)* rôti *m*; *Col, CSur (barbacoa)* barbecue *m*

asador *nm (aparato)* rôtissoire *f*; *(varilla)* broche *f*; *(restaurante)* grill *m*

asalariado, -a *nm,f* salarié(e) *m,f*

asaltar *vt (castillo, ciudad)* prendre d'assaut; *(banco, tren)* attaquer; *Fig (sujeto: duda)* assaillir; *(sujeto: idea)* venir à

asalto *nm (de castillo, ciudad)* assaut *m*; *(de banco)* hold-up *m inv*; *(de persona)* attaque *f*, agression *f*; *(en boxeo)* round *m*; **tomar algo por a.** prendre qch d'assaut

asamblea *nf (reunión)* assemblée *f*

asar 1 *vt (al horno)* rôtir; *(a la parrilla)* griller **2 asarse** *upr Fig* cuire, étouffer

ascendencia *nf (linaje)* ascendance *f*; *Fig (influencia)* ascendant *m*

ascendente 1 *adj* ascendant(e) **2** *nm Astrol* ascendant *m*

ascender [63] **1** *vi (subir)* monter; *(incrementarse)* augmenter; *(progresar) (en empleo)* être promu(e); *(en deportes)* monter dans le classement; **a. a** *(factura, cuenta)* s'élever à **2** *vt* **a. a**

alguien (a algo) promouvoir qn (à qch)

ascendiente 1 *nmf (antepasado)* ancêtre *mf* **2** *nm (influencia)* ascendant *m*

ascenso *nm (en empleo)* avancement *m*, promotion *f*; *(a un monte)* ascension *f*; **el equipo lucha por el a. a primera** l'équipe fait tout pour monter en première division

ascensor *nm* ascenseur *m*

asco *nm (sensación)* dégoût *m*; **¡qué a.!** c'est dégoûtant *ou* répugnant!; **¡qué a. de tiempo!** quel sale temps!, quel temps pourri!; **dar a.** dégoûter; **hacer ascos a algo** faire la fine bouche devant qch

ascua *nf* braise *f*

aseado, -a *adj (limpio) (persona)* net (nette); *(animal)* propre; *(arreglado)* soigné(e)

asear 1 *vt* nettoyer **2 asearse** *upr (lavarse)* faire sa toilette; *(arreglarse)* se préparer

asegurado, -a *nm,f* assuré(e) *m,f*

asegurar 1 *vt (fijar)* assujettir; *(tuerca)* resserrer; *(garantizar)* assurer **2 asegurarse** *upr* **asegurarse de que** *(cerciorarse)* s'assurer que; **asegúrate de cerrar la puerta** n'oublie pas de fermer la porte; **asegurarse (contra)** *(hacer un seguro)* s'assurer (contre)

asentir [61] *vi (afirmar con la cabeza)* acquiescer; **a. (a algo)** *(estar conforme)* admettre (qch)

aseo *nm (acción)* toilette *f*; *(cualidad)* propreté *f*; *(habitación)* salle *f* d'eau; **aseos** toilettes *fpl*

aséptico, -a *adj* aseptique

asequible *adj* accessible

asesinar *vt* assassiner

asesinato *nm* assassinat *m*

asesino, -a 1 *adj (mano, mirada)* assassin(e); *(arma, tendencias)* meurtrier(ère) **2** *nm,f* assassin *m*, meurtrier(ère) *m,f* ■ **a. a sueldo** tueur *m* à gages

asesor, -ora *nm,f* conseiller(ère) *m,f*, *Der* assesseur *m* ■ **a. fiscal** conseiller fiscal; **a. de imagen** conseiller en communication

asesorar 1 *vt* conseiller **2 asesorarse** *vpr* **asesorarse (sobre algo)** se faire conseiller (sur qch)

asesoría *nf (oficio)* conseil *m; (oficina)* cabinet-conseil ■ **a. fiscal** *(oficina)* cabinet *m* de conseil fiscal; **a. jurídica** cabinet juridique

asfaltado *nm (acción)* goudronnage *m,* asphaltage *m; (asfalto)* chaussée *f*

asfaltar *vt* goudronner, asphalter

asfalto *nm* asphalte *m*

asfixia *nf* asphyxie *f*

asfixiante *adj* asphyxiant(e); *(calor)* étouffant(e)

asfixiar 1 *vt* asphyxier **2 asfixiarse** *vpr* s'asphyxier

así 1 *adv* ainsi; *(de este modo)* comme ceci; *(de ese modo)* comme cela; **era a. de largo** il était long comme ça; **a. es/era/fue como...** voilà comment..., c'est ainsi que...; **a. a.** comme ci comme ça, couci-couça; **algo a.** quelque chose comme ça; **a. como** *(igual que)* de même que, ainsi que; *(del mismo modo)* comme; *(además)* ainsi que; **a. es** c'est ça; **a. y todo** malgré tout

2 *conj (de modo que)* ainsi; **a. (es) que** alors; **estoy enferma a. que no voy** je suis malade, alors je n'y vais pas; **a. pues** donc, par conséquent

Asia *n* l'Asie *f*

asiático, -a 1 *adj* asiatique **2** *nm,f* Asiatique *mf*

asiento *nm (mueble)* siège *m; (emplazamiento)* site *m; Com* écriture *f; (base)* assise *f;* **tomar a.** prendre place

asignatura *nf* matière *f* ■ **a. pendiente** épreuve *f* à repasser

asilado, -a *nm,f* réfugié(e) *m,f*

asilo *nm* asile *m;* **dar a. a alguien** offrir asile à qn ■ **a. político** asile politique

asimilación *nf* assimilation *f*

asimilar 1 *vt* assimiler **2 asimilarse** *vpr* s'assimiler

asir [9] **1** *vt* saisir **2 asirse** *vpr* s'accrocher (**a** à)

asistencia *nf (presencia)* présence *f; (ayuda, público)* assistance *f; Dep* passe *f* ■ **a. médica** soins *mpl;* **a. técnica** assistance technique

asistente *nmf (ayudante)* assistant(e) *m,f;* **una a. social** une assistante sociale; **los asistentes** *(los presentes)* les personnes présentes

asistir 1 *vt (acompañar)* assister; *(ayudar) (a heridos, necesitados)* secourir; *(a enfermos)* soigner **2** *vi (presenciar)* être présent(e); **a. a** assister à

asma *nf* asthme *m*

asno *nm* âne *m*

asociación *nf* association *f* ■ **a. de consumidores** association de (défense des) consommateurs; **a. de ideas** association d'idées; **a. de vecinos** association de riverains

asociar 1 *vt* associer **2 asociarse** *vpr* s'associer

asolar [62] *vt* dévaster

asomar 1 *vi* apparaître; *(pañuelo, camisa)* sortir, dépasser; *(sol)* poindre **2** *vt* passer; **a. la cabeza por la ventana** passer la tête par la fenêtre; **asomó la cabeza por detrás del mueble** il sortit la tête de derrière le meuble **3 asomarse** *vpr* se pencher (**a** à)

asombrar 1 *vt (causar admiración)* stupéfier; *(causar sorpresa)* étonner **2 asombrarse** *vpr* s'étonner (**de** de)

asombro *nm (admiración)* stupéfaction *f; (sorpresa)* étonnement *m*

aspa *nf (de molino)* aile *f; (de hélice)* pale *f*

aspecto *nm (faceta)* aspect *m; (presencia, pinta)* allure *f; (cara, estado físico)* mine *f;* **tener buen/mal a.** avoir bonne/mauvaise mine; **en todos los aspectos** à tous points de vue; **tener a. de...** avoir l'air de...

aspereza *nf (de piel)* rugosité *f; (de terreno)* aspérité *f*

áspero, -a *adj (piel)* rugueux(euse);

(tejido) rêche; *(terreno)* raboteux (euse)

aspirador *nm*, **aspiradora** *nf* aspirateur *m*

aspirar 1 *vt* aspirer 2 *vi* **a. a algo** aspirer à qch

aspirina *nf* aspirine *f*

asquear *vt* dégoûter

asquerosidad *nf (cosa mala)* nullité *f*; *(cosa fea)* horreur *f*; **es una a.** *(cosa sucia)* c'est vraiment dégoûtant *ou* répugnant

asqueroso, -a *adj* dégoûtant(e), répugnant(e)

asta *nf (de bandera, lanza)* hampe *f*; *(de toro)* corne *f*

asterisco *nm* astérisque *m*

astillero *nm* chantier *m* naval

astro *nm* astre *m*

astrología *nf* astrologie *f*

astrólogo, -a *nm,f* astrologue *mf*

astronauta *nmf* astronaute *mf*

astronomía *nf* astronomie *f*

astronómico, -a *adj* astronomique

astrónomo, -a *nm,f* astronome *mf*

astuto, -a *adj (listo, sagaz)* astucieux(euse); *(taimado)* rusé(e)

asumir *vt* assumer

asunto *nm (tema)* sujet *m*; *(negocio)* affaire *f* ■ **Asuntos Exteriores** Affaires étrangères

asustar 1 *vt* effrayer, faire peur à 2 **asustarse** *vpr* avoir peur (**de** de); **no se asusta de** *o* **por nada** il n'a peur de rien

atacar [58] *vt* attaquer; *(criticar)* critiquer, s'en prendre à

atajo *nm (camino, medio)* raccourci *m*

ataque 1 *ver* **atacar** 2 *nm* attaque *f*; *(de nervios, llanto)* crise *f*; **a. de tos** quinte *f* de toux; **a. de risa** fou rire *m* ■ **a. cardíaco** *o* **al corazón** crise cardiaque

atar 1 *vt* attacher; *Fig* **a. cabos** procéder par recoupements 2 **atarse** *vpr* **atarse los cordones** nouer ses lacets

atardecer [45] 1 *nm* tombée *f* du jour 2 *v impersonal* **atardece** le jour tombe

atareado, -a *adj* occupé(e), pris(e)

atasco *nm (de tráfico)* embouteillage *m*

ataúd *nm* cercueil *m*

ate *nm Méx* gelée *f (de fruits)*

atención 1 *nf (interés)* attention *f*; *(cortesía)* prévenance *f*, égard *m*; **llamar la a.** *(atraer)* attirer l'attention; *(amonestar)* rappeler à l'ordre; **poner** *o* **prestar a.** prêter attention; **atenciones** attentions 2 *interj* votre attention s'il vous plaît!

atender [63] 1 *vt (aceptar) (petición, ruego)* accéder à; *(consejo, instrucciones)* faire cas de; *(cuidar de)* s'occuper de; *(enfermo)* soigner; *(cliente)* servir; *(responder)* répondre; **¿le atienden?** on s'occupe de vous? 2 *vi (estar atento)* être attentif(ive); **a. (a algo)** écouter (qch); **a. por** répondre au nom de

atentado *nm* attentat *m*

atentamente *adv (con atención)* attentivement; *(con cortesía)* poliment; **le saluda muy a.** *(en carta)* veuillez agréer, Madame/Monsieur, mes salutations distinguées

atento, -a *adj (pendiente)* attentif(ive) (**a** à); *(cortés)* attentionné(e)

ateo, -a *adj & nm,f* athée *mf*

aterrizaje *nm* atterrissage *m* ■ **a. forzoso** atterrissage forcé

aterrizar [14] *vi* atterrir

aterrorizar [14] *vt* terroriser

atestiguar [11] *vt* **a. algo** témoigner de qch

ático *nm* = appartement situé au dernier étage d'un immeuble

atinar *vi (adivinar)* voir juste; *(dar en el blanco)* viser juste; **a. con** *(respuesta, camino)* trouver; **a. a hacer algo** *(acertar)* réussir à faire qch

atingencia *nf Am (relación)* rapport *m*; *(observación)* remarque *f*

atípico, -a *adj* atypique

atizar [14] *vt (fuego, sentimientos)* attiser; *(sospechas)* éveiller

atlántico, -a 1 *adj* atlantique 2 *nm* **el A.** l'Atlantique *m*

atlas nm atlas m

atleta nmf athlète mf

atlético, -a adj athlétique

atletismo nm athlétisme m

atmósfera nf atmosphère f

atmosférico, -a adj atmosphérique

atole nm CAm, Méx = boisson à base de farine de maïs

atómico, -a adj atomique

átomo nm atome m

atónito, -a adj sans voix

atontado, -a adj (aturdido) étourdi(e); (tonto) abruti(e)

atorarse vpr Am (atragantarse) s'étrangler (**con** avec); (trabarse) se coincer

atorón nm Méx embouteillage m

atorrante adj CSur (holgazán) fainéant(e)

atracador, -ora nm,f voleur(euse) m,f (à main armée)

atracar [58] **1** vt (banco) attaquer; (persona) agresser **2** vi (barco) accoster (**en a**) **3** atracarse vpr atracarse de se gaver de

atracción nf attraction f; (atractivo) attrait m; (de persona) charme m; **sentir a. por** être attiré(e) par

atraco nm hold-up m inv; **a. mano armada** attaque f à main armée

atractivo, -a 1 adj attirant(e) **2** nm attrait m; (de persona) charme m

atraer [65] vt attirer

atragantarse vpr s'étrangler (**con** avec)

atrapar vt (pillar, alcanzar) attraper

atrás adv (detrás) derrière, à l'arrière; (movimiento) arrière, en arrière; **los niños suben a.** les enfants montent derrière ou à l'arrière; **dar marcha a.** faire marche arrière; **dar un paso a.** faire un pas en arrière; **(pocos) días a.** (en el pasado) quelques jours plus tôt (en el presente) il y a quelques jours; **quedarse a.** rester en arrière

atrasado, -a adj en retard; (pago) arriéré(e); **mi reloj está a.** ma montre retarde

atrasar 1 vt (reloj) retarder; (acontecimiento) reporter; **a. el reloj una hora** retarder sa montre d'une heure **2** vi retarder; **mi reloj atrasa** ma montre retarde **3 atrasarse** vpr (reloj) retarder; (quedarse atrás) prendre du retard

atraso nm retard m; **atrasos** arriérés mpl

atravesar [3] **1** vt (cruzar, vivir) traverser; (interponer) mettre en travers; (traspasar) (agua) traverser, passer à travers; (bala, clavo) transpercer **2 atravesarse** vpr (interponerse) se mettre en travers

atreverse vpr **a. (a algo/hacer algo)** oser (qch/faire qch)

atrevido, -a 1 adj (descarado) effronté(e); (valiente) intrépide; (hecho, dicho) osé(e) **2** nm,f effronté(e) m,f

atribución nf attribution f

atribuir [33] **1** vt **a. algo a** attribuer qch à **2 atribuirse** vpr s'attribuer

atributo nm attribut m

atropellar 1 vt (sujeto: vehículo) renverser; (sujeto: persona) piétiner, marcher sur **2 atropellarse** vpr (al hablar) bredouiller

atropello nm (por vehículo) accident m; (agravio) abus m; Fig **¡esto es un a.!** c'est un scandale!

ATS nmf (abrev ayudante técnico sanitario) infirmier(ère) m,f

atún nm thon m

audaz adj audacieux(euse)

audiencia nf (entrevista) audience f; (en conferencia) auditoire m; (tribunal) cour f; (edificio) palais m de justice; **conceder una a.** accorder un entretien

audiovisual adj audiovisuel(elle)

auditivo, -a adj auditif(ive)

auditor, -ora nm,f (de cuentas) audit m (personne)

auditoría nf (profesión, balance) audit m; (despacho) cabinet m d'audit

auditorio nm (público) auditoire m; (lugar) auditorium m

auge *nm* essor *m*

aula *nf (de escuela)* salle *f* de classe; *(de universidad)* salle *f* de cours ■ a. **magna** grand amphithéâtre *m*

aullar *vi* hurler

aullido *nm* hurlement *m*

aumentar 1 *vt* augmenter; *(imagen)* grossir; *(sonido)* monter; **a. de peso** prendre du poids **2** *vi* augmenter

aumento *nm (de sueldo, tarifas)* augmentation *f*; *(de lente)* grossissement *m*; **ir en a.** augmenter; *(tensión)* monter; **de a.** grossissant(e)

aun 1 *adv (hasta, incluso)* même; **a. en pleno invierno...** même en plein hiver...
2 *conj (aunque)* bien que; **a. estando enfermo, vendrá** il viendra, bien qu'il soit malade; **ni a. puesto de puntillas logra ver** même sur la pointe des pieds, il ne voit pas; **a. así** quand même; **a. cuando** *(aunque)* quand bien même, même si; **no mentiría a. cuando le fuera en ello la vida** elle ne mentirait pas même si elle devait en mourir

aún *adv (todavía)* encore; **a. no ha llamado** il n'a pas encore appelé

aunque *conj (a pesar de que)* bien que + *subjuntivo*; *(incluso si)* même si + *indicativo*; *(pero)* bien que; **a. está enfermo, sigue viniendo** bien qu'il soit malade, il continue à venir; **a. esté enfermo seguirá viniendo** même s'il est malade il continuera à venir

aureola *nf* auréole *f*

auricular *nm (de teléfono)* écouteur *m*; **auriculares** casque *m*

ausencia *nf* absence *f*; *(de aire)* manque *m*

ausente *adj & nmf* absent(e) *m,f*

austeridad *nf* austérité *f*

austero, -a *adj* austère

Australia *n* l'Australie *f*

australiano, -a 1 *adj* australien(enne) **2** *nm,f* Australien(enne) *m,f*

Austria *n* l'Autriche *f*

austríaco, -a 1 *adj* autrichien(enne) **2** *nm,f* Autrichien(enne) *m,f*

auténtico, -a *adj (veraz)* authentique; *(no falsificado, verdadero)* vrai(e); *(piel)* véritable; **son brillantes auténticos** ce sont de vrais diamants; **es un a. cretino** c'est un vrai crétin

auto *nm* Der ordonnance *f*, arrêt *m*; *CSur (vehículo)* auto *f*

autobiografía *nf* autobiographie *f*

autobús *(pl autobuses)* *nm* autobus *m*

autocar *nm* autocar *m*

autocontrol *nm* self-control *m*

autóctono, -a *adj & nm,f* autochtone *mf*

autoescuela *nf* auto-école *f*

autoestop *nm* auto-stop *m*; **hacer a.** faire de l'auto-stop

autoestopista *nmf* auto-stoppeur(euse) *m,f*

autógrafo *nm* autographe *m*

automático, -a *adj* automatique; *(gesto)* mécanique

automóvil *nm* automobile *f*

automovilismo *nm (deporte)* sport *m* automobile

automovilista *nmf* automobiliste *mf*

autonomía *nf* autonomie *f*; *(comunidad autónoma)* communauté *f* autonome

autonómico, -a *adj (de comunidad autónoma)* d'une communauté autonome

autónomo, -a 1 *adj* autonome; *(trabajador)* indépendant(e), à son compte **2** *nm,f* travailleur(euse) *m,f* indépendant(e)

autopista *nf* autoroute *f* ■ **a. de información** autoroute de l'information; **a. de peaje** autoroute à péage

autopsia *nf* autopsie *f*

autor, -ora *nm,f* auteur *m*

autoría *nf (de obra)* paternité *f* littéraire; *(de crimen)* perpétration *f*

autoridad *nf* autorité *f*; **ser una a.** faire autorité en matière de; **la a.** *(la ley)* les autorités

autoritario, -a *adj* autoritaire
autorización *nf* autorisation *f* (**para de**)
autorizado, -a *adj* autorisé(e)
autorizar [14] *vt* autoriser
autorretrato *nm* autoportrait *m*
autoservicio *nm* (*tienda*) libreservice *m*; (*restaurante*) self-service *m*
autostop = **autoestop**
autostopista = **autoestopista**
autovía *nf* route *f* à quatre voies
auxiliar¹ 1 *adj* auxiliaire; (*mueble*) d'appoint 2 *nmf* (*ayudante*) assistant(e) *m,f* ■ **a. administrativo** employé *m* de bureau
auxiliar² *vt* assister, aider
auxilio *nm* aide *f*, secours *m*; **pedir a.** appeler au secours ■ **primeros auxilios** premiers secours
auyama *nf* Col, Ven potiron *m*
aval *nm* (*bancario*) aval *m*; (*garantía*) garantie *f*
avalancha *nf* avalanche *f*
avalar *vt* (*garantizar*) avaliser, donner son aval à; (*responder de*) se porter garant de
avance 1 *ver* **avanzar**
2 *nm* (*de dinero*) avance *f*; (*de tropas*) avancée *f*; (*de la ciencia*) progrès *m*; (*en radio, televisión*) présentation *f* des programmes ■ **a. informativo** flash d'informations; **a. meteorológico** prévisions *fpl* météo
avanzado, -a 1 *adj* avancé(e); (*alumno*) en avance 2 *nf* **avanzada** *Mil* avant-garde *f*
avanzar [14] 1 *vi* avancer 2 *vt* (*adelantar*) avancer; (*anticipar*) annoncer
avaricioso, -a *adj & nm,f* avare *mf*
avaro, -a *adj & nm,f* avare *mf*
AVE *nm* (*abrev* **alta velocidad española**) = train à grande vitesse espagnol, ≃ TGV *m*
ave *nf* oiseau *m*; *Am* (*pollo*) poulet *m* ■ **a. rapaz** rapace *m*; **a. de rapiña** oiseau de proie
avellana *nf* noisette *f*
avena *nf* avoine *f*

avenida *nf* avenue *f*
aventar 1 *vt* Andes, Méx (*empujar*) pousser; (*tirar*) jeter 2 **aventarse** *vpr* Col, Méx (*atreverse*) **aventarse a hacer algo** oser faire qch
aventón *nm* Méx **dar a. a alguien** déposer qn (*en voiture*)
aventura *nf* aventure *f*
aventurarse *vpr* s'aventurer
aventurero, -a 1 *adj* (*persona, espíritu*) d'aventure 2 *nm,f* aventurier(ère) *m,f*
avergonzado, -a *adj* honteux(euse)
avergonzar [10] 1 *vt* faire honte à 2 **avergonzarse** *vpr* avoir honte (**de**)
avería *nf* panne *f*; (*de barco*) avarie *f*
averiado, -a *adj* en panne
averiar [31] 1 *vt* endommager 2 **averiarse** *vpr* tomber en panne
averiguar [11] *vt* (*indagar*) rechercher, chercher à savoir; (*enterarse*) arriver à savoir, découvrir
aversión *nf* aversion *f*
avestruz *nm* autruche *f*
aviación *nf* aviation *f*
aviador, -ora *nm,f* aviateur(trice) *m,f*
avión *nm* avion *m*; **en a.** en avion; **por a.** par avion
avioneta *nf* avion *m* de tourisme
avisar *vt* (*informar, advertir*) prévenir; (*llamar*) appeler
aviso *nm* (*advertencia*) avertissement *m*; (*notificación*) avis *m*; (*en aeropuertos*) appel *m*; *Am* (*anuncio*) publicité *f*; **poner sobre a. a alguien** mettre qn sur ses gardes; **sin previo a.** sans préavis; **hasta nuevo a.** jusqu'à nouvel ordre ■ *Am* **a. clasificado** petite annonce *f*
avispa *nf* guêpe *f*
avituallamiento *nm* ravitaillement *m*
axila *nf* aisselle *f*
ay 1 *nm* (*pl* **ayes**) plainte *f* 2 *interj* (*dolor físico*) aïe!; (*sorpresa, pena*) oh!; **¡ay de ti!** gare à toi!
ayer *adv* hier; **a. noche** hier soir; **a. por la mañana** hier matin

ayuda *nf* aide *f* ■ **a. en carretera** service *m* de dépannage (routier); **a. humanitaria** aide humanitaire
ayudante *adj & nmf* assistant(e) *m,f*
ayudar 1 *vt* aider 2 **ayudarse** *upr* **ayudarse de** *o* **con** s'aider de
ayunar *vi* jeûner
ayuntamiento *nm* *(corporación)* municipalité *f*; *(edificio)* mairie *f*
azada *nf* houe *f*
azafata *nf* hôtesse *f*
azafate *nm Andes (bandeja)* plateau *m*
azafrán *nm* safran *m*
azar *nm* hasard *m*; **al a.** au hasard;

por (puro) a. par (pur) hasard
azotea *nf (de edificio)* terrasse *f*
azúcar *nm o nf* sucre *m* ■ **a. moreno** sucre roux
azucarado, -a *adj* sucré(e)
azucarero, -a 1 *adj* sucrier(ère) 2 *nm* sucrier *m*
azucena *nf* lis *m*, lys *m*
azufre *nm* soufre *m*
azul 1 *adj* bleu(e) 2 *nm* bleu *m* ■ **a. celeste** bleu ciel; **a. marino** bleu marine
azulejo *nm* azulejo *m*, carreau *m* de faïence

Bb

baba *nf* bave *f*
babero *nm* bavoir *m*
babor *nm* bâbord *m*; **a b.** à bâbord
babosa *nf* limace *f*
baboso, -a *adj* baveux(euse)
baca *nf* galerie *f (de voiture)*
bacalao *nm* morue *f*
bachillerato *nm* = dernières années de l'enseignement secondaire en Espagne
bacon ['beikon] *nm inv* bacon *m*
bádminton *nm inv* badminton *m*
bafle *nm* baffle *m*
bahía *nf* baie *f*
bailar *vt & vi* danser
bailarín, -ina *nm,f* danseur(euse) *m,f*
baile *nm* danse *f*; *(fiesta)* bal *m*
baja *ver* **bajo**
bajada *nf (descenso)* descente *f*; *(pendiente)* pente *f*; *(de aguas, precios)* baisse *f* ■ **b. de bandera** *(en taxi)* prise *f* en charge
bajar 1 *vt* baisser; *(descender, poner abajo)* descendre; **b. los precios/el**

telón/el volumen baisser les prix/le rideau/le son; **b. las escaleras** descendre l'escalier; **b. las maletas del armario** descendre les valises de l'armoire
2 *vi (descender)* descendre; *(disminuir) (fiebre, precio)* baisser; *(hinchazón)* dégonfler
3 **bajarse** *upr (inclinarse)* se baisser; *(apearse)* descendre (**de** de); **se bajó a la calle para comprar pan** il est descendu acheter du pain
bajativo *nm Andes, RP (licor)* digestif *m*; *(tisana)* tisane *f*
bajial *nm Perú* plaine *f*
bajo, -a 1 *adj* bas (basse); *(persona, estatura)* petit(e); *(sonido) (grave)* grave; *(calidad, inclinación)* mauvais(e); *(instintos)* primaire; *(lenguaje)* vulgaire; **en voz baja** à voix basse
2 *nm (dobladillo)* ourlet *m*; *(piso)* rez-de-chaussée *m inv*; *Mús (instrumento, cantante)* basse *f*; *(instrumentista)* bassiste *mf*

3 *adv* bas; **hablar b.** parler tout bas
4 *prep* sous; **b. el sol/el puente** sous le soleil/le pont; **b. palabra** sur parole; **estamos a dos grados b. cero** il fait moins deux
5 *nf* **baja** *(descenso)* baisse *f*; *(por enfermedad) (permiso)* congé *m* maladie; *(documento)* arrêt *m* maladie; *Mil* perte *f*, mort *m*; **dar de b. a alguien** *(en empresa)* licencier qn; *(en club, sindicato)* exclure qn; **darse de b. (de)** *(dimitir)* quitter, donner sa démission (de); *(salirse)* se retirer (de); **estar de b.** être arrêté(e) *ou* en congé maladie
bala *nf* balle *f*
balacear *vt Am (tirotear)* **b. a alguien** tirer sur qn; **b. algo** tirer sur qch
balacera *nf Am* fusillade *f*
balada *nf* ballade *f*; *(canción lenta)* slow *m*
balance *nm* bilan *m*; *(de discusión, reunión)* résultat *m*; **hacer el b. (de)** faire le point (de)
balanceo *nm* balancement *m*; *(de barco)* roulis *m*; *(del péndulo)* oscillation *f*; *Am Aut* équilibrage *m*
balancín *nm (mecedora)* fauteuil *m* à bascule, rocking-chair *m*; *(columpio)* bascule *f*; *Aut* culbuteur *m*
balanza *nf* balance *f*; **se inclinó la b. a nuestro favor** la balance a penché de notre côté ■ **b. comercial** balance commerciale; **b. de pagos** balance des paiements
balar *vi* bêler
balcón *nm (terraza)* balcon *m*; *(mirador)* belvédère *m*
balde *nm* seau *m*; **de b.** pour rien, gratis; **en b.** en vain
baldosa *nf (en casa)* carreau *m*; *(en acera)* dalle *f*
balear¹ *vt Am* blesser par balle
balear² *adj* des Baléares
Baleares *nfpl* **(las) B.** les Baléares *fpl*
baleo *nm Am* fusillade *f*
balido *nm* bêlement *m*
ballena *nf* baleine *f*
ballet [ba'le] *(pl* **ballets**) *nm* ballet *m*

balneario *nm* station *f* thermale, ville *f* d'eaux
balón *nm (pelota, recipiente)* ballon *m*; *(en tebeos)* bulle *f*; *Andes, Arg (bombona)* bouteille *f* de gaz
baloncesto *nm* basket-ball *m*, basket *m*
balonmano *nm* handball *m*
balonvolea *nm* volley-ball *m*
balsa *nf (embarcación)* radeau *m*; *(estanque)* étang *m*
bálsamo *nm* baume *m*
bambú *(pl* **bambúes** *o* **bambús**) *nm* bambou *m*
banana *nf* banane *f*
banca¹ *nf (sector financiero)* banque *f*, secteur *m* bancaire
banca² *nf (asiento)* banc *m*; *Andes, RP (escaño)* siège *m*
banco *nm (asiento, concentración)* banc *m*; *Fin, Informát & Med* banque *f*; *(de carpintero)* établi *m*; **el B. Mundial** la Banque mondiale ■ **b. de arena** banc de sable; **b. de datos** banque de données; **b. de peces** banc de poissons
banda *nf* bande *f*; *(de música)* fanfare *f*; *(faja)* écharpe *f*; *(cinta)* ruban *m*; *(en fútbol)* ligne *f* de touche; **se cerró en b.** il n'a rien voulu savoir ■ **b. sonora** bande-son *f*, bande originale
bandeja *nf* plateau *m*
bandera *nf* drapeau *m* ■ **b. blanca** drapeau blanc
banderilla *nf Taurom* banderille *f*; *(aperitivo)* = mini-brochette de légumes au vinaigre servie en apéritif
banderín *nm (bandera)* fanion *m*; *Mil* porte-drapeau *m*
bandido, -a *nm,f (delincuente)* bandit *m*; *(granuja)* coquin(e) *m,f*
bando *nm (facción)* camp *m*; *(de alcalde)* arrêté *m* (municipal); **pasarse al otro b.** passer à l'ennemi
banjo ['banjo] *nm* banjo *m*
banquero, -a *nm,f* banquier(ère) *m,f*
banqueta *nf* banquette *f*; *Méx (acera)* trottoir *m*

banquina *nf RP* accotement *m*
bañadera *nf Arg (bañera)* baignoire *f*; *(autobús)* bus *m*
bañado *nm RP* marécage *m*
bañador *nm* maillot *m* de bain
bañar 1 *vt* baigner; **b. con** *o* **de** *(con oro, plata)* recouvrir de; **b. en** tremper dans **2 bañarse** *vpr* se baigner; *Am (ducharse)* prendre une douche
bañera *nf* baignoire *f*
bañista *nmf* baigneur(euse) *m,f*
baño *nm* bain *m*; *(en el mar)* baignade *f*; *(bañera)* baignoire *f*; *(cuarto de aseo)* salle *f* de bains; *(capa)* couche *f*; **darse un b.** prendre un bain; **baños** eaux *fpl* ■ **b. María** bain-marie *m*
bar *nm* bar *m* ■ **b. de tapas** bar à tapas
baraja *nf* jeu *m* de cartes
barajar 1 *vt* *(naipes)* battre; *(considerar)* brasser; *(ideas)* mettre en avant; *(posibilidades)* envisager **2 barajarse** *vpr (nombres, posibilidades)* être envisagé(e); *(datos, cifras)* être examiné(e)
baranda, barandilla *nf (de escalera)* rampe *f*; *(de balcón)* balustrade *f*
baratija *nf* babiole *f*
barato, -a 1 *adj* bon marché, pas cher(ère) **2** *adv* (à) bon marché; **comprar b.** acheter à bas prix; **salir b.** ne pas revenir cher
barba *nf* barbe *f*; **dejarse b.** se laisser pousser la barbe
barbacoa *nf* barbecue *m*
barbaridad *nf (cualidad)* atrocité *f*; *(disparate)* ineptie *f*; **¡qué b.!** quelle horreur!; **una b. (de)** *(un montón)* des tonnes (de); **comer una b.** manger comme quatre; **gastar una b.** dépenser une fortune
barbarie *nf* barbarie *f*
barbería *nf* coiffeur *m* (pour hommes) *(salon)*
barbero *nm* coiffeur *m* (pour hommes)
barbilla *nf* menton *m*
barbudo, -a 1 *adj* barbu(e) **2** *nm* barbu *m*
barca *nf* barque *f*

barcaza *nf (fluvial)* péniche *f*
Barcelona *n* Barcelone
barcelonés, -esa 1 *adj* barcelonais(e) **2** *nm,f* Barcelonais(e) *m,f*
barco *nm* bateau *m* ■ **b. mercante** cargo *m*; **b. de motor** bateau à moteur; **b. de vela** bateau à voile
barítono *nm* baryton *m*
barniz *nm* vernis *m*
barnizar [14] *vt* vernir
barómetro *nm* baromètre *m*
barquillo *nm* gaufrette *f*
barra *nf* barre *f*; *(de oro)* lingot *m*; *(de hielo)* pain *m*; *(para cortinas)* tringle *f*; *(de bar)* comptoir *m*, bar *m*; *RP (de amigos)* bande *f*, groupe *m* ■ **b. de labios** rouge *m* à lèvres; **b. libre** = boisson à volonté; **b. de pan** baguette *f*; *Dep* **barras paralelas** barres parallèles
barraca *nf (chabola)* baraque *f*; *(caseta de feria)* stand *m*; *(en Valencia y Murcia)* chaumière *f*
barranco *nm (precipicio)* précipice *m*; *(cauce)* ravin *m*
barrendero, -a *nm,f* balayeur(euse) *m,f*
barreño *nm* bassine *f*
barrer *vt* balayer
barrera *nf* barrière *f*; *Dep (de jugadores)* mur *m* ■ **b. del sonido** mur du son
barriada *nf (popular)* quartier *m*; *Am (pobre)* bidonville *m*
barriga *nf* ventre *m*; **echar b.** prendre du ventre
barril *nm* baril *m*; *(de madera)* tonneau *m*; **de b.** *(cerveza)* (à la) pression
barrio *nm (vecindario)* quartier *m* ■ **los barrios bajos** les bas quartiers; **b. residencial** quartier résidentiel
barro *nm (del campo)* boue *f*; *(de alfarero)* argile *f*
barroco, -a 1 *adj* baroque **2** *nm* baroque *m*
bártulos *nmpl* affaires *fpl*
barullo *nm Fam (ruido)* boucan *m*; *(desorden)* bazar *m*; **armar b.** faire du boucan

basar 1 *vt (fundamentar)* baser
2 basarse *vpr* **basarse en** se baser sur
basca *nf Fam (de amigos)* bande *f*;
(náusea) mal *m* au cœur
báscula *nf* bascule *f* ■ **b. de baño**
pèse-personne *m*
base *nf* base *f*; **a b. de** à base de;
sentar las bases para jeter les bases
de ■ **b. de datos** base de données;
b. militar base militaire
básico, -a *adj (fundamental)* de base,
essentiel(elle)
basta *interj* ça suffit!; **¡b. de
caprichos!** finis les caprices!; **¡b. de
bromas!** trêve de plaisanteries!
bastante 1 *adv* assez; **no come b.** il
ne mange pas assez; **es lo b. lista
para...** elle est assez futée pour...;
gana b. il gagne bien sa vie **2** *adj*
assez; **no tengo b. dinero** je n'ai pas
assez d'argent; **tengo b. frío** j'ai
plutôt froid; **gana b. dinero** il gagne
pas mal d'argent **3** *pron* **éramos
bastantes** nous étions assez
nombreux
bastar 1 *vi* suffire; **basta con decirlo** il
suffit de le dire; **basta con que se lo
digas** il suffit que tu le lui dises
2 bastarse *vpr* se débrouiller tout(e)
seul(e)
bastardo, -a *adj & nm,f* bâtard(e) *m,f*
bastidor *nm (armazón)* châssis *m*;
bastidores coulisses *fpl*
basto, -a *adj (tosco, grosero)*
grossier(ère); *(áspero)* rugueux
(euse); **bastos** = l'une des quatre
couleurs du jeu de cartes espagnol
bastón *nm (para andar)* canne *f*; *(para
esquiar)* bâton *m*
basura *nf (desperdicios)* ordures *fpl*
basurero *nm (persona)* éboueur *m*;
(vertedero) décharge *f*
bata *nf (de casa)* robe *f* de chambre;
(de trabajo) blouse *f*
batacazo *nm (caída)* darse *o* pegarse
un b. se casser la figure
batalla *nf* bataille *f*
batería 1 *nf* batterie *f*; **aparcar en b.** se
garer en épi ■ **b. de cocina** batterie

de cuisine **2** *nmf Mús* batteur(euse)
m,f
batido, -a 1 *adj (nata)* fouetté(e);
(claras, camino) battu(e) **2** *nm
(acción)* battage *m*; *(bebida)* milk-
shake *m* **3** *nf* **batida** *(de caza)* battue
f; **dar una batida** *(de policía)* ratisser
batidora *nf* **b. (eléctrica)** *(para batir)*
batteur *m*; *(para triturar)* mixer *m*
batín *nm* veste *f* d'intérieur
batir 1 *vt* battre; *(nata)* fouetter; **la
policía batió la zona** la police a
ratissé le quartier **2** *vi (lluvia)* battre
3 batirse *vpr (luchar)* se battre *(por
pour)*; **batirse en retirada** battre en
retraite
batuta *nf* baguette *f* de chef
d'orchestre; *Fig* **llevar la b.** faire la loi
baúl *nm* malle *f*; *Col, CSur (maletero)*
coffre *m (de voiture)*
bautismo *nm* baptême *m (sacrement)*
bautizar [14] *vt* baptiser
bautizo *nm* baptême *m (cérémonie)*
baya *nf Bot* baie *f*
bayeta *nf* lavette *f (éponge)*
bayoneta *nf (arma)* baïonnette *f*; **de
b.** *(bombilla)* à baïonnette
bazar *nm* bazar *m*
be *nf Am* **b. larga** *o* **grande** b *m inv*,
lettre *f* b
beato, -a *adj & nm,f (beatificado)*
bienheureux(euse) *m,f*; *(piadoso)*
dévot(e) *m,f*; *Fig (santurrón)* bigot(e)
m,f
bebe *nm CSur Fam* bébé *m*, petit
garçon *m*
bebé *nm* bébé *m* ■ **b. probeta** bébé-
éprouvette *m*
beber 1 *vt* boire **2** *vi* boire; **b. a** *o* **por**
(brindar) boire à
bebida *nf* boisson *f*; **darse** *o*
entregarse a la b. s'adonner à la
boisson
bebido, -a *adj* gris(e) *(ivre)*
beca *nf (subvención)* bourse *f*
becario, -a *nm,f* boursier(ère) *m,f*
becerro, -a *nm,f* veau *m*, génisse *f*
bechamel *nf (sauce f)* béchamel *f*
bedel *nm* appariteur *m*

begonia *nf* bégonia *m*

beige [beis] **1** *adj* beige **2** *nm inv* beige *m*

béisbol *nm* base-ball *m*

belén *nm (de Navidad)* crèche *f*

belga 1 *adj* belge **2** *nmf* Belge *mf*

Bélgica *n* la Belgique

bélico, -a *adj* de guerre

belleza *nf* beauté *f*

bello, -a *adj* beau (belle)

bellota *nf* gland *m*

bencina *nf Chile* essence *f*

bencinera *nf Chile* pompe *f* à essence

bendecir [50] *vt* bénir; *(capilla)* consacrer; **b. la mesa** bénir le repas

bendición *nf* bénédiction *f*

bendito, -a 1 *adj (santo)* bénit(e); *(dichoso)* bienheureux(euse); *(para enfatizar)* sacré(e) **2** *nm,f* simple *mf* d'esprit; **dormir como un b.** dormir comme un bienheureux

beneficencia *nf* bienfaisance *f*

beneficiar 1 *vt (favorecer)* profiter à; **esta actitud no te beneficia** cette attitude te fait du tort **2 beneficiarse** *vpr* **no se beneficia nadie** personne n'y gagne; **beneficiarse de algo** profiter de qch

beneficio *nm (bien)* bienfait *m*; *(ganancia)* bénéfice *m*; **a b. de** *(gala, concierto)* au profit de; **en b. de todos** dans l'intérêt de tous; **en b. propio** dans son propre intérêt ■ **b. bruto** bénéfice brut; **b. neto** bénéfice net

benéfico, -a *adj (favorable)* bienfaisant(e); *(función, institución)* de bienfaisance

benevolencia *nf* bienveillance *f*

benévolo, -a, benevolente *adj* bienveillant(e)

bengala *nf (para pedir ayuda)* fusée *f* de détresse; *(para fiestas)* feu *m* de Bengale

berberecho *nm* coque *f (coquillage)*

berenjena *nf* aubergine *f*

berma *nf Chile* accotement *m*

bermudas *nfpl (pantalón)* bermuda *m*

berza *nf* chou *m*

besar 1 *vt* embrasser **2 besarse** *vpr* s'embrasser

beso *nm* baiser *m*

bestia 1 *adj Fig* **es muy b.** c'est une vraie brute **2** *nmf Fig (persona)* brute *f* **3** *nf (animal)* bête *f*

besugo *nm (pescado)* daurade *f*

betabel *nm Méx* betterave *f*

betarraga *nf Andes* betterave *f*

betún *nm (para el calzado)* cirage *m*

biberón *nm* biberon *m*

biblia *nf* bible *f*; **la B.** la Bible

bibliografía *nf* bibliographie *f*

bibliorato *nm RP* classeur *m*

biblioteca *nf* bibliothèque *f*

bibliotecario, -a *nm,f* bibliothécaire *mf*

bicarbonato *nm Quím* bicarbonate *m*; *(para el estómago)* bicarbonate *m* (de soude)

bíceps *nm inv* biceps *m*

bicho *nm (animal)* bête *f*; *(insecto)* bestiole *f*; *(pillo)* peste *f* ■ **b. raro** drôle d'oiseau *m*

bici *nf Fam* vélo *m*

bicicleta *nf* bicyclette *f*

bidé *nm* bidet *m*

bidón *nm* bidon *m*

bien 1 *adv* bien; *(de acuerdo)* d'accord; **has hecho b.** tu as bien fait; **habla b. el inglés** il parle bien l'anglais; **b. que vendría pero no puede** il viendrait bien *ou* volontiers mais il ne peut pas; **encontrarse b.** se sentir bien; **estar b.** *(de salud)* aller bien, se porter bien; *(de aspecto, de calidad, de comodidad)* être bien; *(ser suficiente)* suffire; **pasarlo b.** bien s'amuser; **¡muy b.!** très bien!; **¡ya está b.!** ça suffit!; **¿nos vamos? – b.** on y va? – d'accord; **¡está b.!** d'accord!; **más b.** plutôt; **no b. me había marchado cuando…** j'étais à peine parti que…

2 *adj inv* bien *inv*

3 *nm* bien *m*; *(calificación)* ≃ mention *f* assez bien ≃ la bien le bien et le mal; **es por tu b.** c'est pour ton bien; **hacer el b.** faire le bien;

bienes biens *mpl* ■ **bienes de consumo** biens de consommation; **bienes inmuebles** biens immobiliers; **bienes muebles** biens mobiliers

4 *conj* **(o) b.... (o) b.** soit... soit

bienal 1 *adj* biennal(e), bisannuel(elle) **2** *nf* biennale *f*

bienestar *nm (placidez)* bien-être *m inv; (confort económico)* confort *m*

bienvenido, -a 1 *adj* bienvenu(e); ¡**b.!** soyez le bienvenu! **2** *nf* **bienvenida** bienvenue *f*; **dar la bienvenida** souhaiter la bienvenue

bife *nm Andes, CSur* bifteck *m*

bifocal 1 *adj* à double foyer **2** *nfpl* **bifocales** *(gafas)* lunettes *fpl* à double foyer

bigote *nm* moustache *f*

bigotudo, -a *adj* moustachu(e)

bilingüe *adj* bilingue

billar *nm* billard *m*

billete *nm* billet *m; (de metro, autobús)* ticket *m; (de lotería)* billet; **sacar un b.** prendre un billet; **b. de ida y vuelta** aller-retour *m; b. sencillo* aller *m* simple

billetera *nf* portefeuille *m*

billón *nm* billion *m*

bingo *nm (juego, premio)* bingo *m; (sala)* salle *f* de bingo

biodegradable *adj* biodégradable

biografía *nf* biographie *f*

biográfico, -a *adj* biographique

biología *nf* biologie *f*

biopsia *nf* biopsie *f*

bioquímico, -a 1 *adj* biochimique **2** *nm,f* biochimiste *mf* **3** *nf* **bioquímica** biochimie *f*

biquini *nm* bikini *m*, deux-pièces *m*

birome *nf RP* stylo *m* (à) bille

birra *nf muy Fam (cerveza)* mousse *f*

birria *nf Fam (cosa, persona fea)* mocheté *f; (cuadro)* croûte *f; (cosa sin valor)* camelote *f*

bisabuelo, -a *nm,f* arrière-grand-père *m,* arrière-grand-mère *f*; **bisabuelos** arrière-grands-parents *mpl*

bisexual *adj & nmf* bisexuel(elle) *m,f*

bisnieto, -a *nm,f* arrière-petit-fils *m,*

arrière-petite-fille *f*; **bisnietos** arrière-petits-enfants *mpl*

bisonte *nm* bison *m*

bistec *(pl* bistecs*)*, **bisté** *nm* bifteck *m*

bisturí *(pl* bisturís *o* bisturíes*) nm* bistouri *m*

bisutería *nf* bijoux *mpl* fantaisie

bíter, bitter *nm* bitter *m*

bizco, -a 1 *adj* **es b.** il louche **2** *nm,f =* personne qui louche

bizcocho *nm (tarta)* gâteau *m; (galleta)* boudoir *m*

blanco, -a 1 *adj* blanc (blanche); **en b.** *(vacío)* dejar su hoja en b. rendre copie blanche; **quedarse con la mente en b.** avoir un trou de mémoire; **pasar la noche en b.** *(sin dormir)* passer une nuit blanche ■ **lo b. del ojo** le blanc de l'œil

2 *nm,f* Blanc (Blanche) *m,f*

3 *nm (color, espacio)* blanc *m; (de disparo)* cible *f, Fig (objetivo)* but *m;* **dar en el b.** mettre dans le mille

4 *nf* **blanca** *Mús* blanche *f, Fig* **estar** *o* **quedarse sin blanca** ne pas avoir un sou

blando, -a *adj* mou (molle); *(carne)* tendre; *Fig (de carácter)* faible

blanquear *vt (dinero)* blanchir

blanquillo *nm CAm, Méx (huevo)* œuf *m*

blindado, -a *adj* blindé(e)

blindar *vt* blinder

bloc *(pl* blocs*) nm (cuaderno)* cahier *m* ■ **b. de notas** bloc-notes *m*

bloque *nm* bloc *m; (edificio)* immeuble *m*

bloquear 1 *vt* bloquer; *(bienes)* saisir; *(cheque)* faire opposition à; *(cuenta, créditos)* geler **2 bloquearse** *vpr* se bloquer; *(persona)* faire un blocage

bloqueo *nm* blocage *m; (de país, ciudad)* blocus *m; (de mercancías)* embargo *m; (de bienes)* saisie *f; (de cuenta, créditos)* gel *m* ■ **b. económico** embargo économique; **b. mental** blocage

blusa *nf* chemisier *m*

bluyín *nm,* **bluyines** *nmpl Am* jean *m*

bobada, bobería nf Fam bêtise f;
decir/hacer bobadas dire/faire des
bêtises

bobina nf bobine f

bobo, -a adj & nm,f (tonto) idiot(e)
m,f; (ingenuo) niais(e) m,f

boca nf bouche f; **mantener seis
bocas** avoir six bouches à nourrir;
para abrir o **hacer b.** pour me/te/etc
mettre en appétit; **se me hace la b.
agua** j'en ai l'eau à la bouche; **b.
arriba** sur le dos; **b. abajo** sur le
ventre, à plat ventre; **con la b.
abierta** la bouche ouverte; Fig
bouche bée ■ **b. a b.** bouche-à-
bouche m inv; **b. de metro** bouche
de métro

bocacalle nf rue f

bocadillo nm (para comer) sandwich
m; (en cómic) bulle f

bocado nm (de comida) bouchée f; (un
poco) morceau m; **no probar b.** ne
rien avaler; **dar un b.** mordre

bocata nm Fam sandwich m

boceto nm ébauche f, esquisse f

bochorno nm (calor) chaleur f
étouffante; (vergüenza) honte f; **pasó
un b.** il est devenu tout rouge; **¡qué
b.!** comme c'est/c'était embarras-
sant!

bochornoso, -a adj (tiempo)
étouffant(e); (vergonzoso) honteux
(euse)

bocina nf (de coche) Klaxon® m;
(megáfono) porte-voix m inv

boda nf mariage m; **bodas de oro/
plata** noces fpl d'or/d'argent

bodega nf cave f à vin; (bar) bar m à
vin; (en buque) cale f; (en avión) soute
f à bagages; (depósito) cave f

bodegón nm Arte nature f morte;
(taberna) taverne f

bodrio nm Fam Pey **ser un b.** (película,
cosa) être nul (nulle); (comida) être
dégueulasse

bofetada nf gifle f

bogavante nm homard m

bohemio, -a adj & nm,f (artista)
bohème mf

boicot (pl **boicots**) nm boycott m

boicotear vt boycotter

bóiler nm Méx chaudière f

boina nf béret m

bola nf boule f; (canica) bille f; Fam
contar bolas (mentiras) raconter des
bobards ■ **b. de cristal** boule de
cristal

bolear vt Méx (embetunar) cirer; Fig
(enredar) embrouiller

bolera nf bowling m

bolería nf Méx = boutique où l'on fait
cirer ses chaussures

bolero nm Mús boléro m; Méx cireur m
de chaussures

boleta nf Am (recibo) facture f; CSur
(multa) contravention f; Méx, RP
(voto) bulletin m de vote

boletería nf Am guichet m

boletero, -a nm,f Am (taquillero)
guichetier(ère) m,f; (mentiroso)
menteur(euse) m,f

boletín nm bulletin m ■ **b.
meteorológico** bulletin météorologique; **b. de noticias** o **informativo**
bulletin d'informations; **B. Oficial del
Estado** ≃ Journal m officiel; **b. de
prensa** communiqué m de presse

boleto nm (de lotería, rifa) billet m; (de
quinielas) bulletin m; Am (billete) billet
m

boli nm Fam stylo m, Bic®m

boliche nm (en la petanca) cochonnet
m; (bolera) boulodrome m; CSur Fam
(bar) petit bar m

bolígrafo nm stylo m (à) bille

bolillo nm Méx (panecillo) petit pain m

bolita nf CSur (pieza) bille f

Bolivia n la Bolivie

boliviano, -a 1 adj bolivien(enne)
2 nm,f Bolivien(enne) m,f

bollería nf (dulces) viennoiserie f

bollo nm (de pan) pain m au lait;
(abolladura) bosse f; **los bollos
(dulces)** la viennoiserie

bolo nm (de juego) quille f; **bolos
(juego)** quilles

bolsa nf sac m; Fin Bourse f; (cavidad)
poche f; **la b. baja/sube** la Bourse est

en baisse/en hausse; **jugar en b.**
jouer en Bourse ▪ **b. de basura** sac-
poubelle *m*; **b. de plástico** sac
plastique; **b. de trabajo** *(en
universidad, organización)* Bourse de
l'emploi; **b. de viaje** sac de voyage
bolsillo *nm* poche *f*; **de b.** *(libro)* de
poche; **meterse a alguien en el b.**
mettre qn dans sa poche; **tener a
alguien en el b.** faire ce que l'on veut
de qn
bolso *nm* sac *m* (à main)
boludo, -a *a nm,f RP muy Fam* con
(conne) *m,f*
bomba *nf (explosivo)* bombe *f*;
(máquina) pompe *f*; *Andes, Ven
(surtidor de gasolina)* pompe *f* à
essence; *Fam* **pasarlo b.** s'éclater
▪ **b. atómica** bombe atomique; **b. de
mano** grenade *f*
bombacha *nf RP (braga)* culotte *f*
(sous-vêtement féminin); *(pantalón)* =
pantalon ample que portent les
gauchos
bombardear *vt* bombarder
bombardeo *nm* bombardement *m*
bombero, -a *nm,f (de fuego)* pompier
m; *Andes, Ven (de gasolinera)* pompiste
mf
bombilla *nf* ampoule *f* (électrique)
bombillo *nm CAm, Col, Ven* ampoule *f*
(électrique)
bombita *nf RP* ampoule *f* (électrique)
bombo *nm (tambor)* grosse caisse *f*;
dar mucho b. a alguien ne pas tarir
d'éloges sur qn
bombón *nm (golosina)* chocolat *m*
(bonbon); *(helado)* Esquimau® *m*
bombona *nf* bonbonne *f* ▪ **b. de
butano** bouteille *f* de gaz
bonanza *nf (de tiempo, mar)* calme *m*
plat; *(prosperidad)* prospérité *f*
bondad *nf* bonté *f*
bondadoso, -a *adj* bon (bonne)
boniato *nm* patate *f* douce
bonito, -a 1 *adj* joli(e) **2** *nm (pez)*
thon *m*
bono *nm (vale)* bon *m* d'achat; *Com
(título)* obligation *f*; *(del Tesoro)* bon *m*

bonobús *(pl* **bonobuses)** *nm* =
coupon d'autobus valable pour dix
trajets
bonoloto *nf* loto *m*
bonsái *nm* bonsaï *m*
boñiga *nf* bouse *f*
boquerón *nm* anchois *m* (frais)
boquete *nm (rotura)* brèche *f*
boquilla *nf (para fumar)* fume-
cigarette *m inv*; *(de pipa, aparato)*
tuyau *m*; *(de flauta)* bec *m*
borda *nf Náut* **por la b.** par-dessus
bord ▪ **fuera b.** hors-bord *m inv*
bordado, -a 1 *adj* brodé(e) **2** *nm*
broderie *f*
bordar *vt* broder
borde 1 *nmf muy Fam (antipático)*
emmerdeur(euse) *m,f* **2** *nm* bord *m*
bordear *vt (estar alrededor de)* border;
(moverse alrededor de) longer
bordillo *nm (de acera)* bord *m* du
trottoir
bordo *nm Náut* bord *m*; **a b.** à bord
bordó *RP* **1** *adj inv* bordeaux **2** *nm inv*
bordeaux *m*
borla *nf (adorno)* pompon *m*
borrachera *nf* **agarrar** *o Esp* **coger
una b.** se soûler
borracho, -a 1 *adj* soûl(e) **2** *nm,f
(persona)* ivrogne *mf* **3** *nm (pastel)* ≃
baba *m* au rhum
borrador *nm (escrito)* brouillon *m*; *(de
lápiz)* gomme *f*; *(para pizarra)* tampon
m
borrar 1 *vt (eliminar)* effacer; *(con
goma)* gommer; *(tachar)* rayer
2 borrarse *vpr (desaparecer)* s'effacer
borrasca *nf (tormenta)* tempête *f*;
(baja presión) zone *f* de basse
pression
borrón *nm (mancha)* pâté *m*; **hacer b.
y cuenta nueva** faire table rase
borroso, -a *adj (visión, fotografía)*
flou(e); *(escritura, texto)* à moitié
effacé(e)
bosque *nm (pequeño)* bois *m*; *(grande)*
forêt *f*
bostezar [14] *vi* bâiller
bostezo *nm* bâillement *m*

bota nf (calzado) botte f; (de vino) outre f ▪ **b. de agua** o **de goma** o **de lluvia** botte en caoutchouc

botana nf Méx amuse-gueule m inv

botánico, -a 1 adj botanique **2** nm,f botaniste mf **3** nf **botánica** botanique f

botar 1 vt Náut lancer; Fam (despedir) virer; (pelota) faire rebondir; Am (tirar) jeter; Dep **b. el córner** tirer un corner **2** vi (saltar) sauter; (pelota) rebondir

bote nm (tarro) pot m; (lata) boîte f; (barca) canot m; (propina) pourboire m; (salto) bond m; (de pelota) rebond m; **dar botes de alegría** sauter de joie; **dar botes** rebondir ▪ **b. salvavidas** canot de sauvetage

botella nf bouteille f

botellín nm canette f

botellón nm Esp Fam = rassemblement de jeunes qui viennent se rencontrer dans la rue pour boire

botijo nm cruche f

botín nm (de guerra, atraco) butin m; (calzado) bottine f

botiquín nm (mueble) armoire f à pharmacie; (maletín) trousse f à pharmacie; (enfermería) infirmerie f

botón 1 nm bouton m **2** nm inv **botones** (de hotel) groom m; (de oficinas) garçon m de courses

boutique [bu'tik] nf boutique f (de vêtements)

bóveda nf voûte f

bovino, -a adj bovin(e)

box (pl **boxes**) nm Am boxe f

boxear vi boxer

boxeo nm boxe f

boya nf (en el mar) bouée f; (de red) flotteur m

bozal nm (de perro) muselière f; Am (de caballo) licol m

bragas nfpl culotte f

bragueta nf braguette f

bramar vi (animal, viento) mugir; (persona) (de dolor) hurler; (de ira) rugir

brandy nm brandy m

brasa nf braise f; Culin **a la b.** sur la braise

brasero nm brasero m

brasier nm Carib, Col, Méx soutien-gorge m

Brasil n **(el) B.** le Brésil

brasileño, -a, RP **brasilero, -a 1** adj brésilien(enne) **2** nm,f Brésilien (enne) m,f

bravo, -a 1 adj (valiente) brave; (enojado) coléreux(euse); (animal) sauvage; (mar) démonté(e); **por las bravas** de force **2** (aplauso) bravo m **3** interj bravo!

braza nf brasse f; **nadar a b.** nager la brasse

brazalete nm (en la muñeca) bracelet m; (en el brazo) brassard m

brazo nm bras m; (de animal) patte f avant; **cogidos del b.** bras dessus bras dessous; **quedarse** o **estarse con los brazos cruzados** rester les bras croisés

brebaje nm breuvage m

brecha nf (abertura) brèche f

brécol nm brocoli m

bretel nm CSur bretelle f

breve adj bref (brève); **en b.** (pronto) d'ici peu

brevedad nf brièveté f; **a** o **con la mayor b.** dans les plus brefs délais

brevet nm Chile (avión) brevet m de pilote; Ecuad, Perú (automóvil) permis m de conduire; RP (velero) permis m de navigation

brezo nm bruyère f

bricolaje nm bricolage m

brida nf bride f

brigada 1 nm Mil adjudant m **2** nf brigade f ▪ **b. antidisturbios** ≃ CRS mpl; **b. antidroga** brigade des stupéfiants

brillante 1 adj brillant(e) **2** nm brillant m (diamant)

brillantina nf brillantine f

brillar vi briller; **b. por su ausencia** briller par son absence

brillo nm (de estrella, diamante, luz) éclat m; (de metal, barniz) brillant m; (de tela) aspect m satiné; **sacar b. a algo** faire reluire qch

brilloso, -a adj Am brillant(e)

brindar 1 vi trinquer; **b. por** porter un toast à; **b. a la salud de alguien** boire à la santé de qn **2** vt offrir **3 brindarse** vpr **brindarse a hacer algo** offrir de faire qch

brindis nm inv toast m

brío nm (al andar) allant m; (al trabajar) entrain m

brisa nf brise f

británico, -a 1 adj britannique **2** nm,f Britannique mf

brizna nf brin m; (de aire) souffle m

broca nf mèche f (outil)

brocha nf brosse f (de peintre) ■ **b. de afeitar** blaireau m

broche nm (cierre) (de ropa) agrafe f; (de joya) fermoir m; (joya) broche f

brocheta nf brochette f

brócoli nm brocoli m

broma nf (ocurrencia, chiste) plaisanterie f; (jugarreta) farce f; **en o de b.** pour rire; **gastar una b. a alguien** faire une farce à qn; Fig **ni en b.** jamais de la vie ■ **b. pesada** plaisanterie de mauvais goût

bromear vi plaisanter

bromista adj & nmf farceur(euse) m,f

bronca nf (riña) bagarre f; (abucheo) huées fpl; Fam **echar o meter una b. a alguien** passer un savon à qn

bronce nm bronze m

bronceado, -a 1 adj bronzé(e) **2** nm bronzage m

bronceador, -ora 1 adj bronzant(e) **2** nm crème f solaire

broncear 1 vt bronzer **2 broncearse** vpr bronzer

bronquio nm bronche f

bronquitis nf inv bronchite f

brotar vi (planta) pousser; (líquido) jaillir

brote nm (de planta) bourgeon m

bruces: de bruces adv à plat ventre; **caerse de b.** s'étaler de tout son long

bruja ver **brujo**

brujería nf sorcellerie f

brujo, -a 1 adj ensorceleur(euse) **2** nm,f sorcier(ère) m,f **3** nf **bruja** (mujer fea) laideron m; (mujer mala) mégère f

brújula nf boussole f

brusco, -a adj brusque

brusquedad nf (imprevisión) soudaineté f; (grosería) brusquerie f; **con b.** brusquement

brutal adj (violento) brutal(e)

brutalidad nf (brusquedad) brutalité f; (estupidez) ânerie f

bruto, -a 1 adj (torpe, bestia) lourdaud(e); (mal educado) rustre; (petróleo, sueldo) brut(e); **en b.** brut **2** nm,f (torpe, bestia) brute f

bucear vi faire de la plongée sous-marine

bucle nm boucle f

bucólico, -a adj (campestre) champêtre; Lit bucolique

bueno, -a

On utilise **buen** devant un nom masculin singulier.

1 adj bon (bonne); **un hombre b.** un homme bon; **ese buen hombre** ce brave homme; **un buen día** un beau jour; **una buena siesta** une bonne sieste; **un niño b.** un enfant sage; **estar b.** (de salud) être en bonne santé; Fam (atractivo) être canon; **hace buen día o tiempo, hace b.** il fait beau; **ser b. con alguien** être gentil(ille) avec qn; **lo b. es que...** la meilleure c'est que...; **ser de buen ver** être bien de sa personne

2 nm,f (en película) **el b.** le bon

3 adv bon

4 interj **¡bueno!** bonjour!; Méx **¿b.?** (al teléfono) allô?

buey (pl **bueyes**) nm bœuf m

búfalo nm buffle m

bufanda nf écharpe f

bufé nm buffet m (de réception)

bufete *nm* cabinet *m* (d'avocats)

buffet *(pl* **buffets)** = **bufé**

buhardilla *nf (desván)* mansarde *f;* *(ventana)* lucarne *f*

búho *nm* hibou *m*

buitre *nm* vautour *m*

bujía *nf Aut* bougie *f*

bulbo *nm* bulbe *m*

bulevar *nm* boulevard *m*

Bulgaria *n* la Bulgarie

búlgaro, -a 1 *adj* bulgare **2** *nm,f* Bulgare *mf* **3** *nm (lengua)* bulgare *m*

bulín *nm RP* garçonnière *f*

bulla *nf (jaleo)* raffut *m;* **armar b.** faire du raffut

bullicio *nm (ruido)* brouhaha *m;* *(multitud)* agitation *f*

bullicioso, -a *adj (ruidoso, agitado)* animé(e); *(inquieto)* turbulent(e)

bulto *nm* bosse *f; (forma imprecisa)* masse *f; (de persona)* silhouette *f; (equipaje)* paquet *m;* **hacer mucho b.** prendre beaucoup de place ◾ **b. de mano** bagage *m* à main

bumerán *(pl* **bumeranes), bume-rang** [bume'ran] *(pl* **bumerangs)** *nm* boomerang *m*

bungalow [bunga'lo] *(pl* **bungalows)** *nm* bungalow *m*

búnker *nm (refugio)* bunker *m*

buñuelo *nm* beignet *m*

buque *nm* navire *m*

burbuja *nf también Econ* bulle *f*

burdel *nm* bordel *m*

burgués, -esa *adj & nm,f* bourgeois(e) *m,f*

burguesía *nf* bourgeoisie *f*

burla *nf (mofa)* moquerie *f; (broma)* plaisanterie *f; (engaño)* escroquerie *f;* **hacer b. de** se moquer de

burlar 1 *vt (engañar)* tromper; *(esquivar) (vigilancia)* déjouer; *(ley)* contourner **2 burlarse** *upr* **burlarse de** se moquer de

buró *nm Méx (mesilla de noche)* table *f* de nuit

burrada *nf (dicho, hecho)* ânerie *f*

burro, -a 1 *adj (necio)* bête **2** *nm,f* *(animal)* âne *m,* ânesse *f; (necio)* âne *m*

buscar [58] **1** *vt* chercher; *Informát* rechercher **2** *vi* **ir/venir/pasar a b.** aller/venir/passer chercher **3 buscarse** *upr (castigo, desgracia)* chercher

buseta *nf Col, Ecuad, Ven* autobus *m*

busto *nm* buste *m*

butaca *nf (mueble)* fauteuil *m;* *(localidad)* place *f;* **b. (de patio)** fauteuil d'orchestre

butano *nm* gaz *m* (butane)

butifarra *nf* saucisse *f*

buzo *nm (buceador)* plongeur *m; (ropa de trabajo)* bleu *m* de travail; *Arg, Perú (chándal)* pull *m; Urug (lana)* laine *f*

buzón *nm* boîte *f* aux lettres; *Informát (de correo electrónico)* boîte *f* aux lettres électronique

Cc

c/ (abrev **calle**) r.

cabal 1 adj (persona) accompli(e); (exacto) juste **2** nmpl **cabales** Fig **no estar en sus cabales** ne pas avoir toute sa tête

cabalgar [37] vi chevaucher

cabalgata nf chevauchée f

caballa nf maquereau m

caballería nf (animal) monture f; Mil cavalerie f

caballero 1 adj (cortés) galant(e) **2** nm (hombre cortés) gentleman m; (señor) monsieur m; (noble) chevalier m; **ser todo un c.** être un vrai gentleman; **caballeros** (en aseos) messieurs; **de c.** (ropa) pour homme

caballete nm (de mesa) tréteau m; (de lienzo) chevalet m; (de nariz) arête f

caballito nm petit cheval m; **caballitos** manège m (de chevaux de bois) ■ **c. de mar** hippocampe m

caballo nm (animal) cheval m; (de ajedrez) cavalier m; (naipe) = l'une des cartes du jeu espagnol, ≃ dame f, muy Fam (heroína) héro f; **montar a c.** faire du cheval

cabaña nf (choza) cabane f; (ganado) cheptel m

cabaret (pl **cabarets**) nm cabaret m

cabecear vi (con la cabeza) hocher la tête; (dormir) dodeliner de la tête; (en fútbol) faire une tête; (vehículo) bringuebaler; (barco) tanguer

cabecera nf (de cama, de fila) tête f; (de mesa) place f d'honneur; (de texto) tête f de chapitre; (de periódico) manchette f; (de río) source f

cabecilla nmf meneur(euse) m,f

cabellera nf chevelure f

cabello nm (pelo) cheveu m; (cabellera) cheveux mpl

caber [12] vi rentrer, tenir; (ser bastante ancho) aller; **no cabe nadie más** il n'y a plus de place; **no me caben los pantalones** ce pantalon est trop petit pour moi; **cabe la posibilidad de que...** il est possible que...; **cabe preguntarse si...** on peut se demander si...; **dentro de lo que cabe** (dentro de lo posible) autant que possible; (después de todo) l'un dans l'autre

cabestrillo: en cabestrillo adj en écharpe

cabeza nf tête f; (jefe) chef m; **a la** o **en c.** à la ou en tête; **de c.** la tête la première; **anda de c. por ganar dinero** il ne sait plus quoi faire pour gagner de l'argent; **andar** o **estar mal de la c.** ne pas tourner rond; **c. abajo** la tête en bas; **no se le pasó por la c. que...** ça ne lui est pas venu à l'esprit que...; **se le subió a la c.** ça lui est monté à la tête; **tirarse de c. (a)** plonger (dans); **traer de c.** rendre fou (folle) ou malade ■ **c. de ajo** tête d'ail; **c. de familia** chef de famille; **c. rapada** skinhead mf; **c. de turco** tête de Turc

cabezada nf (de sueño) dodelinement m; (golpe) coup m de tête; **dar cabezadas** dodeliner de la tête

cabida nf (de depósito) contenance f; (de lugar) capacité f

cabina nf cabine f; (en piscina) cabine f de bain ■ **c. telefónica** cabine téléphonique

cabinera nf Col hôtesse f de l'air

cable nm câble m

cabo *nm (accidente geográfico)* cap *m*; *(cuerda)* cordage *m*; *Mil* brigadier *m*; *(de escuadra)* caporal *m*; *(trozo, punta)* bout *m*; *Fig* **llevar algo a c.** mener qch à bien, réaliser qch; **al c. de** au bout de

cabra *nf* chèvre *f*; *Fam* **está como una c.** *(chiflado)* il est complètement taré

cabré *ver* **caber**

cabrear *muy Fam* **1** *vt* emmerder **2 cabrearse** *upr* se foutre en rogne

cabreo *nm muy Fam* rogne *f*; **coger o agarrar un c.** se foutre en rogne

cabrito *nm (animal)* chevreau *m*

cabrón, -ona *Vulg* **1** *adj & nm,f* enfoiré(e) *m,f* **2** *nm (cornudo)* cocu *m*

cabuya *nf Col,Ven* corde *f*

caca *nf Fam (excremento)* crotte *f*; *(lenguaje infantil)* caca *m*; **es c.** *(cosa sucia)* c'est crade

cacahuete *nm (fruto)* cacahouète *f*; *(planta)* arachide *f*

cacao *nm* cacao *m*; *(árbol)* cacaoyer *m*

cacarear *vi (gallina)* caqueter, glousser

cacería *nf* partie *f* de chasse

cacerola *nf* fait-tout *m inv*

cachalote *nm* cachalot *m*

cacharro *nm (recipiente)* pot *m*; *(de cocina)* ustensile *m*; *Fam (trasto)* truc *m*; *(vehículo)* guimbarde *f*

cachear *vt* fouiller

cachemir *nm*, **cachemira** *nf* cachemire *m*

cachivache *nm Fam* truc *m*

cacho *nm Fam (pedazo)* bout *m*

cachondearse *upr Fam* se marrer; **c. de** se ficher de

cachondeo *nm (cosa poco seria)* rigolade *f*; **tomarse algo a c.** prendre qch à la rigolade

cachondo, -a *Fam* **1** *adj (divertido)* marrant(e); *(excitado)* excité(e) **2** *nm f (gracioso)* rigolo(ote) *m,f*

cachorro, -a *nm,f (de perro)* chiot *m*; *(de mamífero)* petit *m*

cacique *nm (de partido político)* éléphant *m*; *Fig & Pey (déspota)* tyran *m*

cacto *nm*, **cactus** *nm inv* cactus *m*

cada *adj inv* chaque; *(con regularidad)* tous (toutes) les; **a c. rato** à chaque instant; **c. cual** chacun; **c. uno (de)** chacun (de); **una de c. diez personas** une personne sur dix; **c. dos días** tous les deux jours; **c. vez o día más de** plus en plus; **c. vez más largo** de plus en plus long

cadáver *nm* cadavre *m*

cadena *nf* chaîne *f*; *(de inodoro)* chasse *f* (d'eau); *(emisora de radio)* station *f*; *(sucesión)* enchaînement *m*; **en c.** en chaîne; *(trabajo)* à la chaîne; **cadenas** *(para ruedas)* chaînes *fpl*; **a c. perpetua** à perpétuité ▪ **c. de montaje** chaîne de montage

cadencia *nf* cadence *f*

cadera *nf* hanche *f*

cadete *nm* cadet *m*; *RP (recadero)* coursier *m*

caducar [58] *vi (carnet, pasaporte, ley)* expirer; *(alimento, medicamento)* être périmé(e)

caducidad *nf (de carnet, pasaporte, ley)* expiration *f*; *(de alimento, medicamento)* péremption *f*

caduco, -a *adj* périmé(e); *(persona)* décati(e); *(fama, belleza)* éphémère; *(ley, hoja)* caduc(uque)

caer [13] **1** *vi* tomber; *(entender)* saisir; *Fig (estar situado)* se trouver; **c. en domingo** tomber un dimanche; *Fig* **c. en algo** *(recordar)* se rappeler qch; **¡ya caigo!** j'y suis!; *Fig* **me cae bien** je l'aime bien; **me cae mal, no me cae bien** je ne l'aime pas, il ne me revient pas; **c. lejos** être loin; **c. bajo** tomber bien bas; **estar al c.** *(persona)* être sur le point d'arriver; *(noche)* être sur le point de tomber **2 caerse** *upr* tomber; **caerse del árbol** tomber de l'arbre

café 1 *nm* café *m* ▪ **c. descafeinado** café décaféiné; **c. instantáneo o soluble** café instantané o soluble; **c. con leche** café au lait; **c. solo** café noir **2** *adj inv (color)* couleur café

cafeína *nf* caféine *f*

cafetera nf (aparato) cafetière f
cafetería nf snack-bar m
cagar [37] Vulg 1 vi (defecar) chier 2 vt (estropear) foutre en l'air 3 **cagarse** vpr (defecar) chier dans sa culotte; (acobardarse) chier dans son froc
caído, -a 1 adj Fig (decaído) (persona) abattu(e); (moral) bas (basse) 2 nm **los caídos** les morts mpl (pour la patrie) 3 nf **caída** chute f; (de precios, paro) baisse f; (de la noche) tombée f; (de terreno) pente f
caimán nm (animal) caïman m
caja nf boîte f; (de mecanismos) boîtier m; (de muerto) cercueil m; (de dinero) coffre m ▪ **c. de ahorros** caisse f d'épargne; **c. fuerte** o **de caudales** coffre-fort m; **c. de herramientas** boîte à outils; **c. negra** boîte noire; **c. registradora** caisse enregistreuse
cajero, -a 1 nm,f caissier(ère) m,f 2 nm ▪ **c. (automático)** distributeur m (automatique de billets)
cajetilla nf (de cigarrillos) paquet m
cajón nm (en mueble) tiroir m; (caja grande) caisse f ▪ **c. de sastre** fourre-tout m inv
cajuela nf Méx coffre m
cal nf chaux f
cala nf (bahía pequeña) crique f; (del barco) cale f; (de fruta) morceau m (pour goûter); (planta, flor) arum m
calabacín nm courgette f
calabaza nf courge f; (grande) potiron m, citrouille f; (planta, recipiente) calebasse f; Fam Fig **dar calabazas a alguien** (a pretendiente) envoyer promener qn; (en un examen) recaler qn
calabozo nm cachot m; (en comisaría) dépôt m
calada nf (de cigarrillo) bouffée f
calamar nm calmar m, calamar m
calambre nm (descarga eléctrica) décharge f électrique; (contracción muscular) crampe f
calamidad nf (desgracia) calamité f; **es una c.** c'est une catastrophe; **calamidades** malheurs mpl

calar 1 vt (empapar) transpercer, passer au travers de 2 vt (tela, zapatos) prendre l'eau; Náut avoir un tirant d'eau; Fig (ideas, palabras, moda) prendre; **c. en** avoir un impact sur 3 **calarse** vpr (empaparse) se faire tremper; (motor) caler; (gorro, sombrero) s'enfoncer
calavera 1 nf tête f de mort 2 nfpl **calaveras** Méx (luces) feux mpl arrière
calcar [58] vt (dibujo) décalquer; (original) calquer
calcetín nm chaussette f
calcio nm calcium m
calcomanía nf décalcomanie f
calculador, -ora 1 adj calcula-teur(trice) 2 nf **calculadora** calcula-trice f
calcular vt (cantidades) calculer; (suponer) croire; **calculo que estaremos de vuelta temprano** je crois que nous serons rentrés tôt; **le calculo sesenta años** je lui donne soixante ans
cálculo nm calcul m
caldear vt chauffer; (ánimos) échauffer
caldera nf (recipiente) fait-tout m inv; (máquina) chaudière f; Urug (para agua) bouilloire f
calderilla nf petite monnaie f
caldo nm (sopa) bouillon m; (vino, aceite) cru m ▪ Fig **c. de cultivo** bouillon de culture
calefacción nf chauffage m ▪ **c. central** chauffage central
calefaccionar vt CSur chauffer (un lieu)
calefactor nm radiateur m
calefón nm CSur chauffe-eau m inv
calendario nm calendrier m ▪ **c. escolar** calendrier scolaire; **c. laboral** année f de travail; **c. de trabajo** planning m
calentador, -ora 1 adj chauffant(e) 2 nm (de agua) chauffe-eau m inv
calentamiento nm (subida de temperatura) réchauffement m; (ejercicios) échauffement m ▪ **c. global** réchauffement de la planète

calentar [3] **1** *vt (comida)* faire chauffer; **c. agua** faire chauffer de l'eau **2 calentarse** *upr (persona)* se réchauffer; *(comida)* chauffer; *(ánimos, deportista)* s'échauffer

calibrar *vt (medir, dar calibre)* calibrer

calibre *nm (diámetro, instrumento)* calibre *m*; *(de alambre)* jauge *f*; *Fig (tamaño, importancia)* taille *f*, importance *f*

calidad *nf* qualité *f*; **la c. humana** les qualités humaines; **de c.** de qualité; **en c. de** en qualité de, en tant que ■ **c. de vida** qualité de la vie

cálido, -a *adj (temperatura, colores)* chaud(e); *(afectuoso)* chaleureux (euse)

caliente *adj* chaud(e); *Fig* **en c.** à chaud

calificación *nf (nota)* note *f*

calificar [58] *vt* qualifier; *(examen, alumno)* noter

caligrafía *nf (arte)* calligraphie *f*; *(escritura)* écriture *f*

cáliz *nm* calice *m*

callado, -a *adj (que no habla)* réservé(e); *(en silencio)* silencieux (euse)

callar 1 *vi* se taire **2** *vt (ocultar)* taire, passer sous silence; *(secreto)* garder **3 callarse** *upr* se taire

calle *nf* rue *f*; *(en carrera)* couloir *m*; **dejar a alguien en la c., echar a alguien a la c.** mettre qn sur le pavé, mettre qn à la porte ■ **c. peatonal** rue piétonnière *ou* piétonne

callejero, -a 1 *adj (escena)* de la rue; *(venta)* ambulant(e); **un perro c.** un chien errant **2** *nm (guía)* répertoire *m* des rues

callejón *nm* ruelle *f* ■ **c. sin salida** impasse *f*

callejuela *nf* ruelle *f*

callo *nm (dureza)* durillon *m*; *(en el pie)* cor *m*; **callos** tripes *fpl*

calma *nf* calme *m*; **estar en c.** être calme

calmante 1 *adj* calmant(e) **2** *nm* calmant *m*

calmar 1 *vt* calmer **2 calmarse** *upr* se calmer

calor *nm* chaleur *f*; **entrar en c.** *(persona)* se réchauffer; *(deportista)* s'échauffer; **tener c.** avoir chaud

caloría *nf* calorie *f*

calote *nm RP* escroquerie *f*

calumnia *nf* calomnie *f*

calumniar *vt* calomnier

calumnioso, -a *adj* calomnieux (euse)

caluroso, -a *adj (con calor)* chaud(e); *Fig (afectuoso)* chaleureux(euse)

calva *ver* **calvo**

calvario *nm (vía crucis)* chemin *m* de croix; *Fig (sufrimiento)* calvaire *m*

calvicie *nf* calvitie *f*

calvo, -a 1 *adj & nm,f* chauve *mf* **2** *nf* **calva** *(en la cabeza)* crâne *m* dégarni

calzada *nf* chaussée *f*

calzado *nm* chaussures *fpl*

calzador *nm* chausse-pied *m*

calzar [14] **1** *vt* chausser; *(guantes)* mettre; *(llevar un calzado)* porter; *(poner cuña a)* caler; **¿qué número calza?** quelle est votre pointure? **2 calzarse** *upr* se chausser; **calzarse unas sandalias** mettre des sandales

calzón *nm Esp (deportivo)* short *m*; *Am (calzoncillos)* slip *m*; *Am (braga)* culotte *f*

calzoncillos *nmpl (slip)* slip *m*; *(short)* caleçon *m*

cama *nf* lit *m*; **estar en** *o* **guardar c.** rester au lit, garder le lit; **hacer la c.** faire son lit ■ **c. de matrimonio** lit double

camaleón *nm* caméléon *m*

cámara 1 *nf (sala)* chambre *f*; *(de TV, de cine)* caméra *f*; *(de balón, neumático)* chambre *f* à air; **a c. lenta** au ralenti ■ **c. digital** appareil *m* photo numérique **c. (fotográfica)** appareil *m* photo; **c. frigorífica** chambre froide; **c. de gas** chambre à gaz **2** *nmf (persona)* cadreur(euse) *m,f*

camarada *nmf* camarade *mf*

camarero, -a *nm,f (de bar, restaurante)* serveur(euse) *m,f*

camarón *nm* crevette *f*

camarote *nm* cabine *f*

cambalache *nm* *RP* *(tienda)* = boutique d'articles d'occasion

cambiar 1 *vt* changer; **c. algo (por)** échanger qch (contre) 2 *vi* changer (**de** *de*); **c. de parecer** changer d'avis; **c. (de velocidades)** changer de vitesse 3 **cambiarse** *vpr* *(de ropa)* se changer; **cambiarse de zapatos** changer de chaussures; **cambiarse de casa** déménager

cambio *nm* *(variación)* changement *m*; *(trueque)* échange *m*; *(suelto, dinero devuelto)* monnaie *f*; *(de acciones, divisas)* change *m*; **a c.** en échange; **c. (de marchas** *o* **velocidades)** changement de vitesse; **en c.** *(por otra parte)* en revanche, par contre; *(en su lugar)* à la place, en échange

cambur *nm Ven* banane *f*

camello, -a 1 *nm,f* *(animal)* chameau *m*, chamelle *f* 2 *nm muy Fam* *(traficante)* dealer *m*

camellón *nm Col, Méx* terre-plein *m* central

camerino *nm* loge *f* *(d'un artiste)*

camilla *nf* brancard *m*

camillero, -a *nm,f* brancardier(ère) *m,f*

caminante *nmf* marcheur(euse) *m,f*

caminar 1 *vi* marcher **(hacia** au- devant **de)** 2 *vt* *(una distancia)* parcourir

caminata *nf* trotte *f*

camino *nm* chemin *m*; *(viaje)* route *f*; **de c.** en chemin

camión *nm* camion *m*; *CAm, Méx* *(bus)* bus *m* ■ **c. cisterna** camion-citerne *m*

camionero, -a 1 *adj CAm, Méx* d'autobus 2 *nm,f* camionneur *m*, routier *m*

camioneta *nf* camionnette *f*

camisa *nf* chemise *f*

camiseta *nf* *(ropa interior)* tricot *m* de corps; *(de verano)* tee-shirt *m*; *(de deporte)* maillot *m*

camisón *nm* chemise *f* de nuit

camorra *nf* bagarre *f*; **buscar c.** chercher la bagarre

camote *nm Andes, CAm, Méx* *(batata)* patate *f* douce

campamento *nm* *(lugar)* campement *m*; *(personas)* troupe *f*

campana *nf* cloche *f*; *(de chimenea)* hotte *f*; **doblar las campanas** sonner les cloches; *(en entierro)* sonner le glas ■ **c. extractora de humos** hotte aspirante

campanario *nm* clocher *m*

campaña *nf* campagne *f* *(electorale, publicitaire)*; *RP* *(campo)* campagne *f*

campechano, -a *adj* simple

campeón, -ona *nm,f* champion (onne) *m,f*

campeonato *nm* championnat *m*

campero, -a 1 *adj* de campagne 2 *nf* **campera** *(bota)* = sorte de botte de cheval; *RP* *(chaqueta)* blouson *m*

campesino, -a *adj & nm,f* paysan(anne) *m,f*

campestre *adj* champêtre

camping ['kampin] *(pl* **campings)** *nm* camping *m*; **ir de c.** faire du camping

campo *nm* champ *m*; *(campiña)* campagne *f*; *(de deporte)* terrain *m*; *(de tenis)* court *m*; *Fig* *(ámbito)* domaine *m*; *CSur* *(hacienda)* hacienda *f*; *Andes* *(lugar)* place *f* ■ **c. de batalla** champ de bataille; **c. de concentración** camp *m* de concentration; **c. de trabajo** *(de vacaciones)* chantier *m* de jeunesse; *(para prisioneros)* camp de travail

campus *nm inv* campus *m*

camuflar *vt* camoufler

cana *nf* cheveu *m* blanc

Canadá *n* **(el) C.** le Canada

canadiense 1 *adj* canadien(enne) 2 *nmf* Canadien(enne) *m,f*

canal 1 *nm* canal *m*; *(de televisión)* chaîne *f*; *(de agua, gas)* conduite *f*; **abrir en c.** ouvrir de bas en haut; **el C. de la Mancha** la Manche 2 *nm o nf* *(de tejado)* gouttière *f*

canalla *nmf* canaille *f*

canapé *nm* canapé *m*

Canarias *nfpl* **(las) C.** les Canaries *fpl*

canario, -a 1 *adj* canarien(enne) **2** *nm,f* Canarien(enne) *m,f* **3** *nm (pájaro)* canari *m*

canasta *nf (de mimbre)* corbeille *f*; *(juego de naipes)* canasta *f*; *(de baloncesto)* panier *m*

canastilla *nf (cesta)* corbeille *f*; *(de bebé)* layette *f*

cancán 1 *nm (baile)* cancan *m* **2** *nmpl* **cancanes** *RP* collant *m*

cancela *nf* grille *f*

cancelación *nf* annulation *f*

cancelar *vt* annuler; *(contrato, suscripción)* résilier; *(deuda)* solder; *(hipoteca)* lever; *Chile, Ven (cuenta)* payer, régler

Cáncer 1 *nm inv (zodiaco)* Cancer *m inv* **2** *nm inv (persona)* Cancer *m inv*

cáncer *nm Med* cancer *m*

cancerígeno, -a *adj* cancérigène

cancha *nf (de fútbol, golf)* terrain *m*; *(de tenis)* court *m*

canciller *nm (de gobierno, embajada)* chancelier *m*; *(de asuntos exteriores)* ministre *m* des Affaires étrangères

canción *nf* chanson *f*

candado *nm* cadenas *m*

candela *nf (vela)* chandelle *f*

candelabro *nm* candélabre *m*

candidato, -a *nm,f* candidat(e) *m,f*

candidatura *nf (para un cargo)* candidature *f*; *(lista)* liste *f (de candidats)*

candil *nm* lampe *f* à huile; *Méx (araña)* lustre *m*

candilejas *nfpl* feux *mpl* de la rampe

canela *nf* cannelle *f*

canelón *nm* cannelloni *m*

cangrejo *nm* crabe *m* ■ **c. de río** écrevisse *f*

canguro 1 *nm (animal)* kangourou *m* **2** *nmf Fam (persona)* baby-sitter *mf*; **hacer de c.** faire du baby-sitting

caníbal *adj & nmf* cannibale *mf*

canica *nf (pieza)* bille *f*; **canicas** *(juego)* billes

canijo, -a 1 *adj Pey* rachitique **2** *nm,f* nabot(e) *m,f*

canjear *vt* échanger

canoa *nf* canot *m*; *(de deporte)* canoë *m*

canon *nm (norma)* & *Mús* canon *m*; *(modelo)* idéal *m*; *(impuesto)* redevance *f*

canoso, -a *adj* grisonnant(e)

cansado, -a *adj (fatigado)* fatigué(e); *(pesado, cargante)* fatigant(e)

cansador, -ora *adj CSur (que cansa)* fatigant(e); *(que aburre)* ennuyeux (euse)

cansancio *nm* fatigue *f*

cansar 1 *vt & vi* fatiguer **2 cansarse** *vpr (agotarse)* se fatiguer; *Fig* **cansarse (de algo/de hacer algo)** *(hartarse)* se lasser (de qch/de faire qch)

cantábrico, -a 1 *adj* de Cantabrique **2** *nm* **el C.** le golfe de Gascogne

cantante *adj & nmf* chanteur(euse) *m,f*

cantaor, -ora *nm,f* chanteur(euse) *m,f* de flamenco

cantar 1 *vt (canción)* chanter; *(bingo, el gordo)* annoncer; *(horas)* sonner **2** *vi* chanter

cántaro *nm* cruche *f*

cantegril *nm Urug (chabola)* bidonville *m*

cantera *nf (de piedra)* carrière *f*; *Fig (de profesionales)* vivier *m*

cantero *nm CSur, Cuba (de flores)* parterre *m*

cantidad *nf (número, medida)* quantité *f*; *(de dinero)* somme *f*; **c.** **de** beaucoup de; **hay c. de gente** il y a beaucoup de monde

cantimplora *nf* gourde *f*

cantina *nf (de cuartel)* popote *f*; *(de estación)* buffet *m*; *(de escuela)* cafétéria *f*; *(de fábrica)* cantine *f*

canto *nm (canción)* chant *m*; *(borde) (de mesa)* arête *f*; *(de moneda, libro)* tranche *f*; *(de cuchillo)* dos *m*; *(piedra)* caillou *m*; **de c.** sur le côté; *(libro)* sur la tranche

canturrear *vt & vi* chantonner

caña *nf (de planta, bota)* tige *f*; *(de cerveza)* demi *m*; *Andes, Cuba, RP (aguardiente)* tafia *m*; **pescar con c.**

pêcher à la ligne ■ **c. de azúcar** canne f à sucre; **c. (de pescar)** canne à pêche

cáñamo nm chanvre m

cañería nf canalisation f

cañero, -a nm,f Am = ouvrier agricole qui travaille dans une plantation de canne à sucre

caño nm tuyau m

cañón nm canon m; Geog cañon m, canyon m

caoba nf acajou m

caos nm inv chaos m

caótico, -a adj chaotique

capa nf (manto) cape f; (baño, estrato, grupo social) couche f ■ **c. de ozono** couche d'ozone

capacidad nf capacité f

caparazón nm (concha) carapace f

capataz nm (de finca) chef m d'exploitation; (de obra) chef m de chantier

capaz adj capable (**de** de)

capazo nm cabas m

capellán nm aumônier m

capicúa 1 adj inv palindrome 2 nm inv nombre m palindrome

capilar adj & nm capillaire m

capilla nf chapelle f ■ **c. ardiente** chapelle ardente

capital 1 adj (esencial) capital(e) 2 nm capital m 3 nf (ciudad) capitale f

capitalismo nm capitalisme m

capitalista adj & nmf capitaliste mf

capitán, -ana nm,f capitaine m

capitanía nf état-major m; (territorio) région f militaire

capitel nm (de columna) chapiteau m

capítulo nm chapitre m

capó nm capot m

capota nf (de automóvil) capote f

capote nm (abrigo) capote f; (de torero) cape f

capricho nm caprice m; **darse un c.** se faire un petit plaisir

caprichoso, -a adj capricieux(euse)

Capricornio 1 nm inv (zodiaco) Capricorne m inv 2 nmf inv (persona) Capricorne m inv

cápsula nf (pastilla) gélule f; (espacial) & Anat capsule f

captar vt (atraer) (simpatía) gagner; (atención, radio) capter; (entender) saisir

capturar vt capturer

capucha nf (para la cabeza) capuche f; (de bolígrafo) capuchon m

capullo nm (de flor) bouton m; (de gusano) cocon m

cara nf (rostro) visage m, figure f; (aspecto) tête f; (lado, superficie, anverso de moneda) face f; (de edificio) façade f; Fam (osadía) culot m; **c. a c.** face à face; **a c.** pile ou face; **de c.** (sol) dans les yeux; **de c. a** en vue de; **de c. al futuro** face à l'avenir; **decir algo a alguien a la** en c. dire qch en face à qn; **echar en c.** jeter à la figure; **romper o partir la** c. **a alguien** casser la figure à qn; **tener buena/mala** c. avoir bonne/ mauvaise mine; **tener (mucha) c., tener la c. muy dura** avoir un sacré culot; **nos veremos las caras** on se retrouvera

carabela nf caravelle f

carabina nf (arma) carabine f

carabinero nm (marisco) = grosse crevette; Chile (policía) agent m de la police militaire

caracola nf conque f

carácter (pl caracteres) nm caractère m; (tener) **buen/mal c.** (avoir) bon/ mauvais caractère

característico, -a 1 adj caracté-ristique 2 nf característica caractéristique f

caracterizar [14] **1** vt (definir) caractériser; (representar) incarner; (maquillar) grimer 2 **caracterizarse** vpr **caracterizarse por** se caractériser par

caradura Fam **1** adj gonflé(e) **2** nmf **es un c.** il est gonflé

carajillo nm = café arrosé de rhum ou de cognac

caramba interj (sorpresa) ça alors!; (enfado) zut alors!

carambola *nf (en billar)* carambolage *m*

caramelo *nm (golosina)* bonbon *m*; *(azúcar fundido)* caramel *m*

caraota *nf Ven* haricot *m* (sec)

carátula *nf (de libro)* couverture *f*; *(de disco)* pochette *f*

caravana *nf (remolque)* caravane *f*; *(de bohemios)* roulotte *f*; *(de coches)* bouchon *m*; *Urug* **caravanas** *(pendientes)* pendants *mpl* d'oreilles

caray *interj* mince!

carbón *nm (para quemar)* charbon *m*

carboncillo *nm* fusain *m*

carbono *nm* carbone *m*

carburador *nm* carburateur *m*

carburante *nm* carburant *m*

carcajada *nf* éclat *m* de rire; **reír a carcajadas** rire aux éclats

cárcel *nf* prison *f*

carcoma *nf (insecto)* ver *m* à bois; *(polvo)* vermoulure *f*

cardenal *nm (eclesiástico)* cardinal *m*; *(hematoma)* bleu *m*

cardiaco, -a, cardíaco, -a *adj* cardiaque

cardinal *adj* cardinal(e)

cardiólogo, -a *nm,f* cardiologue *mf*

cardo *nm (planta)* chardon *m*

carecer [45] *vi* **c. de algo** manquer de qch

carencia *nf (escasez)* manque *m*; *(de vitamina, elemento)* carence *f*; **sufrir muchas carencias** manquer de beaucoup de choses

careta *nf (máscara)* masque *m*

carey *nm (tortuga)* caret *m*; *(material)* écaille *f*

carga *nf* charge *f*; *(acción)* chargement *m*; *(cargamento)* cargaison *f*; **de c. y descarga** *(zona)* de livraisons

cargado, -a *adj* chargé(e); *(bebida alcohólica)* tassé(e); *(tiempo, atmósfera)* lourd(e); *(café)* serré(e); *(cielo)* couvert(e)

cargador *nm (de arma)* chargeur *m*

cargar [37] **1** *vt* charger; *(pluma,

mechero)* recharger; *(importe, factura, deuda)* faire payer; *(precio)* faire monter; **c. algo en cuenta** mettre qch sur un compte; **lo cargaron de trabajo/de responsabilidades** ils lui ont donné beaucoup de travail/de responsabilités

2 *vi* **c. con** *(paquete)* porter; *(costes)* prendre à sa charge

3 cargarse *vpr Fam (romper)* bousiller; *Fam (matar)* dégommer

cargo *nm* charge *f*; *(empleo)* poste *m*; *(en cuenta bancaria)* débit *m*; **correr a c. de** être à la charge de; **hacerse c. de** *(ocuparse de)* se charger de; *(asumir el control de)* prendre en charge; *(comprender)* se rendre compte de; **cargos** *(en juicio)* charges

cargosear *vt CSur* agacer

cargoso, -a *adj CSur* agaçant(e)

Caribe *nm* **el C.** la mer des Caraïbes

caribeño, -a *adj* caribéen(enne)

caricatura *nf* caricature *f*

caricia *nf* caresse *f*

caridad *nf* charité *f*

caries *nf inv* carie *f*

cariño *nm (afecto)* affection *f*, tendresse *f*; *(cuidado)* soin *m*; *(apelativo)* chéri(e) *m,f*; **tomar c. a alguien** prendre qn en affection

cariñoso, -a *adj* affectueux(euse)

carisma *nm* charisme *f*

caritativo, -a *adj (persona)* charitable; *(asociación)* caritatif(ive)

cariz *nm (de asunto, acontecimiento)* tournure *f*; **tomar mal/buen c.** prendre mauvaise/bonne tournure

carmín 1 *adj (color)* carmin *inv* **2** *nm (color)* carmin *m*; *(lápiz de labios)* rouge *m* à lèvres

carnal *adj (de la carne)* charnel(elle); *(tío, sobrino)* au premier degré; *(primo)* germain(e)

carnaval *nm* carnaval *m*

carne *nf (de persona, fruta)* chair *f*; *(alimento)* viande *f*; **en c. viva** à vif; **en c. y hueso** en chair et en os ◼ **c. de cerdo** porc *m*; **c. de cordero** mouton *m*; *(lechal)* agneau *m*; **c. de gallina**

chair de poule; **c. picada** viande hachée; **c. de ternera** veau *m*

carné *nm (documento)* carte *f* ■ **c. de conducir** permis *m* de conduire; **c. de identidad** carte d'identité

carnero *nm* bélier *m*

carnicería *nf (tienda)* boucherie *f*; *Fig (destrozo, masacre)* carnage *m*

carnicero, -a 1 *adj (animal)* carnassier(ère) **2** *nm,f (persona)* boucher(ère) *m,f*

carnitas *nfpl Méx* = viande hachée utilisée pour les tacos

caro, -a 1 *adj* cher (chère) **2** *adv* **costar/vender c.** coûter/vendre cher; **esta tienda vende c.** ce magasin est cher

carozo *nm RP* noyau *m*

carpa *nf (pez)* carpe *f*; *(de circo)* chapiteau *m*; *(para fiestas)* tente *f*; *Perú, RP (tienda)* tente *f*

carpeta *nf* chemise *f (de bureau)*

carpintería *nf (de muebles)* menuiserie *f*; *(de tejado)* charpenterie *f*

carpintero, -a *nm,f (de muebles)* menuisier *m*; *(de tejado)* charpentier *m*

carrera *nf* course *f*; *(trayecto)* parcours *m*; *(estudios)* cursus *m* (universitaire); *(profesión)* carrière *f*; *(calle)* = nom de certaines rues en Espagne; *(en medias)* maille *f* filée; **echar una c.** faire la course; **en una c.** en courant; **tomar c.** prendre de l'élan; **hacer la c. de derecho** faire des études de droit ■ **c. armamentista** *o* **de armamentos** course aux armements; **c. de obstáculos** course d'obstacles

carrerilla *nf* **coger** *o* **tomar c.** prendre de l'élan; **de c.** *(de corrido)* d'une seule traite; *(de memoria)* de A à Z

carreta *nf* charrette *f*

carrete *nm (de hilo, alambre)* bobine *f*; *(de fotos)* pellicule *f*; *(para pescar)* moulinet *m*; *(de máquina de escribir)* ruban *m*

carretera *nf* route *f*; **c. comarcal/ nacional** route départementale/

nationale; *Méx* **c. de cuota** autoroute *f* à péage

carretero, -a *adj Am* routier(ère)

carretilla *nf (carro de mano)* brouette *f*

carril *nm (de carretera)* voie *f*; *(de ferrocarril)* rail *m*; *(huella)* ornière *f* ■ **c. bici** piste *f* cyclable; **c. bus** couloir *m* d'autobus

carrito *nm (para el equipaje)* chariot *m*; *(para la compra)* Caddie® *m*

carro *nm* chariot *m*; *Andes, CAm, Carib, Méx (automóvil)* voiture *f*

carrocería *nf (de automóvil)* carrosserie *f*; *(taller)* atelier *m* de carrosserie

carromato *nm (carro)* roulotte *f*; *(coche viejo)* guimbarde *f*

carroña *nf* charogne *f*

carroza *nf (coche)* carrosse *m*

carruaje *nm* voiture *f*

carta *nf (escrito)* lettre *f*; *(naipe, menú, mapa)* carte *f*; *(documento)* charte *f*; **echar una c.** poster une lettre; **c. de recomendación** lettre de recommandation; **a la c.** à la carte; **echar las cartas a alguien** tirer les cartes à qn; **dar c. blanca a alguien** donner carte blanche à qn

cartabón *nm* équerre *f*

cartearse *vpr* s'écrire, échanger des lettres

cartel *nm (anuncio)* affiche *f*; **prohibido fijar carteles** *(en pared)* défense d'afficher

cartelera *nf (en un periódico)* rubrique *f* des spectacles; **en c.** à l'affiche

cartera *nf* portefeuille *m*; *(para documentos)* porte-documents *m inv*; *(sin asa)* serviette *f*; *(de colegial)* cartable *m*; *Perú, CSur, Ven (bolso)* sac *m* à main ■ **c. de clientes** fichier *m* de clients; **c. de pedidos** carnet *m* de commandes; **c. de valores** portefeuille de valeurs

carterista *nmf* pickpocket *m*

cartero, -a *nm,f* facteur(trice) *m,f*

cartilla *nf (documento)* livret *m*; *(para aprender a leer)* = premier livre de lecture ■ **c. de ahorros** livret de caisse d'épargne; **c. militar** livret matricule; **c. de la seguridad social** carte *f* de sécurité sociale

cartón *nm (material)* carton *m*; *(de cigarrillos)* cartouche *f* ▪ **c. piedra** carton-pâte *m*

cartucho *nm (de arma)* cartouche *f*; *(de avellanas, pipas)* cornet *m*; *(de monedas)* rouleau *m*

cartulina *nf* bristol *m*

casa *nf* maison *f*; *(vivienda)* logement *m*; *(familia)* famille *f*; **en mi/tu c.** chez moi/toi; **en/a c. de mi tía** chez ma tante; **caérsele a uno la c. encima** *(estar a disgusto)* ne plus se supporter chez soi; *(tener problemas)* avoir le moral à zéro; **echar** *o* **tirar la c. por la ventana** *(derrochar)* jeter l'argent par les fenêtres ▪ **c. adosada** maison jumelle; **c. de campo** maison de campagne; **c. consistorial** hôtel *m* de ville; **c. de huéspedes** pension *f* de famille

casado, -a 1 *adj* marié(e); **estar c. con alguien** être marié avec *ou* à qn **2** *nm,f* marié(e) *m,f*; **los recién casados** les jeunes mariés

casamiento *nm* mariage *m*

casar 1 *vt* marier; *(cuentas)* enfiler; *(trozos)* recoller **2** *vi* aller ensemble **3 casarse** *upr* se marier **(con** avec)

cascabel *nm* grelot *m*

cascada *nf* cascade *f*

cascanueces *nm inv* casse-noix *m inv*

cascar [58] *vt (huevo, nuez, voz)* casser; *(vasija, plato)* fêler

cáscara *nf (de huevo, nuez)* coquille *f*; *(de limón, naranja)* écorce *f*; *(de plátano)* peau *f*

casco *nm (para la cabeza)* casque *m*; *(de barco)* coque *f*; *(de caballo)* sabot *m*; *(envase)* bouteille *f* vide; *(pedazo)* éclat *m* ▪ **c. antiguo** *(de ciudad)* vieille ville *f*; **los cascos azules** les casques bleus; **c. urbano** centre-ville *m*

caserío *nm (pueblecito)* hameau *m*; *(casa de campo)* ferme *f*

casero, -a 1 *adj (de casa) (comida)*

maison *inv*; *(trabajos)* ménager(ère); *(fiesta, velada)* familial(e), de famille; *(hogareño)* casanier(ère) **2** *nm,f (propietario)* propriétaire *mf*

caseta *nf (casa pequeña)* maisonnette *f*; *(en la playa)* cabine *f*; *(de tiro)* stand *m*; *(de feria)* = tente installée dans les foires pour danser le flamenco; *(para perro)* niche *f* ▪ *Méx* **c. telefónica** cabine téléphonique

casete 1 *nf (cinta)* cassette *f* **2** *nm (magnetófono)* magnétophone *m*

casi *adv* presque; **c. no dormí** je n'ai presque pas dormi; **c. se cae** il a failli tomber; **c. nunca/siempre** presque jamais/toujours

casilla *nf (de caja, armario)* casier *m*; *(de impreso, ajedrez)* case *f*; *Fam* **sacar a alguien de sus casillas** faire sortir qn de ses gonds ▪ *Andes, RP* **c. de correos** boîte *f* postale

casillero *nm* casier *m*

casino *nm (para jugar)* casino *m*; *(asociación)* cercle *m*

caso *nm* cas *m*; *Der* affaire *f*; **el c. es que...** le fait est que...; **en el mejor/ peor de los casos** dans le meilleur/ pire des cas; **en c., dado el c. que, en c. de que** au cas où; **en c. de incendio** en cas d'incendie; **en todo** *o* **cualquier c.** en tout cas; **hacer c. a** prêter attention à; **hacer c. omiso de** ne pas tenir compte de; *Fam* **no venir al c.** être hors de propos

caspa *nf* pellicules *fpl (de cheveux)*

casquillo *nm (de bala)* douille *f*; *(de bombilla)* culot *m*; *(de bastón)* manche *m*

casta *nf (linaje)* lignée *f*; *(especie, calidad)* race *f*; *(en la India)* caste *f*

castaña *ver* **castaño**

castaño, -a 1 *adj (color)* marron *inv*; *(pelo)* châtain **2** *nm (color)* marron *m inv*; *(árbol, madera)* châtaignier *m* **3** *nf* **castaña** *(fruto)* châtaigne *f*; **castañas asadas** marrons *mpl* chauds

castañuela *nf* castagnette *f*

castellano, -a 1 *adj* castillan(e) **2** *nm,f (persona)* Castillan(e) *m,f*

3 *nm (lengua)* castillan *m*, espagnol *m*

castidad *nf* chasteté *f*

castigar [37] *vt (imponer castigo)* punir; *Dep* pénaliser; *(maltratar)* endommager, frapper; *(el cuerpo)* mortifier; **le han castigado sin postre** il a été privé de dessert

castigo *nm (sanción)* punition *f*; *(sufrimiento)* épreuve *f*; *(en deporte)* pénalité *f*; **quedar sin c.** rester impuni(e)

castillo *nm* château *m*

castizo, -a *adj* pur(e); *(autor)* puriste

casto, -a *adj* chaste

castor *nm* castor *m*

castrar *vt (animal, persona)* castrer

casualidad *nf* hasard *m*; **dio la c. de que...** il s'est trouvé que...; **por c.** par hasard; **¡qué c.!** quelle coïncidence!

catacumbas *nfpl* catacombes *fpl*

catalán, -ana 1 *adj* catalan(e) **2** *nm,f* Catalan(e) *m,f* **3** *nm (lengua)* catalan *m*

catálogo *nm* catalogue *m*

Cataluña *n* la Catalogne

catamarán *nm* catamaran *m*

catar *vt (probar)* goûter; *(saborear)* déguster

catarata *nf (de agua)* chute *f*; **cataratas** *(en los ojos)* cataracte *f*

catarro *nm* rhume *m*

catástrofe *nf* catastrophe *f*

catastrófico, -a *adj* catastrophique

catear *vt Fam* **he cateado las matemáticas** je me suis planté(e) *ou* pris une gamelle en maths; *Méx (registrar)* fouiller

catecismo *nm* catéchisme *m*

cátedra *nf* chaire *f*; *Fig* **sentar c.** faire autorité

catedral *nf* cathédrale *f*

catedrático, -a *nm,f (de universidad)* ≃ directeur(trice) *m,f* d'UFR; *(de instituto)* = professeur qui coordonne l'enseignement dans une matière

categoría *nf* catégorie *f*; *(posición social)* rang *m*; *(calidad)* qualité *f*; **de c.** *(persona)* de haut rang; *(artista)*

grand(e); *(producto)* de qualité; *(hotel)* bon (bonne); **de primera c.** de premier choix, de qualité supérieure

catequesis *nf inv* catéchèse *f*

cateto, -a 1 *adj & nm,f Pey (palurdo)* plouc *mf* **2** *nm Mat* côté *m*

catire, -a *adj Carib, Col* blond(e)

catolicismo *nm* catholicisme *m*

católico, -a *adj & nm,f* catholique *mf*

catorce 1 *adj num inv* quatorze **2** *nm inv* quatorze *m*; *ver también* **seis**

catre *nm (cama ligera)* lit *m* de camp

cauce *nm (procedimiento)* cours *m*; *(de río)* lit *m*; *(de riego)* canal *m*

caucho *nm* caoutchouc *m*

caudal *nm (cantidad de agua)* débit *m*; *(capital)* fortune *f*; *(abundancia)* mine *f*; **tiene un c. de conocimientos** c'est un puits de science

caudaloso, -a *adj (río)* à fort débit

caudillo *nm (en la guerra)* caudillo *m*, chef *m* militaire; *(en una comunidad)* chef *m* de file

causa *nf* cause *f*; **a c. de** à cause de

causante *adj* **la razón c. de** la cause de; **ser el c. de** *(la causa)* être à l'origine de

causar *vt (originar)* causer; *(placer, víctimas)* faire; *(enfermedad)* provoquer; *(perjuicio)* porter

cáustico, -a *adj* caustique

cautela *nf* précaution *f*; **con c.** avec précaution

cautivador, -ora 1 *adj* captivant(e) **2** *nm,f* charmeur(euse) *m,f*

cautivar *vt (apresar)* capturer; *(seducir)* captiver

cautiverio *nm,* **cautividad** *nf* captivité *f*

cautivo, -a *adj & nm,f* captif(ive) *m,f*

cauto, -a *adj* prudent(e)

cava 1 *nm* = vin catalan fabriqué selon la méthode champenoise **2** *nf (bodega)* cave *f*

cavar 1 *vt* creuser **2** *vi (con laya)* bêcher; *(con azada)* biner

caverna *nf* caverne *f*

caviar *nm* caviar *m*

cavidad *nf* cavité *f*

cavilar vi réfléchir

caza 1 nf (acción de cazar) chasse f; (animales, carne) gibier m; **salir o ir de c.** aller à la chasse **2** nm avion m de chasse

cazabe nm Am galette f de manioc

cazador, -ora 1 adj (perro) de chasse **2** nm,f chasseur(euse) m,f; **c. furtivo** braconnier m **3** nf **cazadora** (prenda) blouson m

cazar [14] vt chasser

cazo nm (recipiente) casserole f; (utensilio) louche f

cazuela nf (recipiente) = casserole en terre cuite; **a la c.** à la casserole

cazurro, -a 1 adj (bruto) abruti(e); (obstinado) têtu(e); (huraño) renfrogné(e) **2** nm,f (bruto) brute f

c/c (abrev **cuenta corriente**) CC

CD (pl **CDs**) nm (abrev **compact disc**) CD m inv

CE nf (abrev **Comunidad Europea**) CE f

cebar 1 vt (engordar) gaver; (arma, anzuelo, máquina) amorcer; (fuego, horno) alimenter; RP (mate) servir **2 cebarse** vpr **cebarse en** (ensañarse con) s'acharner sur

cebo nm (para cazar, atraer) appât m

cebolla nf oignon m

cebolleta nf (tallo) ciboulette f; (bulbo) petit oignon m (frais)

cebra nf zèbre m

cecear vi zézayer

ceder 1 vt céder ■ **ceda el paso** signal m de priorité **2** vi céder; (dolor) s'apaiser; **c. a** céder à; **c. en** céder sur; **c. a una propuesta** accepter une proposition

cedro nm cèdre m

cédula nf certificat m ■ Am **c. (de identidad)** carte f d'identité

ceguera nm cécité f

ceja nf sourcil m

celda nf cellule f (de prison, couvent…)

celebración nf (festejo) célébration f; (realización) tenue f

celebrar 1 vt (centenario, misa) célébrer; (cumpleaños, buena noticia) fêter; (reunión, junta) tenir; (partido deportivo) disputer; (elecciones) organiser; (alegrarse de) se réjouir de, se féliciter de; (alabar) louer, faire l'éloge de **2 celebrarse** vpr (tener lugar) avoir lieu; (centenario, misa) être célébré(e)

célebre adj (famoso) célèbre

celebridad nf célébrité f

celeste adj (de bóveda, cuerpos) céleste; (azul) **c.** bleu ciel inv

celestial adj céleste; (gloria) de Dieu

celo 1 nm (esmero) zèle m; (cinta adhesiva) Scotch® m; (de animal) amours fpl; **en c.** (hembra) en chaleur; (macho) en rut **2** nmpl **celos** jalousie f; **dar celos a alguien** rendre qn jaloux(ouse); **tener celos de alguien** être jaloux(ouse) de qn

celofán nm Cellophane® f

celoso, -a adj & nm,f jaloux(ouse) m,f

célula nf cellule f

celular adj cellulaire

celulitis nf inv cellulite f

cementerio nm (de muertos) cimetière m; (de cosas inutilizables) dépotoir m ■ **c. de automóviles** casse f; **c. nuclear** site m d'enfouissement

cemento nm (de construcción) ciment m; (de dientes) cément m

cena nf dîner m; **dar una c.** avoir du monde à dîner

cenar 1 vt manger au dîner; **cenó huevos** il a mangé des œufs au dîner **2** vi dîner

cencerro nm sonnaille f

cenefa nf (de tela) liseré m; (en pared) plinthe f

cenicero nm cendrier m

ceniza nf cendre f; **cenizas** (de cadáver) cendres fpl

censo nm (de población) recensement m ■ **c. electoral** listes fpl électorales

censor, -ora nm,f censeur m ■ **c. de cuentas** auditeur(trice) m,f, audit m

censura nf censure f; (reprobación) condamnation f; **ha sido objeto de c. por…** il a été condamné pour…

censurar vt censurer; (reprobar) blâmer

centena nf centaine f

centenar nm centaine f; **a centenares** par centaines

centenario, -a 1 adj centenaire **2** nm centenaire m; **quinto c.** cinq centième anniversaire m

centeno nm seigle m

centésimo, -a adj num centième; ver también **sexto**

centígrado, -a adj centigrade; **veinte grados centígrados** vingt degrés centigrades

centímetro nm centimètre m

céntimo nm (moneda) centime m

centinela nm sentinelle f

centollo nm araignée f de mer

centrado, -a adj centré(e); (persona) équilibré(e)

central 1 adj central(e) **2** nm Dep stoppeur m **3** nf (de empresa) maison f mère; (de energía) centrale f ■ **c. nuclear** centrale nucléaire

centralismo nm centralisme m

centralita nf standard m (téléphonique)

centrar 1 vt centrer; (arma) pointer; (foto) cadrer; (persona) stabiliser; (mirada, atención) attirer; **c. una novela en cuestiones sociales** axer un roman sur des problèmes sociaux; **c. la atención/la mirada en algo** fixer son attention/son regard sur qch **2 centrarse** vpr **centrarse en** (concentrarse) se concentrer sur; (equilibrarse) se stabiliser

céntrico, -a adj central(e); **un piso c.** un appartement situé en plein centre-ville

centrifugar [37] vt centrifuger

centro nm centre m; (de rebelión) foyer m; (de estudios) établissement m; (de las miradas) cible f; (de curiosidad) objet m; **me voy al c.** (de ciudad) je vais en ville ■ **c. comercial** centre commercial; **c. de enseñanza** établissement scolaire; **c. de gravedad** centre de gravité

Centroamérica n l'Amérique f centrale

ceñido, -a adj serré(e)

ceñir [46] **1** vt (apretar) (ropa) mouler; (cinturón) serrer; **c. por la cintura** (abrazar) prendre par la taille **2 ceñirse** vpr (apretarse) serrer; se **ciñó el cinturón** il serra sa ceinture; **ceñirse a** (amoldarse, limitarse) s'en tenir à

ceño nm **fruncir el c.** froncer les sourcils

cepa nf (de vid) cep m; (de árbol, familia) souche f; Fig **de pura c.** de souche

cepillar 1 vt (con cepillo) brosser; (caballo) bouchonner; (madera) raboter **2 cepillarse** vpr (pelo, dientes) se brosser

cepillo nm (para limpiar) brosse f; (de carpintero) rabot m; (de donativos) tronc m ■ **c. de dientes** brosse à dents; **c. del pelo** brosse à cheveux; **c. de uñas** brosse à ongles

cepo nm (para cazar) piège m; (para vehículos) sabot m; (para sujetar) attache f; (para presos) cep m

cera nf cire f; (para esquíes) fart m ■ **c. depilatoria** cire dépilatoire

cerámica nf céramique f

ceramista nmf céramiste mf

cerca 1 nf (valla) clôture f **2** adv (en el espacio) près; (en el tiempo) proche; **vive muy c.** il habite tout près; **por aquí c.** tout près; **de c.** de près; **vivir algo de c.** connaître qch de près; **la Navidad ya está c.** Noël est proche; **c. de** près; **vive c. de aquí** il habite près d'ici; **ganó c. de tres millones** il a gagné près de trois millions

cercanía 1 nf proximité f **2** nfpl **cercanías** (afueras) banlieue f; (alrededores) environs mpl; **un tren de cercanías** un train de banlieue

cercano, -a adj proche (**a** de); **un pueblo c.** un village voisin

cercar [58] vt (vallar) clôturer; (rodear, acorralar) encercler

cerco nm (marca) cercle m; (de herida)

cerne m; *(mancha)* auréole f; *(de soldados)* haie f; *(de policías)* cordon m
cerda nf *(pelo) (de cerdo)* soie f; *(de caballo)* crin m
cerdo, -a 1 nm,f *(animal)* porc m, truie f; *Fam Fig (persona)* cochon(onne) m,f **2** nm *(carne)* porc m
cereal nm céréale f
cerebro nm *(órgano, persona)* cerveau m
ceremonia nf cérémonie f
ceremonioso, -a adj *(persona)* cérémonieux(euse); *(acogida, saludo)* solennel(elle)
cereza nf cerise f
cerezo nm *(árbol)* cerisier m; *(madera)* merisier m
cerilla nf allumette f
cerillo nm *CAm, Méx* allumette f
cero nm zéro m; **hace cinco grados bajo c.** il fait moins cinq; *ver también* **seis**
cerquillo nm *Am* frange f *(de cheveux)*
cerrado, -a adj fermé(e); *(tiempo, cielo)* couvert(e); *(vegetación, lluvia)* dru(e); *(persona)* réservé(e); *(acento, deje)* prononcé(e); *(corriente, circuito)* coupé(e); **hace una noche cerrada** il fait nuit noire; **ser muy c.** *(poco receptivo)* être étroit d'esprit
cerradura nf serrure f
cerrajería nf serrurerie f
cerrajero, -a nm,f serrurier m
cerrar 1 vt fermer; *(agua, gas)* couper; *(paso, carretera)* barrer; *(agujero, bote)* boucher; *(contrato)* clore; *(trato)* conclure; **c. la puerta con cerrojo** verrouiller la porte **2** vi fermer; **c. con llave** fermer à clé **3 cerrarse** upr se fermer; *(herida)* se refermer; *(debate, acto)* être clos(e); **cerrarse a** être fermé(e) à
cerro nm colline f
cerrojo nm verrou m; **echar el c.** mettre le verrou
certamen nm concours m
certeza nf certitude f; **tener la c. de que…** avoir la certitude que…
certidumbre nf certitude f

certificado, -a 1 adj *(carta, paquete)* recommandé(e) **2** nm certificat m ■ **c. médico** certificat médical
certificar [58] vt certifier; *(carta, paquete)* envoyer en recommandé
cervecería nf brasserie f
cerveza nf bière f ■ **c. sin alcohol** bière sans alcool; **c. de barril** bière (à la) pression; **c. negra** bière brune
cesante 1 adj *(sin empleo)* sans emploi; *Am (en paro)* au chômage **2** nmf sans-emploi mf inv
cesar 1 vt *(destituir)* démettre de ses fonctions; *(funcionario)* révoquer **2** vi **c. (de hacer algo)** cesser (de faire qch); **sin c.** sans cesse, sans arrêt
cesárea nf césarienne f
cese nm *(detención, paro)* arrêt m; *(de la actividad, las hostilidades)* cessation f; *(destitución)* renvoi m; *(de funcionario)* révocation f
cesión nf cession f
césped nm pelouse f, gazon m; **prohibido pisar el c.** *(en letrero)* pelouse interdite
cesta nf panier m; *(de bebé)* couffin m ■ **c. de la compra** panier m de la ménagère
cesto nm *(grande)* corbeille f
cetro nm *(vara, reinado)* sceptre m
chabacano, -a 1 adj vulgaire **2** nm *Méx (árbol)* abricotier m; *(fruto)* abricot m
chabola nf baraque f; **los barrios de chabolas** les bidonvilles mpl
chacarero, -a nm,f *Andes, RP (agricultor)* fermier(ère) m,f
chacha nf *Fam* bonne f
chacra nf *Andes, RP* ferme f
chafar 1 vt *(aplastar)* écraser; *(peinado)* aplatir; *(ropa)* froisser **2 chafarse** upr *(plan, proyecto)* tomber à l'eau
chal nm châle m
chalado, -a adj & nm,f *Fam* dingue mf
chalé nm pavillon m; *(en el campo)* maison f de campagne; *(de alta montaña)* chalet m ■ **c. adosado** maison jumelle

chaleco nm gilet m ▪ **c. antibalas** gilet pare-balles; **c. salvavidas** gilet de sauvetage

chalupa nf Méx tortilla f fourrée

chamba nf Méx, Ven boulot m

champa nf CAm tente f

champán nm champagne m

champiñón nm champignon m (de Paris)

champú (pl **champús** o **champúes**) nm shampooing m

chamuscar [58] **1** vt roussir **2 chamuscarse** vpr se brûler

chance 1 nf Am possibilité f, occasion f **2** adv Méx peut-être

chanchada nf Am (suciedad) saleté f; (trastada) sale coup m

chancho nm Am cochon m

chancla, chancleta nf (sandalia) tong f

chándal (pl **chándals**) nm survête-ment m

changa nf Bol, CSur petit boulot m

changador nm RP porteur m

changarro nm Méx petit magasin m

chantaje nm chantage m ▪ **c. emocional** chantage au sentiment

chantajista nmf maître chanteur m

chapa nf (material) plaque f; (tapón) capsule f; (insignia) badge m; (del guardarropa) jeton m; (de cerradura) serrure f; RP (matrícula) numéro m d'immatriculation; (placa) plaque f d'immatriculation; **c. y pintura** tôlerie f

chapado, -a adj plaqué(e); **c. en oro** plaqué or

chapapote nm goudron m

chapar vt plaquer

chaparrón nm averse f

chapopote nm Carib, Méx goudron m

chapucería nf **es una c.** ce n'est pas fait ni à faire

chapucero, -a 1 adj (trabajo) bâclé(e) **2** nm,f **ser un c.** bâcler son travail

chapulín nm CAm, Méx sauterelle f

chapuza nf (trabajo mal hecho) travail

m de cochon; (trabajo ocasional) bricole f

chaqué nm jaquette f

chaqueta nf (de traje) veste f; (de punto) cardigan m

chaquetón nm trois-quarts m

charca nf mare f

charco nm flaque f (d'eau)

charcutería nf charcuterie f

charla nf (conversación) discussion f; (conferencia) exposé m

charlar vi discuter, bavarder

charlatán, -ana 1 adj bavard(e) **2** nm,f (parlanchín) bavard(e) m,f; (embaucador) baratineur(euse) m,f

charol nm (piel) cuir m verni; Andes (bandeja) plateau m; **de c.** (zapatos) verni(e)

charola nf Méx plateau m

charque, charqui nm Am bœuf m salé

charro, -a nm,f (persona) = personne en costume mexicain traditionnel; (jinete) = au Mexique, gardien de troupeaux à cheval

chárter 1 adj inv charter **2** nm inv charter m

chasca nf Andes (de persona) tignasse f

chasco nm (decepción) déception f; **llevarse un c.** être très déçu(e)

chasis nm inv Aut & Fot châssis m

chat (pl **chats**) nm Informát chat m

chatarra nf ferraille f

chatarrero, -a nm,f ferrailleur m

chatear vi Informát chatter

chato, -a 1 adj (nariz) camus(e); (persona) au nez camus; (aplanado) plat(e) **2** nm (de vino) petit verre m

chau interj Andes, RP Fam salut!

chaucha 1 nmf RP Fam (aburrido) ennuyeux(euse) f **2** nf Andes (patata) pomme f de terre nouvelle; RP (judía verde) haricot m vert

chavo, -a 1 nm **no tener un c.** ne pas avoir un radis **2** nm,f Méx (hombre) mec m; (mujer) nana f

che, ché interj RP Fam eh!

checo, -a 1 adj tchèque **2** nm,f Tchèque mf **3** nm (lengua) tchèque m

chef [tʃef] (*pl* **chefs**) *nm* chef *m*, chef *m* cuisinier

chele, -a *CAm* **1** *adj (rubio)* blond(e); *(de piel blanca)* à la peau blanche **2** *nm,f (rubio)* blond(e) *m,f*; *(de piel blanca)* = personne à la peau blanche

cheque *nm* chèque *m*; **extender un c.** faire un chèque ▪ **c. en blanco** chèque en blanc; **c. (de) gasolina** = chèque dont on ne se sert que pour acheter de l'essence; **c. nominativo** chèque nominatif *ou* à ordre; **c. al portador** chèque au porteur; **c. de viaje** chèque de voyage, traveller's cheque *m*

chequeo *nm (médico)* bilan *m* de santé; *(comprobación)* vérification *f*

chequera *nf* carnet *m* de chèques

chévere *adj Andes, Carib Fam* super *inv*

chic *adj inv* chic

chica *ver* **chico**

chicha *nf Fam (para comer)* viande *f*; *(de persona)* graisse *f*; *Andes (bebida)* = boisson alcoolisée à base de maïs fermenté

chícharo *nm CAm, Méx* petit pois *m*

chicharra *nf (insecto)* cigale *f*; *Méx, RP (timbre)* sonnette *f*

chichón *nm* bosse *f*

chicle *nm* chewing-gum *m*

chico, -a **1** *adj (pequeño)* petit(e) **2** *nm,f (niño, joven)* garçon *m*, fille *f* **3** *nm (recadero)* garçon *m* de courses **4** *nf* **chica** *(criada)* bonne *f*

chicote *nm Am (látigo)* fouet *m*

chiflado, -a *Fam* **1** *adj (loco)* cinglé(e); *(afición, persona)* dingue de **2** *nm,f (loco)* cinglé(e) *m,f*

chiflar **1** *vt Fam* **me chiflan las patatas fritas** j'adore les frites **2** *vi (silbar)* siffler

chigüín, -ina *nm,f CAm Fam* gosse *mf*

chilango, -a *adj Am* de Mexico

Chile *n* le Chili

chileno, -a **1** *adj* chilien(enne) **2** *nm,f* Chilien(enne) *m,f*

chillar *vi (gritar)* crier; *(bebé, niño)* brailler

chillido *nm (grito)* cri *m*

chillón, -ona **1** *adj (voz, color)* criard(e); *(niños)* braillard(e) **2** *nm,f* braillard(e) *m,f*

chilpotle *nm Méx* = piment fumé ou en conserve

chimbo, -a *adj Col, Ven (falso)* de contrefaçon; *(de mala calidad)* de mauvaise qualité

chimenea *nf* cheminée *f*

chimpancé *nm* chimpanzé *m*

China *n* **(la) C.** la Chine

china *ver* **chino**

chinche *nf* punaise *f (insecte)*

chincheta *nf* punaise *f (clou)*

chingado, -a **1** *adj Fam (estropeado)* foutu(e) **2** *nf* **chingada** *Méx Vulg* **¡vete a la chingada!** va te faire foutre!

chingar [37] **1** *vt muy Fam (molestar)* emmerder **2** *vi Vulg (copular)* baiser

chino, -a **1** *adj* chinois(e) **2** *nm,f (de la China)* Chinois(e) *m,f*; *Am (mestizo)* métis(isse) *m,f*, *Fig* **trabajar como un c.** travailler comme un nègre **3** *nm (lengua)* chinois *m* **4** *nf* **china** *(piedra)* caillou *m*

chip (*pl* **chips**) *nm Informát* puce *f*

chipirón *nm* petit calmar *m*

Chipre *n* Chypre

chipriota **1** *adj* chypriote **2** *nm,f* Chypriote *mf*

chiqueo *nm Méx* câlin *m*

chirimoya *nf* anone *f*

chisme *nm (cuento)* commérage *m*; *Fam (cosa)* truc *m*

chismoso, -a *adj & nm,f* cancanier(ère) *m,f*

chispa *nf (de fuego, electricidad)* étincelle *f*; *Fig (agudeza)* esprit *m*

chiste *nm* histoire *f* drôle, blague *f*; **contar chistes** raconter des histoires drôles *ou* des blagues ▪ **c. verde** blague cochonne

chistorra *nf* = saucisson typique d'Aragon et de Navarre

chistoso, -a **1** *adj (persona)* blagueur(euse); *(suceso)* drôle **2** *nm,f* blagueur(euse) *m,f*

chivar *Fam* **1** *vt (soplar)* souffler

2 chivarse *vpr (niños)* cafter; *(delincuentes)* moucharder

chivatazo *nm Fam* mouchardage *m*; **dar el c.** moucharder

chivato, -a 1 *adj & nm,f Fam* mouchard(e) *m,f* **2** *nm (luz)* voyant *m* lumineux; *(alarma)* sonnerie *f*; *Ven Fam (persona importante)* grosse légume *f*

chocar [58] **1** *vi (colisionar)* se heurter; *Fig (extrañar)* choquer; **c. con** *o* **contra** rentrer dans **2** *vt* **¡choca esos cinco!, ¡chócala!** tope là!

chocho, -a *adj (viejo)* gâteux(euse)

choclo *nm Andes, RP* maïs *m*

chocolate *nm (para comer, beber)* chocolat *m*; *Fam (para fumar)* shit *m* ■ **c. con leche** chocolat au lait

chocolatina *nf* barre *f* chocolatée

chófer, chofer *nm* chauffeur *m*

chollo *nm Fam (trabajo, situación)* bon plan *m*; *(producto, compra)* occase *f*

chomba, chompa *nf Andes, Arg* pull *m*

chompipe *nm CAm* dindon *m*

chongo *nm Méx (peinado)* chignon *m*; *(dulce)* = pain frit dans le beurre puis trempé dans le miel

chopo *nm* peuplier *m* noir

choque *ver* **chocar**
  2 *nm (impacto)* choc *m*; *(de vehículos)* collision *f*; *Fig (disputa)* accrochage *m*

chorizo *nm (embutido)* chorizo *m*

choro *nm Andes* moule *f*

chorrada *nf Fam (regalo)* bricole *f*; *(palabras)* bêtise *f*

chorrear 1 *vi (gotear)* goutter; *(brotar)* couler **2** *vt* ruisseler de; **c. sudor** ruisseler de sueur

chorro *nm (de líquido)* jet *m*; *(hilo)* filet *m*; **salir a chorros** couler à flots

choto, -a *nm,f (cabrito)* chevreau *m*, chevrette *f*; *(ternero)* veau *m*

choza *nf* hutte *f*

christmas = **crismas**

chubasco *nm* averse *f*

chubasquero *nm* ciré *m*

chúcaro, -a *adj Andes, RP Fam (animal)* sauvage; *(persona)* timide

chuchería *nf (golosina)* friandise *f*; *(baratija)* babiole *f*

chueco, -a *adj Am (mueble)* bancal(e); *(proyecto, razonamiento)* boiteux(euse), bancal(e); *(patizambo)* aux jambes arquées

chufa *nf* souchet *m*

chuleta *nf (de ternera)* côtelette *f*; *(de cerdo)* côte *f*; *Fam (en exámenes)* antisèche *f*

chullo *nm Bol, Perú* bonnet *m* péruvien

chulo, -a 1 *adj (presumido)* vantard(e); *Fam (bonito)* chouette; **ponerse c.** *(insolente)* être insolent(e) **2** *nm,f (presumido)* vantard(e) *m,f*; *(madrileño)* = figure typique des quartiers populaires de Madrid **3** *nm muy Fam (proxeneta)* maquereau *m*

chumbera *nf* figuier *m* de Barbarie

chuño *nm Andes, RP* amidon *m* de pomme de terre

chupado, -a *adj (delgado)* squelettique; *Fam* **está c.** *(es fácil)* c'est du tout cuit

chupar *vt (succionar)* sucer; *(al fumar)* tirer sur; *(absorber)* absorber; *(arruinar)* soutirer

chupe *nm Andes, Arg* ragoût *m*

chupete *nm* tétine *f*

chupito *nm Fam* petit verre *m*, petit coup *m*

churrasco *nm* grillade *f*

churrería *nf* = commerce de "churros"

churro *nm (frito)* = long beignet cylindrique; *Fam (cosa mal hecha)* truc *m* mal foutu

chusma *nf* racaille *f*

chutar 1 *vi (lanzar)* shooter; *Fam* **con eso va que chuta** c'est plus qu'il n'en faut **2 chutarse** *vpr muy Fam* se shooter

Cía., cía. *(abrev* **compañía**) Cie.

cibercafé *nm* cybercafé *m*

cicatriz *nf* cicatrice *f*

cicatrizar [14] *vt & vi* cicatriser

ciclismo *nm* cyclisme *m*

ciclista *adj & nmf* cycliste *mf*

ciclo *nm* cycle *m*

ciclomotor *nm* cyclomoteur *m*

ciclón *nm* cyclone *m*

ciego, -a 1 *adj* aveugle; *Fig (de ira, amor)* aveuglé(e); **quedarse c.** devenir aveugle; **c. de** aveuglé(e) par, fou (folle) de; **a ciegas** à l'aveuglette **2** *nm,f (invidente)* aveugle *mf* **3** *nm muy Fam (borrachera)* cuite *f*; *(de droga)* défonce *f*

cielo *nm* ciel *m*; **(mi) c.** *(nombre cariñoso)* mon ange; **ser un c.** être un ange; **como llovido** *o* **caído del c.** *(oportunamente)* à pic; *(inesperadamente)* comme par miracle; **¡cielos!, ¡c. santo!** ciel!

ciempiés *nm inv* mille-pattes *m inv*

cien 1 *adj num inv* cent **2** *nm inv* cent *m*; **c. mil** cent mille; **al c. por c.** à cent pour cent; *ver también* **seis**

ciencia *nf* science *f*; **ciencias** sciences *fpl*; **a c. cierta** avec certitude ■ **c. ficción** science-fiction *f*

científico, -a *adj & nm,f* scientifique *mf*

ciento nm cent m; **c. cincuenta** cent cinquante; **cientos de miles de euros** des centaines de milliers d'euros; **por c.** pour cent; *Am* **al c. por c.** à cent pour cent; *ver también* **seis**

cierne: en cierne(s) *adv & adj* en herbe

cierre *nm* fermeture *f* ■ **c. centralizado** *(en vehículo)* verrouillage *m* centralisé; *Am* **c. relámpago** *(cremallera)* fermeture Éclair®

cierto, -a 1 *adj* certain(e); **cierta tristeza** une certaine tristesse; **estar en lo c.** être dans le vrai; **lo c. es que…** c'est un fait que…; **por c.** au fait **2** *adv* certainement

ciervo, -a *nm,f* cerf *m*, biche *f*

cifra *nf* chiffre *m*

cigala *nf* langoustine *f*

cigarra *nf* cigale *f*

cigarrillo *nm* cigarette *f*

cigarro *nm (cigarrillo)* cigarette *f*; *(habano)* cigare *m*

cigüeña *nf* cigogne *f*

cilindrada *nf* cylindrée *f*

cilíndrico, -a *adj* cylindrique

cilindro *nm* cylindre *m*

cima *nf (punta)* cime *f*; *Fig (apogeo)* sommet *m*

cimientos *nmpl Constr* assises *fpl*; **los c.** les fondations *fpl*; *Fig* **echar los c. de algo** *(principios)* jeter les bases de qch

cinco 1 *adj num inv* cinq **2** *nm inv* cinq *m inv*; *ver también* **seis**

cincuenta 1 *adj num inv* cinquante **2** *nm inv* cinquante *m*; *ver también* **sesenta**

cine *nm* cinéma *m* ■ **c. mudo** cinéma muet

cineasta *nmf* cinéaste *mf*

cinematográfico, -a *adj* cinématographique

cínico, -a *adj & nm,f* cynique *mf*

cinismo *nm* cynisme *m*

cinta *nf (tira)* ruban *m*; *(de imagen, sonido)* cassette *f*; *Informát* bande *f* ■ **c. adhesiva** *(celo)* ruban adhésif; **c. métrica** mètre *m* à ruban; **c. transportadora** transporteur *m* à bande; *(de mercancías, personas)* tapis *m* roulant; **c. de vídeo** cassette vidéo

cintura *nf (de persona)* taille *f*; *(de traje)* ceinture *f*

cinturón *nm* ceinture *f* ■ *Am* **c. de miseria** banlieue *f* misérable; **c. de seguridad** ceinture (de sécurité)

ciprés *(pl* **cipreses***) nm* cyprès *m*

circo *nm* cirque *m*

circuito *nm* circuit *m*; *(de bicicletas)* piste *f*

circulación *nf* circulation *f*

circular¹ *adj & nf* circulaire *f*

circular² *vi* circuler; *(monedas)* être en circulation; **c. por** *(persona, líquido)* circuler dans; *(vehículos)* circuler sur

círculo *nm* cercle *m*; *(corro)* attroupement *m*; **círculos** *(medios)* milieux *mpl* ■ **c. vicioso** cercle vicieux

circunferencia *nf* circonférence *f*

circunscribir 1 *vt* circonscrire 2 **circunscribirse** *vpr* **circunscribirse a** s'en tenir à

circunstancia *nf* circonstance *f*; *(requisito)* condition *f*; **poner cara de circunstancias** faire une figure de circonstance

circunstancial *adj (accidental)* fortuit(e)

cirio *nm* cierge *m*

cirrosis *nf inv* cirrhose *f*

ciruela *nf* prune *f* ■ **c. pasa** pruneau *m*

cirugía *nf* chirurgie *f* ■ **c. estética** *o* **plástica** chirurgie esthétique *ou* plastique

cirujano, -a *nm,f* chirurgien(enne) *m,f*

cisma *nm* schisme *m*

cisne *nm* cygne *m*

cisterna *nf (de retrete)* chasse *f* d'eau; *(aljibe, tanque)* citerne *f*

cita *nf (entrevista)* rendez-vous *m*; *(referencia)* citation *f*; **tener una c.** avoir rendez-vous

citación *nf* citation *f*

citar 1 *vt (mencionar)* citer; *(dar cita a)* donner rendez-vous à 2 **citarse** *vpr* se donner rendez-vous

cítrico, -a 1 *adj (ácido)* citrique 2 *nmpl* **cítricos** agrumes *mpl*

ciudad *nf* ville *f* ■ **c. universitaria** cité *f* universitaire

ciudadanía *nf (nacionalidad)* citoyenneté *f*

ciudadano, -a 1 *adj* citadin(e) 2 *nm,f (habitante)* citadin(e) *m,f*; *(súbdito)* citoyen(enne) *m,f*

cívico, -a *adj* civique

civil 1 *adj* civil(e) 2 *nm* civil *m*

civilización *nf* civilisation *f*

civilizado, -a *adj* civilisé(e)

civismo *nm* civisme *m*

clan *nm* clan *m*

clara *ver* **claro**

claraboya *nf* lucarne *f*

clarear 1 *vt* éclairer 2 *v impersonal* **está clareando** *(amanece)* le jour se lève; **al c. el día** au point du jour

claridad *nf* clarté *f*; *(de agua, diamante)* pureté *f*; *(lucidez)* lucidité *f*

clarinete *nm* clarinette *f*

clarividencia *nf* clairvoyance *f*

claro, -a 1 *adj* clair(e); *(imagen)* net (nette); *(diluido)* léger(ère); *(poco tupido)* clairsemé(e); **tener la mente clara** avoir les idées claires; **una clara victoria** une franche victoire; **c. está que...** il est clair que...; **dejar c. que...** faire comprendre que...; **a las claras** clairement; **sacar en c.** tirer au clair

2 *nm (en bosque)* clairière *f*; *(entre nubes)* éclaircie *f*; *(en multitud)* vide *m*; *(en pintura)* clair *m*

3 *adv* clairement

4 *interj* **¡c. (está)!** bien sûr!

5 *nf* **clara** *(de huevo)* blanc *m*; *(bebida)* panaché *m*

clase *nf* classe *f*; *(manera de ser)* genre *m*; *(asignatura)* cours *m*; **toda c. de** toutes sortes de; **dar clases** *(profesor)* donner des cours; *(alumno)* suivre des cours ■ **c. media** classe moyenne; **c. obrera** *o* **trabajadora** classe ouvrière; **clases particulares** cours particuliers; **c. preferente** classe affaires; **c. turista** classe touriste

clásico, -a 1 *adj* classique; **c. de** *(característico de)* typique de 2 *nm* classique *m*

clasificación *nf* classement *m*

clasificar [58] 1 *vt* classer 2 **clasificarse** *vpr* se classer; **se clasificó para la final** il s'est qualifié pour la finale

claudicar [58] *vi (someterse)* abandonner; **c.** *(asignatura)* cours *m*; *(asamblea)* réunion *f* ■ **c. de profesores** conseil *m* de classe

claustrofobia *nf* claustrophobie *f*

cláusula *nf (artículo)* clause *f*; *Gram* proposition *f*

clausura *nf* clôture *f; (de local)* fermeture *f*

clausurar *vt (acto)* clôturer; *(local)* fermer

clavadista *nmf CAm, Méx* plongeur(euse) *m,f*

clavado, -a *adj (con clavos)* cloué(e); *(en punto)* sonnant(e); *Fam* ser c. a alguien être la copie conforme de qn

clavar 1 *vt (clavo, cuchillo)* planter; *(con clavos)* clouer 2 **clavarse** *upr* me clavé un cristal en el pie je me suis planté un bout de verre dans le pied

clave 1 *adj inv* clef; **es el punto c.** c'est l'élément clef 2 *nm (instrumento)* clavecin 3 *nf (código)* code *m; (solución) & Mús* clef *f;* **en c.** codé(e)

clavel *nm* œillet *m*

clavícula *nf* clavicule *f*

clavija *nf Téc & Mús* cheville *f; Elec* fiche *f*

clavo *nm (pieza metálica)* clou *m; (de olor)* clou *m* de girofle; *Med* broche *f; Fig* dar en el c. mettre dans le mille

claxon *(pl cláxones) nm* Klaxon® *m;* **tocar el c.** klaxonner

clericó *nm RP* = boisson à base de vin blanc et de morceaux de fruits

clérigo *nm* prêtre *m*

clero *nm* clergé *m*

clic *(pl clics) nm Informát* clic *m;* **hacer c.** cliquer

cliché *nm* cliché *m*

cliente, -a *nm,f* client(e) *m,f*

clima *nm* climat *m*

climatizado, -a *adj* climatisé(e)

climatología *nf* climatologie *f*

clímax *nm inv* point *m* culminant

clínico, -a 1 *adj* clinique; *(informe, material)* médical(e) 2 *nf* **clínica** clinique *f*

clip *(pl clips) nm (para papel)* trombone *m; (para cabello)* pince *f; (pendiente, videoclip)* clip *m*

cloaca *nf* égout *m*

cloro *nm* chlore *m*

clorofila *nf* chlorophylle *f*

clóset *(pl clósets) nm Am* placard *m*

club *(pl clubs o clubes) nm* club *m* ■ **c.**

de fans fan-club *m;* **c. náutico** yacht-club *m*

cm *(abrev* **centímetro)** cm

coacción *nf* pression *f*

coaccionar *vt* **c. a alguien a** o **para que haga algo** faire pression sur qn pour lui faire faire qch

coartada *nf* alibi *m*

coba *nf Fam* **dar c. a alguien** passer de la pommade à qn

cobarde *adj & nmf* lâche *mf*

cobardía *nf* lâcheté *f*

cobija *nf Am (manta)* couverture *f*

cobijar 1 *vt* abriter 2 **cobijarse** *upr* se réfugier; *(de la intemperie)* s'abriter

cobra *nf (serpiente)* cobra *m*

cobrador, -ora *nm,f (de facturas, recibos)* encaisseur *m*

cobrar 1 *vt (deuda, cheque)* encaisser; *(sueldo)* toucher; **¿me cobra, por favor?** je vous dois combien, s'il vous plaît?; **me han cobrado muy caro** on m'a pris très cher; **c. importancia** prendre de l'importance; **c. afecto a alguien** prendre qn en affection 2 *vi (en el trabajo)* être payé(e) 3 **cobrarse** *upr* **el accidente se cobró tres vidas** l'accident a fait trois morts

cobro *nm* encaissement *m;* **llamar a c. revertido a alguien** appeler qn en PCV

coca *nf (planta)* coca *f; Fam (cocaína)* coke *f*

cocaína *nf* cocaïne *f*

cocalero, -a *Bol, Perú* 1 *adj* **región cocalera** région productrice de coca; **productor cocalero** producteur *m* de coca 2 *nm,f* producteur(trice) *m,f* de coca

cocción *nf* cuisson *f*

cocear *vi* ruer

cocer [15] 1 *vt* cuire; **a medio c.** à mi-cuisson 2 **cocerse** *upr (comida)* cuire

coche *nm* voiture *f* ■ **c. de alquiler** voiture de location; **c. bomba** voiture piégée; **c. cama** wagon-lit *m;* **c. de carreras** voiture de course; **c. celular** fourgon *m* cellulaire

cochinillo *nm* cochon *m* de lait

cochino, -a 1 *adj (persona)* dégoûtant(e); *(tiempo)* de cochon; **¡este c. dinero!** l'argent, toujours l'argent! **2** *nm,f (animal)* cochon *m*, truie *f*

cocido *nm* pot-au-feu *m inv*

cocina *nf (habitación, arte)* cuisine *f*; *(electrodoméstico)* cuisinière *f*

cocinar 1 *vt* cuisiner **2** *vi* faire la cuisine, cuisiner

cocinero, -a *nm,f* cuisinier(ère) *m,f*

coco *nm (fruto)* noix *f* de coco; *Fam* **comerse el c.** se prendre la tête

cocodrilo *nm* crocodile *m*

cocotero *nm* cocotier *m*

cóctel *nm* cocktail *m*

codazo *nm* coup *m* de coude; **abrirse paso a codazos** jouer des coudes

codiciar *vt* convoiter

codificado, -a *adj (emisión de TV)* crypté(e)

código *nm* code *m*; *(telefónico)* indicatif *m* ▪ **c. de barras** code-barres *m*; **c. de circulación** code de la route; **c. civil** code civil; **c. de identificación fiscal** = code d'identification fiscale attribué à toute personne physique ou morale payant des impôts en Espagne; **c. penal** code pénal; **c. postal** code postal

codo *nm* coude *m*; **estaba de codos sobre la mesa** il était accoudé à la table

codorniz *nf* caille *f*

coeficiente *nm* coefficient *m*; *(grado, índice)* taux *m* ▪ **c. intelectual** *o* **de inteligencia** quotient *m* intellectuel

coetáneo, -a *adj* contemporain(e)

coexistir *vi* coexister

cofia *nf* coiffe *f*

cofradía *nf (religiosa)* confrérie *f*; *(no religiosa)* corporation *f*

cofre *nm (para joyas)* coffret *m*; *(arca)* coffre *m*

coger [51] **1** *vt (tomar, agarrar)* prendre; *(ladrón, pez, gripe)* attraper; *(vehículo, persona)* rattraper; *(frutos, flores)* cueillir; *(entender)* saisir;

(emisora) capter; *(sujeto: toro)* encorner; *Am Vulg (fornicar)* baiser; **c. el avión** prendre l'avion; **c. a alguien de** *o* **por la mano** prendre qn par la main; **le fui cogiendo cariño** je me suis pris d'affection pour lui; **no cogió el chiste** il n'a pas compris la blague; **me cogió la lluvia** la pluie m'a surpris; **lo cogí de buen humor** je suis bien tombé, il était de bonne humeur

2 *vi* **c. cerca/lejos (de)** être près/loin (de); **c. a la derecha/a la izquierda** prendre à droite/à gauche

3 *vpr* **cogerse** *(agarrarse)* s'accrocher; *(pillarse, tomarse)* se prendre; **cogerse de** *o* **a algo** s'accrocher à qch; **cogerse los dedos con la puerta** se prendre les doigts dans la porte

cogida *nf (de torero)* coup *m* de corne

cogollo *nm (de lechuga, col)* cœur *m*

cogote *nm Fam (nuca)* colback *m*

cohabitar *vi* vivre ensemble; **c. con alguien** vivre avec qn

coherencia *nf* cohérence *f*

coherente *adj* cohérent(e)

cohete *nm* fusée *f*; **cohetes** *(fuegos artificiales)* feux *mpl* d'artifice

coima *nf Andes, RP Fam* pot-de-vin *m*

coincidencia *nf* coïncidence *f*

coincidir *vi* coïncider; *(versiones)* se recouper; *(fechas)* concorder; *(dos personas)* se retrouver; *(estar de acuerdo)* être d'accord; **todos coinciden en que...** tout le monde s'accorde à dire que...; **todos coinciden en los gustos** ils ont tous les mêmes goûts

coito *nm* coït *m*

cojear *vi (persona)* boiter; *(mueble)* être bancal(e); **c. de** se ressentir de

cojín *nm* coussin *m*

cojo, -a 1 *adj (persona)* boiteux(euse); *(mueble, razonamiento, frase)* bancal(e) **2** *nm,f* boiteux(euse) *m,f*

cojón *nm Vulg* couille *f*; **¡cojones!** *(enfado)* bordel!

cojonudo, -a *adj Vulg* super *inv*

col *nf* chou *m* ▪ **c. de Bruselas** chou de Bruxelles

cola *nf (fila, de animal)* queue *f; (de vestido)* traîne *f; (pegamento)* colle *f; Am Fam (nalgas)* derrière *f; (bebida)* Coca®*m; Fam (pene)* zizi *m;* **hacer c.** faire la queue; **tener** *o* **traer c.** avoir des répercussions ▪ **c. de caballo** *(peinado)* queue-de-cheval *f*

colaboración *nf* collaboration *f*

colaborador, -ora 1 *adj* coopératif(ive) **2** *nm,f* collaborateur(trice) *m,f* ▪ **c. externo** collaborateur externe

colaborar *vi* collaborer (**en/con** à/avec); **c. a que** contribuer à ce que

colado, -a 1 *adj (líquido)* filtré(e); *Fam (enamorado)* **estar c. por alguien** en pincer pour qn **2** *nf* **colada** *(ropa)* lessive *f;* **hacer la colada** faire la lessive

colador *nm* passoire *f*

colar [62] **1** *vt (líquido)* filtrer; *(leche)* passer; *(mentira)* faire croire à; *(por sitio estrecho)* glisser, introduire **2** *vi (cosa falsa)* prendre; **su mentira no cuela** son mensonge ne prend pas; **esto no cuela** c'est louche **3** **colarse** *vpr (en un sitio)* se faufiler; *(en una fiesta)* s'incruster; *(en una cola)* resquiller; *(líquido)* s'infiltrer (**por** *o* **en** dans)

colcha *nf* couvre-lit *m*

colchón *nm (de cama)* matelas *m*

colchoneta *nf (para playa)* matelas *m* pneumatique; *(en gimnasio)* tapis *m* de sol

colección *nf* collection *f*

coleccionar *vt* collectionner

coleccionista *nmf* collectionneur(euse) *m,f*

colecta *nf* collecte *f*

colectivo, -a 1 *adj* collectif(ive) **2** *nm* ensemble *m; Andes (taxi)* taxi *m* collectif; *Arg (autobús)* autobus *m;* **el c. médico** le corps médical

colega *nmf (compañero profesional)* collègue *mf; (abogado, médico)* confrère *m,* consœur *f*

colegiado, -a 1 *adj* inscrit(e) (à un ordre professionnel) **2** *nm (árbitro)* arbitre *m*

colegial, -ala *nm,f* écolier(ère) *m,f*

colegio *nm (de niños)* école *f; (de profesionales)* corporation *f; (de arquitectos, médicos)* ordre *m* ▪ **c. de abogados** barreau *m;* **c. electoral** bureau *m* de vote *(situé dans une école)*

cólera 1 *nm (enfermedad)* choléra *m* **2** *nf (ira)* colère *f;* **montar en c.** se mettre en colère

colérico, -a *adj (carácter)* coléreux(euse)

colesterol *nm* cholestérol *m*

coleta *nf (de pelo)* couette *f*

colgador *nm* portemanteau *m*

colgar [16] **1** *vt (suspender, ahorcar)* pendre; *(cuadro)* accrocher; *(ropa)* étendre; *(ocupación, profesión)* laisser tomber; **c. el teléfono** raccrocher; **c. algo a alguien** *(imputar)* mettre qch sur le dos à qn **2** *vi* pendre (**de** à), *(hablando por teléfono)* raccrocher **3** **colgarse** *vpr* se suspendre (**de** à), se pendre (**de** à); *(ahorcarse)* se pendre

coliflor *nf* chou-fleur *m*

colilla *nf* mégot *m*

colina *nf* colline *f*

colirio *nm* collyre *m*

colitis *nf inv* diarrhée *f*

colla *Bol* **1** *adj* des hauts plateaux de Bolivie **2** *nmf* = personne originaire des hauts plateaux de Bolivie

collage *nm* collage *m*

collar *nm* collier *m*

collarín *nm* minerve *f*

colmado, -a 1 *adj* plein(e), rempli(e) **2** *nm* épicerie *f*

colmar *vt (recipiente)* remplir à ras bord; *Fig (aspiración, deseo)* combler; **c. a alguien de** *(elogios, regalos)* couvrir qn de

colmena *nf* ruche *f*

colmillo *nm (de una persona)* canine *f; (de animal)* croc *m; (de elefante)* défense *f*

colmo *nm* comble *m*

colocación *nf (acción)* placement *m*; *(empleo)* place *f*

colocado, -a *adj* placé(e); *Fam (de alcohol, drogas)* fait(e)

colocar [58] **1** *vt (poner)* placer; *(en una posición)* mettre **2 colocarse** *vpr (en un trabajo)* trouver une place; *Fam (con drogas)* se défoncer; *(con alcohol)* prendre une cuite

Colombia *n* la Colombie

colombiano, -a 1 *adj* colombien(enne) **2** *nm,f* Colombien(enne) *m,f*

colonia *nf (territorio)* colonie *f*; *(perfume)* eau *f* de Cologne; *Méx (barrio)* quartier *m*, arrondissement *m*; **colonias (de verano)** *(de niños)* colonie de vacances

colonización *nf* colonisation *f*

colonizar [14] *vt* coloniser

colono *nm* colon *m*

coloquial *adj* parlé(e)

coloquio *nm (conversación)* discussion *f*; *(debate)* colloque *m*

color *nm* couleur *f*; *(aspecto)* jour *m*; **de c.** de couleur; **en c.** en couleurs

colorado, -a 1 *adj (rojo)* rouge; **poner c. a alguien** faire rougir qn; **ponerse c.** rougir **2** *nm (color)* rouge *m*

colorante 1 *adj* colorant(e) **2** *nm (para teñir)* colorant *m*

colorete *nm* blush *m*, fard *m* à joues; **tener coloretes** avoir des couleurs

colorido *nm (de dibujo)* coloris *m*; *(de paisaje)* couleur *f*

colosal *adj* colossal(e)

columna *nf* colonne *f* ◼ **c. vertebral** colonne vertébrale

columpiar 1 *vt* balancer **2 columpiarse** *vpr* se balancer

columpio *nm* balançoire *f*; **los columpios** l'aire *f* de jeux

coma 1 *nm (estado)* coma *m*; **en c.** dans le coma **2** *nf (signo ortográfico)* virgule *f*

comadreja *nf* belette *f*

comadrona *nf* sage-femme *f*

comal *nm* CAm, Méx = plat en terre cuite ou en métal utilisé pour la cuisson des tortillas

comandante *nm* commandant *m*

comando *nm (de soldados)* commando *m*; *Informát* commande *f*

comarca *nf* région *f*

comba *nf* corde *f* à sauter; **jugar a la c.** sauter à la corde

combate *nm* combat *m*; **fuera de c.** hors de combat

combatir *vt & vi* combattre

combinación *nf* combinaison *f*; *(bebida)* cocktail *m*; **tener buena c.** *(enlace)* ne pas avoir beaucoup de changements

combinar *vt (mezclar)* combiner; *(armonizar)* assortir; *(planificar)* organiser

combustible *adj & nm* combustible *m*

combustión *nf* combustion *f*

comecocos *nm inv Fam* **ser un c.** *(difícil de comprender)* être un casse-tête

comedia *nf* comédie *f*

comediante, -a *nm,f* comédien(enne) *m,f*

comedor *nm* salle *f* à manger ◼ **c. de empresa** restaurant *m* d'entreprise

comensal *nmf* convive *mf*

comentar *vt* commenter; **se lo comentaré** je lui en parlerai

comentario *nm* commentaire *m*; **sin c.** sans commentaire; **comentarios** *(murmuraciones)* commentaires (malveillants)

comentarista *nmf* commentateur(trice) *m,f*

comenzar [17] **1** *vt* commencer; **c. a hacer algo** commencer à faire qch; **c. haciendo algo** commencer par faire qch **2** *vi* commencer

comer 1 *vi* manger; *(al mediodía)* déjeuner **2** *vt* manger; *(energía)* consommer; *(en juegos de tablero)* prendre; **dar de c. a alguien** donner à manger à qn **3 comerse** *vpr* manger; *(en juegos de tablero)* prendre

comercial 1 *adj* commercial(e);

(zona, calle) commerçant(e) **2** *nmf* commercial(e) *m,f*
comercializar [14] *vt* commercialiser
comerciante *nmf* commerçant(e) *m,f*
comerciar *vi* commercer; **c. con** *(persona, país, empresa)* faire du commerce avec
comercio *nm* commerce *m*; **libre c.** libre-échange *m* ▪ **c. electrónico** commerce électronique; **c. exterior** commerce extérieur; **c. interior** commerce intérieur; **c. justo** commerce équitable
comestible 1 *adj* comestible **2** *nmpl* **comestibles** alimentation *f*
cometa 1 *nm (astro)* comète *f* **2** *nf (aparato)* cerf-volant *m*
cometer *vt* commettre
cometido *nm (objetivo)* objectif *m*; *(deber)* devoir *m*
cómic *(pl* **cómics)** *nm* bande *f* dessinée
comicios *nmpl* élections *fpl*
cómico, -a 1 *adj* comique **2** *nm,f (actor)* comique *mf*
comida *nf (alimento)* nourriture *f*; *(almuerzo, cena)* repas *m*; *(al mediodía)* déjeuner *m*; *(por la noche)* dîner *m* ▪ **c. casera** cuisine *f* familiale; *Am* **c. chatarra** malbouffe *f*
comienzo *nm* commencement *m*, début *m*; **dar c.** commencer
comillas *nfpl* guillemets *mpl*; **entre c.** entre guillemets
comilona *nf* gueuleton *m*
comino *nm (especia)* cumin *m*; *Fam Fig* **me importa un c.** je m'en fiche complètement
comisaría *nf* commissariat *m*
comisario, -a *nm,f* commissaire *m*
comisión *nf (recargo, delegación)* commission *f*; **(trabajar) a c.** (travailler) à la commission ▪ **la C. Europea** la Commission européenne; **c. parlamentaria** commission parlementaire
comisura *nf* commissure *f*
comité *nm* comité *m*
comitiva *nf* cortège *m*
como 1 *adv* **(a)** *(de la manera que)*

comme; **vive c. un rey** il vit comme un roi; **c. te decía ayer** comme je te le disais hier; **es tan alto c. yo** il est aussi grand que moi
(b) *(en calidad de)* comme, en tant que; **asiste a las clases c. oyente** il assiste aux cours comme auditeur libre; **c. periodista ...** en tant que journaliste ...
(c) *(aproximadamente)* à peu près, environ; **me quedan c. quince euros** il me reste à peu près quinze euros
2 *conj (ya que)* comme; *(si)* si; *(que)* que; **c. no llegabas, nos fuimos** comme tu n'arrivais pas, nous sommes partis; **¡c. vuelvas a hacerlo!** si jamais tu recommences!; **verás c. vas a ganar** tu vas voir que tu vas gagner; **c. quiera que sea** quoi qu'il en soit; **c. si** comme si
cómo 1 *adv (de qué modo, por qué motivo)* comment; *(exclamativo)* comme; **¿c. lo has hecho?** comment l'as-tu fait?; **¿c. te llamas?** comment t'appelles-tu?; **no sé c. has podido decir eso** je ne sais pas comment tu as pu dire ça; **¿a c. están los tomates?** à combien sont les tomates?; **¿c.? (qué dices)** comment?; **¡c. pasan los años!** comme les années passent!; **¡c. no!** bien sûr!
2 *nm* **el c. y el porqué** le comment et le pourquoi
cómoda *nf* commode *f*
comodidad *nf* **es una gran c.** c'est très pratique; **comodidades** confort *m*
comodín *nm (naipe) & Informát* joker *m*; *(cosa)* passe-partout *m inv*
cómodo, -a *adj (confortable)* confortable; *(fácil, oportuno)* pratique; **sentirse c.** *(a gusto)* être à l'aise
comodón, -ona *adj & nm,f Fam* flemmard(e) *m,f*
compa *nmf Am Fam* copain *m*, copine *f*
compacto, -a 1 *adj* compact(e) **2** *nm* compact *m*
compadecer [45] **1** *vt* avoir pitié de; **te compadezco** je compatis

2 compadecerse *upr* **compadecerse de alguien** plaindre qn
compadrear *vi Am Fam* crâner
compaginar *vt (combinar)* concilier
companerismo *nm* camaraderie *f*
companero, -a *nm,f (pareja, acompañante)* compagnon *m*, compagne *f*; *(de trabajo)* collègue *mf*; *(de estudios)* camarade *mf*, *(objeto)* pendant *m* ▪ **c. de piso** colocataire *mf (d'un même appartement)*
compañía *nf (acompañamiento)* compagnie *f*; *(empresa)* société *f*; **en c. de** en compagnie de; **hacer c. a alguien** tenir compagnie à qn ▪ **c. de seguros** compagnie d'assurances
comparación *nf* comparaison *f*; **en c. con** par rapport à; **sin c.** de loin; **es el más fuerte sin c.** il est de loin le plus fort
comparar *vt* comparer (**con** à)
comparsa 1 *nf (en teatro)* figurants *mpl*; *(en carnaval)* = troupe de personnes qui chantent pour critiquer les notables de leur ville ou de leur village **2** *nmf* figurant(e) *m,f*, *Fig (persona)* subalterne *mf*
compartimento, compartimiento *nm* compartiment *m* ▪ **c. estanco** sas *m*
compartir *vt* partager
compás *(pl* **compases)** *nm* compas *m*; *Mús* mesure *f*; *(ritmo)* rythme *m*; **al c. en** rythme; **llevar/perder el c.** garder/perdre le rythme; **marcar el c.** battre la mesure
compasión *nf* compassion *f*
compasivo, -a *adj* compatissant(e)
compatible *adj* compatible
compatriota *nmf* compatriote *mf*
compenetrarse *upr* se compléter
compensación *nf* compensation *f*; *(indemnización)* dédommagement *m*; **en c. (por)** en échange (de)
compensar *vt* **no me compensa** *(perder tanto tiempo) (valer la pena)* ça ne vaut pas la peine (que je perde tant de temps); **ver a sus hijos sanos le compensaba de tantos sacrificios**

voir ses enfants en bonne santé le récompensait de tous ses sacrifices; **c. a alguien (de** *o* **por)** *(indemnizar)* dédommager qn (de)
competencia *nf* concurrence *f*; *(aptitud)* compétence *f*; *(atribuciones)* attributions *fpl*; **no es de mi c.** *(incumbencia)* cela n'est pas de mon ressort
competente *adj* compétent(e)
competición *nf (lucha)* lutte *f*; *Dep* compétition *f*
competir [46] *vi (personas)* être en compétition (**con** avec); *(empresas, productos)* être en concurrence (**con** avec)
competitivo, -a *adj (capaz de competir)* compétitif(ive); *(donde hay competencias)* concurrentiel(elle); *(de la competición)* de compétition
complacer [41] *vt (dar satisfacción)* rendre heureux(euse); **me complace verlo** je suis heureuse de le voir; **c. a alguien** faire plaisir à qn
complaciente *adj (amable)* prévenant(e); *(indulgente)* complaisant(e)
complejo, -a 1 *adj* complexe **2** *nm* complexe *m* ▪ **c. deportivo** complexe sportif
complementar 1 *vt* compléter **2 complementarse** *upr* se compléter
complementario, -a *adj* complémentaire
complemento *nm* complément *m*
completar *vt* compléter
completo, -a *adj* complet(ète); **por c.** complètement, en entier
complexión *nf* constitution *f*
complicación *nf (dificultad)* complication *f*; *(complejidad)* complexité *f*
complicado, -a *adj (difícil)* compliqué(e)
complicar [58] *vt (dificultar)* compliquer **2 complicarse** *upr* se compliquer
cómplice *nmf* complice *mf*
complot *(pl* **complots)** *nm* complot *m*
componente *nm* composant *m*; *(persona)* membre *m*

componer [49] **1** *vt (formar, crear)*
composer; *(arreglar)* arranger; *(algo
roto)* réparer; *(adornar) (cosa)*
décorer; *(persona)* parer **2 componerse** *vpr (engalanarse)* se parer;
(mejorarse) s'arranger, s'améliorer;
componerse de *(estar formado por)* se
composer de

comportamiento *nm* comportement *m*

comportar 1 *vt* impliquer **2 comportarse** *vpr* se conduire

composición *nf* composition *f*

compositor, -ora *nm,f* compo-
siteur(trice) *m,f*

compostura *nf (de persona)* maintien
m; *(de rostro)* expression *f*; *(en el
comportamiento)* circonspection *f*

compota *nf* compote *f*

compra *nf* achat *m*; **ir de compras**
aller faire des courses; **c. a plazos**
achat à tempérament; **hacer la c.** *(de
comida)* faire ses courses; **ir a la c.**
aller faire ses courses

comprador, -ora *adj & nm,f*
acheteur(euse) *m,f*

comprar *vt* acheter

comprender 1 *vt* comprendre
2 comprenderse *vpr (entre personas)*
se comprendre

comprensión *nf* compréhension
f

comprensivo, -a *adj* compré-
hensif(ive)

compresa *nf* serviette *f* hygiénique

comprimido, -a 1 *adj* comprimé(e)
2 *nm* comprimé *m*

comprimir *vt* comprimer; *Informát*
compacter

comprobación *nf* vérification *f*

comprobar [62] *vt* vérifier

comprometer 1 *vt (poner en peligro)*
compromettre; *(avergonzar)* faire
honte à; *(hacer responsable)*
impliquer; **c. a alguien a hacer algo**
faire promettre à qn de faire qch
2 comprometerse *vpr* **comprometerse (a hacer algo/en algo)**
s'engager (à faire qch/dans qch)

comprometido, -a *adj (con una
idea)* engagé(e); *(difícil)* délicat(e)

compromiso *nm (obligación)* engagement *m*; *(acuerdo)* compromis *m*;
poner a alguien en un c. mettre qn
dans une situation difficile; **tengo un
c.** *(estoy ocupado)* je suis pris, je ne
suis pas libre

compuerta *nf* vanne *f*

compuesto, -a 1 *participio ver*
componer
2 *adj (de varias cosas)* composé(e);
(persona) paré(e) **3** *nm* composé
m

compungido, -a *adj* contrit(e)

comulgar [37] *vi* communier; *Fig* **c.
con algo** *(con ideas)* partager qch

común *adj* commun(e); **hacer algo en
c.** faire qch ensemble; **tener algo en c.**
avoir qch en commun; **por lo c.** en
général

comuna *nf Am (municipalidad)*
commune *f*

comunero, -a *nm,f Perú, Méx* =
habitant d'une communauté indigène

comunicación *nf* communication *f*;
(oficial) allocution *f*; **ponerse en c.
con alguien** se mettre en rapport
avec qn; **comunicaciones** moyens
mpl de communication

comunicado, -a 1 *adj* desservi(e)
2 *nm* communiqué *m*

comunicar [58] **1** *vt* communiquer;
(movimiento) transmettre **2** *vi (dos
cosas)* communiquer *(con* avec); *(dos
regiones, ciudades)* être relié(e);
(teléfono, línea) être occupé(e); **c. con
alguien** contacter qn **3 comunicarse**
vpr (personas) (hablarse) communiquer; *(relacionarse)* se voir; *(dos habitaciones)* communiquer

comunicativo, -a *adj* communica-
tif(ive)

comunidad *nf* communauté *f* ■ **c.
autónoma** communauté autonome;
C. Europea Communauté européenne; **c. de propietarios** *o* **de
vecinos** assemblée *f* des copro-

priétaires; **C. Valenciana** communauté autonome de Valence
comunión *nf* communion *f*; **hacer la
primera c.** faire sa première
communion
comunismo *nm* communisme *m*
comunista *adj & nmf* communiste *mf*
comunitario, -a *adj* communau-
taire
con *prep* avec; **es amable c. todos** il est
aimable avec tout le monde; **lo ha
conseguido c. su esfuerzo** il y est
parvenu en faisant des efforts; **una
cartera c. varios documentos** un
attaché-case contenant plusieurs
documents; **c. todo** malgré tout; **c.
(todo) lo estudioso que es, le
suspendieron** bien qu'il soit très
studieux, il n'a pas été reçu; **c. salir
a las diez vale** si nous partons à dix
heures, ça va; **c. tal de que, c. que** du
moment que + *indicativo*; **c. que
llegue a tiempo me conformo** du
moment qu'il arrive à l'heure, je ne
me plains pas; **¡mira que perder, c. lo
bien que jugaste!** quel dommage que
tu aies perdu, tu avais pourtant si
bien joué!
conato *nm (intento)* tentative *f*;
(comienzo) début *m*; **c. de incendio**
début d'incendie
cóncavo, -a *adj* concave
concebir [46] *vt & vi* concevoir
conceder *vt (dar)* accorder; *(premio)*
décerner; *(asentir)* admettre
concejal, -ala *nm,f* conseiller(ère)
municipal(e) *m,f*
concentración *nf* concentration *f*;
(de gente) rassemblement *m*; *Dep*
entraînement *m*
concentrar 1 *vt (reunir)* rassembler;
Quím concentrer 2 **concentrarse** *vpr
(fijar la atención)* se concentrer;
(reunirse) se rassembler
concepción *nf* conception *f*
concepto *nm (idea)* concept *m*; *(de
cuenta)* chapitre *m*; **tener un gran c.
de alguien**, tener a alguien en muy
buen c. avoir une haute idée de qn;

bajo ningún c. en aucun cas; **en c. de**
au titre de
concernir [24] *vi* concerner; **en lo
que concierne a...** en ce qui
concerne...; **por lo que a mí (me)
concierne** en ce qui me concerne
concertar [3] *vt (precio)* convenir de;
(entrevista, cita) fixer; *(pacto)*
conclure
concesión *nf* concession *f*; *(de un
premio)* remise *f*; **hacer concesiones**
faire des concessions
concesionario, -a *adj & nm,f*
concessionnaire *mf*
concha *nf (de animales)* coquille *f*; *(de
tortuga)* carapace *f*; *(material)* écaille
f; *Ven (de frutas)* écorce *f*; *RP Vulg
(vulva)* chatte *f* ■ *CSur, Perú Vulg* **c.
de su madre** salaud *m*, salope *f*
concho, -a *adj & nm,f RP Fam* snob
mf
conciencia *nf* conscience *f*; **a c.**
consciencieusement; **remorderle a
alguien la c.** avoir mauvaise
conscience
concienciar 1 *vt* faire prendre
conscience à 2 **concienciarse** *vpr*
prendre conscience
concierto *nm Mús (función)* concert
m; *(obra)* concerto *m*; *(acuerdo)*
accord *m*
conciliar *vt (enemigos)* réconcilier;
(varias actividades, cosas) concilier;
c. el sueño trouver le sommeil
concisión *nf* concision *f*
conciso, -a *adj* concis(e)
concluir [33] 1 *vt (finalizar)* terminer,
finir; *(sacar conclusión)* conclure 2 *vi*
finir
conclusión *nf* conclusion *f*; **en c.**
pour conclure; **sacar conclusiones**
tirer des conclusions
concordar [62] *vi (coincidir)*
concorder; *Gram* s'accorder; **c. en
número y persona** s'accorder en
genre et en nombre
concordia *nf* entente *f*
concretar 1 *vt (precisar)* préciser;
(reducir a lo esencial) résumer; **c. una**

fecha convenir d'une date
2 concretarse *vpr (materializarse)* se
concrétiser
concreto, -a 1 *adj* concret(ète);
(determinado) précis(e); **en c.**
(específicamente) précisément; **nada
en c.** rien de précis **2** *nm Am* **c.
armado** béton *m* armé
concurrencia *nf (asistencia)* assistance *f; (de sucesos)* coïncidence *f;
(de circunstancias)* concours *m*
concurrido, -a *adj (lugar)*
fréquenté(e); *(espectáculo)* couru(e)
concurrir *vi (asistir)* assister
concursante *nmf* participant(e) *m,f*
concursar *vi* concourir
concurso *nm* concours *m; (para una
obra)* adjudication *f; (licitación)* appel
m d'offres; **salir a c.** être mis(e) en
adjudication ■ **c. de televisión** jeu *m*
télévisé
condado *nm (territorio)* comté *m*
conde, -esa *nm,f* comte *m,* comtesse
f
condecoración *nf (insignia)* décoration *f*
condecorar *vt* décorer
condena *nf* peine *f;* **cumplir c.** purger
sa peine
condenado, -a *adj & nm,f (a una
pena)* condamné(e) *m,f ; (al infierno)*
damné(e) *m,f*
condenar *vt* condamner; **c. a alguien
a algo/a hacer algo** condamner qn à
qch/à faire qch; **c. a** *(al fracaso,
silencio)* condamner à
condensar *vt* condenser
condición *nf* condition *f; (estado)* état
m; **de c. humilde** de condition
modeste; **con una sola c.** à une seule
condition; **condiciones** *(aptitud)*
dispositions *fpl; (circunstancias)*
conditions; **condiciones atmosféri-
cas/de vida** conditions atmosphéri-
ques/de vie; **estar en condiciones
(de** *o* **para hacer algo)** être en état
(de faire qch); **no estar en
condiciones, estar en malas condiciones** *(alimento)* être avarié(e)

condicional *adj (con condiciones)*
sous condition
condimentar *vt* assaisonner
condimento *nm* condiment *m*
condominio *nm Méx (edificio)*
immeuble *m* résidentiel
conducción *nf (de vehículo, negocio)*
conduite *f; (de calor, electricidad)*
conduction *f*
conducir [18] **1** *vt* conduire; *(líquido)*
amener; *(investigación)* mener; **tu
decisión no nos condujo a nada** ta
décision ne nous a menés à rien **2** *vi*
conduire
conducta *nf* conduite *f*
conducto *nm* conduit *m*
conductor, -ora 1 *adj (de calor,
electricidad)* conducteur(trice) **2** *nm,f
(de automóvil)* conducteur(trice) *m,f;
(de camión, autobús)* chauffeur *m; (de
TV)* présentateur(trice) *m,f* **3** *nm (de
calor, electricidad)* conducteur *m*
conectar 1 *vt (enchufar)* brancher (**a**
sur); *(unir)* raccorder (**con** à) **2** *vi Rad
& TV* prendre l'antenne; **c. con**
(persona) entrer en contact avec
conejo, -a *nm,f* lapin(e) *m,f*
conexión *nf (entre dos cosas)* lien *m;
Elec* branchement *m; Rad & TV*
liaison *f*
confección *nf (de ropa)* confection *f,*
prêt-à-porter *m; (de comida,
medicamento)* préparation *f; (de lista)*
établissement *m*
confederación *nf* confédération *f*
conferencia *nf* conférence *f; (por
teléfono)* communication *f* (longue
distance); **dar una c.** faire une
conférence
conferenciante *nmf* conféren-
cier(ère) *m,f*
confesar [3] **1** *vt* avouer; *(al cura)*
confesser; **c. su ignorancia** avouer
son ignorance; **c. a alguien**
confesser qn **2 confesarse** *vpr* se
confesser
confesión *nf (de culpa, secreto)* aveu
m; (al cura) confession *f*
confesionario *nm* confessionnal *m*

confesor nm confesseur m
confeti nm confettis mpl
confiado, -a adj confiant(e)
confianza nf confiance f (en en); **tengo c. en que se arreglarán las cosas** j'ai bon espoir que les choses s'arrangent; **de c.** de confiance; **tengo mucha c. con él** nous sommes très intimes; **nos tratamos con mucha c.** nous sommes très proches; **en c.** entre nous; **tomarse confianzas con alguien** prendre des libertés avec qn
confiar [31] **1** vt **c. algo a alguien** confier qch à qn **2** vi **c. en** (tener fe) avoir confiance en ou dans; **c. en que** (esperar) avoir bon espoir que **3 confiarse** vpr (despreocuparse) être sûr(e) de soi
confidencia nf confidence f
confidencial adj confidentiel(elle)
confidente nmf (amigo) confident(e) m,f; (soplón) indicateur(trice) m,f
configuración nf Informát configuration f
configurar vt (formar) donner forme à; Informát configurer
confirmación nf confirmation f
confirmar vt confirmer; **eso confirma la idea que tenía de que…** cela me conforte dans l'idée que…
confiscar [58] vt confisquer
confitado, -a adj confit(e)
confitería nf (tienda) confiserie f; CSur (café) café m
confitura nf confiture f
conflictivo, -a adj (situación) conflictuel(elle); (tema, asunto) polémique; (persona) contestataire
conflicto nm conflit m
confluir [33] vi (ríos) confluer; (calles) converger; (personas) se rejoindre
conformar 1 vt (configurar) adapter **2 conformarse** vpr se contenter (con de); (con suerte, destino) se résigner (con à)
conforme 1 adj **c. a** (acorde con) conforme à; (adaptado a) adapté(e) à; **c. con** (de acuerdo con) d'accord

avec; (contento de) heureux(euse) de **2** adv (igual, según) tel (telle) que; (a medida que) à mesure que; (en cuanto) dès que; **te lo cuento c. lo he vivido** je te le raconte tel que je l'ai vécu; **c. envejecía** à mesure qu'il vieillissait; **c. a** conformément à
conformidad nf (aprobación) consentement m
conformista adj & nmf conformiste mf
confort (pl conforts) nm confort m
confortable adj confortable
confundir 1 vt (letras, números) mélanger; (liar) embrouiller; **c. una cosa con otra** confondre une chose avec une autre **2 confundirse** vpr (equivocarse) se tromper; (liarse) s'embrouiller; **se ha confundido** (al teléfono) vous faites erreur; **confundirse en** o **entre** (no distinguirse) se fondre dans
confusión nf (estado) confusion f; (error) erreur f
confuso, -a adj confus(e)
congelación nf (de alimentos) congélation f; (de precios, salarios) gel m
congelador nm congélateur m
congelados nmpl surgelés mpl
congelar 1 vt (alimento) congeler; (a temperatura baja) surgeler; Fig (precios, salarios) geler **2 congelarse** vpr geler
congeniar vi sympathiser (con avec)
congénito, -a adj (malformación) congénital(e); (enfermedad) héréditaire; (talento) inné(e)
congestión nf (nasal) congestion f; **la c. del tráfico** les encombrements mpl
conglomerado nm conglomérat m; Fig (mezcla) groupement m
congregar [37] **1** vt réunir **2 congregarse** vpr se réunir
congresista nmf (en congreso) congressiste mf; (político) membre m du Congrès
congreso nm (reunión) congrès m; **el**

C. *(en Estados Unidos)* le Congrès ■ **c. (de los diputados)** *(en España)* Chambre *f* des députés

conjetura *nf* conjecture *f*; **hacer conjeturas** se perdre en conjectures

conjugación *nf* conjugaison *f*; *(clase de verbos)* groupe *m*

conjugar [37] *vt* conjuguer; *(ideas, opiniones)* rassembler

conjunción *nf* conjonction *f*

conjuntivitis *nf inv* conjonctivite *f*

conjunto, -a 1 *adj* conjoint(e); *(hechos, acontecimientos)* simultané(e) **2** *nm (grupo)*, Mat & Mús ensemble *m*; *(de rock)* groupe *m*; *(de deporte)* tenue *f*; **en c.** dans l'ensemble

conmemoración *nf* commémoration *f*

conmemorar *vt* commémorer

conmigo *pron personal* avec moi; **llevo/tengo algo c.** je porte/j'ai qch sur moi

conmoción *nf (física, psíquica)* commotion *f*; *(política, social)* bouleversement *m* ■ **c. cerebral** commotion cérébrale

conmover [40] **1** *vt (enternecer)* émouvoir; *(sacudir)* ébranler **2 conmoverse** *vpr (enternecerse)* s'émouvoir; *(sacudirse)* s'ébranler

conmutador *nm Am (centralita)* standard *m*

cono *nm* cône *m* ■ **el C. Sur** le cône Sud *(zone géographique composée du Chili, de l'Argentine, de l'Uruguay et du Paraguay)*

conocer [19] **1** *vt* connaître; **c. a alguien de oídas** avoir entendu parler de qn; **c. a alguien de vista** connaître qn de vue; **darse a c.** se faire connaître; **c. a alguien** *(por primera vez)* faire la connaissance de qn; **c. a alguien (por algo)** *(reconocer)* reconnaître qn (à qch) **2 conocerse** *vpr* se connaître; *(por primera vez)* faire connaissance; **conocerse de toda la vida** se connaître depuis toujours; **se conoce que…** apparemment…

conocido, -a 1 *adj* connu(e) **2** *nm,f* connaissance *f*

conocimiento *nm* connaissance *f*; **perder/recobrar el c.** perdre/reprendre connaissance; **conocimientos** connaissances; **tener muchos conocimientos** savoir beaucoup de choses

conque *conj* alors; **está de mal humor, c. trátale con cuidado** il est de mauvaise humeur, alors sois gentil avec lui

conquista *nf* conquête *f*

conquistador, -ora 1 *adj (seductor)* séducteur(trice) **2** *nm,f (de tierras)* conquérant(e) *m,f*; Hist conquistador *m*; Fig *(persona seductora)* séducteur(trice) *m,f*

conquistar *vt* conquérir

consagrar 1 *vt* consacrer; *(obispo, rey)* sacrer; **c. algo a** consacrer qch à **2 consagrarse** *vpr (alcanzar fama)* obtenir la consécration; **consagrarse a** *(dedicarse a)* se consacrer à

consciente *adj* conscient(e)

conscripto *nm Andes, RP* conscrit *m*

consecuencia *nf* conséquence *f*; **a o como c. de** à la suite de; **actuar en c.** agir en conséquence; **tener consecuencias** avoir des conséquences

consecuente *adj (coherente)* conséquent(e)

consecutivo, -a *adj* consécutif(ive)

conseguir [60] *vt* obtenir; *(objetivo)* atteindre; **c. hacer algo** réussir à faire qch

consejo *nm* conseil *m*; **dar un c.** donner un conseil ■ **C. de Europa** Conseil de l'Europe; **c. de ministros** conseil des ministres

consenso *nm (acuerdo)* consensus *m*; *(consentimiento)* consentement *m*

consentir [61] **1** *vt* permettre; *(el mal, el alboroto)* tolérer; *(mimar)* gâter; **no te consiento que me repliques así** je ne te permets pas de me répondre de cette façon; **le consentía todos los caprichos** elle lui passait tous ses

caprices 2 *vi* **c. en algo/en hacer algo** consentir à qch/à faire qch

conserje *nmf* gardien(enne) *m,f*

conserjería *nf (de edificio)* loge *f; (de tribunal)* conciergerie *f*

conserva *nf* conserve *f;* **en c.** en conserve

conservador, -ora *adj & nm,f* conservateur(trice) *m,f*

conservante *nm* conservateur *m (produit)*

conservar 1 *vt (mantener)* conserver; *(cartas, secreto, salud)* garder **2 conservarse** *upr (persona)* être bien conservé(e); **se conserva joven** il reste jeune

conservatorio *nm* conservatoire *m*

considerable *adj (grande)* considérable; *(importante, eminente)* remarquable

consideración *nf (valoración)* examen *m; (respeto)* considération *f;* **en c. a algo** compte tenu de qch; **en c. a alguien** par égard pour qn; **tratar a alguien con c.** traiter qn avec beaucoup d'égards; **de c.** grave; **hubo varios heridos de c.** plusieurs personnes ont été grièvement blessées

considerar *vt* considérer; **c. las consecuencias** mesurer les conséquences

consigna *nf* consigne *f*

consigo 1 *ver* **conseguir**
2 *pron personal (con uno mismo)* avec soi; *(con él, ella)* avec lui, avec elle; *(con usted)* avec vous; **llevar mucho dinero c. no es prudente** il n'est pas prudent d'avoir beaucoup d'argent sur soi

consiguiente *adj* résultant(e); **recibimos la noticia con la c. pena** nous avons appris la nouvelle et en avons été peinés; **por c.** par conséquent

consistencia *nf* consistance *f*

consistente *adj* consistant(e)

consistir *vi* **c. en** consister en; *(deberse a)* reposer sur

consistorio *nm* conseil *m* municipal

consola *nf* console *f* ■ **c. de videojuegos** console de jeux (vidéo)

consolar [62] **1** *vt* consoler **2 consolarse** *upr* se consoler

consolidar *vt* consolider

consomé *nm* consommé *m*

consonante *nf* consonne *f*

consorcio *nm* pool *m*, consortium *m*

conspiración *nf* conspiration *f*

conspirar *vi* conspirer

constancia *nf (perseverancia) (en una empresa)* persévérance *f; (en las ideas, opiniones)* constance *f; (testimonio)* preuve *f;* **dejar c. de algo** *(probar)* prouver qch; *(dejar testimonio)* laisser un témoignage de qch; *(registrar)* inscrire qch

constante 1 *adj* constant(e) **2** *nf* constante *f*

constar *vi (información)* figurer (**en** dans); **me consta que ha llegado** je suis sûr qu'il est arrivé; **hacer c.** faire observer; **que conste que...** note que..., notez que...; **c. de** *(estar constituido por)* se composer de

constelación *nf* constellation *f*

constipado, -a 1 *adj* **estar c.** être enrhumé **2** *nm* rhume *m*

constiparse *upr* s'enrhumer

constitución *nf* constitution *f; (composición)* composition *f;* **la C.** *(de un Estado)* la Constitution

constitucional *adj* constitutionnel(elle)

constituir [33] *vt* constituer; **constituye para nosotros un honor...** c'est pour nous un honneur de...

construcción *nf* construction *f*

constructivo, -a *adj* constructif(ive)

constructor, -ora 1 *adj* constructeur(trice) **2** *nm (de edificios)* constructeur *m*

construir [33] *vt* construire

consuelo *nm* consolation *f*, réconfort *m*

cónsul *nm* consul *m*

consulado *nm* consulat *m*

consulta *nf* consultation *f; (despacho)*

cabinet *m* (médical); **hacer una c. a alguien** consulter qn
consultar 1 *vt* (*libro, persona*) consulter; (*dato, fecha*) vérifier 2 *vi* **c. con alguien** consulter qn
consultorio *nm* (*de médico*) cabinet *m* (de consultation); *Prensa* courrier *m* des lecteurs; *Rad* = émission durant laquelle un spécialiste répond aux questions des auditeurs; (*oficina*) bureau *m* ▪ **c. jurídico** cabinet juridique; **c. sentimental** courrier *m* du cœur
consumición *nf* consommation *f*
consumidor, -ora *nm,f* consommateur(trice) *m,f*
consumir 1 *vt* (*producto*) consommer; (*sujeto: fuego, enfermedad*) consumer; **c. preferentemente antes de…** (*en etiqueta*) à consommer de préférence avant… 2 *vi* consommer 3 **consumirse** *upr* (*por la enfermedad*) être rongé(e); (*por el fuego*) être consumé(e)
consumismo *nm* surconsommation *f*
consumo *nm* consommation *f*
contabilidad *nf* comptabilité *f*; **llevar la c.** tenir la comptabilité
contable *nmf* comptable *mf*
contacto *nm* contact *m*; **perder el c. con alguien** perdre le contact avec qn
contador, -ora *nm,f Am* comptable *mf* ▪ **c. público** expert-comptable *m*
contagiar 1 *vt* (*enfermedad*) transmettre; (*persona*) contaminer 2 **contagiarse** *upr* (*enfermedad*) se transmettre; (*persona*) être contaminé(e); (*risa*) se communiquer
contagio *nm* contagion *f*
contagioso, -a *adj* contagieux (euse); (*risa*) communicatif(ive)
contaminación *nf* (*del medio ambiente*) pollution *f*; (*contagio*) contamination *f*
contaminar *vt* (*el medio ambiente*) polluer; (*contagiar*) contaminer
contar [62] 1 *vt* (*enumerar, incluir*) compter; (*narrar*) raconter; **c. a**

alguien entre compter qn parmi 2 *vi* compter; **c. con** (*confiar en*) compter sur; **no contaba con esto** je ne m'attendais pas à ça; **c. con** (*tener*) avoir, disposer de; **cuenta con dos horas para hacerlo** il a deux heures pour le faire
contemplación 1 *nf* contemplation *f* 2 *nfpl* **contemplaciones** égards *mpl*; **no andarse con contemplaciones** ne pas y aller par quatre chemins; **sin contemplaciones** sans égards
contemplar *vt* (*mirar*) contempler; (*considerar*) envisager
contemporáneo, -a *adj* contemporain(e)
contenedor *nm* container *m*, conteneur *m* ▪ **c. de basura** benne *f* à ordures; **c. de vidrio** container *ou* conteneur pour le recyclage du verre
contener [64] 1 *vt* contenir; (*respiración, risa*) retenir 2 **contenerse** *upr* se retenir
contenido *nm* contenu *m*
contentar 1 *vt* faire plaisir à 2 **contentarse** *upr* contentarse con algo se contenter de qch; **me contento con verlo una vez a la semana** ça me suffit de le voir une fois par semaine
contento, -a 1 *adj* content(e) (**con** de) 2 *nm* joie *f*
contestación *nf* réponse *f*
contestador *nm* **c. (automático)** répondeur *m* (automatique)
contestar *vt & vi* répondre
contexto *nm* contexte *m*
contigo *pron personal* avec toi
contiguo, -a *adj* contigu(uë); (*casa*) voisin(e)
continental *adj* continental(e)
continente *nm* (*geográfico*) continent *m*
continuación *nf* suite *f*; **a c.** ensuite
continuar [4] 1 *vt* continuer 2 *vi* continuer; **c. haciendo algo** continuer à faire qch; **continuará** (*historia, programa*) à suivre
continuo, -a *adj* continu(e);

(movimiento) perpétuel(elle); *(constante)* continuel(elle)

contorno nm *(línea)* contour m; **contornos** *(territorio)* alentours mpl

contra 1 prep contre; **en c.** *(opuesto)* contre; **estar en c. de algo** être contre qch; **en c. de** *(a diferencia de)* contrairement à **2** nm **los pros y los contras** le pour et le contre

contrabajo 1 nm *(instrumento)* contrebasse f **2** nmf *(instrumentista)* contrebassiste mf

contrabandista nmf contrebandier(ère) m,f

contrabando nm contrebande f

contracorriente nf contre-courant m; *Fig* **ir a c.** aller à contre-courant

contradecir [50] **1** vt contredire **2 contradecirse** upr se contredire

contradicción nf contradiction f; **estar en c. con** être en contradiction avec

contradictorio, -a adj contradictoire

contraer [65] **1** vt *(encoger)* contracter; *(tomar) (acento, deje)* prendre; *(enfermedad)* attraper; **c. matrimonio (con)** se marier (avec) **2 contraerse** upr se contracter

contralor nm Am inspecteur m des Finances

contraloría nf Am inspection f des Finances

contraluz nm contre-jour m; **a c. à** contre-jour

contrapartida nf contrepartie f; **como c.** en contrepartie

contrapelo: a contrapelo adv *(acariciar)* à rebrousse-poil; *Fig (actuar)* à contrecœur

contrapeso nm contrepoids m; **servir de c.** faire contrepoids

contraria ver **contrario**

contrariar [31] vt contrarier

contrario, -a 1 adj contraire; *(parte)* adverse; **ser c. a algo** *(persona)* être opposé(e) à qch **2** nm *(rival)* adversaire m; *(opuesto)* contraire m; **al o por el c.** au contraire; **al c. de lo**

que **pensaba** contrairement à ce que je pensais; **de lo c.** sinon; **todo lo c.** bien au contraire **3** nf **contraria: llevar la contraria** *(en lo dicho)* contredire; *(en lo hecho)* contrarier

contraseña nf *(palabra)* mot m de passe

contrastar 1 vi contraster **2** vt *(comprobar)* vérifier; *(hacer frente)* résister à

contraste nm contraste m; *(de caracteres)* différence f; **en c. con** *(a diferencia de)* contrairement à

contratar vt *(personal)* embaucher; *(detective, deportista)* engager; **c. algo con alguien** *(servicio, obra)* passer un contrat pour qch avec qn

contratiempo nm contretemps m; **tener un c.** avoir un empêchement

contrato nm contrat m ■ **c. fijo** o **indefinido** contrat à durée indéterminée

contribuir [33] vi contribuer; *(pagar impuestos)* payer des impôts; **c. a** *(tomar parte)* participer à

contrincante nmf adversaire mf

control nm contrôle m; *(dispositivo de funcionamiento)* commande f ■ **c. de calidad** contrôle qualité; **c. remoto** télécommande f

controlar 1 vt *(vigilar, dominar)* surveiller; *(comprobar)* contrôler; *(regular)* régler **2 controlarse** upr se contrôler

contusión nf contusion f

conuco nm Carib, Col *(casa y terreno)* petite ferme f

convalidar vt *(diploma)* valider; *(decisión)* confirmer; **le convalidaron muchas asignaturas** il a obtenu l'équivalence dans beaucoup de matières

convencer [39] **1** vt **c. a alguien (de algo)** convaincre qn (de algo) **2 convencerse** upr **convencerse de algo** se convaincre de qch

convención nf convention f

convencional adj conventionnel (elle)

conveniente adj (beneficioso) bon (bonne); (pertinente) opportun(e); (correcto) convenable; **sería c. asistir a la reunión** il vaudrait mieux aller à la réunion

convenio nm convention f ▪ **c. colectivo** convention collective

convenir [67] **1** vi (ser bueno) convenir; **conviene analizar la situación** il serait bon d'analyser la situation; **no te conviene hacerlo** tu ne devrais pas le faire; **c. en** (acordar) convenir de; **c. en que** (asentir) admettre que **2** vt **c. algo** convenir de qch

convento nm couvent m

conversación nf conversation f **2** nfpl **conversaciones** (negociaciones) pourparlers mpl

conversada nf Am conversation f

conversar vi **c. con alguien** avoir une conversation avec qn

convertir [24] **1** vt (dinero, persona) convertir; **c. algo en** transformer qch en; **convirtió a su hijo en una estrella** il a fait de son fils une vedette **2** **convertirse** vpr se convertir; **convertirse en** devenir

convicción 1 nf conviction f; **tener la c. de que…** être convaincu(e) que… **2** nfpl **convicciones** convictions fpl

convidar 1 vt inviter; **c. a alguien a tomar algo** offrir un verre à qn **2** vi **c. a** (incitar) inviter à

convincente adj convaincant(e)

convite nm (invitación) invitation f; (fiesta) banquet m

convivencia nf vie f en commun

convivir vi **c. con** vivre avec; **convive con sus hermanos** il vit avec ses frères

convocar [58] vt (asamblea, elecciones) convoquer; (huelga) appeler à

convocatoria nf (anuncio, escrito) convocation f; (de huelga) appel m (**de** à); (de examen) session f

convulsión nf (de músculos) convulsion f; (política, social) agitation f; (de tierra, mar) secousse f

cónyuge nmf conjoint(e) m,f

coña nf muy Fam (guasa) connerie f; (molestia) galère f; **estar de c.** déconner

coñac (pl coñacs) nm cognac m

coñazo nm muy Fam **dar el c.** faire chier; **ser un c.** (persona, libro) être chiant(e)

coño Vulg **1** nm (genital) con m; (molestia) galère f; **¿dónde c. está el jersey?** où est le pull, bordel?; **¿qué c. estás haciendo?** qu'est-ce que tu fous, bordel? **2** interj (enfado) bordel!; (asombro) putain!

cooperar vi coopérer (**en** à)

cooperativa nf coopérative f ▪ **c. agrícola** coopérative agricole; **c. de viviendas** = coopérative créée en vue de faire construire un lotissement

coordinar vt coordonner; (palabras) aligner

copa nf (vaso) verre m (à pied); (contenido) verre m; (de árbol) cime f; (de sombrero) calotte f; (premio) coupe f; **ir de copas** sortir prendre un verre; **de c. (alta)** haut de forme; **copas** = l'une des quatre couleurs du jeu de cartes espagnol

copeo nm **ir de c.** faire la tournée des bars

copetín nm Am cocktail m

copia nf (reproducción, acción) copie f; (de foto) épreuve f ▪ Informát **c. de seguridad** copie de sauvegarde

copiar vt & vi copier

copiloto nmf copilote mf

copioso, -a adj (comida) copieux(euse); (lluvia, cabellera) abondant(e)

copla nf (canción) chanson f populaire; (estrofa) couplet m

copo nm flocon m

coquetear vi (tratar de agradar) minauder; (flirtear) jouer les aguicheurs(euses)

coqueto, -a adj (presumido, bonito) coquet(ette); (que flirtea) aguicheur(euse)

coraje *nm (valor)* courage *m*; **dar c. a alguien** *(rabia)* mettre qn en colère
coral 1 *adj (música)* choral(e) **2** *nm (de mar)* corail *m* **3** *nf (coro)* chorale *f*; *(composición)* choral *m*
coraza *nf (protección)* carapace *f*; *(de soldado)* cuirasse *f*
corazón *nm* cœur *m*; *(valor, energía)* courage *m*; *(dedo)* majeur *m*; **no tener c.** ne pas avoir de cœur, être sans cœur; **tener buen c.** avoir bon cœur; **de (todo) c.** de tout cœur
corbata *nf* cravate *f*
corchea *nf Mús* croche *f*
corchete *nm (de broche)* agrafe *f*; *(a presión)* bouton-pression *m*; *(signo ortográfico)* crochet *m*
corcho *nm (material)* liège *m*; *(tapón)* bouchon *m*
cordel *nm* ficelle *f*
cordero, -a *nm,f* agneau *m*, agnelle *f*
cordial *adj* cordial(e)
cordillera *nf* chaîne *f* *(de montañas)*; *(andina)* cordillère *f*
cordón *nm (cuerda)* cordon *m*; *(de zapatos)* lacet *m*; *(cable eléctrico)* fil *m*; *Am (de la vereda)* bord *m* du trottoir ■ **c. umbilical** cordon ombilical
Corea *n* la Corée; **C. del Norte/Sur** la Corée du Nord/Sud
coreografía *nf* chorégraphie *f*
corista 1 *nmf* choriste *mf* **2** *nf (bailarina)* girl *f*
cornada *nf* coup *m* de corne
cornamenta *nf (de toro)* cornes *fpl*; *(de ciervo)* bois *mpl*
córnea *nf* cornée *f*
corneja *nf* corneille *f*
córner *(pl* córners*) nm Dep* corner *m*
cornisa *nf* corniche *f*
coro *nm* chœur *m*; **a c.** en chœur
corona *nf* couronne *f*; *(de santos)* auréole *f*
coronar *vt* couronner; *Fig (cumbre)* atteindre
coronel *nm* colonel *m*
coronilla *nf* sommet *m* du crâne; *Fig* **estar hasta la c.** en avoir par-dessus la tête

corpiño *nm (vestido)* bustier *m*; *Arg (sostén)* soutien-gorge *m*
corporal *adj* corporel(elle)
corpulento, -a *adj* corpulent(e)
corral *nm (para los animales)* cour *f* (de ferme); *(para aves)* basse-cour *f*
correa *nf (tira)* & *Téc* courroie *f*; *(de reloj)* bracelet *m*; *(de perro)* laisse *f*; *(de bolso)* anse *f*; *(cinturón)* ceinture *f*
corrección *nf* correction *f*; **con toda c.** parfaitement
correcto, -a *adj* correct(e)
corredor, -ora 1 *nm,f (deportista)* coureur(euse) *m,f*; *(intermediario)* courtier(ère) *m,f* ■ **c. de bolsa** *o* **de comercio** agent *m* de change **2** *nm (pasillo)* corridor *m*
corregir [54] **1** *vt* corriger **2 corregirse** *vpr* se corriger
correo *nm (correspondencia)* courrier *m*; *(servicio)* poste *f*; **a vuelta de c.** par retour du courrier; **echar al c.** poster; **c. certificado** courrier recommandé; **Correos** la poste ■ **c. comercial** prospectus *m*; **c. electrónico** courrier électronique **2** *adj* postal(e)
correr 1 *vi* courir; *(ir deprisa)* aller vite; *(vehículo)* rouler vite; *(pasar) (río, agua del grifo)* couler; *(tiempo, horas)* passer; *(propagarse) (suceso, noticia)* se propager; **a todo c.** à toute vitesse; **c. con** *(gastos)* prendre à sa charge; **c. a cargo de** être à la charge de
2 *vt (distancia)* courir; *(mesa, silla)* pousser; *(cortinas)* tirer; *(aventuras, vicisitudes)* connaître; *(riesgo)* courir
3 correrse *vpr (desplazarse) (persona)* se pousser; *(cosa)* glisser; *(pintura, colores)* couler; *Vulg (tener un orgasmo)* jouir
correspondencia *nf (relación)* rapport *m*; *(entre estaciones, personas)* correspondance *f*; *(correo)* courrier *m*; **mantener una c. con alguien** entretenir une correspondance avec qn
corresponder 1 *vi (pertenecer,*

coincidir) correspondre (**con** à); **me lo ofreció para corresponderme** il me l'a offert pour me remercier; **te corresponde a ti hacerlo** (*te toca*) c'est à toi de le faire; **le corresponde la herencia** l'héritage lui revient

2 *vt* (*a un sentimiento, favor*) rendre; **él la quiere y ella le corresponde** il l'aime et elle le lui rend bien

3 corresponderse *vpr* correspondre; **corresponderse en el amor** s'aimer

correspondiente *adj* correspondant(e)

corresponsal *nmf* (*de prensa*) correspondant(e) *m,f*

corrida *nf Taurom* corrida *f*

corrido: de corrido *adv* (*de memoria*) par cœur; (*de una vez*) d'un trait

corriente 1 *adj* courant(e); (*normal, común*) ordinaire **2** *nm* **estar al c. de** (*pagos*) être à jour pour; (*noticias*) être au courant de **3** *nf* courant *m*; **ir contra c.** aller à contre-courant ▪ **c. alterna** courant alternatif; **c. continua** courant continu

corro *nm* (*círculo*) cercle *m*; (*baile*) ronde *f*; **en c.** en rond; *Fin* (*en Bolsa*) corbeille *f*; **hacer (un) c. alrededor de** former un cercle autour de; **jugar al c.** faire la ronde

corromper 1 *vt* corrompre **2 corromperse** *vpr* (*pudrirse*) pourrir; (*pervertirse*) se corrompre

corrupción *nf* corruption *f* ▪ **c. de menores** détournement *m* de mineur

corsé *nm* corset *m*

cortacésped *nm* tondeuse *f* à gazon

cortado, -a *adj* **1** (*labios; manos*) gercé(e); (*nata, leche*) tourné(e); *Fam Fig* (*avergonzado*) timide; **quedarse c.** être décontenancé(e) **2** *nm* noisette *f* (*café*)

cortafuegos *nm inv Informát* pare-feu *nm inv*

cortante *adj* (*afilado*) coupant(e); *Fig* (*tajante*) cassant(e); (*viento*) cinglant(e); (*frío*) glacial(e)

cortar 1 *vt* couper; (*el césped*) tondre; (*tela*) tailler; (*labios, piel*) gercer;

(*conversación*) interrompre; (*leche*) faire tourner; (*gastos*) réduire; (*poner fin a*) (*beca, subvención*) supprimer; (*abusos, hemorragia*) arrêter; *RP* (*comunicación*) couper; *Fig* (*avergonzar*) gêner; **se cortó la comunicación** on a été coupés; *Informát* **c. y pegar** couper-coller

2 *vi* couper; *Fam* (*cesar una relación*) rompre

3 cortarse *vpr* se couper; (*labios, piel*) se gercer; (*alimento*) (*leche*) tourner; (*mayonesa*) ne pas prendre; *Fig* (*turbarse*) se troubler

cortaúñas *nm inv* coupe-ongles *m inv*

corte 1 *nm* (*raja*) (*en papel, tela*) déchirure *f*; (*en la piel*) entaille *f*; (*de pelo, prenda, esquema*) coupe *f*; (*herida, pausa, interrupción*) coupure *f*; (*de tela*) coupon *m*; (*estilo de una obra*) ton *m*; (*del cuchillo*) fil *m*; *Fam* (*respuesta ingeniosa*) gifle *f*; *Fam* (*vergüenza*) honte *f*; **me da c. salir a la calle** j'ai honte de sortir ▪ **c. y confección** confection *f*; **c. de mangas** bras *m* d'honneur

2 *nf* (*palacio*) cour *f*; **las Cortes** = le Parlement espagnol

cortés (*pl* **corteses**) *adj* courtois(e)

cortesía *nf* (*modales*) politesse *f*; (*favor*) gentillesse *f*; **de c.** de politesse; **el aperitivo es c. de la casa** (*regalo*) l'apéritif vous est offert par la maison

corteza *nf* (*del árbol*) écorce *f*; (*de pan, queso*) croûte *f*; *Anat* cortex *m* ▪ **c. terrestre** croûte terrestre

cortijo *nm* ferme *f* (*andalouse*)

cortina *nf* rideau *m*

corto, -a 1 *adj* (*en extensión, tiempo*) court(e); **una corta espera** une brève attente; **quedarse c.** (*al calcular*) voir trop juste; (*al relatar*) être en deçà de la vérité **2** *nm* (*cortometraje*) court-métrage *m*

cortometraje *nm* court-métrage *m*

cosa *nf* chose *f*; **poca c.** pas grand-chose; **cosas** (*pertenencias*) affaires *m*

fpl; *(instrumentos)* matériel *m*; **cosas de coser** nécessaire *m* de couture; **¡qué cosas tienes!** tu as de ces idées!; **como si tal c.** comme si de rien n'était; **eso es c. mía** c'est moi que ça regarde; **c. de** environ, quelque chose comme; **tuvimos que esperar c. de diez minutos** on a dû attendre environ *ou* quelque chose comme dix minutes; **o c. así** à peu près
coscorrón *nm* coup *m* sur la tête; **darse un c.** se cogner la tête
cosecha *nf* récolte *f*; *(de cereales)* moisson *f*
cosechar 1 *vt* récolter; *(cereales)* moissonner **2** *vi* faire la récolte; *(de cereales)* moissonner
coser *vt & vi* coudre
cosmopolita *adj* cosmopolite
cosmos *nm* cosmos *m*
coso *nm Taurom (plaza)* arènes *fpl*; *CSur (chisme)* truc *m*
cosquillas *nfpl* chatouilles *fpl*; **hacer c.** chatouiller, faire des chatouilles; **tengo c.** ça me chatouille
cosquilleo *nm (agradable)* chatouillement *m*; *Fig (desagradable)* frisson *m*
costa *nf* côte *f*; **a c. de** *(a expensas de)* aux dépens de; *(a fuerza de)* au prix de; **a toda c.** à tout prix ■ **la C. Brava** la Costa Brava; **C. de Marfil** la Côte d'Ivoire; **la C. del Sol** la Costa del Sol
costado *nm* flanc *m*; **dormir de c.** dormir sur le côté
costanera *nf CSur* bord *m* de mer
costar [62] **1** *vt* coûter; *(tiempo)* prendre; **c. trabajo** être dur(e) *ou* difficile; **cueste lo que cueste** coûte que coûte **2** *vi* coûter; **me cuesta mucho levantarme temprano** j'ai beaucoup de mal à me lever tôt
Costa Rica *n* le Costa Rica
costarricense 1 *adj* costaricain(e) **2** *nmf* Costaricain(e) *m,f*
coste *nm* coût *m*; **c. de la vida** coût de la vie

costero, -a 1 *adj* côtier(ère) **2** *nf Méx* promenade *f* de bord de mer
costilla *nf (de persona)* côte *f*; *(de animal)* côtelette *f*
costo *nm (coste)* coût *m*; *Fam (hachís)* hasch *m*
costoso, -a *adj (precio)* coûteux(euse); *Fig (trabajo)* pénible
costra *nf* croûte *f*
costumbre *nf (hábito)* habitude *f*; *(práctica)* coutume *f*
costura *nf* couture *f* ■ **alta c.** haute couture
costurera *nf* couturière *f*
costurero *nm* corbeille *f* à ouvrage
cota *nf (altura, nivel)* cote *f*; *(jubón)* cotte *f*
cotejar *vt* confronter *(comparer)*
cotidiano, -a *adj* quotidien(enne)
cotilla 1 *adj* cancanier(ère) **2** *nmf Fam* commère *f*
cotilleo *nm Fam* potin *m*; **le encanta el c.** elle adore cancaner
cotillón *nm* cotillon *m*; **artículos de c.** cotillons
cotización *nf (precio) (de producto)* prix *m*; *(en Bolsa)* cours *m*; *(a la seguridad social)* cotisation *f*
cotizar [14] **1** *vt (valorar)* estimer **2** *vi (pagar)* cotiser; *(en Bolsa)* être coté(e) **3** **cotizarse** *vpr (bonos, valores)* être coté(e) **(a** à**)**; *(valorarse)* être apprécié(e)
coto *nm (terreno)* réserve *f*; **poner c. a** *(impedir algo)* mettre le holà à ■ **c. de caza** chasse *f* gardée
cotorra *nf (ave)* perruche *f*; *Fam Fig* **hablar como una c.** être bavard(e) comme une pie
country ['kauntri] *(pl countries) nm Arg* = ensemble de résidences secondaires pour riches citadins, sous la surveillance de vigiles
coyuntura *nf (situación)* conjoncture *f*; *(oportunidad)* occasion *f*
coz *nf* coup *m* de sabot
cráneo *nm* crâne *m*; *Fam Fig* **ir de c.** *(estar en un aprieto)* ne pas s'en sortir
cráter *nm* cratère *m*

creación *nf* création *f*

creador, -ora *adj & nm,f* créateur(trice) *m,f*

crear *vt* créer; *(desorden, descontento)* provoquer

creatividad *nf* créativité *f*

creativo, -a *adj & nm,f* créatif(ive) *m,f*

crecer [45] **1** *vi (niños, sentimientos)* grandir; *(plantas, cabello)* pousser; *(aumentar)* augmenter, croître; *(días, noches)* allonger; *(río)* grossir; *(luna)* croître **2 crecerse** *upr* prendre de l'assurance

creces: con creces *adv* largement

crecimiento *nm* croissance *f*; *(de precios)* augmentation *f*

credencial *nf (pase)* laissez-passer *m inv*; **credenciales** lettres *fpl* de créance

crédito *nm* crédit *m*; *(confianza)* confiance *f*; *(en universidad)* = unité d'enseignement équivalant à dix heures de cours; **a c.** à crédit; **c. al consumo** crédit à la consommation; **dar c. a algo** croire qch

credo *nm* credo *m*

creencia *nf (de fe)* croyance *f*; *(de opinión)* conviction *f*

creer [36] **1** *vt* croire; **¡ya lo creo!** un peu! **2** *vi* **c. en** croire en **3 creerse** *upr (considerarse)* se croire; *(dar por cierto)* croire; **¿quién se cree que es?** pour qui se prend-il?

creído, -a *nm,f* prétentieux(euse) *m,f*

crema *nf* crème *f*; **c. para zapatos** cirage *m*; **color c.** crème *inv*

cremallera *nf (para cerrar)* fermeture *f* Éclair®; *Téc* crémaillère *f*

crepe [krep] *nf* crêpe *f*

cresta *nf* crête *f*

cretino, -a *nm,f* crétin(e) *m,f*

creyente *nmf* croyant(e) *m,f*

cría *ver* **crío**

criadero *nm (de plantas)* pépinière *f*; *(de animales)* élevage *m*

criadillas *nfpl* = testicules d'animal (taureau par exemple) utilisés en cuisine

criado, -a 1 *adj* élevé(e); **mal c.** mal élevé **2** *nm,f* domestique *mf*

crianza *nf (de bebé)* allaitement *m*; *(de animales, del vino)* élevage *m*; *(educación)* éducation *f*

criar [31] **1** *vt (amamantar)* allaiter; *(cuidar)* élever; *(animales, niños)* élever; *(plantas)* cultiver **2 criarse** *upr (crecer)* grandir; *(reproducirse)* se reproduire

criatura *nf (niño)* enfant *m*; *(bebé)* nourrisson *m*; *(ser vivo)* créature *f*

crimen *nm* crime *m*

criminal *adj & nmf* criminel(elle) *m,f*

crío, -a 1 *nm,f* gamin(e) *m,f* **2** *nf* **cría** *(hijo del animal)* petit *m*; *(crianza)* de animales) élevage *m*; *(de plantas)* culture *f*

criollo, -a 1 *adj* créole **2** *nm,f* Créole *mf*

críquet *nm* cricket *m*

crisis *nf inv* crise *f*; *(escasez)* pénurie *f*

crismas *nm* carte *f* de vœux

cristal *nm (vidrio)* verre *m*; *(vidrio fino)* cristal *m*; *(de ventana)* vitre *f*, carreau *m*

cristalería *nf (objetos)* verrerie *f*; *(juego de vasos)* service *m* en cristal; *(fábrica, tienda)* vitrerie *f*; **ir a la c.** aller chez le vitrier

cristalino, -a 1 *adj* cristallin(e) **2** *nm* cristallin *m*

cristianismo *nm (religión)* christianisme *m*; *(fieles)* chrétienté *f*

cristiano, -a *adj & nm,f* chrétien(enne) *m,f*

cristo *nm* christ *m*; **C.** le Christ

criterio *nm (norma)* critère *m*; *(juicio)* discernement *m*; *(opinión)* avis *m*

crítica *ver* **crítico**

criticar [58] *vt* critiquer

crítico, -a 1 *adj & nm,f* critique *mf* **2** *nf* **crítica** critique *f*

croar *vi* coasser

croissant [krwa'san] *(pl* **croissants**) *nm* croissant *m*

crol *nm* crawl *m*; **nadar a c.** nager le crawl

cromo *nm (metal)* chrome *m*; *(estampa)* image *f*

crónico, -a 1 adj chronique **2** nf
crónica chronique f
cronometrar vt chronométrer
cronómetro nm chronomètre m
croqueta nf croquette f
croquis nm inv croquis m
cross nm inv cross m inv
cruce 1 ver **cruzar**
2 nm croisement m; (de carreteras,
calles) carrefour m; (de teléfono)
interférence f
crucero nm (viaje) croisière f; (de
iglesia) croisée f du transept
crucial adj crucial(e)
crucifijo nm crucifix m
crucigrama nm mots croisés mpl
crudo, -a 1 adj cru(e); (tiempo) rude,
rigoureux(euse); **es la cruda realidad**
c'est la dure réalité; **de forma cruda**
crûment; **de color c.** écru(e) **2** nm
pétrole m brut, brut m
cruel adj cruel(elle)
crueldad nf cruauté f
crujido nm craquement m
crujiente adj craquant(e); (pan,
patatas fritas) croustillant(e)
cruz nf croix f; (de moneda) pile f; (de
ramas) fourche f; Fig (aflicción)
(persona) poids m; (actividad)
calvaire m ■ **la C. Roja** la Croix-
Rouge
cruza nf Am croisement m
cruzar [14] **1** vt (poner en cruz,
emparejar) croiser; (poner de través)
mettre en travers; (calle) traverser;
(palabras) échanger **2 cruzarse** vpr
cruzarse con alguien croiser qn; **me
crucé con ella** je l'ai croisée; **cruzarse
de brazos/piernas** croiser les bras/
les jambes
cta. (abrev **cuenta**) compte m
cuaderno nm cahier m
cuadra nf (de caballos) écurie f; Am
(manzana) pâté m de maisons
cuadrado, -a 1 adj carré(e) **2** nm
carré m
cuadrar 1 vi (información, hechos)
concorder; (números, cuentas) tomber juste; (venir a medida) convenir;

su confesión no cuadra con la
declaración ses aveux ne concordent
pas avec sa déclaration; **le cuadra
ese trabajo** ce travail lui convient
parfaitement **2 cuadrarse** vpr Mil se
mettre au garde-à-vous
cuadrilla nf (de amigos, maleantes)
bande f; (de trabajadores) équipe f;
(de torero) = équipe qui assiste le
matador
cuadro nm (pintura) tableau m;
(figura) carré m; (de bicicleta) cadre
m; **a cuadros** (tela) à carreaux
■ **cuadros dirigentes** cadres dirigeants; **c. sinóptico** tableau synop-
tique
cuajada nf lait m caillé
cual pron relativo **el/la c.** lequel/
laquelle; **al/a la c.** auquel/à laquelle;
la película a la c. hago referencia le
film auquel je fais référence; **Ana, a
la c. veo a menudo…** Ana, que je
vois souvent…; **del c., de la c.** dont;
el libro/el amigo del c. te hablé le
livre/l'ami dont je t'ai parlé; **lo c.**
(sujeto) ce qui; (complemento) ce que;
**está muy enfadada, lo c. entiendo
perfectamente** elle est très fâchée,
ce que je comprends parfaitement;
sea c. sea quel (quelle) que soit; **sea
c. sea el resultado** quel que soit le
résultat
cuál pron (interrogativo) quel (quelle);
(especificando) lequel (laquelle); **¿c.
es la diferencia?** quelle est la
différence?; **¿c. prefieres?** laquelle
préfères-tu?; **no sé cuáles son
mejores** je ne sais pas lesquels sont
les meilleurs
cualidad nf qualité f
cualificado, -a adj qualifié(e)
cualquiera (pl **cualesquiera**)

On utilise **cualquier** devant un nom
singulier.

1 adj (**a**) (indiferente) (antes de sustantivo) n'importe quel (quelle); **en cualquier momento** n'importe quand; **en
cualquier lugar** n'importe où (**b**) (ordinario) (después de sustantivo) quel-

conque; **un sitio c.** un endroit quelconque
2 *pron* n'importe qui; **c. te lo dirá** n'importe qui te le dira; **c. que** *(persona)* quiconque; *(cosa)* quel (quelle) que; **c. que te viera** se reiría quiconque te verrait rirait; **c. que sea la razón** quelle que soit la raison
3 *nmf* moins *mf* que rien
4 *nf Fam* traînée *f*

cuando 1 *adv* mañana es **c.** me voy de vacaciones c'est demain que je pars en vacances; **de c. en c., de vez en c.** de temps en temps **2** *conj (de tiempo)* quand, lorsque; *(si)* si; **c. llegué a París** quand *ou* lorsque je suis arrivé à Paris; **c. tú lo dices** será verdad si c'est toi qui le dis, ça doit être vrai

cuándo 1 *adv* quand; **¿c. vienes?** quand viens-tu?; **le preguntó c. se iba** je lui ai demandé quand il partait **2** *nm* ignora el cómo y el **c. de la operación** il ignore comment et quand se déroulera l'opération

cuantía *nf (cantidad)* quantité *f*; *(importe)* montant *m*

cuanto, -a 1 *adj (todo)* tout (toute) le (la); **despilfarra c. dinero gana** il gaspille tout l'argent qu'il gagne; **cuantas más mentiras digas, menos te creerán** plus tu raconteras de mensonges, moins on te croira
2 *pron relativo (todo lo que)* tout ce que; **comprendo c. dice** je comprends tout ce qu'il dit; **come c. quieras** mange autant que tu voudras; **c. más se tiene, más se quiere** plus on en a, plus on en veut
3 *adv (compara cantidades)* **c. más gordo está, más come** plus il est gros, plus il mange; **c. antes le plus vite possible, dès que possible; c. antes empecemos, antes acabaremos** plus vite nous commencerons, plus vite nous finirons; **en c.** dès que + *indicativo*; **en c. a** en ce qui concerne; **en c. a tu petición** en ce qui concerne ta demande

cuánto, -a 1 *adj (interrogativo)*

combien de; *(exclamativo)* que de; **¿c. quieres?** combien de pain veux-tu?; **no sé cuántos invitados había** je ne sais pas combien il y avait d'invités; **¡cuánta gente había!** que de gens il y avait là!; **¡cuántos libros tienes!** tu en as des livres!
2 *pron (interrogativo)* combien; *(exclamativo)* comme; **¿c. quieres?** combien en veux-tu?; **me gustaría saber c. te costará** j'aimerais savoir combien ça va te coûter; **¡c. han cambiado las cosas!** comme les choses ont changé!; **¡c. me gusta este cuadro!** que j'aime ce tableau!

cuarenta 1 *adj num inv* quarante **2** *nm inv* quarante *m inv*; *ver también* **sesenta**

cuaresma *nf* carême *m*

cuartel *nm Mil* caserne *f*

cuartelazo *nm* putsch *m*

cuarteto *nm Mús* quatuor *m*; *(de jazz)* quartette *m*

cuartilla *nf* feuille *f (de format A5)*

cuarto, -a 1 *adj num* quatrième; **una cuarta parte** un quart; *ver también* **sexto**
2 *nm (parte)* quart *m*; *(sala)* pièce *f*; *(de dormir)* chambre *f*; *Fig* **cuartos** *(dinero)* sous *mpl* ■ **c. de baño** salle *f* de bains; **c. creciente** premier quartier; **c. de estar** salle de séjour; **c. menguante** dernier quartier

cuarzo *nm* quartz *m*

cuate, -a *nm,f CAm, Méx Fam* copain *m*, copine *f*

cuatro 1 *adj num* quatre; *Fig* **cayeron c. gotas** il est tombé quelques gouttes **2** *nm inv* quatre *m inv*; *ver también* **seis**

cuatrocientos, -as *adj num inv* quatre cents; *ver también* **seiscientos**

Cuba *n* Cuba

cubalibre *nm* rhum-Coca *m*, Cuba-libre *m*

cubano, -a 1 *adj* cubain(e) **2** *nm,f* Cubain(e) *m,f*

cubertería *nf* ménagère *f (couverts)*

cúbico, -a *adj* cubique; **metro c.** mètre cube

cubierto, -a 1 *participio ver* **cubrir**
2 *adj* couvert(e); **estar/ponerse a c.** être/se mettre à l'abri
3 *nm (para comer)* couvert *m*; *(comida)* menu *m*
4 *nf* **cubierta** *(de libro)* couverture *f*; *(de neumático)* enveloppe *f*; *(de barco)* pont *m*

cubito *nm (de hielo)* glaçon *m*

cubo *nm (recipiente)* seau *m*; *(figura)* & *Mat* cube *m* ■ **c. de (la) basura** poubelle *f*

cubrir 1 *vt* couvrir; *(disimular)* cacher; *(puesto, vacante)* pourvoir; **c. sus necesidades** pourvoir à ses besoins
2 **cubrirse** *upr* se couvrir

cucaracha *nf Zool* cafard *m*

cuchara *nf (para comer)* cuillère *f*, cuiller *f*

cucharada *nf* cuillerée *f*

cucharilla *nf* petite cuillère *f*; *(en recetas de cocina)* cuillère *f* à café

cucharón *nm* louche *f*

cuchilla *nf (hoja)* lame *f* ■ **c. de afeitar** lame de rasoir

cuchillo *nm* couteau *m*

cuclillas *nfpl* **en c.** accroupi(e); **ponerse en c.** s'accroupir

cucurucho *nm (de papel, barquillo)* cornet *m*; *(gorro)* cagoule *f* *(de pénitent)*

cuello *nm (del cuerpo)* cou *m*; *(de objeto, prenda)* col *m*

cuenca *nf (de río, región minera)* bassin *m*; *(del ojo)* orbite *f*

cuenco *nm (recipiente)* terrine *f*; *(redondo)* jatte *f*; *(pequeño)* ramequin *m*

cuenta 1 *ver* **contar**
2 *nf (acción de contar, de banco)* compte *m*; *(suma, división)* opération *f*; *(factura)* note *f*; *(de restaurante)* addition *f*; *(obligación, cuidado)* charge *f*; *(bolita)* perle *f*; *(de rosario)* grain *m*; **echar cuentas** faire les comptes; **he perdido la c.** je ne sais plus où j'en suis; **pagar a c.** verser un acompte; **los gastos corren de mi c.** je prends les frais à ma charge; **déjalo de mi c.** laisse-moi m'en occuper; **lo haré por mí c.** je le ferai moi-même; **a fin de cuentas** en fin de compte, tout compte fait; **caer en la c.** comprendre; **darse c. de** se rendre compte de; **más de la c.** un peu trop; **tener en c.** algo tenir compte de qch ■ **c. de ahorros** compte (d')épargne; **c. atrás** compte à rebours; **c. bancaria** compte en banque *ou* bancaire; **c. de correo (electrónico)** adresse *f* électronique; **c. corriente** compte courant

cuentagotas *nm inv* compte-gouttes *m inv; Fig* **con c.** au compte-gouttes

cuento *nm (fábula, narración)* conte *m*; *(mentira)* histoire *f*; **lo que me dices es un c.** tu me racontes des histoires; **eso no viene a c.** cela n'a rien à voir; **tener (mucho) c.** jouer la comédie; **vivir del c.** vivre sans rien faire ■ **c. chino** histoire à dormir debout

cuerda *nf* corde *f; (de reloj)* ressort *m*; **dar c. a un reloj** remonter une montre; **tener mucha c., tener c. para rato** en avoir pour un moment ■ **cuerdas vocales** cordes vocales

cueriza *nf Am Fam* trempe *f*

cuerno *nm* corne *f; Mús* trompe *f; Fam* **ponerle los cuernos a alguien** faire qn cocu(e)

cuero *nm* cuir *m*; **en cueros, en cueros vivos** nu(e) comme un ver ■ **c. cabelludo** cuir chevelu

cuerpo *nm* corps *m*; **de c. entero** *(retrato)* en pied; **de c. presente** sur son lit de mort; *Fig* **en c. y alma** corps et âme; **luchar c. a c.** lutter corps à corps

cuervo *nm* corbeau *m*

cuesta 1 *ver* **costar**
2 *nf (pendiente)* côte *f*; **ir c. abajo** descendre (la côte); **ir c. arriba** monter (la côte); **llevar a cuestas** porter sur le dos

cuestión *nf (pregunta, asunto)* question *f*; **en c. de dinero** *(en*

materia de) côté argent; **en c. de una hora** en une heure à peine
cuestionario *nm* questionnaire *m*
cueva *nf* grotte *f*
cuicos *nmpl Méx Fam* flics *mpl*
cuidado **1** *nm (vigilancia)* attention *f*; *(esmero, atención)* soin *m*; **un genio de c.** un sacré caractère; **estar al c. de** s'occuper de; **tener c. con** faire attention à ■ **cuidados intensivos** soins intensifs **2** *interj* attention!
cuidadoso, -a *adj* soigneux(euse)
cuidar 1 *vt (vigilar)* garder; *(ocuparse de)* s'occuper de; *(mantener en buen estado)* prendre soin de **2** *vi* **c. de** s'occuper de **3 cuidarse** *vpr* s'occuper de soi; **se cuidó mucho de que no la vieran** elle a pris grand soin de ne pas être vue; **¡cuídate!** porte-toi bien!
cuitlacoche *nm CAm, Méx* champignon *m* comestible
culata *nf* culasse *f*
culebra *nf* couleuvre *f*
culebrón *nm TV* feuilleton *m* mélo
culo *nm (de personas)* derrière *m*, fesses *fpl*; *(de objetos, líquido)* fond *m*; *(de botella)* cul *m*
culpa *nf* faute *f*; **tiene la c.** c'est de sa faute; **echar la c. a alguien** rejeter la faute sur qn; **por c. de** à cause de
culpabilidad *nf* culpabilité *f*
culpable 1 *adj* coupable; **declarar c. a alguien** déclarer qn coupable; **declararse c.** plaider coupable **2** *nmf* coupable *mf*; **tú eres el c.** c'est de ta faute
culpar *vt* **c. a alguien de algo** *(atribuir la culpa)* reprocher qch à qn; *(acusar)* accuser qn de qch
cultivar 1 *vt* cultiver **2 cultivarse** *vpr* se cultiver
cultivo *nm* culture *f (des terres)*
culto, -a 1 *adj (persona)* cultivé(e); *(lengua)* soutenu(e) **2** *nm* culte *m*
cultura *nf* culture *f*
cultural *adj* culturel(elle)
culturismo *nm Dep* musculation *f*, culturisme *m*
cumbre *nf (de montaña, punto*

culminante) sommet *m*; *Pol* conférence *f* au sommet; **en el momento c. de su carrera** au faîte de sa carrière
cumpleaños *nm inv* anniversaire *m*
cumplido *nm (alabanza)* compliment *m*; **sin cumplidos** sans façons
cumplir 1 *vt (deber, misión)* accomplir; *(orden, contrato)* exécuter; *(promesa, palabra)* tenir; *(ley)* respecter; *(años)* avoir; *(condena)* purger; *(servicio militar)* faire; **ha cumplido cuarenta años** il a fêté ses quarante ans
2 *vi (plazo, garantía)* expirer; *(persona)* faire son devoir; **c. con alguien** s'acquitter de ses obligations envers qn; **para** *o* **por c.** par courtoisie; **c. con el deber** remplir son devoir; **c. con la palabra** tenir parole
cúmulo *nm (de papeles, ropa)* tas *m*; *Fig (de asuntos, acontecimientos)* série *f*
cuna *nf* berceau *m*
cundir *vi (propagarse)* se répandre; **cundió el pánico** ce fut la panique; **esta semana me ha cundido mucho** *(me ha dado de sí)* j'ai bien rempli ma semaine; **este jamón nos ha cundido mucho** avec ce jambon, nous avons eu largement assez; **me cunde más cuando estudio por la mañana** c'est le matin que je travaille le mieux
cuneta *nf (de carretera)* fossé *m*
cuña *nf (para sujetar)* cale *f*; *(para hender)* coin *m*; *(orinal)* urinal *m*; **hacer la c.** *(en esquí)* faire du chasse-neige
cuñado, -a *nm,f* beau-frère *m*, belle-sœur *f*
cuota *nf (contribución) (a entidad, club)* cotisation *f*; *(a Hacienda)* contribution *f*; *(precio, gasto)* frais *mpl*; *(cupo)* quote-part *f*; *Méx (entrada)* ticket *m*, billet *m*; *(peaje)* péage *m* ■ **c. de mercado** part *f* de marché
cupo 1 *ver* **caber**
2 *nm (máximo) (de reclutas)*

contingent *m*; *(de mercancías)* quota *m*; *(proporcional)* quote-part *f*

cupón *nm (de pedido, compra)* bon *m*; *(de lotería)* billet *m*; *(de acciones)* coupon *m*

cúpula *nf Arquit* coupole *f*; *(techo)* dôme *m*; *Fig* **la c.** *(los altos mandos)* les dirigeants *mpl*

cura 1 *nm* curé *m* **2** *nf (curación)* guérison *f*; *(tratamiento)* soin *m*

curandero, -a *nm,f* guérisseur(euse) *m,f*

curar 1 *vt (sanar)* guérir; *(alimento, material)* faire sécher **2** *vi* guérir **3** **curarse** *vpr* se soigner; *(sanar)* guérir; *(material, alimento)* sécher

curcuncho, -a *Andes* **1** *adj (jorobado)* bossu(e) **2** *nm (joroba)* bosse *f*; *(jorobado)* bossu *m*

curiosidad *nf* curiosité *f*

curioso, -a *adj & nm,f* curieux(euse) *m,f*

curita *nf Am* pansement *m* adhésif

currante *adj & nmf Fam* bosseur(euse) *m,f*

currar *vi Fam* bosser

curro *nm Fam* boulot *m*

cursi *Fam* **1** *adj (persona, modales)* snob; *(objeto, vestido)* cucul (la praline) *inv* **2** *nmf* bêcheur(euse) *m,f*

cursillo *nm (curso)* stage *m*;

(conferencias) cycle *m* de conférences

curso *nm* cours *m*; *(año académico)* année *f (scolaire ou universitaire)*; *(conjunto de estudiantes)* promotion *f*; **de c. legal** *(moneda)* ayant cours légal; **seguir su c.** suivre son cours; **en c.** en cours; **dar c. a algo** *(dar rienda suelta)* donner libre cours à qch

cursor *nm Informát* curseur *m*

curtiembre *nf Andes, RP* tannerie *f*

curva *ver* **curvo**

curvo, -a 1 *adj* courbe **2** *nf* **curva** courbe *f*; *(de carretera)* virage *m*; **las curvas** *(del cuerpo)* les formes *fpl*, les rondeurs *fpl*

custodia *nf (vigilancia)* garde *f*; *Rel* ostensoir *m*

cutis *nm inv* peau *f* (du visage)

cutre *adj Fam (sucio, feo)* miteux (euse), minable; *(tacaño)* radin(e)

cuyo, -a *adj* dont le (la); **ése es el señor c. hijo viste ayer** c'est le monsieur dont tu as vu le fils hier; **un equipo cuya principal estrella...** une équipe dont la vedette...; **el libro en cuya portada...** le livre sur la couverture duquel...; **ésos son los amigos en cuya casa nos hospedamos** ce sont les amis chez qui nous avons logé

Dd

D. *(abrev don)* M.

dado, -a 1 *adj* donné(e); **en un momento d.** à un moment donné; **ser d. a** *(sentir afición por)* être féru(e) de; *(sentir inclinación por)* être enclin à; **d. que** étant donné que **2** *nm* dé *m*

daga *nf* dague *f*

dalia *nf* dahlia *m*

dama *nf* dame *f*; **damas** dames *(jeu)* ■ **d. de honor** *(de novia)* demoiselle *f* d'honneur; *(de reina)* dame d'honneur

damasco *nm Am (albaricoque)* abricot *m*

danés, -esa 1 *adj* danois(e) **2** *nm,f* Danois(e) *m,f* **3** *nm (lengua)* danois *m*

danza *nf* danse *f*

danzar [14] *vi* danser

dañar 1 *vt* (*cosechas*) endommager; (*vista*) abîmer; *Fig* (*reputación*) porter tort à **2 dañarse** *upr* (*persona*) se faire mal; (*cosa*) s'abîmer

dañino, -a *adj* (*tabaco, alcohol*) nocif(ive); (*animal*) nuisible

daño *nm* (*dolor*) mal *m*; (*perjuicio*) dégât *m*, dommage *m*; **hacer(se) d. (se) faire mal ▪ daños y perjuicios** dommages et intérêts

dar [20] **1** *vt* (**a**) (*en general*) donner; **d. algo a alguien** donner qch à qn; **me dio un consejo/permiso para...** il m'a donné un conseil/la permission de...;
(**b**) (*producir*) (*beneficios, intereses*) rapporter
(**c**) (*encender*) allumer; **da la luz de la cocina** allume la lumière de la cuisine
(**d**) (*provocar*) faire; **d. gusto/miedo/pena** faire plaisir/peur/de la peine; **d. escalofríos** donner des frissons
(**e**) (*decir*) dire; **d. los buenos días** dire bonjour; **d. las gracias** dire merci, remercier
(**f**) (*película, programa*) passer; (*obra de teatro*) donner
(**g**) (*expresa acción*) **voy a d. un paseo** je vais me promener; **d. un grito** pousser un cri; **d. un empujón a alguien** bousculer qn
(**h**) (*considerar*) **d. algo por** considérer qch comme; **lo doy por hecho** c'est comme si c'était fait; **lo dieron por muerto** on l'a tenu pour mort
2 *vi* (**a**) (*repartir*) (*en naipes*) donner; (*horas*) sonner; **acaban de d. las tres** trois heures viennent juste de sonner
(**b**) (*golpear*) **la piedra dio contra el cristal** la pierre a heurté la vitre
(**c**) (*suceder*) **le dio un mareo/un ataque de nervios** il a eu un malaise/une crise de nerfs
(**d**) (*accionar*) **d. a** (*llave de paso*) tourner; (*botón, timbre*) appuyer sur
(**e**) **d. a** (*ventana, balcón*) donner sur; (*puerta*) ouvrir sur; (*fachada, casa*) être orienté(e) à

(**f**) **d. con** (*encontrar*) trouver; **he dado con la solución** j'ai trouvé la solution
(**g**) (*tomar costumbre*) **le ha dado por dejarse la barba** il s'est mis dans la tête de se laisser pousser la barbe
(**h**) **darle de comer/beber a alguien** donner à manger/boire à qn; **le da de mamar a su hijo** elle allaite son fils
(**i**) (*ser suficiente*) **esa tela no da para una falda** il n'y a pas assez de tissu pour faire une jupe
(**j**) (*motivar*) **d. que pensar** donner à penser; **esa historia dio mucho que hablar** cette histoire a fait beaucoup parler les gens
(**k**) **d. de sí** (*ropa*) se détendre; (*calzado*) se faire
3 darse *upr* (**a**) (*suceder*) arriver; **se ha dado el caso de...** il est arrivé que...
(**b**) (*entregarse*) **darse a** se mettre à; **darse a la bebida** s'adonner à la boisson
(**c**) (*golpearse*) **darse contra** se cogner contre
(**d**) (*tener aptitud*) **se me dan bien las matemáticas** je suis bon en mathématiques
(**e**) (*considerarse*) **puedes darte por suspendido** tu peux considérer que tu as échoué
(**f**) **dársela a alguien** (*engañar*) rouler qn; **se las da de listo** il se croit très intelligent; **se las da de valiente** il joue les durs

dardo *nm* (*de juego*) fléchette *f*

dátil *nm* datte *f*

dato *nm* *Informát* donnée *f*; (*información*) renseignement *m* **▪ datos personales** = nom, prénom, âge, adresse, etc

d.C. (*abrev* **después de Cristo**) apr. J.-C.

dcha. (*abrev* **derecha**) dr., dte

de *prep*
de et l'article défini **el** se contractent en **del**.

(**a**) (*en general*) de; **el coche de mi**

padre la voiture de mon père; **bebió un vaso de agua** il a bu un verre d'eau; **vengo de mi casa** je viens de chez moi; **soy de Bilbao** je suis de Bilbao; **llorar de alegría** pleurer de joie; **el mejor de todos** le meilleur de tous; **más/menos de** plus/moins de; **de nueve a cinco** de neuf heures à cinq heures

(b) *(materia)* en; **un reloj de oro** une montre en or

(c) *(en descripciones)* **de fácil manejo** facile à utiliser; **la señora de verde** la dame en vert; **una casa de 100.000 euros** une maison à 100 000 euros

(d) *(en calidad de)* **trabaja de camarero en un hotel** il travaille comme serveur dans un hôtel

(e) *(durante)* **trabaja de noche y duerme de día** il travaille la nuit et dort le jour; **llegamos de madrugada** nous sommes arrivés à l'aube

(f) *(condición)* (+ *infinitivo*) si; **de querer ayudarme, lo haría** s'il voulait m'aider, il le ferait

(g) *(después de adjetivo y antes de infinitivo)* à; **es difícil de creer** c'est difficile à croire

debajo *adv* dessous; **d. de** sous; **d. de la cama** sous le lit; **por d. de** en dessous de, au-dessous de; **por d. de la rodilla** au-dessous du genou; **por d. del puente** sous le pont; **d. de sous**; **d. de la cama** sous le lit

debate *nm* débat m

debatir 1 *vt* **d. algo** débattre de qch 2 **debatirse** *upr (luchar)* se débattre

deber¹ 1 *vt* devoir; **debo hacerlo** je dois le faire; **deberían abolir esa ley** cette loi devrait être abolie; **d. algo a alguien** devoir qch à qn; **¿cuánto o qué le debo?** combien je vous dois?

2 *vi* **d. de** devoir; **deben de ser las siete** il doit être sept heures; **debe de tener más de sesenta años** elle doit avoir plus de soixante ans

3 **deberse** *upr* **deberse a** *(ser consecuencia de)* être dû (due) à; *(dedicarse a)* se devoir à; **el retraso se**

debe a la huelga le retard est dû à la grève; **dice que se debe a sus hijos** elle dit qu'elle se doit à ses enfants

deber² *nm* devoir m; **deberes** *(trabajo escolar)* devoirs

debido, -a *adj (adeudado)* dû (due); *(justo, conveniente)* nécessaire; **d. a** du fait de, en raison de; **como es d.** *(como está mandado)* comme il se doit; *(correctamente)* comme il faut, correctement

débil 1 *adj* faible; *(tras una enfermedad)* affaibli(e); **una d. mejoría** une légère amélioration 2 *nmf* faible mf

debilidad *nf* faiblesse f; **tener** o **sentir d. por** avoir un faible pour

debilitar 1 *vt* affaiblir 2 **debilitarse** *upr* s'affaiblir

debut *(pl debuts)* *nm (de artista)* débuts *mpl*; *(de película)* sortie f; *(de obra de teatro)* première f

década *nf (años)* décennie f

decadencia *nf* décadence f; **estar en d.** *(moda)* se perdre

decadente *adj* décadent(e); *(edificio)* dégradé(e)

decaer [13] *vi* décliner; *(enfermo)* s'affaiblir; *(estado de salud)* s'aggraver; *(calidad)* baisser; *(entusiasmo)* tomber

decaído, -a *adj (desalentado)* abattu(e); *(debilitado)* affaibli(e)

decano, -a *nm,f* doyen(enne) m,f

decena *nf* dizaine f

decente *adj* décent(e); *(aseado, presentable)* présentable; *(precio, propina)* correct(e)

decepción *nf* déception f

decepcionar *vt* décevoir

decidido, -a *adj* décidé(e)

decidir 1 *vt* décider; **d. hacer algo** décider de faire qch; **d. algo** *(determinar)* décider de qch 2 *vi* décider 3 **decidirse** *upr* se décider *(por* en faveur de); **decidirse a hacer algo** se décider à faire qch

décima *ver* **décimo**

decimal 1 adj (sistema) décimal(e); **la parte d.** le dixième **2** nm décimale f
décimo, -a 1 adj num dixième; ver también **sexto 2** nm (fracción, lotería) dixième m **3** nf **décima** (en medidas) dixième m; **una décima de segundo** un dixième de seconde; **tiene unas décimas (de fiebre)** il a un peu de fièvre
decir [21] vt dire; (lección) réciter; **¿cómo se dice...?** comment dit-on...?; **d. a alguien que haga algo** dire à qn de faire qch; **se dice que...** il paraît que...; **d. que sí/no** dire oui/non; **¿diga?, ¿dígame?** (al teléfono) allô!; **d. para sí** se dire; **y dijo para sí:** ... et il s'est dit:...; **el qué dirán** le qu'en-dira-t-on; **es d.** c'est-à-dire; **¡no me digas!** c'est pas vrai!
decisión nf décision f
declaración nf déclaration f; (de testigo, reo) déposition f ∎ **d. del impuesto sobre la renta, d. de la renta** déclaration d'impôts sur le revenu, déclaration de revenus
declarar 1 vt déclarer **2** vi Der (ante el juez) déposer; (en un juicio) témoigner **3** **declararse** vpr se déclarer; **declararse a favor/en contra de algo** se déclarer pour/contre qch; **declararse culpable/inocente** plaider coupable/non coupable
declinar vt & vi décliner
decolaje nm Am décollage m
decolar vi Am décoller
decoración nf décoration f; (de teatro) décors mpl
decorado nm décor m; **el d., los decorados** (de teatro, cine) les décors
decorar vt décorer
decretar vt décréter
decreto nm décret m ∎ **d. ley** décret-loi m
dedal nm dé m (à coudre)
dedicación nf dévouement m; **trabaja con mucha d.** il s'implique beaucoup dans son travail
dedicar [58] **1** vt (tiempo, dinero, energía) consacrer; (palabras)

adresser; (obra, monumento) dédier; (firmar) dédicacer **2** **dedicarse** vpr **dedicarse a** (a una profesión) faire; (a una actividad, persona) se consacrer à; **se dedica a la fotografía** il fait de la photo; **¿a qué te dedicas?** qu'est-ce que tu fais dans la vie?; **me dedico a la enseñanza** je suis enseignant
dedo nm (de la mano) doigt m; (del pie) orteil m; **a d.** au hasard; **elegir a alguien a d.** désigner qn; **pillarse o cogerse los dedos** se brûler les doigts; **el d. gordo del pie** le gros orteil
deducción nf déduction f
deducir [18] vt déduire
defecar [58] vi déféquer
defecto nm défaut m; **por d.** par défaut
defender [63] **1** vt défendre; **d. a alguien (de)** (resguardar) protéger qn (de) **2** **defenderse** vpr se défendre (de de); (resguardarse) se protéger (de de)
defensa 1 nf défense f; Der (argumentos) plaidoyer m; **en d. propia** pour se défendre ∎ **d. personal** autodéfense f **2** nmf (jugador) arrière mf **3** nfpl **defensas** Med défenses fpl
defensor, -ora nm,f (persona) défenseur m ∎ **d. del pueblo** ≃ médiateur m (de la République)
deficiencia nf (defecto) défaillance f; (insuficiencia) insuffisance f
deficiente 1 adj déficient(e); (alimento) pauvre **2** nmf **d. (mental)** handicapé(e) m,f mental(e)
déficit (pl **déficits**) nm Econ déficit m; (falta) manque m
definición nf définition f; (descripción) description f; (resolución) position f (idéologique); **por d.** par définition
definir 1 vt définir **2** **definirse** vpr se définir; (en política) prendre position
definitivo, -a adj définitif(ive); **en definitiva** en définitive
deformación nf déformation f

deformar 1 *vt* déformer **2 deformarse** *vpr* se déformer

defraudar *vt (decepcionar)* décevoir; *(estafar)* frauder; **d. a Hacienda** frauder le fisc

defunción *nf* décès *m*

degenerar, -a 1 *adj* décadent(e) **2** *nm,f* dégénéré(e) *m,f*

degenerar *vi* dégénérer (**en** en)

degustación *nf* dégustation *f*

dejadez *nf* laisser-aller *m inv*

dejar 1 *vt* (**a**) laisser; **deja el libro en la mesa** laisse le livre sur la table; **su abuelo le dejó mucho dinero** son grand-père lui a laissé beaucoup d'argent; **déjalo, no importa** laisse (tomber), ce n'est pas grave; **¡déjame!** laisse-moi (tranquille) **deja que tu hijo venga con nosotros** laisse ton fils venir avec nous; **d. a alguien en algún sitio** déposer qn quelque part

(**b**) *(prestar)* **d. algo a alguien** prêter qch à qn

(**c**) *(abandonar) (familia, trabajo, país)* quitter; *(estudios)* arrêter, abandonner; **ha dejado la bebida** il a arrêté de boire

(**d**) *(causar efecto)* **me ha dejado los zapatos como nuevos** il a remis mes chaussures à neuf; **me dejaste preocupado** j'étais inquiet pour toi

(**e**) **no d.** *(impedir)* empêcher; **sus gritos no me dejaron dormir** ses cris m'ont empêché de dormir

(**f**) *(omitir)* **d. algo por** *o* **sin hacer** ne pas faire qch; **dejó la cama sin hacer** il n'a pas fait son lit; **ha dejado por resolver...** il a laissé en suspens...

(**g**) *(aplazar)* **dejaremos la fiesta para cuando se encuentre bien** nous attendrons qu'il aille mieux pour faire cette fête

(**h**) *(seguido de que)* attendre que; **dejó que terminara de llover para salir** il a attendu qu'il cesse de pleuvoir pour sortir

2 *vi* (**a**) *(parar)* **d. de hacer algo** arrêter *ou* cesser de faire qch; **deja de gritar** arrête de crier (**b**) *(expresa promesa)* **no dejaremos de venir a verte** nous ne manquerons pas de venir te voir; **¡no dejes de escribirme!** n'oublie pas de m'écrire!

(**c**) **d. (mucho** *o* **bastante) que desear** laisser (beaucoup) à désirer

3 dejarse *vpr* (**a**) *(olvidar)* **dejarse algo en algún sitio** laisser *ou* oublier qch quelque part

(**b**) *(cesar)* **¡déjate de tonterías!** arrête de raconter des bêtises!

(**c**) **dejarse llevar (por)** *(lo que uno lee, oye)* se laisser influencer (par); *(por la cólera)* se laisser emporter (par)

del *ver* **de**

delantal *nm* tablier *m*

delante *adv* devant; **pasar d.** passer devant; **el de d.** celui de devant; **d. de** devant; **d. de la ventana** devant la fenêtre; **d. de él** devant lui; **d. de mi casa** devant chez moi; **por d. de todos** devant tout le monde

delantero, -a 1 *adj* avant *inv*, de devant; **las ruedas delanteras** les roues avant **2** *nm,f Dep* avant *m* **3** *nf* **delantera** *Dep* ligne *f* d'attaque; **llevar la delantera a alguien** avoir de l'avance sur qn

delatar 1 *vt* dénoncer **2 delatarse** *vpr* se trahir

delegación *nf (autorización, personas)* délégation *f*; *(oficina)* agence *f*; *(de empresa privada)* filiale *f*; *(de organismo público)* office *m* régional; *Méx (distrito municipal)* arrondissement *m*; *Méx (comisaría)* commissariat *m* (de police) ■ **d. de Hacienda** centre *m* des impôts

delegado, -a *nm,f* délégué(e) *m,f*; *Com* représentant(e) *m,f* ■ **d. de curso** délégué de classe

delegar [37] *vt* **d. algo (en** *o* **a alguien)** déléguer qch (à qn)

deletrear *vt* épeler

delfín *nm* dauphin *m*

delgado, -a *adj (persona) (esbelta)* mince; *(flaca)* maigre; *(cosa)* fin(e)

deliberado, -a adj délibéré(e)

deliberar vi délibérer

delicadeza nf délicatesse f

delicado, -a adj délicat(e); (educado) attentionné(e); (debilitado) affaibli(e); **estar d. de salud/del estómago** avoir la santé/l'estomac fragile

delicia nf délice m; **¡qué d.!** quel plaisir!; **hacer las delicias de alguien** ravir ou enchanter qn

delicioso, -a adj (comida) délicieux(euse); (persona) charmant(e)

delincuencia nf délinquance f ■ **d. juvenil** délinquance juvénile

delincuente nmf délinquant(e) m,f

delinquir [22] vi commettre un délit

delirante adj délirant(e)

delirar vi délirer

delirio nm délire m; **tener delirios de grandeza** avoir la folie des grandeurs

delito nm délit m

delta nm delta m

demanda nf demande f; Der action f en justice; **presentar una d. contra alguien** poursuivre qn en justice

demandar vt (pedir, requerir) demander; Der poursuivre; **d. a alguien por difamación** poursuivre qn en diffamation

demás 1 adj inv autre; **la d. gente** les autres gens **2** pron inv **las d., los d.** les autres; **lo d.** le reste; **por lo d.** à part ça; **y d.** et autres

demasiado, -a 1 adj trop de; **d. pan** trop de pain; **demasiada comida** trop à manger **2** adv trop; **habla d.** il parle trop; **va d. rápido** il va trop vite

demencia nf démence f

demente adj & nmf dément(e) m,f

democracia nf démocratie f

demócrata adj & nmf démocrate mf

democrático, -a adj démocratique

demoler [40] vt démolir

demonio nm Rel démon m; Fig diable m; **¿dónde/quién demonios...?** mais bon sang, où/qui...?; **¡demonios!** flûte!

demora nf retard m

demorar 1 vt (retrasar) retarder; Am (tardar) mettre, prendre; **se demora tres días en hacerlo** ça prend trois jours; **demora una hora para vestirse** elle met une heure à s'habiller **2** vi Am (tardar) **¡no demores!** dépêche-toi!; **d. en hacer algo** (llevar tiempo) mettre du temps à faire qch; (retrasarse) tarder à faire qch; **no demoraron en venir** ils n'ont pas tardé à venir **3 demorarse** vpr (ir despacio) s'attarder; (llegar tarde) être en retard

demostración nf démonstration f; (prueba) preuve f; (de dolor, alegría) manifestation f; (exhibición) (deportiva) exhibition f; (de poder, riqueza) étalage m

demostrar [62] vt (teoría, hipótesis, verdad) démontrer; (alegría, impaciencia, dolor) manifester; (poder, riqueza) faire étalage de; (funcionamiento, procedimiento) montrer

denominación nf dénomination f ■ **d. de origen** appellation f d'origine

densidad nf densité f; Informát **alta/ doble d.** haute/double densité; **d. de población** densité de population

denso, -a adj dense; (líquido) épais (aisse)

dentadura nf denture f ■ **d. postiza** dentier m

dentífrico, -a 1 adj dentifrice **2** nm dentifrice m

dentista nmf dentiste mf

dentro adv dedans, à l'intérieur; **quedarse d.** rester à l'intérieur; **ahí d.** là-dedans; **el bolsillo de d.** la poche intérieure; **por d.** à l'intérieur; **d.** de dans; **d. del sobre** dans l'enveloppe; **d. de un año** dans un an; **d. de lo posible** dans la mesure du possible; **d. de poco** d'ici peu

denunciar vt (a la autoridad) signaler; (delito) dénoncer

departamento nm département m; (en grandes almacenes) rayon m; (en escuela, universidad) section f; (en empresa) service m; (de cajón, maleta)

compartment *m*; *Arg (apartamento)* appartement *m*
dependencia *nf* dépendance *f*; *(departamento)* service *m*; **dependencias** *(habitaciones)* pièces *fpl*; *(edificios)* dépendances
depender *vi* dépendre (**de** de)
dependiente **1** *adj* dépendant(e) **2** *nm* vendeur *m*
depilar **1** *vt* épiler **2 depilarse** *vpr* s'épiler
deporte *nm* sport *m*; **hacer d.** faire du sport; **practicar un d.** pratiquer un sport
deportista *adj & nmf* sportif(ive) *m,f*
deportivo, -a **1** *adj* sportif(ive); *(conducta, comportamiento)* fair-play *inv*; *Náut (barco, puerto)* de plaisance; **la ropa deportiva** les vêtements de sport **2** *nm* voiture *f* de sport
depositar **1** *vt (objetos, dinero)* déposer **2 depositarse** *vpr (asentarse)* se déposer
depósito *nm* dépôt *m*; *(de dinero)* versement *m*; *(recipiente)* réservoir *m*; **d. de la gasolina** réservoir d'essence
depresión *nf* dépression *f*
depresivo, -a **1** *adj (deprimido)* dépressif(ive); *(deprimente)* déprimant(e) **2** *nm,f* dépressif(ive) *m,f*
deprimido, -a *adj* déprimé(e)
deprimir **1** *vt* déprimer **2 deprimirse** *vpr* déprimer
deprisa *adv* vite
depuradora *nf* **d. (de aguas)** usine *f* de retraitement des eaux usées
depurar *vt* épurer
derecho, -a 1 *adj* droit(e); **en la fila derecha** sur la file de droite; **andar d.** se tenir droit(e)
2 *adv* droit; **me fui d. a la cama** je suis allé (tout) droit au lit
3 *nm* droit *m*; *(de tela, prenda)* endroit *m*; **¡no hay d.!** ce n'est pas juste!; **d. civil/penal** droit civil/pénal; **del d.** à l'endroit; **derechos** *(tasas)* droits
■ **derechos de aduana** droits de

douane; **derechos de autor** droits d'auteur; **derechos humanos** droits de l'homme
4 *nf* **derecha** droite *f*; **a la derecha** à droite; **ser de derechas** être de droite
derivar 1 *vt* dériver; *(carretera)* dévier; *(conversación)* détourner **2** *vi* dériver (**de** de); *(conversación)* dévier
derramar **1** *vt* répandre; *(por accidente)* renverser; **d. lágrimas** verser des larmes **2 derramarse** *vpr* se répandre
derrame *nm* Med épanchement *m*; *(de líquido)* déversement *m*; *(de sangre)* écoulement *m*
derrapar *vi* déraper
derretir [46] **1** *vt* fondre **2 derretirse** *vpr* fondre
derribar *vt (edificio)* démolir; *(árbol, avión)* abattre; *Fig (gobierno, gobernante)* renverser
derrochar *vt (malgastar)* gaspiller; *(rebosar de)* déborder de; **derrocha energía** il déborde d'énergie
derroche *nm (malgasto)* gaspillage *m*; *(abundancia)* profusion *f*; *(de alegría)* explosion *f*
derrota *nf (fracaso)* échec *m*; *(militar, deportivo)* défaite *f*
derrotar *vt* battre; *(ejército)* vaincre
derrumbar 1 *vt (físicamente)* démolir; *(moralmente)* abattre **2 derrumbarse** *vpr* s'effondrer
desabrochar 1 *vt (ropa) (con botones)* déboutonner; *(con corchetes, broches)* dégrafer; *(cinturón)* défaire
2 desabrocharse *vpr* se déboutonner; **desabrocharse el abrigo** déboutonner son manteau
desacreditar *vt* discréditer
desacuerdo *nm* désaccord *m*
desafiar [31] *vt* défier; **d. a alguien a que haga algo** défier qn de faire qch; **d. a alguien a una carrera** proposer à qn de faire une course
desafinar *vi (cantante)* chanter faux; *(instrumento, instrumentista)* jouer faux
desafío *nm* défi *m*

desafortunadamente adv malheureusement

desafortunado, -a adj (persona) malchanceux(euse); (accidente, declaraciones) malheureux(euse); **ser d.** (no tener suerte) ne pas avoir de chance

desagradable adj désagréable; (aspecto) déplaisant(e)

desagradecido, -a nm,f ingrat(e) m,f

desagüe nm (cañería) tuyau m d'écoulement; (vaciado) écoulement m

desahogar [37] **1** vt (pena) soulager; (ira) décharger **2 desahogarse** vpr (contar penas, problemas) s'épancher (**con** auprès de); (desfogarse) se défouler (**con** sur)

desaire nm affront m; **hacer un d. a** alguien faire un affront à qn

desajuste nm (de pieza) jeu m; (de máquina, conducta) dérèglement m; (entre declaraciones) discordance f; (económico) déséquilibre m

desaliñado, -a adj (aspecto) négligé(e); (pelo) ébouriffé(e)

desalojar vt (por fuerza, emergencia) (faire) évacuer; (residentes) déloger; (por propia voluntad) quitter

desamparado, -a 1 adj abandonné(e), délaissé(e) **2** nm,f laissé(e)-pour-compte m,f

desangrar 1 vt saigner **2 desangrarse** vpr (mucho) saigner abondamment; (totalmente) perdre tout son sang

desanimar 1 vt décourager **2 desanimarse** vpr se décourager

desaparecer [45] vi disparaître

desaparecido, -a nm,f disparu(e) m,f

desaparición nf disparition f

desapercibido, -a adj pasar d. passer inaperçu(e)

desaprovechar vt ne pas profiter de; (tiempo, ocasión) perdre; (tela, agua) gaspiller; **he desaprovechado las vacaciones** je n'ai pas profité de ces vacances

desarmador nm Méx tournevis m

desarrollado, -a adj (persona) épanoui(e); (país) développé(e)

desarrollar 1 vt développer; (actividades, experiencias) avoir **2 desarrollarse** vpr (crecer) (niño) grandir; (planta) pousser; (mejorar) se développer; (suceder) se dérouler

desarrollo nm développement m; (de niño, planta) croissance f

desasosiego nm trouble m

desastre nm (catástrofe, fracaso) désastre m; Fig (persona inútil) calamité f; **d. aéreo** catastrophe f aérienne

desatar 1 vt détacher; Fig (tormenta, ira, pasiones) déchaîner **2 desatarse** vpr se détacher; Fig (tormenta, violencia, pasiones) se déchaîner

desatino nm (locura) folie f; (desacierto) bêtise f

desavenencia nf (desacuerdo) désaccord m; (riña) brouille f

desayunar 1 vi déjeuner, prendre son petit déjeuner **2** vt **d. algo** prendre qch au petit déjeuner

desayuno nm petit déjeuner m

desbarajuste nm désordre m

desbaratar vt (mecanismo) détraquer; (conspiración) faire échouer; (planes) bouleverser; (fortuna) dilapider

desbolado, -a RP Fam **1** adj estar d. être désordonné(e) **2** nm,f ser un d. être désordonné

desbolar RP Fam **1** vt (desordenar) **d. algo** mettre le bazar dans qch, mettre qch sens dessus dessous; (desbaratar) bouleverser **2 desbolarse** vpr se mettre à poil

desbole nm RP Fam bazar m

desbordar 1 vt (paciencia) pousser à bout **2 desbordarse** vpr (lavabo, río) déborder

descabellado, -a adj insensé(e)

descafeinado, -a 1 adj décaféiné(e) **2** nm décaféiné m

descalificar [58] vt disqualifier; (desprestigiar) discréditer

descalzar [14] **1** *vt* déchausser **2** descalzarse *upr* se déchausser
descalzo, -a *adj* pieds nus
descampado *nm* terrain *m* vague
descansar *vi* (reposar, dormir) se reposer; (cadáver, viga) reposer; ¡que descanses! dors bien!
descansillo *nm* palier *m* (d'escalier)
descanso *nm* (reposo) repos *m*; (alivio) soulagement *m*; (pausa) pause *f*; (en teatro, cine) entracte *m*; (en partido) mi-temps *f*; **tomarse un d.** se reposer; **¡d.!** (a soldado) repos!
descapotable *adj & nm* décapotable *f*
descarado, -a **1** *adj* effronté(e); (flagrante) éhonté(e) **2** *nm,f* effronté(e) *m,f*
descarga *nf* (de mercancías) déchargement *m*; (de electricidad, arma) décharge *f*
descargar [37] **1** *vt* décharger; *Informát* télécharger **2** *vi* (tormenta) s'abattre **3** descargarse *upr* (batería) se décharger; descargarse con alguien (desahogarse) se défouler sur qn
descaro *nm* effronterie *f*
descarrilar *vi* dérailler
descartar *vt* (ayuda, propuesta) rejeter; (posibilidad) écarter
descendencia *nf* (hijos) descendants *mpl*; (linaje) origine *f*; **tener d.** avoir des enfants
descender [63] *vi* (en categoría) descendre; (cantidad, valor, nivel) baisser; **d. de** (de tren, avión, linaje) descendre de; (derivarse de) découler de
descenso *nm* descente *f*; (de cantidad, valor, nivel) baisse *f*
descifrar *vt* déchiffrer; (misterio) élucider; (problema) démêler
descolgar [16] **1** *vt* décrocher **2** descolgarse *upr* (caer) se décrocher; descolgarse (por algo) se laisser glisser (le long de qch); descolgarse de (separarse de) se détacher de

descolorido, -a *adj* décoloré(e)
descomponer [49] **1** *vt* (pudrir, dividir) décomposer; (estropear) détraquer; (desordenar) mettre en désordre; *Fig* (afectar) bouleverser; *Fig* (enojar) mettre hors de soi **2** descomponerse *upr* (pudrirse) se décomposer; *Méx* (averiarse) tomber en panne; *RP* (enfermarse) tomber malade; **se descompuso** (se irritó) il s'est mis dans tous ses états
descomposición *nf* décomposition *f*
descompostura *nf* (de vestimenta) laisser-aller *m inv*; (de comportamiento) grossièreté *f*; *Méx* (avería) panne *f*; *RP* (malestar) malaise *m*
descompuesto, -a *participio ver* descomponer
desconcertante *adj* déconcertant(e)
desconcertar [3] **1** *vt* déconcerter **2** desconcertarse *upr* être déconcerté(e)
desconfianza *nf* méfiance *f*
desconfiar [31] *vi* **d. de** (sospechar de) se méfier de; (no confiar en) ne pas avoir confiance en
descongelar *vt* (producto) décongeler; (nevera) dégivrer
descongestionar *vt* décongestionner; *Fig* (dejar libre) débloquer
desconocer [19] *vt* (ignorar) ne pas connaître
desconocido, -a **1** *adj* (no conocido) inconnu(e); (muy cambiado) méconnaissable **2** *nm,f* inconnu(e) *m,f*
desconocimiento *nm* méconnaissance *f*
desconsiderado, -a *nm,f* malotru(e) *m,f*
desconsuelo *nm* peine *f*, douleur *f*
descontar [62] *vt* Com (letra, pagaré) escompter; **d. algo de** déduire qch de
descrédito *nm* discrédit *m*
describir *vt* décrire
descripción *nf* description *f*
descrito, -a *participio ver* describir

descuartizar [14] *vt* dépecer
descubierto, -a 1 *participio ver* **descubrir**
2 *adj* découvert(e)
3 *nm (de cuenta bancaria)* découvert *m*; *(de empresa)* déficit *m*; **al d.** *(al raso)* en plein air; *(sin protección)* à découvert; *(sin disfraz)* ouvertement
descubrimiento *nm* découverte *f*; *(de máquina, artefacto)* invention *f*; *(de estatua, placa)* inauguration *f*
descubrir 1 *vt* découvrir; *(máquina, artefacto)* inventer; *(estatua, placa)* inaugurer; *(vislumbrar)* apercevoir; *(intenciones, secreto)* dévoiler; *(culpable)* démasquer 2 **descubrirse** *vpr* se découvrir
descuento *nm (de precio)* remise *f*, réduction *f*; *Fin* escompte *m*
descuidado, -a *adj (abandonado) (persona)* négligé(e); *(jardín, plantas)* mal entretenu(e); *(despistado)* distrait(e)
descuidar 1 *vt (desatender)* négliger 2 *vi (no preocuparse)* ne pas s'inquiéter; **descuida, que yo me encargo** ne t'inquiète pas, je m'en occupe 3 **descuidarse** *vpr (abandonarse)* se négliger, se laisser aller; *(despistarse)* ne pas faire attention
descuido *nm* négligence *f*; *(falta de atención)* inattention *f*
desde *prep* (a) *(tiempo)* depuis; **d. el lunes hasta el viernes** du lundi au vendredi; **d. hace mucho/un mes** depuis longtemps/un mois; **d. ahora** dès à présent; **d. entonces** depuis; **d. entonces no lo he vuelto a ver** je ne l'ai plus revu depuis; **d. que** depuis que; **d. que murió mi madre** depuis que ma mère est morte; **d. luego** *(para confirmar)* bien sûr; *(para reprochar)* décidément; **¡d. luego, tienes cada idea!** décidément, tu as de ces idées!
(b) *(espacio)* de; **d. aquí hasta el centro** d'ici au centre-ville
desdén *nm* dédain *m*
desdentado, -a *adj* édenté(e)

desdicha *nf (desgracia)* malheur *m*
desdoblar *vt* déplier
desear *vt* désirer; *(esperar, felicitar por)* souhaiter; **¿qué desea?** *(en tienda)* vous désirez?; **te deseo un feliz Año Nuevo** je te souhaite une bonne année
desechable *adj* jetable
desechar *vt (tirar)* se débarrasser de; *(oferta, ayuda)* rejeter; *(críticas)* passer outre; *(idea)* chasser; *(sospecha)* écarter
desecho *nm* déchet *m*
desembarcar [58] 1 *vt* débarquer 2 *vi* débarquer 3 **desembarcarse** *vpr Am* descendre
desembocadura *nf (de río)* embouchure *f*
desembocar [58] *vi* **d. en** *(río)* se jeter dans; *(calle)* déboucher sur; **la disputa desembocó en drama** la dispute a tourné au drame
desempeñar 1 *vt (cargo, misión)* remplir; *(función)* exercer; *(papel)* jouer 2 **desempeñarse** *vpr (pagar)* se libérer de ses dettes; *(trabajar)* travailler
desempleo *nm* chômage *m*
desencadenar 1 *vt (preso, perro)* détacher; *Fig (pasiones, furia, polémica)* déchaîner; *(guerra, conflicto)* déclencher
2 **desencadenarse** *vpr* se déchaîner; *(guerra, conflicto)* se déclencher
desencajar 1 *vt* déboîter 2 **desencajarse** *vpr* se déboîter; *(rostro)* se décomposer
desencanto *nm* désenchantement *m*
desenchufar *vt* débrancher
desenfadado, -a *adj (persona, conducta)* décontracté(e); *(comedia, programa de TV)* léger(ère)
desenfrenado, -a *adj (ritmo, carrera)* effréné(e); *(comportamiento, estilo)* débridé(e); *(apetito)* insatiable; **un baile d.** une danse endiablée
desengañar 1 *vt* **d. a alguien** *(a una persona equivocada)* ouvrir les yeux à

qn; *(a una persona esperanzada)* faire perdre ses illusions à qn **2 desengañarse** *vpr* **desengáñate** détrompe-toi

desengaño *nm* déception *f*; **llevarse un d. con alguien** être déçu(e) par qn

desenlace *nm* dénouement *m*

desenmascarar *vt* démasquer

desenredar 1 *vt* démêler **2 desenredarse** *vpr* **desenredarse el pelo** se démêler les cheveux

desentenderse [63] *vpr (hacerse el desentendido)* faire la sourde oreille; **d. de algo** se désintéresser de qch

desenvolverse [40] *vpr (asunto, proceso)* se dérouler; *(persona)* s'en tirer

desenvuelto, -a 1 *participio ver* **desenvolver**

2 *adj (para arreglárselas)* débrouillard(e)

deseo *nm* désir *m*; **pedir/conceder un d.** faire/accéder à un vœu

desequilibrado, -a *adj & nm,f* déséquilibré(e) *m,f*

desesperación *nf* désespoir *m*; **causar d. a alguien** désespérer qn; **con d.** désespérément; **ser una d.** être désespérant(e)

desesperar 1 *vt* désespérer **2** *vi* **d. de hacer algo** désespérer de faire qch **3 desesperarse** *vpr* se désespérer; *(irritarse, enojarse)* s'arracher les cheveux

desestatización *nf Am* privatisation *f*

desestatizar *vt Am* privatiser

desfachatez *nf Fam* toupet *m*

desfallecer [45] *vi (debilitarse)* défaillir; *(desmayarse)* s'évanouir; **d. de** *(hambre, miedo)* mourir de; *(cansancio)* tomber de

desfigurar *vt (rostro)* défigurer; *(cuerpo, verdad)* déformer

desfiladero *nm* défilé *m (en montaña)*

desfile *nm* défilé *m* ■ **d. de modelos** défilé de mode

desgana *nf (falta de hambre)* manque *m* d'appétit; **hacer algo con d.** faire qch à contrecœur

desgastar 1 *vt user* **2 desgastarse** *vpr* s'user

desgracia *nf (pena)* malheur *m*; *(mala suerte)* malchance *f*; **por d.** malheureusement; **caer en d.** tomber en disgrâce

desgraciadamente *adv* malheureusement

desgraciado, -a 1 *adj (triste)* malheureux(euse); *(suceso)* funeste; **ser d.** *(no tener suerte)* ne pas avoir de chance **2** *nm,f (triste)* personne *f* malheureuse; *(sin suerte)* malheureux(euse) *m,f*; *Pey (persona insignificante)* moins que rien *mf*; *(canalla)* sale bonhomme (bonne femme) *m,f*

desgraciar *vt (arruinar)* abîmer; *(afear)* gâcher; *(herir)* esquinter

desgreñado, -a *adj* échevelé(e)

deshacer [32] **1** *vt* défaire; *(derretir)* faire fondre; *(pacto, contrato)* rompre; *(plan)* déjouer; *(organización)* dissoudre; *(destruir) (casa)* détruire; *(matrimonio)* briser; *(despedazar) (libro)* déchirer

2 deshacerse *vpr (desvanecerse)* disparaître; *Fig (afligirse)* se désespérer; *Fig* **deshacerse de** *(librarse de)* se débarrasser de; *Fig* **deshacerse en** *(cumplidos, insultos)* se répandre en; *(elogios)* ne pas tarir de; *(excusas)* se confondre en

deshecho, -a 1 *participio ver* **deshacer**

2 *adj* défait(e); *(derretido)* fondu(e); *(motor, máquina)* mort(e); *Fig (afligido)* abattu(e)

desheredar *vt* déshériter

deshidratar 1 *vt* déshydrater **2 deshidratarse** *vpr* se déshydrater

deshielo *nm* dégel *m*

deshonesto, -a *adj (sin honradez)* malhonnête; *(sin pudor)* indécent(e)

deshonra *nf* déshonneur *m*

deshuesar *vt (carne)* désosser; *(fruta)* dénoyauter

desierto, -a 1 *adj* désert(e); **la plaza**

queda desierta le poste reste à pourvoir; **el premio ha quedado d.** le prix n'a pas été attribué; **una isla desierta** une île déserte **2** *nm* désert *m*

designar *vt (nombrar)* désigner; *(fijar, determinar)* choisir; *(fecha)* fixer

desigual *adj* inégal(e); *(distinto)* dépareillé(e); *(carácter, tiempo)* changeant(e); **un terreno d.** un terrain accidenté

desigualdad *nf* inégalité *f*

desilusión *nf* désillusion *f*; **llevarse una d. con** être très déçu(e) par

desilusionar 1 *vt (decepcionar)* décevoir; *(desengañar)* désillusionner **2 desilusionarse** *vpr (decepcionarse)* être déçu(e); **¡desilusiónate!** *(desengáñate)* ne te fais pas d'illusions!

desinfectante *nm* désinfectant *m*

desinfectar *vt* désinfecter

desinflar 1 *vt (quitar aire)* dégonfler; *Fig (desanimar)* démoraliser **2 desinflarse** *vpr (perder aire)* se dégonfler; *(achicarse)* perdre de sa superbe

desinstalar *vt Informát* désinstaller

desintegración *nf* désintégration *f*; *(de grupos, organizaciones)* éclatement *m*

desinterés *(pl* **desintereses)** *nm (indiferencia)* manque *m* d'intérêt, indifférence *f*; *(generosidad)* désintéressement *m*

desinteresado, -a *adj* désintéressé(e)

desistir *vi* **d. (de hacer algo)** renoncer (à faire qch)

deslave *nm Am* glissement *m* de terrain

desliz *nm* faux pas *m*; *Fig* dérapage *m*; **un d. de juventud** une erreur de jeunesse

deslizar [14] **1** *vt* glisser **2 deslizarse** *vpr* glisser; *(serpiente)* ramper; *(lágrimas)* couler; *(introducirse)* se glisser

deslumbrar *vt* éblouir

desmadrarse *vpr Fam* se défouler

desmaquillador, -ora *adj* démaquillant(e)

desmayar 1 *vi* faiblir **2 desmayarse** *vpr* s'évanouir

desmayo *nm (físico)* évanouissement *m*; *(moral)* défaillance *f*; **sin d.** sans relâche

desmentir [61] *vt* démentir

desmesurado, -a *adj* démesuré(e)

desmontar 1 *vt* démonter **2** *vi (de caballo, bicicleta)* descendre **3 desmontarse** *vpr (de caballo, bicicleta, vehículo)* descendre

desmoralizar [14] **1** *vt* démoraliser **2 desmoralizarse** *vpr* se démoraliser

desnatado, -a *adj* écrémé(e)

desnivel *nm (cultural, social)* clivage *m*, déséquilibre *m*; *(de terreno)* dénivellation *f*

desnudar 1 *vt (persona)* déshabiller; *Fig (cosa)* dépouiller **2 desnudarse** *vpr* se déshabiller

desnudo, -a 1 *adj* nu(e); *(árbol, hombro, paisaje)* dénudé(e); *(decorado)* dépouillé(e) **2** *nm* nu *m*

desnutrición *nf* malnutrition *f*

desobedecer [45] *vt* désobéir à

desobediente *adj* désobéissant(e)

desodorante *nm (corporal)* déodorant *m*; *(de un local)* désodorisant *m*

desorden *nm* désordre *m*

desordenar *vt* mettre en désordre, déranger; *(pelo)* décoiffer

desorganización *nf* désorganisation *f*

desorientar 1 *vt* désorienter **2 desorientarse** *vpr* être désorienté(e)

despachar 1 *vt (mercancía, entradas)* vendre; *(cliente)* servir; *(paquete)* expédier; *Am (equipaje)* enregistrer; *(asunto)* traiter; *(negocio)* régler **2** *vi (en tienda)* servir; **d. con alguien** avoir un entretien avec qn **3 despacharse** *vpr* **despacharse (con alguien)** *(hablar francamente)* se soulager (auprès de qn)

despacho *nm* bureau *m*; *(comu-*

nicación oficial) dépêche f; *(del juez)* mandat m ■ **d. de localidades** *(en teatro)* guichet m

despacio *adv* lentement

despampanante *adj Fam (chica)* canon *inv*

desparpajo *nm Fam* sans-gêne m *inv*

despecho *nm* dépit m

despectivo, -a *adj (despreciativo)* méprisant(e); *Gram* péjoratif(ive); **de manera despectiva** avec mépris

despedida *nf (fiesta)* soirée f d'adieux; **la d.** les adieux; **celebró su d. de soltera** elle a fait une fête pour enterrer sa vie de jeune fille; **celebró su d. de soltero** il a enterré sa vie de garçon

despedir [46] **1** *vt (decir adiós)* faire ses adieux à; *(echar) (de un club)* renvoyer; *(de un empleo)* licencier; *(lanzar, arrojar)* jeter; *Fig (difundir, desprender)* dégager; **fuimos a despedirle a la estación** nous sommes allés lui dire au revoir à la gare; **el volcán despedía cenizas y humo** le volcan crachait des cendres et de la fumée
2 despedirse *upr (de una persona)* dire au revoir (**de** à); *(de una cosa)* dire adieu (**de** à)

despegar [37] **1** *vt & vi* décoller **2 despegarse** *upr (etiqueta, pegatina, sello)* se décoller

despegue *nm* décollage m

despeinar 1 *vt* décoiffer **2 despeinarse** *upr* se décoiffer

despejado, -a *adj* dégagé(e); *Fig* **tener la mente despejada** avoir les idées claires

despejar 1 *vt (desocupar, dispar)* dégager; *(mesa)* débarrasser; *Mat (incógnita)* isoler; *(misterio)* éclaircir **2 despejarse** *upr (espabilarse)* s'éclaircir les idées; *(despertarse)* se réveiller; *(tiempo)* s'éclaircir; *(cielo)* se dégager

despensa *nf* garde-manger m *inv*

despeñadero *nm* précipice m

desperdiciar *vt (derrochar)* gaspiller; *(ocasión)* perdre

desperdicio *nm (derroche)* gaspillage m; *(de tiempo)* perte f; *(residuo)* déchet m; **no tener d.** *(comida, película)* être excellent(e) de bout en bout

desperezarse [14] *upr* s'étirer

desperfecto *nm (deterioro)* dégât m; *(imperfección)* défaut m; **sufrir desperfectos** être endommagé(e)

despertador *nm* réveil m *(objet)*; **poner el d.** mettre le réveil à sonner

despertar 1 *vt* réveiller; *(interés)* éveiller; *(admiración)* provoquer **2** *vi* se réveiller **3** *nm* réveil m *(action)* **4 despertarse** *upr* se réveiller

despido *nm* licenciement m

despierto, -a *adj* éveillé(e)

despiole *nm RP Fam* pagaille f

despistado, -a1 *adj (distraído)* tête en l'air *inv*; **estar d.** *(confundido)* être désorienté(e) *ou* dérouté(e) **2** *nm,f* tête f en l'air

despistar 1 *vt (perder)* égarer; *(a la policía, a un perseguidor)* semer; *Fig (confundir)* désorienter, dérouter **2 despistarse** *upr (perderse)* s'égarer; *Fig (distraerse)* avoir un moment d'inattention

despiste *nm (distracción)* étourderie f; *(error)* faute f d'étourderie

desplazar [14] **1** *vt* déplacer **2 desplazarse** *upr (viajar)* se déplacer; **tiene que desplazarse cinco kilómetros** il doit faire cinq kilomètres

desplegar [42] *vt* déployer; *(tela, periódico)* déplier

desplomarse *upr* s'effondrer

despojo *nm (acción)* dépouillement m; **despojos** *(de animales)* abats mpl; *(de aves)* abattis mpl; *(restos mortales)* dépouille f *(mortelle)*

despreciar *vt (desdeñar)* mépriser; *(rechazar)* rejeter

desprecio *nm* mépris m

desprender 1 *vt (soltar)* détacher; *(despegar)* décoller; *(olor)* dégager;

(luz) diffuser **2 desprenderse** *upr (soltarse)* se détacher; *(despegarse)* se décoller; *Fig* **de sus palabras se desprende que...** ses paroles laissent entendre que...; **desprenderse de** *(librarse de, renunciar a)* se défaire de

desprendimiento *nm (separación)* détachement *m*; *Fig (generosidad)* générosité *f*

despreocuparse *upr* **d. de** *(un asunto)* ne plus penser à; *(una persona, un negocio)* négliger

desprevenido, -a *adj* **pillar d.** prendre au dépourvu; **estar d.** ne pas se méfier

desprolijo, -a *Am* **1** *adj (casa, cuaderno)* mal tenu(e); *(persona)* peu soigné(e), négligé(e) **2** *nm,f =* personne qui se néglige

desproporcionado, -a *adj* disproportionné(e)

después *adv* **(a)** *(luego)* après; **poco d.** peu après; **años/dos días d.** des années/deux jours après *ou* plus tard; **el año d.** l'année d'après; **d. de** après; **d. de comer** après le déjeuner; **d. de que** après que; **d. de que lo hice** après que je l'ai fait; **d. de que hubiese hablado** après qu'il eut parlé; **d. de todo** tout compte fait **(b)** *(más adelante) (en el tiempo)* plus tard; *(en el espacio)* plus loin; *(en una lista)* plus bas; *(entonces)* ensuite, puis; **dos filas d.** deux rangs plus loin; **llamé primero y d. entré** j'ai sonné, puis je suis entré

destacar [58] **1** *vt (poner de relieve)* souligner, faire remarquer; **cabe d. que...** il convient de souligner que... **2** *vi (sobresalir)* ressortir **3 destacarse** *upr* se distinguer **(de/por** de/par**)**

destajo: a destajo *adv* à la pièce; *(por un tanto)* au forfait; *Fig (sin descanso)* d'arrache-pied

destapador *nm Am* ouvre-bouteille *m*

destello *nm (de luz, brillo)* éclat *m*; *(de*

estrella) scintillement *m*; *Fig (de lucidez, esperanza)* lueur *f*

destemplado, -a *adj (enfermo)* fiévreux(euse); *(instrumento)* désaccordé(e); *(tiempo)* maussade; *(carácter)* emporté(e); *(voz, tono)* aigre

desteñir 1 *vt* déteindre sur **2** *vi (descolorarse)* ternir

desterrar [3] *vt* exiler

destierro *nm* exil *m*

destilación *nf* distillation *f*

destilar **1** *vt* distiller; *(pus, sangre)* suinter **2** *vi* suinter, goutter

destilería *nf* distillerie *f*

destinar *vt* destiner; *(cartas)* adresser; *(cargo, empleo)* affecter; **d. a alguien a** *(cargo, empleo)* affecter qn à; *(lugar)* envoyer qn à

destinatario, -a *nm,f* destinataire *mf*

destino *nm (sino)* destin *m*; *(rumbo, finalidad)* destination *f*; *(plaza, empleo)* affectation *f*, poste *m*; **con d. a** à destination de

destornillador *nm (herramienta)* tournevis *m*; *(bebida)* vodka-orange *f*

destornillar *vt* dévisser

destrozar [14] *vt (romper)* mettre en pièces; *(estropear)* abîmer, détériorer; *(destruir)* détruire; *Fig (persona, carrera)* briser

destrucción *nf* destruction *f*

destruir [33] *vt* détruire; *(argumento, proyecto)* démolir

desubicado, -a *nm,f Am* gaffeur(euse) *m,f*

desvalijar *vt* dévaliser

desván *nm* grenier *m*

desvanecimiento *nm* évanouissement *m*

desvariar [31] *vi* délirer, divaguer

desvelar 1 *vt (persona)* empêcher de dormir; *(noticia, secreto)* dévoiler **2 desvelarse** *upr (no poder dormir)* ne pas pouvoir dormir; *CAm, Méx (acostarse tarde)* se coucher tard; **desvelarse por hacer algo** se donner du mal pour faire qch

desventaja *nf* désavantage *m*

desvergonzado, -a *adj & nm,f* effronté(e) *m,f*

desvestir [46] **1** *vt* dévêtir **2 desvestirse** *upr* se dévêtir

desviar [31] **1** *vt* détourner; *(pelota, disparo, tráfico)* dévier; *(barco)* dérouter; *(pregunta)* éluder **2 desviarse** *upr (cambiar de dirección) (conductor)* dévier; *(avión, barco)* changer de route; **desviarse del tema** faire une digression; **desviarse de un propósito** changer de cap

desvío *nm (vía)* déviation *f*

detallar *vt* détailler

detalle *nm* détail *m; (amabilidad)* attention *f*; **con d.** en détail; **entrar en detalles** entrer dans les détails; **tener un d.** avoir une délicate attention

detallista 1 *adj* pointilleux(euse) **2** *nmf Com* détaillant(e) *m,f*

detectar *vt* détecter

detective *nmf* détective *mf*

detener [64] **1** *vt (arrestar, parar)* arrêter; *(retrasar)* retenir **2 detenerse** *upr (pararse)* s'arrêter

detenido, -a 1 *adj (detallado)* approfondi(e); **estar d.** *(arrestado)* être en état d'arrestation **2** *nm,f* détenu(e) *m,f*

detergente *nm (para la ropa)* lessive *f; (para el suelo)* détergent *m*

determinación *nf* détermination *f*; **tomar una d.** prendre une résolution

determinado, -a *adj (concreto)* certain(e); *(resuelto)* déterminé(e); **en determinados casos** dans certains cas

determinar *vt* déterminer; *(fecha)* fixer; *(causar, motivar)* être à l'origine de; **d. algo/hacer algo** *(decidir)* décider qch/de faire qch

detestar *vt* détester

detrás *adv (en el espacio)* derrière; *(en el orden)* après, ensuite; **siéntate d.** assieds-toi derrière; **tus amigos vienen d.** tes amis nous suivent; **primero entró él y d. ella** il est entré le premier et elle après lui; **d. de**

derrière; **d. de la puerta** derrière la porte; **estar d. de algo** être derrière qch; **decir algo por d. de alguien** dire qch dans le dos de qn; **se entra por d.** on entre par-derrière; **le vi por d.** je l'ai vu de dos

deuda *nf* dette *f*; **estar en d. con alguien** avoir une dette envers qn ■ *Econ* **d. externa** *o* **exterior** dette externe; **d. pública** dette publique

devaluación *nf* dévaluation *f*

devaluar [4] **1** *vt* dévaluer **2 devaluarse** *upr* se dévaluer

devoción *nf* dévotion *f*

devolución *nf (de dinero)* remboursement *m; (de correo)* restitution *f*, retour *m* à l'expéditeur

devolver [40] **1** *vt (restituir)* rendre; *(importe)* rembourser; *(carta, paquete)* renvoyer, retourner; *(brillo)* redonner; **d. algo a su sitio** remettre qch à sa place **2** *vi (vomitar)* rendre **3 devolverse** *upr Am* revenir

devorar *vt* dévorer

devoto, -a *adj (piadoso)* dévot(e); **ser muy d. (de alguien)** *(admirar)* être un(e) fervent(e) admirateur(trice) (de qn); **una imagen devota** une image pieuse

devuelto, -a *participio ver* **devolver**

di *ver* **dar, decir**

día *nm* jour *m; (tiempo, espacio de tiempo)* journée *f*; **me voy el d. ocho** je pars le huit; **¿a qué d. estamos?** quel jour sommes-nous?; **al d. siguiente** le lendemain; **a plena luz del d.** en plein jour; **d. y noche** jour et nuit; **el d. de hoy/de mañana** aujourd'hui/demain; **hoy en d.** de nos jours; **todos los días** tous les jours; **un d. sí y otro no** un jour sur deux; **d. festivo** jour férié; **d. hábil** *o* **laborable** *o* **de trabajo** jour ouvrable; **del d.** du jour; **menú del d.** plat du jour; **pan del d.** du pain frais; **un d. lluvioso** une journée pluvieuse; **todo el (santo) d.** toute la (sainte) journée; **el d. de la madre** la fête des Mères; **el d. de San Juan** la Saint-Jean; **poner**

algo al d. mettre qch à jour; **poner a alguien al d.** mettre qn au courant; **¡buenos días!,** Am **¡buen d.!** bonjour!
diabetes nf inv Med diabète m
diabético, -a adj & nm,f diabétique mf
diablo 1 nm diable m **2** interj **¡diablos!** diable!
diablura nf diablerie f
diabólico, -a adj diabolique
diadema nf serre-tête m inv; (joya) diadème m
diagnosticar [58] vt diagnostiquer
diagnóstico nm diagnostic m
dialecto nm dialecte m
diálogo nm dialogue m; **un d. de sordos** un dialogue de sourds
diamante nm diamant m; **diamantes** (palo de baraja) carreau m
diana nf (de dardos) cible f; (en cuartel) réveil m; **hacer d.** (en blanco de tiro) faire mouche
diapositiva nf diapositive f
diariero, -a nm,f Andes, RP vendeur(euse) m,f de journaux
diario, -a 1 adj quotidien(enne); (actividad) journalier(ère); **a d.** tous les jours; **ropa de d.** vêtements mpl de tous les jours **2** nm journal m; **d. hablado** journal radio
diarrea nf diarrhée f
dibujar vt & vi dessiner
dibujo nm dessin m ■ **dibujos animados** dessins animés; **d. lineal** o **técnico** dessin industriel
diccionario nm dictionnaire m
dicha nf (felicidad) bonheur m; (suerte) chance f
dicho, -a 1 participio ver **decir 2** adj ce (cette); **o mejor d.** ou plutôt; **d. y hecho** aussitôt dit aussitôt fait **3** nm dicton m
diciembre nm décembre m; ver también **septiembre**
dictado nm dictée f; **dictados** (órdenes) impératifs mpl
dictador, -ora nm,f dictateur m
dictadura nf dictature f
dictamen nm (opinión) opinion f;

(informe) rapport m; **dar un d.** donner un avis
dictar vt dicter; (sentencia, fallo) prononcer; (ley, decreto) promulguer
dictatorial adj dictatorial(e)
diecinueve 1 adj num inv dix-neuf; **el siglo d.** le dix-neuvième siècle **2** nm inv dix-neuf m inv; ver también **seis**
dieciocho 1 adj num inv dix-huit; **el siglo d.** le dix-huitième siècle **2** nm inv dix-huit m inv; ver también **seis**
dieciséis 1 adj num inv seize; **el siglo d.** le seizième siècle **2** nm inv seize m inv; ver también **seis**
diecisiete 1 adj num inv dix-sept; **el siglo d.** le dix-septième siècle **2** nm inv dix-sept m inv; ver también **seis**
diente nm dent f ■ **d. de ajo** gousse f d'ail
diera ver **dar**
diéresis nf inv tréma m
diesel adj diesel
diestro, -a adj (hábil) adroit(e); (que usa la mano derecha) droitier(ère)
dieta 1 nf régime m; **estar/ponerse a d.** être/se mettre au régime **2** nfpl **dietas** indemnités fpl; **dietas por** o **de desplazamiento** indemnités de déplacement
dietético, -a 1 adj diététique **2** nf dietética diététique f
diez 1 adj num inv dix **2** nm dix m; **sacar un d.** avoir dix sur dix; ver también **sesenta**
diferencia nf différence f; (de opiniones, punto de vista) différend m
diferenciar 1 vt différencier; (los colores, las letras) reconnaître; **d. lo bueno de lo malo** distinguer le bien et le mal **2 diferenciarse** vpr (ser distinto) se différencier (**de** de)
diferente 1 adj différent(e) (**de** o a de) **2** adv différemment
diferido nm **en d.** en différé
diferir [61] **1** vt (posponer) différer (**de** de); **2** vi (diferenciarse) différer (**de** de); **difiero de ti en opiniones** nous n'avons pas les mêmes opinions

difícil *adj* difficile; **d. de hacer** difficile à faire

dificultad *nf* difficulté *f*; **con dificultades** *(empresa)* en difficulté; **pasar dificultades** connaître des moments difficiles

difundir 1 *vt* diffuser; *(noticia)* répandre **2 difundirse** *vpr (propagarse)* se diffuser; *(noticia)* se répandre; *(epidemia)* se propager; *(publicación)* être diffusé(e)

difunto, -a *adj & nm,f* défunt(e) *m,f*

difusión *nf* diffusion *f*

digerir [61] *vt* digérer

digestión *nf* digestion *f*

digitador, -ora *nm,f Am* opérateur(trice) *m,f* de saisie, claviste *mf*

digital *adj (de los dedos)* digital(e); *Informát* numérique

digitar *vt Am* taper

dígito *nm* chiffre *m*

dignarse *vpr* **d. hacer algo** daigner faire qch

dignidad *nf* dignité *f*

digno, -a *adj* digne **(de** de)

digo *ver* **decir**

dilema *nm* dilemme *m*

diligente *adj* zélé(e)

diluviar *v impersonal* **está diluviando** il pleut à torrents

diluvio *nm* déluge *m*

dimensión *nf* dimension *f*; **de grandes dimensiones** aux dimensions importantes

diminuto, -a *adj* tout(e) petit(e), minuscule

dimitir *vi* démissionner **(de** de)

Dinamarca *n* le Danemark

dinámico, -a *adj* dynamique

dinamita *nf* dynamite *f*

dinastía *nf* dynastie *f*

dinero *nm* argent *m*; **d. negro** *o* **sucio** argent sale; **andar bien de d.** être en fonds

dinosaurio *nm* dinosaure *m*

diócesis *nf inv* diocèse *m*

dios, -osa *nm,f* dieu *m*, déesse *f*; **¡D. mío!** mon Dieu!; **¡por D.!** je t'en/vous

en prie!; **¡vaya por D.!** nous voilà bien!

diploma *nm* diplôme *m*

diplomacia *nf* diplomatie *f*

diplomado, -a *adj & nm,f* diplômé(e) *m,f*

diplomático, -a 1 *adj* diplomatique **2** *nm,f* diplomate *mf*

diptongo *nm* diphtongue *f*

diputación *nf (corporación)* conseil *m*; *(cargo)* députation *f* ■ **d. provincial** conseil général

diputado, -a *nm,f* député(e) *m,f* (**por** de)

dique *nm (en río)* digue *f*; *(en puerto)* dock *m*

dirección *nf* direction *f*; *(de calle, de las agujas del reloj)* sens *m*; *(domicilio)* adresse *f*; **d. prohibida** sens interdit; **d. única** sens unique; **en d. a** en direction de ■ **d. asistida** direction assistée; **d. comercial** direction commerciale; *Informát* **d. de correo electrónico** adresse électronique; **d. general** direction générale; *Informát* **d. web** adresse web

directo, -a 1 *adj* direct(e) **2** *nm* direct *m*; **en d.** en direct **3** *adv* tout droit, directement **4** *nf* **directa** *(marcha)* cinquième (vitesse) *f*

director, -ora *nm,f* directeur(trice) *m,f*; **d. de cine** réalisateur(trice) *m,f*; **d. de escena** *o* **teatro** metteur *m* en scène; **d. de orquesta** chef *m* d'orchestre; **d. general** président-directeur *m* général

directorio *nm* répertoire *m* ■ *Col, Méx* **d. telefónico** annuaire *m* (du téléphone)

dirigente *adj & nmf* dirigeant(e) *m,f*

dirigir [23] **1** *vt* diriger; *(obra de teatro)* mettre en scène; *(película)* réaliser; *(palabra, carta)* adresser; *(asesorar)* guider; **d. algo a** *(dedicar)* consacrer qch à **2 dirigirse** *vpr (encaminarse)* se diriger **(a** *o* **hacia** vers); **dirigirse a alguien** *(hablar, escribir)* s'adresser à qn

discapacidad *nf* handicap *m*

discapacitado, -a adj & nm,f handicapé(e) m,f

discar [58] vt Andes, RP composer

discernir [24] vt discerner

disciplina nf discipline f

discípulo, -a nm,f disciple mf

disco nm disque m; (semáforo) feu m; **d. rojo** feu rouge ■ **d. compacto** disque compact; **d. duro** disque dur; **d. flexible** disque souple

disconformidad nf désaccord m

discoteca nf discothèque f

discreción nf discrétion f; **a d.** à volonté

discrepancia nf divergence f

discreto, -a adj discret(ète); (cantidad) modéré(e)

discriminación nf discrimination f; **d. racial** discrimination raciale

discriminar vt discriminer

disculpa nf excuse f; **pedir disculpas (por)** présenter ses excuses (pour)

disculpar 1 vt excuser; **¡disculpe!** excusez-moi!, pardon!

discurrir vi (tiempo, vida) s'écouler; (acto, sesión) se dérouler; (pensar) réfléchir

discurso nm discours m

discusión nf discussion f

discutible adj discutable

discutir 1 vi (pelearse) se disputer; (conversar) discuter (**de** o **sobre de**) **2** vt **d. algo** discuter de qch

disecar [58] vt disséquer

diseñador, -ora nm,f (de muebles, tejidos) dessinateur(trice) m,f, designer m ■ **d. gráfico** concepteur (trice) m,f graphique; **d. de modas** créateur(trice) m,f (de mode)

diseñar vt (dibujar) dessiner; (crear) concevoir

diseño nm (dibujo) dessin m; (concepción) conception f; **de d.** design inv; **ropa de d.** vêtements mpl griffés ■ **d. asistido por ordenador** conception assistée par ordinateur, CAO f; **d. gráfico** conception graphique

disfraz nm déguisement m; de

disfraces (baile, fiesta) costumé(e); **un d. de bruja/gorila** un costume de sorcière/de gorille

disfrazar [14] **1** vt déguiser **2 disfrazarse** vpr se déguiser (**de** en)

disfrutar 1 vi (sentir placer) s'amuser; **d. de** (comodidades) bénéficier de; (buena salud, favor) jouir de **2** vt profiter de

disgustar 1 vt déplaire à **2 disgustarse** vpr se fâcher

disgusto nm (tristeza, pesar) contrariété f; (desinterés, incomodidad) ennui m; **dar un d. a alguien** contrarier qn; **llevarse un d.** être contrarié(e); **estar a d.** être mal à l'aise; **tener un d. con alguien** (pelearse) s'accrocher avec qn

disidente adj & nmf dissident(e) m,f

disimular 1 vt dissimuler, cacher **2** vi (culpable) faire l'innocent(e); (fingir desconocimiento) faire comme si de rien n'était

disminución nf diminution f; (de temperatura, paga) baisse f

disminuir [33] vt & vi diminuer

disolvente 1 adj dissolvant(e) **2** nm dissolvant m

disolver [40] **1** vt dissoudre **2 disolverse** vpr se dissoudre; (manifestación) se disperser

disparar 1 vt (flecha, dardo) lancer **2** vi tirer; (sacar una foto) prendre une photo **3 dispararse** vpr (arma de fuego) partir; (persona) s'emporter; (precios) s'envoler

disparate nm (comentario, acción) bêtise f; (idea) drôle d'idée f; (dineral) fortune f; **costar un d.** coûter une fortune

disparo nm (de bala) coup m de feu; (de pelota, flecha) tir m

dispensar vt (disculpar) excuser; (honores) rendre; (bienvenida) réserver; (ayuda) donner; **d. de** (eximir de) dispenser de

dispersar 1 vt disperser **2 dispersarse** vpr se disperser

disponer [49] **1** vt (preparar)

disposer; *(mandar)* *(sujeto: persona)* décider de; *(sujeto: ley)* stipuler; **d. lo necesario para** prendre ses dispositions pour **2** *vi* **d. de** disposer de **3 disponerse** *upr* disponerse a s'apprêter à

disponible *adj* disponible

disposición *nf* disposition *f*; **a d. de** à la disposition de; **tener d. para** avoir des dispositions pour; **estar o hallarse en d. de** être en état de

dispositivo *nm* dispositif *m* ■ **d. intrauterino** stérilet *m*

dispuesto, -a 1 *participio ver* **disponer**
2 *adj (listo)* prêt(e); **estar d. a algo/a hacer algo** être prêt à qch/à faire qch; **ser muy d.** avoir de bonnes dispositions

disputa *nf* dispute *f*

disputar *vt* **d. algo** *(competir)* se disputer qch; *(debatir)* discuter de qch

disquete *nm Informát* disquette *f*

disquetera *nf Informát* unité *f* de disquette

distancia *nf* distance *f*; **a d.** à distance; **se saludaron a d.** ils se sont salués de loin; **guardar las distancias** garder ses distances

distanciar 1 *vt* éloigner; *(en competición)* distancer **2 distanciarse** *upr* s'éloigner

distante *adj (espacio)* éloigné(e); *(trato)* distant(e); **no está muy d.** ce n'est pas très loin

distinción *nf* distinction *f*; **a d. de** à la différence de

distinguido, -a *adj (destacado)* éminent(e); *(elegante)* distingué(e)

distinguir [25] **1** *vt* distinguer; **d. con** *(galardonar)* décorer de **2 distinguirse** *upr* se distinguer (**por** par)

distintivo, -a 1 *adj* distinctif(ive) **2** *nm (insignia)* badge *m*; *(característica)* signe *m* distinctif

distinto, -a *adj (diferente)* différent(e); **distintos** *(varios)* plusieurs

distracción *nf* distraction *f*

distraer [65] **1** *vt* distraire **2 distraerse** *upr (entretenerse)* se distraire; *(despistarse)* être distrait(e); *(del trabajo)* se déconcentrer; **distraerse un momento** avoir un moment d'inattention

distraído, -a 1 *adj (entretenido)* amusant(e); *(despistado)* distrait(e) **2** *nm,f* étourdi(e) *m,f*

distribución *nf* distribution *f*

distribuir [33] **1** *vt* distribuer **2 distribuirse** *upr* se répartir

distrito *nm* district *m* ■ **d. postal** code *m* postal

disturbio *nm* troubles *mpl*, émeute *f*

disuelto, -a *participio ver* **disolver**

diurno, -a *adj* diurne

diván *nm* divan *m*

diversidad *nf* diversité *f*

diversión *nf* distraction *f*; **la d. no ha hecho más que empezar** la fête ne fait que commencer

diverso, -a *adj (diferente)* différent(e); *(variado)* divers(e); **diversos** *(varios)* plusieurs

divertido, -a *adj* amusant(e), drôle

divertir [61] **1** *vt* amuser **2 divertirse** *upr* s'amuser; *(con pasatiempos)* se divertir

dividir 1 *vt* diviser; *(trocear)* couper en morceaux; *(repartir)* partager **2 dividirse** *upr (repartirse)* se répartir; **dividirse en** *(estar compuesto de)* se diviser en

divino, -a *adj* divin(e)

divisa *nf (moneda extranjera)* devise *f* (étrangère); *(distintivo)* insigne *m*

divisar *vt* apercevoir

división *nf* division *f*

divorciado, -a *adj & nm,f* divorcé(e) *m,f*

divorciarse *upr (dos personas)* divorcer

divorcio *nm* divorce *m*

divulgar [37] *vt (difundir)* *(noticia, secreto)* divulguer; *(rumor)* propager; *(cultura, ciencia)* vulgariser

dizque *adv Méx* apparemment

DNI nm (abrev **documento nacional de identidad**) = carte d'identité espagnole

dobladillo nm ourlet m

doblaje nm doublage m

doblar 1 vt (plegar) plier; (película) doubler; (torcer) tordre; **d. la esquina** tourner au coin de la rue **2** vi (girar) tourner; **d. (a muerto)** (campanas) sonner le glas **3 doblarse** upr **doblarse a** o **ante algo** (someterse) se plier ou se soumettre à qch

doble 1 adj double; **de d. sentido** à double sens **2** nmf (persona) double m, sosie m **3** nm (duplo, copia) double m; **gana el d. que yo** elle gagne deux fois plus que moi; **dobles** (en tenis) double **4** adv double; **ver d.** voir double; **trabajar d.** travailler deux fois plus

doce 1 adj num inv douze; **las d.** (de la mañana) midi; (de la noche) minuit **2** nm inv douze m inv; ver también **seis**

docena nf douzaine f; **por docenas** (doce a doce) à la douzaine; (en cantidad) beaucoup

docente 1 adj (personal) enseignant(e); (centro) d'enseignement **2** nmf enseignant(e) m,f

dócil adj (manso) docile; (niño) facile

doctor, -ora nm,f docteur m; (en derecho, medicina) docteur en; (en ciencias, letras) docteur ès

doctorado nm doctorat m

doctorar 1 vt délivrer un doctorat à **2 doctorarse** upr obtenir son doctorat

doctrina nf doctrine f

documentación nf (en archivos) documentation f; (identificación personal) papiers mpl

documental adj & nm documentaire m

documento nm (escrito) document m; (testimonio) témoignage m ■ **d. nacional de identidad** carte f nationale d'identité

dogma nm dogme m

dogmático, -a adj dogmatique

dólar nm dollar m

doler [40] **1** vi (físicamente) faire mal; (moralmente) faire de la peine, faire du mal; **me duele la pierna** ma jambe me fait mal; **me duele la cabeza** j'ai mal à la tête; **me duele verte llorar** ça me fait de la peine de te voir pleurer **2 dolerse** upr **dolerse de** o **por** (quejarse) se plaindre de; (arrepentirse) regretter; (apenarse) être affligé(e) par

dolor nm douleur f; **d. de muelas** rage f de dents; **tener d. de cabeza/de estómago** avoir mal à la tête/à l'estomac

doloroso, -a adj douloureux(euse)

domador, -ora nm,f dompteur(euse) m,f

domar vt (fieras, pasiones) dompter; (persona, animal) dresser

domesticar [58] vt (animal) domestiquer; (persona) apprivoiser

doméstico, -a adj (de casa) ménager(ère); (animal) domestique

domicilio nm domicile m; **servicio a d.** service m à domicile ■ **d. social** siège m social

dominante adj dominant(e); (persona) dominateur(trice)

dominar 1 vt dominer; (conocer, controlar) maîtriser **2 dominarse** upr (contenerse) se dominer, se maîtriser

domingo nm dimanche m; **el D. de Ramos** le dimanche des Rameaux; ver también **sábado**

dominguero, -a Fam **1** adj du dimanche **2** nm,f **es un d.** c'est un conducteur du dimanche

dominical adj dominical(e)

dominio nm (control) domination f; (territorio, ámbito) & Informát domaine m; (conocimiento) maîtrise f; **ser del d. público** être connu(e) de tous; **es del d. público que...** il est de notoriété publique que...; **dominios** territoires mpl

dominó nm (juego) dominos mpl; (ficha) domino m

don nm (tratamiento) monsieur m;

(habilidad) don *m*; **d. Luis García, d. Luis** monsieur Luis García, monsieur García; **tener el d. de los idiomas** avoir le don des langues; **tener el d. de los negocios** avoir le sens des affaires; **tener d. de gentes** être d'un naturel affable

donante *nmf (de cuadros, bienes)* donateur(trice) *m,f*; *(de sangre, órganos)* donneur(euse) *m,f*

donativo *nm* don *m*

donde 1 *adv* où; **el bolso está d. lo dejaste** le sac est là où tu l'as laissé; **de** *o* **desde d.** d'où; **pasaré por d. me manden** je passerai par où on me dira de passer **2** *pron* où; **ésa es la casa d. nací** c'est la maison où je suis né; **de d.** d'où; **la ciudad de d. viene** la ville d'où il vient; **ése es el camino por d. pasamos** c'est le chemin par lequel nous sommes passés

dónde *adv (interrogativo)* où; **¿d. estás?** où es-tu?; **no sé d. está** je ne sais pas où il est; **¿a d. vas?** où vas-tu?; **¿de d. eres?** d'où es-tu?; **¿por d. se va al teatro?** par où va-t-on au théâtre?

dónut® *nm* beignet *m (en forme d'anneau)*

dopaje = **doping**

dopar 1 *vt* doper **2 doparse** *vpr* se doper

doping ['dopin] *(pl* dopings*)* *nm* dopage *m*

doquier: por doquier *adv* partout

dorado, -a *adj (color, época)* doré(e)

dormilón, -ona 1 *adj Fam* **es un niño d.** c'est un enfant qui dort beaucoup **2** *nm,f Fam (persona)* marmotte *f* **3** *nf* **dormilona** *Ven (prenda)* chemise *f* de nuit

dormir [26] **1** *vt* endormir; **d. la siesta** faire la sieste **2** *vi* dormir **3 dormirse** *vpr (persona)* s'endormir; *(mano, pierna)* s'engourdir; **se me ha dormido la mano** j'ai la main tout engourdie

dormitorio *nm* chambre *f* (à coucher); *(de colegio)* dortoir *m*

dorsal 1 *adj* dorsal(e) **2** *nm Dep* dossard *m*

dorso *nm* dos *m*; **véase al d.** voir au dos

dos 1 *adj num inv* deux; **cada d. por tres** à tout bout de champ **2** *nm inv* deux *m*; *ver también* **seis**

doscientos, -as *adj num inv* deux cents; *ver también* **seiscientos**

dosis *nf inv* dose *f*

dotado, -a *adj* **d. de** *(instalación, aparato)* équipé(e) de; **d. para** *(persona)* doué(e) pour

dotar *vt* doter; **d. algo de** *(de material)* équiper qch de; *(personas)* fournir le personnel nécessaire à

doy *ver* **dar**

Dr. *(abrev* **doctor)** Dr.

Dra. *(abrev* **doctora)** Dr.

dragón *nm* dragon *m*

drama *nm* drame *m*

dramático, -a *adj* dramatique

dramaturgo, -a *nm,f* dramaturge *mf*

droga *nf* drogue *f* ■ **d. blanda** drogue douce; **d. dura** drogue dure

drogadicción *nf* toxicomanie *f*

drogadicto, -a *adj & nm,f* toxicomane *mf*

droguería *nf* droguerie *f*

dto. *(abrev* **descuento)** rabais *m*

dual *adj* dual(e)

ducha *nf* douche *f*; **tomar** *o* **darse una d.** prendre une douche

duchar 1 *vt* doucher **2 ducharse** *vpr* se doucher, prendre une douche

duda *nf* doute *m*; **no cabe d.** il n'y a pas de doute; **salir de dudas** en avoir le cœur net; **sin d.** sans doute

dudar 1 *vi (vacilar)* hésiter; **d. de** *(desconfiar de)* douter de; **d. sobre** *(no estar seguro)* avoir des doutes sur **2** *vt* douter; **dudo que venga** je doute qu'il vienne; **lo dudo** j'en doute

duelo *nm (combate)* duel *m*; *(sentimiento)* deuil *m*

duende *nm (personaje)* lutin *m*; *Fig (encanto)* charme *m*

dueño, -a *nm,f* propriétaire *mf*

dulce 1 *adj* doux (douce); *(con azúcar)*

sucré(e) **2** *nm (pastel)* gâteau *m*; *(caramelo)* bonbon *m*; **dulces** sucreries *fpl*, friandises *fpl*

dulzura *nf* douceur *f*

duna *nf* dune *f*

dúo *nm* duo *m*; **a d.** en duo

dúplex *nm inv* duplex *m*

duplicar [58] **1** *vt (cantidad)* doubler; *(documento)* faire un double de **2 duplicarse** *vpr* doubler; **se ha duplicado el precio** le prix a doublé

duración *nf* durée *f*

durante *prep* pendant, durant; **d. las** vacaciones pendant *ou* durant les vacances; **d. toda la semana** toute la semaine

durar *vi* durer; *(quedarse, subsistir)* persister

durazno *nm Am (melocotón)* pêche *f*

dúrex *nm Méx* Scotch® *m*

dureza *nf (cualidad)* dureté *f*; *(callosidad)* durillon *m*

duro, -a 1 *adj* dur(e); **ser d. de pelar** être un(e) dur(e) à cuire **2** *adv (trabajar)* dur; *(pegar)* fort

Ee

ébano *nm* ébène *f*

ebrio, -a *adj* ivre

ebullición *nf* ébullition *f*

echar 1 *vt (tirar)* lancer; *(basura, red)* jeter; *(añadir, accionar)* mettre; *(vapor, chispas, dientes)* faire; *(carta, postal)* poster; *(expulsar)* mettre à la porte; *(en televisión, cine)* passer; **e. azúcar en el café** mettre du sucre dans son café; **e. la llave** fermer à clef; **e. comida** *(a animales)* donner à manger; **e. humo** fumer; **¿qué echan en el cine de al lado?** qu'est-ce qu'on joue au cinéma d'à côté?; **e. abajo** *(derrumbar)* abattre; **e. a perder** *(estropear)* abîmer; *(plan, día)* gâcher; **e. de menos** regretter; **echo de menos a mis hijos** mes enfants me manquent

2 *vi (empezar)* **e. a hacer algo** se mettre à faire qch **3 echarse** *vpr (lanzarse)* se jeter; *(acostarse)* s'allonger; **echarse a un lado** *(apartarse)* se pousser; **echarse atrás** *(retroceder)* reculer

eclesiástico, -a 1 *adj* ecclésiastique **2** *nm* ecclésiastique *m*

eclipse *nm* éclipse *f*

eco *nm* écho *m*; **hacerse e. de** se faire l'écho de ■ **ecos de sociedad** échos mondains

ecología *nf* écologie *f*

ecológico, -a *adj* écologique

economía *nf* économie *f*

económico, -a 1 *adj* économique; **sirven comidas económicas** on sert des repas à bas prix **2** *nfpl* **económicas** *(estudios)* sciences *fpl* économiques

economista *nmf* économiste *mf*

ecosistema *nm* écosystème *m*

ecuación *nf* équation *f*

Ecuador *n* l'Équateur *m*

ecuador *nm* équateur *m*

ecuatoriano, -a 1 *adj* équatorien(enne) **2** *nm,f* Équatorien(enne) *m,f*

edad *nf* âge *m*; **¿qué e. tienes?** quel âge as-tu?; **una persona de e.** une personne âgée ■ **e. escolar** âge scolaire; **E. Media** Moyen Âge; **tercera e.** troisième âge

edición *nf* édition *f*; **e. de bolsillo** édition de poche

edificante *adj* édifiant(e)

edificar [58] *vt* construire

edificio *nm* bâtiment *m*; *(bloque)* immeuble *m*

editar *vt* éditer

editor, -ora **1** *adj* éditeur(trice) **2** *nm,f* *(de publicación, disco)* éditeur(trice) *m,f*; *(de programa de radio, televisión)* réalisateur(trice) *m,f* **3** *nm* Informát **e. (de textos)** éditeur *m* de textes

editorial **1** *adj* éditorial(e) **2** *nm* éditorial *m* **3** *nf* maison *f* d'édition

edredón *nm* édredon *m*; **e. (nórdico)** couette *f*

educación *nf* éducation *f*; **es de mala e....** c'est mal élevé de...; **¡qué poca e.!** quel manque d'éducation! ■ **e. física** éducation physique

educado, -a *adj* bien élevé(e); **mal e.** mal élevé

educar [58] *vt* éduquer; *(criar)* élever

EE UU *nmpl (abrev* **Estados Unidos)** EU *mpl*

efectivo, -a **1** *adj (eficaz)* positif(ive); *(real)* réel(elle); **hacer e.** *(promesa, amenaza, plan)* mettre à exécution; *(sueño)* réaliser; *(deseo)* exaucer; *(dinero, crédito)* payer **2** *nm (dinero)* liquidités *fpl*, avoirs *mpl* en liquide; **en e.** en espèces; **efectivos** effectifs *mpl*

efecto *nm* effet *m*; *(artificio)* trucage *m*; *(finalidad)* but *m*; **hacer** *o* **surtir e.** être efficace; **a e. de** dans le but de; **a efectos de, para los efectos de** pour; **en e.** en effet ■ **e. invernadero** effet de serre; **efectos especiales** effets spéciaux; **efectos secundarios** effets secondaires

efectuar [4] **1** *vt* effectuer **2** **efectuarse** *vpr* avoir lieu

eficacia *nf* efficacité *f*

eficaz *adj* efficace

eficiente *adj* efficace

Egipto *n* l'Égypte *f*

egoísmo *nm* égoïsme *m*

egoísta *adj & nf* égoïste *mf*

egresar *vi* Am obtenir son diplôme

egreso *nm* Am diplôme *m*

ej. *(abrev* **ejemplo)** ex.; **p. ej.** p. ex.

eje *nm* axe *m*; *(de rotación)* arbre *m*; *(de automóvil)* essieu *m*

ejecución *nf* exécution *f*

ejecutar *vt* exécuter

ejecutivo, -a **1** *adj* exécutif(ive); **la secretaría ejecutiva** le secrétariat de direction **2** *nm,f (profesional)* cadre *m* **3** *nm* exécutif *m*

ejemplar *adj & nm* exemplaire *m*

ejemplo *nm* exemple *m*; **por e.** par exemple; **dar e.** donner l'exemple

ejercer [39] **1** *vt* exercer **2** *vi* exercer; **e. de** exercer la profession de

ejercicio *nm* exercice *m*

ejército *nm* armée *f*; **E. de Tierra/del Aire** armée de terre/de l'air

ejote *nm* CAm, Méx haricot *m* vert

el, la *(mpl* **los,** *fpl* **las)**

On utilise **el** au lieu de **la** devant les noms féminins accentués sur la première syllabe et commençant par "a" ou "ha".

art le, la; **el libro** le livre; **la casa** la maison; **el agua/hacha/águila** l'eau/la hache/l'aigle; **los niños imitan a los adultos** les enfants imitent les adultes; **el Sena/Everest** la Seine/l'Everest; **prefiero el grande** je préfère le grand; **se quitó los zapatos** il a enlevé ses chaussures; **vuelven el sábado** ils reviennent samedi; **el de** celui de; **la de** celle de; **he perdido el tren, tomaré el de las doce** j'ai raté mon train, je prendrai celui de midi; **el que** *(sujeto)* celui qui; *(complemento)* celui que; **la que** *(sujeto)* celle qui; **toma el que quieras** prends celui que tu voudras

él, ella *pron personal (sujeto)* il, elle; *(predicado y complemento)* lui, elle; **él se llama Juan** il s'appelle Juan; **el culpable es él** c'est lui le coupable; **díselo a él/ella** dis-le-lui; **voy con ella** je vais avec elle; **le hablé de él** je lui ai parlé de lui; **de él/ella** *(posesivo)* à lui/elle

elaborar *vt* élaborer, mettre au point; *(confeccionar)* fabriquer

elasticidad *nf (de músculo, tejido)* élasticité *f; (en deporte, en el carácter)* souplesse *f*

elástico, -a 1 *adj* élastique **2** *nm* élastique *m*

elección *nf (nombramiento)* élection *f; (opción)* choix *m;* **elecciones** élections

electricidad *nf* électricité *f*

electricista *nmf* électricien(enne) *m,f*

eléctrico, -a *adj* électrique

electrocutar 1 *vt* électrocuter **2 electrocutarse** *vpr* s'électrocuter

electrodoméstico *nm* appareil *m* électroménager; **los electrodomésticos** l'électroménager *m*

electrónico, -a 1 *adj* électronique **2** *nf* **electrónica** électronique *f*

elefante, -a *nm,f* éléphant *m*

elegancia *nf* élégance *f*

elegante *adj* élégant(e)

elegir [54] *vt (escoger)* choisir; *(por votación)* élire

elemental *adj (básico)* élémentaire; *(obvio)* évident(e)

elemento *nm* élément *m*

elevación *nf* élévation *f*

elevado, -a *adj (alto)* élevé(e); *Fig (sublime)* noble

elevador *nm Andes, CAm, Méx* ascenseur *m*

elevar 1 *vt* élever; *(material, mercancía)* lever; **e. al cuadrado/al cubo** élever au carré/au cube **2 elevarse** *vpr* s'élever (**a** à)

eliminar *vt* éliminer

élite *nf* élite *f*

ella *ver* él

ello *pron personal (neutro) (sujeto)* cela; **me es antipático, pero e. no impide que le hable** il m'est antipathique, mais cela ne m'empêche pas de lui parler; **no quiero hablar de e.** je ne veux pas en

parler; **no quiero pensar en e.** je ne veux pas y penser; **para e. tendremos que…** pour cela nous devrons…; **por e.** c'est pourquoi

ellos, ellas *pron personal (sujeto)* ils, elles; *(predicado y complemento)* eux, elles; **e. se llaman Juan y Manolo** ils s'appellent Juan et Manolo; **los culpables son e.** ce sont eux les coupables; **díselo a e.** dis-le-leur; **voy con ellas** je vais avec elles; **le hablé de e.** je lui ai parlé d'eux; **de e./ ellas** *(posesivo)* à eux/elles

elocuencia *nf* éloquence *f*

elocuente *adj* éloquent(e)

elogiar *vt* faire l'éloge de

elogio *nm* éloge *m*

elote *nm Méx* épi *m* de maïs

eludir *vt* éviter; *(pregunta)* éluder; *(dificultad)* contourner; *(persegui-dores)* échapper à

e-mail ['imeil] *(pl* **e-mails)** *nm* e-mail *m,* courrier *m* électronique

emancipar 1 *vt* émanciper; *(esclavo)* affranchir **2 emanciparse** *vpr* s'émanciper

embajada *nf* ambassade *f*

embajador, -ora *nm,f* ambas-sadeur(drice) *m,f*

embalar 1 *vt* emballer **2 embalarse** *vpr* s'emballer

embalsamar *vt* embaumer

embalse *nm (construcción)* barrage *m; (lago)* réservoir *m*

embarazada 1 *adj f* enceinte; **(estar) e. de** (être) enceinte de; **quedarse e.** tomber enceinte **2** *nf* femme *f* enceinte

embarazo *nm* grossesse *f*

embarcación *nf* embarcation *f*

embarcadero *nm* embarcadère *m*

embarcar [58] **1** *vt (para viajar)* embarquer **2** *vi* embarquer **3 embarcarse** *vpr (para viajar)* s'embarquer; *Fig* **embarcarse en algo** s'embarquer dans qch

embargar [37] *vt (bienes)* saisir; *(sujeto: sentimiento)* paralyser, saisir

embargo *nm (de bienes)* saisie *f;*

(económico, de armas) embargo *m*; **sin e.** pourtant, cependant

embarque *nm* embarquement *m*

embestir [46] **1** *vt* charger *(attaquer)* **2** *vi (lanzarse)* foncer; **el camión embistió contra el árbol** le camion fonça dans l'arbre

emblema *nm* emblème *m*

emborrachar 1 *vt* soûler **2 emborracharse** *vpr* se soûler

emboscada *nf* embuscade *f*

embotellamiento *nm (de tráfico)* embouteillage *m*

embotellar *vt (líquido)* mettre en bouteilles

embrague *nm* embrayage *m*

embrión *nm* embryon *m*

embrujar *vt* ensorceler, envoûter

embudo *nm* entonnoir *m*

embustero, -a *adj & nm,f* menteur(euse) *m,f*

embutido *nm (comida)* charcuterie *f*

emergencia *nf* urgence *f*; **en caso de e.** en cas d'urgence

emigración *nf (de personas)* émigration *f*; *(de aves)* migration *f*

emigrante *adj & nmf* émigrant(e) *m,f*

emigrar *vi (persona)* émigrer; *(ave)* migrer

eminente *adj (distinguido)* éminent(e); *(elevado)* élevé(e)

emisión *nf* émission *f*

emisora *nf (de radio)* station *f* de radio

emitir *vt & vi* émettre

emoción *nf* émotion *f*; **¡qué e.!** chouette!

emocionante *adj (conmovedor)* émouvant(e), touchant(e); *(apasionante)* palpitant(e)

emocionar 1 *vt (conmover)* émouvoir, toucher; *(apasionar)* enflammer **2 emocionarse** *vpr (conmoverse)* être ému(e), être touché(e); *(apasionarse)* s'enflammer

emoticón, emoticono *nm Informát* émoticon *m*, smiley *m*

empacho *nm* indigestion *f*

empalmar 1 *vt (cables, tubos)* raccorder; *(planes, ideas)* enchaîner;

(en fútbol) reprendre de volée **2** *vi (medios de transporte)* assurer la correspondance **(con** avec); *(autopistas, carreteras)* se rejoindre; *(sucederse)* s'enchaîner; **la N6 empalma con la M-30** la N6 rejoint la M-30; **un chiste empalmaba con otro** les blagues s'enchaînaient

empanada *nf* = chausson fourré à la viande ou autre ingrédient salé

empanadilla *nf* = petit chausson fourré à la viande ou autre ingrédient salé

empañar 1 *vt (cristal)* embuer; *Fig (reputación)* ternir **2 empañarse** *vpr* être embué(e)

empapar 1 *vt (tierra)* détremper **2 empaparse** *vpr (mojarse)* être trempé(e); *(persona)* se faire tremper; **empaparse de** *(conocimientos)* s'imprégner de

empapelar *vt (pared)* tapisser

empaquetar *vt* emballer

empastar *vt (muela)* plomber

empaste *nm (de muela)* plombage *m*

empatar 1 *vi (en partido)* faire match nul; *(en elecciones)* être en ballottage; **e. a dos** faire deux partout; **e. a cero** faire match nul zéro à zéro **2** *vt Andes, Ven (empalmar)* emboîter

empate *nm (en elecciones)* ballottage *m*; *Andes, Ven (empalme)* emboîtement *m*; **e. a dos** deux partout; **e. a cero** match *m* nul zéro à zéro

empeñar 1 *vt (joyas)* mettre en gage; *(palabra)* donner; *(honor)* engager **2 empeñarse** *vpr (endeudarse)* s'endetter; **empeñarse en hacer algo** *(insistir)* s'obstiner à faire qch; *(persistir)* s'efforcer de faire qch

empeño *nm (de joyas)* mise *f* en gage; *(obstinación)* acharnement *m*; **poner e. en hacer algo** mettre de l'acharnement à faire qch; **tener e. en hacer algo** tenir absolument à faire qch

empeorar *vi* empirer

emperador *nm* empereur *m*; *(pez)* espadon *m*

empezar [17] **1** *vt* commencer **2** *vi* e. a/por hacer algo commencer à/par faire qch; **para e.** pour commencer

empinado, -a *adj (en pendiente)* escarpé(e)

empleado, -a *nm,f* employé(e) *m,f*; **empleada de hogar** employée de maison

emplear 1 *vt* employer; *(tiempo)* mettre; **empleó mucho tiempo en hacerlo** il a mis beaucoup de temps à le faire **2 emplearse** *vpr* s'employer, s'utiliser

empleo *nm* emploi *m*

empotrado, -a *adj* encastré(e)

emprender *vt* entreprendre

empresa *nf (sociedad comercial)* entreprise *f*, société *f* ▪ **e. privada** entreprise privée; **e. de seguridad** société de gardiennage; **e. de trabajo temporal** entreprise de travail intérimaire; **pequeña y mediana e.** PME *fpl*

empresario, -a *nm,f* chef *m* d'entreprise; **pequeño e.** patron *m* d'une PME

empujar *vt* pousser; **e. a alguien a que haga algo** pousser qn à faire qch

empujón *nm (empellón)* grand coup *m*

en *prep* **(a)** *(lugar) (en el interior de)* dans; *(sobre la superficie de)* sur; *(en un punto concreto de)* à; **entraron en la habitación** ils sont entrés dans la pièce; **en el plato/la mesa** dans l'assiette/sur la table; **viven en París** ils vivent à Paris; **en casa** à la maison; **en el trabajo** au travail

(b) *(tiempo) (momento preciso)* en, à; *(duración)* en; **llegará en mayo** il arrivera en mai; **nació en 1940** il est né en 1940; **en Navidades/invierno** à Noël/en hiver; **en la antigüedad** dans l'Antiquité; **lo hizo en dos días** il l'a fait en deux jours

(c) *(medio de transporte) (modo)* en, à; **ir en tren/automóvil/avión/barco** aller en train/voiture/avion/bateau; **todo se lo gasta en ropa** elle dépense tout son argent en vêtements; **en voz baja** à voix basse; **lo conocí en su forma de hablar** je l'ai reconnu à sa façon de parler; **te lo dejo en 50 euros** je te le laisse à 50 euros

(d) *(tema, cualidad)* en; **es un experto en la materia** c'est un expert en la matière; **es doctor en medicina** il est docteur en médecine

enagua *nf* jupon *m*

enamorado, -a *adj & nm,f* amoureux(euse) *m,f*

enamorar 1 *vt* séduire **2 enamorarse** *vpr* tomber amoureux(euse) (**de** de)

enano, -a *adj & nm,f* nain(e) *m,f*

encabezar [14] *vt (lista, clasificación)* être en tête de; *(texto)* commencer; *(marcha, expedición)* être à la tête de

encadenar *vt* enchaîner

encajar 1 *vt (meter)* emboîter, faire entrer; *(meter ajustando)* ajuster; *(hueso dislocado)* remettre; *(golpe)* assener; *(insultos)* lancer; *(recibir)* encaisser **2** *vi (piezas, objetos)* s'emboîter, s'ajuster; *(declaraciones, hechos, datos)* cadrer (**con** avec); **e. (bien) en/con** aller (bien) dans/avec

encaje *nm (tejido)* dentelle *f*

encalar *vt* blanchir à la chaux

encamotarse *vpr Andes, CAm, Méx Fam* **e. de** s'amouracher de

encantado, -a *adj (contento)* enchanté(e); *(hechizado) (casa, lugar)* hanté(e); **e. de conocerle** enchanté de faire votre connaissance

encantador, -ora *adj* charmant(e)

encantar *vt (embrujar)* jeter un sort à; **encantarle a alguien algo/hacer algo** adorer qch/faire qch

encanto *nm (atractivo)* charme *m*; **ser un e.** être adorable; **oye, e.** écoute, mon trésor; **encantos** charmes

encapotado, -a *adj* couvert(e)

encapricharse *vpr* **e. con** *o* **de** algo s'emballer pour qch; **e. con alguien** s'enticher de qn

encaramar 1 *vt* jucher

2 encararse *upr* **encararse a** *o* **en** se jucher *ou* se percher sur

encarar 1 *vt* confronter; *(hacer frente a)* affronter, faire face à **2 encararse** *upr* **encararse a** *o* **con** *(enfrentarse a)* tenir tête à

encarcelar *vt* emprisonner, incarcérer

encarecer [45] **1** *vt (producto)* faire monter le prix de **2 encarecerse** *upr* augmenter

encargado, -a 1 *adj* **e. de algo/de hacer algo** chargé(e) de qch/de faire qch **2** *nm,f* responsable *mf*; *(de negocio)* gérant(e) *m,f*

encargar [37] **1** *vt (pedir)* commander; **e. a alguien algo/que haga algo** charger qn de qch/de faire qch **2 encargarse** *upr* **encargarse de algo/de hacer algo** se charger de qch/de faire qch

encargo *nm (pedido)* commande *f*; *(recado)* commission *f*; **hacer un e.** passer une commande; **por e.** sur commande

encariñarse *upr* **e. con** s'attacher à

encarnado, -a 1 *adj (personificado)* incarné(e); *(color)* rouge **2** *nm* rouge *m*

encendedor *nm* briquet *m*

encender [63] **1** *vt* allumer; **e. la chimenea** faire du feu dans la cheminée **2 encenderse** *upr* s'allumer

encendido, -a 1 *adj* allumé(e) **2** *nm (de automóvil)* allumage *m*

encerado, -a 1 *adj* ciré(e) **2** *nm (pizarra)* tableau *m* noir

encerrar [3] **1** *vt (recluir)* enfermer; *(contener)* renfermer **2 encerrarse** *upr* s'enfermer; **encerrarse en sí mismo** se renfermer *ou* se replier sur soi-même

encestar *vi* marquer un panier **2** *vt* rentrer (dans le panier)

enchilarse *upr Méx Fam (enfadarse)* se mettre en pétard; *(debido al chile)* se brûler la bouche avec du piment

enchufar *vt (aparato)* brancher

enchufe *nm* prise *f* (de courant); *Fam*

Fig (recomendación) piston *m*; **tener e.** avoir du piston, être pistonné(e)

encía *nf* gencive *f*

enciclopedia *nf* encyclopédie *f*

encierro *nm (aislamiento)* réclusion *f*; *Taurom* = tradition selon laquelle les taureaux sont conduits à travers la ville jusqu'au toril avant la corrida; **su e. duró dos días** il s'est enfermé pendant deux jours

encima *adv (arriba)* dessus; *(además)* en plus; **ponlo e.** mets-le dessus; **yo vivo e.** je vis au-dessus; **por e.** par-dessus; *Fig* superficiellement; **e. de** sur; **e. de la mesa** sur la table; **e. de tu casa** au-dessus de chez toi; **e. de ser guapo es gracioso** non seulement il est beau, mais en plus il est drôle; **por e. de** au-dessus de; *Fig (más que)* plus que; **por e. de la ciudad** au-dessus de la ville; **por e. de sus posibilidades** au-dessus de ses moyens; **por e. de todo** plus que tout

encimera *nf* plan *m* de travail

encina *nf* chêne *m* vert

encinta *adj f* **estar e.** être enceinte

encoger [51] **1** *vt (ropa)* faire rétrécir; *(miembro)* contracter **2** *vi* rétrécir **3 encogerse** *upr (ropa)* rétrécir; *(persona)* se recroqueviller; **encogerse de hombros** hausser les épaules

encolar *vt* coller; *(pared)* encoller

encolerizar [14] **1** *vt* mettre en colère **2 encolerizarse** *upr* se mettre en colère

encomienda *nf Am* colis *m*

encontrar [62] **1** *vt (hallar)* trouver; *(persona, dificultades)* rencontrer **2 encontrarse** *upr (hallar)* trouver; *(estar)* se trouver; *Fig (de ánimo)* se sentir; **encontrarse con alguien** rencontrer qn, tomber sur qn; **encontrarse mal de salud** être en mauvaise santé

encrucijada *nf* croisement *m*; *Fig* carrefour *m*

encuadernar *vt* relier

encubierto, -a 1 *participio ver* **encubrir**
2 *adj (significado)* caché(e); *(palabras)* couvert(e); *(intento, intenciones)* secret(ète)

encubrir *vt (delincuente)* cacher; *(delito)* être complice de; *(intenciones)* dissimuler

encuentro *nm* rencontre *f; (hallazgo)* trouvaille *f;* **salir al e. de alguien** *(para recibir)* aller à la rencontre de qn; *(para atacar)* s'avancer vers qn; **un e. deportivo** une rencontre sportive

encuesta *nf (de opinión)* sondage *m; (investigación)* enquête *f*

encuestador, -ora *nm,f* enquêteur(trice) *m,f*

enderezar [14] **1** *vt* redresser **2 enderezarse** *vpr* se redresser

endivia *nf* endive *f*

enemigo, -a 1 *adj & nm,f* ennemi(e) *m,f* **2** *nm* Mil ennemi *m*

energía *nf* énergie *f; (fuerza)* force *f*
■ **energías alternativas** énergies nouvelles

enérgico, -a *adj* énergique

enero *nm* janvier *m; ver también* **septiembre**

enfadado, -a *adj* en colère; **estar e. con alguien** être en colère contre qn

enfadar 1 *vt* fâcher, mettre en colère **2 enfadarse** *vpr* se fâcher, se mettre en colère

enfado *nm* colère *f; (enemistad)* brouille *f*

enfermar 1 *vt (contagiar)* contaminer **2** *vi (ponerse enfermo)* tomber malade **3 enfermarse** *vpr (ponerse enfermo)* tomber malade

enfermedad *nf* maladie *f; (de la sociedad)* mal *m* ■ **e. infecciosa** maladie infectieuse; **e. venérea** maladie vénérienne

enfermería *nf* infirmerie *f*

enfermero, -a *nm,f* infirmier(ère) *m,f*

enfermizo, -a *adj* maladif(ive); *(alimento, curiosidad)* malsain(e)

enfermo, -a *adj & nm,f* malade *mf*

enfocar [58] *vt (imagen, objetivo)* faire la mise au point de; *(luz, focos)* braquer, diriger; Fig *(tema, cuestión)* aborder

enfoque *nm (de imagen)* mise *f* au point; Fig *(de asunto)* approche *f*

enfrentar 1 *vt (hacer frente a)* affronter; *(poner frente a frente)* mettre face à face; *(oponer)* opposer **2 enfrentarse** *vpr (luchar, en deporte)* s'affronter; **enfrentarse a algo** faire face à qch; **enfrentarse a alguien** tenir tête à qn; **enfrentarse con alguien** affronter qn

enfrente *adv* en face; **la tienda de e.** le magasin d'en face; **e. de mi casa** en face de chez moi

enfriamiento *nm* refroidissement *m*

enfriar [31] **1** *vt* refroidir **2 enfriarse** *vpr (sentimientos, tiempo)* se refroidir; *(café, sopa)* refroidir; *(acatarrarse)* attraper froid

enganchar 1 *vt (sujetar)* accrocher; *(remolque, vagones)* accrocher; *(caballos)* atteler **2** *vi* Fam **la cocaína engancha mucho** on devient très vite accro à la cocaïne; **este autor/este libro engancha mucho** quand on commence à lire cet auteur/ce livre, on ne peut plus s'arrêter **3 engancharse** *vpr (prenderse)* s'accrocher; Fam **engancharse a** *(hacerse adicto a)* devenir accro à

enganche *nm (de caballos)* attelage *m;* Méx *(depósito)* acompte *m*

engañar 1 *vt* tromper; **e. el hambre** tromper la faim; **las apariencias engañan** les apparences sont trompeuses **2 engañarse** *vpr (ilusionarse)* se leurrer; *(confundirse)* se tromper

engaño *nm* tromperie *f*

engañoso, -a *adj* trompeur(euse)

engendrar *vt* engendrer

englobar *vt* englober

engordar 1 *vt (animal)* engraisser; *(aves)* gaver *f;* **2** *vi (persona)* grossir; *(alimento)* faire grossir

engranaje *nm* engrenage *m;* Fig *(funcionamiento)* rouages *mpl*

engrasar *vt* graisser

engreído, -a *adj & nm,f* prétentieux(euse) *m,f*

enhorabuena *nf* félicitations *fpl*; **¡e. (por…)!** félicitations (pour…)!

enigma *nm* énigme *f*

enjabonar *vt* savonner

enjuagar [37] **1** *vt* rincer **2 enjuagarse** *upr* se rincer; **enjuagarse la boca** se rincer la bouche

enlace 1 *ver* **enlazar**
2 *nm* liaison *f*; *(persona)* délégué(e) *m,f*, responsable *mf*; *(de trenes, autocares)* correspondance *f*; **servir de e. entre** servir d'intermédiaire entre

enlazar [14] **1** *vt* **e. algo a** o **con** *(atar)* attacher qch à; *(trabar, relacionar)* relier qch à **2** *vi (medios de transporte)* assurer la correspondance (**con** avec)

enmendar [3] **1** *vt* corriger; *(daño)* réparer; *(ley, dictamen)* amender **2 enmendarse** *upr* se corriger

enmienda *nf* amendement *m*; *(en escritos)* correction *f*; **hacer propósito de e.** prendre de bonnes résolutions

enmudecer [45] **1** *vt* faire taire **2** *vi (perder el habla)* rester muet(ette); *(callarse)* se taire

enojar 1 *vt* irriter, mettre en colère **2 enojarse** *upr* se mettre en colère (**con** contre)

enojo *nm* colère *f*; **causar e. a alguien** *(enfadar)* irriter qn, mettre qn en colère; *(molestar)* agacer *ou* ennuyer qn

enorme *adj* énorme

enredadera 1 *adj f* grimpant(e) **2** *nf* plante *f* grimpante

enredar 1 *vt* emmêler; *(situación, asunto)* embrouiller; *Fig* **e. a alguien en** *(implicar)* entraîner qn dans **2** *vi (hacer travesuras)* faire des bêtises; *(hurgar)* trafiquer; *(meter cizaña)* intriguer **3 enredarse** *upr* s'emmêler; *(asunto)* s'embrouiller; **enredarse en algo** *(implicarse)* se laisser entraîner dans qch

enredo *nm (asunto)* imbroglio *m*; *(amoríos)* liaison *f*; **comedia de e.** ≃ comédie *f* de boulevard

enriquecer [45] **1** *vt* enrichir **2 enriquecerse** *upr* s'enrichir

enrojecer [45] **1** *vt* rougir; *(persona)* faire rougir **2** *vi* rougir **3 enrojecerse** *upr (persona)* rougir; *(rostro, mejillas)* s'empourprer

enrollar 1 *vt (arrollar)* enrouler; *Fam (gustar)* brancher; *Fam (liar)* embobiner **2 enrollarse** *upr Fam (hablar)* avoir la langue bien pendue; *Fam* **¡enróllate!** sois sympa!; *Fam* **enrollarse con alguien** *(implicarse)* sortir avec qn

ensaimada *nf* = gâteau brioché typique de Majorque

ensalada *nf* salade *f*

ensaladera *nf* saladier *m*

ensaladilla *nf* **e. (rusa)** salade *f* russe

ensanchar 1 *vt* élargir; *(ampliar)* agrandir **2 ensancharse** *upr (orificio, calle)* s'élargir

ensayar *vt (en teatro)* répéter

ensayo *nm (de espectáculo)* répétition *f*; *(prueba)* test *m*; *(obra literaria, en rugby)* essai *m* ■ **e. general** répétition générale

enseguida *adv (pronto, inmediatamente)* tout de suite; *(acto seguido)* aussitôt; **e. vamos** on arrive tout de suite; **la reconoció e.** il la reconnut aussitôt

ensenada *nf* anse *f (de mer)*

enseñanza *nf* enseignement *m*; **e. a distancia** enseignement à distance; **e. superior/universitaria** enseignement supérieur/universitaire; **primera e., e. primaria** enseignement primaire; **segunda e., e. media** enseignement secondaire

enseñar 1 *vt* apprendre; *(dar clases de)* enseigner; *(mostrar, indicar)* montrer; *(dejar ver)* laisser voir **2** *vi* enseigner

enseres *nmpl (personales)* effets *mpl*; *(de trabajo)* matériel *m*

ensopar *vt Am* tremper

ensuciar 1 *vt* salir **2 ensuciarse** *upr* se salir

ente *nm* (*ser*) être *m*; (*corporación*) organisme *m*, société *f* ■ **e. público** service *m* public

entender 1 *vt* comprendre; (*opinar, juzgar*) penser; **¿qué entiendes tú por amistad?** qu'est-ce que tu entends par amitié?; **yo no entiendo las cosas así** je ne vois pas les choses de cette façon-là

2 *vi* **e. de** *o* **en algo** (*saber*) s'y connaître en qch

3 *nm* **a mi e.** à mon sens

4 entenderse *upr* se comprendre; (*comunicarse*) communiquer; (*llevarse bien, ponerse de acuerdo*) s'entendre; (*tener amores*) avoir une liaison

entendido, -a 1 *adj* (*comprendido*) compris(e); **¡e.!** entendu!; **no se da por e.** il fait comme s'il n'était pas au courant; **ser e. en** s'y connaître en **2** *nm,f* connaisseur(euse) *m,f*

enterar 1 *vt* **e. a alguien de algo** informer qn de qch **2 enterarse** *upr Fam* (*aclararse*) piger; (*percatarse*) se rendre compte (**de** de); **enterarse de algo** (*saber, descubrir*) apprendre qch; (*informarse*) se renseigner sur qch; **no me entero de nada** je n'y comprends rien

entero, -a 1 *adj* (*completo*) entier(ère); (*sereno*) fort(e); (*intacto*) intact(e); **el pueblo e.** tout le village; **la casa entera** toute la maison; **por e.** en entier **2** *nm CSur* (*de trabajo*) bleu *m* de travail; (*sin mangas*) salopette *f*; (*para bebé*) grenouillère *f*

enterrar [3] *vt* enterrer

entidad *nf* (*organismo*) organisme *m*; (*empresa*) société *f*; (*importancia*) envergure *f*; **e. deportiva** club *m* sportif; **e. local** collectivité *f* locale; **e. privada** société privée; **e. bancaria** établissement *m* bancaire

entierro *nm* enterrement *m*

entonces *adv* alors; **en** *o* **por aquel e.** en ce temps-là; **desde e.** depuis

entrada *nf* entrée *f*; (*de hotel*) hall *m*;

(*billete*) place *f*; (*pago*) apport *m* initial; (*ingreso*) recette *f*; **sacar una e.** prendre une place; **e. de dinero** rentrée *f* d'argent; **tener entradas** (*en la frente*) avoir les tempes dégarnies; **de e.** d'entrée

entrante 1 *adj* (*año, mes*) prochain(e); (*presidente, gobierno*) nouveau(elle) **2** *nm* (*plato*) entrée *f*; (*hueco*) renfoncement *m*

entrañable *adj* (*amigo, recuerdos*) cher (chère); (*amistad*) profond(e); (*carta, persona, escena*) attendrissant(e)

entrañas *nfpl* (*de persona, animal, Tierra*) entrailles *fpl*; (*de asunto, cuestión*) cœur *m*

entrar 1 *vi* entrer (**en** dans); (*período de tiempo*) commencer; **entró en la casa** il entra dans la maison; **entré por la ventana** je suis entré par la fenêtre; **entramos en un período de...** nous entrons dans une période de...; **este anillo no te entra** cette bague est trop petite pour toi; **no entramos todos en la cabina** (*no cabemos*) nous ne tenons pas tous dans la cabine; **entró a trabajar aquí el mes pasado** il a commencé à travailler ici le mois dernier; **e. de telefonista y ahora es director** il a débuté comme standardiste et maintenant il est directeur; **le entraron ganas de hablar** il a eu envie de parler; **me está entrando frío** je commence à avoir froid; **¿cuántas entran en un kilo?** il y en a combien dans un kilo?

2 *vt* (*meter*) rentrer; (*abordar*) aborder; **entra las sillas porque está lloviendo** rentre les chaises parce qu'il pleut; **a ése no sé por dónde entrarle** celui-là, je ne sais pas comment l'aborder

entre 1 *prep* entre; (*en medio de*) (*muchos*) parmi; (*cosas*) dans, au milieu de; **e. Barcelona y Madrid** entre Barcelone et Madrid; **e. la vida**

y la muerte entre la vie et la mort; **e. los mejores** parmi les meilleurs; **e. los papeles** dans les papiers; **e. los rosales** au milieu des rosiers; **e. tú y yo lo conseguiremos** à nous deux nous y arriverons; **e. una cosa y otra, nos salió carísimo** au total, ça nous est revenu très cher
2 *adv Am* **e. más duermo, más sueño tengo** plus je dors, plus j'ai sommeil

entreabierto, -a *adj (puerta, ventana, boca)* entrouvert(e)

entreacto *nm* entracte *m*

entrecot (*pl* entrecots), **entrecote** *nm* entrecôte *f*

entrega *nf (de llaves, dinero, premio)* remise *f*; *(de pedido, paquete)* livraison *f*; *(dedicación)* dévouement *m*; *(fascículo)* fascicule *m*; **hacer e. de algo** remettre qch

entregar [37] **1** *vt (llaves, dinero, premio)* remettre; *(pedido, paquete, persona)* livrer **2 entregarse** *vpr (rendirse)* se rendre; **entregarse a** *(familia, amigos, trabajo)* se consacrer à; *(vicio, bebida)* s'adonner à; *(pasión, hombre)* s'abandonner à

entreguerras: de entreguerras *adj* de l'entre-deux-guerres

entrelazar [14] *vt* entrecroiser

entremeses *nmpl* hors-d'œuvre *mpl*

entrenador, -ora *nm,f* entraîneur(euse) *f*

entrenamiento *nm* entraînement *m*

entrenar 1 *vt* entraîner **2** *vi* s'entraîner **3 entrenarse** *vpr* s'entraîner

entrepierna *nf* entrejambe *m*

entresuelo *nm (piso)* entresol *m*

entretanto *adv* pendant ce temps, entre-temps

entretención *nf Am* distraction *f*

entretener [64] **1** *vt (divertir)* distraire; *(retrasar) (persona)* retarder, retenir; *(hacer olvidar) (hambre)* tromper **2 entretenerse** *vpr (distraerse)* être distrait(e) (**con** par); *(divertirse)* se distraire; *(retrasarse)* s'attarder

entretenido, -a *adj (divertido)* distrayant(e); *(trabajoso)* prenant(e)

entretenimiento *nm (diversión, pasatiempo)* distraction *f*

entretiempo *nm* **de e.** *(ropa)* de demi-saison

entrever [69] *vt* entrevoir

entreverar *CSur* **1** *vt* mélanger **2 entreverarse** *vpr* s'embrouiller

entrevero *nm CSur* enchevêtrement *m*

entrevista *nf (de trabajo)* entretien *m*; *(de periodista)* interview *f*; **hacer una e. a alguien** interviewer qn

entrevistar 1 *vt* interviewer **2 entrevistarse** *vpr* avoir un entretien (**con** avec)

entristecer [45] **1** *vt (persona)* attrister *(cosa)* rendre triste **2 entristecerse** *vpr* s'attrister (**por** o **con** de)

entrometerse *vpr* **e. en** se mêler de; *(conversación)* s'immiscer dans

entusiasmar 1 *vt (animar)* enthousiasmer, emballer; **me entusiasma la música** *(me gusta)* j'adore la musique **2 entusiasmarse** *vpr* s'enthousiasmer, s'emballer (**por** o **pour**)

entusiasmo *nm* enthousiasme *m*

entusiasta 1 *adj* enthousiaste **2** *nmf* passionné(e) *m,f*

envasar *vt (en botellas, paquetes)* conditionner; **e. algo al vacío** emballer qch sous vide

envase *nm (envoltorio)* emballage *m*; *(botella)* bouteille *f*; *(lata)* boîte *f*; *(de yogur, mermelada)* pot *m*; **e. desechable** emballage jetable; **e. sin retorno** bouteille non consignée; **e. retornable** bouteille consignée

envejecer [45] *vt & vi* vieillir

envenenamiento *nm* empoisonnement *m*

envenenar *vt* empoisonner

envergadura *nf* envergure *f*

enviar [31] *vt & vi* envoyer; **e. a alguien por algo/a hacer algo** envoyer qn chercher qch/faire qch; **e. algo por correo** poster qch

envidia *nf (admiración)* envie *f*; *(celos)* jalousie *f*; **tener e. de** être jaloux(ouse) de

envidiar *vt (sentir admiración)* envier; *(sentir celos)* être jaloux(ouse) de

envidioso, -a *adj & nm,f* envieux(euse) *m,f*

envío *nm* envoi *m*; *(paquete)* colis *m*; **el paquete se perdió en el e.** le paquet s'est perdu pendant le transport

enviudar *vi* devenir veuf (veuve)

envolver [40] **1** *vt* envelopper; *(enrollar)* enrouler; *(engatusar)* enjôler; **e. a alguien en** *(implicar)* mêler qn à **2 envolverse** *vpr* s'envelopper

envuelto, -a *participio ver* **envolver**

enyesar *vt* plâtrer; **tiene un brazo enyesado** il a un bras dans le plâtre

epidemia *nf* épidémie *f*

epidermis *nf inv* épiderme *m*

episodio *nm* épisode *m*

época *nf* époque *f*; *(estación)* saison *f*; **de é.** *(traje, automóvil)* d'époque; *(película)* historique

equilibrado, -a *adj* équilibré(e)

equilibrar *vt* équilibrer

equilibrio *nm* équilibre *m*; **mantener/perder el e.** garder/perdre l'équilibre

equilibrista *nmf* équilibriste *mf*

equipaje *nm* bagages *mpl* ▪ **e. de mano** bagages à main

equipar 1 *vt* équiper (**con** *o* **de** en *o* de) **2 equiparse** *vpr* s'équiper

equipo *nm (de objetos)* matériel *m*; *(de personas, jugadores)* équipe *f*; **e. de rescate** équipe de secours ▪ **e. (de sonido** *o* **de música)** chaîne *f* (hi-fi)

equitación *nf* équitation *f*

equivalente 1 *adj* équivalent(e) **2** *nm* équivalent *m*

equivaler [66] *vi* **e. a** équivaloir à

equivocación *nf* erreur *f*

equivocado, -a *adj* erroné(e)

equivocar [58] **1** *vt* **e. algo con algo** confondre qch avec qch **2 equivocarse** *vpr* se tromper (**de** de);

equivocarse con alguien se tromper sur qn

era 1 *ver* **ser**
2 *nf (época)* ère *f*; *(para trillar)* aire *f*; *(napoleónica, gótica)* époque *f*; **e. cristiana** ère chrétienne

eres *ver* **ser**

erguido, -a *adj* dressé(e)

erguir [27] *vt* dresser **2 erguirse** *vpr* se dresser

erizo *nm (mamífero)* hérisson *m*; *(de mar)* oursin *m*

ermita *nf* ermitage *m*

erótico, -a *adj* érotique

erotismo *nm* érotisme *m*

errante *adj* errant(e); *(mendigo)* vagabond(e)

errar [28] **1** *vt (camino, rumbo)* se tromper de; *(tiro, golpe)* manquer **2** *vi (equivocarse)* faire erreur, se tromper; *(al disparar)* manquer son coup; *(vagar)* errer

erróneo, -a *adj* erroné(e)

error *nm* erreur *f*; **estar en un e.** être dans l'erreur; **salvo e. u omisión** sauf erreur ou omission

eructar *vi* faire un rot

eructo *nm* rot *m*

erudito, -a *adj & nm,f* érudit(e) *m,f*

erupción *nf (de volcán)* éruption *f*; **en e.** en éruption

es *ver* **ser**

esbelto, -a *adj* svelte

esbozo *nm* ébauche *f*

escabeche *nm* marinade *f*; *(de pescado)* escabèche *f*; **sardinas en e.** sardines en *ou* à l'escabèche

escala *nf* échelle *f*; *(de colores)* gamme *f*; *(en un viaje)* escale *f*; *(grado)* cote *f*; **a e. 1:50.000** à l'échelle de 1/50 000; **a e. internacional** à l'échelle internationale; **a gran e.** à grande échelle; **hacer e.** faire escale; **e. de popularidad** cote de popularité ▪ **e. musical** gamme; **e. de valores** échelle de valeurs

escalador, -ora *nm,f (que escala)* grimpeur(euse) *m,f*; *(alpinista)* alpiniste *mf*

escalar vt escalader

escalera nf escalier m; (en naipes) quinte f ▪ **e. de caracol** escalier en colimaçon; **e. mecánica** Escalator® m

escalofrío nm frisson m; **me dan escalofríos** j'ai des frissons

escalón nm (peldaño) marche f; Fig (grado) échelon m

escalope nm escalope f

escama nf (de pez, reptil) écaille f; (de jabón) paillette f; (en la piel) squame f

escampar v impersonal cesser de pleuvoir

escandalizar [14] **1** vt (indignar) scandaliser; (alborotar) faire du tapage dans **2 escandalizarse** vpr se scandaliser; **escandalizarse por** o **de** être scandalisé(e) par

escándalo nm scandale m; (alboroto) tapage m; (en clase) chahut m; **armar un e.** faire un scandale

escaño nm siège m (au Parlement)

escapar 1 vi (de lugar) s'échapper (de de); **e. de algo/a alguien** (librarse) échapper à qch/à qn **2 escaparse** vpr (líquido, gas) fuir; **escaparse (de algo)** (huir) s'échapper (de qch); **se le escapó la risa/un taco** un éclat de rire/un gros mot lui a échappé; **se le escapó el tren/la ocasión** il a manqué son train/l'occasion

escaparate nm vitrine f

escape nm (de agua, gas) fuite f; (de automóvil) échappement m; **a e.** à toute vitesse

escarabajo nm scarabée m

escarbar vt gratter

escarcha nf givre m

escarmentar [3] vi tirer la leçon

escarola nf frisée f

escasear vi manquer

escasez nf (insuficiencia) pénurie f; (pobreza) indigence f

escaso, -a adj (insuficiente) (recursos, comida) maigre; (número, cantidad) faible; (poco frecuente) rare; **andar e. de dinero** être à court d'argent; **un**

metro/kilo e. à peine un mètre/kilo; **media hora escasa** une petite demi-heure

escayola nf plâtre m

escena nf scène f; **poner en e.** mettre en scène

escenario nm (tablas) scène f; (lugar de la acción) cadre m; **el e. del crimen** le lieu du crime

escepticismo nm scepticisme m

escéptico, -a adj & nm,f sceptique mf

esclava ver **esclavo**

esclavitud nf esclavage m

esclavo, -a 1 adj & nm,f esclave mf **2 esclava** (pulsera) gourmette f

esclusa nf écluse f

escoba nf balai m

escobilla nf (escoba) balayette f; Am (cepillo) brosse f

escocer [15] **1** vi (herida) brûler **2 escocerse** vpr (piel) être meurtri(e)

escocés, -esa 1 adj écossais(e) **2** nm,f Écossais(e) m,f

Escocia n l'Écosse f

escoger [51] vt choisir

escolar 1 adj scolaire **2** nmf écolier(ère) m,f

escollo nm écueil m

escolta nf escorte f

escombros nmpl gravats mpl

esconder 1 vt cacher **2 esconderse** vpr se cacher; (gente) fuir; **esconderse de** (mirada, vista) se dérober à

escondidas: a escondidas adv en cachette

escondite nm (lugar) cachette f; (juego) cache-cache m inv

escopeta nf fusil m (de chasse)

Escorpio 1 nm inv (zodiaco) Scorpion m inv **2** nmf inv (persona) Scorpion m inv

escorpión nm scorpion m

escotado, -a adj décolleté(e)

escote nm (de prendas) encolure f; (de persona) décolleté m; **pagar a e.** partager les frais; **pagamos a e.** chacun paie sa part

escotilla nf écoutille f

escribir 1 *vt* écrire **2 escribirse** *vpr* s'écrire

escrito, -a 1 *participio ver* **escribir 2** *adj* écrit(e); **por e.** par écrit **3** *nm* écrit *m*; *(texto)* texte *m*

escritor, -ora *nm,f* écrivain *m*

escritorio *nm (mueble)* secrétaire *m*; *(habitación)* bureau *m*

escritura *nf* écriture *f*; *Der* acte *m*; **las Sagradas Escrituras** les Écritures saintes

escrúpulo *nm (duda, recelo)* scrupule *m*; *(cuidado)* méticulosité *f*; *(aprensión)* dégoût *m*

escuadra *nf (regla)* équerre *f*; *(de barcos)* escadre *f*; *(de soldados)* escouade *f*

escuchar 1 *vt* écouter **2 escucharse** *vpr* s'écouter parler

escudo *nm (arma)* bouclier *m*; *(emblema)* blason *m*; *(de ciudad, familia)* armes *fpl*; *(moneda portuguesa)* escudo *m*

escuela *nf* école *f*; **e. privada/pública** école privée/publique; **e. universitaria** institut *m* universitaire; **ser de la vieja e.** être de la vieille école

esculpir *vt* sculpter

escultor, -ora *nm,f* sculpteur *m*

escultura *nf* sculpture *f*

escupir *vt & vi* cracher

escurrir 1 *vt* égoutter; *(colada)* essorer; *(vaciar)* vider jusqu'à la dernière goutte **2** *vi (cosa mojada, líquido)* goutter; *(suelo)* glisser **3 escurrirse** *vpr (cosa mojada)* s'égoutter; *(cosa resbaladiza)* glisser

ese[1] *nf* s *m inv*, lettre s *f*; **hacer eses** *(persona)* tituber; *(vehículo)* zigzaguer

ese[2], esa *(mpl* esos, *fpl* esas) *adj demostrativo* ce, cette, ce…-là, cette…-là; *Pey (después de sustantivo)* ce…-là, cette…-là; **¿qué es ese ruido?** qu'est-ce que c'est que ce bruit?; **esa corbata que llevas hoy es muy bonita** la cravate que tu portes aujourd'hui est très belle; **busco precisamente e. libro** c'est précisément ce livre que je cherche;

prefiero esa casa a ésta je préfère cette maison-là à celle-ci; **el hombre e. no me inspira confianza** cet homme-là ne m'inspire pas confiance

ése, ésa *(mpl* ésos, *fpl* ésas) *pron demostrativo* celui-là, celle-là; **no tomes este diccionario, toma é.** ne prends pas ce dictionnaire-ci, prends celui-là; **dame un vaso – ¿cuál? – é. que está en la mesa** donne-moi un verre – lequel? – celui qui est sur la table; **ésa es mi idea de…** c'est l'idée que je me fais de…; *Fam* **ni por ésas** rien n'y a fait

esencia *nf* essence *f*; *(lo principal)* essentiel *m*; **quinta e.** quintessence *f*

esencial *adj* essentiel(elle)

esfera *nf (globo)* sphère *f*; *Fig (ámbito)* domaine *m*

esférico, -a 1 *adj* sphérique **2** *nm (balón)* ballon *m*

esforzar [30] **1** *vt (voz, vista)* forcer **2 esforzarse** *vpr* faire des efforts; **esforzarse en** o **por hacer algo** s'efforcer de faire qch

esfuerzo *nm* effort *m*

esfumarse *vpr Fig* se volatiliser

esgrima *nf* escrime *f*

esguince *nm* foulure *f*; *(con desgarro)* entorse *f*

eslabón *nm* maillon *m*, chaînon *m* ■ **el e. perdido** le chaînon manquant

eslip *(pl* eslips) *nm* slip *m*

eslovaco, a 1 *adj* slovaque **2** *nm,f* Slovaque *mf* **3** *nm (lengua)* slovaque *m*

Eslovaquia *n* la Slovaquie

Eslovenia *n* la Slovénie

esloveno, -a 1 *adj* slovène **2** *nm,f* Slovène *mf* **3** *nm (lengua)* slovène *m*

esmalte *nm* émail *m*; *(arte)* émaillerie *f* ■ **e. (de uñas)** vernis *m* à ongles

esmeralda 1 *nf* émeraude *f* **2** *adj inv* (vert) émeraude *inv*

esmerarse *vpr* s'appliquer (**en algo/en hacer algo** dans qch /à faire qch)

esmero *nm* soin *m*, application *f*

esmoquin (*pl* **esmóquines**) *nm* smoking *m*

esnob (*pl* **esnobs**) *adj & nmf* snob *mf*

ESO *nf Esp* (*abrev* **Enseñanza Secundaria Obligatoria**) = premières années de l'enseignement secondaire

eso *pron demostrativo (neutro)* cela, ça; **¿le habló usted de e. en particular?** lui avez-vous parlé de cela en particulier?; **e. me interesa** ça m'intéresse; **e. es la Torre Eiffel** ça, c'est la tour Eiffel; **e. es lo que yo pienso** c'est ce que je pense; **e. de vivir solo no me gusta** je n'aime pas l'idée de vivre seul; **¡e., e.!** c'est ça, c'est ça!; **¿cómo se e.?** comment ça se fait?; **¡e. es!** c'est ça!; **a e. de** vers; **en e.** sur ce; **y e. que...** et pourtant...

espacial *adj* spatial(e)

espacio *nm* espace *m*; *(programa)* émission *f*; *(entre líneas)* interligne *m*; **no tengo mucho e.** je n'ai pas beaucoup de place; **por e. de dos años** pendant deux ans; **e. aéreo** espace aérien; **e. de tiempo** laps *m* de temps; **a doble e.** à double interligne

espacioso, -a *adj* spacieux(euse)

espada *nf* épée *f*; **espadas** = l'une des quatre couleurs du jeu de cartes espagnol **2** *nm Taurom* matador *m*

espaguetis *nmpl* spaghettis *mpl*

espalda *nf* dos *m*; **caerse de espaldas** tomber à la renverse; **nadar a e.** nager le dos crawlé; **tumbarse de espaldas** s'allonger sur le dos; **por la e.** par-derrière; **hablar de uno a sus espaldas** parler de qn dans son dos; **volver la e. a alguien** tourner le dos à qn

espantapájaros *nm inv* épouvantail *m*

espanto *nm* épouvante *f*; **¡qué e.!** quelle horreur!

espantoso, -a *adj* (*aterrador*) épouvantable; *Fig* (*enorme*) terrible; (*feísimo*) horrible

España *n* l'Espagne *f*

español, -ola 1 *adj* espagnol(e) **2** *nm,f* Espagnol(e) *m,f* **3** *nm* (*lengua*) espagnol *m*

esparadrapo *nm* sparadrap *m*

esparcir [70] **1** *vt* (*aceite, noticia*) répandre; (*papeles, objetos*) éparpiller **2 esparcirse** *vpr* se répandre

espárrago *nm* asperge *f*

espasmo *nm* spasme *m*

espátula *nf* spatule *f*

especia *nf* épice *f*

especial *adj* spécial(e); (*trato*) de faveur; **en e.** (*sobre todo*) particulièrement; **uno en e.** un en particulier

especialidad *nf* spécialité *f*

especialista 1 *adj* spécialiste; **un médico e.** un spécialiste **2** *nmf* (*experto*) spécialiste *mf*; (*en cine*) cascadeur(euse) *m,f*

especializado, -a *adj* spécialisé(e)

especializar [14] **1** *vt* se spécialiser **2 especializarse** *vpr* se spécialiser

especie *nf* espèce *f*; (*tipo, clase*) genre *m*; (*variedad*) sorte *f*; **pagar en e.** o **especies** payer en nature

especificar [58] *vt* **e. algo** spécifier qch; **e. algo a alguien** préciser qch à qn

específico, -a 1 *adj* spécifique **2** *nmpl* **específicos** (*en farmacia*) spécialités *fpl*

espectáculo *nm* spectacle *m*

espectador, -ora *nm,f* spectateur(trice) *m,f*

especulación *nf* spéculation *f*

espejismo *nm* mirage *m*

espejo *nm* (*para mirarse*) glace *f*, miroir *m*

espera *nf* (*acción*) attente *f*; **a la e. de** (*acontecimiento*) dans l'attente de; **en e. de** (*carta, paquete*) dans l'attente de

esperanza *nf* espoir *m*; **perder la e.** perdre espoir; **tener e. de hacer algo** avoir l'espoir de faire qch ■ **e. de vida** espérance *f* de vie

esperar 1 *vt* attendre; **e. algo de alguien** attendre qch de qn; **era de e.** c'était à prévoir; **como era de e.**

comme il fallait s'y attendre; **e. que** *(desear)* espérer que; **espero que sí** j'espère (bien); **e. hacer algo** espérer faire qch **2 esperarse** *vpr (imaginarse)* s'attendre à; *(aguardar)* attendre; **no se lo esperaba** il ne s'y attendait pas; **se esperó sentado** il a attendu assis

esperma *nm* sperme *m*

espeso, -a *adj* épais(aisse); *(tupido)* *(vegetación)* dense; *(bosque)* touffu(e); *(difícil de entender)* impénétrable

espesor *nm* épaisseur *f*

espía *nmf* espion(onne) *m,f*

espiar [31] *vt* épier

espiga *nf (de cereal)* épi *m; (en telas)* chevron *m; (de herramienta)* cheville *f*

espina *nf (de pez)* arête *f; (de planta)* épine *f*

espinaca *nf* épinard *m*

espinilla *nf (hueso)* tibia *m; (grano)* point *m* noir

espionaje *nm* espionnage *m*

espiral *nf* spirale *f;* **en e.** en spirale

espirar *vt (aire)* exhaler

espiritismo *nm* spiritisme *m*

espíritu *nm* esprit *m* ▪ **el E. Santo** le Saint-Esprit

espiritual *adj* spirituel(elle)

espléndido, -a *adj (magnífico)* splendide; *(generoso)* prodigue

esplendor *nm* splendeur *f*

espliego *nm* lavande *f*

esponja *nf* éponge *f*

esponjoso, -a *adj* spongieux(euse)

espontaneidad *nf* spontanéité *f*

espontáneo, -a 1 *adj* spontané(e) **2** *nm,f* = spectateur qui saute dans l'arène pour toréer

esposo, -a 1 *nm,f* époux(ouse) *m,f* **2** *nfpl* **esposas** menottes *fpl*

espray *nm* spray *m*, aérosol *m*

esprint *(pl* **esprints***) nm* sprint *m*

espuma *nf (de cerveza, jabón)* mousse *f; (para pelo)* mousse *f* coiffante; *(de olas, caldo)* écume *f* ▪ **e. de afeitar** mousse à raser

esqueleto *nm* squelette *m*

esquema *nm* schéma *m*

esquí *(pl* **esquíes** *o* **esquís***) nm* ski *m* ▪ **e. alpino** ski alpin; **e. de fondo** *o* **nórdico** ski de fond; **e. náutico** *o* **acuático** ski nautique

esquiador, -ora *nm,f* skieur(euse) *m,f*

esquiar [31] *vi* skier; **van a e. a los Alpes** ils vont faire du ski dans les Alpes

esquilar *vt* tondre *(les moutons)*

esquimal 1 *adj* esquimau(aude) **2** *nmf* Esquimau(aude) *m,f* **3** *nm (lengua)* esquimau *m*

esquina *nf* coin *m;* **a la vuelta de la e.** au coin de la rue; **al doblar la e.** en tournant au coin de la rue

esquivar *vt* éviter; *(golpe)* esquiver

estabilidad *nf* stabilité *f*

estable *adj* stable

establecer [45] **1** *vt* établir **2 establecerse** *vpr* s'établir

establecimiento *nm* établissement *m*

establo *nm* étable *f*

estaca *nf (palo puntiagudo)* pieu *m; (garrote)* gourdin *m*

estación *nf* station *f; (de tren)* gare *f; (del año, temporada)* saison *f* ▪ **e. de autobuses** gare routière; **e. de esquí** station de ski; **e. de gasolina** station-service *f*, pompe *f* à essence; **e. meteorológica** station météo; **e. de metro** station de métro; **e. de servicio** station-service; **e. de trabajo** poste *m* de travail

estacionamiento *nm* stationnement *m*

estacionar 1 *vt* garer **2 estacionarse** *vpr* se garer, stationner

estadía *nf Am* séjour *m*

estadio *nm* stade *m*

estadístico, -a 1 *adj* statistique **2** *nf* **estadística** statistique *f*

estado *nm* état *m;* **estar en buen/mal e.** être en bon/mauvais état; **la carne está en mal e.** la viande est avariée; **e. civil** état civil; **e. de ánimo** humeur *f;* **e. de excepción** *o* **emergencia** état d'urgence; **e. de sitio** état de siège; **E.** *(gobierno)* État ■ **Estados Unidos (de América)** les États-Unis *mpl* (d'Amérique)

estadounidense 1 *adj* américain(e) **2** *nmf* Américain(e) *m,f*

estafa *nf* escroquerie *f*

estafador, -ora *nm,f* escroc *m*

estafar *vt* escroquer

estalactita *nf* stalactite *f*

estalagmita *nf* stalagmite *f*

estallar *vi* éclater; *(bomba)* exploser; *(cristal)* voler en éclats; **e. en sollozos/ en una carcajada** éclater en sanglots/ de rire

estallido *nm* explosion *f*; *(de neumático)* éclatement *m*; *(de guerra)* déclenchement *m*

estambre *nm (de flor)* étamine *f*

estamento *nm* classe *f (de la société)*

estampado, -a 1 *adj (tela)* imprimé(e); *(firma)* apposée(e) **2** *nm* imprimé *m*

estampida *nf* fuite *f*, débandade *f*

estampilla *nf Am (sello) (de correos)* timbre *m*; *(cromo)* image *f*

estancarse [58] *upr (líquido)* stagner; *(situación, proyecto)* rester en suspens

estancia *nf (tiempo)* séjour *m*; *(habitación)* pièce *f*; *CSur (hacienda)* hacienda *f*, estancia *f*

estanciero, -a *nm,f CSur* = grand propriétaire terrien, en Amérique du Sud

estanco, -a 1 *adj* étanche **2** *nm* bureau *m* de tabac

estándar *adj & nm* standard *m*

estanque *nm (alberca)* étang *m*

estante *nm* étagère *f (planche)*

estantería *nf* étagère *f (meuble)*

estaño *nm* étain *m*

estar [29] **1** *vi* être; *(hallarse listo)* être prêt(e); **la llave está en la cerradura** la clef est dans la serrure; **¿está María?** est-ce que María est là?; **¿a qué estamos hoy?** le combien sommes-nous aujourd'hui?; **hoy estamos a 13 de julio** aujourd'hui nous sommes le 13 juillet; **el euro está a 1,05 dólares**

l'euro est à 1,05 dollars; **estuvo toda la tarde en casa** il est resté chez lui tout l'après-midi; **el almuerzo estará a las tres** le déjeuner sera prêt à trois heures; **el problema está en la fecha** c'est la date qui pose problème; **este traje te está muy bien** cette robe te va très bien; **e. para** *(de humor)* être d'humeur à, être disposé(e) à; *(en condiciones)* être en état de; **no estoy para bromas** je ne suis pas d'humeur à plaisanter; **para eso están los amigos** les amis sont là pour ça; **e. por** *(quedar)* être à, rester à; *(a punto de)* être sur le point de; *(con ganas de)* être tenté(e) de; **esto está por hacer** ceci est à faire; **eso está por ver** ça reste à voir; **estaba por irme cuando llegaste** j'étais sur le point de partir quand tu es arrivé; **estoy por llamarlo** je suis tenté de l'appeler

2 *v aux* **(a)** *(antes de gerundio) (expresa duración)* **estoy pintando** je suis en train de peindre, je peins; **estuvieron trabajando día y noche** ils ont travaillé jour et nuit **(b)** *(antes de participio, en construcción pasiva)* être; **la exposición está organizada por el ayuntamiento** l'exposition est organisée par la mairie

3 *v copulativo* être; **¿cómo estás?** comment vas-tu?; **esta calle está sucia** cette rue est sale; **estoy a régimen** je suis au régime; **está de o como director de la agencia** il est directeur de l'agence; **están de viaje** ils sont en voyage; **hoy estoy de buen humor** aujourd'hui je suis de bonne humeur

4 *estarse* *upr (permanecer)* rester; **puedes estarte unos días aquí** tu peux rester quelques jours ici

estárter *(pl estárters)* *nm* starter *m*

estatal *adj* de l'État; **un representante e.** un représentant de l'État; **un organismo e.** un organisme d'État; **una empresa e.** une entreprise publique

estático, -a *adj (inmóvil)* statique

estatua *nf* statue *f*

estatura *nf* stature *f*

estatus *nm inv* statut *m* social

estatuto *nm* statut *m*

Este, este¹ *nm (punto cardinal)* est *m*; **el E. de Europa** l'est de l'Europe ■ **los países del E.** les pays de l'Est **2** *adj (zona, frontera)* est *inv*; *(viento)* d'est

este², **-a** *(mpl* **estos***, fpl* **estas***) adj demostrativo* ce, cette, ce…-ci, cette…-ci; **e. hombre** cet homme; **me regaló estos libros** elle m'a offert ces livres; **me gusta más esta casa que ésa** cette maison-ci me plaît plus que celle-là; **esta mañana ha llovido** ce matin il a plu

éste, **-a** *(mpl* **éstos***, fpl* **éstas***) pron demostrativo (cercano en el espacio)* celui-ci, celle-ci; **aquellos cuadros están bien, aunque éstos me gustan más** ces tableaux-là sont bien mais je préfère ceux-ci; **é. es el modelo más barato** c'est *ou* voici le modèle le moins cher; **é. ha sido el día más feliz de mi vida** ça a été le plus beau jour de ma vie

estera *nf* natte *f (en paille)*

estéreo 1 *adj inv* stéréo *inv* **2** *nm (aparato)* chaîne *f* stéréo

estéril *adj* stérile

esterilizar [14] *vt* stériliser

esternón *nm* sternum *m*

estético, -a 1 *adj* esthétique **2** *nf* estética esthétique *f*

estiércol *nm* fumier *m*

estilo *nm* style *m*; **por el e. de** dans le genre de; **e. libre** *(de natación)* nage *f* libre; **e. mariposa** *(brasse f)* papillon *m*; **algo por el e.** quelque chose comme ça ■ **e. de vida** style de vie

estilográfica *nf* stylo *m* (à) plume

estima *nf* estime *f*; **tener a alguien en mucha e.** tenir qn en grande estime

estimación *nf (aprecio)* estime *f*; *(valoración)* estimation *f*

estimado, -a *adj* **e. Señor** *(en carta)* cher Monsieur

estimulante 1 *adj* stimulant(e) **2** *nm* stimulant *m*

estimular *vt* stimuler

estímulo *nm (aliciente)* stimulant *m*; *(ánimo)* stimulation *f*; *(de órgano)* stimulus *m*

estirado, -a *adj (afectado)* guindé(e); *(arrogante)* hautain(e); *(extendido)* étiré(e)

estirar 1 *vt (alargar)* étirer; *(desarrugar, poner tenso)* tendre **2** *vi* **e. de** tirer sur **3** **estirarse** *vpr (desperezarse, agrandarse)* s'étirer; *(tumbarse)* s'étendre; *(crecer)* pousser

estirpe *nf* souche *f (lignée)*

esto *pron demostrativo (neutro)* ceci, ça; **e. es un nuevo producto** ceci est un nouveau produit; **e. no puede ser** ça n'est pas possible; **e. que acabas de decir no tiene sentido** ce que tu viens de dire n'a pas de sens; **e. de trabajar de noche no me gusta** je n'aime pas travailler la nuit; **e. es** c'est-à-dire; **el precio neto, e. es libre de impuestos, es…** le prix net, c'est-à-dire hors taxes, est de…

estofado *nm* estouffade *f*

estoicismo *nm* stoïcisme *m*

estoico, -a *adj* stoïque

estómago *nm* estomac *m*

Estonia *n* l'Estonie

estonio, -a 1 *adj* estonien(enne) **2** *nm,f* Estonien(enne) *m,f* **3** *nm (lengua)* estonien *m*

estorbar 1 *vt (obstaculizar, molestar)* gêner; **no quiero e.** je ne veux pas vous déranger **2** *vi (estar en medio)* bloquer le passage

estorbo *nm* gêne *f*

estornudar *vi* éternuer

estornudo *nm* éternuement *m*

estos, estas *ver* este

éstos, éstas *ver* éste

estoy *ver* estar

estrafalario, -a *adj* saugrenu(e)

estrangular *vt* étrangler; *(proyecto)* étouffer dans l'œuf

estratega *nmf* stratège *m*

estrategia *nf* stratégie *f*

estratégico, -a *adj* stratégique
estrechar 1 *vt (hacer estrecho)* rétrécir; *Fig (relaciones)* resserrer; *(apretar)* serrer; **e. entre sus brazos** serrer dans ses bras; **e. la mano a alguien** serrer la main à qn **2 estrecharse** *vpr (hacerse estrecho)* se rétrécir; *(abrazarse)* s'étreindre; *(apretarse)* se serrer
estrecho, -a 1 *adj* étroit(e); **este vestido me queda muy e.** cette robe est trop étroite pour moi **2** *nm,f Fam* bégueule *mf;* **hacerse el e.** jouer les bégueules; **ser una estrecha** être une sainte-nitouche **3** *nm* détroit *m*
estrella 1 *adj inv (presentador)* vedette; *(producto)* phare **2** *nf (astro)* étoile *f; Fig (celebridad)* vedette *f,* star *f* ▪ **e. fugaz** étoile filante; **e. de mar** étoile de mer
estrellar 1 *vt (arrojar)* fracasser; *(vaso, plato)* briser **2 estrellarse** *vpr (chocar)* se fracasser (**contra** contre); *(automóvil, avión)* s'écraser (**contra** contre)
estremecer [45] **1** *vt* ébranler, faire trembler **2 estremecerse** *vpr (de horror)* frémir (**de** de); *(de miedo, frío)* trembler (**de** de)
estrenar 1 *vt* étrenner; *(obra de teatro)* donner la première de; *(película)* projeter pour la première fois **2 estrenarse** *vpr (persona)* débuter; *(película)* sortir
estreno *nm (de espectáculo)* première *f; (de película)* sortie *f; (en un empleo)* débuts *mpl*
estreñimiento *nm* constipation *f*
estrepitoso, -a *adj* retentissant(e)
estrés *nm inv* stress *m inv*
estría *nf* vergeture *f*
estribillo *nm* refrain *m*
estribo *nm (de montura)* étrier *m; (de coche, tren)* marchepied *m;* **perder los estribos** perdre les pédales
estribor *nm* tribord *m*
estricto, -a *adj* strict(e)
estrofa *nf* strophe *f*
estropajo *nm* tampon *m* à récurer

estropear 1 *vt* abîmer; *(planes, proyecto)* faire échouer **2 estropearse** *vpr (averiarse)* tomber en panne; *(dañarse)* s'abîmer; *(planes, proyecto)* échouer
estructura *nf* structure *f*
estuario *nm* estuaire *m*
estuche *nm (de gafas, instrumento)* étui *m; (de joyas)* coffret *m; (de lápices)* trousse *f*
estudiante *nmf* étudiant(e) *m,f*
estudiar 1 *vt (lección, idioma)* apprendre; **e. derecho** faire des études de droit **2** *vi* étudier; *(para examen)* réviser; **e. para médico** faire médecine; **tengo que e. para aprobar** je dois travailler pour être reçu
estudio *nm (trabajo, análisis)* étude *f; (local de pintor)* atelier *m; (apartamento, local de fotógrafo, de cine)* studio *m;* **estar en e.** être à l'étude; **e. de mercado** étude de marché; **estudios** études; **tener estudios** avoir fait des études; **estudios primarios/secundarios** études primaires/secondaires
estudioso, -a 1 *adj* studieux(euse) **2** *nm,f* spécialiste *mf*
estufa *nf (para calentar)* poêle *m*
estupefacto, -a *adj* stupéfait(e)
estupendo, -a *adj* formidable, magnifique
estupidez *nf* stupidité *f;* **decir/hacer una e.** dire/faire une bêtise
estúpido, -a 1 *adj* stupide **2** *nm,f* idiot(e) *m,f*
ETA *nf (abrev* **Euskadi ta Askatasuna)** *nf* ETA *f*
etapa *nf* étape *f;* **por etapas** par étapes
etarra 1 *adj* de l'ETA **2** *nmf* membre *m* de l'ETA
etc. *(abrev* **etcétera)** etc.
etcétera 1 *nm* ... **y un largo e.** ... et j'en passe **2** *adv* et cetera
eternidad *nf* éternité *f*
eterno, -a *adj* éternel(elle)
ético, -a 1 *adj* éthique **2** *nf* **ética** *Filosofía* éthique *f; (educación)* morale *f*

etimología nf étymologie f

etiqueta nf étiquette f; *Informát* label m; **de e.** *(cena)* habillé(e); *(visita, recibimiento)* officiel(elle); *(traje) de* soirée

étnico, -a adj ethnique

eucalipto nm eucalyptus m

eucaristía nf eucharistie f

eufemismo nm euphémisme m

eufórico, -a adj euphorique

euro nm *(moneda)* euro m

Europa n l'Europe f

europeo, -a 1 adj européen(enne) **2** nm,f Européen(enne) m,f

Euskadi n le Pays basque

euskera 1 adj basque **2** nmf Basque mf **3** nm *(lengua)* basque m

eutanasia nf euthanasie f

evacuación nf évacuation f

evacuar [5] vt *(desalojar)* évacuer; **e. (el vientre)** aller à la selle

evadir 1 vt *(responsabilidades)* fuir; *(pregunta)* éluder; **e. hacer algo** éviter de faire qch **2** **evadirse** vpr s'évader

evaluación nf *(examen)* contrôle m des connaissances; *(período)* trimestre m ▪ **e. continua** contrôle continu

evaluar [4] vt *(valorar)* évaluer; *(alumno)* contrôler les connaissances de

evangelio nm évangile m

evaporar 1 vt évaporer **2** **evaporarse** vpr s'évaporer

evasión nf évasion f; **e. de capitales o divisas** fuite f des capitaux

eventual adj *(no fijo)* temporaire; *(posible)* éventuel(elle)

eventualidad nf *(precariedad)* précarité f; *(imprevisto)* éventualité f

evidencia nf *(prueba)* preuve f; *(claridad)* évidence f; **poner algo en e.** mettre qch en évidence; **poner a alguien en e.** ridiculiser qn

evidente adj évident(e)

evitar vt éviter

evocar [58] vt évoquer

evolución nf évolution f

evolucionar vi évoluer

exactitud nf exactitude f; **con e.** avec exactitude

exacto, -a adj exact(e); **3 metros exactos** exactement 3 mètres; **para ser exactos** pour être précis; **¡e.!** exactement!

exageración nf exagération f; **contar exageraciones** exagérer; **ser una e.** être exagéré(e)

exagerado, -a adj exagéré(e); *(precio)* excessif(ive); *(persona)* qui exagère; **es muy exagerada** elle exagère beaucoup

exagerar vt & vi exagérer

exaltar 1 vt *(encumbrar)* élever; *(glorificar)* exalter **2** **exaltarse** vpr s'exalter

examen nm examen m; **hacer un e. de algo** examiner qch; **presentarse a un e.** se présenter à un examen ▪ **e. final** examen final; **e. médico** visite f médicale; **e. oral** épreuve f orale, oral m; **e. parcial** partiel m

examinar 1 vt *(observar)* examiner; *(evaluar, interrogar)* faire passer un examen à; **e. a alguien sobre algo** interroger qn sur qch **2** **examinarse** vpr passer un examen

excavación nf excavation f; *(arqueológica)* fouille f

excavador, -ora 1 nm,f fouilleur (euse) m,f; *(arqueológico)* **2** nf **excavadora** *(máquina)* pelleteuse f

excavar vt creuser; *(zona arqueológica)* fouiller

excedencia nf *(de empleados, embarazadas)* congé m; *(de funcionarios)* disponibilité f

exceder 1 vt dépasser; **e. a alguien** surpasser qn **2** vi **e. a o de algo** dépasser qch **3** **excederse** vpr *(pasarse de la raya)* dépasser les bornes; *(exagerar)* exagérer (**en** dans); **excederse en el peso** peser trop lourd

excelencia nf *(cualidad)* excellence f; **por e.** par excellence; **Su E.** Son Excellence

excelente adj excellent(e)

excentricidad nf excentricité f
excéntrico, -a adj & nm,f excentrique mf
excepción nf exception f; **a o con e. de** à l'exception de; **de e.** d'exception
excepcional adj exceptionnel(elle)
excepto prep excepté, hormis
excesivo, -a adj excessif(ive)
exceso nm excès m; (excedente) excédent m; (caballa e trop; **e. de peso** (obesidad) excès de poids; (carga de más) surcharge f; **e. de equipaje** excédent de bagages; **e. de velocidad** excès de vitesse
excitar 1 vt (inquietar) exciter; (activar) (apetito) aiguiser; (deseos) éveiller; (nervios) taper sur **2 excitarse** vpr s'exciter
exclamación nf exclamation f
excluir [33] vt exclure; **e. a alguien de** exclure qn de
exclusivo, -a 1 adj (único) seul(e); (privilegiado) exclusif(ive) **2** nf exclusiva exclusivité f; **tenemos la distribución en España en exclusiva** nous sommes les distributeurs exclusifs pour l'Espagne
excursión nf (viaje) excursion f; **ir de e.** faire une excursion
excusa nf excuse f
excusar 1 vt (justificar) excuser; **e. hacer algo** (evitar) se dispenser de faire qch **2 excusarse** vpr excusarse **(con alguien por algo)** s'excuser (qch auprès de qn)
exento, -a adj (de curiosidad, errores) exempt(e) (**de** de); (de responsabilidades, obligaciones) libéré(e) (**de** de); (del servicio militar) exempté(e) (**de** de); (de impuestos) exonéré(e) (**de** de); (de clase) dispensé(e) (**de** de)
exhaustivo, -a adj exhaustif(ive)
exhibición nf (deportiva) exhibition f; (artística) exposition f; (de fuerza) démonstration f
exhibir 1 vt (cuadros, fotografías) exposer; (película) projeter; (modelos, productos) présenter **2 exhibirse** vpr s'exhiber

exigencia nf exigence f; **exigencias del trabajo** obligations fpl professionnelles
exigente adj exigeant(e)
exigir [23] **1** vt exiger **2** vi (pedir) être exigeant(e)
exiliar 1 vt exiler **2 exiliarse** vpr s'exiler
exilio nm exil m; **en el e.** en exil
existencia nf existence f; **existencias** (mercancía) stocks mpl
existir vi (ser) exister; **existe…** il y a…; **existen varias posibilidades** il y a plusieurs possibilités
éxito nm (libro) best-seller m; (canción) tube m; (de empresa, persona) réussite f; **tener é.** avoir du succès
exitoso, -a adj à succès
exótico, -a adj exotique
expedición nf expédition f
expediente nm (documentación, historial) dossier m; (investigación) enquête f; **abrir e. a alguien** (castigar) prendre des sanctions contre qn; (investigar) ouvrir une enquête administrative sur qn ■ **e. académico** dossier universitaire
expedir [46] vt (carta, paquete) expédier; (pasaporte, certificado) délivrer; (contrato) dresser
expendedor, -ora 1 adj distributeur(trice); **una máquina expendedora de…** un distributeur automatique de… **2** nm,f vendeur(euse) m,f; **e. de tabaco** buraliste mf **3** nm **e. automático** distributeur m (automatique)
expensas: a expensas de prep aux dépens de, aux frais de
experiencia nf expérience f
experimentado, -a adj (persona) expérimenté(e); (método) éprouvé(e)
experimentar vt (probar) expérimenter; (vivir, sentir) connaître; **e. lo que es el miedo** savoir ce qu'est la peur
experimento nm expérience f (expérimentation)

experto, -a 1 *adj* expert(e) **2** *nm,f* expert *m*

expirar *vi* expirer

explicación *nf* explication *f*

explicar [58] **1** *vt* expliquer; *(asignatura)* enseigner **2 explicarse** *vpr* s'expliquer; **no me lo explico** je ne comprends pas

explícito, -a *adj* explicite

explorador, -ora *nm,f* explorateur(trice) *m,f*; *(boy scout)* scout(e) *m,f*

explorar *vt* explorer; *(en yacimientos)* prospecter; *Med* examiner

explosión *nf* explosion *f*; **hacer e.** exploser ▪ **e. demográfica** explosion démographique

explosivo, -a 1 *adj* explosif(ive) **2** *nm* explosif *m*

explotación *nf (negocio)* exploitation *f* ▪ **e. agrícola** exploitation agricole

explotar 1 *vt* exploiter **2** *vi* exploser

exponente *nm Mat* exposant *m*

exponer [49] **1** *vt* exposer **2 exponerse** *vpr (ponerse a la vista)* s'exhiber; *(arriesgarse)* prendre des risques; **exponerse a** s'exposer à

exportación *nf* exportation *f*

exportar *vt* exporter

exposición *nf* exposition *f*; *(explicación)* exposé *m*

expositor, -ora *nm,f* exposant(e) *m,f*

exprés *adj inv (tren, café)* express

expresar 1 *vt* exprimer **2 expresarse** *vpr* s'exprimer

expresión *nf* expression *f*; **reducir a la mínima e.** réduire à sa plus simple expression ▪ **e. corporal** expression corporelle

expresivo, -a *adj (palabras, mirada)* expressif(ive); *(padre, novio)* affectueux(euse)

expreso, -a 1 *adj (explícito)* formel(elle) **2** *nm (tren, café)* express *m* **3** *adv (intencionadamente)* exprès

exprimidor *nm* presse-agrumes *m inv*

exprimir *vt* presser

expuesto, -a 1 *participio ver* **exponer** **2** *adj* exposé(e); *(arriesgado)* dangereux(euse)

expulsar *vt* expulser; *(humos, gases)* rejeter

expulsión *nf* expulsion *f*

exquisitez *nf (cualidad)* délicatesse *f*; *(comida)* délice *m*

exquisito, -a *adj* exquis(e)

éxtasis *nm inv (estado)* extase *f*

extender [63] **1** *vt* étendre; *(sustancia, líquido)* répandre; *(azúcar)* saupoudrer; *(certificado)* délivrer; *(cheque)* libeller **2 extenderse** *vpr* s'étendre (**en/por** sur/à)

extensión *nf (superficie)* étendue *f*; *(duración)* durée *f*; *(de teléfono)* poste *m*; *Informát* extension *f*

extenso, -a *adj (llanura, miembro)* étendu(e); *(discurso, conversación)* long (longue)

exterior 1 *adj* extérieur(e); *(política)* étranger(ère) **2** *nm* extérieur *m*; *(aspecto)* apparence *f*; **en el e.** *(fuera)* à l'extérieur; *(en el extranjero)* à l'étranger; **exteriores** extérieurs

exterminar *vt (aniquilar)* exterminer; *(devastar)* dévaster

externalizar *vt Com* externaliser

externo, -a *adj* externe; *(signo, aspecto)* extérieur(e)

extinguir [25] **1** *vt* éteindre; *(raza)* exterminer; *(afecto, entusiasmo)* tuer **2 extinguirse** *vpr* s'éteindre; *(afecto, entusiasmo, ruido)* cesser

extintor *nm* extincteur *m*

extirpar *vt* extirper; *(muela)* arracher; *Fig (mal)* éradiquer

extra 1 *adj (calidad, producto)* supérieur(e); *(horas, trabajo, paga, gastos)* supplémentaire **2** *nmf (actor)* figurant(e) *m,f* **3** *nm (accesorio)* option *f* **4** *nf (paga)* mois *m* double

extracción *nf* extraction *f*; **e. social** *(origen)* origine *f* sociale

extracto *nm* extrait *m* ▪ **e. de cuentas** relevé *m* de compte

extractor, -ora 1 *adj* d'extraction;

(industria) de l'extraction **2** *nm* extracteur *m* ■ **e. (de humos)** hotte *f* (aspirante)

extraer [65] *vt (sacar)* extraire; *(muela)* arracher; *(conclusiones)* tirer

extranjero, -a 1 *adj & nm,f* étranger(ère) *m,f* **2** *nm* **vivir en el e.** vivre à l'étranger

extrañar 1 *vt (sorprender)* étonner; **me extrañó verte aquí** j'ai été étonné de te voir ici; **¡no me extraña!** ça ne m'étonne pas!; **extraña a sus padres** *(echa de menos)* ses parents lui manquent **2 extrañarse** *vpr* **extrañarse de** *(sorprenderse de)* s'étonner de

extrañeza *nf (sorpresa)* étonnement *m; (rareza)* extravagance *f*

extraño, -a 1 *adj (raro)* étrange; *(desconocido, ajeno)* étranger(ère); *(sorprendente)* étonnant(e) **2** *nm,f* étranger(ère) *m,f*

extraordinario, -a 1 *adj* extraordinaire; *(hora, trabajo)* supplé- mentaire; *(edición, suplemento)* spécial(e) **2** *nf* **extraordinaria** *(paga)* mois *m* double

extraterrestre *adj & nmf* extra- terrestre *mf*

extravagante *adj* extravagant(e)

extraviar [31] **1** *vt (perder)* égarer **2 extraviarse** *vpr (perderse)* s'égarer; *(desenfrenarse)* se débaucher

extremar *vt* pousser à l'extrême; *(vigilancia)* renforcer

extremaunción *nf* extrême-onction *f*

extremidad *nf* extrémité *f;* **extre- midades** *(brazos, piernas)* extrémités

extremista *adj & nmf* extrémiste *mf*

extremo, -a 1 *adj* extrême; *(ideología)* extrémiste **2** *nm (en el espacio)* extrémité *f; (límite)* extrême *m;* **en último e.** en dernier recours; **llegar al e. de hacer algo** en arriver à faire qch

extrovertido, -a *adj & nm,f* extraverti(e) *m,f*

Ff

fabada *nf* = plat asturien comparable au cassoulet

fábrica *nf (establecimiento)* usine *f; (fabricación)* fabrication *f; (obra)* maçonnerie *f*

fabricante 1 *adj* qui fabrique **2** *nmf* fabricant(e) *m,f*

fabricar [58] *vt (producir, elucubrar)* fabriquer; *(construir)* construire

fábula *nf* fable *f*

fabuloso, -a *adj* fabuleux(euse)

faceta *nf* facette *f*

fachada *nf* façade *f*

fácil *adj* facile; **ser una persona f.** être facile à vivre; **es f. que...** *(probable)* il est probable que...

facilidad *nf* facilité *f;* **tener f. de palabra** s'exprimer avec facilité; **facilidades** facilités ■ **facilidades de pago** facilités de paiement

facilitar *vt (simplificar, posibilitar)* faciliter; *(proporcionar)* fournir; **f. la vida** faciliter la vie; **le facilitó la información** il lui a fourni le renseignement

factor *nm* facteur *m*

factura *nf* facture *f*

facturación *nf (en aeropuerto, estación)* enregistrement *m; (de empresa)* chiffre *m* d'affaires;

mostrador de f. comptoir *m*
d'enregistrement
facturar *vt (cobrar)* facturer; *(vender,
ganar)* faire un chiffre d'affaires de;
(consignar) enregistrer
facultad *nf* faculté *f*; **tener facultades
para** être habilité(e) à ■ **facultades
mentales** facultés mentales
faena *nf* travail *m*; *Fig* **hacerle una
(mala) f. a alguien** jouer un
(mauvais) tour à qn
faisán *nm* faisan *m*
faja *nf (para la cintura)* ceinture *f*; *(de
mujer, terapéutica)* gaine *f*; *(de libro,
terreno)* bande *f*
fajo *nm (de billetes)* liasse *f*
falda *nf (prenda)* jupe *f*; *(de montaña)*
flanc *m*; *(de mesa camilla)* tapis *m* de
table; *(de mantel)* pan *m*; **en las faldas
de alguien** *(en el regazo)* sur les
genoux de qn
falencia *nf CSur* défaut *m*
falla *nf Geol* faille *f*; *(defecto, fallo)*
défaut *m*; **las fallas** = fêtes de la
Saint-Joseph à Valence
fallar 1 *vt (sentenciar)* prononcer;
(premio) décerner; **f. el tiro**
(equivocar) manquer son coup
2 *vi (fracasar)* échouer; *(flaquear)
(memoria)* défaillir; *(corazón, nervios)*
lâcher; *(errar)* rater; *(ceder)* céder;
(sentenciar) rendre un jugement;
falló en la segunda pregunta il n'a
pas su répondre à la deuxième
question; **fallarle a alguien**
(decepcionarle) laisser tomber qn; **no
me falles** je compte sur toi; **f. a
favor/en contra** se prononcer pour/
contre
fallecer [45] *vi* décéder
fallo *nm (equivocación)* erreur *f*;
(sentencia) jugement *m*; *(de concurso)* résultat *m*; *(deficiencia)*
défaillance *f*
falluto, -a *Andes, RP Fam* **1** *adj* faux
(fausse) **2** *nm,f* hypocrite *mf*
falsedad *nf* fausseté *f*; *(mentira)*
mensonge *m*
falsete *nm* fausset *m*

falsificar [58] *vt* falsifier; *(firma)*
contrefaire
falso, -a *adj* faux (fausse); **dar un
paso en f.** faire un faux pas; **declarar
en f.** faire une fausse déclaration
falta *nf (carencia)* manque *m*;
(ausencia) absence *f*; *(imperfección)*
défaut *m*; *(error, en deporte)* faute *f*; **a
f. de** faute de; **hace f. pan** il faut du
pain; **me haces f.** tu me manques;
echar en f. algo remarquer l'absence
de qch; **echar en f. a alguien** regretter
qn ■ **f. de educación** impolitesse *f*; **f.
de ortografía** faute d'orthographe
faltante *nm Am* déficit *m*
faltar *vi (no haber)* manquer; *(quedar)*
rester; *(estar ausente)* être absent(e);
f. a su palabra manquer à sa parole;
f. a la confianza de trahir la
confiance de; **f. (el respeto) a
alguien** manquer de respect à qn;
Pedro falta, creo que está enfermo
Pedro n'est pas là, je crois qu'il est
malade; **faltó a la cita** il n'est pas
venu au rendez-vous; **falta un mes
para las vacaciones** il reste un mois
jusqu'aux vacances; **sólo te falta
firmar** il ne te reste plus qu'à signer;
falta mucho por hacer il y a encore
beaucoup à faire; **falta poco para
que llegue** il ne va pas tarder à
arriver; **faltó poco para que le
matase** il s'en est fallu de peu qu'il le
tue; **¡no faltaba o faltaría más!**
(agradecimiento) je vous en prie!
fama *nf (popularidad)* célébrité *f*;
(reputación) réputation *f*
familia *nf* famille *f*; **en f.** en famille
■ **f. de acogida** famille d'accueil; **f.
numerosa** famille nombreuse
familiar 1 *adj* familier(ère); *(de
familia)* familial(e); **su cara me es o
me resulta f.** son visage m'est
familier **2** *nm* parent(e) *m,f*
familiarizar [14] **1** *vt* familiariser
2 familiarizarse *vpr* se familiariser
famoso, -a 1 *adj* célèbre **2** *nm,f*
célébrité *f*
fanatismo *nm* fanatisme *m*

fandango *nm (baile, música)* fandango *m*; *Fam (lío, jaleo)* chambard *m*

fanfarrón, -ona *adj & nm,f* fanfaron(onne) *m,f*

fantasía *nf (imaginación)* imagination *f*; *(sueño)* chimères *fpl*; *(composición musical)* fantaisie *f*

fantasma 1 *nm (espectro)* fantôme *m* **2** *nmf Fam (fanfarrón)* frimeur(euse) *m,f*

fantástico, -a *adj* fantastique

farmacéutico, -a 1 *adj* pharmaceutique **2** *nm,f* pharmacien(enne) *m,f*

farmacia *nf* pharmacie *f*; **f. de turno** *o* **de guardia** pharmacie de garde

faro *nm* phare *m*

farol *nm (farola)* réverbère *m*; *(linterna)* lanterne *f*; *Fam (mentira)* bluff *m*

farola *nf* réverbère *m*

farsa *nf* farce *f*

farsante *adj & nmf* comédien(enne) *m,f*

fascismo *nm* fascisme *m*

fascista *adj & nmf* fasciste *mf*

fase *nf* phase *f*

fastidiar 1 *vt (estropear) (fiesta, plan)* gâcher; *(máquina, objeto)* casser; *(molestar)* ennuyer **2 fastidiarse** *vpr (estropearse)* rater; *(plan)* tomber à l'eau; *(máquina)* se casser; **te fastidias, fastídiate** *(te aguantas)* tant pis pour toi

fastidio *nm* ennui *m*; **ser un f.** être ennuyeux(euse)

fatal 1 *adj (inevitable, seductor)* fatal(e); *(muy malo)* très mauvais(e) **2** *adv* très mal

fatalidad *nf (desgracia)* malchance *f*; *(destino)* fatalité *f*

fatiga *nf* fatigue *f*; **fatigas** *(dificultades)* difficultés *fpl*

fatigar [37] **1** *vt* fatiguer **2 fatigarse** *vpr* se fatiguer

fauna *nf* faune *f*

favor *nm* faveur *f*; *(ayuda)* service *m*; **a f. de** en faveur de; **de f.** de faveur; **tener a** *o* **en su f.** avoir en sa faveur; **hacer un f. a alguien** *(ayudar)* rendre un service à qn; **por f.** s'il vous plaît

favorable *adj* favorable (**para** à); **ser f. a algo** être favorable à *ou* en faveur de qch

favorecer [45] *vt* favoriser; *(sentar bien)* avantager

favorito, -a *adj & nm,f* favori(ite) *m,f*

fax *nm inv* fax *m*; **mandar por f.** faxer

fayuquero, -a *nm,f CAm, Méx* contrebandier(ère) *m,f*

fe *nf* foi *f*; *(confianza)* confiance *f*; *(documento)* certificat *m*; **de buena f.** de bonne foi; **digno de f.** digne de foi; **dar f. de que** certifier que ■ **f. de vida** fiche *f* d'état civil

fealdad *nf* laideur *f*

febrero *nm* février *m*; *ver también* **septiembre**

fecha *nf* date *f*; **f. de caducidad** *(de alimentos)* date limite de consommation; *(de medicamento)* date limite d'utilisation; *(de pasaporte)* date d'expiration; **f. tope** *o* **límite** date limite

fechar *vt* dater

fecundo, -a *adj* fécond(e)

federación *nf* fédération *f*

felicidad *nf* bonheur *m*; **¡felicidades!** félicitations!; *(en cumpleaños)* joyeux anniversaire!; *(en santo)* bonne fête!; *(en Año Nuevo)* meilleurs vœux!

felicitación *nf (congratulación)* félicitations *fpl*; *(deseo)* vœux *mpl*; *(postal)* carte *f* de vœux

felicitar *vt (congratular)* féliciter; **f. el cumpleaños/el Año Nuevo/las Navidades** souhaiter un joyeux anniversaire/une bonne année/un joyeux Noël

feligrés, -esa *nm,f* paroissien(enne) *m,f*

feliz *adj* heureux(euse); *(cumpleaños, Navidades)* joyeux(euse); *(Año Nuevo)* bon (bonne)

felpudo *nm* paillasson *m*

femenino, -a 1 *adj (de género, de mujer)* féminin(e); *(de hembra)* femelle **2** *nm (género)* féminin *m*

feminismo nm féminisme m
feminista adj & nmf féministe mf
fémur nm fémur m
fenomenal 1 adj (magnífico) superbe; (de fenómeno) phénoménal(e) **2** adv Fam vachement bien; **lo pasamos f.** on s'est éclatés
fenómeno 1 nm phénomène m **2** adv Fam vachement bien; **lo pasamos f.** on s'est éclatés
feo, -a 1 adj laid(e); (nariz, tiempo, acción) vilain(e); **es un f.** il est laid comme un pou; **una fea** la laideron **3** nm **hacer un f.** faire un affront
féretro nm cercueil m
feria nf (mercado) foire f; (fiesta popular) fête f foraine; **f. (de muestras)** salon m; **f. del automóvil/libro** salon de l'automobile/du livre
feriado nm Am jour m férié
fermentación nf fermentation f
feroz adj (animal, bestia) féroce; **el lobo f.** le grand méchant loup
ferretería nf quincaillerie f
ferrocarril nm chemin m de fer
ferroviario, -a 1 adj ferroviaire **2** nm,f cheminot m
ferry nm ferry-boat m
fértil adj fertile
fertilidad nf fertilité f
festival nm festival m
festividad nf fête f
festivo, -a adj (de fiesta) de fête; (día) férié(e); (alegre) enjoué(e); (chistoso) badin(e)
feta nf RP tranche f
feto nm fœtus m
fiaca nf RP paresse f
fiambre nm charcuterie f
fiambrera nf (de metal) gamelle f; (de plástico) Tupperware® m
fianza nf caution f; **bajo f.** sous caution
fiar [31] **1** vt (vender a crédito) faire crédit de; (hacerse responsable) se porter garant(e) de **2** vi **ser de f.** être quelqu'un de confiance **3 fiarse** vpr **fiarse de** avoir confiance en, se fier

à; **¡no te fíes!** méfie-toi!; **se fía demasiado** il est trop naïf
fibra nf fibre f; Fig **f. sensible** corde f sensible ■ **f. óptica** fibre optique; **f. de vidrio** fibre de verre
ficción nf (simulación) comédie f; (invención) fiction f
ficha nf (para clasificar) fiche f; (de juego, teléfono) jeton m; (del dominó) domino m; (de ajedrez) pièce f
fichar 1 vt (archivar) mettre sur fiche; (sujeto: policía) ficher; (jugador) engager **2** vi (trabajador) pointer; (jugador) signer un contrat (**por** avec)
fichero nm fichier m
ficticio, -a adj fictif(ive)
fidelidad nf fidélité f; **alta f.** haute-fidélité f
fideo nm vermicelle m
fiebre nf fièvre f ■ **f. del heno** rhume m des foins
fiel adj & nmf fidèle mf
fieltro nm feutre m (tissu)
fiera 1 nf (animal) fauve m **2** nmf (persona) brute f
fiero, -a adj féroce
fierro nm Am (hierro) fer m
fiesta nf fête f; (día) jour m férié; **hacer f.** être en congé; **aguar la f. a alguien** gâcher le plaisir à qn; **f. mayor** = fête du saint patron dans une localité; **la f. nacional** les courses fpl de taureaux; **fiestas** fêtes
figura nf figure f; (tipo, físico) silhouette f
figurar 1 vi (aparecer) figurer; (ser importante) être en vue **2** vt (representar) figurer; (simular) feindre **3 figurarse** vpr (imaginarse) se figurer, s'imaginer; **¡ya me lo figuraba yo!** c'est bien ce que je pensais!
figurín nm dessin m de mode
fijador, -ora 1 adj fixateur(trice) **2** nm (de fotografía) fixateur m ■ **f. de pelo** (espray) laque f; (crema) gel m
fijar 1 vt fixer; **f. carteles** afficher; **f. (el) domicilio** se fixer; **f. la mirada/la**

atención en fixer son regard/son attention sur

2 fijarse *upr* faire attention; **no se fijó y se equivocó** il n'a pas fait attention et il s'est trompé; **fijarse en algo** *(darse cuenta)* remarquer qch; *(prestar atención)* faire attention à qch; **¡fíjate lo que me dijo!** tu te rends compte de ce qu'elle m'a dit!

fijo, -a *adj* fixe; *(cliente)* fidèle

fila *nf (hilera)* rang *m*; *(cola)* file *f*; **en f.** à la file, en file; **ponerse en f.** se mettre en rang; **en f. india** en file indienne; **filas** *(bando, partido)* rangs; **cerrar filas** serrer les rangs

filatelia *nf* philatélie *f*

filete *nm* bifteck *m*

filiación *nf (parentesco)* filiation *f*; *(política)* appartenance *f*

filial 1 *adj (de hijo)* filial(e) **2** *nf (empresa)* filiale *f*

Filipinas *n (las)* **F.** les Philippines *fpl*

filmar *vt* filmer; **f. una película** tourner un film

filoso, -a *adj Am* aiguisé(e)

filosofía *nf* philosophie *f*

filósofo, -a *nm,f* philosophe *mf*

filtrar *vt* filtrer **2 filtrarse** *upr (dato, luz)* filtrer; *(agua)* s'infiltrer

filtro *nm* filtre *m*; *(pócima)* philtre *m*

fin *nm* fin *f*; *(objetivo)* but *m*; **dar o poner f. a algo** mettre fin à qch; **a fines de** *(semana, año)* à la fin de; **al o por f.** enfin; **a f. de cuentas, al f. y al cabo** en fin de compte; **a f. de** afin de; **en f.** enfin ■ **f. de semana** week-end *m*

final 1 *adj* final(e) **2** *nm (término, muerte)* fin *f*; *(cabo extremo)* bout *m*; **f. feliz** happy end *m*; **a finales de** *(semana, mes)* à la fin de; **al f.** finalement; *(en espacio)* au bout **3** *nf (partido)* finale *f*

finalidad *nf* but *m*, finalité *f*

finalista *adj & nmf* finaliste *mf*

finalizar [14] **1** *vt* terminer, achever **2** *vi* se terminer, prendre fin

financiación *nf* financement *m*

financiar *vt* financer

financista *nmf Am* financier *m*

finanzas *nfpl* finance *f*; **el mundo de las f.** le monde de la finance; **mis f. están por los suelos** mes finances sont au plus bas

finca *nf (de campo)* propriété *f*; *(de ciudad)* immeuble *m*

fingir [23] **1** *vt* feindre **2** *vi* faire semblant

finlandés, -esa 1 *adj* finlandais(e) **2** *nm,f* Finlandais(e) *m,f* **3** *nm (lengua)* finnois *m*

Finlandia *n* la Finlande

fino, -a 1 *adj* fin(e); *(gusto, modales)* raffiné(e); *(lenguaje)* châtié(e); *(persona)* poli(e); **tiene el oído f.** elle a l'ouïe fine; **una manta fina** une couverture légère **2** *nm* = xérès très sec

firma *nf* signature *f*; *(empresa)* firme *f* ■ **f. electrónica** signature électronique

firmar *vt* signer

firme 1 *adj* ferme; *(estable)* stable; *(sólido)* solide; **se mantuvo firme en su posición** il est resté sur ses positions; **un argumento o f.** un argument de poids; **¡firmes!** garde-à-vous! **2** *nm (de carretera)* revêtement *m* **3** *adv* ferme

firmeza *nf* fermeté *f*; *(solidez)* solidité *f*

fiscal 1 *adj* fiscal(e) **2** *nmf* ≃ avocat *m,f* de la partie civile

físico, -a 1 *adj* physique **2** *nm,f* physicien(enne) *m,f* **3** *nm (complexión)* physique *m* **4** *nf* física *(ciencia)* physique *f*

fisionomía *nf* physionomie *f*

fisioterapeuta *nmf* physiothérapeute *mf*

fisonomía = **fisionomía**

flaco, -a 1 *adj* maigre **2** *nm,f Am (palabra cariñosa)* mon coco *m*, ma cocotte *f*

flamante *adj (nuevo)* flambant neuf (neuve); *(vistoso)* resplendissant(e)

flamenco, -a 1 *adj (de la música)* flamenco; *(de Flandes)* flamand(e)

2 *nm,f (bailarín)* danseur(euse) *m,f* de flamenco; *(cantante)* chanteur (euse) *m,f* de flamenco; *(de Flandes)* Flamand(e) *m,f* **3** *nm* flamenco *m*; *(ave)* flamant *m*; *(lengua)* flamand *m*

flan *nm* flan *m*

flaqueza *nf* faiblesse *f*

flash [flas] *(pl* **flashes)** *nm* flash *m*; *Fam* **¡qué f.!** *(impresión fuerte)* c'est dingue!

flauta *nf* flûte *f* ▪ **f. dulce** flûte à bec; **f. travesera** flûte traversière

flecha *nf* flèche *f*

fleco *nm* frange *f (textile)*; **con flecos** à franges

flemón *nm* phlegmon *m*

flequillo *nm* frange *f (de cheveux)*

flexibilidad *nf* flexibilité *f*; *(de persona)* souplesse *f*

flexible *adj* flexible; *(persona)* souple

flexión *nf* flexion *f*

flojear *vi (fuerzas)* faiblir; *(memoria)* flancher; *(calor, ventas)* baisser; *Am (holgazanear)* paresser; **f. en algo** *(no ser muy apto)* être faible en qch

flojera *nf Fam* flemme *f*

flojo, -a *adj (nudo, vendaje)* lâche; *(bebida, sonido, viento)* léger(ère); *(malo)* faible; *(trabajo)* médiocre; *Fam (persona)* mou (molle), flemmard(e); **estar f. en inglés** être faible en anglais

flor *nf* fleur *f*; **la f. (y nata)** la fine fleur; **en la f. de la edad o de la vida** dans la fleur de l'âge; **a f. de** à fleur de

flora *nf* flore *f*

florecer [45] *vi (planta)* fleurir; *(prosperar)* être florissant(e)

florero *nm* vase *m*

florido, -a *adj* fleuri(e)

florista *nmf* fleuriste *mf*

floristería *nf* **voy a la f.** je vais chez le fleuriste

flota *nf* flotte *f*

flotador *nm* flotteur *m*; *(para nadar)* bouée *f*

flotar *vi* flotter

flote: a flote *adv* à flot; **sacar a f.** remettre à flot, renflouer; **salir a f.** se remettre à flot, se renflouer

fluido, -a 1 *adj* fluide **2** *nm* fluide *m*; **f. (eléctrico)** courant *m* (électrique)

fluir [33] *vi* couler

flúor *nm* fluor *m*

FM *nf (abrev* **frecuencia modulada)** FM *f*

foca *nf (animal)* phoque *m*

foco *nm (centro)* foyer *m*; *(lámpara)* projecteur *m*; *Andes, Méx (bombilla)* ampoule *f*; **un f. de miseria** un foyer de pauvreté

foie-gras [fwa'gras] *nm inv* pâté *m* (de foie); *(en Francia)* foie *m* gras

foja *nf Am (folio)* feuille *f* (de papier)

folclore *nm* folklore *m*

fólder *nm Am (carpeta)* chemise *f (de bureau)*

folio *nm (hoja)* feuille *f* (de papier); **tamaño f.** format *m* A4

follaje *nm* feuillage *m*

folleto *nm* brochure *f*; *(suelto)* prospectus *m*; *(plegable)* dépliant *m*; *(explicativo)* notice *f*

fomentar *vt* encourager, développer; *(odio, guerra)* susciter

fonda *nf* auberge *f*

fondo *nm* fond *m*; *(de dinero, biblioteca, archivo)* fonds *m*; *(resistencia)* endurance *f*; *RP (patio)* cour *f* de derrière (d'une maison); **a f.** à fond; **al f. de** au fond de; **en el f.** au fond; **tener buen f.** avoir un bon fond; **tocar f.** toucher le fond; **doble f.** double fond; **a f. perdido** *(pago)* à fonds perdu ▪ **f. común** caisse *f* commune; **f. de inversión** fonds commun de placement; **f. de pensiones** caisse de retraite; **fondos reservados** fonds secrets

fono *nm Am Fam* téléphone *m*

fontanero, -a *nm,f* plombier *m*

footing ['futin] *nm* footing *m*

forastero, -a *nm,f* étranger(ère) *m,f*

forense *nmf* médecin *m* légiste

forestal *adj* forestier(ère); **incendio f.** feu *m* ou incendie *m* de forêt

forfait [for'fe] *(pl* **forfaits)** *nm* forfait *m*

forjar *vt* forger

forma nf forme f; (manera) façon f; **estar en f.** être en forme; **de cualquier f., de todas formas** de toute façon; **de f. que** de façon que; **f. de pago** modalité f de paiement; **formas** (silueta, modales) formes

formación nf formation f ■ **f. profesional** = enseignement technique

formal adj (educado) bien élevé(e); (de confianza) sérieux(euse); (acusación, compromiso) formel(elle); (lenguaje) soutenu(e)

formalidad nf formalité f; (seriedad) sérieux m

formar 1 vt former 2 **formarse** upr se former

formidable adj formidable

fórmula nf formule f ■ **f. uno** formule 1

formular 1 vt formuler 2 vi Quím rédiger des formules

formulario nm formulaire m

foro nm (de discusión) forum m (de discussion)

forrar 1 vt (libro, mueble) couvrir; (ropa) doubler 2 **forrarse** upr Fam se remplir les poches

forro nm (de libro) couverture f; (de mueble) housse f; (de ropa) doublure f

fortaleza nf force f; (recinto) forteresse f

fortuna nf (suerte) chance f; (destino) sort m; (riqueza) fortune f; **por f.** heureusement, par chance

forzado, -a adj forcé(e)

forzar [30] vt forcer; (violar) abuser de

forzosamente adv forcément

fósforo nm (elemento) phosphore m; (cerilla) allumette f

fósil adj & nm fossile m

foso nm fosse f; (de fortaleza) fossé m; (de obras) tranchée f; (de la orquesta) fosse f d'orchestre

foto nf photo f; **sacar una f.** faire une photo

fotocopia nf photocopie f

fotocopiadora nf photocopieuse f

fotocopiar vt photocopier

fotografía nf photographie f

fotografiar [31] vt photographier

fotógrafo, -a nm,f photographe mf

fotomatón nm Photomaton® m

FP nf (abrev **formación profesional**) = enseignement technique

fracasar vi échouer

fracaso nm échec m

fracción nf fraction f

fraccionamiento nm Méx lotissement m de luxe

fractura nf Med fracture f; Der effraction f

fragancia nf parfum m, senteur f

frágil adj fragile

fragmento nm fragment m

fraile nm frère m (religieux)

frambuesa nf framboise f

francés, -esa 1 adj français(e) 2 nm,f Français(e) m,f 3 nm (lengua) français m

Francia n la France

franco, -a 1 adj franc (franche); (indudable) net (nette); Hist franc (franque); CSur (día) libre; **una franca mejoría** une nette amélioration 2 nm,f Hist Franc (Franque) m,f 3 nm (moneda) franc m

francotirador, -ora nm,f franc-tireur m

franela nf flanelle f

franja nf (adorno) frange f; (de tierra) bande f; (de luz) rai m

franqueo nm affranchissement m

frasco nm flacon m

frase nf phrase f ■ **f. hecha** phrase toute faite

fraternidad nf fraternité f

fraude nm fraude f

fray nm **f. Luis** frère Luis

frazada nf Am couverture f ■ **f. eléctrica** couverture chauffante

frecuencia nf fréquence f; **con f.** fréquemment ■ **f. modulada** modulation f de fréquence

frecuente adj fréquent(e)

fregadero nm évier m

fregado, -a 1 *nm (lavado)* lavage *m*; *(de ollas)* récurage *m* **2** *adj Andes Fam (difícil)* enquiquinant(e); *(fastidiado)* enquiquiné(e); *(roto)* nase

fregar [42] *vt (suelo)* laver; *(ollas)* récurer; *(frotar)* frotter; *Andes Fam (estropear)* bousiller; **f. los platos** faire la vaisselle

fregona *nf (utensilio)* balai-serpillière *m*; *Pey (criada)* bonniche *f*

freír [55] **1** *vt* faire frire **2** **freírse** *vpr (de calor)* rôtir; *(en recetas)* **se fríen las patatas** faire frire les pommes de terre

frenar 1 *vt* freiner; *(impulso, ira)* refréner **2** *vi* freiner

frenazo *nm* coup *m* de frein

frenético, -a *adj (exaltado)* frénétique; *(furioso)* fou furieux *(folle furieuse)*

freno *nm* frein *m*; *(de caballerías)* mors *m*; **echar el f.** freiner; **poner f. a** mettre un frein à ■ **f. de mano** frein à main

frente 1 *nf* front *m* **2** *nm* front *m*; *(parte delantera)* devant *m*; **hacer f. a** *(problema)* faire face à; *(persona)* tenir tête à; **estar al f. (de)** être à la tête (de); **de f.** *(foto)* de face; *(encuentro)* nez à nez; *(accidente)* de plein fouet; *(sin rodeos)* de front; **f. a** *(enfrente de)* en face de; *(con relación a)* par rapport à; *(ante)* devant; **f. a su casa** en face de chez lui; **f. a f.** face à face

fresa *nf (fruto, herramienta)* fraise *f*; *(planta)* fraisier *m*

fresco, -a 1 *adj* frais (fraîche); *(caradura)* sans-gêne *inv*; **su recuerdo permanece f. en mi memoria** je garde son souvenir intact; **quedarse tan f.** ne pas broncher **2** *nm,f* **ser un f.** être sans-gêne **3** *nm (frío moderado)* fraîcheur *f*; *Arte* fresque *f*; **al f.** à la fraîche; **hace f.** il fait frais; **tomar el f.** prendre le frais

fresno *nm* frêne *m*

fresón *nm* fraise *f*

frigider *nm Andes* réfrigérateur *m*

frigorífico, -a 1 *adj* frigorifique **2** *nm* réfrigérateur *m*

frijol, fríjol *nm Andes, CAm, Méx* haricot *m*

frío, -a 1 *adj* froid(e) **2** *nm* froid *m*; **en f.** à froid

friolento, -a *adj & nm,f Am* frileux(euse) *m,f*

frito, -a 1 *participio ver* **freír** **2** *adj (en aceite)* frit(e); *Fam* **quedarse f.** s'endormir **3** *nm* friture *f*

frívolo, -a *adj* frivole

frondoso, -a *adj* touffu(e)

frontera *nf* frontière *f*

fronterizo, -a *adj* frontalier(ère)

frontón *nm* fronton *m*; *(pelota vasca)* pelote *f* basque

frotar 1 *vt* frotter **2** **frotarse** *vpr* se frotter

fruncir [70] *vt* froncer; **f. el ceño** froncer les sourcils

frustración *nf* frustration *f*; *(desilusión)* déception *f*

frustrar 1 *vt (insaciar)* frustrer; *(desilusionar)* décevoir; *(posibilidades, planes)* faire échouer; **me frustra ver que no mejoro** ça me déçoit de voir que je ne progresse pas **2** **frustrarse** *vpr (estar insaciado)* être frustré(e); *(desilusionarse)* être déçu(e); *(planes, proyectos)* tomber à l'eau; *(intento)* échouer

fruta *nf* fruit *m*

frutal 1 *adj* fruitier(ère) **2** *nm* arbre *m* fruitier

frutería *nf* **ir a la f.** aller chez le marchand de fruits

frutero, -a 1 *adj* fruitier(ère) **2** *nm,f (vendedor)* marchand(e) *m,f* de fruits **3** *nm (recipiente)* compotier *m*

frutilla *nf Andes, RP* fraise *f*

fruto *nm* fruit *m* ■ **frutos secos** fruits secs

fuego *nm* feu *m*; **abrir o hacer f.** ouvrir le feu, faire feu; **pegar f. a** mettre le feu à ■ **fuegos artificiales** feu d'artifice

fuelle nm soufflet m

fuente nf source f; (construcción) fontaine f; (de vajilla) plat m

fuera ver **ir, ser**
2 adv (en el exterior) dehors; (en otro lugar) ailleurs; **de f.** (extranjero) étranger(ère); (de otro lugar) d'ailleurs; **f. de** (excepto) en dehors de; Fig **f. de eso...** à part ça...; **estar f. de sí** être hors de soi; **f. de plazo** hors délai; **hacia f.** vers l'extérieur; **por f.** à l'extérieur; **esta semana estaré f.** cette semaine je ne serai pas là ▪ **f. de juego** hors-jeu m inv; **f. de serie** (publicación) hors-série inv; Fig (persona) hors pair; **ser un f. de serie** être exceptionnel(elle)
3 interj dehors!

fuerte 1 adj fort(e); (material, pared, nudo) solide; (frío, calor, color) intense; (pelea, combate) dur(e); (malsonante) grossier(ère); **¡qué f.!** ça alors! 2 adv fort 3 nm (fortaleza) fort m; **ser el f. de alguien** être le point fort de qn

fuerza ver **forzar**
2 nf force f; **tener fuerzas para** être assez fort(e) pour; **tiene que irse por f.** il doit absolument partir; **fuerzas del orden público** forces de l'ordre; **a f. de** à force de; **a la f.** (contra la voluntad) de force; (por necesidad) forcément; **por la f.** par la force; **fuerzas** (grupo de personas) forces ▪ **f. de voluntad** volonté f

fuese ver **ir, ser**

fuga nf fuite f; (de presos) évasion f; Mús fugue f; **darse a la f.** s'enfuir

fugarse [37] vpr (de cárcel) s'évader; **su marido se fugó con otra** son mari est parti avec une autre

fugaz adj fugace

fugitivo, -a 1 adj (que huye) en fuite; **f. de la ley** o **justicia** qui fuit la justice 2 nm,f fugitif(ive) m,f

fui ver **ir, ser**

fulano, -a nm,f Machin(e) m,f; **f. de tal** M. Untel; **un f.** un type 2 nf **fulana** (prostituta) prostituée f

fulminante adj (enfermedad, mirada) foudroyant(e); (despido, cese) immédiat(e); (explosivo) détonant(e)

fumador, -ora nm,f fumeur(euse) m,f ▪ **f. pasivo** fumeur passif

fumar vt & vi fumer; **f. como un carretero** fumer comme un pompier

función nf fonction f; (de cine) séance f; (de teatro) représentation f; **en f. de** en fonction de; **en f. de cuándo llegue** en fonction du moment où il arrivera ▪ **f. de tarde** matinée f

funcionar vi (aparato, máquina) fonctionner; (plan, actividad) marcher; **f. con gasolina** marcher à l'essence; **no funciona** (en letrero) en panne

funcionario, -a nm,f fonctionnaire mf

funda nf étui m; (de almohada) taie f; (de mueble, máquina) housse f; (de disco) pochette f

fundación nf fondation f

fundador, -ora adj & nm,f fondateur(trice) m,f

fundamental adj fondamental(e)

fundamento nm Fig (base) fondement m; Fig **sin f.** sans fondement; **fundamentos** (cimientos) fondations fpl

fundar 1 vt fonder 2 **fundarse en** vpr (teoría, razones) se fonder sur

fundición nf (fusión) fonte f; (taller) fonderie f

fundir 1 vt fondre; (bombilla, aparato) griller; (fusible) faire sauter
2 **fundirse** vpr (bombilla, aparato) griller; (fusible) sauter; (derretirse) fondre; Fig (unirse) se fondre

funeral nm funérailles fpl

fungir [23] vi Am **f. de** faire office de

funicular 1 adj funiculaire 2 nm (por tierra) funiculaire m; (por aire) téléphérique m

furgón nm fourgon m

furgoneta nf fourgonnette f

furia nf fureur f; **ponerse hecho una f.** devenir fou furieux

furioso, -a adj furieux(euse)
furor nm fureur f
fusible adj & nm fusible m
fusil nm fusil m (de guerre)
fusilar vt fusiller
fusión nf fusion f
fustán nm Am (enaguas) jupon m
fútbol nm football m

futbolín, Am **futbolito** nm baby-foot m inv
futbolista nmf footballeur(euse) m,f
futuro, -a 1 adj futur(e) **2** nm (porvenir) avenir m; (tiempo verbal) futur m; **en el f., piensa antes de hablar** à l'avenir, réfléchis avant de parler **3** adv Am **a f.** plus tard

Gg

g (abrev **gramo**) g
gabán nm pardessus m
gabardina nf gabardine f
gabinete nm (habitación, ministros) cabinet m; **g. de estudios** bureau m d'études
gafas nfpl lunettes fpl ■ **g. de sol** lunettes de soleil
gaita nf cornemuse f
gala nf gala m; **una fiesta de g.** une soirée de gala; **un vestido de g.** une tenue de soirée; **con sus mejores galas** dans ses plus beaux atours; **hacer g. de algo** (demostrar) faire étalage de qch; **tener a g. algo** (preciarse de) être fier(ère) de qch
galán nm (hombre atractivo) bel homme m; (en teatro) jeune premier m
galaxia nf galaxie f
galería nf galerie f; (para cortinas) tringle f ■ **galerías (comerciales)** galerie marchande
Gales n le pays de Galles
galés, -esa 1 adj gallois(e) **2** nm,f Gallois(e) m,f **3** nm (lengua) gallois m
Galicia n la Galice
gallego, -a 1 adj galicien(enne) **2** nm,f Galicien(enne) m,f; CSur Fam Espagnol(e) m,f **3** nm (lengua) galicien m
galleta nf (dulce) biscuit m

gallina nf (ave) poule f
gallinero nm poulailler m
gallo nm (ave) coq m; (de la voz) couac m; (pez) limande f; **otro g. cantaría si...** les choses seraient différentes si...
galopar vi galoper
galope nm galop m; **a g. tendido** au galop
galpón nm Am (grande) hangar m; (más pequeño) remise f
gama nf gamme f
gamba nf crevette f
gamberro, -a nm,f voyou m
gamonal nm Andes, CAm, Ven cacique m
gamuza nf (animal, piel) chamois m; (paño) peau f de chamois
gana nf envie f (**de** de); (hambre) appétit m; **lo hago porque me da la (real) g.** je le fais parce que ça me plaît; **no me da la g. de hacerlo** je n'ai pas envie de le faire; **me dan ganas de...** j'ai envie de...; **de buena g.** volontiers; **de mala g.** à contrecœur; **ganas** (deseo) envie; **tener ganas de algo/de hacer algo** avoir envie de qch/de faire qch; **quedarse con las ganas** rester sur sa faim; **comer con ganas** manger avec appétit
ganadería nf élevage m

ganado nm bétail m ▪ **g. ovino** ovins mpl; **g. porcino** porcins mpl; **g. vacuno** bovins mpl

ganador, -ora adj & nm,f gagnant(e) m,f

ganancias nfpl bénéfices mpl

ganar 1 vt gagner; (gloria, fama) atteindre; (ciudad, castillo) conquérir; **me ganas en astucia** tu es plus astucieux que moi

2 vi gagner; **ganaron por tres a uno** ils ont gagné trois à un; **hemos ganado con el cambio** nous avons gagné au change; **ganamos en espacio** nous y avons gagné en place

3 ganarse vpr **ganarse algo** gagner qch; (merecer) bien mériter qch; (recibir) recevoir qch; **ganarse a alguien** gagner la faveur de qn

ganchillo nm crochet m (ouvrage); **hacer g.** faire du crochet

gancho nm crochet m; (cómplice) (de vendedor) rabatteur m; (de jugador) compère m; CAm, Méx, Ven (percha) cintre m; Fam **tener g.** (mujer) avoir du chien; (vendedor, título) être accrocheur(euse)

gandul, -ula adj & nm,f Fam flemmard(e) m,f

ganga nf affaire f (en or)

ganso, -a nm,f (ave) jars m, oie f; Fam **hacer el g.** faire le clown

garabato nm gribouillage m

garaje nm garage m

garantía nf garantie f; **con g.** sous garantie

garbanzo nm pois m chiche

garfio nm crochet m

garganta nf gorge f

gargantilla nf tour m de cou (collier)

gárgaras nfpl gargarismes mpl; **hacer g.** faire des gargarismes

garra nf griffe f; (de ave de rapiña) serre f

garrafa nf carafe f

garrapata nf tique f

garúa nf Am bruine f

gas nm gaz m; **a todo g.** à toute allure; **gases** (en el estómago) gaz mpl ▪ **g.**

butano gaz butane; **g. ciudad** gaz de ville; **g. natural** gaz naturel

gasa nf gaze f

gaseoso, -a 1 adj gazeux(euse) **2** nf **gaseosa** limonade f

gasfitería nf Chile, Ecuad, Perú plomberie f

gasfitero, -a nm,f Chile, Ecuad, Perú plombier m

gasóleo nm gazole m

gasolina nf essence f; **poner** o **echar g.** prendre de l'essence ▪ **g. normal** essence ordinaire; **g. súper** super m

gasolinera nf pompe f à essence

gastar 1 vt (dinero) dépenser; (combustible) consommer; (desgastar) user; (ponerse) porter; **¿qué número de zapatos gastas?** quelle est ta pointure?; **g. una broma a alguien** faire une blague à qn **2** vi (persona) dépenser **3 gastarse** vpr (por el uso) s'user; (vela) se consumer; (dinero) dépenser

gasto nm dépense f; **cubrir gastos** couvrir les frais; **no reparar en gastos** ne pas regarder à la dépense ▪ **g. público** dépenses publiques

gastritis nf inv gastrite f

gastronomía nf gastronomie f

gatear vi marcher à quatre pattes

gatillo nm gâchette f

gato, -a 1 nm,f chat m, chatte f; Fam **buscar tres pies al g.** chercher midi à quatorze heures; **hay g. encerrado** il y a anguille sous roche **2** nm (herramienta) cric m

gauchada nf RP service m; **hacerle una g. a alguien** rendre un service à qn

gaucho, -a 1 adj RP serviable **2** nm gaucho m

gavilán nm épervier m

gaviota nf mouette f

gazpacho nm gaspacho m

gel nm gel m

gelatina nf (de carne) gelée f; (ingrediente) gélatine f

gemelo, -a 1 adj & nm,f jumeau(elle) m,f **2** nm (músculo) mollet m; **gemelos**

(de camisa) boutons *mpl* de manchette; *(prismáticos)* jumelles *fpl*
gemido *nm* gémissement *m*
Géminis 1 *nm inv (zodiaco)* Gémeaux *mpl* 2 *nmf inv (persona)* Gémeaux *m*
gemir [46] *vi* gémir
generación *nf* génération *f*
generador, -ora 1 *adj* générateur(trice) 2 *nm Elec* générateur *m*
general 1 *adj* général(e); **en g., por lo g.** en général; **hablar de algo en términos generales** parler de qch en général 2 *nm* général *m*
generalizar [14] 1 *vt & vi* généraliser 2 **generalizarse** *upr* se généraliser
generar *vt* générer
género *nm (temperamento)* genre *m*; *(productos)* articles *mpl*, marchandise *f*; *(tejido)* tissu *m*; **el g. humano** le genre humain; **géneros de punto** articles en maille
generosidad *nf* générosité *f*
generoso, -a *adj* généreux(euse); *(comida)* copieux(euse)
genial *adj* génial(e)
genio *nm (temperamento)* caractère *m*; *(mal carácter)* mauvais caractère *m*; *(estado de ánimo)* humeur *f*; *(ser sobrenatural, persona de talento)* génie *m*; **estar de buen/mal g.** être de bonne/mauvaise humeur
genital 1 *adj* génital(e) 2 **genitales** *nmpl* organes *mpl* génitaux
gente *nf* gens *mpl*; **hay poca g.** il n'y a pas beaucoup de monde; *Fam* **la g. bien** les gens comme il faut; **la g. de bien** les gens bien
gentil *adj (educado)* courtois(e); *(amable)* aimable
gentileza *nf (educación)* courtoisie *f*; *(amabilidad)* amabilité *f*; *(regalo)* attention *f*, cadeau *m*; **por g. de** grâce à l'amabilité de
genuino, -a *adj* authentique; *(piel)* véritable
geografía *nf* géographie *f*
geometría *nf* géométrie *f*
geranio *nm* géranium *m*

gerente *nmf* gérant(e) *m,f*
germen *nm* germe *m*
gestión *nf (diligencia)* démarche *f*; *(administración)* gestion *f*
gestionar *vt (administrar)* gérer; *(tramitar)* faire des démarches pour
gesto *nm* geste *m*; *(expresión)* mimique *f*; *(mueca)* grimace *f*
gestor, -ora 1 *adj* gestionnaire 2 *nm,f* = personne faisant des démarches administratives pour le compte d'un particulier ou d'une entreprise
gestoría *nf* cabinet *m* d'affaires
gigante, -a *adj & nm,f* géant(e) *m,f*
gigantesco, -a *adj* gigantesque
gimnasia *nf* gymnastique *f* ■ **g. rítmica** gymnastique rythmique
gimnasio *nm* gymnase *m*
gimnasta *nmf* gymnaste *mf*
ginebra *nf* gin *m*
ginecólogo, -a *nm,f* gynécologue *mf*
gin-tonic [jin'tonik] *(pl* **gin-tonics)** *nm* gin tonic *m*
gira *nf* tournée *f*; **estar de g.** être en tournée
girar 1 *vi* tourner 2 *vt* tourner; *(peonza)* faire tourner; *(dinero)* virer
girasol *nm* tournesol *m*
giro *nm (movimiento)* tour *m*; *(de conversación, asunto, frase)* tournure *f*; *(envío)* virement *m* ■ **g. postal** virement postal, mandat *m*
gitano, -a 1 *adj* gitan(e) 2 *nm,f* Gitan(e) *m,f*
glaciar 1 *adj* glaciaire 2 *nm* glacier *m*
glándula *nf* glande *f*
global *adj* global(e)
globalización *nf* mondialisation *f*
globo *nm (esfera, planeta)* globe *m*; *(aeróstato, juguete)* ballon *m*
glóbulo *nm* globule *m* ■ **g. blanco** globule blanc; **g. rojo** globule rouge
gloria *nf* gloire *f*; *(placer)* plaisir *m*; **saber a g.** être exquis(e)
glorieta *nf (rotonda)* rond-point *m*; *(de casa, jardín)* tonnelle *f*
glorioso, -a *adj* glorieux(euse); *Rel* bienheureux(euse)

glotón, -ona adj & nm,f glouton(onne) m,f

glucosa nf glucose m

gobernador, -ora 1 adj gouvernant(e) **2** nm,f gouverneur m

gobernante adj & nmf gouvernant m

gobernar [3] vt gouverner; (casa) tenir; (negocios) mener, gérer

gobiernista Andes, Méx **1** adj (de la mayoría) de la majorité **2** nmf (del gobierno) partisan m du gouvernement

gobierno nm gouvernement m; (forma política) régime m; Náut gouverne f ■ **g. autonómico** gouvernement d'une communauté autonome; **g. central** gouvernement central; **g. civil** (edificio) préfecture f; **g. parlamentario** régime parlementaire

goce 1 ver **gozar**
2 nm jouissance f, plaisir m

gol nm but m

goleador, -ora nm,f buteur(euse) m,f

golf nm golf m

golfo, -a 1 adj & nm,f bon (bonne) m,f à rien **2** nm (accidente geográfico) golfe m ■ **el g. Pérsico** le golfe Persique; **el g. de Vizcaya** le golfe de Gascogne **3** nf golfa (mujer ligera de cascos) traînée f

golondrina nf (ave) hirondelle f; (barco) vedette f

golosina nf friandise f

goloso, -a adj & nm,f gourmand(e) m,f

golpe nm coup m; (entre vehículos) accrochage m; Fam **no dar** o **pegar g.** ne pas en ficher une rame; **de g.** (de una vez) d'un seul coup; (con brusquedad) brusquement ■ **g. bajo** coup bas; **g. de Estado** coup d'État

golpear 1 vt & vi frapper **2** golpearse vpr se cogner; **me golpeé en la cabeza** je me suis cogné la tête

golpiza nf Am volée f

goma nf (sustancia, de borrar) gomme f; CSur (neumático) pneu m; Fam (preservativo) capote f; **g. (elástica)** élastique m

gomería nf CSur = centre de vente et d'installation de pneus

gomina nf gomina f

góndola nf (barco) gondole f; Andes (autobús) autobus m

gordo, -a 1 adj gros (grosse); Fam **me cae g.** je ne peux pas le sentir **2** nm,f gros (grosse) m,f; Am (palabra cariñosa) mon coco m, ma cocotte f **3** nm (en lotería) gros lot m

gordura nf excès m de poids

gorila nm gorille m; Fam (en discoteca) videur m

gorjear vi (pájaros) gazouiller

gorra nf casquette f

gorrión nm moineau m

gorro nm bonnet m

gota nf goutte f; (pizca) (de aire) souffle m; (de sensatez) once f ■ **g. a g.** goutte-à-goutte m inv

gotera nf (filtración) gouttière f; (mancha) tache f d'humidité

gótico, -a 1 adj gothique **2** nm (arte) gothique m

gozar [14] vi (disfrutar) éprouver du plaisir; **g. con** se réjouir de; (buena comida) se régaler avec; **g. de** jouir de

gozo nm plaisir m; **ser motivo de g.** être une occasion de réjouissance

grabación nf enregistrement m

grabado nf gravure f

grabadora nf (de CDs) graveur m

grabar 1 vt (en piedra, en la memoria) graver; (sonido, datos) enregistrer **2** grabarse vpr grabarse en la memoria se graver dans la mémoire

gracia 1 nf grâce f; (humor, chiste) drôlerie f; (arte) goût m; (habilidad) talent m; **no es guapo pero tiene g.** il n'est pas beau mais il a du charme; **caer en g.** plaire; **hacer g. a alguien** faire rire qn; **(no) tener g.** (ne pas) être drôle **2** nfpl **gracias** merci m; **dar las gracias a alguien por algo** remercier qn de qch; **gracias a** grâce à; **muchas gracias** merci beaucoup

gracioso, -a 1 adj drôle **2** nm,f (persona divertida) comique mf

grada nf (peldaño) marche f; (graderío) tribune f; **gradas** (de estadio, ruedo) gradins mpl

graderío nm tribune f

grado nm degré m; (categoría) grade m; Am (curso escolar) année f; (voluntad) gré m; **de buen/mal g.** de bon/mauvais gré

graduación nf (acción) graduation f; (título, categoría) grade m; (obtención de título) obtention f d'un diplôme; **g. (alcohólica)** degré m d'alcool; **g. de la vista** mesure f de l'acuité visuelle

graduado, -a 1 adj (gafas, termómetro) gradué(e) **2** nm,f (persona) diplômé(e) m,f **3** nm (título) diplôme m

gradual adj graduel(elle)

graduar [4] **1** vt (medir) mesurer; (vino, licor) titrer; (regular) régler **2 graduarse** vpr obtenir son diplôme (**en** de); **graduarse la vista** se faire vérifier la vue

gráfico, -a 1 adj graphique **2** nm graphique m **3** nf **gráfica** courbe f (graphique)

gragea nf dragée f

grajo nm freux m

gramática ver **gramático**

gramatical adj grammatical(e)

gramático, -a 1 adj grammatical(e) **2** nm,f (persona) grammairien(enne) m,f **3** nf **gramática** grammaire f

gramo nm gramme m

gran adj ver **grande**

granada nf grenade f

granate 1 adj inv grenat inv **2** nm grenat m

Gran Bretaña n la Grande-Bretagne

grande

> On utilise **gran** devant les noms singuliers.

1 adj grand(e); **a lo g.** en grande pompe; **vivir a lo g.** mener grand train; Fam **pasarlo en g.** se payer du bon temps **2** nmf **grandes** (adultos) grands mpl

grandeza nf grandeur f

grandioso, -a adj grandiose

granel: a granel adv en vrac; (líquido) au litre; (en abundancia) à foison

granero nm grenier m

granito nm granit m

granizada nf grêle f

granizado nm (bebida) granité m

granizar [14] v impersonal **está granizando** il grêle

granja nf ferme f ■ **g. avícola** ferme avicole

granjero, -a nm,f fermier(ère) m,f

grano nm (de planta, arena) grain m; (en la piel) bouton m; Fig **ir al g.** en venir au fait, aller droit au but

granuja nmf canaille f

grapa nf (para papeles) agrafe f; CSur (bebida) eau-de-vie f de marc

grapadora nf agrafeuse f

grapar vt agrafer

grasa ver **graso**

grasiento, -a adj graisseux(euse)

graso, -a 1 adj gras (grasse) **2** nf **grasa** graisse f

gratificar [58] vt (complacer) récompenser

gratinado, -a adj gratiné(e)

gratinar vt gratiner

gratis 1 adj gratuit(e) **2** adv (sin pagar) gratuitement, gratis; (sin esfuerzo) sans peine

gratitud nf gratitude f

grato, -a adj agréable; **nos es g. comunicarle que…** nous avons le plaisir de vous informer que…

gratuito, -a adj gratuit(e)

grave adj grave; Gram **una palabra g.** un mot accentué sur l'avant-dernière syllabe

gravedad nf gravité f

gravilla nf gravillon m

Grecia n la Grèce

gremio nm (de un oficio) corporation f

greña nf tignasse f

griego, -a 1 adj grec (grecque) **2** nm,f Grec (Grecque) m,f **3** nm (lengua) grec m

grieta nf fissure f; (en la piel) gerçure f

grifo *nm (llave)* robinet *m; Perú (gasolinera)* station-service *f*
grill [gril] *(pl grills) nm* gril *m*
grillo *nm* grillon *m*
gringo, -a *Pey* **1** *adj Esp (estado-unidense)* américain(e); *Am (extranjero)* étranger(ère) *(blanc, d'origine européenne)* **2** *nm,f Esp (estadounidense)* Américain(e) *m,f; Am (extranjero)* = personne d'origine européenne, non hispanophone
gripa *nf Col, Méx* grippe *f*
gripe *nf* grippe *f*
gris 1 *adj (color)* gris(e); *Fig (triste)* morne **2** *nm* gris *m*
gritar 1 *vi* crier **2** *vt* **g. a alguien** crier après qn
grito *nm* cri *m;* **dar** *o* **pegar un g.** pousser un cri
grosella *nf* groseille *f*
grosería *nf* grossièreté *f*
grosero, -a 1 *adj* grossier(ère) **2** *nm,f* malotru(e) *m,f*
grosor *nm* épaisseur *f*
grotesco, -a *adj* grotesque
grúa *nf (de construcción)* grue *f; (para vehículos)* dépanneuse *f;* **se le llevó el coche la g.** sa voiture a été enlevée par la fourrière
grueso, -a 1 *adj* gros (grosse); *(tela, tabla)* épais(aisse) **2** *nm (grosor)* épaisseur *f;* **el g. de** *(la mayor parte de)* le gros de
grumo *nm* grumeau *m*
gruñido *nm* grognement *m*
gruñir *vi* grogner; *Fam* râler
grupa *nf* croupe *f;* **a la g.** en croupe
grupo *nm* groupe *m* ■ *Informát* **g. de noticias** newsgroup *m,* forum *m* ou groupe de discussion; **g. de presión** groupe de pression; **g. sanguíneo** groupe sanguin
gruta *nf* grotte *f*
guaca *nf Andes* tombe *f* précolombienne
guacal *nm CAm, Méx (calabaza)* calebasse *f; CAm, Col, Méx, Ven (jaula)* cage *f; (caja)* cageot *m*
guacamol, guacamole *nm*

guacamole *m,* = purée d'avocat épicée typique du Mexique
guachimán *nm Am* gardien *m*
guacho, -a *nm,f Andes, RP muy Fam* bâtard(e) *m,f*
guaco *nm Andes* céramique *f* précolombienne
guagua *nf Carib (autobús)* bus *m; Andes (niño)* bébé *m*
guajiro, -a *nm,f Cuba* paysan(anne) *m,f*
guajolote *nm CAm, Méx (pavo)* dindon *m; Fig (tonto)* âne *m*
guampa *nf CSur* corne *f*
guanajo *nm Carib* dindon *m*
guante *nm* gant *m*
guantera *nf* boîte *f* à gants
guapo, -a *adj* beau (belle)
guarache *nm Méx* = sandale de mauvaise qualité
guarangada *nf Bol, CSur* grossièreté *f*
guarango, -a *nm,f Bol, CSur* malotru(e) *m,f*
guardabarros *nm inv* garde-boue *m inv*
guardacoches *nmf inv* gardien (enne) *m,f* de parking
guardaespaldas *nmf inv* garde *m* du corps
guardameta *nmf* gardien *m* de but
guardapolvo *nm (bata)* blouse *f*
guardar 1 *vt* garder; *(colocar)* ranger; *(proteger)* protéger (**de** *de*); **g. cama/ silencio** garder le lit/le silence **2 guardarse** *vpr* **guardarse de** se garder de
guardarropa 1 *nmf* employé(e) *m,f* de vestiaire **2** *nm (armario) (público)* vestiaire *m; (particular)* penderie *f; (prendas)* garde-robe *f*
guardería *nf* crèche *f (établissement)*
guardia 1 *nf* garde *f;* **estar de g.** être de garde; **en g.** sur ses gardes; **montar (la) g.** monter la garde; **la vieja g.** la vieille garde ■ **la G. Civil** ≃ la gendarmerie; **g. municipal** *o* **urbana** police *f* municipale **2** *nmf* agent *m* ■ **g. civil** ≃ gendarme *m;* **g. de tráfico** agent de police

guardián, -ana *nm,f* gardien(enne) *m,f*

guarida *nf (de animales)* tanière *f; Fig (de malhechores)* repaire *m*

guarnición *nm (adorno, de comida)* garniture *f; (militar)* garnison *f*

guarro, -a 1 *adj* dégoûtant(e) **2** *nm,f (animal)* cochon *m,* truie *f; Fam (persona) (sucia)* cochon(onne) *m,f; (mala)* pourriture *f*

guasa *nf Fam (gracia)* humour *m;* **tener g.** *(ser gracioso)* être marrant(e); **déjate de guasas** *(de bromas)* arrête de rigoler; **estar de g.** être d'humeur à rigoler; *Irón* ¡**tiene g. la cosa!** elle est bonne, celle-là!

Guatemala *n* le Guatemala

guatemalteco, -a 1 *adj* guatémaltèque **2** *nm,f* Guatémaltèque *mf*

guay *adj Fam* super *inv*

guayaba *nf (fruta)* goyave *f*

guayabo *nm (árbol)* goyavier *m*

güero, -a *adj Méx Fam* blond(e)

guerra *nf* guerre *f; (de intereses, ideas, opiniones)* conflit *m;* **declarar la g.** déclarer la guerre ■ **g. bacteriológica** guerre bactériologique; **g. civil** guerre civile; **g. fría** guerre froide

guerrero, -a *adj & nm,f* guerrier(ère) *m,f*

guerrilla *nf (grupo)* groupe *m* de guérilleros; *(estrategia)* guérilla *f*

guerrillero, -a *nm,f* guérillero *m*

guía 1 *nmf (persona)* guide *mf* ■ **g. turística** guide **2** *nf* guide *m* ■ **g. telefónica** annuaire *m* (du téléphone); **g. turística** guide touristique *(livre)*

guiar [31] **1** *vt* guider; *(plantas, ramas)* tuteurer **2 guiarse** *vpr* se guider (**de** *o* **por** sur)

guijarro *nm* caillou *m*

guillotina *nf (para decapitar)* guillotine *f; (para cortar)* massicot *m*

guinda *nf* griotte *f*

guindilla *nf* piment *m* rouge

guineo *nm Andes, CAm* banane *f*

guiñar *vt* **g. el ojo** faire un clin d'œil

guiñol *nm* guignol *m*

guión *nm (esquema)* plan *m; (de cine, televisión)* scénario *m; (signo ortográfico)* trait *m* d'union

guionista *nmf* scénariste *mf*

guiri *nmf Fam* étranger(ère) *m,f*

guirnalda *nf* guirlande *f*

guisado *nm* ragoût *m*

guisante *nm (planta)* pois *m; (fruto)* petit pois *m*

guisar 1 *vt (cocinar)* cuisiner; *(cocer)* laisser mijoter **2** *vi* cuisiner, faire la cuisine

guiso *nm* ragoût *m*

guitarra *nf* guitare *f*

guitarreada *nf RP* = réunion entre amis au cour de laquelle on chante en s'accompagnant à la guitare

guitarrista *nmf* guitariste *mf*

gurí, -isa *nm,f RP Fam* gamin(e) *m,f*

gusano *nm* ver *m*

gustar 1 *vi (agradar)* plaire; **me gusta esa chica** cette fille me plaît; **me gusta el deporte/ir al cine** j'aime le sport/aller au cinéma **2** *vt (probar)* goûter

gusto *nm* goût *m; (agrado)* plaisir *m;* **tener buen/mal g.** avoir bon/ mauvais goût; **tomar g. a algo** prendre goût à qch; **con mucho g.** avec plaisir; **da g. estar aquí** ça fait plaisir d'être ici; **mucho** *o* **tanto g. – el g. es mío** enchanté(e) – tout le plaisir est pour moi; **estar a g.** être à son aise; **hacer algo a g.** *(de buena gana)* prendre plaisir à faire qch; *(cómodamente)* être à son aise pour faire qch

Hh

haba nf fève f

habano, -a 1 adj de La Havane; **un puro h.** un havane **2** nm (cigarro) havane m

haber¹ 1 v aux (**a**) (antes de verbos transitivos) avoir; **lo he/había hecho** je l'ai/l'avais fait; **los niños ya han comido** les enfants ont déjà mangé
(**b**) (antes de verbos de movimiento, de estado o permanencia) être; **ha salido** il est sorti; **nos hemos quedado en casa** nous sommes restés à la maison
(**c**) (expresa obligación) **h. de hacer algo** devoir faire qch; **has de trabajar más** tu dois travailler davantage
(**d**) (expresa probabilidad) **ha de ser su hermano** ce doit être son frère
2 vt (ocurrir) se produire; **los accidentes habidos este verano** les accidents qui se sont produits cet été
3 v impersonal (**a**) (existir, estar) hay **mucha gente** il y a beaucoup de monde; **había/hubo problemas** il y avait/il y a eu des problèmes; **habrá dos mil personas** (en el futuro) il y aura deux mille personnes; (aproximadamente) il doit y avoir deux mille personnes
(**b**) (expresa obligación) **hay que hacer algo** falloir faire qch; **habrá que ir a buscarla** il faudra aller la chercher
(**c**) (expresa probabilidad) **han de ser las tres** il doit être trois heures
(**d**) (expresiones) **no hay de qué** il n'y a pas de quoi; Fam **¿qué hay?** ça va?
4 haberse upr **habérselas con alguien** avoir affaire à qn

haber² nm (en cuentas, contabilidad) crédit m; **tener en su h.** avoir à son crédit; Fig avoir à son actif

habichuela nf haricot m

hábil adj (diestro) habile; **h. para** (apto) apte à

habilidad nf (destreza) habileté f; (aptitud) don m; **tener h. para algo** être doué(e) pour qch

habiloso, -a adj Chile Fam intelligent(e)

habitación nf pièce f; (dormitorio) chambre f ■ **h. doble** chambre double; **h. individual** o **sencilla** o **simple** chambre individuelle

habitante nm habitant(e) m,f

habitar vt & vi habiter

hábito nm (costumbre) habitude f; (traje) habit m

habitual adj habituel(elle); (cliente, lector) fidèle

hablador, -ora adj & nm,f bavard(e) m,f

habladurías nfpl cancans mpl, commérages mpl

hablar 1 vi parler (**con** à ou avec); **h. bien/mal de alguien** dire du bien/du mal de qn; **h. de tú/de usted a alguien** tutoyer/vouvoyer qn; **h. en voz alta/baja** parler à voix haute/basse; **¡ni h.!** pas question!
2 vt (idioma) parler; **h. algo con alguien** (asunto) discuter de qch avec qn
3 hablarse upr se parler; **hace un año que no se hablan** ils ne se parlent plus depuis un an

hacendado, -a nm,f propriétaire mf terrien(enne)

hacer [32] **1** vt (**a**) (en general) faire; **hizo un vestido/pastel** elle a fait une robe/un gâteau; **h. planes** faire des projets; **le hice señas** je lui ai fait des signes; **no hagas ruido/el tonto** ne fais pas de bruit/l'idiot; **me hizo daño/reír** il m'a fait mal/rire

 (b) *(dar aspecto)* **este espejo te hace gordo** cette glace te grossit; **este peinado te hace más joven** cette coiffure la rajeunit

 (c) *(convertir)* rendre; **te hará feliz** il te rendra heureuse

 (d) *(representar)* **h. el papel de** jouer le rôle de

 2 *vi (intervenir)* faire; **déjame h. a mí** laisse-moi faire; **h. de** *(actuar)* jouer le rôle de; *(reemplazar)* faire office de; **h. como si** o **como que** faire comme si; **hace como si no nos viera** il fait comme s'il ne nous voyait pas; **hace como que no entiende** il fait semblant de ne pas comprendre

 3 *v impersonal* (a) *(tiempo meteorológico)* faire; **hace frío/calor** il fait froid/chaud; **hace sol** il y a du soleil; **hace buen tiempo** il fait beau

 (b) *(tiempo transcurrido)* **hace una semana** il y a une semaine; **hace mucho** il y a longtemps; **mañana hará un mes que estoy aquí** demain ça fera un mois que je suis ici

 4 hacerse *vpr* (a) *(guisarse, cocerse)* cuire

 (b) *(convertirse)* devenir; **se hizo monja** elle est devenue bonne sœur; **se hizo rico** il est devenu riche; **hacerse viejo** se faire vieux

 (c) *(resultar)* **se está haciendo tarde** il se fait tard

 (d) *(simular)* **se hace el gracioso** il fait le malin; **se hace el distraído para no saludar** il fait celui qui ne nous a pas vus pour ne pas nous dire bonjour

 (e) *(hacerse con algo (ganar)* obtenir qch; *(proveerse en)* se procurer qch; *(controlar)* maîtriser qch

hacha *nf* hache *f*

hachís *nm* haschisch *m*

hacia *prep* vers; **h. abajo/arriba** vers le bas/le haut; **h. aquí/allí** par ici/là; **h.**

atrás/adelante en arrière/avant; **h. las diez** vers dix heures

hacienda *nf (finca)* exploitation *f* agricole; *(bienes)* fortune *f* ■ **la h. pública** les Finances *fpl*

hada *nf* fée *f* ■ **h. madrina** bonne fée

Haití *n* Haïti

hala *interj (para animar)* allez!; *(para expresar sorpresa)* hou la!, ça alors!

halago *nm* flatterie *f*

halcón *nm* faucon *m*

hall [xol] *(pl* **halls)** *nm* hall *m*

hallar **1** *vt* trouver **2 hallarse** *vpr* se trouver; **se halla enfermo/reunido** il est malade/en réunion

halógeno, -a *adj* halogène

halterofilia *nf* haltérophilie *f*

hamaca *nf (para colgar)* hamac *m*; *(tumbona)* chaise *f* longue

hambre *nf* faim *f* **(de** de); **tener h.** avoir faim; **matar el h.** calmer sa faim

hambriento, -a *adj* affamé(e)

hamburguesa *nf* hamburger *m*

hámster ['xamster] *(pl* **hámsters)** *nm* hamster *m*

hangar *nm* hangar *m*

hardware ['xarwer] *nm Informát* hardware *m*, matériel *m*

harina *nf* farine *f*

hartar **1** *vt (atiborrar)* gaver **2 hartarse** *vpr (atiborrarse)* se gaver; *Fam (cansarse)* en avoir marre; **hartarse de hacer algo** *(hacerlo mucho)* faire qch du matin au soir

harto, -a 1 *adj (de comida)* repu(e); *Fam (cansado)* **estar h. (de)** en avoir marre (de) **2** *adv* **es h. evidente/difícil** c'est on ne peut plus évident/difficile; *Andes, Méx Fam (mucho)* vachement

hasta 1 *prep* jusqu'à; **desde aquí h. allí** d'ici jusque-là; **h. ahora** à tout de suite; **h. la vista** au revoir; **h. luego** à tout à l'heure, à plus tard; *(adiós)* au revoir; **h. mañana** à demain; **h. otra** à la prochaine; **h. pronto** à bientôt; **h. que** jusqu'à ce que **2** *adv (incluso)* même; *Andes, CAm, Méx (sólo, recién)* lo haremos h. fin de mes nous ne le ferons pas avant la fin du mois

haya 1 *ver* **haber 2** *nf* hêtre *m*

haz 1 *ver* **hacer**
  2 *nm (de luz)* faisceau *m; (de mieses)* gerbe *f; (de leña)* fagot *m; (de paja, heno)* botte *f*

hazaña *nf* exploit *m*

he *ver* **haber**

hebilla *nf* boucle *f*

hebra *nf (hilo, tabaco)* brin *m;* **de h.** *(tabaco)* à rouler

hebreo, -a 1 *adj* hébreu (hébraïque)
  2 *nm,f* **los hebreos** les Hébreux *mpl*
  3 *nm (lengua)* hébreu *m*

hechizar [14] *vt* envoûter

hechizo *nm* envoûtement *m*

hecho, -a 1 *participio ver* **hacer**
  2 *adj* fait(e); *(comida)* cuit(e); **es un trabajo mal h.** c'est un travail mal fait; **un filete bien/muy/poco h.** un steak à point/bien cuit/saignant
  3 *nm* fait *m;* **de h.** *(en realidad)* en fait; *(efectivamente)* effectivement; *(pareja, poder)* de fait
  4 *interj* d'accord!

hectárea *nf* hectare *m*

helada *ver* **helado**

heladera *nf CSur (nevera)* réfrigérateur *m*

heladería *nf* **lo compré en la h.** je l'ai acheté chez le marchand de glaces

helado, -a 1 *adj (congelado)* gelé(e); *(tarta)* glacé(e) **2** *nm* glace *f* **3** *nf* **helada** gelée *f*

helar [3] **1** *vt (convertir en hielo)* geler; *Fig (dejar atónito)* glacer **2** *v impersonal* geler; **ayer por la noche heló** il a gelé cette nuit **3 helarse** *vpr* geler; **¡me estoy helando!** je gèle!

hélice *nf* hélice *f*

helicóptero *nm* hélicoptère *m*

hematoma *nm* hématome *m*

hembra *nf (animal)* femelle *f; (mujer)* femme *f; (niña)* fille *f; (de enchufe)* prise *f* femelle

hemorragia *nf* hémorragie *f;* **h. nasal** saignement *m* de nez

heno *nm* foin *m*

hepatitis *nf inv* hépatite *f*

herboristería *nf* herboristerie *f*

heredar *vt* hériter; **heredó un piso** il a hérité d'un appartement; **heredó una casa de su padre** il a hérité une maison de son père

heredero, -a 1 *adj* **el príncipe h.** le prince héritier **2** *nm,f* héritier(ère) *m,f*

hereje *nmf* hérétique *mf*

herejía *nf (doctrina, postura)* hérésie *f*

herencia *nf* héritage *m*

herido, -a 1 *adj & nm,f* blessé(e) *m,f*
  2 *nf* **herida** blessure *f*

herir [61] *vt* blesser

hermanastro, -a *nm,f* demi-frère *m,* demi-sœur *f*

hermano, -a *nm,f* frère *m,* sœur *f*
  ■ **hermanos gemelos** (frères) jumeaux *mpl*

hermético, -a *adj* hermétique

hermoso, -a *adj* beau (belle)

hermosura *nf* beauté *f*

héroe *nm* héros *m*

heroico, -a *adj* héroïque

heroína *nf* héroïne *f*

heroinómano, -a *nm,f* héroïnomane *mf*

heroísmo *nm* héroïsme *m*

herradura *nf* fer *m* à cheval

herramienta *nf* outil *m*

herrería *nf (taller)* forge *f; (oficio)* forgeage *m;* **en la h.** chez le forgeron

herrero *nm* forgeron *m*

hervir [61] **1** *vt* faire bouillir **2** *vi* bouillir; **h. a borbotones** bouillir à gros bouillons

heterosexual *adj & nmf* hétérosexuel(elle) *m,f*

hice *ver* **hacer**

hidalgo, -a 1 *adj* de la petite noblesse **2** *nm,f* petit(e) noble *mf*

hidratante 1 *adj* hydratant(e) **2** *nm* hydratant *m*

hidratar *vt* hydrater

hiedra *nf* lierre *m*

hielo *nm* glace *f; (en carretera)* verglas *m*

hiena *nf* hyène *f*

hierba *nf* herbe *f*

hierbabuena *nf* menthe *f*
hierro *nm* fer *m*; *(de puñal, cuchillo)* lame *f*; **de h.** *(salud, voluntad)* de fer; **h.** forjado fer forgé
hígado *nm* foie *m*
higiene *nf* hygiène *f*
higiénico, -a *adj* hygiénique
higo *nm* figue *f* ■ **h. chumbo** figue de Barbarie
higuera *nf* figuier *m*
hijastro, -a *nm,f* beau-fils *m*, belle-fille *f (enfants d'un premier mariage du conjoint)*
hijo, -a *nm,f (descendiente)* fils *m*, fille *f*; **tiene dos hijos** elle a deux enfants; **¡ay, hija, qué mala suerte!** ma pauvre, c'est vraiment pas de chance!; **¡pues h., podrías haber avisado!** dis donc, tu aurais pu prévenir!; **h. mío** mon fils; **¡h. mío, qué tonto eres!** qu'est-ce que tu es bête, mon pauvre! ■ **h. de papá** fils à papa; **h. político** gendre *m*; **hija política** belle-fille *f*; *Vulg* **h. de puta** salaud *m*, salope *f*
hilera *nf* rangée *f*
hilo *nm* fil *m*; *Fig (de agua, sangre)* filet *m*
hilvanar *vt (ropa)* faufiler, bâtir; *Fig (ideas)* relier
hincapié *nm* **hacer h. en** mettre l'accent sur
hincha *nmf (seguidor)* supporter *m*
hinchado, -a *adj (de aire)* gonflé(e); *(inflamado)* enflé(e); **h. de orgullo** bouffi(e) d'orgueil
hinchar **1** *vt (inflar)* gonfler; *(exagerar)* grossir **2 hincharse** *vpr (aumentar de volumen)* enfler; *(excederse) (en comida)* se gaver; *(en trabajo)* se tuer; *Fig (persona)* **hincharse de orgullo** se gonfler d'orgueil
hinchazón *nf* enflure *f*
hipermercado *nm* hypermarché *m*
hipermetropía *nf* hypermétropie *f*
hipertensión *nf* hypertension *f*
hípico, -a 1 *adj* hippique **2** *nf* **hípica** hippisme *m*

hipnotizar [14] *vt* hypnotiser
hipo *nm* hoquet *m*; **tener h.** avoir le hoquet
hipocresía *nf* hypocrisie *f*
hipócrita *adj & nmf* hypocrite *mf*
hipódromo *nm* hippodrome *m*
hipopótamo *nm* hippopotame *m*
hipoteca *nf* hypothèque *f*
hipótesis *nf inv* hypothèse *f*
hipotético, -a *adj* hypothétique
hippy ['xipi] *(pl* **hippies**) *adj & nmf* hippie *m*
hispánico, -a *adj* hispanique
hispano, -a 1 *adj (de la lengua)* espagnol(e); *(en Estados Unidos)* latino, hispanique **2** *nm,f (en Estados Unidos)* Latino *m*, Hispanique *mf*
Hispanoamérica *n* l'Amérique *f* latine
hispanoamericano, -a 1 *adj* hispano-américain(e) **2** *nm,f* Hispano-Américain(e) *m,f*
hispanohablante *adj & nmf* hispanophone *mf*
histeria *nf* hystérie *f*
histérico, -a *adj & nm,f* hystérique *mf*
historia *nf* histoire *f*; **h. del arte** histoire de l'art; **dejarse de historias** arrêter de raconter des histoires
histórico, -a *adj* historique; *(verdadero)* véridique
historieta *nf (chiste)* histoire *f* drôle; *(cómic)* bande *f* dessinée
hizo *ver* **hacer**
hocico *nm* museau *m*; *(de puerco, de jabalí)* groin *m*
hockey ['xokei] *nm Dep* hockey *m* ■ **h. sobre hielo** hockey sur glace; **h. sobre hierba** hockey sur gazon; **h. sobre patines** hockey sur patins
hogar *nm* foyer *m*; *(chimenea)* âtre *m*
hogareño, -a *adj (persona)* casa-nier(ère); *(ambiente)* familial(e)
hoguera *nf* bûcher *m*; *(de fiesta)* feu *m* de joie
hoja *nf (de plantas, papel)* feuille *f*; *(de metal)* lame *f*; *(de puerta, ventana)* battant *m* ■ **h. de afeitar** lame de

rasoir; *Informát* **h. de cálculo** feuille *f* de calcul, tableur *m*

hojalata *nf* fer-blanc *m*

hojaldre *nm* pâte *f* feuilletée

hola *interj* bonjour!

Holanda *n* la Hollande

holandés, -esa 1 *adj* hollandais(e) **2** *nm,f* Hollandais(e) *m,f* **3** *nm* (*lengua*) hollandais *m*

holgado, -a *adj* (*ancho*) ample; (*situación económica*) aisé(e); (*victoria*) facile

holgar [16] *vi* **huelga decir que...** inutile de dire que...

holgazán, -ana *adj & nm,f* fainéant(e) *m,f*

hombre 1 *nm* homme *m*; **el h. de la calle** *o* **de a pie** l'homme de la rue; **un buen h.** un brave homme; **h. de mundo** homme du monde; **h. de palabra** homme de parole; **pobre h.** pauvre homme ■ **de h. a h.** d'homme à homme ■ **h. rana** homme-grenouille *m* **2** *interj* (*sorpresa*) tiens!; (*evidencia*) et comment!; **ven aquí h., no llores** viens ici, va, ne pleure pas

hombrera *nf* épaulette *f*

hombro *nm* épaule *f*; **a hombros** sur les épaules; **encogerse de hombros** hausser les épaules

homenaje *nm* hommage *m*; **en h. a** en hommage à; **rendir h. a alguien** rendre hommage à qn

homeopatía *nf* homéopathie *f*

homicida *adj & nmf* meurtrier(ère) *m,f*

homicidio *nm* homicide *m*

homosexual *adj & nmf* homosexuel(elle) *m,f*

hondo, -a *adj* profond(e); **en lo más h. de** au plus profond de

Honduras *n* le Honduras

hondureño, -a 1 *adj* hondurien(enne) **2** *nm,f* Hondurien(enne) *m,f*

honestidad *nf* honnêteté *f*

honesto, -a *adj* honnête

hongo *nm* champignon *m*; (*sombrero*) chapeau *m* melon

honor *nm* honneur *m*

honorario, -a 1 *adj* honoraire **2** *nmpl* **honorarios** honoraires *mpl*

honra *nf* honneur *m*; **tener a mucha h. algo** se flatter de qch

honradez *nf* honnêteté *f*

honrado, -a *adj* honnête

honrar 1 *vt* honorer (**con** de) **2 honrarse** *vpr* s'honorer (**con** *o* **de** *o* **en** de)

hora *nf* heure *f*; (*cita*) rendez-vous *m*; **a la h.** à l'heure; **a primera h.** à la première heure; **a última h.** au dernier moment; **dar la h.** sonner l'heure; **de última h.** de dernière heure; (*noticia, información*) de dernière minute; **en su h.** le moment venu; **¿qué h. es?** quelle heure est-il?; **trabajar/pagar por horas** travailler/payer à l'heure; **¡ya era h.!** il était temps!; **dar/pedir h.** donner/prendre rendez-vous; **tener h. en el dentista** avoir rendez-vous chez le dentiste ■ **horas extraordinarias** heures supplémentaires; **horas de oficina** heures de bureau; **h. punta** heure de pointe; **horas de trabajo** heures de travail; **horas de visita** heures de consultation; **media h.** demi-heure *f*

horario, -a 1 *adj* horaire **2** *nm* horaire *m*; (*escolar*) emploi *m* du temps ■ **h. comercial** heures *fpl* d'ouverture; **h. intensivo** journée *f* continue; **h. laboral** horaire de travail; **h. partido** = journée de travail en deux tranches: l'une le matin, l'autre en fin d'après-midi

horca *nf* (*patíbulo*) potence *f*; (*apero de labranza*) fourche *f*

horchata *nf* orgeat *m* (de souchet)

horizontal *adj* horizontal(e)

horizonte *nm* horizon *m*

horma *nf* (*molde*) forme *f*; (*utensilio*) embauchoir *m*

hormiga *nf* fourmi *f*

hormigón *nm* béton *m*; **h. armado** béton armé

hormigonera *nf* bétonnière *f*

hormiguero *nm* fourmilière *f*

hormona *nf* hormone *f*

hornear *vt* enfourner

hornillo *nm* réchaud *m*; *(de laboratorio)* fourneau *m*

horno *nm* four *m* ■ **alto h.** haut-fourneau *m*; **h. eléctrico** four électrique; **h. microondas** four à micro-ondes

horóscopo *nm (signo)* signe *m* (du zodiaque); *(predicción)* horoscope *m*

horquilla *nf (para el pelo)* épingle *f* à cheveux; *(de bicicleta)* fourche *f*

horrible *adj* horrible

horror *nm* horreur *f*; ¡**qué h.!** quelle horreur!; **los horrores de la guerra** les horreurs de la guerre; **producir h. a alguien** horrifier qn

horrorizar [14] **1** *vt* épouvanter **2 horrorizarse** *upr* être épouvanté(e)

horroroso, -a *adj* horrible

hortaliza *nf* légume *m*

hortelano, -a *adj & nm,f* maraîcher(ère) *m,f*

hortensia *nf* hortensia *m*

hortera *adj & nmf Fam* ringard(e) *m,f*

hospedar **1** *vt* héberger **2 hospedarse** *upr* loger; *(en un hotel)* descendre; **se hospedó en el hotel Miramar** il est descendu à l'hôtel Miramar

hospital *nm* hôpital *m*

hospitalario, -a *adj (de hospital)* hospitalier(ère); *(acogedor)* accueillant(e)

hospitalidad *nf* hospitalité *f*

hospitalizar [14] *vt* hospitaliser

hostal *nm* hôtel *m*

hostelería *nf* hôtellerie *f*

hostería *nf CSur* auberge *f*

hostia 1 *nf (para comulgar)* ostie *f*; *Vulg* **dar una h. a alguien** *(una bofetada)* foutre un gnon à qn; *Vulg* **pegarse una h.** *(en vehículo)* se foutre en l'air **2** *interj Vulg* ¡**h.!, ¡hostias!** putain!

hostil *adj* hostile

hotel *nm* hôtel *m*

hoy *adv* aujourd'hui; **de h. en**

adelante dorénavant; **h. día, h. en día, h. por h.** de nos jours

hoyo *nm* trou *m*

hoz *nf* faucille *f*

huachafo, -a *adj Perú Fam* ringard(e)

huasipungo *nm Andes* = parcelle de terre qu'un propriétaire terrien accorde à un paysan pour subvenir à ses besoins

huaso, -a *Chile* **1** *nm (a caballo)* = au Chili, gardien de troupeaux à cheval **2** *nm,f (campesino)* paysan(anne) *m,f*

hubiera *ver* **haber**

hucha *nf* tirelire *f*

hueco, -a 1 *adj* creux(euse) **2** *nm* creux *m*; *(espacio vacío)* place *f*

huelga 1 *ver* **holgar** **2** *nf* grève *f*; **declararse/estar en h.** se mettre/être en grève ■ **h. general** grève générale; **h. de hambre** grève de la faim

huella *nf* trace *f*; *Fig (impresión profunda)* marque *f*; **dejar h. en** marquer ■ **h. dactilar** empreinte *f* digitale

huérfano, -a *adj & nm,f* orphelin(e) *m,f*

huerta *nf (de verduras)* plaine *f* maraîchère; *(de árboles frutales)* verger *m*; *(tierra de regadío)* = plaines maraîchères irriguées de Valence et de Murcie

huerto *nm (de verduras)* jardin *m* potager, potager *m*

hueso *nm (del cuerpo)* os *m*; *(de fruta)* noyau *m*

huésped, -eda *nm,f* hôte *m*, hôtesse *f*; *(de un hotel)* client(e) *m,f*

huevada *nf Andes muy Fam* connerie *f*

huevo *nm* œuf *m*; *Vulg* **huevos** *(testículos)* couilles *fpl* ■ **h. duro** œuf dur; **h. frito** œuf sur le plat; **h. pasado por agua** œuf à la coque; **huevos al plato** = œufs sur le plat accompagnés de chorizo; **huevos revueltos** œufs brouillés

huevón, -ona *Chile Vulg* **1** *nm,f* flemmard(e) *m,f* **2** *nm* connard *m*

huida *nf* fuite *f*; *(de preso)* évasion *f*

huipil nm CAm, Méx (tela) = toile traditionnelle brodée; (ropa) = vêtement traditionnel (robe ou chemisier) porté par les Indiennes
huir [33] **1** vi (escapar) s'enfuir; (evitar) fuir; **h. de algo/alguien** fuir qch/qn **2** vt fuir
hule nm toile f cirée; (de bebé) alaise f
humanidad nf humanité f; **humanidades** sciences fpl humaines
humanitario, -a adj humanitaire
humano, -a 1 adj humain(e) **2** nm homme m
humareda nf nuage m de fumée
humedad nf humidité f
humedecer [45] **1** vt humecter; (ropa para planchar) humidifier **2 humedecerse** vpr s'humecter
húmedo, -a adj humide
humilde adj humble
humillación nf humiliation f
humillante adj humiliant(e)
humillar 1 vt humilier **2 humillarse** vpr s'humilier
humita nf Andes, Arg = pâte à base de purée de maïs, de fromage, de piment et d'oignon, cuite à la vapeur dans une enveloppe d'épi de maïs
humo nm fumée f; **aquí hay mucho h.** c'est très enfumé ici; Fig tener (unos) **humos** prendre de grands airs; Fig **se le han subido los humos** ça lui est monté à la tête
humor nm humeur f; (gracia) humour m; **buen/mal h.** bonne/mauvaise humeur ■ **h. negro** humour noir
humorista nmf (cómico) comique mf; (dibujante, autor) humoriste mf
humorístico, -a adj humoristique
hundir 1 vt plonger; (barco) couler; (terreno) provoquer l'effondrement de; Fig (persona) anéantir **2 hundirse** vpr (objeto) couler; (submarino) plonger; (techo, persona) s'effondrer
húngaro, -a 1 adj hongrois(e) **2** nm,f Hongrois(e) m,f **3** nm (lengua) hongrois m
Hungría n la Hongrie
huracán nm ouragan m
hurtadillas: a hurtadillas adv en cachette
hurto nm larcin m

Ii

ibérico, -a adj ibérique
iceberg (pl icebergs) nm iceberg m
icono nm icône f
ida nf aller m; **un billete de i. y vuelta** un billet aller-retour
idea nf idée f; (propósito, plan) intention f; (conocimiento) notion f; **a mala i.** avec l'intention de nuire; **cambiar de i.** changer d'avis; **con la i. de** avec l'intention de; **no tener ni i. de algo** (suceso) ne pas avoir la moindre idée de qch; (asignatura, tema) ne rien y connaître en qch
ideal 1 adj idéal(e) **2** nm idéal m; **ideales** idéaux mpl
idealista adj & nmf idéaliste mf
idéntico, -a adj identique (a à)
identidad nf identité f
identificación nf identification f
identificar [58] **1** vt (reconocer) identifier **2 identificarse** vpr identificarse con (persona) s'identifier à; (idea) se sentir proche de
ideología nf idéologie f
idilio nm idylle f
idioma nm langue f

idiota *adj & nmf* idiot(e) *m,f*
ídolo *nm* idole *f*
idóneo, -a *adj* idéal(e); *(persona)* indiqué(e); *(palabra, respuesta)* bon (bonne)
iglesia *nf* église *f*; **la I.** l'Église
ignorancia *nf* ignorance *f*
ignorante *adj & nmf* ignorant(e) *m,f*
ignorar *vt* ignorer
igual 1 *adj (idéntico, parecido)* pareil(eille); *(liso, constante)* égal(e); **dos libros iguales** deux livres pareils; **llevan jerseys iguales** ils portent le même pull; **i. que** le même que; **mi lápiz es i. que el tuyo** j'ai le même crayon que toi; **su hija es i. que ella** sa fille est comme elle; **A más B es i. a C** A plus B égale C
2 *nmf* égal(e) *m,f*; **sin i.** sans égal(e)
3 *adv (de la misma manera)* de la même façon; *(posiblemente)* peut-être; *Andes, RP (aun así)* quand même; **al i. que** de la même façon que; **por i.** de la même façon; **repartió el dinero por i.** il a distribué l'argent à parts égales; **i. viene** il viendra peut-être; **me da i. salir o quedarme** ça m'est égal de sortir ou de rester là; **es i. a la hora que vengas** viens quand tu veux, ça n'a pas d'importance
igualdad *nf* égalité *f*; **en i. de condiciones** à conditions égales ■ **i. de oportunidades** égalité des chances
igualmente *adv (también)* également; **recuerdos a tus padres – i.** mon bon souvenir à tes parents – et aux tiens aussi; **¡que te diviertas mucho! – ¡i.!** amuse-toi bien! – toi aussi!; **encantado (de conocerla) – i.** enchanté (de faire votre connaissance) – moi de même
ilegal *adj* illégal(e)
ilegítimo, -a *adj* illégitime
ileso, -a *adj* indemne; **el conductor salió o resultó i.** le conducteur est sorti indemne de l'accident
ilimitado, -a *adj* illimité(e)

ilógico, -a *adj* illogique
iluminación *nf* éclairage *m*; *(en fiestas)* illuminations *fpl*
iluminar 1 *vt* illuminer; *(dar luz, clarificar)* éclairer **2 iluminarse** *upr (calle)* être éclairé(e); *(rostro, mirada)* s'illuminer, s'éclairer
ilusión *nf* illusion *f*; *(esperanza)* rêve *m*; *(confianza)* espoir *m*; *(emoción)* joie *f*; **hacerse o forjarse ilusiones** se faire des illusions; **¡qué i. verte!** quel plaisir de te voir!; **me hace (mucha) i. que vengas** ça me fait (très) plaisir que tu viennes ■ **i. óptica** illusion d'optique
ilusionar 1 *vt (emocionar)* ravir; **i. a alguien** *(esperanzar)* donner de faux espoirs à qn; **me ilusiona verte** je suis ravi(e) de te voir **2 ilusionarse** *upr (emocionarse)* se réjouir **(con** de); *(esperanzarse)* se faire des illusions **(con** sur)
ilustración *nf (estampa)* illustration *f*; *(cultura)* instruction *f*; *Hist* **la I.** le siècle des Lumières
ilustrar *vt* illustrer; *(educar)* instruire
ilustre *vt* illustre
imagen *nf* image *f*; **ser la viva i. de alguien** être tout le portrait de qn
imaginación *nf (facultad)* imagination *f*; **pasar por la i. de alguien** venir à l'esprit *ou* à l'idée de qn; **imaginaciones** *(idea falsa)* idées *fpl*; **son imaginaciones tuyas** tu te fais des idées
imaginar 1 *vt* imaginer **2 imaginarse** *upr* s'imaginer
imaginario, -a *adj* imaginaire
imaginativo, -a *adj* imaginatif(ive)
imán *nm (para atraer)* aimant *m*; *(jefe musulmán)* imam *m*
imbécil *adj & nmf* imbécile *mf*
imitación *nf* imitation *f*; *(de obra literaria)* plagiat *m*
imitar *vt* imiter
impaciencia *nf* impatience *f*
impaciente *adj* impatient(e) **(por** de)
impar *adj (número)* impair(e)

imparable *adj* imparable
imparcial *adj* impartial(e)
impasible *adj* impassible
impecable *adj* impeccable
impedimento *nm* empêchement *m*
impedir [46] *vt (imposibilitar)* empêcher; *(dificultar)* gêner; **i. a alguien hacer algo** empêcher qn de faire qch; **nada te lo impide** rien ne t'en empêche
impensable *adj* impensable
imperativo, -a 1 *adj* impératif(ive) **2** *nm* impératif *m*
imperceptible *adj* imperceptible
imperdible *nm* épingle *f* de nourrice
imperdonable *adj* impardonnable
imperfecto, -a 1 *adj* imparfait(e) **2** *nm* imparfait *m*
imperial *adj* impérial(e)
imperio *nm* empire *m*; *(mandato)* règne *m*
impermeable *adj & nm* imperméable *m*
impersonal *adj* impersonnel(elle)
impertinencia *nf* impertinence *f*
impertinente 1 *adj & nmf* impertinent(e) *m,f* **2** *nmpl* **impertinentes** face-à-main *m*
ímpetu *nm (empuje)* force *f*; *(energía)* énergie *f*
implicancia *nf RP* conséquence *f*
implicar [58] **1** *vt* impliquer **2 implicarse** *vpr* **implicarse en** intervenir dans, se mêler de
implícito, -a *adj* implicite
imponer [49] **1** *vt* imposer; **i. respeto/silencio** imposer le respect/le silence **2** *vi* en imposer **3 imponerse** *vpr* s'imposer
importación *nf* importation *f*
importancia *nf* importance *f*; **dar i. a algo** accorder de l'importance à qch; **no tiene i.** ça n'a pas d'importance; **quitar i. a algo** relativiser qch; *Fig* **darse i.** se donner de l'importance, faire l'important(e)
importante *adj* important(e)
importar 1 *vt* importer; *(sujeto:

factura) s'élever à; *(sujeto: artículo, mercancía)* valoir
2 *vi (preocupar)* importer; **eso a ti no te importa** ça ne te regarde pas; **me importas mucho** tu comptes beaucoup pour moi; **no me importa** ça m'est égal; **¿y a ti qué te importa?** qu'est-ce que ça peut te faire?; **¿te importa que venga contigo?** ça t'ennuie si je viens avec toi?
3 *v impersonal* avoir de l'importance; **no importa** ça ne fait rien; **¡qué importa si llueve!** ça ne fait rien s'il pleut!
importe *nm (de factura)* montant *m*; *(de mercancía)* prix *m*
imposibilidad *nf* impossibilité *f*
imposible *adj* impossible
impostor, -ora *nm,f (suplantador)* imposteur *m*; *(calumniador)* calomniateur(trice) *m,f*
impotencia *nf* impuissance *f*
impotente 1 *adj* impuissant(e) **2** *nm* impuissant *m*
impreciso, -a *adj* imprécis(e)
impregnar 1 *vt* imprégner **2 impregnarse** *vpr* s'imprégner (**de** de)
imprenta *nf* imprimerie *f*
imprescindible *adj* indispensable
impresión *nf* impression *f*; *(huella)* marque *f*; *(en barro)* empreinte *f*; **cambiar impresiones** échanger des impressions; **causar (una) buena/mala i.** faire bonne/mauvaise impression; **dar la i. de** donner l'impression de; **tener la i. de que** *o* **que** avoir l'impression que
impresionante *adj* impressionnant(e)
impresionar 1 *vt* impressionner; *(sonidos, discurso)* enregistrer **2** *vi* **esta película impresiona mucho** ce film est très impressionnant **3 impresionarse** *vpr* être impressionné(e)
impreso, -a 1 *participio ver* **imprimir** **2** *adj* imprimé(e) **3** *nm (formulario)* imprimé *m*

impresor, -ora 1 *nm,f* imprimeur *m* **2** *nf* **impresora** *Informát* imprimante *f*
imprevisto, -a 1 *adj* imprévu(e) **2** *nm* imprévu *m*; **salvo imprevistos** sauf imprévu; **imprevistos** *(gastos)* faux frais *mpl*
imprimir *vt & vi* imprimer
improvisación *nf* improvisation *f*
improvisar *vt* improviser
improviso: de improviso *adv* à l'improviste
imprudente *adj & nmf* imprudent(e) *m,f*
impuesto, -a 1 *participio ver* **imponer 2** *nm* impôt *m*, taxe *f* ▪ **i. municipal** impôts locaux; **i. sobre la renta** impôt sur le revenu; **i. sobre el valor añadido** taxe sur la valeur ajoutée
impulsar *vt* pousser; *(promocionar)* stimuler, développer; **i. a alguien a algo/a hacer algo** pousser qn à qch/à faire qch
impulsivo, -a *adj & nm,f* impulsif(ive) *m,f*
impulso *nm* impulsion *f*; *(fuerza, arrebato)* élan *m*; **obedecer a sus impulsos** obéir à ses impulsions; **un i. de generosidad** un élan de générosité; **tomar i.** prendre de l'élan
impuro, -a *adj* impur(e)
inaceptable *adj* inacceptable
inadecuado, -a *adj* inadéquat(e)
inadmisible *adj* inadmissible
inaguantable *adj* insupportable
inauguración *nf* inauguration *f*; *(de congreso)* cérémonie *f* d'ouverture; *(de carretera)* mise *f* en service
inaugurar *vt* inaugurer
incapacidad *nf* incapacité *f*; **i. laboral** incapacité de travail
incapaz *adj* incapable (**de** de); **es i. de matar una mosca** il ne ferait pas de mal à une mouche; **ser i. para** *(no tener talento para)* ne pas être doué(e) pour
incendio *nm* incendie *m* ▪ **i. forestal** incendie de forêt; **i. provocado** incendie volontaire

incentivo *nm* incitation *f*; **un trabajo sin incentivos** un travail peu motivant
incidente *nm* incident *m*
incineradora *nf* incinérateur *m*
incinerar *vt* incinérer
incitar *vt* **i. a alguien a algo/a hacer algo** inciter qn à qch/à faire qch
inclinación *nf (desviación)* inclinaison *f*; *(de terreno)* pente *f*; *(afición, saludo)* inclination *f*; **sentir i. por** avoir un penchant pour
inclinar 1 *vt* incliner; **i. la cabeza** *(para saludar)* incliner la tête; *(para leer)* pencher la tête; **i. a alguien a hacer algo** pousser qn à faire qch **2 inclinarse** *upr (doblarse)* se pencher; **inclinarse (ante)** *(para saludar)* s'incliner (devant); *Fig* **inclinarse por** *(preferir)* pencher pour
incluir [33] *vt (poner dentro)* inclure; *(contener)* comprendre
inclusive *adv* y compris; **hasta la página 9 i.** jusqu'à la page 9 incluse
incluso, -a 1 *adj* inclus(e) **2** *adv* même; **invitó a todos, i. a tu hermano** il a invité tout le monde, même ton frère; **i. nos invitó a cenar** il nous a même invités à dîner
incógnito, -a 1 *adj* inconnu(e); **de i.** incognito **2** *nf* **incógnita** *(enigma)* mystère *m*; *(de ecuación)* inconnue *f*
incoherente *adj* incohérent(e)
incoloro, -a *adj* incolore
incómodo, -a *adj (molesto)* gênant(e); **ser i.** *(no confortable)* ne pas être confortable; *(inadecuado)* ne pas être pratique; **sentirse i.** se sentir mal à l'aise
incomparable *adj* incomparable
incompetente *adj* incompétent(e)
incomprensible *adj* incompréhensible
incomunicado, -a *adj* isolé(e)
incondicional *adj & nmf* inconditionnel(elle) *m,f*
inconfundible *adj* caractéristique, reconnaissable entre tous (toutes)
inconsciencia *nf* inconscience *f*
inconsciente 1 *adj & nmf* incons-

cient(e) *m,f* **2** *nm* **el i.** l'inconscient *m*

incontable *adj (cantidad)* innombrable; **un número i. de** un nombre incalculable de

inconveniente 1 *adj (dicho, conducta)* déplacé(e); *(ropa, estilo)* inconvenant(e) **2** *nm (desventaja)* inconvénient *m*; *(pega, obstáculo)* problème *m*; **poner inconvenientes** faire des difficultés

incorporación *nf* incorporation *f*

incorporar 1 *vt (añadir)* incorporer; *(levantar)* redresser; **i. los huevos a la masa** incorporer les œufs à la pâte **2 incorporarse** *upr (levantarse)* se redresser; **incorporarse a algo** *(a equipo)* entrer à qch; *(a grupo)* se joindre à qch; *(a trabajo)* commencer qch

incorrecto, -a *adj* incorrect(e)

incorregible *adj* incorrigible

incrédulo, -a *adj & nm,f* incrédule *mf*, sceptique *mf*

increíble *adj* incroyable

incremento *nm* accroissement *m*; *(de temperaturas)* hausse *f*

incubadora *nf* couveuse *f*

incubar *vt* couver

inculto, -a 1 *adj* inculte **2** *nm,f* ignorant(e) *m,f*

incumbir *vi* incomber (a à)

incurable *adj* incurable

incurrir *vi* **i. en** *(falta, delito)* commettre; *(desprecio, odio, ira)* encourir; s'exposer à

incursionar *vi Am* faire une/des incursion(s) (en dans)

indecente *adj (impúdico)* indécent(e); *(indigno)* infect(e)

indeciso, -a *adj* indécis(e); **estar i. sobre algo** ne pas arriver à se décider sur qch

indefenso, -a *adj* sans défense

indefinido, -a *adj* indéfini(e); **un contrato i.** un contrat à durée indéterminée

indemnización *nf* indemnisation *f*; *(compensación)* indemnité *f*

indemnizar [14] *vt* indemniser (por de)

independencia *nf* indépendance *f*

independiente *adj* indépendant(e)

independizar [14] **1** *vt* rendre indépendant(e); **i. a un país** accorder son indépendance à un pays **2 independizarse** *upr (persona)* s'émanciper; *(país)* accéder à l'indépendance; **independizarse de** devenir indépendant(e) de

indeterminado, -a *adj* indéterminé(e); **por un tiempo i.** pour une durée indéterminée; **el artículo i.** l'article indéfini

India *n* **(la) I.** l'Inde *f*

indicación *nf* indication *f*; *(señal, gesto)* signe *m*; **pedir/dar indicaciones** *(para llegar a un sitio)* demander son/indiquer le chemin

indicador, -ora 1 *adj* indicateur(trice) **2** *nm* indicateur *m*

indicar [58] *vt* indiquer; *(sujeto: médico)* prescrire; **i. algo con la mirada** indiquer qch du regard

indicativo, -a 1 *adj* indicatif(ive) **2** *nm* indicatif *m*

índice *nm* indice *m*; *(de natalidad, alcohol, incremento)* taux *m*; *(alfabético, de autores, obras, dedo)* index *m*; *(de temas, capítulos)* table *f* des matières; *(de una biblioteca)* catalogue *m* ▪ **í. de precios al consumo** indice des prix à la consommation

indicio *nm* indice *m (signe)*

indiferencia *nf* indifférence *f*

indiferente *adj* indifférent(e); **me es i.** ça m'est indifférent

indígena *adj & nmf* indigène *mf*

indigestión *nf* indigestion *f*

indigesto, -a *adj* indigeste

indignación *nf* indignation *f*

indio, -a 1 *adj* indien(enne) **2** *nm,f* Indien(enne) *m,f*; *Fig* **hacer el i.** faire le pitre

indirecto, -a 1 *adj* indirect(e) **2** *nf* **indirecta** sous-entendu *m*; **lanzar una indirecta** *(criticar)* lancer une pique; *(insinuar)* glisser une allusion

indiscreto, -a *adj* indiscret(ète)
indiscriminado, -a *adj (golpe)* donné(e) au hasard; *(matanza)* aveugle; **de modo i.** sans faire le détail
indiscutible *adj* indiscutable
indispensable *adj* indispensable
indispuesto, -a *adj* indisposé(e)
individual *adj (personal)* individuel(elle); *(habitación)* individuel(elle), pour une personne; *(cama)* à une place; *(prueba, competición)* simple
individuo, -a *nm,f (hombre)* individu *m; (mujer)* femme *f*
índole *nf* nature *f;* **ser de í. pacífica** être d'un naturel pacifique; **de toda í.** de toutes sortes
Indonesia *n* l'Indonésie *f*
indubitable *adj* indubitable; **es i. que...** il ne fait aucun doute que...
indumentaria *nf* costume *m*
industria *nf* industrie *f*
industrial *adj & nmf* industriel(elle) *m,f*
inédito, -a *adj* inédit(e)
inepto, -a 1 *adj* inepte **2** *nm,f* incapable *mf*
inequívoco, -a *adj* évident(e), manifeste
inesperado, -a *adj* inespéré(e), inattendu(e)
inestable *adj* instable
inevitable *adj* inévitable
inexperto, -a *adj* inexpérimenté(e)
infalible *adj* infaillible
infancia *nf* enfance *f*
infante, -a *nm,f (hijo del rey)* infant(e) *m,f*
infantería *nf* infanterie *f*
infantil *adj (medicina, comportamiento)* infantile; *(lenguaje, juego)* enfantin(e); *(programa, libro, calzado)* pour enfants
infarto *nm* infarctus *m*
infección *nf* infection *f*
infeccioso, -a *adj* infectieux(euse)
infectar 1 *vt* infecter **2 infectarse** *vpr* s'infecter

infeliz 1 *adj (desgraciado)* malheureux(euse) **2** *nmf* **un pobre i.** *(ingenuo)* un homme trop brave
inferior *adj & nmf* inférieur(e) *m,f* (**a** à)
inferioridad *nf* infériorité *f*
inficion *nf* Méx pollution *f*
infidelidad *nf* infidélité *f*
infiel *adj & nmf* infidèle *mf*
infierno *nm* enfer *m;* **¡vete al i.!** va au diable!
ínfimo, -a *adj* infime
infinito, -a 1 *adj* infini(e) **2** *nm* infini *m*
inflación *nf* inflation *f*
inflar 1 *vt (con aire)* gonfler; *Fig (exagerar)* grossir **2 inflarse** *vpr (hartarse)* se gaver (**de** de)
inflexible *adj (material)* rigide; *Fig (carácter, actitud)* inflexible
influencia *nf* influence *f;* **de i.** *(persona)* influent(e)
influenciar *vt* influencer
influir [33] *vi* **i. en** *(tener efecto en)* influer sur; *(tener influencia sobre)* avoir de l'influence sur
influjo *nm* influence *f*
influyente *adj* influent(e)
información *nf (conocimiento)* information *f,* renseignement *m; (noticia)* information *f; (oficina)* bureau *m* d'information; *(en aeropuerto)* comptoir *m* d'information; *(en tienda)* accueil *m; (telefónica)* renseignements *mpl* ∎ **i. deportiva** résultats *mpl* sportifs; **i. meteorológica** bulletin *m* météorologique
informal *adj (irresponsable)* peu sérieux(euse); *(reunión)* informel(elle); *(ropa, estilo)* décontracté(e)
informar 1 *vt* informer; **i. a alguien de algo** informer qn de qch **2 informarse** *vpr* s'informer (**de** de), se renseigner (**sobre** sur)
informático, -a 1 *adj* informatique **2** *nm,f (persona)* informaticien(enne) *m,f* **3** *nf* **informática** *(ciencia)* informatique *f*
informativo, -a 1 *adj (publicidad)*

informatif(ive); *(artículo, cursillo)* instructif(ive); *(boletín, revista)* d'information **2** *nm (noticias)* journal *m*, informations *fpl*

informe 1 *adj* informe **2** *nm* rapport *m*; **informes** *(de un empleado)* références *fpl*

infracción *nf* infraction *f*

infundir *vt (miedo, temor)* inspirer; *(valor, ánimos)* insuffler

infusión *nf* infusion *f*

ingeniería *nf (ciencia)* génie *m*; **estudia i.** il fait des études d'ingénieur ■ **i. genética** génie génétique

ingeniero, -a *nm,f* ingénieur *m* ■ **i. industrial** ingénieur de fabrication; **i. de sistemas** ingénieur système; **i. de sonido** ingénieur du son; **i. de telecomunicaciones** ingénieur des télécommunications

ingenio *nm (inteligencia)* esprit *m*, ingéniosité *f*; *(máquina)* engin *m*

ingenioso, -a *adj* ingénieux(euse)

ingenuidad *nf* ingénuité *f*

ingenuo, -a *adj & nm,f* ingénu(e) *m,f*; ¡no seas i.! ce que tu peux être naïf!

Inglaterra *nf* l'Angleterre *f*

ingle *nf* aine *f*

inglés, -esa 1 *adj* anglais(e) **2** *nm,f* Anglais(e) *m,f* **3** *nm (lengua)* anglais *m*

ingrato, -a *adj* ingrat(e)

ingrediente *nm* ingrédient *m*

ingresar 1 *vt (cheque)* déposer, remettre; *(dinero líquido)* déposer, verser **2** *vi (en el hospital)* être admis(e)

ingreso *nm (en un lugar)* admission *f*; *(de dinero)* dépôt *m*, versement *m*; *(de cheque)* remise *f*; **ingresos** *(personales)* revenus *mpl*; *(comerciales)* recettes *fpl*

inhabitable *adj* inhabitable

inhalar *vt* inhaler

inhumano, -a *adj* inhumain(e)

iniciación *nf* initiation *f*; *(de suceso, curso)* début *m*

inicial 1 *adj* initial(e) **2** *nf (letra)* initiale *f*

iniciar 1 *vt* commencer; **i. a alguien en algo** initier qn à qch **2** *vpr (empezar)* commencer; **iniciarse en el estudio de algo** s'initier à (l'étude de) qch

iniciativa *nf* initiative *f*

inicio *nm* début *m*

injerto *nm* greffe *f*

injusticia *nf* injustice *f*; ¡qué i.! c'est vraiment injuste!

injusto, -a *adj* injuste

inmaduro, -a *adj (fruta)* pas mûr(e); *(persona)* immature

inmediatamente *adv* immédiatement

inmediato, -a *adj (contiguo)* adjacent(e); *(cercano)* voisin(e); *(instantáneo)* immédiat(e); **de i.** immédiatement

inmejorable *adj* exceptionnel(elle)

inmenso, -a *adj* immense

inmigración *nf* immigration *f*

inmigrante *nmf (establecido)* immigré(e) *m,f*; *(recién llegado)* immigrant(e) *m,f*

inmigrar *vi* immigrer

inmobiliario, -a 1 *adj* immobilier(ère); **la propiedad inmobiliaria** l'immobilier *m* **2** *nf* **inmobiliaria** société *f* immobilière

inmoral *adj* immoral(e)

inmortal *adj* immortel(elle)

inmóvil *adj* immobile

inmovilizar [14] *vt* immobiliser

inmueble *adj & nm* immeuble *m*

inmune *adj* immunisé(e); *(exento)* exempt(e); **ser i. a algo** être immunisé contre qch

inmunidad *nf* immunité *f* ■ **i. diplomática** immunité diplomatique

innato, -a *adj* inné(e)

innecesario, -a *adj* inutile

innovación *nf* innovation *f*

inocencia *nf* innocence *f*

inocentada *nf* = plaisanterie faite traditionnellement le 28 décembre

inocente *adj & nmf* innocent(e) *m,f*

inofensivo, -a *adj* inoffensif(ive)

inolvidable *adj* inoubliable

inoportuno, -a *adj* inopportun(e)
inoxidable *adj* inoxydable
inquietar 1 *vt* inquiéter
2 **inquietarse** *upr* s'inquiéter
inquieto, -a *adj* *(preocupado)* inquiet(ète); *(agitado)* agité(e)
inquietud *nf* inquiétude *f*; **inquietudes** centres *mpl* d'intérêt
inquilino, -a *nm,f* locataire *mf*
insaciable *adj* insatiable
insalubre *adj* insalubre
insatisfacción *nf* insatisfaction *f*
insatisfecho, -a *adj* *(descontento)* insatisfait(e); **está i. con la comida** *(no saciado)* il n'est pas rassasié
inscribir 1 *vt* inscrire; **i. a alguien en** *(escuela, curso)* inscrire qn à; *(registro civil, lista)* faire inscrire qn sur 2 **inscribirse** *upr* s'inscrire; **inscribirse en** *(lista, registro)* s'inscrire sur; *(escuela, club)* s'inscrire à
inscripción *nf* inscription *f*
inscrito, -a 1 *participio ver* **inscribir** 2 *adj* inscrit(e)
insecticida *adj & nm* insecticide *m*
insecto *nm* insecte *m*
inseguridad *nf* insécurité *f* ■ **i. ciudadana** insécurité urbaine
inseguro, -a *adj* *(proyecto, resultado)* incertain(e); *(lugar, artefacto)* dangereux(euse); **es i.** *(persona)* il n'est pas sûr de lui
insensato, -a *adj* ridicule
insensible *adj* insensible
inseparable *adj* inséparable
insertar *vt* insérer
inservible *adj* inutilisable
insignia *nf* *(distintivo)* insigne *m*; *(bandera)* pavillon *m*
insignificante *adj* insignifiant(e)
insinuar [4] 1 *vt* insinuer 2 **insinuarse** *upr* *(declararse)* faire des avances; *(dejarse ver)* poindre
insípido, -a *adj* insipide
insistencia *nf* insistance *f*
insistir *vi* insister (**en** sur)
insolación *nf* insolation *f*
insolencia *nf* insolence *f*
insolente *adj & nmf* insolent(e) *m,f*

insólito, -a *adj* insolite
insolvente *adj* insolvable
insomnio *nm* insomnie *f*
insoportable *adj* insupportable
inspeccionar *vt* inspecter
inspector, -ora *nm,f* inspecteur(trice) *m,f*; **i. de Hacienda** inspecteur des impôts
inspiración *nf* inspiration *f*
inspirar 1 *vt* inspirer 2 **inspirarse** *upr* trouver l'inspiration; **inspirarse en** s'inspirer de
instalación *nf* installation *f*; **instalaciones** équipements *mpl* ■ **i. eléctrica** installation électrique
instalar 1 *vt* installer 2 **instalarse** *upr* s'installer
instancia *nf* *(solicitud)* requête *f*; *Der* instance *f*; **a instancias de** sur la requête de
instantáneo, -a 1 *adj* instantané(e) 2 *nf* **instantánea** instantané *m*
instante *nm* instant *m*; **a cada i.** à chaque instant; **al i.** à l'instant; **en un i.** en un instant
instintivo, -a *adj* instinctif(ive)
instinto *nm* instinct *m*
institución *nf* institution *f*
instituir [33] *vt* instituer
instituto *nm* *(corporación)* institut *m*; *(de enseñanza)* lycée *m*
institutriz *nf* institutrice *f*
instrucción *nf* instruction *f*; **instrucciones** *(de uso)* mode *m* d'emploi
instruir [33] *vt* instruire
instrumental 1 *adj* instrumental(e) 2 *nm* instruments *mpl*
instrumento *nm* instrument *m*
insuficiente 1 *adj* insuffisant(e) 2 *nm* *(nota)* mention *f* "insuffisant"
insufrible *adj Fig* insupportable
insultar *vt* insulter
insulto *nm* insulte *f*
insuperable *adj* *(inmejorable)* imbattable; *(sin solución)* insurmontable
intacto, -a *adj* intact(e)
integrar 1 *vt* intégrer; *(componer)* composer; **los capítulos que integran el libro** les chapitres qui

composent le livre **2 integrarse** *vpr* s'intégrer (**en** dans)

íntegro, -a *adj (completo)* intégral(e); *Fig (honrado)* intègre

intelectual *adj & nmf* intellectuel(elle) *m,f*

inteligencia *nf (entendimiento)* intelligence *f*; **los servicios de i.** les services *mpl* secrets ▪ **i. artificial** intelligence artificielle

inteligente *adj* intelligent(e)

intemperie *nf* a **la i.** dehors; *(dormir)* à la belle étoile

intención *nf* intention *f*; **con buena/ mala i.** dans une bonne/mauvaise intention; **tener la i. de hacer algo** avoir l'intention de faire qch

intencionado, -a *adj* intentionnel(elle)

intendencia *nf Chile, Col (de región)* conseil *m* régional; *Ecuad, Méx (policía)* préfecture *f* de police; *RP (municipio)* mairie *f*

intendente, -a *nm,f Chile, Col (regional)* conseiller *m* régional; *Ecuad, Méx (jefe de policía)* préfet *m* de police; *RP (alcalde)* maire *m*

intensivo, -a *adj* intensif(ive) ▪ **jornada intensiva** journée continue

intenso, -a *adj* intense

intentar *vt* essayer, tenter; **i. hacer algo** essayer *ou* tenter de faire qch

intento *nm* tentative *f*

intercalar *vt (fichas, hojas)* intercaler; *(capítulos, episodios)* insérer

intercambio *nm* échange *m*

interceder *vi* intercéder; **i. por alguien** intercéder en faveur de qn

interceptar *vt (carta, conversación)* intercepter; *(carretera)* barrer

interés *(pl* intereses*) nm* intérêt *m*; **tener i. en algo** tenir à qch; **tener i. por algo** être intéressé(e) par qch ▪ **intereses creados** intérêts communs

interesado, -a 1 *adj* intéressé(e) (**en** *o* **por** par) **2** *nm,f* personne *f* intéressée

interesante *adj* intéressant(e)

interesar 1 *vt* **i. a alguien en algo** intéresser qn à qch; **me interesa la arqueología** l'archéologie m'intéresse, je m'intéresse à l'archéologie; **no me interesa invertir ahora** ce n'est pas dans mon intérêt d'investir maintenant **2** *vi* être intéressant(e); **el asunto no interesa** le sujet n'est pas intéressant **3 interesarse** *vpr* s'intéresser (**por** à); **se interesó por tu salud** il s'est inquiété de ta santé

interfaz *nm o nf Informát* interface *f*

interferencia *nf* interférence *f*

interino, -a *adj & nm,f* intérimaire *mf*

interior 1 *adj* intérieur(e); **la ropa i.** les sous-vêtements *mpl* **2** *nm* intérieur *m*; **en mi i.** au fond de moi-même

interlocutor, -ora *nm,f* interlocuteur(trice) *m,f*

intermediario, -a *adj & nm,f* intermédiaire *mf*

intermedio, -a 1 *adj* intermédiaire **2** *nm* intermède *m*

interminable *adj* interminable

intermitente 1 *adj* intermittent(e) **2** *nm* clignotant *m*

internacional *adj* international(e)

internado *nm* internat *m*

internauta *nmf Informát* internaute *mf*

Internet *nf* Internet *m*; **está en I.** il est sur Internet *ou* sur l'Internet

interno, -a 1 *adj* interne; *(política)* intérieur(e); **los alumnos internos** les internes **2** *nm,f (alumno)* interne *mf*; *(preso)* interné(e) *m,f* **3** *nm RP* poste *m*; **comuníqueme con el i. 333** passez-moi le poste 333

interponer [49] **1** *vt* interposer; *Der* **i. un recurso** interjeter appel **2 interponerse** *vpr (entre dos)* s'interposer; **interponerse en** *(asuntos, vida)* se mêler de

interpretación *nf* interprétation *f*

interpretar *vt* interpréter

intérprete 1 *nmf* interprète *mf* **2** *nm*
Informát interpréteur *m*
interrogación *nf* interrogation *f*
interrogante *nm* *(incógnita)* interrogation *f*; *(signo de interrogación)*
point *m* d'interrogation
interrogar [37] *vt* interroger
interrogatorio *nm* interrogatoire *m*
interrumpir 1 *vt* interrompre
2 interrumpirse *upr* s'interrompre
interrupción *nf* interruption *f* ■ **i.**
voluntaria del embarazo interruption volontaire de grossesse
interruptor *nm* interrupteur *m*
interurbano, -a *adj* interurbain(e)
intervalo *nm* intervalle *m*; **en el i. de**
un mes en l'espace d'un mois
intervención *nf* intervention *f* ■ **i.**
quirúrgica intervention chirurgicale
intervenir [67] **1** *vi* intervenir (**en**
dans); **i. en un debate** participer à
un débat **2** *vt (operar)* opérer;
(teléfono) mettre sur écoutes; *(armas,
droga)* saisir; *(cuentas)* contrôler
interviú *nm o nf* interview *m o f*
intestino, -a 1 *adj* intestin(e) **2** *nm*
intestin *m* ■ **i. delgado** intestin
grêle; **i. grueso** gros intestin
intimidad *nf* intimité *f*; **en la i.** dans
l'intimité; **intimidades** *(asuntos
privados)* vie *f* privée
íntimo, -a *adj & nm,f* intime *mf*
intolerable *adj* intolérable
intoxicación *nf* intoxication *f*; **i.**
alimenticia intoxication alimentaire
intoxicar [58] **1** *vt* intoxiquer
2 intoxicarse *upr* s'intoxiquer
intranquilo, -a *adj (preocupado)*
inquiet(ète); *(nervioso)* agité(e)
intransigente *adj* intransigeant(e)
intransitable *adj* impraticable
intrépido, -a *adj* intrépide
intriga *nf (curiosidad)* curiosité *f*;
(género) suspense *m*; *(trama,
maquinación)* intrigue *f*; **de i.** à
suspense
intrigar [37] *vt & vi* intriguer
introducción *nf* introduction *f*
introducir [18] **1** *vt* introduire (**en**

dans) **2 introducirse** *upr* s'introduire
(**en** dans)
introvertido, -a *adj & nm,f*
introverti(e) *m,f*
intruso, -a *adj & nm,f* intrus(e) *m,f*
intuición *nf* intuition *f*
inundación *nf* inondation *f*
inundar 1 *vt* inonder; *Fig* envahir
2 inundarse *upr* être inondé(e) (**de**
de); *Fig* être envahi(e) (**par**)
inútil 1 *adj (cosa, acción)* inutile;
(persona) (incapaz) maladroit(e);
(incapacitada) invalide **2** *nmf*
(incapaz) incapable *mf*; *(incapacita-
do)* invalide *mf*
invadir *vt* envahir
inválido, -a *adj & nm,f* invalide *mf*
invasión *nf* invasion *f*
invasor, -ora 1 *adj* **el país i. fue**
sancionado le pays agresseur a été
sanctionné **2** *nm,f* envahisseur *m*
invención *nf* invention *f*
inventar 1 *vt* inventer **2 inventarse**
upr inventer; **se inventó una excusa** il
a inventé une excuse
inventario *nm* inventaire *m*
invento *nm* invention *f*
invernadero *nm* serre *f*
inversión *nf (del orden)* inversion *f*;
(de dinero, tiempo) investissement *m*;
una mala i. un mauvais placement
inverso, -a *adj* inverse; **a la inversa** à
l'inverse
inversor, -ora *nm,f* investis-
seur(euse) *m,f*
invertir [61] *vt (orden)* inverser;
(dinero) investir; *(tiempo)* mettre;
invierto mucho tiempo en ese
proyecto je consacre beaucoup de
mon temps à ce projet
investigación *nf (estudio)* recherche
f; *(seguimiento)* investigation *f*;
(indagación) enquête *f* ■ **i. y**
desarrollo recherche et développement
investigador, -ora 1 *adj* **un centro i.**
(que estudia) un centre de recherche;
una comisión investigadora *(que
indaga)* une commission d'enquête **2**

nm,f (estudioso) chercheur(euse) *m,f*; *(detective)* enquêteur(euse) *m,f*

investigar [37] **1** *vt (estudiar)* faire des recherches sur; *(indagar)* rechercher, enquêter sur **2** *vi (estudiar)* faire de la recherche; *(indagar)* enquêter

invidente 1 *adj* aveugle **2** *nmf* non-voyant(e) *m,f*

invierno *nm* hiver *m*

invisible *adj* invisible

invitación *nf* invitation *f*

invitado, -a *adj & nm,f* invité(e) *m,f*

invitar *vt* inviter; **i. a alguien a (hacer) algo** inviter qn à (faire) qch; **lo invitó a una copa** il lui a offert un verre

involucrar 1 *vt* **i. en** impliquer dans **2 involucrarse** *upr* **involucrarse en** être impliqué(e) dans

invulnerable *adj* invulnérable

inyección *nf (acción)* injection *f*; *(de medicamento)* piqûre *f*; **poner una i. a alguien** faire une piqûre à qn

ir [34] **1** *vi* (**a**) *(en general)* aller; **voy a Madrid/al cine** je vais à Madrid/au cinéma; **iremos en coche/en tren/andando** nous irons en voiture/en train/à pied; **todavía va al colegio** il va encore à l'école; **nuestra parcela va de aquí hasta el mar** notre terrain va d'ici à la mer; **sus negocios van mal** ses affaires vont mal; **¡vamos!** on y va!; **ir a mejor/a peor** aller mieux/moins bien

(**b**) *(antes de gerundio) (expresa duración gradual)* **voy mejorando mi estilo** j'améliore mon style; **su estado va empeorando** son état se dégrade

(**c**) *(expresa intención, opinión)* **ir a hacer algo** aller faire qch; **voy a llamarlo ahora mismo** je vais l'appeler tout de suite

(**d**) *(vestir)* être; **ir de azul/en camiseta/con corbata** être en bleu/en tee-shirt/en cravate

(**e**) *(estar)* **iba hecho un pordiosero** on aurait dit un mendiant; **iba muy borracho** il était complètement soûl

(**f**) *irle bien a alguien (vacaciones, tratamiento)* faire du bien à qn; *(ropa)* aller (bien) à qn; **le va fatal el color negro** le noir ne lui va pas du tout

(**g**) *(referirse)* **lo que he dicho no va con o por nadie en particular** ce que je viens de dire ne vise personne en particulier

(**h**) *(buscar)* **ir por** aller chercher

(**i**) *(alcanzar)* **ir por** en être à; **ya va por el cuarto vaso de vino** il en est déjà à son quatrième verre de vin

(**j**) *(con valor enfático)* **ir y hacer algo** aller faire qch, se mettre à faire qch; **fue y se lo contó todo** il est allé tout lui raconter

(**k**) *(tratar)* **i. de** parler de; **¿de qué va la película?** de quoi parle le film?

(**l**) *(presumir)* **i. de** faire le (la); **va de intelectual** il fait l'intello

(**m**) *(expresiones)* **ni me va ni me viene** ça ne me fait ni chaud ni froid; **¡qué va!** tu parles!; **es el no va más** c'est le nec plus ultra

2 irse *upr* s'en aller, partir; **se ha ido de viaje/a comer** il est parti en voyage/manger; **como sigas me voy si tu continues je m'en vais; ¡vete!** va-t-en!

ira *nf* colère *f*

Irak *n* (el). l'Irak *m*

Irán *n* (el). l'Iran *m*

Iraq = **Irak**

Irlanda *n* l'Irlande *f*; **I. del Norte** l'Irlande du Nord

irlandés, -esa 1 *adj* irlandais(e) **2** *nm,f* Irlandais(e) *m,f*

ironía *nf* ironie *f*

irónico, -a *adj* ironique

IRPF *nm (abrev* **Impuesto sobre la Renta de las Personas Físicas)** = impôt sur le revenu des personnes physiques en Espagne

irracional *adj* irrationnel(elle)

irradiar *vt (luz, energía)* irradier; *Fig (alegría, felicidad)* rayonner de

irrecuperable *adj* irrécupérable

irregular *adj* irrégulier(ère)

irregularidad *nf* irrégularité *f*

irresistible *adj* irrésistible

irresponsable *adj & nmf* irresponsable *mf*
irrestricto, -a *adj Am* total(e)
irreversible *adj* irréversible
irrigar [37] *vt* irriguer
irritable *adj* irritable
irritar 1 *vt* irriter 2 **irritarse** *vpr* s'irriter
isla *nf* île *f* ■ **las islas Baleares** les
(îles) Baléares *fpl*; **las islas Canarias**
les (îles) Canaries *fpl*; **las islas
Malvinas** les (îles) Malouines *fpl*; **la I.
de Pascua** l'île de Pâques
islam *nm* **el I.** l'Islam *m*
islandés, -esa 1 *adj* islandais(e)
2 *nm,f* Islandais(e) *m,f* 3 *nm (lengua)*
islandais *m*
Islandia *n* l'Islande *f*
islote *nm* îlot *m*

Israel *n* Israël
istmo *nm* isthme *m*
itacate *nm Méx* paquet *m*
Italia *n* l'Italie *f*
italiano, -a 1 *adj* italien(enne) 2 *nm,f*
Italien(enne) *m,f* 3 *nm (lengua)*
italien *m*
itinerario *nm* itinéraire *m*
IVA *nm (abrev* **impuesto sobre el valor
añadido)** TVA *f*
izda., izqda. *(abrev* **izquierda)** gche,
g.
izquierdo, -a 1 *adj* gauche; *(fila,
botón, carril)* de gauche 2 *nf*
izquierda gauche *f*; *(mano)* main *f*
gauche; *Dep (pie)* gauche *m*; **a la
izquierda** à gauche; **de izquierdas** de
gauche

Jj

jabalí *(pl* **jabalíes)** *nm* sanglier *m*
jabalina *nf Dep* javelot *m*
jabón *nm* savon *m*
jabonera *nf* porte-savon *m*
jacal *nm Méx* hutte *f*
jadear *vi* haleter
jaguar *nm* jaguar *m*
jaiba *nf CAm, Carib, Méx* crabe *m*
jalar *vt Am* tirer
jalea *nf* gelée *f*
jaleo *nm Fam (alboroto)* raffut *m*; *(lío)*
histoire *f*; *(desorden)* pagaille *f*; **armar
j.** *(alboroto)* faire du raffut; **se ha
metido en un j. muy gordo** il s'est
embarqué dans une sale histoire
Jamaica *n* la Jamaïque
jamás *adv* jamais; **la mejor novela
que j. se haya escrito** le meilleur
roman jamais écrit
jamón *nm* jambon *m* ■ **j. serrano**
jambon de montagne *ou* cru; **j.**

(de) York jambon blanc
Japón *n* **(el) J.** le Japon
japonés, -esa 1 *adj* japonais(e)
2 *nm,f* Japonais(e) *m,f* 3 *nm (lengua)*
japonais *m*
jarabe *nm* sirop *m*
jardín *nm* jardin *m* ■ **j. botánico**
jardin botanique; **j. de infancia**
jardin d'enfants
jardinero, -a 1 *nm,f* jardinier(ère) *m,f*
2 *nf* **jardinera** jardinière *f*; **a la
jardinera** *(ternera)* jardinière *inv*
jarra *nf (para servir)* carafe *f*; *(de
cerveza)* chope *f*
jarro *nm* pichet *m*
jarrón *nm* vase *m*
jaula *nf* cage *f*
jazmín *nm* jasmin *m*
jazz [jas] *nm* jazz *m*
jefatura *nf* direction *f*
jefe, -a *nm,f* chef *m* ■ **j. de Estado**

chef d'État; **j. de estudios** conseiller *m* d'éducation; **j. de gobierno** chef de gouvernement

jerez *nm* xérès *m*

jerga *nf* jargon *m*

jeringuilla *nf* seringue *f*

jeroglífico, -a 1 *adj* hiéroglyphique **2** *nm (carácter)* hiéroglyphe *m*; *(juego)* rébus *m*

jersey *(pl* **jerseys** *o* **jerséis)** *nm* pull *m*

jesús *interj Esp (tras estornudo)* à tes/ vos souhaits!; *(sorpresa)* ça alors!

jevo, -a *nm,f Carib Fam (hombre)* jeune mec *m*; *(mujer)* jeune nana *f*

jícama *nf CAm, Méx* dolique *m* tubéreux

jícara *nf CAm, Méx* = récipient fait avec une calebasse

jinete *nmf* cavalier(ère) *m,f*

jinetera *nf Cuba* prostituée *f*

jirafa *nf* girafe *f*

jirón *nm (andrajo)* lambeau *m*; *Perú* avenue *f*; **hecho jirones** en lambeaux

jitomate *nm CAm, Méx* tomate *f*

JJ OO *nmpl (abrev* **juegos olímpicos)** JO *mpl*

joda *nf RP Fam (fastidio)* poisse *f*; **¡qué j.!** quelle poisse!; *(juerga)* bringue *f*; **irse de j.** faire la bringue

joder 1 *vi (copular)* baiser; *(fastidiar)* faire chier; **¡no jodas!** *(incredulidad)* tu déconnes! **2** *vt (fastidiar)* emmerder; *(estropear)* niquer **3** *interj* putain!

jogging ['joɣin] *nm* jogging *m*

Jordania *n* la Jordanie

jornada *nf* journée *f* ■ **j. intensiva** journée continue; **media j.** mi-temps *m inv*; **j. partida** = journée de travail en deux tranches: l'une le matin, l'autre en fin d'après-midi; **j. de trabajo** journée de travail

jornal *nm* salaire *m* journalier

jornalero, -a *nm,f* journalier(ère) *m,f*

jorongo *nm Méx (manta)* couverture *f*; *(poncho)* poncho *m* (mexicain)

jota *nf (letra)* j *m inv*; *(baile, música)* = chanson et danse populaires espagnoles avec accompagnement

de castagnettes; *Fam* **no entiendo ni j.** *o* **una j. de inglés** je ne comprends pas un mot d'anglais; *Fam* **no ver ni j.** *(por mala vista)* n'y voir que dalle

joven 1 *adj* jeune **2** *nmf* jeune homme *m*, jeune fille *f*

joya *nf* bijou *m*

joyería *nf* bijouterie *f*, joaillerie *f*

joyero, -a 1 *nm,f* bijoutier(ère) *m,f*, joaillier(ère) *m,f* **2** *nm* coffret *m* à bijoux

jubilación *nf* retraite *f*

jubilado, -a *adj & nm,f* retraité(e) *m,f*

jubilar 1 *vt* mettre à la retraite **2 jubilarse** *upr* prendre sa retraite

judía *nf* haricot *m* ■ **j. blanca** haricot blanc; **j. verde** *o* **tierna** haricot vert

judío, -a 1 *adj* juif(ive) **2** *nm,f* Juif(ive) *m,f*

judo = **yudo**

juego *nm* jeu *m*; **estar/poner en j.** être/mettre en jeu; *Dep* **estar (en) fuera de j.** être hors jeu; *Fig* être hors circuit; **hacer j. con** aller avec; **zapatos a j. con...** des chaussures assorties à... ■ **j. de azar** jeu de hasard; **j. de manos** tour *m* de passe-passe; **juegos olímpicos** jeux Olympiques; **j. de palabras** jeu de mots

juerga *nf Fam* bringue *f*; **irse** *o* **estar de j.** faire la bringue

jueves *nm inv* jeudi *m* ■ **J. Santo** jeudi saint; *ver también* **sábado**

juez, -eza *nm,f* juge *mf* ■ **j. de línea** *(en fútbol, rugby)* juge de touche; *(en tenis)* juge de ligne; **j. de paz** juge d'instance

jugador, -ora *adj & nm,f* joueur(euse) *m,f*

jugar [35] **1** *vi* jouer; **j. al balón/a las cartas** jouer au ballon/aux cartes; **j. limpio/sucio** être loyal/déloyal **2** *vt (partido, partida)* faire; **j. un partido de fútbol** faire un match de foot **3 jugarse** *upr (echar a suertes)* parier; *(arriesgar)* jouer; **te estás jugando el puesto** tu es en train de jouer ton poste; **se jugó la vida para salvarla** il

a risqué sa vie pour la sauver
jugo *nm* jus *m*; *(gástrico)* suc *m*
jugoso, -a *adj (con jugo)* juteux(euse)
juguete *nm* jouet *m*
juguetería *nf* magasin *m* de jouets
juguetón, -ona *adj* joueur(euse)
juicio *nm (razón)* jugement *m*; *(pleito)* procès *m*; **llevar a alguien a j.** intenter un procès à qn; **(no) estar en su (sano) j.** (ne pas) avoir toute sa tête; **perder el j.** perdre la raison
julepe *nm RP Fam* frousse *f*
julio *nm (mes)* juillet *m*; *ver también* **septiembre**
junco *nm (planta)* jonc *m*; *(embarcación)* jonque *f*
jungla *nf* jungle *f*
junio *nm* juin *m*; *ver también* **septiembre**
junta *nf (reunión, órgano)* assemblée *f*; *(unión)* joint *m* ▪ **j. (general) de accionistas** assemblée (générale) des actionnaires; **j. directiva** comité *m* directeur; **j. militar** junte *f* (militaire)
juntar 1 *vt (unir)* réunir; *(manos)* joindre; *(personas, fondos)* rassembler **2 juntarse** *upr (reunirse)* *(personas)* s'assembler; *(ríos, caminos)* se rejoindre
junto, -a *adj (reunido)* ensemble; *(próximo)* côte à côte *inv*; **nunca había visto tanta gente junta** je n'avais jamais vu autant de gens réunis; **rezaba con las manos juntas** elle priait les mains jointes; **tenía los ojos juntos** il avait les yeux rapprochés; **j. a** à côté de, près de; **j. con** avec
jurado, -a 1 *adj (declaración)* sous serment *inv*; **guardia j.** vigile *m* **2** *nm (tribunal)* jury *m*; *(miembro)* juré *mf*; *(vigilante)* vigile *m*
jurar 1 *vt (prometer)* jurer; **j. por... que** jurer sur... que; **j. por Dios que** jurer devant Dieu que **2** *vi (blasfemar)* jurer
jurídico, -a *adj* juridique
justicia *nf* justice *f*; **hacer ou rendre justice à; **es de j. que... c'est justice que...; **tomarse alguien la j. por su mano** se faire justice
justificación *nf* justification *f*
justificar [58] **1** *vt* justifier **2 justificarse** *upr* se justifier
justo, -a 1 *adj* juste; **tendremos la luz justa para...** nous aurons juste assez de lumière pour...; **estar o venir j.** être juste **2** *adv* juste; **j. a tiempo** juste à temps; **j. ahora iba a llamarte** j'allais justement t'appeler
juvenil 1 *adj (de jóvenes)* juvénile; *Dep* cadet(ette) **2** *nmf Dep* cadet(ette) *m,f*
juventud *nf* jeunesse *f*; **la j.** les jeunes *mpl*
juzgado *nm* tribunal *m* ▪ **j. de guardia** = tribunal où une permanence est assurée
juzgar [37] *vt* juger; **a j. por (cómo)** à en juger par (la façon dont)

Kk

karaoke *nm* karaoké *m*
kárate *nm* karaté *m*
kg *(abrev* kilogramo(s)*)* kg
kilo *nm* kilo *m*
kilogramo *nm* kilogramme *m*
kilómetro *nm* kilomètre *m*; kilómetros por hora kilomètres (à l')

heure; **k. cuadrado** kilomètre carré
kimono = **quimono**
kiwi *nm* kiwi *m*
kleenex® ['klines, 'klineks] *nm inv* Kleenex® *m*
km *(abrev* kilómetro(s)*)* km

Ll

l *(abrev* litro*)* l
la *ver* el, lo
laberinto *nm* labyrinthe *m*
labio *nm* lèvre *f*
labor *nf (trabajo)* travail *m*; *(de costura, punto)* ouvrage *m*; **profesión: sus labores** profession: femme au foyer; **tierra de l.** terre *f* arable
laborable 1 *adj (día)* ouvrable **2** *nm* jour *m* ouvrable
laboral *adj (jornada, condiciones)* de travail; *(accidente, derecho)* du travail
laboratorio *nm* laboratoire *m* ▪ **l. de idiomas** *o* **lenguas** laboratoire de langues
laborioso, -a *adj (difícil)* laborieux(euse); *(trabajador)* travailleur (euse)
labrador, -ora 1 *nm,f* cultivateur(trice) *m,f* **2** *nm (perro)* labrador *m*
labrar 1 *vt (cultivar)* cultiver; *(arar)* labourer; *(metal)* travailler **2 labrarse** *vpr (futuro, porvenir)* se préparer

laburar *vi RP Fam (trabajar)* bosser
laburo *nm RP Fam (trabajo)* boulot *m*
laca *nf (para el pelo, para muebles)* laque *f* ▪ **l. de uñas** vernis *m* (à ongles)
lacio, -a *adj (cabello)* raide; *(piel, planta)* flétri(e)
lácteo, -a *adj (producto, industria)* laitier(ère)
ladera *nf* versant *m*
ladino, -a 1 *adj* rusé(e) **2** *nm (dialecto)* ladino *m*, judéo-espagnol *m* **3** *nm,f CAm, Méx (mestizo)* métis(isse) *m,f*; *(hispanohablante)* Indien(enne) *m,f* hispanophone
lado *nm (costado)* côté *m*; *(lugar)* endroit *m*; **a ambos lados** des deux côtés; **al l. (de)** *(cerca)* à côté (de); **de al l.** d'à côté; **la casa de al l.** la maison d'à côté; **de l.** de côté; **dormir de l.** dormir sur le côté; **en el l. (de)** sur le côté (de); **en algún l.** quelque part; **en**

algún otro l. ailleurs; **dejar de l., dejar a un l.** (*prescindir*) laisser de côté; **por un l...., por otro l....** d'un côté..., d'un autre côté...; **por todos lados** de tous (les) côtés

ladrar *vi* aboyer

ladrido *nm* aboiement *m*

ladrillo *nm* (*de arcilla*) brique *f*

ladrón, -ona 1 *adj & nm,f* voleur(euse) *m,f* **2** *nm* (*para varios enchufes*) prise *f* multiple

lagartija *nf* petit lézard *m*

lagarto, -a *nm,f* lézard *m*

lago *nm* lac *m*

lágrima *nf* larme *f*; **hacer saltar las lágrimas** faire pleurer; **llorar a l. viva** pleurer à chaudes larmes

laguna *nf* (*de agua*) lac *m*; *Fig* (*omisión, olvido*) lacune *f*

lamentable *adj* (*desgraciado*) regrettable; (*malo*) lamentable

lamentar 1 *vt* regretter; (*víctimas, desgracias*) déplorer; **lamentamos comunicarle...** nous sommes au regret de vous informer... **2 lamentarse** *upr* se lamenter (**de** o **por** sur)

lamer 1 *vt* lécher **2 lamerse** *upr* se lécher

lámina *nf* (*plancha*) lame *f*; (*rodaja*) tranche *f*; (*dibujo, grabado*) planche *f*

lámpara *nf* lampe *f* ∎ **l. de pie** lampadaire *m*

lana *nf* laine *f*; **de l.** en laine ∎ **pura l. virgen** pure laine vierge

lanceta *nf Am* dard *m*

lancha *nf* (*embarcación*) (*grande*) chaloupe *f*; (*pequeña*) barque *f* ∎ **l. motora** barque à moteur; **l. neumática** canot *m* pneumatique; **l. salvavidas** canot de sauvetage

langosta *nf* (*crustáceo*) langouste *f*; (*insecto*) criquet *m*

langostino *nm* bouquet *m* (*grosse crevette*)

lanza *nf* (*arma*) lance *f*

lanzar [14] **1** *vt* lancer; (*suspiro, grito, queja*) pousser **2 lanzarse** *upr* (*tirarse*) se jeter; (*empezar*) se lancer; **lanzarse sobre alguien** (*abalanzarse*) se précipiter sur qn

lapa *nf* (*molusco*) patelle *f*; *Fam Fig* (*persona*) pot *m* de colle

lapicera *nf CSur* stylo *m*

lapicero *nm* (*lápiz*) crayon *m*; *Andes* (*bolígrafo*) stylo *m* (à) bille

lápida *nf* **l. (mortuoria)** pierre *f* tombale

lápiz *nm* crayon *m* ∎ **l. de labios** crayon à lèvres; **l. de ojos** crayon pour les yeux; *Informát* **l. óptico** crayon optique

larga *ver* **largo**

largavistas *nm inv Am* jumelles *fpl*

largo, -a 1 *adj* long (longue); (*alto*) grand(e); **una hora larga** une bonne heure

2 *nm* longueur *f*; **siete metros de l.** sept mètres de long; **pasar de l.** passer sans s'arrêter; **a lo l. de** (*en el espacio*) le long de; (*en el tiempo*) tout au long de; **la cosa va para l.** ce n'est pas demain la veille

3 *adv* (*extensamente*) longuement; **hablar l. y tendido de algo** parler en long et en large de qch

4 *interj* **¡l. (de aquí)!** hors d'ici!

5 *a*: **la larga**: **a la larga** à la longue; **está aprendiendo y, a la larga, piensa trabajar** pour le moment il apprend et, à long terme, il pense travailler; **dar largas a algo** faire traîner qch (en longueur)

largometraje *nm* long-métrage *m*

laringe *nf* larynx *m*

las *ver* **el, lo**

lástima *nf* (*compasión*) pitié *f*, peine *f*; (*disgusto, decepción*) dommage *m*; **dar l.** faire de la peine; **¡qué l.!** quel dommage!; **hecho una l.** en piteux état

lata *nf* (*envase*) boîte *f* (de conserve); (*de bebida*) cannette *f*; **una l. de aceite** un bidon d'huile; *Fam* **es una l.** (*un fastidio*) (*cosa*) c'est casse-pieds; (*persona*) c'est un(e) casse-pieds; **¡qué l.!** quelle barbe!; **¡deja ya de dar la l.!** arrête de me/nous/*etc* casser les pieds!

latido nm (palpitación) battement m

látigo nm (para pegar) fouet m

latín nm latin m

Latinoamérica n l'Amérique f latine

latinoamericano, -a 1 adj latino-américain(e) **2** nm,f Latino-Américain(e) m,f

latir vi (palpitar) battre

laurel nm laurier m

lava nf lave f

lavabo nm (objeto) lavabo m; (habitación) toilettes fpl

lavadero nm lavoir m

lavado nm lavage m ■ **l. de cerebro** lavage de cerveau; **l. de estómago** lavage d'estomac; **l. en seco** nettoyage m à sec

lavadora nf lave-linge m inv; **poner la l.** mettre une lessive en route

lavanda nf lavande f

lavandería nf blanchisserie f

lavaplatos 1 nmf inv (persona) plongeur(euse) m,f **2** nm inv (máquina) lave-vaisselle m inv

lavar 1 vt laver; **l. en seco** nettoyer à sec; **l. y marcar** shampooing et brushing **2** lavarse vpr se laver; **lavarse la cara** se laver la figure

lavatorio nm Col, CSur lavabo m

lavavajillas nm inv lave-vaisselle m inv

laxante 1 adj laxatif(ive); (relajante) relaxant(e) **2** nm laxatif m

lazo nm (atadura) nœud m; (para el pelo) ruban m; Fig **lazos** (vínculos) liens mpl

le

On utilise **se** au lieu de **le** lorsque celui-ci est un pronom objet indirect placé devant lo, la, los ou las.

pron personal (complemento indirecto) (a él, ella) lui; (a usted, ustedes) vous; (complemento directo) (a él) le; (a usted) vous; **le di una manzana** je lui ai donné une pomme; **le tengo miedo** j'ai peur de lui (d'elle); **le dije que no** (a usted) je vous ai dit non; **le gusta leer** il (elle) aime lire; **añádele sal a las patatas** rajoute du sel dans les

pommes de terre; **le vi ayer** je l'ai/vous ai vu hier

leal 1 adj fidèle (a à) **2** nmf loyaliste mf

lealtad nf loyauté f (a envers)

lección nf leçon f; **dar a alguien una l. de algo** donner une leçon de qch à qn; **servir de l. a alguien** servir de leçon à qn

lechal adj de lait

leche nf lait m; muy Fam **estar de mala l.** être d'une humeur de cochon; muy Fam **tener mala l.** avoir un foutu caractère ■ **l. condensada** lait concentré; **l. descremada** o **desnatada** lait écrémé; **l. entera** lait entier; **l. merengada** = boisson sucrée à base de lait, de blanc d'œuf et de cannelle

lechería nf Anticuado laiterie f, crémerie f

lechero, -a adj & nm,f laitier(ère) m,f

lecho nm (cama) lit m; (de mar, lago, canal) fond m; (capa) couche f

lechosa nf Carib papaye f

lechuga nf (planta) laitue f

lechuza nf chouette f

lector, -ora 1 nm,f lecteur(trice) m,f **2** nm ■ **l. de CD** lecteur m (de) CD; **l. de DVD** lecteur m (de) DVD

lectura nf lecture f; (de tesis) soutenance f; (de contador) relevé m

leer [36] vt & vi lire

legal adj légal(e)

legalidad nf légalité f

legible adj lisible

legislación nf législation f

legislatura nf (periodo) législature f

legítimo, -a adj légitime; (oro, cuero) véritable; (obra) authentique

legumbre nf légume m

lejano, -a adj lointain(e); **estar l.** être loin

lejía nf (eau f de) Javel f

lejos adv loin; **a lo l.** au loin; **de** o **desde l.** de loin; **l. de loin** de

lencería nf (ropa interior) lingerie f; (de hogar) linge m; (tienda) (de ropa de hogar) magasin m de blanc; (de ropa interior) boutique f de lingerie

lengua *nf* langue *f* ■ **l. materna** langue maternelle
lenguado *nm* sole *f*
lenguaje *nm* langage *m* ■ **l. cifrado** langage codé; **l. coloquial** langue *f* parlée
lengüeta *nf* languette *f*
lente 1 *nf* lentille *f* ■ **lentes de contacto** verres *mpl* de contact **2** *nmpl* **lentes** *(gafas)* lunettes *fpl*
lenteja *nf* lentille *f*
lentitud *nf* lenteur *f*; **con l.** lentement
lento, -a 1 *adj* lent(e) **2** *adv* lentement
leña *nf (madera)* bois *m* (de chauffage)
leñador, -ora *nm,f* bûcheron(onne) *m,f*
leño *nm* bûche *f*; **dormir como un l.** dormir comme une souche
Leo 1 *nm inv (zodiaco)* Lion *m* **2** *nmf inv (persona)* Lion *m inv*
león, -ona *nm,f (animal)* lion *m*, lionne *f*
leopardo *nm* léopard *m*
leotardos *nmpl (medias)* collant *m* (épais)
les

On utilise **se** au lieu de **les** lorsque celui-ci est un pronom objet indirect placé devant lo, la, los ou las.

pron personal pl (complemento indirecto) (a ellos, ellas) leur/ *(a ustedes)* vous; *(complemento directo) (a ellos, ellas)* les; *(a ustedes)* vous; **l. he mandado un regalo** je leur/ vous ai envoyé un cadeau; **l. he dicho lo que sé** je vous ai dit ce que je sais; **l. tengo miedo** j'ai peur d'eux (d'elles); **l. vi ayer** je les/ vous ai vus (vues) hier
lesbiana *nf* lesbienne *f*
lesera *nf Chile Fam* bêtise *f*
lesión *nf* lésion *f*; *Fig (perjuicio)* dommage *m*
letal *adj* mortel(elle)
Letonia *n* la Lettonie
letón, -ona 1 *adj* letton(onne) **2** *nm,f* Letton(one) *m,f* **3** *nm (lengua)* letton *m*
letra *nf (signo, sentido)* lettre *f*; *(manera*

de escribir) écriture *f*; *(estilo)* caractères *mpl*; *(de una canción)* paroles *fpl*; *Fig* **a la l., al pie de la l.** à la lettre, au pied de la lettre; **letras** lettres ■ *Com* **l. de cambio** traite *f*, lettre de change; **l. mayúscula** capitale *f*; **l. minúscula** minuscule *f*; **l. negrita** o **negrilla** caractères gras
letrero *nm* écriteau *m*
levantamiento *nm* soulèvement *m*; *(supresión)* levée *f* ■ **l. de pesas** haltérophilie *f*
levantar 1 *vt* lever; *(peso, polvareda)* soulever; *(desmontar)* démonter; *(erigir, alzar)* élever; *(algo caído)* relever; *(acta, plano)* dresser; **l. el campamento** lever le camp; **l. el tono** hausser le ton; **l. el ánimo** remonter le moral; **l. a alguien contra** *(sublevar)* monter qn contre **2 levantarse** *upr* se lever; *(subir, erguirse)* s'élever; *(sublevarse)* se soulever
levante *nm (este)* levant *m*; *(viento)* vent *m* d'est; **L.** le Levant *(región d'Espagne)*
léxico *nm* lexique *m*
ley *(pl* **leyes)** *nf* loi *f*; *(de un metal)* titre *m*; **ser de buena l.** être digne de confiance; **l. de la oferta y de la demanda** loi de l'offre et de la demande; **con todas las de la l.** en bonne et due forme; **leyes** *(derecho)* droit *m*
leyenda *nf* légende *f*
liar [31] **1** *vt (atar)* lier; *(paquete)* ficeler; *(envolver)* envelopper; *(cigarrillo)* rouler **2 liarse** *upr (enredarse)* s'embrouiller; **liarse en** *(una discusión)* se lancer dans; *Fam* **se lió con María** *(sentimentalmente)* il est sorti avec María
Líbano *nm* **el L.** le Liban
libélula *nf* libellule *f*
liberal *adj & nmf* libéral(e) *m,f*
liberar 1 *vt* libérer; **l. de algo a alguien** *(eximir)* dispenser qn de qch **2 liberarse** *upr* se libérer *(de* de)
libertad *nf* liberté *f*; **dejar** o **poner a alguien en l.** remettre qn en liberté;

tener l. para hacer algo être libre de faire qch; **tomarse la l. de hacer algo** prendre la liberté de faire qch ■ **l. condicional** liberté conditionnelle; **l. de expresión** liberté d'expression; **l. bajo fianza** liberté sous caution; **l. de imprenta** o **prensa** liberté de la presse

Libia *n* la Libye

Libra 1 *nf (zodiaco)* Balance *f* **2** *nmf inv (persona)* Balance *f inv*

libra *nf (unidad de peso, moneda)* livre *f* ■ **l. esterlina** livre sterling

librar 1 *vt (eximir)* dispenser; *(entablar)* livrer; *Com* **tirer 2** *vi (no trabajar)* être en congé **3 librarse** *vpr* **librarse de algo** *(obligación)* se dispenser de qch; **como tú fuiste a la reunión, él se libró** comme tu as été à la réunion, lui s'en est dispensé; **librarse de alguien** se débarrasser de qn; **de buena te libraste** tu l'as échappé belle

libre *adj* libre; **l. de** libre de; *(impuestos)* exonéré(e) de; **l. del servicio militar** dégagé(e) des obligations militaires; **estudiar por l.** être candidat(e) libre

librería *nf (tienda)* librairie *f*; *(mueble)* bibliothèque *f*

librero, -a 1 *adj* du livre **2** *nm,f* libraire *m* **3** *nm CAm, Méx (mueble)* bibliothèque *f*

libreta *nf (para escribir)* carnet *m*; *Com* livre *m* de comptes ■ **l. de ahorros** livret *m* de caisse d'épargne

libretista *nmf Am* scénariste *mf*

libreto *nm (de ópera)* livret *m*; *Am (guión)* scénario *m*

libro *nm* livre *m*; **llevar los libros** tenir les livres ■ **l. de bolsillo** livre de poche; **l. de cocina** livre de cuisine *ou* de recettes; **l. de escolaridad** livret *m* scolaire; **l. de familia** livret de famille; **l. de reclamaciones** livre des réclamations; **l. de texto** manuel *m* scolaire

liceísta *nmf Am* lycéen(enne) *m,f*

licencia *nf (autorización)* permission

f; Com licence *f; (confianza)* liberté *f* ■ **l. de armas** permis *m* de port d'armes; **l. de obras** permis de construire

licenciado, -a *adj & nm,f* diplômé(e) *m,f* **(en** en)

licenciar 1 *vt (soldado)* libérer **2 licenciarse** *vpr* = obtenir son diplôme de fin de second cycle; *(soldado)* être libéré(e)

licenciatura *nf* = diplôme sanctionnant quatre années d'études supérieures en Espagne, ≃ maîtrise *f*

liceo *nm Am* lycée *m*

licor *nm* liqueur *f*

licuadora *nf* centrifugeuse *f*

líder 1 *adj* qui occupe la première place **2** *nmf* leader *m*

lidia *nf* combat *m* taurin

liebre *nf* lièvre *m*

lienzo *nm* toile *f*

liga *nf (de medias)* jarretière *f; (de estados, personas)* ligue *f; (de fútbol)* championnat *m*

ligar [37] **1** *vt (unir)* lier; *(paquete)* ficeler; *Med* ligaturer **2** *vi Fam* **l. (con alguien)** draguer (qn)

ligero, -a 1 *adj* léger(ère) **2** *nf* **ligera: a la ligera** à la légère

light *adj inv (comida)* allégé(e); *(refresco, tabaco)* light *inv*

liguero, -a 1 *adj (en deporte)* du championnat **2** *nm* porte-jarretelles *m inv*

lija¹ *nf (pez)* roussette *f*

lija² *nf (papel de)* **l.** papier *m* de verre

lijar *vt* passer au papier de verre

lila 1 *nf (planta)* lilas *m* **2** *adj inv (color)* lilas **3** *nm (color)* couleur *f* lilas

lima *nf* lime *f*

límite 1 *adj inv* limite **2** *nm* limite *f*; **dentro de un l.** dans la limite *ou* les limites du raisonnable

limón *nm* citron *m*

limonada *nf* citronnade *f; (refresco)* rafraîchissement *m*

limonero *nm* citronnier *m*

limosna *nf* aumône *f*; **dar/pedir l.** faire/demander l'aumône

limpiabotas *nmf inv* cireur(euse) *m,f* de chaussures

limpiacristales *nm inv (líquido)* produit *m* pour les vitres

limpiador, -ora *nm,f (persona)* employé(e) *m,f* du service de nettoyage; *(en casa)* personne *f* qui fait le ménage; *(mujer)* femme *f* de ménage

limpiaparabrisas *nm inv* essuie-glace *m*

limpiar *vt (lavar, robar)* nettoyer

limpieza *nf (cualidad)* propreté *f*; *(acción)* nettoyage *m*

limpio, -a *adj (sin suciedad, pulcro)* propre; *(claro)* net (nette); *(honrado)* honnête; *(sin mezcla)* pur(e); **un cielo l.** un ciel dégagé; **un asunto l.** une affaire claire; **poner en l.** mettre au propre; **sacar en l.** tirer au clair

linaje *nm* lignage *m*

lince *nm* lynx *m*

lindo, -a *adj* joli(e)

línea *nf* ligne *f*; *(fila)* rangée *f*; *(de personas)* lignée *f*; *(relación familiar)* lignée *f*; **cortar la l. (telefónica)** couper la ligne (téléphonique); **guardar la l.** garder la ligne; **en la misma l.** sur le même plan; **en líneas generales** en gros ▪ **líneas aéreas** lignes aériennes; **l. continua** ligne continue; **l. de puntos** pointillé *m*; **l. recta** ligne droite

lingote *nm* lingot *m*

lingüístico, -a 1 *adj* linguistique **2** *nf* **lingüística** linguistique *f*

lino *nm* lin *m*

linterna *nf* lampe *f* de poche

lío *nm (paquete)* ballot *m*; **hacerse un l.** s'emmêler les pinceaux; **meterse en un l.** s'embarquer dans une sale histoire

liquidación *nf Com (de factura)* règlement *m*; *(de existencias)* liquidation *f*; *(de inversión)* réalisation *f*

liquidar *vt* liquider; *(cuenta)* solder, fermer; *(gastar rápidamente)* engloutir; *(zanjar)* régler

líquido, -a 1 *adj* liquide; *(disponible)*

liquide; *(neto)* net (nette) **2** *nm* liquide *m*; *(capital)* liquidité *f*

lira *nf (instrumento)* lyre *f*; *(moneda)* lire *f*

lirio *nm* iris *m*

liso, -a 1 *adj* lisse; *(terreno)* plat(e); *(no estampado)* uni(e); **200 metros lisos** 200 mètres plat; **lisa y llanamente** tout simplement **2** *nm,f Andes, CAm, Ven* effronté(e) *m,f*

lista *nf (enumeración)* liste *f*; *(en restaurante)* carte *f*; *(de tela, papel)* bande *f*; *(de madera)* latte *f*; *(banda, tira)* rayure *f*; **pasar l.** faire l'appel ▪ **l. de correos** poste *f* restante; **l. de espera** liste d'attente; **l. de precios** tarifs *mpl*

listar *vt CSur* faire la liste de

listín *nm (de teléfonos)* annuaire *m*

listo, -a *adj (astuto)* malin(igne); *(despabilado)* dégourdi(e); *(preparado)* prêt(e); **pasarse de l.** vouloir faire le (la) malin(igne); **¡todo l.!** tout est prêt!

listón *nm (para marcos)* baguette *f*

litera *nf (cama)* lit *m* (superposé); *(de tren, barco)* couchette *f*; *(vehículo)* litière *f*

literal *adj* littéral(e)

literario, -a *adj* littéraire

literatura *nf* littérature *f*

litro *nm* litre *m*

Lituania *n* la Lituanie

Lituano, -a 1 *adj* lituanien(enne) **2** *nm,f* **Lituanien(enne)** *m,f* **3** *nm (lengua)* lituanien *m*

llaga *nf* plaie *f*

llama *nf (de fuego)* flamme *f*; *(animal)* lama *m*

llamada *nf* appel *m*; *(en un libro)* renvoi *m*; **hacer una l.** téléphoner ▪ **l. a cobro revertido** appel en PCV; **l. interurbana** communication *f* interurbaine; **l. a larga distancia** communication vers l'étranger; **l. urbana** communication locale

llamado *nm Am (de teléfono)* appel *m*

llamar 1 *vt* appeler; **l. (por teléfono) a alguien** téléphoner à qn; **l. de tú/**

usted a alguien tutoyer/vouvoyer qn **2** vi (a la puerta) frapper; (con timbre) sonner; (por teléfono) téléphoner **3 llamarse** upr (tener por nombre) s'appeler

llano, -a 1 adj (liso) plat(e); (natural, sencillo) simple; (sin rango) modeste; **el pueblo l.** le petit peuple; **una palabra llana** un paroxyton, un mot accentué sur l'avant-dernière syllabe **2** nm (llanura) plaine f

llanta nf (en rueda) jante f; Am (rueda) roue f

llanura nf plaine f

llegada nf arrivée f

llegar [37] **1** vi (acudir) arriver; (sobrevenir) venir; (bastar) suffire; **ll. de viaje** rentrer de voyage; **al ll. la noche** à la nuit tombante; **ll. a o hasta algo** (durar, alcanzar) atteindre qch, arriver à qch; **no llegó a la cima** il n'a pas atteint le sommet; **el abrigo le llega hasta la rodilla** son manteau lui arrive au genou; **no me llega para pagar** je n'ai pas assez pour payer; **ll. a (ser) algo** (lograr) devenir qch; **llegarás a ser presidente** tu deviendras président; **¡si llego a saberlo!** si j'avais su!; **ll. a hacer algo** (atreverse) en arriver à faire qch **2 llegarse** upr me llegué a su casa je suis passé chez lui

llenar 1 vt (ocupar, rellenar) remplir (de de); (tapizar) couvrir (de de); (satisfacer) combler; **ll. a alguien de** (indignación, alegría) remplir qn de; (consejos, alabanzas) abreuver qn de; (favores) combler qn de **2 llenarse** upr (colmarse) se remplir (de de); (cubrirse) se couvrir (de de); **ya me he llenado** (de comida) je n'ai plus faim

lleno, -a adj plein(e); **ll. de** (colmado con) plein(e) de; (cubierto de) couvert(e) de; (saciado) repu(e); **estoy ll.** (de comida) je n'en peux plus; **de ll.** en plein

llevar 1 vt (a) (peso, prenda) porter; (carga) transporter; **llevaba un saco en las espaldas** il portait un sac sur

le dos; **lleva un traje nuevo/gafas** elle porte une nouvelle robe/des lunettes; **el avión llevaba carga** l'avion transportait des marchandises

(b) (acompañar) emmener; **llevo a Juan a su casa** j'emmène Juan chez lui; **llévenos al hospital** conduisez-nous à l'hôpital

(c) (depositar, causar) apporter; **le llevé un regalo** je lui ai apporté un cadeau; (vehículo, caballo) conduire

(d) (inducir) **ll. a alguien a algo/a hacer algo** conduire ou amener qn à qch/à faire qch

(e) (ocuparse de) (cuentas, casa) tenir; (negocio) diriger, mener

(f) (tener) avoir; **no llevo dinero** je n'ai pas d'argent sur moi

(g) (soportar) supporter; **lleva su enfermedad con resignación** elle supporte sa maladie avec résignation

(h) (haber pasado tiempo) **lleva dos años aquí** ça fait deux ans qu'il est là; **llevo una hora esperándote** ça fait une heure que je t'attends

(i) (ocupar tiempo) prendre; **me llevó un día hacer esta tarta** ça m'a pris une journée de faire ce gâteau

2 vi (a) (conducir) **ll. a** mener à (b) (antes de participio) (tener) **lleva leída media novela** il en est à la moitié du roman

3 llevarse upr (a) (tomar) emporter, prendre; (arrastrar) emporter; **los ladrones se llevaron todo** les voleurs ont tout emporté; **alguien se ha llevado mi bolso** quelqu'un a pris mon sac

(b) (premio) remporter

(c) (acercar) porter; **se llevó la copa a los labios** elle porta le verre à ses lèvres

(d) (recibir) avoir; **¡me llevé un susto!** j'ai eu une de ces peurs!

(e) (entenderse) **llevarse bien/mal (con alguien)** s'entendre bien/mal (avec qn)

(**f**) *(estar de moda)* se porter
(**g**) *Mat* retenir
llorar 1 *vi (con lágrimas)* pleurer **2** *vt* pleurer
llorón, -ona *adj & nm,f* pleurnicheur(euse) *m,f*
llover [40] *v impersonal* pleuvoir
llovizna *nf* bruine *f*
lloviznar *v impersonal* bruiner
lluvia *nf* pluie *f*
lluvioso, -a *adj* pluvieux(euse)
lo, la *(pl* **los, las)** **1** *pron personal (persona, cosa)* le, la, l'; *(a usted)* vous; **no lo/la conozco** je ne le/la connais pas; **la quiere** il l'aime; **los vi** je les ai vus; **la invito a mi fiesta** *(a usted)* je vous invite à ma soirée **2** *art det (neutro)* **lo antiguo me gusta más que lo moderno** je préfère l'ancien au moderne; **lo mejor/peor** le mieux/pire; **perdona por lo de ayer** je suis désolé pour ce qui s'est passé hier; **lo que** ce que; **acepté lo que me ofrecieron** j'ai accepté ce qu'on m'a offert
lobo, -a *nm,f* loup *m*, louve *f*
local 1 *adj* local(e) **2** *nm (edificio)* local *m*; *(sede)* siège *m*
localidad *nf (población)* localité *f*; *(asiento, billete)* place *f*; **no hay localidades** *(en letrero)* complet
localizar [14] **1** *vt* localiser; *(persona, objeto)* trouver; *(por teléfono)* joindre **2 localizarse** *upr* être localisé(e)
loción *nf (líquido)* lotion *f*; *(masaje)* friction *f*
loco, -a 1 *adj & nm,f* fou (folle) *m,f*; **estar l. de o por o con** être fou de; **l. de atar o de remate** fou à lier; **a lo l.** *(conducir)* comme un(e) fou (folle); *(responder, trabajar)* n'importe comment; **¡ni l.!** jamais de la vie! **2** *nm Chile (molusco)* ormeau *m*
locomotor, -ora *o* **-triz 1** *adj* locomoteur(trice) **2** *nf* **locomotora** locomotive *f*
locura *nf* folie *f*; **con l.** à la folie
locutor, -ora *nm,f* présentateur (trice) *m,f*

locutorio *nm (en convento, cárcel)* parloir *m*
lodo *nm* boue *f*
lógico, -a 1 *adj* logique; **es l. que…** *(es comprensible)* c'est logique que… **2** *nm,f* logicien(enne) *m,f* **3** *nf* **lógica** logique *f*; **tener lógica** être logique
logrado, -a *adj* réussi(e)
lograr *vt* obtenir; **l. su objetivo** atteindre son objectif; **l. hacer algo** réussir à faire qch
logro *nm* réussite *f*
lombriz *nf* **l. (de tierra)** ver *m* de terre; **l. (intestinal)** ver
lomo *nm* dos *m*; *(carne) (de cerdo)* échine *f*; *(de vaca)* bavette *f*; **a lomos de un burro** à dos d'âne
lona *nf (tela)* toile *f* de bâche; *(en deporte)* tapis *m*
loncha *nf* tranche *f*
lonche *nm Col, Méx (bocadillo)* sandwich *m*; *Perú (merienda)* goûter *m*
lonchería *nf Méx* cafétéria *f*
Londres *n* Londres
longaniza *nf* saucisse *f* sèche
longitud *nf (dimensión)* longueur *f*; *(en geografía)* longitude *f*; **de 10 metros de l.** de 10 mètres de long ▪ **l. de onda** longueur d'onde
lonja *nf (loncha)* tranche *f*; *(edificio oficial)* bourse *f* de commerce ▪ **l. de pescado** halle *f* aux poissons
loro *nm (animal)* perroquet *m*
lote *nm* lot *m*; *(de una herencia)* part *f*; *Am (de tierra)* lot *m*, parcelle *f* de terrain
loteamiento *nm Am* morcellement *m (d'un terrain)*
lotería *nf* loterie *f*; *(tienda)* = kiosque à billets de loterie; **jugar a la l.** jouer à la loterie; **le tocó la l.** il a gagné à la loterie ▪ **l. primitiva** ≃ Loto *m*
lotización *nf Ecuad, Perú* = **loteamiento**
loza *nf (material)* faïence *f*; *(objetos)* vaisselle *f*
lubina *nf* bar *m*, loup *m* de mer
lubricante 1 *adj* lubrifiant(e) **2** *nm* lubrifiant *m*

lucha nf lutte f

luchar vi lutter, se battre (**contra/por** contre/pour)

luciérnaga nf ver m luisant

lucir [38] 1 vi (brillar) briller; (estrellas) luire; (compensar) profiter; (dar prestigio) faire de l'effet; **trabajé mucho pero no me ha lucido** j'ai beaucoup travaillé pour rien 2 vt (valor, ingenio) faire preuve de; (joyas, ropa) porter; **l. las piernas** montrer ses jambes 3 **lucirse** vpr briller (**en** à)

lucro nm gain m

lúdico, -a adj ludique

luego 1 adv (justo después) ensuite; (más tarde) tout à l'heure; Am (pronto) rapidement; **primero aquí y l. allí** d'abord ici et ensuite là-bas; **primero dijo que no, pero l. aceptó** il a d'abord dit non et puis il a accepté; **cenamos y l. nos acostamos** on a dîné et on s'est couchés tout de suite après 2 conj (así que) donc; **pienso, l. existo** je pense donc je suis

lugar nm lieu m; (sitio, emplazamiento) endroit m; (posición, puesto) place f; **en el l. del crimen** sur les lieux du crime; **en este l. había una iglesia** à cet endroit, il y avait une église; **ocupar el segundo l.** être à la deuxième place; **dejar las cosas en su l.** laisser les choses à leur place; **dar l. a** donner lieu à; **en l. de** au lieu de; **en tu l., no lo haría** à ta place, je ne le ferais pas; **fuera de l.** hors de propos; **no deja l. a dudas** cela ne fait aucun doute; **tener l.** avoir lieu

lujo nm luxe m; **un artículo de l.** un produit de luxe

lujoso, -a adj luxueux(euse)

lujuria nf luxure f

lumbago nm lumbago m

luminoso, -a adj lumineux(euse)

luna nf (astro) Lune f; (espejo, cristal) glace f; **estar en la l.** être dans la lune ■ **l. llena** pleine lune; **l. de miel** lune de miel; **l. nueva** nouvelle lune

lunar 1 adj lunaire 2 nm (en la piel) grain m de beauté; (en telas) pois m; **de** o **con** o **a lunares** à pois

lunes nm inv lundi m; ver también **sábado**

lupa nf loupe f

lustrabotas nm inv, **lustrador** nm Am cireur m de chaussures

luto nm deuil m; **vestir** o **ir de l.** porter le deuil

luz nf lumière f; (electricidad) électricité f; (de automóvil) phare m; (destello) scintillement m; **pagar el recibo de la l.** payer la facture d'électricité; **se ha ido la l.** il y a une panne de courant; **cortar la l.** couper le courant; **encender/apagar la l.** allumer/éteindre la lumière; **luces de carretera** o **largas** feux mpl de route, phares; **luces de cruce** o **cortas** feux de croisement, codes mpl; **luces de posición** o **situación** feux de position, veilleuses fpl; **dar a l.** accoucher; **sacar a la l.** révéler; (libro) publier; **luces** (inteligencia) intelligence f; **de pocas luces** sans grande intelligence

lycra nf Lycra® m

Mm

m *(abrev* metro(s)*)* m

macana *nf CSur Fam (disparate)* bêtise *f*

macanear *vi CSur Fam (decir)* dire des bêtises; *(hacer)* faire des bêtises

macarrones *nmpl* macaronis *mpl*

macedonia *nf* m. **(de frutas)** macédoine *f* de fruits

maceta *nf (tiesto)* pot *m*; *(con planta)* pot *m* de fleurs; *(herramienta)* petit maillet *m*

machacar [58] **1** *vt (triturar)* piler; *Fam Fig (insistir)* rabâcher **2** *vi Fam Fig (insistir)* rabâcher

machete *nm* machette *f*

machista *adj & nmf* machiste *mf*

macho **1** *adj (hombre)* macho **2** *nm* mâle *m*; *Fig (hombre)* macho *m*; *(pieza)* pièce *f* mâle **3** *interj Fam* ¡oye, m.! eh, mon vieux!

macizo, -a **1** *adj (oro, madera)* massif(ive) **2** *nm (de montañas, de flores)* massif *m*

macramé *nm* macramé *m*

macuto *nm* sac *m* à dos

madeja *nf* pelote *f*; **m. de lana** pelote de laine

madera *nf* bois *m*; *(tabla)* planche *f*; **de m.** en bois

madrastra *nf* belle-mère *f (marâtre)*

madre *nf* mère *f*; **¡m. mía!** mon Dieu!
 ■ **m. política** belle-mère **m. soltera** mère célibataire

Madrid *n* Madrid

madriguera *nf* tanière *f*; *(de conejo)* terrier *m*

madrileño, -a 1 *adj* madrilène **2** *nm,f* Madrilène *mf*

madrina *nf* marraine *f*

madrugada *nf* matin *m*; **la una de la m.** une heure du matin

madrugador, -ora *adj* matinal(e)

madrugar [37] *vi (levantarse)* se lever tôt

madurar *vt & vi* mûrir

madurez *nf* maturité *f*

maduro, -a *adj* mûr(e)

maestría *nf* maîtrise *f*

maestro, -a 1 *adj* maître (maîtresse); **un golpe m.** un coup de maître; **una pared maestra** un mur porteur **2** *nm,f (de escuela)* maître *m*, maîtresse *f*; *Méx (de universidad)* professeur *m* d'université **3** *nm (sabio, director)* maître *m*; *(compositor, director)* maestro *m*

mafia *nf* mafia *f*

magdalena *nf* madeleine *f*; **llorar como una m.** pleurer comme une madeleine

magia *nf* magie *f*; *(de persona)* charme *m*

mágico, -a *adj* magique

magistratura *nf* magistrature *f*

magnate *nm* magnat *m*

magnético, -a *adj* magnétique

magnetófono *nm* magnétophone *m*

magnífico, -a *adj* magnifique

magnitud *nf (medida)* grandeur *f*; *(de estrella)* magnitude *f*; *(importancia)* ampleur *f*

magnolia *nf* magnolia *m*

mago, -a *nm,f (prestidigitador)* magicien(enne) *m,f*; *(en cuentos)* enchanteur(eresse) *m,f*

magro, -a 1 *adj* maigre **2** *nm (carne)* maigre *m*

maillot [ma'jot] (pl **maillots**) nm (de ciclista) maillot m; (de ballet) justaucorps m; (de gimnasia) body m

maíz nm maïs m

majestuoso, -a adj majestueux(euse)

majo, -a adj Fam (simpático) sympa; (bonito) mignon(onne)

mal 1 adj ver **malo**

2 nm mal m; **el m.** le mal; **no hay m. que por bien no venga** à quelque chose malheur est bon; **echarle a alguien m. de ojo** jeter le mauvais œil à qn

3 adv mal; **encontrarse m.** se sentir mal; **hiciste m. en decírselo** tu n'aurais pas dû le lui dire; **oír/ver m.** entendre/voir mal; **oler m.** sentir mauvais; **saber m.** avoir mauvais goût; Fig déplaire; **salir m.** être raté(e); **me ha salido m. la tarta** j'ai raté le gâteau; **sentar m. a alguien** (ropa) aller mal à qn; (comida) ne pas réussir à qn; (comentario, actitud) ne pas plaire à qn; Fig **no estaría m. que...** ça serait bien que...

malcriar [31] vt gâter

maldad nf méchanceté f

maldición nf malédiction f

maldito, -a adj maudit(e); **¡maldita sea!** bon sang!

maleable adj malléable

malecón nm jetée f

maleducado, -a adj & nm,f mal élevé(e) m,f

malentendido nm malentendu m

malestar nm (dolor físico) douleur f; Fig (molestia) malaise m; **sentir m. general** avoir mal partout

maleta nf valise f; **hacer o preparar la m.** faire ses valises

maletero nm coffre m

maletín nm mallette f; (portafolios) attaché-case m

malformación nf malformation f

malgastar vt gaspiller

malhablado, -a 1 adj grossier(ère) **2** nm,f **es un m.** il parle comme un charretier

malhechor, -ora 1 adj malfaisant(e) **2** nm,f malfaiteur m

malhumorado, -a adj de mauvaise humeur

malicia nf (maldad) méchanceté f; (picardía) malice f

malla nf (tejido) maille f; (red) filet m; CSur (traje de baño) maillot m de bain une pièce; **mallas** caleçon m (de fille)

Mallorca n Majorque

malo, -a

On utilise **mal** devant les noms masculins singuliers.

1 adj mauvais(e); (malicioso) méchant(e); (enfermo) malade, souffrant(e); (travieso) vilain(e); (difícil) dur(e); **una comida mala** un mauvais repas; **un resultado m.** un mauvais résultat; **pasar un mal rato** passer un mauvais quart d'heure; **es m. para los idiomas** il est mauvais en langues; **ser m. para la salud** être mauvais pour la santé; **ser m. con alguien** être méchant avec qn; **estar m.** être malade; **ponerse m.** tomber malade; **lo m. es que...** le problème, c'est que...; **por las malas** (a la fuerza) de force ■ **mal humor** mauvaise humeur; **estar de mal humor** être de mauvaise humeur

2 nm, f (de película) méchant(e) m,f

malograr 1 vt (desaprovechar) gâcher; (oportunidad) rater; (estropear) endommager; Andes (romper) casser **2 malograrse** vpr (fracasar) tourner court; (morir) mourir prématurément; (estropearse) être endommagé(e); Andes (romperse) se casser; (vehículo, máquina) tomber en panne

malpensado, -a nm,f **ser un m.** avoir l'esprit mal tourné

Malta n Malte

maltés -esa 1 adj maltais(e) **2** nm,f Maltais(e) m,f **3** nm (lengua) maltais m

maltratar vt (pegar, insultar) maltraiter; (estropear) abîmer

maltrato nm (doméstico) mauvais traitements mpl (**a** envers ou sur)

malviviente *nmf* RP délinquant(e) *m,f*

mamá *nf* maman *f*; *Am Fam* **m. grande** mamie *f*

mamadera *nf Am (biberón)* biberon *m*

mamar *vi & vt* téter; **dar de m.** donner la tétée

mamífero, -a 1 *adj* mammifère **2** *nm* mammifère *m*

manada *nf (de caballos, vacas)* troupeau *m*; *(de lobos)* bande *f*; *(de ciervos)* harde *f*; *(de gente)* horde *f*

manantial *nm* source *f*

mancha *nf* tache *f*

manchar 1 *vt* tacher; *Fig (deshonrar)* souiller **2 mancharse** *vpr (ensuciarse)* se tacher

manco, -a *adj & nm,f* manchot(e) *m,f*

mancorna, mancuerna *nf Am* bouton *m* de manchette

mandar 1 *vt (enviar, encargar)* envoyer; *(dirigir) (ejército)* commander; *(país)* diriger; **el profesor nos mandó un trabajo para casa** le professeur nous a donné un travail à faire à la maison; **m. hacer algo** faire faire qch **2** *vi Pey (dar órdenes)* commander

mandarina *nf* mandarine *f*

mandíbula *nf* mâchoire *f*

Mandinga *n Am* le diable

mando *nm* commandement *m*; *(jefe)* cadre *m*; *(dispositivo)* commande *f*; **estar al m. de** diriger, commander; **los mandos** les dirigeants *mpl*; **mandos intermedios** cadres moyens ▪ **m. a distancia** télécommande *f*

mandón, -ona 1 *adj* autoritaire **2** *nm,f* petit chef *m*; **es una mandona** elle veut mener tout le monde à la baguette

manecilla *nf (del reloj)* aiguille *f*

manejable *adj (vehículo)* maniable

manejar 1 *vt (usar)* manier; *Fig (dirigir)* mener; *(negocios)* gérer; *Am (vehículo)* conduire; **m. a alguien a su antojo** mener qn par le bout du nez **2 manejarse** *vpr (moverse)* se déplacer; *(desenvolverse)* se débrouiller

manejo *nm* maniement *m*; *Fig (dirección)* conduite *f*; *(de negocio, empresa)* gestion *f*; **de fácil m.** facile à utiliser; *Fig* **manejos** *(intrigas)* manigances *fpl*

manera *nf (modo)* manière *f*; **de cualquier m.** *(sin cuidado)* n'importe comment; *(sea como sea)* de toute façon; **de ninguna m., en m. alguna** *(refuerza una negación)* en aucune façon; *(respuesta exclamativa)* jamais de la vie; **de todas maneras** de toute façon; **en cierta m.** d'une certaine manière; **de m. que** de telle sorte que; **no hay m.** il n'y a pas moyen; **maneras** *(modales)* manières *fpl*

manga *nf* manche *f*; *(filtro)* chausse *f*; *(medidor de viento)* manche *f* à air; *(de pastelería)* poche *f* à douille; *(manguera)* tuyau *m*; **en mangas de camisa** en manches de chemise; **m. corta/larga** manche courte/longue

mango *nm (asa)* manche *m*; *(árbol)* manguier *m*; *(fruta)* mangue *f*

managuero, -a 1 *nm,f (de Managua)* = habitant de Managua **2** *nf* **manguera** tuyau *m* d'arrosage; *(de bombero)* lance *f* d'incendie

maní *(pl* **maníes)** *nm Andes, CAm, Carib, RP* cacah(o)uète *f*

manía *nf* manie *f*; *(afición exagerada)* folie *f*; **la m. de los videojuegos** la folie des jeux vidéo; *Fam* **tomar m. a alguien** *(ojeriza)* prendre qn en grippe

maniático, -a *adj & nm,f* maniaque *mf*

manicomio *nm* asile *m* (d'aliénés)

manicuro, -a 1 *nm,f* manucure *mf* **2** *nf* **manicura** manucure *f*

manifestación *nf* manifestation *f*

manifestar [3] **1** *vt (mostrar)* manifester; *(decir)* déclarer **2 manifestarse** *vpr (por la calle)* manifester; *(hacerse evidente)* se manifester

manifiesto, -a 1 *adj (evidente)* manifeste; **poner de m.** mettre en évidence **2** *nm (escrito)* manifeste *m*

manillar *nm* guidon *m*

maniobra nf manœuvre f.

manipular vt manipuler; (información, resultado) trafiquer

maniquí (pl maniquíes) **1** nm (de sastre) mannequin m **2** nmf (modelo) mannequin m

manito nm Méx Fam pote m

manivela nf manivelle f.

mano **1** nf main f; (de animal) patte f de devant; (de cerdo) pied m; (de pintura) couche f; (de juegos) partie f; **a m.** (cerca) sous la main; (sin máquina) à la main; **dar** o **estrechar la m. a alguien** serrer la main à qn; **a m. derecha/izquierda** à droite/gauche; **echar** o **tender una m. a alguien** donner un coup de main à qn; **bajo m.** en sous-main; **caer en manos de alguien** tomber entre les mains de qn; **con las manos cruzadas, m. sobre m.** les bras croisés; **de primera m.** de première main; **de segunda m.** d'occasion; **m. a m.** en tête à tête; ¡**manos a la obra!** au travail!; ¡**manos arriba!, ¡arriba las manos!** haut les mains!; **tener m. izquierda** savoir y faire ■ **m. de obra** main-d'œuvre f.

2 nm CAm, Méx Fam (amigo) pote m

manopla nf (guante) moufle f; (de aseo) gant m de toilette

manosear vt tripoter

mansión nf demeure f.

manso, -a adj (apacible) paisible, doux (douce); (domesticado) docile; Chile (enorme) énorme

manta nf (abrigo) couverture f; (pez) raie f manta

manteca nf (grasa animal) graisse f; (mantequilla) beurre m ■ **m. de cacao** beurre de cacao; **m. de cerdo** saindoux m

mantecado nm (de Navidad) gâteau m au saindoux; (helado) glace f à la vanille

mantel nm nappe f.

mantelería nf linge m de table

mantener [64] **1** vt maintenir; (sustentar, tener) tenir; (aguan-

tar) soutenir; **mantengo que...** je maintiens ou je soutiens que...; **m. la cabeza alta** garder la tête haute; **m. a distancia** o **a raya** tenir à distance; **m. a una familia** entretenir une famille; **m. relaciones/una conversación** entretenir des relations/ une conversation; **m. una promesa** tenir sa promesse; **m. en buen estado** entretenir

2 mantenerse vpr **mantenerse con** o **de** (sustentarse) vivre de; **mantenerse derecho/en pie** (permanecer) se tenir droit/debout; **mantenerse joven** rester jeune; **mantenerse en el poder** rester au pouvoir

mantenimiento nm entretien m; (de material) maintenance f; **de m.** (gimnasia) d'entretien

mantequilla nf beurre m

mantilla nf (de mujer) mantille f; (de bebé) lange m

mantón nm châle m

manual **1** adj manuel(elle) **2** nm (libro) manuel m

manubrio nm manivelle f; CSur (manillar) guidon m

manuscrito, -a 1 adj manuscrit(e) **2** nm manuscrit m

manzana nf (fruta) pomme f; (grupo de casas) pâté m de maisons

manzanilla nf (planta, infusión) camomille f; (vino) = vin doux

manzano nm pommier m

mañana 1 nf matin m; (período de tiempo) matinée f; **a las dos de la m.** à deux heures du matin; **a la m. siguiente** le lendemain matin; **por la m.** le matin; **toda la m.** toute la matinée **2** nm (futuro) lendemain m, avenir m **3** adv demain; ¡**hasta m.!** à demain!; **m. por la m.** demain matin; **pasado m.** après-demain

mañanitas nfpl Méx = chanson de fête ou d'anniversaire mexicaine

mañoco nm Col, Ven farine f de manioc

mapa nm carte f; **borrar del m.** rayer de la carte; **desaparecer del m.** disparaître de la circulation

maqueta *nf* maquette *f*

maquila *nf Am* montage *m*, assemblage *m*

maquiladora *nf Am* usine *f* de montage *ou* d'assemblage

maquillaje *nm* maquillage *m*

maquillar 1 *vt* maquiller **2 maquillarse** *upr* se maquiller

máquina *nf* machine *f*; *CAm, Cuba (vehículo)* voiture *f*; **hecho a m.** fait à la machine; **escribir** *o* **pasar a m.** taper à la machine; **a toda m.** à fond de train ▪ **m. de fotos** *o* **fotográfica** appareil *m* photo; **m. tragaperras** *o* *Am* **tragamonedas** machine à sous

maquinaria *nf* machinerie *f*; *(de reloj)* mécanisme *m*

maquinilla *nf* **m. (de afeitar)** rasoir *m*; **m. eléctrica** rasoir électrique

maquinista *nmf (de tren)* mécanicien *m*

mar *nm o nf* mer *f*; **alta m.** haute mer; **a mares** *(llorar)* à chaudes larmes; **la m. de** drôlement; **es la m. de inteligente** il est drôlement intelligent; **m. adentro** au large ▪ **el m.** Cantábrico le golfe de Gascogne *(partie sud)*; **el m.** Mediterráneo la mer Méditerranée

maraca *nf* maraca *f*

maratón *nm* marathon *m*

maravilla *nf (objeto extraordinario)* merveille *f*; *(asombro)* émerveillement *m*; *(planta)* souci *m*; **a las mil maravillas, de m.** à merveille; **una m. de niño** un amour de petit garçon; **una m. de carretera** une route superbe; **venir de m.** tomber à pic

maravilloso, -a *adj* merveilleux(euse)

marca *nf (señal)* trace *f*; *(distintivo)* marque *f*; *(récord, puntuación)* score *m*; **batir una m.** battre un record; **de m.** de marque ▪ **m. de fábrica** marque; **m. registrada** marque déposée

marcado, -a 1 *adj* marqué(e); *(animales)* marqué(e) au fer rouge **2** *nm (peinado)* mise *f* en plis; *(señalado)* marquage *m*

marcador *nm (tablero)* tableau *m* d'affichage; *(para libro)* marque-page *m*; *Am (rotulador)* stylo-feutre *m*

marcapasos *nm inv* stimulateur *m* cardiaque, pacemaker *m*

marcar [58] **1** *vt* marquer; *(indicar)* indiquer; *(resaltar)* faire ressortir; *(número de teléfono)* composer; **m. la diferencia** faire la différence **2** *vi* marquer

marcha *nf* marche *f*; *(salida, abandono)* départ *m*; *(de vehículo)* vitesse *f*; *Fam (animación)* ambiance *f*; **a toda m.** à toute vitesse; **en m.** *(máquina)* en marche; *(asuntos)* en cours; **poner en m.** *(máquina)* mettre en marche; *(negocio)* mettre en route; **m. atrás** marche arrière; *Fig* **dar m. atrás** faire marche arrière; **hay mucha m.** il y a beaucoup d'ambiance; **ir de m.** faire la bringue

marchante, -a *nm,f Méx (cliente)* client(e) *m,f*

marchar 1 *vi (andar, funcionar)* marcher; *(irse)* partir **2 marcharse** *upr* s'en aller, partir; **se marchó** il est parti

marchitar 1 *vt* faner **2 marchitarse** *upr* se faner; *(perder fuerza)* s'étioler

marchoso, -a *adj Fam* qui bouge

marco *nm* cadre *m*; *(de puerta, ventana)* encadrement *m*; *(moneda)* mark *m*; *(portería)* buts *mpl*

marea *nf* marée *f* ▪ **m. alta** marée haute; **m. baja** marée basse; **m. negra** marée noire

marear 1 *vt (causar mareo)* faire tourner la tête à **2 marearse** *upr (sentir mareo)* avoir la tête qui tourne; *(en barco)* avoir le mal de mer; *(en vehículo)* avoir mal au cœur

marejada *nf* houle *f*; **hay m.** la mer est houleuse

maremoto *nm* raz-de-marée *m inv*

mareo *nm (malestar)* mal *m* au cœur; *(en barco)* mal *m* de mer

marfil *nm* ivoire *m*

margarina *nf* margarine *f*

margarita *nf* marguerite *f*; **deshojar la m.** effeuiller la marguerite

margen 1 *nm* marge *f*; **al m. en marge;
m. de error** marge d'erreur; **dar m. a
alguien para hacer algo** donner à qn
l'occasion de faire qch; **mantenerse
al m. de algo** se tenir en marge de
qch **2** *nf (orilla)* rive *f*

marginación *nf* marginalisation *f*

marginado, -a 1 *adj* marginalisé(e)
2 *nm,f* marginal(e) *m,f*

maricón *nm muy Fam Pey
(homosexual)* pédé *m*; *(odioso)*
salopard *m*

marido *nm* mari *m*

marina *ver* **marino**

marinero, -a 1 *adj (barrio, pueblo)* de
marins; *(buque)* marin(e) **2** *nm* marin
m

marino, -a 1 *adj (del mar)* marin(e)
2 *nm* marin *m* **3** *nf* **marina** marine *f*
■ **marina mercante** marine mar-
chande

marioneta *nf* marionnette *f*;
marionetas *(teatro)* marionnettes

mariposa *nf* papillon *m*; *(candela, luz)*
veilleuse *f*; **nadar a m.** nager la brasse
papillon *ou* le papillon

mariquita 1 *nf (insecto)* coccinelle *f*
2 *nm Fam Pey (homosexual)* tante *f*

marisco *nm* **el m., los mariscos** les
fruits *mpl* de mer

marisma *nf* marais *m* littoral

marítimo, -a *adj* maritime

mármol *nm* marbre *m*

marqués, -esa *nm,f* marquis(e) *m,f*

marquesina *nf* marquise *f (auvent)*;
(de autobús) Abribus® *m*

marrano, -a *nm,f (animal)* cochon *m*,
truie *f*

marrón 1 *adj* marron *inv* **2** *nm*
marron *m*

marroquí *(pl* **marroquíes) 1** *adj*
marocain(e) **2** *nmf* Marocain(e) *m,f*

Marruecos *n* le Maroc

martes *nm* mardi *m*; **m. y trece** ≃
vendredi treize; *ver también* **sábado**

martillero, -a *nm,f CSur*
commissaire-priseur *m*

martillo *nm (herramienta)* marteau *m*;
Col (subasta) vente *f* aux enchères

mártir *nmf* martyr(e) *m,f*; **hacerse el
m.** jouer les martyrs

marzo *nm* mars *m*; *ver también*
septiembre

más 1 *adv* (**a**) *(comparativo)* plus;
m.... que... plus... que...; **Ana es m.
joven que tú** Ana est plus jeune que
toi; **tiene dos años m. que yo** elle a
deux ans de plus que moi; **Juan es
m. alto** Juan est plus grand; **necesito
m. tiempo** j'ai besoin de plus de
temps; **m. de** plus de; **tengo m. de 10
euros** j'ai plus de 10 euros; **de m. de** ou
en trop; **hay 5 euros de m.** il y a 5
euros de *ou* en trop
(**b**) *(superlativo)* **el/la/lo m.** le/la/le
plus; **es la m. lista de la clase** c'est la
plus intelligente de la classe
(**c**) *(en frases negativas)* **no quiero m.**
je n'en veux plus; **ni un vaso m.** pas un
verre de plus
(**d**) *(con pron interrogativo e
indefinido)* **¿qué/quién m.?** quoi/qui
d'autre?; **no vendrá nadie m.**
personne d'autre ne viendra
(**e**) *(indica repetición)* encore; **quiero
m. pastel** je veux encore du gâteau
(**f**) *(indica preferencia)* mieux; **m.
vale que nos vayamos** il vaut mieux
que nous partions
(**g**) *(indica intensidad)* **¡es m. tonto!**
il est tellement bête!; **¡qué día m.
bonito!** quelle belle journée!
(**h**) *(indica suma)* plus
(**i**) *(expresiones)* **el que m. y el que
menos** tout un chacun; **m. bien**
plutôt; **m. o menos** plus ou moins; **m.
y m.** de plus en plus, toujours plus;
¿qué m. da? qu'est-ce que ça peut
faire?; **por m. que insistas no te lo
diré** tu auras beau insister, je ne te le
dirai pas
2 *nm inv* **m.; es lo m. que puedo
hacer** c'est tout ce que je peux faire

masa *nf* masse *f*; *(de harina)* pâte *f*; *Am
(pastelillo)* petit gâteau *m*; **las masas**
(el pueblo) les masses

masaje *nm* massage *m*

masajista *nmf* masseur(euse) *m,f*

mascar [58] *vt* mâcher

máscara *nf* masque *m*

mascarilla *nf* masque *m*

mascota *nf* mascotte *f*

masculino, -a *adj* masculin(e)

masticar [58] *vt* mâcher

mástil *nm (palo)* mât *m; (de instrumentos de cuerda)* manche *m*

matadero *nm* abattoir *m*

matambre *nm RP* = bœuf mariné, farci de légumes et d'œufs durs, rôti, servi froid en début de repas

matamoscas *nm inv (raqueta)* tapette *f* (à mouches); *(papel)* papier *m* tue-mouches

matanza *nf (masacre)* tuerie *f; (del cerdo)* abattage *m*

matar 1 *vt* tuer; *(esperanzas)* briser; *(color)* adoucir; *(sello)* oblitérer; *(redondear)* arrondir; **matarlas callando** agir en douce **2 matarse** *upr* se tuer; *(unos a otros)* s'entre-tuer; *Fig* **matarse a trabajar** se tuer au travail *ou* à la tâche

matarratas *nm inv* mort-aux-rats *f inv*

matasellos *nm inv* cachet *m*

mate 1 *adj inv* mat *adj; Fam (ajedrez)* mat *m; (en baloncesto)* smash *m; (planta, bebida)* maté *m; Andes (té)* tisane *f*, infusion *f*

matemático, -a 1 *adj* mathématique **2** *nm,f* mathématicien(enne) *m,f* **3** *nfpl* **matemáticas** mathématiques *fpl*

materia *nf* matière *f;* **en m. de** en matière de ■ **m. prima** matière première

material 1 *adj* matériel(elle); *(real)* véritable **2** *nm (materia)* matière *f; (de fabricación, construcción)* matériau *m; (instrumentos)* matériel *m*

maternidad *nf* maternité *f*

materno, -a *adj* maternel(elle)

matinal *adj* matinal(e)

matiz *nm* nuance *f*

matizar [14] *vt* nuancer

matón, -ona *Fam* **1** *nm,f* brute *f* **2** *nm* gorille *m*

matorral *nm (arbusto)* buisson *m; (maleza)* fourré *m*

matrícula *nf (inscripción)* inscription *f; (documento)* certificat *m* d'inscription; *(de vehículo)* plaque *f* d'immatriculation ■ **m. de honor** 20 sur 20

matricular 1 *vt (alumno)* inscrire; *(vehículo)* immatriculer **2 matricularse** *upr* s'inscrire

matrimonio *nm (unión)* mariage *m; (pareja)* couple *m* (marié); **contraer m.** se marier

matutino, -a *adj* matinal(e); *(prensa)* du matin

maullar *vi* miauler

maullido *nm* miaulement *m*

máximo, -a 1 *adj* maximal(e); **el m. responsable** le plus haut responsable **2** *nm* maximum *m;* **como m.** au maximum **3** *nf* **máxima** *(sentencia, principio)* maxime *f; (temperatura)* température *f* maximale

mayo *nm* mai *m; ver también* **septiembre**

mayonesa *nf* mayonnaise *f*

mayor 1 *adj* (a) *(comparativo) (de tamaño, importancia)* plus grand(e) (**que** que); *(de edad)* plus âgé(e) (**que** que); *(de número)* supérieur(e) (**que** à); **su hermano es dos años m.** son frère a deux ans de plus (b) *(superlativo)* **el/la m....** le plus grand…/la plus grande…; **el m. de sus hermanos** le plus âgé de ses frères; **el m. número de pasajeros** le plus grand nombre de passagers; **de m. importancia** de la plus haute importance (c) *(adulto)* grand(e); *(anciano)* âgé(e); **m. de edad** majeur(e) (d) *Mús* **en do m.** en do majeur (e) **al por m.** *(compra, venta)* en gros; *(comercio, precios)* de gros **2** *nmf* **el/la m.** l'aîné/l'aînée *m,f* **3** *Mil* major *m;* **mayores** *(adultos)* grandes personnes *fpl*

mayoreo *nm Am* gros *m;* **al m.** *(compra, venta)* en gros; *(comercio, precios)* de gros

mayoría nf majorité f; **la m.** de la plupart de ■ **m. de edad** majorité f

mayúsculo, -a 1 adj (error) monumental(e); (esfuerzo, sorpresa) énorme **2** adj **mayúscula** majuscule f

mazapán nm massepain m

mazo nm (martillo) maillet m; (conjunto) paquet m; (de billetes, papeles) liasse f

me pron personal me; (en imperativo) moi; **viene a verme** il vient me voir; **me quiere** il m'aime; **me lo dio** il me l'a donné; **me tiene miedo** il a peur de moi; **¡mírame!** regarde-moi!; **¡no me mires!** ne me regarde pas!; **me gusta leer** j'aime lire; **me encuentro mal** je me sens mal

mear muy Fam 1 vi pisser 2 **mearse** vpr pisser; Fig **mearse (de risa)** se pisser dessus (de rire)

mecánico, -a 1 adj mécanique **2** nm,f mécanicien(enne) m,f **3** nf **mecánica** mécanique f

mecanismo nm mécanisme m

mecanografía nf dactylographie f

mecanógrafo, -a nm,f dactylo mf

mecedora nf fauteuil m à bascule

mecer [39] **1** vt bercer **2 mecerse** vpr se balancer

mecha nf mèche f

mechero nm briquet m

mechón nm mèche f

medalla 1 nf médaille f **2** nmf médaillé(e) m,f; **fue m. de oro** il a remporté la médaille d'or

medallón nm médaillon m

media nf (promedio) moyenne f; Am (calcetín) chaussette f; **al dar la m.** (hora) à la demie; **medias** (prenda) bas mpl; **a medias** (pagar) moitié moitié; (hacer, creer) à moitié

mediado, -a adj (recipiente) à moitié plein(e) ou vide; **mediada la noche** au milieu de la nuit; **a mediados de** vers le milieu de; **a mediados de enero** vers la mi-janvier

medialuna nf Am croissant m

mediano, -a 1 adj moyen(enne) **2** nf

mediana (de autopista) terre-plein m central

medianoche (pl **mediasnoches**) nf (hora) minuit m; (bollo) = petit sandwich rond

mediante prep grâce à

mediar vi media un kilómetro entre las dos casas il y a un kilomètre entre les deux maisons; **entre los dos edificios media un jardín** un jardin sépare les deux maisons; **m. en favor de alguien** intercéder en faveur de qn

medicamento nm médicament m

medicina nf (ciencia) médecine f; (medicamento) médicament m

medicinal adj médicinal(e)

médico, -a 1 adj médical(e) **2** nm,f médecin m; **ir al m.** aller chez le docteur ■ **m. de cabecera** o **de familia** médecin de famille

medida nf mesure f; **a (la) m.** (ropa) sur mesure; **a la m. de** à la mesure de; **en cierta m.** dans une certaine mesure; **en la m. de lo posible** dans la mesure du possible; **tomar la m. de algo** mesurer qch; **tomar medidas** (disposiciones) prendre des mesures; **a m. que** au fur et à mesure que; **medidas** (del cuerpo) mensurations fpl

medidor nm Am compteur m (de gaz, d'eau, d'électricité)

medieval adj médiéval(e)

medio, -a 1 adj (mitad de) demi(e); (mediano) moyen(enne); **media docena** une demi-douzaine; **un kilo y m.** un kilo et demi; **el español m.** l'Espagnol m moyen; Fig **a media luz** dans la pénombre

2 adv à moitié; **m. borracha** à moitié soûle; **a m. hacer** à moitié fait(e)

3 nm (mitad) moitié f; (centro, ambiente) milieu m; (sistema, manera) moyen m; (jugador) demi m; **en medios bien informados** dans les milieux bien informés; **en m. de** au milieu de; Fig **ponerse por (en) m.** s'interposer; **por m. de** (persona) par l'intermédiaire de; **por todos los**

medios par tous les moyens; **quitar de en m. a alguien** *(apartar)* écarter qn; *(matar)* se débarrasser de qn; **medios moyens** *mpl*; **medios de comunicación** médias *mpl*; **medios de transporte** moyens de transport ■ **m. ambiente** environnement *m*
mediocre *adj* médiocre
mediodía *nm (hora, sur)* midi *m*; **al m.** à midi
medir [46] **1** *vt* mesurer **2 medirse** *vpr* se mesurer; **medirse al hablar** mesurer ses paroles; **medirse con** *(competir con)* se mesurer à *ou* avec
meditar *vt & vi* méditer
mediterráneo, -a 1 *adj* méditerranéen(enne) **2** *nm,f* Méditerranéen (enne) *m,f* **3** *nm* **el M.** la Méditerranée
médium *nmf inv* médium *m*
medusa *nf* méduse *f*
megáfono *nm* haut-parleur *m*
mejilla *nf* joue *f*
mejillón *nm* moule *f*
mejor 1 *adj (comparativo y superlativo)* meilleur(e); **el m. pianista** le meilleur pianiste; **la m. alumna** la meilleure élève; **m. que** meilleur(e) que; **estar m.** aller mieux; **(es) m. que...** *(preferible)* il vaut mieux que...; **m. dicho** plus exactement; **tiene dos primos o m. dicho un primo y una prima** il a deux cousins ou, plus exactement, un cousin et une cousine
2 *nmf* **el m.** le meilleur; **la m.** la meilleure; **lo m. es que...** la meilleure c'est que...; **a lo m.** peut-être; **a lo m. viene** il viendra peut-être
3 *adv (comparativo)* mieux; *(superlativo)* le mieux; **ahora veo m. (que antes)** je vois mieux maintenant (qu'avant); **el que la conoce m.** celui qui la connaît le mieux; **¡m. para ella!** tant mieux pour elle!
mejora *nf (progreso)* amélioration *f*; *(aumento)* augmentation *f*
mejorar 1 *vt* améliorer; *(sueldo)* augmenter; **este medicamento lo**

mejoró ce médicament lui a fait du bien
2 *vi (enfermo)* aller mieux; *(tiempo)* s'améliorer; *(situación, país)* évoluer; **el país ha mejorado mucho** la situation économique du pays s'est beaucoup améliorée
3 mejorarse *vpr* s'améliorer; *(enfermo)* aller mieux; **¡que te mejores!** guéris vite!
mejoría *nf* amélioration *f*
melancolía *nf* mélancolie *f*
melancólico, -a *adj & nm,f* mélancolique *mf*
melena *nf (de persona)* longue chevelure *f*; *(de león)* crinière *f*
mella *nf Fig* **hacer m. en alguien** faire beaucoup d'effet à qn
mellizos, -as *nm,fpl* faux jumeaux *mpl*, fausses jumelles *fpl*
melocotón *nm* pêche *f*
melodía *nf* mélodie *f*
melodrama *nm* mélodrame *m*; *Fig* **montar un m.** faire un drame
melón *nm (fruto)* melon *m*
membresía *nf Am* nombre *m* d'adhérents
membrillo *nm* coing *m*
memela *nf Méx* = sorte de tortilla
memorable *adj* mémorable
memoria *nf* mémoire *f*; *(disertación, informe)* mémoire *m*; *(de empresa)* rapport *m*; *(lista)* inventaire *m*; **de memoria** par cœur; **hacer m. (de algo)** essayer de se rappeler (qch); **traer algo a la m.** rappeler qch; **memorias** *(biografía)* Mémoires *mpl*
memorizar [14] *vt* mémoriser
menaje *nm* articles *mpl* pour la maison; **m. de cocina** ustensiles *mpl* de cuisine
mención *nf* mention *f*; **hacer m. de** faire mention de
mencionar *vt* mentionner
mendigo, -a *nm,f* mendiant(e) *m,f*
menestra *nf* jardinière *f* (de légumes)
menor 1 *adj* (a) *(comparativo) (de tamaño)* plus petit(e) (**que** que); *(de edad)* plus jeune (**que** que); *(de*

número) inférieur(e) (**que** à); **mi hermano m.** mon petit frère; **de m. importancia** de moindre importance

(**b**) *(superlativo)* **el/la m.** *(de tamaño, número)* le plus petit/la plus petite; *(de edad)* le/la plus jeune; *(de importancia)* le/la moindre

(**c**) *(joven, de poca importancia) & Mús* mineur(e); **ser m. de edad** être mineur(e); **un problema m.** un problème mineur; **en do m.** en do mineur; **al por m.** au détail

2 *nmf (de edad)* mineur(e) *m,f*; **el m.** *(hijo, hermano)* le cadet; **la m.** *(hija, hermana)* la cadette

Menorca *n* Minorque

menos 1 *adv* (**a**) *(comparativo) (cualidad, intensidad)* moins; *(cantidad)* moins de; **m. gordo** moins gros; **hace m. frío** il fait moins froid; **m. manzanas** moins de pommes; **m. de** moins de; **m. de diez** moins de dix; **m.... que...** *(cualidad, intensidad)* moins... que...; *(cantidad)* moins de... que...; **hace m. calor que ayer** il fait moins chaud qu'hier; **tiene m. libros que tú** elle a moins de livres que toi; **tengo dos años m. que tú** j'ai deux ans de moins que toi; **de m. de** *ou* en moins; **hay 2 euros de m.** il y a 2 euros de *ou* en moins

(**b**) *(superlativo)* **el/la/lo m.** le/la/le moins; **lo m. posible** le moins possible

(**c**) *(expresa resta)* moins; **tres m. dos igual a uno** trois moins deux égale un; **son las dos m. diez** il est deux heures moins dix

(**d**) *(expresiones)* **al m., por lo m.** au moins; **a m. que** à moins que; **es lo de m.** ce n'est pas le plus important; **¡m. mal!** heureusement!

2 *nm inv (mínimo)* moins *m*; **es lo m. que puedo hacer** c'est la moindre des choses **3** *prep (excepto)* sauf

menospreciar *vt (despreciar)* mépriser; *(infravalorar)* sous-estimer

menosprecio *nm* mépris *m*

mensaje *nm* message *m* ■ **m. de texto** SMS *m*, texto *m*

mensajería *nf* *(de paquetes, imágenes)* messagerie *f*

mensajero, -a *nm,f (de mensajes)* messager(ère) *m,f*; *(de paquetes)* coursier(ère) *m,f*

menso, -a *nm,f Méx* idiot(e) *m,f*

menstruación *nf* menstruation *f*

mensual *adj* mensuel(elle)

menta *nf* menthe *f*; **de m.** à la menthe

mental *adj* mental(e)

mente *nf (inteligencia)* esprit *m*; *(propósito)* intention *f*

mentir [61] *vi* mentir

mentira *nf (falsedad)* mensonge *m*; **aunque parezca m.** aussi étrange que cela puisse paraître; **de m.** faux (fausse); **es m.** ce n'est pas vrai; **un reloj de m.** une fausse montre; **parece m. que...** c'est incroyable que...; **parece m. cómo pasa el tiempo** c'est fou comme le temps passe

mentiroso, -a *adj & nm,f* menteur(euse) *m,f*

mentón *nm* menton *m*

menú *nm* menu *m* ■ **m. del día** menu du jour

menudeo *nm Am* vente *f* au détail

menudo, -a *adj (pequeño, insignificante)* menu(e); **¡menuda suerte he tenido!** j'ai eu une de ces chances!; **¡m. lío!** tu parles d'un pétrin!; **¡m. artista!** quel grand artiste!; **a m.** souvent

meñique *nm* petit doigt *m*

mercadillo *nm* petit marché *m* aux puces

mercado *nm* marché *m* ■ **m. de abastos** marché de gros; **m. bursátil** marché financier; **m. común** marché commun; **m. de trabajo** marché de l'emploi *ou* du travail

mercancía *nf* marchandise *f*

mercantil *adj* commercial(e)

mercería *nf* mercerie *f*

mercurio *nm* mercure *m*

merecer [45] **1** *vt* mériter; **merece la pena...** ça vaut la peine de... **2** *vi* faire reconnaître ses mérites

merendar [3] **1** *vi* goûter **2** *vt* **m. algo** manger qch au goûter

merendero *nm Esp* buvette *f*

merengue *nm (dulce)* meringue *f*; *(baile)* = danse typique de certains pays des Caraïbes, notamment de la République dominicaine

meridiano, -a 1 *adj* méridien(enne); *(exposición)* au sud **2** *nm* méridien *m*

meridional 1 *adj* méridional(e) **2** *nmf* personne *f* du Sud

merienda 1 *ver* **merendar** **2** *nf* goûter *m*

mérito *nm* mérite *m*; **de m.** de valeur; **hacer méritos para** tout faire pour

merluza *nf (pez)* merlu *m*, colin *m*

mermelada *nf* confiture *f*

mero, -a 1 *adj* seul(e); **el m. hecho de...** le simple *ou* seul fait de...; **por m. placer** par pur plaisir **2** *nm (pez)* mérou *m*

mes *nm* mois *m*

mesa *nf* table *f*; **bendecir la m.** bénir le repas; **poner/quitar la m.** mettre/débarrasser la table ■ **m. de despacho** *o* **oficina** bureau *m*; **m. directiva** conseil *m* d'administration; **m. redonda** *(coloquio)* table ronde

mesada *nf Am (mensualidad)* mensualité *f*; *RP (encimera)* plan *m* de travail

mesero, -a *nm,f Col, Méx* serveur(euse) *m,f*

meseta *nf* plateau *m*

mesilla *nf* **m. (de noche)** table *f* de nuit

mesón *nm* auberge *f*

mesonero, -a *nm,f Chile, Ven* serveur(euse) *m,f*

mestizo, -a *adj & nm,f* métis(isse) *m,f*; *(animal, planta)* hybride *m*

meta *nf (objetivo, fin)* but *m*; *(llegada)* ligne *f* d'arrivée; **fijarse una m.** se fixer un but

metáfora *nf* métaphore *f*

metal *nm (material)* métal *m*; *Mús* **los metales** les cuivres *mpl*

metálico, -a 1 *adj* métallique **2** *nm* **pagar en m.** payer en liquide

metate *nm CAm, Méx* = pierres utilisées pour broyer le grain

meteorito *nm* météorite *f*

meteorología *nf* météorologie *f*

meter 1 *vt* **(a)** *(introducir)* mettre; **m. algo/a alguien en algo** mettre qch/qn dans qch; **m. dinero en el banco** mettre de l'argent à la banque; **¡en menudo lío nos ha metido!** il nous a mis dans un beau pétrin!; **lo metieron en la cárcel** on l'a mis en prison; **me metió en la asociación** il m'a fait entrer dans l'association

(b) *(causar)* **¡no me metas prisa!** ne me bouscule pas!; **m. miedo a alguien** faire peur à qn; **no metáis tanto ruido** ne faites pas tant de bruit **2 meterse** *vpr* **(a)** *(ponerse)* se mettre; **me metí en la cama a las diez** je me suis mis au lit à dix heures

(b) *(entrar)* entrer; **se metió en el cine** il entra dans le cinéma

(c) *(en frase interrogativa)* *(estar)* passer; **¿dónde se ha metido?** où est-il passé?

(d) **meterse a** *(dedicarse a)* devenir; **se metió a periodista** il est devenu journaliste

(e) *(entrometerse)* **meterse en** se mêler de; **¡no te metas (por medio)!** mêle-toi de ce qui te regarde!

(f) **meterse con alguien** *(atacar)* s'en prendre à qn; *(incordiar)* taquiner qn

metiche *nmf Am* fouineur(euse) *m,f*

método *nm* méthode *f*

metralla *nf* mitraille *f*

metro *nm (medida)* mètre *m*; *(transporte)* métro *m*

metrópoli *nf*, **metrópolis** *nf inv* métropole *f*

mexicano, -a [mexi'kano] **1** *adj* mexicain(e) **2** *nm,f* Mexicain(e) *m,f*

México ['mexiko] *n* le Mexique; **M. (distrito federal)** Mexico (DF)

mezcla *nf* mélange *m*; *(de sonido)* mixage *m*

mezclar 1 *vt* mélanger (**con** à); *Fig* **m. a alguien en algo** *(implicar)* mêler qn à qch **2 mezclarse** *vpr (combinarse)* se

mélanger (**con** à); **mezclarse con** o **entre** se mêler à; **mezclarse en** (*intervenir*) se mêler de

mezquino, -a *adj* mesquin(e)

mezquita *nf* mosquée *f*

mg (*abrev* **miligramo(s)**) mg

mi *adj posesivo* mon (ma); **mis libros** mes livres

mí *pron personal* (*después de prep*) moi; **no se fía de mí** il n'a pas confiance en moi; **¡a mí qué!** et alors!; **para mí que...** (*yo creo que*) à mon avis...; **para mí que no viene** à mon avis il ne viendra pas; **por mí** s'il ne tient qu'à moi; **por mí no hay inconveniente** en ce qui me concerne, je n'y vois pas d'inconvénient

miche *nm Andes* tafia *m*

mico *nm* (*mono*) ouistiti *m*

micro *nm Fam* (*micrófono*) micro *m*; *Arg, Chile* (*microbús*) minibus *m*

microbio *nm* microbe *m*

microbús (*pl* **microbuses**) *nm* (*autobús*) minibus *m*; *Méx* (*taxi*) taxi *m* collectif

micrófono *nm* microphone *m*

microondas *nm inv* micro-ondes *m inv*

microscopio *nm* microscope *m*

miedo *nm* peur *f*; **dar m.** faire peur; **le da m. la oscuridad** il a peur du noir; **temblar de m.** trembler de peur; **tener m. a algo/a hacer algo** (*asustarse*) avoir peur de qch/de faire qch

miedoso, -a *adj & nm,f* peureux(euse) *m,f*

miel *nf* miel *m*

miembro *nm* membre ■ **m. (viril)** membre (viril)

mientras 1 *conj* pendant que; **puedo leer m. escucho música** je peux lire pendant que j'écoute de la musique; **m. no se pruebe lo contrario** jusqu'à preuve du contraire; **m. esté aquí** tant que je serai là; **m. que** (*por el contrario*) alors que

2 *adv* **m. (tanto)** pendant ce temps; **arréglate y, m. (tanto), yo hago las**

maletas prépare-toi, pendant ce temps je fais les valises

miércoles *nm inv* mercredi *m*; **M. de Ceniza** le mercredi des Cendres; *ver también* **sábado**

mierda *nf muy Fam* merde *f*; **de m.** (*cosa*) de merde; **hay mucha m. aquí** (*suciedad*) c'est franchement dégueulasse ici; **irse a la m.** (*para rechazar*) aller se faire foutre; (*arruinarse*) partir en couilles; **mandar a la m.** envoyer se faire foutre

miga *nf* (*de pan*) mie *f*; **migas** (*restos*) miettes *fpl*; (*plato*) = pain émietté, imbibé de lait et frit

migra *nf Méx Pey* police *f* des frontières américaine (*à la frontière mexicaine*)

mil 1 *adj num* mille; **m. gracias** mille fois merci; **m. excusas** mille excuses **2** *nm* mille *m inv*; **miles** (*gran cantidad*) milliers *mpl*; *ver también* **seis**

milagro *nm* miracle *m*; **de m.** par miracle

milenario, -a *adj* millénaire

milenio *nm* millénaire *m*

milésimo, -a 1 *adj num* millième; *ver también* **sexto**

2 *nf* **milésima** millième *m*

mili *nf Fam* service *m* (militaire); **hacer la m.** faire son service

milico *nm Andes, RP Fam Pey* (*soldado*) soldat *m*; (*policía*) flic *m*

miligramo *nm* milligramme *m*

milímetro *nm* millimètre *m*

militante *adj & nmf* militant(e) *m,f*

militar¹ *adj & nmf* militaire *mf*

militar² *vi* militer

milla *nf* (*1.609 kilómetros*) mile *m* ■ **m. (marina)** mille *m* (marin)

millar *nm* millier *m*

millón *nm* million *m*; **un m. de** un million de; **costar/ganar millones** coûter/gagner des millions

millonario, -a *adj & nm,f* millionnaire *mf*

milpa *nf CAm, Méx* champ *m* de maïs

mimado, -a *adj* (*niño*) gâté(e)

mimar *vt* gâter

mímica *nf (gestos, señas)* geste *m*; *Teatro* mime *m*

mimosa *nf* mimosa *m*

mina *nf* mine *f*; **m. de oro** mine d'or

mineral 1 *adj (de la tierra)* minéral(e) **2** *nm* minerai *m*

minero, -a 1 *adj* minier(ère) **2** *nm,f* mineur *m*

miniatura *nf* miniature *f*; *(reproducción)* modèle *m* réduit; **en m.** en miniature

MiniDisc® *nm inv* MiniDisc® *m*, minidisque *m*

minifalda *nf* minijupe *f*

mínimo, -a 1 *adj (muy pequeño)* minime; *(menor)* moindre; **la temperatura mínima** la température minimale; **no tengo la más mínima idea** je n'en ai pas la moindre idée; **como m.** au minimum; **como m. podrías haber...** tu aurais pu au moins...; **en lo más m.** le moins du monde

2 *nm (límite)* minimum *m*

3 *nf* **mínima** *(temperatura)* température *f* minimale

ministerio *nm* ministère *m*; *(conjunto de magistrados)* parquet *m*; **el M. de Asuntos Exteriores** le ministère des Affaires étrangères

ministro, -a *nm,f* ministre *mf*; **el m. de Asuntos Exteriores** le ministre des Affaires étrangères; **primer m.** Premier ministre

minoría *nf* minorité *f*

minoritario, -a *adj* minoritaire

minucioso, -a *adj* minutieux(euse)

minúsculo, -a 1 *adj* minuscule **2** *nf* **minúscula** minuscule *f*

minusválido, -a *adj & nm,f* handicapé(e) *m,f* (physique)

minuta *nf (factura)* honoraires *mpl*; *(menú)* carte *f*; *RP (comida)* = plat qui se prépare rapidement

minutero *nm* aiguille *f* des minutes

minuto *nm* minute *f*

mío, mía *(mpl* míos, *fpl* mías) **1** *adj posesivo* à moi; **este libro es m.** ce

livre est à moi; **un amigo m.** un de mes amis; **no es asunto m.** ça ne me regarde pas; **no es culpa mía** ce n'est pas (de) ma faute

2 *pron posesivo* **el m.** le mien; **la mía** la mienne; **aquí guardo lo m.** c'est là que je range mes affaires; *Fam* **lo mío es el teatro** mon truc, c'est le théâtre; **los míos** *(mi familia)* les miens *mpl*

miope *adj & nmf* myope *mf*

miopía *nf* myopie *f*

mirado, -a 1 *adj (prudente)* réfléchi(e); **ser m. en algo** faire attention à qch; **bien m.** tout bien considéré **2** *nf* **mirada** regard *m*; **apartar la mirada** détourner le regard; **dirigir** *o* **lanzar la mirada a/ hacia** jeter un regard sur/vers; **fulminar con la mirada** foudroyer du regard; **levantar la mirada** lever les yeux

mirador *nm (balcón)* bow-window *m*; *(para ver un paisaje)* belvédère *m*

mirar 1 *vt* regarder; *(considerar)* penser; **¡mira!** regarde!; **m. de cerca/ de lejos** regarder de près/de loin; *Fig* **m. algo por encima** jeter un coup d'œil à qch; *Fig* **si bien se mira** si l'on y regarde de près; **mira bien lo que haces** fais attention à ce que tu fais; **mira si vale la pena** vois si cela vaut la peine; **m. bien/mal a alguien** avoir une bonne/mauvaise opinion de qn; **mira, yo creo que...** écoute, je crois que...; **mira, mira** *(sorpresa)* tiens, tiens

2 *vi* regarder; **m. al norte/sur** être orienté(e) au nord/sud; **m. a** *(calle, patio)* donner sur; **m. por alguien/ por algo** *(cuidar)* veiller sur qn/à qch

3 mirarse *vpr* se regarder

mirilla *nf* judas *m* (de porte)

mirlo *nm* merle *m*

mirón, -ona *nm,f (voyeur)* voyeur (euse) *m,f*; *(curioso)* curieux(euse) *m,f*; *(en la calle)* badaud(e) *m,f*

misa *nf* messe *f*; **oír** *o* **ir a m.** aller à la messe

miscelánea *nf* mélange *m*; *Méx (tienda)* petite épicerie *f*

miserable 1 *adj* misérable; **una cantidad m.** une misère; **un sueldo m.** un salaire de misère **2** *nmf (tacaño)* avare *mf*; *(ruin)* misérable *mf*

miseria *nf* misère *f*; *(tacañería)* avarice *f*; **le pagan una m.** il est payé une misère

misericordia *nf* miséricorde *f*; **pedir m.** demander miséricorde

misil *nm* missile *m*

misión *nf* mission *f*

misionero, -a *adj & nm,f* missionnaire *mf*

mismo, -a 1 *adj* même; **el m. piso** le même appartement; **del m. color de la misma couleur** dans cette même couleur; **en este m. cuarto** dans cette même chambre; **en su misma calle** dans sa propre rue; **el rey m.** le roi lui-même; **mí/ti/***etc* **m.** moi-/toi-/*etc* même; *Fam* **¡tú m.!** à toi de voir!

2 *pron* **el m.** le même; **se prohibe la entrada al edificio al personal ajeno al m.** *(en letrero)* accès interdit aux personnes étrangères à l'établissement; **lo m. (que)** la même chose (que); **dar o ser lo m.** être du pareil au même; **me da lo m.** cela m'est égal **3** *adv* **hoy m.** aujourd'hui même; **ahora m.** tout de suite; **encima/detrás m.** juste au-dessus/derrière; **mañana m.** dès demain

misterio *nm* mystère *m*

misterioso, -a *adj* mystérieux(euse)

mitad *nf (parte)* moitié *f*; *(medio)* milieu *m*; **a m. de precio** à moitié prix; **a m. del camino** à mi-chemin; **m. hombre, m. animal** mi-homme, mi-bête; **cortar/partir por la m.** couper/partager en deux; **m. y m.** moitié moitié; **en m. de la reunión** au milieu de la réunion

mitin *(pl* **mítines)** *nm* meeting *m* (politique)

mito *nm (leyenda)* mythe *m*; *(personaje) (fabuloso)* personnage *m* mythique; *(famoso)* grande figure *f*;

¡es puro m.! c'est un mythe!; **un m. de la Historia** une grande figure de l'Histoire

mitología *nf* mythologie *f*

mixto, -a *adj* mixte

mobiliario *nm* mobilier *m*

mocasín *nm* mocassin *m*

mochila *nf* sac *m* à dos

mochuelo *nm (ave)* hibou *m*

moco *nm* crotte *f* de nez; **mocos** morve *f*; **limpiarse los mocos** se moucher

moda *nf* mode *f*; **estar de m.** être à la mode; **estar pasado de m.** être démodé

modalidad *nf (tipo)* forme *f*

modelo 1 *adj & nm* modèle *m* **2** *nmf (de artista)* modèle *m*; *(de moda, publicidad)* mannequin *m*

módem *(pl* **modems)** *nm Informát* modem *m*

moderno, -a *adj* moderne

modestia *nf* modestie *f*; **falsa m.** fausse modestie

modesto, -a *adj* modeste

modificar [58] *vt* modifier

modisto, -a *nm,f (que diseña)* couturier(ère) *m,f*; *(que cose)* tailleur *m*, couturière *f*

modo *nm (manera)* façon *f*, manière *f*; *(estilo)* mode *m*; **el m. que tienes de comer** ta façon de manger; **hazlo del m. que quieras** fais-le comme tu veux; **a m. de** *(a manera de)* en guise de; **modos** manières; **buenos/malos modos** bonnes/mauvaises manières; **de todos modos** de toute façon *ou* manière; **en cierto m.** d'une certaine façon *ou* manière; **de m. que** *(de manera que)* de façon que; *(así que)* alors; **lo hizo de m. que...** il a fait en sorte que...

moflete *nm* grosse joue *f*

mogollón *Fam* **1** *nm (lío)* bordel *m*; **un m. de** *(muchos)* un tas de **2** *adv* vachement; **me gustó m.** ça m'a vachement plu

moho *nm (hongo)* moisi *m*; *(herrumbre)* rouille *f*

mojado, -a *adj* mouillé(e)

mojar 1 *vt* mouiller; *(pan)* tremper **2 mojarse** *vpr* se mouiller

molcajete *nm Méx* mortier *m*

molde *nm* moule *m*

moldear *vt (con molde)* mouler; *(escultura, carácter)* modeler

mole 1 *nf* masse *f* **2** *nm Méx (salsa)* = sauce au piment, au chocolat et aux épices; *(plato)* = ragoût à la sauce au piment, au chocolat et aux épices

moler [40] *vt (grano)* moudre; *Fam (cansar)* crever

molestar 1 *vt (fastidiar)* gêner; *(distraer)* déranger; *(doler)* faire mal à; *(ofender)* vexer; **me molesta hacer…** ça m'ennuie de faire… **2 molestarse** *vpr (incomodarse)* se déranger; *(ofenderse)* se vexer; **molestarse por** se déranger pour; **molestarse en hacer algo** prendre la peine de faire qch; **no te molestes, yo lo haré** ne t'embête pas avec ça, je vais le faire

molestia *nf (incomodidad)* gêne *f*, dérangement *m*; *(malestar)* ennui *m*; **si no es demasiada m.** si cela ne vous dérange pas trop; **tomarse la m. de hacer algo** prendre la peine de faire qch

molesto, -a *adj (incómodo)* gêné(e); **ser m.** *(incordiante)* être gênant(e); **estar m.** *(enfadado)* être fâché(e)

molino *nm* moulin *m* ■ **m. de viento** moulin à vent

molusco *nm* mollusque *m*

momento *nm* moment *m*; **no para ni un m.** il n'arrête pas une seconde; **a cada m.** tout le temps; **al m.** à l'instant; **de m., por el m.** pour le moment; **desde el m. (en) que** *(tiempo)* dès l'instant où; *(causa)* du moment que; **de un m. a otro** d'un moment à l'autre; **por momentos** à vue d'œil

momia *nf* momie *f*

mona *ver* **mono**

monada *nf (gracia)* pitrerie *f*; **es una m.** *(persona)* elle est mignonne; *(cosa)* c'est mignon

monaguillo *nm* enfant *m* de chœur

monarca *nm* monarque *m*

monarquía *nf* monarchie *f*

monasterio *nm* monastère *m*

moneda *nf (pieza)* pièce *f* (de monnaie); *(divisa)* monnaie *f* ■ **m. extranjera** monnaie étrangère; **m. única** monnaie unique

monedero, -a 1 *nm,f* monnayeur *m* **2** *nm* porte-monnaie *m* ■ **m. electrónico** porte-monnaie électronique

monitor, -ora 1 *nm,f* moniteur(trice) *m,f* **2** *nm Informát* moniteur *m*

monja *nf* religieuse *f*

monje *nm* moine *m*

mono, -a 1 *adj* mignon(onne) **2** *nm,f* singe *m*, guenon *f* **3** *nm (prenda) (con peto)* salopette *f*; *(con mangas)* bleu *m* de travail; *(de esquí)* combinaison *f*; *Fam (de drogadicto)* manque *m* **4** *nf* **mona** *Fam (borrachera)* cuite *f*

monobloque *nm Arg* ensemble *m* d'immeubles résidentiels

monólogo *nm* monologue *m*

monoparental *adj* monoparental(e)

monopatín *nm* skateboard *m*, planche *f* à roulettes

monopolio *nm* monopole *m*

monótono, -a *adj* monotone

monstruo 1 *adj inv (grande)* énorme; *(prodigioso)* phénoménal(e) **2** *nm* monstre *m*

montacargas *nm inv* monte-charge *m*

montaje *nm (de obra de teatro, película)* montage *m*; *(obra de teatro)* réalisation *f*; *(farsa)* coup *m* monté

montaña *nf* montagne *f* ■ **m. rusa** montagnes russes

montañismo *nm* randonnée *f*

montañoso, -a *adj* montagneux (euse)

montar 1 *vt* monter; *(nata)* fouetter **2** *vi* monter (**a** à); **m. en** *(bicicleta)* monter à; *(avión)* monter dans **3 montarse** *vpr* **montarse en** *(caballo, bicicleta)* monter sur; *(avión, automóvil)* monter dans

monte *nm (elevación)* mont *m*, montagne *f; (bosque)* bois *mpl*

montón *nm* tas *m;* **a o en m.** en bloc; **hay de eso a montones** il y en a des tas; **ganar a montones** gagner des mille et des cents; **un hombre del m.** monsieur Tout-le-Monde

montura *nf (de gafas, caballo)* monture *f; (arreos)* harnais *m; (silla)* selle *f*

monumental *adj* monumental(e)

monumento *nm* monument *m*

moño *nm (peinado)* chignon *m; Am (lazo)* nœud *m; Fig* **estar hasta el m.** en avoir ras le bol

moqueta *nf* moquette *f*

mora *nf* mûre *f*

morado, -a 1 *adj* violet(ette) **2** *nm (color)* violet *m; (cardenal)* bleu *m*

moral 1 *adj* moral(e) **2** *nf (ética)* morale *f; (ánimo)* moral *m;* **levantar la m. a alguien** remonter le moral à qn **3** *nm* mûrier *m* noir

moraleja *nf* morale *f (d'une fable)*

morcilla *nf* boudin *m* noir

mordaza *nf* bâillon *m*

mordedura *nf* morsure *f*

morder [40] **1** *vt* mordre; *(fruta)* croquer; **está que muerde** elle est d'une humeur de chien **2** *vi* mordre **3 morderse** *upr* se mordre

mordida *nf Méx Fam* bakchich *m*

mordisco *nm (mordedura)* morsure *f; (trozo)* morceau *m;* **dar un m. en algo** mordre dans qch; *(en fruta)* croquer dans qch

moreno, -a 1 *adj (pelo, piel)* brun(e); *(por el sol)* bronzé(e); *(pan, arroz)* complet(ète);* **ponerse m.** bronzer; **azúcar m.** sucre *m* roux **2** *nm,f* brun(e) *m,f*

moribundo, -a *adj & nm,f* moribond(e) *m,f*

morir [26] **1** *vi* mourir **2 morirse** *upr* mourir **(de** de)

moro, -a 1 *adj Hist* maure; *Pey (árabe)* arabe; *Fam (machista)* macho **2** *nm,f Hist* Maure *mf; Pey (árabe)* Arabe *mf* **3** *nm Fam (machista)* macho *m;*

Moros y Cristianos = fête traditionnelle du Levant

morocho, -a 1 *adj Andes, RP (pelo)* noir(e); *(persona)* aux cheveux noirs; *Ven (mellizo)* jumeau(elle) **2** *nm,f Andes, RP (moreno)* = personne qui a les cheveux noirs; *Ven (mellizo)* jumeau(elle) *m,f*

moronga *nf CAm, Méx* boudin *m* noir

moroso, -a 1 *adj* **es un cliente m.** ce client a un arriéré **2** *nm,f* mauvais(e) payeur(euse) *m,f*

morro *nm (hocico)* museau *m; (de avión)* nez *m; Fam (caradura)* culot *m;* **¡qué m. tiene!** il a un de ces culots!; **estar de morros** bouder

morsa *nf* morse *m (animal)*

mortadela *nf* mortadelle *f*

mortal *adj & nmf* mortel(elle) *m,f*

mortero *nm* mortier *m*

mosaico *nm* mosaïque *f*

mosca *nf* mouche *f; Fam* **estar m.** *(enfadado)* faire la tête; *(con sospechas)* se douter de quelque chose

moscatel *nm* muscat *m (vin doux)*

mosquito *nm* moustique *m*

mostaza *nf* moutarde *f*

mostrador *nm* comptoir *m*

mostrar [62] **1** *vt* montrer; *(inteligencia, liberalidad)* faire preuve de **2 mostrarse** *upr* se montrer

mote *nm (nombre)* surnom *m; Andes (maíz)* maïs *m* bouilli

motel *nm* motel *m*

motivación *nf* motivation *f*

motivar *vt* motiver

motivo *nm (causa)* raison *f,* motif *m; (de obra literaria)* sujet *m; Arte* motif *m;* **con m. de** *(para celebrar)* à l'occasion de; *(a causa de)* en raison de; **por este m.** pour cette raison

moto *nf* moto *f*

motocicleta *nf* motocyclette *f*

motociclismo *nm* motocyclisme *m*

motociclista *nmf* motocycliste *mf*

motocross *nm inv* motocross *m*

motoneta *nf Am* scooter *m*

motonetista *nmf Am* scootériste *mf*

motor, -ora o **-triz 1** *adj* moteur(trice) **2** *nm* moteur *m* ■ **m. de arranque** contact *m*; *Informát* **m. de búsqueda** moteur de recherche **m. de reacción** moteur à réaction **3** *nf* **motora** bateau *m* à moteur

motorista *nmf* motocycliste *mf*

mousse *nm inv* o *nf inv (de limón, de chocolate)* mousse *f*

mover [40] **1** *vt (accionar)* faire marcher; *(cambiar de sitio)* déplacer; *(agitar)* remuer; *(suscitar)* provoquer **2 moverse** *vpr (ponerse en movimiento, agitarse)* bouger; *(trasladarse)* se déplacer; *(darse prisa)* se secouer; **moverse en/entre** évoluer dans/parmi

movido, -a 1 *adj* agité(e); *(conversación, viaje)* mouvementé(e); *(foto, imagen)* flou(e) **2** *nf* **movida** *Fam (problema)* histoire *f* ■ **m. (madrileña)** = mouvement de renouveau culturel qui eut lieu à Madrid au cours des années quatre-vingt

móvil 1 *adj* mobile; *(teléfono)* portable **2** *nm (teléfono)* portable *m*; *(juguete)* mobile *m*

movimiento *nm* mouvement *m*

mozárabe *adj & nmf* mozarabe *mf*

mozo, -a 1 *adj* jeune **2** *nm,f (joven)* jeune homme *m*, jeune fille *f*; *Perú, RP (camarero)* serveur(euse) *m,f*; **es buen m.** il est beau garçon **3** *nm (camarero)* garçon *m*; *(criado)* domestique *m*; *(soldado)* appelé *m*

mucamo, -a *nm,f Andes, RP* domestique *mf*

muchachada *nf Am* marmaille *f*

muchacho, -a *nm,f* garçon *m*, fille *f*

muchedumbre *nf* foule *f*

mucho, -a 1 *adj* beaucoup de; **mucha gente** beaucoup de gens; **muchos meses** plusieurs mois; **m. tiempo** longtemps; **hace m. calor** il fait très chaud; **tengo mucha hambre** j'ai très faim

2 *pron* **muchos piensan que...** beaucoup de gens pensent que...;

tener m. que contar avoir beaucoup de choses à raconter **3** *adv* beaucoup; *(largo tiempo)* longtemps; *(frecuentemente)* souvent; **trabaja m.** il travaille beaucoup; **se divierte m.** il s'amuse bien; **m. antes/después** bien avant/après; **m. más/menos** beaucoup ou bien plus/moins; **m. mejor** beaucoup ou bien mieux; **lo sé desde hace m.** je le sais depuis longtemps; **viene m. por aquí** il vient souvent par ici; **como m.** *(como máximo)* (tout) au plus; *(en todo caso)* à la limite; **con m.** de loin; **ni m. menos** loin de là; **por m. que insistas...** tu auras beau insister...

mudanza *nf (cambio)* changement *m*; *(de casa)* déménagement *m*; **estar** o **andar de m.** déménager

mudar 1 *vt* changer **2** *vi* **m. de** changer de; **m. de casa** déménager; **m. de plumas/piel/voz** muer **3 mudarse** *vpr* **mudarse (de casa)** déménager; **mudarse (de ropa)** se changer

mudéjar *adj & nmf* mudéjar(e) *m,f*

mudo, -a *adj & nm,f* muet(ette) *m,f*

mueble *nm* meuble *m*

mueca *nf* grimace *f*; *(de disgusto)* moue *f*

muela 1 *ver* **moler**
2 *nf (diente)* molaire *f*; *(piedra)* meule *f*; **tener dolor de muelas** avoir mal aux dents ■ **m. del juicio** dent *f* de sagesse

muelle *nm (de colchón, reloj)* ressort *m*; *(de puerto)* quai *m*

muerte *nf* mort *f*; *(homicidio)* meurtre *m*; **a m.** *(luchar, odiar)* à mort; **de mala m.** minable

muerto, -a 1 *participio ver* **morir**
2 *adj* mort(e); **estar m. de miedo/de frío/de hambre** être mort de peur/de froid/de faim; **medio m.** *(cansado)* mort (de fatigue) **3** *nm,f* mort(e) *m,f*; **hacer el m.** *(en el agua)* faire la planche

muestra 1 *ver* **mostrar**
2 *nf (pequeña cantidad)* échantillon

m; (modelo) modèle *m; (exposición)* exposition *f; dar muestras de (inteligencia, prudencia)* faire preuve de; *(cariño, simpatía)* donner des marques de; *(cansancio)* donner des signes de

mugido *nm* mugissement *m*

mugir [23] *vi (vaca)* meugler

mujer *nf* femme *f* ■ **m. de la limpieza** femme de ménage

mula *ver* **mulo**

mulato, -a *adj & nm,f* mulâtre *mf*

muleta *nf (para andar)* béquille *f; (de torero)* muleta *f*

mulo, -a 1 *nm,f* mulet *m,* mule *f* **2** *nf* mula *Fam Fig (bruto)* brute *f; (testarudo)* tête *f* de mule

multa *nf* amende *f*

multar *vt* condamner à une amende

multinacional *nf* multinationale *f*

múltiple *adj* multiple

multiplicación *nf* multiplication *f*

multiplicar [58] **1** *vt & vi* multiplier **2 multiplicarse** *upr* se multiplier; *(esforzarse)* être partout à la fois

múltiplo *nm* multiple *m*

multitud *nf* multitude *f;* **una m. de cosas** une foule de choses

mundial 1 *adj* mondial(e) **2** *nm* **el m.,** **los mundiales** la coupe du monde

mundo *nm* monde *m; (experiencia)* expérience *f;* **el otro m.** l'autre monde; **el tercer m.** le tiers-monde; **todo el m.** tout le monde; **hombre/ mujer de m.** homme/femme du monde; **venir al m.** venir au monde

munición *nf* munition *f*

municipal 1 *adj* municipal(e) **2** *nmf* policier *m* (municipal)

municipio *nm (división territorial)* commune *f; (ayuntamiento)* muni-cipalité *f;* **el m.** *(los habitantes)* les administrés *mpl*

muñeco, -a 1 *nm,f (juguete)* poupée *f* **2** *nm Fig* marionnette *f* ■ **m. de nieve** bonhomme *m* de neige **3** *nf* muñeca *(articulación)* poignet *m;* Andes, RP Fam *(enchufe)* piston *m*

muñequera *nf* poignet *m*

mural 1 *adj* mural(e) **2** *nm* peinture *f* murale

muralla *nf* muraille *f; (defensiva)* rempart *m*

murciélago *nm* chauve-souris *f*

muro *nm* mur *m*

musa *nf* muse *f*

músculo *nm* muscle *m*

museo *nm* musée *m*

musgo *nm* mousse *f*

música *ver* **músico**

musical *adj* musical(e); **un instrumento m.** un instrument de musique

músico, -a 1 *adj* musical(e) **2** *nm,f* musicien(enne) *m,f* **3** *nf* música musique *f*

muslo *nm* cuisse *f*

musulmán, -ana *adj & nm,f* musulman(e) *m,f*

mutilado, -a *adj & nm,f* mutilé(e) *m,f*

mutua *ver* **mutuo**

mutual *nf* Arg, Chile, Perú mutuelle *f*

mutuo, -a 1 *adj* mutuel(elle) **2** *nf* mutua mutuelle *f* ■ **mutua de seguros** société *f* mutualiste

muy *adv* très; **m. cerca/lejos** très près/ loin; **m. de mañana** de très bon matin; **eso es m. de ella** c'est elle tout craché; **¡el m. tonto!** quel idiot!; **por m. cansado que esté...** il a beau être fatigué...

Nn

nabo *nm* navet *m*

nacer [41] *vi* naître; *(río)* prendre sa source; *(sol)* se lever; **nació en Granada** il est né à Grenade; **ha nacido cantante** c'est un chanteur-né; **ha nacido para trabajar** il est fait pour le travail

nacimiento *nm* naissance *f*; *(de río)* source *f*; *(belén)* crèche *f*; **de n.** de naissance

nación *nf* nation *f*; *(territorio)* pays *m* ■ **las Naciones Unidas** les Nations unies

nacional 1 *adj* national(e) **2** *nmf Hist* **los nacionales** les nationalistes *mpl (partisans de Franco)*

nacionalidad *nf* nationalité *f*; **doble n.** double nationalité

nada 1 *pron* rien; **no quiero n.** je ne veux rien; **antes de n.** avant tout; **de n.** *(respuesta a gracias)* de rien, je t'en/vous en prie; **un regalito de n.** un petit cadeau de rien du tout; **no dijo n. de n.** il n'a rien dit du tout; **no más** c'est tout; **no quiero n. más** je ne veux rien d'autre; **como si n.** comme si de rien n'était; **¡de eso n.!, ¡n. de eso!** pas question!
2 *adv (en absoluto)* du tout; *(poco)* peu; **no me gusta n.** ça ne me plaît pas du tout; **no hace n. que salió** il est sorti à l'instant même; **n. más** à peine; **n. más irte llamó tu padre** tu étais à peine parti que ton père a appelé
3 *nf* **la n.** le néant

nadador, -ora *adj & nm,f* nageur(euse) *m,f*

nadar *vi* nager; *Fig* **n. en la abundancia** nager dans l'opulence

nadie 1 *pron* personne; **n. más** plus personne; **n. me lo ha dicho** personne ne me l'a dit; **no ha llamado n.** personne n'a téléphoné
2 *nm* **ser un don n.** être un zéro

nafta *nf RP (gasolina)* essence *f*

nailon *nm* Nylon® *m*

naipe *nm* carte *f* (à jouer)

nalga *nf* fesse *f*

nana *nf (canción)* berceuse *f*; *Méx (niñera)* garde *f* d'enfants

naranja 1 *adj inv* orange *inv* **2** *nm (color)* orange *m* **3** *nf (fruto)* orange *f*

naranjada *nf* orangeade *f*

naranjo *nm* oranger *m*

narcotraficante *nmf* trafiquant(e) *m,f* de drogue, narcotrafiquant(e) *m,f*

narcotráfico *nm* trafic *m* de stupéfiants

nariz *nf* nez *m*; *Fig* **estar hasta las narices** en avoir par-dessus la tête; *Fig* **meter las narices en algo** fourrer son nez dans qch

narración *nf* narration *f*; *(cuento, relato)* récit *m*

narrador, -ora *nm,f* narrateur(trice) *m,f*

narrar *vt* raconter

narrativo, -a 1 *adj* narratif(ive) **2** *nf* **narrativa** *(género literario)* roman *m*

nata *nf* crème *f*; **n. batida** *o* **montada** crème fouettée; *Fig* **la (flor y) n. de…** la fine fleur de…

natación *nf* natation *f*

natillas *nfpl* crème *f* renversée

nativo, -a 1 *adj* natif(ive); *(país, ciudad, pueblo)* natal(e); **ser n. de** être originaire de; **un profesor n. de inglés** un professeur d'anglais de langue maternelle anglaise **2** *nm,f* natif(ive) *m,f*

natural 1 *adj* naturel(elle); *(luz)* du jour; **esa reacción es n. en él** cette réaction est naturelle chez lui; **ser n. de** *(nativo)* être originaire de **2** *nmf (persona)* natif(ive) *m,f* **3** *nm (índole)* naturel *m*; **al n.** au naturel

naturaleza *nf* nature *f*; **por n.** par ou de nature ∎ **n. muerta** nature morte

naufragar [37] *vi (barco, persona)* faire naufrage; *Fig (asunto, proyecto)* échouer

naufragio *nm* naufrage *m*

náusea *nf* nausée *f*; **tener náuseas** avoir la nausée; **me da náuseas** ça me donne la nausée

náutico, -a 1 *adj* nautique **2** *nmpl* **náuticos** *(zapatos)* chaussures *fpl* de bateau **3** *nf* **náutica** navigation *f*

navaja *nf (cuchillo)* couteau *m* (à lame pliante); *(pequeño)* canif *m*; *(molusco)* couteau *m*

naval *adj* naval(e)

nave *nf (barco)* navire *m*; *(vehículo)* vaisseau *m*; *(de iglesia)* nef *f*; *(almacén)* hangar *m* ∎ **n. espacial** vaisseau spatial

navegador *nm Informát* navigateur *m*

navegar [37] *vi* naviguer; **n. por Internet** naviguer sur l'Internet

Navidad *nf* Noël *m*; **¡Feliz N.!** joyeux Noël!; **las Navidades** les fêtes *fpl* de Noël

neblina *nf* brume *f*

necedad *nf* sottise *f*

necesario, -a *adj* nécessaire; **no es n. que venga** il n'est pas nécessaire qu'il vienne; **es n. hacerlo** il faut le faire; **es n. que le ayudes** il faut que tu l'aides; **si fuera n.** si nécessaire

neceser *nm* nécessaire *m* (de toilette)

necesidad *nf (menester)* besoin *m*; *(imperativo)* nécessité *f*; **en caso de n.** en cas de besoin; **sentir la n. de** éprouver le besoin de; **de (primera) n.** de première nécessité; **por n.** par nécessité; **no hay n. de...** il n'est pas

nécessaire de...; **hacer sus necesidades** *(fisiológicas)* faire ses besoins; **pasar necesidades** *(estrecheces)* être dans le besoin

necesitar *vt* avoir besoin de; **necesito ayuda/verte** j'ai besoin d'aide/de te voir; **necesito que me digas...** j'ai besoin que tu me dises...; **se necesita empleada** *(en anuncio)* on demande une employée

necio, -a *adj & nm,f* idiot(e) *m,f*; *Méx, Ven (pesado)* casse-pieds *mf inv*

negación *nf* négation *f*; *(rechazo)* refus *m*

negado, -a 1 *adj* **soy n. para el latín** je suis nul (nulle) en latin **2** *nm,f* incapable *mf*

negar [42] **1** *vt (desmentir)* nier; *(denegar)* refuser; **n. el saludo/la palabra a alguien** refuser de saluer qn/de parler à qn **2 negarse** *upr* refuser; **no me pude n.** je n'ai pas pu refuser; **negarse a hacer algo** refuser de ou se refuser à faire qch

negativo, -a 1 *adj* négatif(ive) **2** *nm Fot* négatif *m* **3** *nf* **negativa** *(rechazo)* refus *m*

negociable *adj* négociable

negociación *nf* négociation *f*

negociado *nm CSur* transaction *f* véreuse

negociar 1 *vi (comerciar)* faire du commerce; *(discutir)* négocier (**con** avec) **2** *vt* négocier

negocio *nm* affaire *f*; *(establecimiento)* commerce *m*; **hacer n.** gagner de l'argent; **ser un buen n.** être rentable, rapporter; **n. sucio** affaire louche

negro, -a 1 *adj* noir(e); *(tabaco, cerveza)* brun(e); *(futuro, porvenir)* sombre; **el mercado n.** le marché noir; *Fam* **me pone n.** ça me tape sur les nerfs; *Fam* **pasarlas negras** en baver

2 *nm,f* Noir(e) *m,f*; *Fig* **trabajar como un n.** travailler comme un nègre

3 *nm (color)* noir *m*; *Fig (de escritor)* nègre *m*

4 *nf* **negra** *Mús* noire *f*

nene, -a *nm,f Fam (bebé)* bébé *m;
(niño)* petit garçon *m,* petite fille *f*

nenúfar *nm* nénuphar *m*

nervio *nm* nerf *m; (de planta)* nervure
f; **hacer algo con n.** faire qch avec
énergie; **tener n.** avoir du nerf;
nervios *(nerviosismo)* nerfs; **tener
nervios** être nerveux(euse); **un
ataque de nervios** une crise de nerfs;
poner los nervios de punta a alguien
taper sur les nerfs à qn; **tener los
nervios de punta** avoir les nerfs à vif

nerviosismo *nm* nervosité *f*

nervioso, -a *adj* nerveux(euse);
(irritado) énervé(e); **ponerse n.**
s'énerver

neto, -a *adj* net (nette)

neumático, -a 1 *adj* pneumatique;
(cámara) à air **2** *nm* pneu *m*

neurosis *nf inv* névrose *f*

neutral *adj* neutre

neutro, -a *adj* neutre

nevado, -a 1 *adj* enneigé(e) **2** *nf*
nevada chute *f* de neige

nevar [3] *v impersonal* neiger

nevera *nf* réfrigérateur *m; (portátil)*
glacière *f*

ni 1 *conj* ni; **ni... ni...** ni... ni...; **ni de
día ni de noche** ni le jour ni la nuit; **no
canto ni bailo** je ne chante pas et ne
danse pas non plus; **ni uno ni otro** ni
l'un ni l'autre; **ni un/una...** même que
un/una...; **no comió ni una manzana**
il n'a même pas mangé une pomme;
no dijo ni una palabra il n'a pas dit un
traître mot; **ni que...** comme si...; **¡ni
que lo conocieras!** comme si tu le
connaissais!; **¡ni pensarlo!, ¡ni
hablar!** pas question!
2 *adv* même pas; **ni tiene tiempo
para comer** il n'a même pas le temps
de manger; **no quiero ni pensarlo** je
ne veux même pas y penser

Nicaragua *n* le Nicaragua

nicaragüense 1 *adj* nicaraguayen
(enne) **2** *nmf* Nicaraguayen(enne)
m,f

nicho *nm (en muro)* niche *f; (en
mercado)* créneau *m*

nido *nm* nid *m*

niebla *nf* brouillard *m*

nieto, -a *nm,f* petit-fils *m,* petite-fille
f; **nietos** petits-enfants *mpl*

nieve *nf* neige *f; Méx (helado)* sorbet
m; **nieves** *(nevada)* chutes *fpl* de neige

ninguno, -a 1 *adj*

On utilise **ningún** devant les noms
masculins singuliers.

aucun(e); **en ningún lugar** nulle part;
ningún libro aucun livre; **ninguna
mujer** aucune femme; **no tiene nin-
gunas ganas de estudiar** il n'a aucune
envie de travailler; **no tiene ninguna
gracia** ce n'est pas drôle du tout; **no es
ningún especialista** ce n'est vraiment
pas un spécialiste
2 *pron* aucun(e) *(de* de); **n. funciona**
aucun ne marche; **no vino n.** personne n'est venu; **no de ellos lo vio aucun** d'eux *ou* d'entre eux ne l'a vu;
ninguna de las calles aucune des rues

niña *ver* **niño**

niñera *nf* garde *f* d'enfants

niñez *nf (infancia)* enfance *f*

niño, -a 1 *adj (crío)* petit(e); **ser muy
n.** *(joven)* être très jeune
2 *nm,f (crío)* enfant *mf,* petit garçon
m, petite fille *f; (bebé)* bébé *m; (joven)*
gamin(e) *m,f;* **de n.** quand j'étais petit;
los niños les enfants ■ **n. bien** enfant
de bonne famille; *Fig* **n. bonito**
chouchou *m;* **n. prodigio** enfant
prodige; **n. de pecho** nourrisson *m*
3 *nf* **niña** *(del ojo)* pupille *f; Fig* **la niña
de sus ojos** la prunelle de ses yeux

níquel *nm* nickel *m*

níspero *nm (fruto)* nèfle *f; (árbol)*
néflier *m*

nítido, -a *adj* net (nette); *(agua,
explicación)* clair(e)

nitrógeno *nm* azote *m*

nivel *nm* niveau *m;* **a n. europeo** au
niveau européen; **al n. de** à la
hauteur de; **al n. del mar** au niveau
de la mer ■ **n. de vida** niveau de vie

no *(pl* **noes) 1** *nm* non *m inv;* **un no
rotundo** un non catégorique
2 *adv* **(a)** *(en respuestas)* non; **¿te**

gusta? – no ça te plaît? – non; **estás de acuerdo ¿no?** tu es d'accord, non?

(**b**) *(en forma negativa)* ne… pas; **no tengo hambre** je n'ai pas faim; **¿no vienes?** tu ne viens pas?; **creo que no** je ne crois pas; **no quiero nada** je ne veux rien; **no hemos visto a nadie** nous n'avons vu personne; **no fumadores** non-fumeurs; **¿por qué no?** pourquoi pas?; **todavía no** pas encore

(**c**) *(expresiones)* **no bien** à peine; **no bien llegó a casa…** à peine arrivé chez lui…; **¡cómo no!** bien sûr!; **no sólo… sino que** non seulement… mais…

noble *adj & nmf* noble *mf*

nobleza *nf* noblesse *f*

noche *nf* nuit *f*; *(atardecer)* soir *m*; **esta n. ceno en casa** ce soir je dîne à la maison; **de n.** la nuit; *(trabajo)* de nuit; **es de n.** il fait nuit; **hacer n.** en passer la nuit à; **por la n.** la nuit; **ayer por la n.** hier soir; **se ha hecho de n.** la nuit est tombée; **de la n. a la mañana** du jour au lendemain; **¡buenas noches!** *(despedida)* bonne nuit!; *(saludo)* bonsoir!

Nochebuena *nf* nuit *f* de Noël

nochero, -a *nm,f CSur* gardien(enne) *m,f* de nuit

Nochevieja *nf* nuit *f* de la Saint-Sylvestre

noción *nf* notion *f*; **tener nociones de…** avoir des notions de…

nocivo, -a *adj* nocif(ive)

noctámbulo, -a *adj & nm,f* noctambule *mf*

nocturno, -a *adj* nocturne; *(clase)* du soir; *(tren, trabajo)* de nuit

nogal *nm* noyer *m*

nómada *adj & nmf* nomade *mf*

nombrar *vt* nommer

nombre *nm* nom *m*; *Fig (fama)* renom *m*; **n. (de pila)** prénom *m*; **en n. de** au nom de; **n. artístico** *(de actor)* nom de scène; *(de escritor)* nom de plume; **n. completo, n. y apellido** noms et prénoms

nómina *nf (registro)* liste *f* du personnel; *(hoja)* feuille *f* de paie; *(pago)* paie *f*; **estar en n.** faire partie du personnel

nórdico, -a 1 *adj (del norte)* nord *inv*; *(escandinavo)* nordique **2** *nm,f* Nordique *mf*

Noreste, noreste 1 *adj* nord-est *inv* **2** *nm* nord-est *m inv*

noria *nf (para agua)* noria *f*; *(de feria)* grande roue *f*

norma *nf (reglamento)* règle *f*; *(industrial)* norme *f*; **por n.** en règle générale; **tener por n. hacer algo** avoir pour habitude de faire qch; **n. de conducta** ligne *f* de conduite

normal *adj* normal(e); *(gasolina)* ordinaire

Noroeste, noroeste 1 *adj* nord-ouest *inv* **2** *nm* nord-ouest *m inv*

Norte, norte 1 *nm* nord *m inv*; **el N. de Europa** le nord de l'Europe **2** *adj (zona, frontera)* nord *inv*; *(viento)* du nord

Norteamérica *n* l'Amérique *f* (du Nord)

norteamericano, -a 1 *adj* nord-américain(e), américain(e) **2** *nm,f* Américain(e) *m,f*

Noruega *n* la Norvège

noruego, -a 1 *adj* norvégien(enne) **2** *nm,f* Norvégien(enne) *m,f* **3** *nm (lengua)* norvégien *m*

nos *pron personal* nous; **viene a vernos** il vient nous voir; **n. lo dio** il nous l'a donné; **vistámonos** habillons-nous; **n. queremos** nous nous aimons

nosotros, -as *pron personal* nous; **n. mismos** nous-mêmes; **entre n.** entre nous

nostalgia *nf* nostalgie *f*

nota *nf* note *f*; **sacar buenas notas** avoir de bonnes notes; **tomar n. de algo** prendre note de qch

notable 1 *adj (meritorio)* remarquable; *(considerable)* notable **2** *nm (calificación)* mention *f* bien; *(persona)* notable *m*

notar 1 *vt (advertir)* remarquer;

(percibir) sentir, trouver; **la noto molesta** je la sens gênée; **n. calor/frío** trouver qu'il fait chaud/froid **2 notarse** *upr* se voir

notario, -a *nm,f* notaire *m*

noticia *nf* nouvelle *f*; **las noticias** *(en radio, televisión)* les informations *fpl*

novatada *nf (broma)* bizutage *m*; *(error de principiante)* erreur *f* de débutant; **pagar la n.** faire les frais de son inexpérience

novato, -a *adj & nm,f* débutant(e) *m,f*

novecientos, -as *adj num inv* neuf cents; *ver también* **seiscientos**

novedad *nf* nouveauté *f*; *(cambio)* nouveau *m*; **sin n.** rien de nouveau; **novedades** nouveautés

novela *nf* roman *m* ■ **n. policíaca** roman policier; **n. rosa** roman d'amour

novelesco, -a *adj* romanesque

novelista *nmf* romancier(ère) *m,f*

noveno, -a *adj num* neuvième; *ver también* **sexto**

noventa 1 *adj num inv* quatre-vingt-dix **2** *nm inv* quatre-vingt-dix *m inv*; *ver también* **sesenta**

noviar *vi CSur, Méx* **n. con alguien** sortir avec qn; **están noviando** ils sortent ensemble

noviazgo *nm* fiançailles *fpl*

noviembre *nm* novembre *m*; *ver también* **septiembre**

novillada *nf Taurom* = course de jeunes taureaux

novillo, -a *nm,f* jeune taureau *m*, génisse *f*; *Fam Fig* **hacer novillos** faire l'école buissonnière

novio, -a *nm,f (informal)* copain *m*, copine *f*; *(prometido)* fiancé(e) *m,f*; *(recién casados)* jeune marié(e) *m,f*; **los novios** les mariés *mpl*

nubarrón *nm* gros nuage *m*

nube *nf* nuage *m*; *Fig* **estar en las nubes** être dans les nuages; *Fam* **vivir en las nubes** ne pas avoir les pieds sur terre

nublado, -a *adj (mirada)* brouillé(e); **está n.** le temps est couvert

nublar 1 *vt (cielo)* assombrir **2 nublarse** *upr (tiempo)* se couvrir; *(ojos)* se voiler

nuca *nf* nuque *f*

nuclear *adj* nucléaire

núcleo *nm* noyau *m* ■ **n. de población** agglomération *f*

nudillo *nm* jointure *f* des doigts; **llamar con los nudillos** *(a la puerta)* frapper

nudismo *nm* nudisme *m*

nudo *nm* nœud *m*; **hacérsele a alguien un n. en la garganta** avoir la gorge nouée

nuera *nf* belle-fille *f*

nuestro, -a *(mpl* **nuestros,** *fpl* **nuestras) 1** *adj posesivo* notre; **n. padre** notre père; **nuestros libros** nos livres; **este libro es n.** ce livre est à nous; **un amigo n.** un de nos amis; **no es asunto n.** ça ne nous regarde pas; **no es culpa nuestra** ce n'est pas (de) notre faute

2 *pron posesivo* **el n.** le nôtre; **la nuestra** la nôtre; *Fam* **lo n. es el teatro** notre truc, c'est le théâtre; **los nuestros** *(nuestra familia)* les nôtres *mpl*

nueva *ver* **nuevo**

Nueva Zelanda *n* la Nouvelle-Zélande

nueve 1 *adj num inv* neuf **2** *nm inv* neuf *m inv*; *ver también* **seis**

nuevo, -a 1 *adj* nouveau(elle); *(no usado)* neuf (neuve); **el año n.** le nouvel an; **de n.** de *ou* à nouveau; **ser n. en** être nouveau dans **2** *nm,f* nouveau(elle) *m,f* **3** *nf* **nueva** nouvelle *f*; **buena nueva** bonne nouvelle

nuez *nf (fruto)* noix *f*; *(en la garganta)* pomme *f* d'Adam ■ **n. moscada** noix (de) muscade

nulidad *nf* nullité *f*

nulo, -a *adj* nul (nulle); **es n. para la música** il est nul en musique

núm. *(abrev* **número)** n°

número *nm (cantidad)* nombre *m*; *(en serie, espectáculo, publicación)* numé-

ro m; *(cifra)* chiffre m; *(talla) (de ropa)* taille f; *(de zapatos)* pointure f; *(de lotería)* billet m (de loterie); **un gran n. de...** un grand nombre de...; **en números rojos** en rouge, à découvert; **hacer números** faire les comptes; **montar el n.** faire son numéro ▪ **n. de matrícula** numéro d'immatriculation; **n. de teléfono** numéro de téléphone
numeroso, -a *adj* nombreux(euse)

nunca *adv* jamais; **n. me hablas** tu ne me parles jamais; **no llama n.** il n'appelle jamais; **n. jamás** o **más** jamais plus
nupcial *adj* nuptial(e)
nupcias *nfpl* noces fpl; **casarse en segundas n. con alguien** épouser qn en secondes noces
nutria *nf* loutre f
nutrición *nf* nutrition f
nutritivo, -a *adj* nutritif(ive)

Ññ

ñandú *(pl ñandúes) nm* nandou m
ñapa *nf Ven* compré seis rosas y me dieron una de ñ. j'ai acheté six roses et ils m'en ont donné une gratuite
ñato, -a *Andes, RP* **1** *adj (nariz)* camus; **su hija es muy ñata** sa fille a le nez

camus **2** *nm,f* = personne qui a le nez camus
ñoñería, ñoñez *nf* niaiserie f
ñoño, -a *adj (recatado)* timoré(e); *(soso) (estilo)* mièvre; *(apariencia)* cucul *inv*

Oo

o

On utilise **u** devant les mots commençant par "o" ou "ho".

conj ou; **rojo o verde** rouge ou vert; **25 o 30** 25 ou 30; **10 ó 30** 10 ou 30; **uno u otro** l'un ou l'autre; **o sea (que)** autrement dit
oasis *nm inv* oasis f
obedecer [45] **1** *vt* obéir à **2** *vi* obéir; **calla y obedece** tais-toi et obéis; **o. a** *(estar motivado por)* être dû (due) à
obediencia *nf* obéissance f

obediente *adj* obéissant(e)
obesidad *nf* obésité f
obeso, -a *adj & nm,f* obèse mf
obispo *nm* évêque m
objeción *nf* objection f ▪ **o. de conciencia** objection de conscience
objetividad *nf* objectivité f
objetivo, -a 1 *adj* objectif(ive) **2** *nm* objectif m
objeto *nm* objet m; **ser o. de** faire l'objet de; **al o** con **o. de hacer algo** dans le but ou l'intention de faire qch ▪ **objetos perdidos** objets trouvés

obligación *nf* obligation *f*

obligar [37] 1 *vt* o. a alguien a hacer algo obliger qn à faire qch 2 **obligarse** *vpr* **obligarse a hacer algo** s'engager à faire qch

obligatorio, -a *adj* obligatoire

obra *nf* œuvre *f*; *(lugar)* chantier *m*; *(reforma)* travaux *mpl*; **cerrado por obras** *(en letrero)* fermé pour travaux; **por o. de, por o. y gracia de** grâce à; **por o. y gracia del Espíritu Santo** par l'opération du Saint-Esprit ■ **o. de arte** œuvre d'art; **o. de caridad** œuvre de charité; **o. de consulta** ouvrage *m* de référence; **o. maestra** chef-d'œuvre *m*; **obras públicas** travaux publics; **o. de teatro** pièce *f* de théâtre

obrero, -a *adj & nm,f* ouvrier(ère) *m,f*

obsequiar *vt* offrir; **o. a alguien con algo** offrir qch à qn

obsequio *nm* cadeau *m*

observación *nf (examen, contemplación)* observation *f*; *(comentario)* remarque *f*

observador, -ora *adj & nm,f* observateur(trice) *m,f*

observar *vt* observer; *(advertir)* remarquer; **se observa una cierta mejora** on observe une légère amélioration

observatorio *nm* observatoire *m*

obsesión *nf* obsession *f*

obsesionar 1 *vt* obséder 2 **obsesionarse** *vpr* être obsédé(e) (**con** par)

obstáculo *nm* obstacle *m*

obstante: no obstante *adv* néanmoins

obstinado, -a *adj* obstiné(e)

obstruir [33] 1 *vt (bloquear)* obstruer; *Fig (obstaculizar)* empêcher 2 **obstruirse** *vpr* s'obstruer, se boucher

obtener [64] 1 *vt* obtenir 2 **obtenerse** *vpr* s'obtenir

obvio, -a *adj* évident(e)

oca *nf (animal)* oie *f*; *(juego)* jeu *m* de l'oie

ocasión *nf* occasion *f*; **con o. de** à l'occasion de; **de o.** d'occasion; **en alguna o cierta o.** une fois; **en algunas ocasiones** parfois; **artículos de o.** articles *mpl* en solde

ocasional *adj* occasionnel(elle)

ocaso *nm (anochecer)* crépuscule *m*; *Fig (decadencia)* déclin *m*

occidental 1 *adj* occidental(e) 2 *nmf* Occidental(e) *m,f*

occidente *nm* occident *m*; **el sol se pone por o.** le soleil se couche à l'ouest; **(el) O.** l'Occident

océano *nm* océan *m* ■ **el o. Atlántico** l'océan Atlantique; **el o. Índico** l'océan Indien; **el o. Pacífico** l'océan Pacifique

ochenta 1 *adj num inv* quatre-vingts; **o. y tres años** quatre-vingt-trois ans 2 *nm inv* quatre-vingts *m inv*; *ver también* **sesenta**

ocho 1 *adj num inv* huit 2 *nm inv* huit *m inv*; *ver también* **seis**

ochocientos, -as *adj num inv* huit cents; *ver también* **seiscientos**

ocio *nm* loisirs *mpl*; **el tiempo de o.** le temps libre

ocioso, -a *adj* oisif(ive); *(inútil)* oiseux(euse); **el miércoles es un día o.** le mercredi est une journée peu remplie

ocre 1 *nm (color)* ocre *m* 2 *adj inv (color)* ocre *inv*

octavo, -a 1 *adj num* huitième; *ver también* **sexto** 2 *nm* huitième *m*; **octavos de final** huitièmes de finale 3 *nf* **octava** *Mús* octave *f*

octubre *nm* octobre *m*; *ver también* **septiembre**

oculista *nmf* oculiste *mf*

ocultar 1 *vt* cacher 2 **ocultarse** *vpr* se cacher

oculto, -a *adj (escondido)* caché(e); *Fig (poderes, ciencias)* occulte

ocupación *nf* occupation *f*; *(empleo)* profession *f*

ocupado, -a *adj* occupé(e)

ocupar 1 *vt* occuper; *(dar trabajo)* employer; *CAm, Méx (usar)* utiliser

2 ocuparse *upr* **ocuparse de** *(encargarse de)* s'occuper de
ocurrir 1 *vi* arriver; **aquí ocurre algo extraño** il se passe quelque chose de bizarre ici; **¿qué te ocurre?** qu'est-ce qui t'arrive? **2 ocurrirse** *upr* **no se me ocurre ninguna solución** je ne vois aucune solution; **¡ni se te ocurra!** tu n'as pas intérêt!; **¿se te ocurre algo?** tu as une idée?; **se me ocurre que podríamos salir** et si on sortait?
odiar *vt* haïr; *(comida)* détester; **o. a muerte a alguien** haïr qn à mort
odio *nm* haine *f*; **tener o. a alguien/algo** haïr qn/qch
Oeste, oeste 1 *nm (zona)* ouest *m inv*; *(viento)* vent *m* d'ouest; **el O. de Europa** l'ouest de l'Europe; **el lejano o.** le Far West **2** *adj (zona, frontera)* ouest *inv*; *(viento)* d'ouest
ofensivo, -a 1 *adj (injurioso)* offensant(e); *(de ataque)* offensif(ive) **2** *nf* **ofensiva** offensive *f*
oferta *nf* offre *f*; *(rebaja)* promotion *f*; **la o. y la demanda** l'offre et la demande; **de o en o.** en promotion ■ **o. pública de adquisición** offre publique d'achat; **ofertas de trabajo** offres d'emploi
oficial[1] 1 *adj* officiel(elle) **2** *nm* *(militar)* officier *m*; **o.** *(administrativo)* *(funcionario)* employé *m* (administratif)
oficial[2], -ala *nm,f* apprenti(e) *m,f* qualifié(e)
oficialismo *nm Am* = soutien inconditionnel du parti au pouvoir
oficialista *adj Am* de la majorité (gouvernementale)
oficina *nf* bureau *m* ■ **o. de empleo** agence *f* pour l'emploi, ≃ ANPE *f*; **o. de turismo** office *m* du tourisme
oficinista *nmf* employé(e) *m,f* de bureau
oficio *nm (profesión)* métier *m*; *Rel* office *m*; *(función)* fonction *f*; **ser del o.** être du métier; **no tener o. ni beneficio** être un(e) bon (bonne) à rien

ofrecer [45] **1** *vt* offrir; *(fiesta, posibilidad)* donner; *(perspectivas)* ouvrir; *(particularidad, aspecto)* présenter **2 ofrecerse** *upr* **ofrecerse a o para hacer algo** s'offrir pour faire qch; **¿qué se le ofrece?** *(en bar)* qu'est-ce que vous voulez?
oftalmología *nf* ophtalmologie *f*
ogro *nm* ogre *m*
oídas: de oídas *adv* par ouï-dire
oído *nm (órgano)* oreille *f*; *(sentido)* ouïe *f*; **aguzar el o.** tendre l'oreille; **de o.** d'oreille; **hacer oídos sordos** faire la sourde oreille; **prestar oídos a algo** *(creer)* prêter foi à qch; **ser duro de o.** être dur d'oreille; **ser todo oídos** être tout ouïe; **tener (buen) o.** avoir de l'oreille; **tener mal o., no tener o.** ne pas avoir d'oreille
oír [43] *vt* entendre; *(atender)* écouter; **¡oigan, por favor!** votre attention s'il vous plaît!; *Fam* **¡oye!** écoute!
ojal *nm* boutonnière *f*
ojalá *interj* j'espère bien!; **¡o. lo haga!** *(expresa esperanza)* pourvu qu'il le fasse!; **¡o. estuviera aquí!** *(expresa añoranza)* si seulement il était là!
ojera *nf* cerne *m*; **tener ojeras** avoir des cernes *ou* les yeux cernés
ojo 1 *nm (órgano)* œil *m*; *(de aguja)* chas *m*; *(de cerradura)* trou *m*; **andar con (mucho) o.** faire (bien) attention; **en un abrir y cerrar de ojos** en un clin d'œil; **mirar** *o* **ver con buenos/malos ojos** voir d'un bon/ mauvais œil; **no pegar o.** ne pas fermer l'œil; *Prov* **o. por o., diente por diente** œil pour œil, dent pour dent; **ojos que no ven, corazón que no siente** loin des yeux, loin du cœur; **tener (buen) o.** avoir le coup d'œil; **ojos rasgados** yeux bridés; **ojos saltones** yeux globuleux **2** *interj* attention!
ojota *nf Andes (sandalia de cuero)* sandale *f* en cuir; *RP (sandalia de goma)* sandale *f* en caoutchouc
okupa *nmf muy Fam* squatter *mf*
ola *nf* vague *f*; **la nueva o.** la nouvelle

vague; **hacer la o.** faire la ola, = ovationner une équipe en se levant à tour de rôle afin de produire un mouvement comparable à une vague

ole, olé *interj* bravo!

oleaje *nm* houle *f*

óleo *nm* huile *f*

oler [44] *vt & vi* sentir; **huele bien/mal** ça sent bon/mauvais; **huele a lavanda/tabaco** ça sent la lavande/ le tabac

olfato *nm (sentido)* odorat *m; Fig (sagacidad)* flair *m*

olimpiada, olimpíada *nf* olympiade *f;* **las olimpiadas** les jeux *mpl* Olympiques

olímpico, -a *adj (deporte)* olympique

oliva *nf* olive *f*

olivo *nm* olivier *m*

olla *nf* marmite *f* ■ **o. a presión** *o* **exprés** autocuiseur *m,* Cocotte-Minute® *f*

olmo *nm* orme *m*

olor *nm* odeur *f* (a de)

olvidar 1 *vt* oublier **2 olvidarse** *vpr* oublier; **olvidarse de hacer algo** oublier de faire qch

olvido *nm* oubli *m;* **caer en el o.** tomber dans l'oubli

ombligo *nm* nombril *m;* **se cree el o. del mundo** il se prend pour le nombril du monde

omitir *vt* omettre

ómnibus *nm Urug* autobus *m*

ONCE *nf (abrev* **Organización Nacional de Ciegos Españoles)** = association nationale espagnole d'aide aux aveugles et aux handicapés qui organise notamment une loterie

once 1 *adj num inv* onze **2** *nm inv* onze *m inv; ver también* **seis**

onda *nf* onde *f; (del pelo, tela)* ondulation *f* ■ **o. corta** ondes courtes; **o. larga** grandes ondes; **o. media** ondes moyennes

ondulado, -a *adj* ondulé(e)

ONU *nf (abrev* **Organización de las Naciones Unidas)** ONU *f*

opaco, -a *adj* opaque

opción *nf (elección)* choix *m; Com* option *f;* **dar o. a algo** *(dar derecho)* donner droit à qch; **tener o. a algo** avoir droit à qch ■ **o. de compra** option d'achat; **o. de venta** option de vente

ópera *nf* opéra *m*

operación *nf* opération *f;* **o. retorno** = opération de régulation de la circulation routière en période de retour de vacances

operador, -ora *nm,f (de máquina)* opérateur(trice) *m,f* ■ **o. turístico** tour-opérateur *m*

operar 1 *vt* opérer; **o. a alguien de algo** opérer qn de qch **2** *vi* opérer *(hacer operaciones matemáticas)* faire des opérations **3 operarse** *vpr (en quirófano)* se faire opérer (**de** de) *(producirse)* s'opérer

operario, -a *nm,f* ouvrier(ère) *m,f*

opinar 1 *vt* penser **2** *vi* donner son avis *ou* son opinion (**sobre** sur); **o. bien de** penser du bien de

opinión *nf (parecer)* opinion *f,* avis *m;* **expresar** *o* **dar su o.** donner son avis *ou* son opinion; **tener buena/mala o. de alguien** avoir une bonne, mauvaise opinion de qn ■ **la o. pública** l'opinion publique

oponer [49] **1** *vt* opposer **2 oponerse** *vpr* s'opposer (**a** à)

oportunidad *nf (ocasión)* occasion *f; (conveniencia)* opportunité *f; (posibilidad)* chance *f;* **aprovechar la o.** profiter de l'occasion; **dar otra o. a alguien** redonner une chance à qn ■ **oportunidades** promotions *fpl*

oportuno, -a *adj* opportun(e); **es oportuno decírselo ahora** il convient de le lui dire maintenant

oposición *nf* opposition *f; (obstáculo)* résistance *f; (examen)* concours *m* ■ **o. a cátedra** ≃ concours de recrutement de l'agrégation

oprimir *vt (botón)* presser; *(reprimir)* opprimer

optar *vi* **o. por algo** *(escoger)* choisi

qch; **o. por hacer algo** choisir de faire qch; **o. a** *(aspirar a)* aspirer à

optativo, -a 1 *adj* optionnel(elle) 2 *nf* **optativa** *(asignatura)* option *f*

óptico, -a 1 *adj* optique 2 *nm,f* opticien(enne) *m,f* 3 *nf* **óptica** optique *f*; **en la óptica** *(tienda)* chez l'opticien

optimismo *nm* optimisme *m*

optimista *adj & nmf* optimiste *mf*

óptimo, -a *adj* optimal(e); *(temperatura)* optimum

opuesto, -a 1 *participio ver* **oponer** 2 *adj* opposé(e)

oración *nf (rezo)* prière *f*; *(frase)* proposition *f*

orador, -ora *nm,f* orateur(trice) *m,f*

oral *adj* oral(e)

órale *interj Méx Fam (de acuerdo)* d'accord!; *(¡venga!)* allez!

orangután *nm* orang-outan *m*

oratorio, -a 1 *adj* oratoire 2 *nf* **oratoria** art *m* oratoire

órbita *nf* orbite *f*; **entrar/poner en ó.** entrer/mettre sur orbite

orca *nf* orque *f*

orden *(pl* **órdenes)** 1 *nm* ordre *m*; **problemas de o. económico** des problèmes d'ordre économique; **del o. de** de l'ordre de; **en o.** en ordre; **por o.** par ordre; **sin o. ni concierto** *(hablar)* à tort et à travers ■ **o. público** ordre public 2 *nf* ordre *m*; **¡a la o.!** à vos ordres!; **por o. de** par ordre de ■ **o. del día** ordre du jour

ordenado, -a *adj* ordonné(e)

ordenador *nm* ordinateur *m* ■ **o. personal** ordinateur personnel; **o. portátil** ordinateur portable

ordenar 1 *vt* ordonner; *(habitación, papeles)* ranger; *Am (solicitar)* commander; **o. alfabéticamente** classer par ordre alphabétique 2 **ordenarse** *vpr* **ordenarse sacerdote** être ordonné prêtre

ordeñar *vt* traire

ordinario, -a 1 *adj (común, normal)* ordinaire; *(vulgar)* grossier(ère), vulgaire 2 *nm,f* **ser un o.** être vulgaire

orégano *nm* origan *m*

oreja *nf* oreille *f*; **orejas de soplillo** oreilles en feuilles de chou

orejera *nf* oreillette *f*

orgánico, -a *adj* organique

organillo *nm* orgue *m* de Barbarie

organismo *nm* organisme *m*

organización *nf* organisation *f*

organizar [14] 1 *vt* organiser 2 **organizarse** *vpr* s'organiser

órgano *nm (elemento)* organe *m*; *(instrumento musical)* orgue *m*

orgullo *nm (satisfacción)* fierté *f*; *(soberbia)* orgueil *m*

orgulloso, -a 1 *adj (satisfecho)* fier (fière); *(soberbio)* orgueilleux(euse); **estar o. de** être fier de 2 *nm,f* orgueilleux(euse) *m,f*

oriental 1 *adj (del oriente)* oriental(e); *Am (de Uruguay)* uruguayen(enne) 2 *nmf (del oriente)* Oriental(e) *m,f*; *Am (de Uruguay)* Uruguayen(enne) *m,f*

orientar 1 *vt* orienter 2 **orientarse** *vpr* s'orienter

oriente *nm* orient *m*; **el sol sale por o. le** soleil se lève à l'est; **(el) O.** l'Orient ■ **el Lejano o Extremo O.** l'Extrême-Orient *m*; **el O. Medio** le Moyen-Orient; **el O. Próximo** le Proche-Orient

orificio *nm* orifice *m*

origen *nm* origine *f*; **de o. español** d'origine espagnole; **dar o. a** *(originar)* être à l'origine de

original 1 *adj* original(e); *(del origen)* originel(elle); **el pecado o.** le péché originel 2 *nm* original *m*

originario, -a *adj (inicial, primitivo)* original(e); **ser o. de** *(proceder de)* être originaire de

orilla *nf* bord *m*; *(de campo, bosque)* lisière *f*

orina *nf* urine *f*

orinal *nm* pot *m* de chambre

orinar 1 *vt & vi* uriner 2 **orinarse** *vpr* **orinarse en la cama/encima** faire pipi au lit/dans sa culotte

oro *nm* or *m*; **de o.** en or; **un reloj de o.** une montre en or; **un corazón de o.**

un cœur d'or; *Prov* **no es o. todo lo que reluce** tout ce qui brille n'est pas or; **oros** = l'une des quatre couleurs du jeu de cartes espagnol ■ **o. negro** *(petróleo)* or noir
orquesta *nf* orchestre *m*
orquestar *vt* orchestrer
orquídea *nf* orchidée *f*
ortiga *nf* ortie *f*
ortodoxo, -a *adj & nm,f* orthodoxe *mf*
oruga *nf* chenille *f*
os *pron personal* vous; **viene a veros** il vient vous voir; **os lo dio** il vous l'a donné; **levantaos** levez-vous; **no os peleéis** ne vous disputez pas; **¿cuándo os conocisteis?** quand vous êtes-vous connus?
oscilar *vi* osciller
oscuridad *nf* obscurité *f*
oscuro, -a *adj* obscur(e); *(color)* foncé(e); *Fig (cielo, futuro)* sombre; **a oscuras** dans le noir
oso, -a *nm,f* ours *m*, ourse *f* ■ **o. de felpa** *o* **de peluche** ours en peluche; **o. panda** panda *m*; **o. polar** ours polaire
ostión *nm Chile (vieira)* coquille *f* Saint-Jacques; *Méx (ostra)* grosse huître *f*

ostra *nf* huître *f*; *Fam Fig* **aburrirs** **como una o.** s'ennuyer comme un ra mort
otoño *nm* automne *m*
otorrino, -a *nm,f Fam* oto-rhino *mf*
otro, -a 1 *adj* autre; **o. chico** un autr garçon; **la otra calle** l'autre rue; **otr tres goles** trois autres buts; **el o. d** l'autre jour **2** *pron* un(e) autre; **dam o. donne-m'en un autre; el o., la otr** l'autre; **¡hasta otra!** à la prochaine no fui yo, fue o.** ce n'était pas mo c'était quelqu'un d'autre; **otr habrían abandonado** d'autres qu moi/lui/*etc* auraient abandonné
ovalado, -a *adj* ovale
ovario *nm* ovaire *m*
oveja *nf* brebis *f* ■ **o. negra** breb galeuse
overol *nm Am (con peto)* salopette *(con mangas)* bleu *m* de travail; *(a esquí)* combinaison *f*
ovni *nm (abrev* **objeto volador n identificado)** ovni *m*
óxido *nm Quím* oxyde *m*; *(herrumbre* rouille *f*
oxígeno *nm* oxygène *m*
oyente *nmf (de radio)* auditeur(trice *m,f*, *(alumno)* auditeur(trice) *m,f* libr
ozono *nm* ozone *m*

Pp

pabellón *nm* pavillon *m*
pacer [41] *vi* paître
pacharán *nm* (liqueur *f* de) prunelle *f*
paciencia *nf* patience *f*; **perder la p.** perdre patience
paciente *adj & nmf* patient(e) *m,f*
pacificación *nf* pacification *f*
pacífico, -a 1 *adj* pacifique; *(tranquilo)* paisible **2** *nm* **el P.** le Pacifique

pacifismo *nm* pacifisme *m*
pacifista *adj & nmf* pacifiste *mf*
pack *(pl* **packs)** *nm* pack *m*
paco, -a *nm,f Andes, Pan Fam* flic *m*
pacotilla: de pacotilla *adj* de pacotill
pacto *nm* pacte *m*; **hacer/romper u p.** conclure/rompre un pacte
padecer [45] **1** *vt (sufrir) (enfermeda frío)* souffrir de; *(injusticias, abuso*

subir; *(aguantar)* supporter; **p. un cáncer** souffrir d'un cancer; **padeció todas sus impertinencias** elle a supporté toutes ses impertinences **2** *vi* souffrir; **p. de** *(enfermedad)* souffrir de

padrastro *nm (pariente)* beau-père *m (second mari de la mère)*; *(pellejo)* envie *f*

padre 1 *nm* père *m*; **padres** *(padre y madre)* parents *mpl*; *(antepasados)* pères *mpl* **2** *adj Fam (grande)* terrible; *Méx (estupendo)* génial(e); **un susto p.** une peur bleue

padrino *nm (de bautismo)* parrain *m*; *(en acto solemne)* témoin *m*; **los padrinos** *(padrino y madrina)* le parrain et la marraine

padrísimo, -a *adj Méx Fam* génial(e)

paella *nf* paella *f*

pág. *(abrev página)* p.

paga *nf* paie *f*; **p. extra** *o* **extraordinaria** treizième mois *m*

pagadero, -a *adj* payable

pagano, -a *adj & nm,f* païen(enne) *m,f*

pagar [37] **1** *vt* payer; *Fig* **algo a alguien** payer qn de retour pour qch; **p. con su vida** payer de sa vie; *Fam* **me las pagarás** tu me le paieras **2** *vi* payer

página *nf* page *f* ▪ **las páginas amarillas** les pages jaunes; *Informát* **p. web** page web

pago *nm (dinero)* paiement *m*; **de p.** payant(e); *Fig* **en p. de** en remerciement de

paila *nf Am (sartén)* poêle *f*; **a la p.** *(huevos)* au plat

país *nm* pays *m* ▪ **los Países Bajos** les Pays-Bas *mpl*; **los países Bálticos** les pays Baltes; **países desarrollados** pays développés; **países subdesarrollados** pays sous-développés; **países en vías de desarrollo** pays en voie de développement

paisaje *nm* paysage *m*

paisano, -a 1 *nm,f* compatriote *mf*; *RP (campo)* campagnard(e) *m,f* **2** *nm* civil *m*; **de p.** en civil

paja *nf* paille *f*

pajarita *nf (corbata)* nœud *m* papillon; *(de papel)* cocotte *f* en papier

pájaro *nm (ave)* oiseau *m*; *Fig* **matar dos pájaros de un tiro** faire d'une pierre deux coups

paje *nm* page *m*

Pakistán *n* le Pakistan

pala *nf (herramienta)* pelle *f*; *(de ping-pong)* raquette *f*; *(de remo, hélice)* pale *f* ▪ **p. mecánica** *o* **excavadora** pelle mécanique

palabra *nf* mot *m*; *(aptitud, derecho, promesa)* parole *f*; **de p.** de vive voix; **tomar la p. a alguien** prendre qn au mot; **dar/quitar la p. a alguien** donner/couper la parole à qn; **no tener p.** ne pas avoir de parole; **en una p.** en un mot ▪ **p. de honor** parole d'honneur

palacio *nm* palais *m* ▪ **p. de congresos** palais des congrès

paladar *nm* palais *m*

paladear *vt* savourer

palanca *nf (barra, mando)* levier *m*; *(trampolín)* plongeoir *m* ▪ **p. de cambio** levier de (changement de) vitesse

palangana *nf* cuvette *f*

palco *nm* loge *f (dans une salle de spectacle)*

paleta *nf (instrumento)* petite pelle *f*; *(de albañil)* truelle *f*; *(de cocina)* spatule *f*; *(de pintor)* palette *f*; *(de hélice, remo)* pale *f*; *Méx (helado)* glace *f* en bâtonnet

paletilla *nf (omoplato)* omoplate *f*; *(de cordero)* épaule *f*; *(de cerdo)* palette *f*

pálido, -a *adj* pâle

palillo *nm (mondadientes)* cure-dent *m*; *(para tambor, arroz)* baguette *f*

paliza *nf Fam (golpes, derrota)* raclée *f*; *(rollo)* plaie *f*; *Fig* **el viaje en autobús fue una p.** le voyage en bus a été crevant; **dar la p. a alguien** rebattre les oreilles à qn

palma *nf (de mano)* paume *f*; *(palmera)* palmier *m*; *(hoja, triunfo)* palme *f*;

conocer algo como la p. de la mano connaître qch comme sa poche; **Fig llevarse la p.** remporter la palme; **palmas** *(aplausos)* applaudissements *mpl*; **batir palmas** applaudir

palmada *nf (golpe)* tape *f*; *(aplauso)* applaudissement *m*; **dar palmadas** frapper dans ses mains; **dar palmadas en la espalda a alguien** taper dans le dos de qn

palmera *nf (árbol, pastel)* palmier *m*

palmito *nm (árbol)* palmier *m* nain; *(para comer)* cœur *m* de palmier

palo *nm* bâton *m*; *(de escoba)* manche *m*; *(poste de portería)* poteau *m*; *(de golf)* club *m*; *(madera)* bois *m*; *(golpe)* coup *m* (de bâton); *(mástil)* mât *m*; *(de baraja)* couleur *f*; **Fam es un p.** c'est la galère

paloma *ver* **palomo**

palomar *nm* pigeonnier *m*

palomitas *nfpl* **p. (de maíz)** pop-corn *m inv*

palomo, -a 1 *nm,f* pigeon(onne) *m,f* **2** *nf* **paloma** colombe *f*

palpitar *vi (corazón)* palpiter

palta *nf Andes, RP* avocat *m (fruit)*

pamela *nf* capeline *f*

pampa *nf* pampa *f*

pan *nm* pain *m*; *(de oro, plata)* feuille *f*; **a p. y agua** au pain sec et à l'eau; **p. comido** c'est du gâteau; **Fig estar a p. y cuchillo** être logé(e) et nourri(e); **llamar al p. p. y al vino vino** appeler un chat un chat; **ser el p. nuestro de cada día** être monnaie courante; **ser más bueno que el p.** être la bonté même ■ **p. integral** pain complet; **p. de molde** *o* **inglés** pain de mie; **p. rallado** chapelure *f*

panadería *nf* boulangerie *f*

panadero, -a *nm,f* boulanger(ère) *m,f*

panal *nm* rayon *m* (d'une ruche)

Panamá *n* le Panama

panameño, -a 1 *adj* panaméen(enne) **2** *nm,f* Panaméen(enne) *m,f*

pancarta *nf* pancarte *f*

pancho, -a 1 *adj Fam* pépère; **peinard(e); se quedó tan p.** ça ne lui a fait ni chaud ni froid **2** *nm RP (comida)* hot dog *m*

pandereta *nf* tambour *m* de basque

pandilla *nf* bande *f* (d'amis)

panecillo *nm* petit pain *m*

panel *nm* panneau *m*; **p. de mando** tableau *m* de commandes

panera *nf* corbeille *f* à pain

pánico *nm* panique *f*; **tenerle p.** avoir une peur panique de

panorama *nm* panorama *m*

panorámico, -a 1 *adj* panoramique **2** *nf* **panorámica** *(vista)* vue panoramique; *(en cine)* panoramique *m*

panqueque *nm Am* crêpe *f*

pantaletas *nfpl Méx, Ven (bragas)* culotte *f*

pantalla *nf* écran *m*; *(de lámpara)* abat-jour *m inv*; **la pequeña p.** le petit écran ■ **p. de cristal líquido** écran à cristaux liquides

pantalón *nm* **p., pantalones** pantalon *m* ■ **pantalones cortos** short *m*; **p. vaquero** *o* **tejano** jean *m*

pantano *nm (ciénaga)* marais *m*; *(embalse)* retenue *f* d'eau

pantera *nf* panthère *f*

pantimedias *nfpl Méx* collants *mpl*

pantorrilla *nf* mollet *m*

panty *(pl* **pantys** *o* **panties)** *nm* collant *m*

pañal *nm* couche *f*; **pañales** *mpl (de niño)* langes *mpl*; **Fig en pañales** à ses débuts; **aún estoy en pañales** je suis encore débutant

paño *nm (tela)* drap *m*; *(trapo)* chiffon *m*; **Fig estar en paños menores** être en petite tenue ■ **p. de cocina** torchon *m* (de cuisine)

pañuelo *nm (de nariz)* mouchoir *m*; *(de adorno)* foulard *m* ■ **p. de papel** mouchoir en papier

Papa *nm* **el P.** le pape

papa *nf* pomme de terre *f*; **Fam Fig p.** rien du tout; **no sé ni p. de cocina** je n'y connais rien en cuisine

papá *nm Fam* papa *m*; **papás** *(papá y mamá)* parents *mpl* ▪ **P. Noel** père *m* Noël

papachar = **apapachar**

papagayo *nm (animal)* perroquet *m*; *Ven (cometa)* cerf-volant *m*

papalote *nm CAm, Méx (cometa)* cerf-volant *m*

papel *nm (material, documento)* papier *m*; *(de actor)* rôle *m*; **desempeñar** *o* **hacer el p. de** jouer le rôle de; **papeles** *(documentos)* papiers ▪ **p. de aluminio** *o* **de plata** papier (d')aluminium; **p. celofán** Cellophane® *f*; **p. de embalar** *o* **de embalaje** papier d'emballage; **p. higiénico** papier toilette; **p. pintado** papier peint; *Cuba, Méx, Ven* **p. sanitario** papier hygiénique; *Ven* **p. tualé** papier hygiénique

papeleo *nm* paperasserie *f*

papelera *ver* **papelero**

papelería *nf* papeterie *f*

papelero, -a 1 *adj & nm,f* papetier(ère) *m,f* **2** *nf* **papelera** *(cesto, cubo)* corbeille *f* à papier; *(fábrica)* papeterie *f*

papeleta *nf (boleto)* billet *m*; *(de votación)* bulletin *m* de vote; *(de notas)* bulletin *m* de notes; *Fig* **¡vaya p.!** *(situación engorrosa)* quelle tuile!

paperas *nfpl* oreillons *mpl*

papilla *nf (alimento)* bouillie *f*; **hecho p.** *(cansado)* à ramasser à la petite cuillère; *(destrozado)* réduit(e) en bouillie

paquete *nm* paquet *m*; **ir de p.** *(en moto)* monter derrière; **un p. de medidas** *(conjunto)* un train de mesures ▪ **p. postal** colis postal; *Informát* **p.** *(de programas o de software)* progiciel *m*; **p. turístico** voyage *m* organisé

Paquistán = **Pakistán**

par 1 *adj* pair(e); *(igual)* égal(e) **2** *nm (de zapatos, guantes)* paire *f*; *(título)* pair *m*; **dentro de un p. de días** dans deux jours; **lo hizo un p. de veces** il l'a fait deux ou trois fois; **tomar un p. de copas** prendre un ou deux verres;

a la p. *(simultáneamente)* en même temps; *(a igual nivel)* au même niveau; *Fin* au pair; **abierto de p. en p.** grand ouvert; **sin p.** hors pair

para *prep* pour; **p. ti** c'est pour toi; **es malo p. la salud** c'est mauvais pour la santé; **sale p. distraerse** elle sort pour se distraire; **te lo digo p. que lo sepas** je te le dis pour que tu le saches; **está muy espabilado p. su edad** il est très éveillé pour son âge; **¿p. qué?** pour quoi faire?; **vete p. casa** rentre à la maison; **salir p. Madrid** partir pour Madrid; **échate p. el lado** mets-toi sur le côté; **tiene que estar hecho p. mañana** ça doit être fait pour demain; **queda leche p. dos días** il reste du lait pour deux jours; **la cena está lista p. servir** le dîner est prêt à être servi; **p. mí** *(en mi opinión)* pour moi, à mon avis

parabólico, -a 1 *adj* parabolique **2** *nf* **parabólica** *(antena)* antenne *f* parabolique

parabrisas *nm inv* pare-brise *m inv*

paracaídas *nm inv* parachute *m*

parachoques *nm inv* pare-chocs *m inv*

parada *ver* **parado**

paradero *nm (de persona)* point *m* de chute; *Andes (parada de autobús)* arrêt *m*; **desconozco su p.** j'ignore où il se trouve; **se encuentra en p. desconocido** on ignore où il se trouve

parado, -a 1 *adj (inmóvil)* arrêté(e); *(indeciso)* timide; *(sin empleo)* au chômage; *Am (de pie)* debout; **salió bien/mal p.** il s'en est bien/mal tiré; **quedarse p.** rester interdit(e) **2** *nm,f (desempleado)* chômeur(euse) *m,f* **3** *nf* **parada** arrêt *m* ▪ **p. de autobús** arrêt d'autobus; **p. de taxis** station *f* de taxis

paradoja *nf* paradoxe *m*

paradójico, -a *adj* paradoxal(e)

parador *nm (mesón)* relais *m* ▪ **p. nacional** = grand hôtel géré par l'État

paragolpe *nm RP* pare-chocs *m inv*

paraguas *nm inv* parapluie *m*

Paraguay n (el) P. le Paraguay

paraguayo, -a 1 adj paraguayen(enne) **2** nm,f Paraguayen(enne) m,f

paraíso nm paradis m ■ p. fiscal paradis fiscal; **el p. terrenal** le paradis sur terre

paraje nm endroit m; (región) contrée f

paralelo, -a 1 adj parallèle **2** nm parallèle m; **en p.** en parallèle **3** nf **paralela** parallèle f; **paralelas** barres fpl parallèles

parálisis nf inv paralysie f

paralítico, -a adj & nm,f paralytique mf

paralizar [14] **1** vt paralyser **2 paralizarse** vpr (extremidades) être paralysé(e); (obra) être arrêté(e)

parapente nm parapente m

parar 1 vi arrêter; (tren) s'arrêter; (alojarse) descendre; **no para de llover** il n'arrête pas de pleuvoir; **sin p.** sans arrêt; **¿dónde iremos a p.?** où en arrivera-t-on?; **ir a p. a manos de** tomber entre les mains de **2** vt Am (levantar) lever **3 pararse** vpr s'arrêter; Am (ponerse de pie) se lever; Méx, Ven (salir de la cama) sortir du lit, se lever

pararrayos nm inv paratonnerre m

parasol nm parasol m

parchís nm inv petits chevaux mpl

parcial 1 adj (no total) partiel(elle); (no ecuánime) partial(e) **2** nm (examen) partiel m

pardo, -a 1 adj brun(e) **2** nm brun m

parecer [45] **1** nm (opinión) avis m; (apariencia) allure f; **es de buen p.** elle a un physique agréable

2 vi **un perro que parece un lobo** un chien qui ressemble à un loup

3 v copulativo avoir l'air, paraître; **pareces cansado** tu as l'air fatigué; **parece más grande** elle paraît plus grande

4 v impersonal **me/te/etc parece** il me/te/etc semble; **¿qué te parece?** qu'en penses-tu?; **me parece que...** j'ai l'impression que...; **me parece muy bien** je trouve ça très bien; **¿te parece?** ça te va?; **parece que...** on dirait que...; **al p.** apparemment; **parece ser que...** il semble que...

5 parecerse vpr se ressembler; **se parecen en los ojos** ils ont les mêmes yeux

parecido, -a 1 adj (semejante) semblable (a a); **los hermanos son parecidos** les frères se ressemblent; **ser mal p.** être laid(e) **2** nm ressemblance f

pared nf mur m; (en montaña) paroi f

parejo, -a 1 adj pareil(elle); **estar p.** être quitte **2** nf **pareja** (par) paire f; (de novios) couple m; (miembro del par) partenaire mf; (en baile) cavalier(ère) m,f; **la pareja de este calcetín** la deuxième chaussette ■ **pareja de hecho** couple vivant maritalement

parentesco nm lien m de parenté

paréntesis nm inv parenthèse f; **entre p.** entre parenthèses; **hacer un p.** faire une pause

pareo nm paréo m

pariente nmf parent(e) m,f

parking ['parkin] nm parking m

parlamentario, -a adj & nm,f parlementaire mf

parlamento nm parlement m

parlanchín, -ina adj & nm,f bavard(e) m,f

paro nm (desempleo) chômage m; (parada) arrêt m; **quedarse en p.** perdre son travail ■ **p. cardíaco** arrêt cardiaque; **p. de imagen** arrêt sur image

parpadear vi (pestañear) cligner des yeux, battre des paupières; (luz) vaciller; (intermitente) clignoter; (estrella) scintiller

párpado nm paupière f

parque nm parc m ■ **p. acuático** parc aquatique; **p. de atracciones** parc d'attractions; **p. de bomberos**

caserne *f* des pompiers; **p. nacional** parc national; **p. zoológico** parc zoologique

parqué *nm* parquet *m*

parqueadero *nm Am* parking *m*

parquear *vt Am* garer

parquímetro *nm* parcmètre *m*

parra *nf* treille *f*

párrafo *nm* paragraphe *m*

parrilla *nf (utensilio)* gril *m*; *(sala de restaurante)* grill *m*; **a la p.** au gril

parrillada *nf (plato)* = assortiment de viandes ou de poissons grillés; *(restaurant)* grill *m*

parronal *nm Chile* vignoble *m*

parroquia *nf* paroisse *f*; *(clientela)* clientèle *f*

parte 1 *nm (informe)* rapport *m*; **dar p. de algo a alguien** informer qn de qch ■ **p. meteorológico** bulletin *m* météorologique

2 *nf (trozo)* partie *f*; *(porción, lugar)* part *f*; *(lado)* côté *m*; **en p.** en partie; **por partes** peu à peu; **vayamos por partes** procédons par ordre; **la mayor p. de la gente** la plupart des gens; **en alguna p.** quelque part; **por ninguna p.** nulle part; **por todas partes** partout; **estar** *o* **ponerse de p. de alguien** être *ou* se mettre du côté de qn; **de p. de** de la part de; **¿de p. de quién?** c'est de la part de qui?; **por mi p.** pour ma part; **por otra p.** d'autre part; **tener** *o* **tomar p. en algo** prendre part à qch; **partes** *(genitales)* parties intimes

participación *nf (colaboración)* participation *f*; *Econ* intéressement *m*; *(de lotería)* billet *m*; *(comunicación)* faire-part *m inv*

participar 1 *vi (colaborar)* participer (**en** à); **p. de** o **en** *(beneficiarse)* prendre part à qch; **p. de algo** *(compartir)* partager qch; **participo de tus ideas** je partage tes idées **2** *vt* **algo a alguien** faire part de qch à qn

partícula *nf* particule *f*

particular 1 *adj* particulier(ère); *(no público)* privé(e); **en p.** en particulier

2 *nm (persona)* particulier *m*; *(asunto)* sujet *m*

partida *ver* **partido**

partidario, -a 1 *adj* partisan; **es partidaria de...** elle est partisan de...; **es p. de cerrar la fábrica** il est pour la fermeture de l'usine *ou* partisan de fermer l'usine **2** *nm,f* partisan *m*

partidista *adj* partisan(e)

partido, -a 1 *adj (roto)* cassé(e); *(rajado)* fendu(e)
2 *nm* parti *m*; *(de deporte)* match *m*; **buen/mal p.** *(novio)* bon/mauvais parti; **sacar p. de** tirer parti de; **tomar p. por** prendre parti pour ■ **p. amistoso** match amical
3 *nf* **partida** *(marcha)* départ *m*; *(en juego)* partie *f*; *(documento)* acte *m*; *(de mercancía)* lot *m*; *(de factura)* poste *m* ■ **partida de nacimiento** *(original)* acte de naissance; *(copia)* extrait *m* d'acte de naissance

partir 1 *vt (romper)* casser; *(cortar)* couper; *(repartir)* partager **2** *vi (marchar)* partir (**hacia** pour); **p. de** *(basarse en)* partir de; **p. de cero** partir de zéro; **a p. de** à partir de **3 partirse** *vpr* se casser; **partirse en dos** se casser en deux; **partirse en mil pedazos** se casser en mille morceaux

partitura *nf* partition *f*

parto *nm (animal)* mise *f* bas; *(humano)* accouchement *m*; **estar de p.** être en travail

parvulario *nm* école *f* maternelle

pasa *nf (fruta)* raisin *m* sec

pasable *adj* passable

pasacalle *nm* marche *f*; *Am (pancarta)* = affiche publicitaire en toile tendue de part et d'autre d'une rue

pasada *ver* **pasado**

pasado, -da 1 *adj (anterior)* dernier(ère); *(podrido)* périmé(e); *(fruta)* blet (blette); **el año p.** l'année dernière; **p. un año** un an plus tard; **lo p., p. está** le passé, c'est le passé **2** *nm* passé *m* **3** *nf* **pasada: dar una**

pasada de pintura *(mano)* donner un coup de peinture; *Fam* **tu moto nueva es una pasada** *(es extraordinaria)* ta nouvelle moto est vraiment géniale
■ **mala pasada** mauvais tour *m*

pasaje *nm* passage *m*; *(pasajeros)* passagers *mpl*; *(de barco, avión)* billet *m*

pasajero, -a *adj & nm,f* passager(ère) *m,f*

pasamanos *nm inv* *(barandilla)* main *f* courante

pasapalos *nmpl Méx, Ven* tapas *fpl*

pasaporte *nm* passeport *m*

pasar 1 *vt* (a) *(en general)* passer; **pásame la sal** passe-moi le sel; **p. la frontera** passer la frontière; **me ha pasado su catarro** il m'a passé son rhume; **pasó dos años en Roma** elle a passé deux ans à Rome; **lo pasó muy mal** il a passé un mauvais moment
(b) *(llevar adentro)* **p. a alguien** faire entrer qn
(c) *(cruzar)* traverser
(d) *(admitir)* tolérer; **p. algo a alguien** passer qch à qn; **le pasa todos sus caprichos** elle lui passe tous ses caprices
(e) *(padecer)* **está pasando una depresión** elle fait une dépression; **p. frío/hambre** avoir froid/faim
(f) *(aprobar)* réussir
(g) *(sobrepasar)* **ya ha pasado los treinta** il a plus de trente ans
(h) *(adelantar)* dépasser

2 *vi* (a) *(en general)* passer; **pasé por la oficina** je suis passé au bureau; **pasan los días y...** les jours passent et...; **pasó el frío** le froid est passé; **p. de... a...** passer de... à...; **pasó de la alegría a la tristeza** il est passé de la joie à la tristesse; **p. a** passer à; **pasemos a otra cosa** passons à autre chose; **p. de largo** passer sans s'arrête
(b) *(entrar)* entrer; **¡pase!** entrez!
(c) *(suceder)* se passer, arriver; **cuéntame lo que pasó** raconte-moi

ce qui s'est passé; **¿cómo pasó** comment est-ce arrivé?; **pase lo qu pase** quoi qu'il arrive
(d) *(conformarse)* **p. sin algo** s passer de qch
(e) *Fam (prescindir)* **paso de ir al cin** je n'ai aucune envie d'aller au cinéma; **paso de política** la politique, je n'en a rien à faire; **pasa de él** elle ne l'aim pas
(f) *(tolerar)* **p. por algo** supporte qch

3 pasarse *vpr* (a) *(acabarse, emplea tiempo)* passer; **¿se te ha pasado e dolor?** est-ce que la douleur es passée?; **se pasaron el día hablando** ils ont passé la journée à parler
(b) *(estropearse)* *(comida natural)* s gâter; *(comida envasada, medicamen tos)* être périmé(e)
(c) *(cambiar de bando)* **pasarse** passer à; **pasarse al otro band** changer de camp
(d) *(olvidar)* **se me pasó decirl que...** j'ai oublié de lui dire que...
(e) *(no fijarse)* **no se le pasa nada** rien ne lui échappe
(f) *Fam (propasarse)* aller trop loin **se pasa mucho con su hermana** il v vraiment trop loin avec sa sœur
(g) *(divertirse o aburrirse)* **¿qué tal t lo estás pasando?** alors, tu t'amuses?; **pasárselo bien** bien s'amuser; **se l pasó muy mal en la fiesta** elle ne s'est pas amusée du tout à la soirée

pasarela *nf (de embarque)* passerell *f*; *(de desfile)* podium *m*

pasatiempo *nm* passe-temps *m inv* **pasatiempos** *(en revista)* rubrique jeux

Pascua *nf (de judíos)* Pâque *f*; *(d cristianos)* Pâques *m*; **Pascua (Navidad)** Noël *m*; **¡felices Pascuas** joyeux Noël!; **... y santas Pascuas** un point c'est tout; **de Pascuas Ramos** tous les trente-six du mois

pascualina *nf RP, Ven* = tarte au épinards et au fromage

pase *nm (permiso)* laissez-passer *n*

inv; *(de película, diapositivas)* projection *f*; *(en deporte)* passe *f* ■ **p. de modelos** défilé *m* de mode

pasear 1 *vi* se promener (**por** dans) **2** *vt* promener (**por** dans) **3 pasearse** *vpr* se promener (**por** dans)

paseo *nm* promenade *f*; **dar un p., ir de p.** faire une promenade, aller se promener; *Fam* **mandar** *o* **enviar a alguien a p.** envoyer promener *ou* balader qn

pasillo *nm* couloir *m*

pasión *nf* passion *f*; **la P.** la Passion

pasividad *nf* passivité *f*

pasivo, -a 1 *adj* passif(ive) **2** *nm* passif *m*

paso *nm* passage *m*; *(al andar)* pas *m*; *(en procesiones)* char *m*; **abrir** *o* **abrirse p.** se frayer un chemin; **¡abran p.!** laissez passer!; **ceder el p.** céder le passage; **dar un p.** faire un pas; *Fig* **dar un p. en falso** faire un faux pas; **prohibido el p.** *(en letrero)* défense d'entrer; **a cada p.** à tout moment; **a dos** *o* **cuatro pasos** à deux pas; **p. a p.** pas à pas; **salir del p.** se tirer d'affaire; **de p.** au passage ■ **p. de cebra** passage clouté; **p. elevado** passerelle *f*; **p. a nivel** passage à niveau; **p. de peatones** passage (pour) piétons; **mal p.** *(mal momento)* mauvaise passe *f*

pasodoble *nm* paso-doble *m inv*

pasta *nf* *(masa)* pâte *f*; *(espagueti, macarrones)* pâtes *fpl*; *(pastelillo)* sablé *m*; *(de libro)* reliure *f*; *Fam (dinero)* fric *m* ■ **p. dentífrica** *o* **de dientes** dentifrice *m*

pastel *nm* *(dulce)* gâteau *m*; *(de carne, verduras)* tourte *f*; *(de pescado)* pain *m*, terrine *f*; *colores* **p.** couleurs *fpl* pastel, pastels *mpl*

pastelería *nf* pâtisserie *f*

pastilla *nf* *(de chocolate)* tablette *f*; *(píldora)* pilule *f*; *(de freno)* plaquette *f*; **p. de jabón** savonnette *f*; *Fam* **a toda p.** à toute pompe

pasto *nm* *(acción, lugar)* pâturage *m*; *(alimento)* pâture *f*; *Am (hierba)* herbe *f*

pastor, -ora 1 *nm,f* berger(ère) *m,f* **2** *nm (sacerdote)* pasteur *m*; *(perro)* chien *m* de berger ■ **p. alemán** berger *m* allemand

pata 1 *nf (de animal, persona)* patte *f*; *(de mueble)* pied *m*; **a cuatro patas** à quatre pattes; *Fam* **meter la p.** faire une gaffe; **poner/estar patas arriba** mettre/être sens dessus dessous; *Fam* **tener mala p.** avoir la poisse ■ **p. negra** = jambon de pays de première qualité **2** *nm Perú (amigo)* copain *m*

patada *nf* coup *m* de pied

patata *nf* pomme de terre *f*; **patatas fritas** frites *fpl*; *(de bolsa)* chips *fpl*

paté *nm* pâté *m*

patente 1 *adj* manifeste **2** *nf (de invento)* brevet *m*; *(autorización)* patente *f*; *CSur (número)* numéro *m* d'immatriculation; *(placa)* plaque *f* d'immatriculation; *(impuesto)* vignette *f*

paterno, -a *adj* paternel(elle)

patilla *nf (de gafas)* branche *f*; **patillas** *(de pelo)* pattes *fpl*; *(de barba)* favoris *mpl*

patín *nm (calzado)* patin *m*; *(juguete)* trottinette *f*; *(embarcación)* pédalo *m* ■ **p. de cuchilla** patin à glace; **p. de ruedas** patin à roulettes

patinaje *nm* patinage *m* ■ **p. artístico** patinage artistique; **p. sobre hielo** patinage sur glace

patinar *vi* patiner

patinazo *nm (resbalón)* glissade *f*; *(de vehículo)* dérapage *m*

patinete *nm* trottinette *f*

patio *nm* cour *f*; *(de casa española)* patio *m* ■ **p. de recreo** cour de récréation

pato, -a *nm,f* canard *m*, cane *f*; *Fig* **pagar el p.** payer les pots cassés

patoso, -a *adj & nm,f Fam* pataud(e) *m,f*

patota *nf RP, Ven* bande *f* de voyous

patria *nf* patrie *f*

patriota *adj & nmf* patriote *mf*

patrocinador, -ora *adj & nm,f* sponsor *m*

patrón, -ona 1 *nm,f* patron(onne) *m,f* **2** *nm (de barco, costura)* patron *m; (referencia)* étalon *m*

patronal 1 *adj* patronal(e) **2** *nf (de empresa)* direction *f; (de país)* patronat *m*

patrono, -a *nm,f* patron(onne) *m,f*

patrulla *nf* patrouille *f*

patrullero *nm CSur* voiture *f* de police

pausa *nf* pause *f*

pauta *nf* règle *f; (en papel)* ligne *f; (modelo)* modèle *m*

pava *ver* **pavo**

pavada *nf Perú, RP (cosa sin importancia)* bricole *f; (dicho o hecho sin importancia)* bêtise *f*

pavimento *nm* revêtement *m; (con ladrillos)* pavé *m*

pavo, -a 1 *nm,f (ave)* dindon *m*, dinde *f; Fam Pey (tonto)* âne *m* ■ **p. real** paon *m* **2** *nf* **pava** *Arg (para agua)* bouilloire *f*

pay *nm Chile, Méx, Ven* tarte *f*

payaso, -a 1 *adj* ser p. faire le clown **2** *nm,f* clown *m*

paz *nf* paix *f;* **¡déjame en p.!** laisse-moi tranquille!; **estar** *o* **quedar en p.** être quittes; **hacer las paces** faire la paix; **que en p. descanse, que descanse en p.** qu'il/elle repose en paix; **tu hermana, que en p. descanse, era...** ta sœur, paix à son âme, était...

PC *nm (abrev* **personal computer)** PC *m*

peaje *nm* péage *m*

peatón *nm* piéton(onne) *m,f*

peca *nf* tache *f* de rousseur

pecado *nm* péché *m;* **pecados capitales** péchés capitaux

pecador, -ora *adj & nm,f* pécheur(eresse) *m,f*

pecar [58] *vi* pécher; **pecó de prudente** il a déché par excès de prudence

pecera *nf* aquarium *m; (redonda)* bocal *m* (à poissons)

pecho *nm* poitrine *f; (de animal)* poitrail *m; (mama)* sein *m;* **dar el p.**

donner le sein; *Fig* **tomarse algo a p.** prendre qch à cœur

pechuga *nf (de ave)* blanc *m*

pecoso, -a *adj* ser p. avoir des taches de rousseur

peculiar *adj* particulier(ère)

pedagogía *nf* pédagogie *f*

pedagogo, -a *nm,f* pédagogue *mf*

pedal *nm* pédale *f*

pedalear *vi* pédaler

pedante *adj & nmf* pédant(e) *m,f*

pedazo *nm* morceau *m;* **hacer pedazos** mettre en morceaux; *Fig* briser; *Fam* **p. de animal** *o* **de bruto** espèce *f* d'imbécile

pedestal *nm (base)* piédestal *m*

pediatra *nmf* pédiatre *mf*

pedido *nm* commande *f;* **hacer un p.** passer une commande

pedir [46] **1** *vt (solicitar)* demander; *(requerir)* avoir besoin de; **p. a alguien que haga algo** demander à qn de faire qch; **p. a alguien (en matrimonio)** demander qn en mariage; **p. prestado** emprunter; **esta planta pide sol** cette plante a besoin de soleil **2** *vi (mendigar,* mendier

pedo *muy Fam* **1** *nm (ventosidad)* pet *m; (borrachera)* cuite *f;* **tirarse un p.** péter; **agarrarse un p.** prendre une cuite **2** *adj inv* **estar p.** être bourré(e)

pedrisco *nm* grêle *f*

pega *nf (obstáculo)* difficulté *f;* **poner pegas** a mettre des obstacles à; **de p.** faux (fausse)

pegajoso, -a *adj* collant(e)

pegamento *nm* colle *f*

pegar [37] **1** *vt* coller; *(golpear)* frapper; *(dar una paliza)* battre *(golpe, bofetada)* donner; *(grito)* pousser; **p. un susto** faire peur; **p. saltos** faire des bonds; **p. tiros** tirer des coups de feu; **p. algo a alguien** *(enfermedad)* passer qch à qn

2 *vi (adherir)* coller; *(golpear)* frapper; *(sol)* taper; **p. con algo** *(armonizar)* aller avec qch; **el verde y el ros**

no pegan le vert et le rose ne vont pas ensemble
3 pegarse *upr (adherirse)* coller; *(arroz, guiso)* attacher; *(pelearse)* se battre; *(golpes, puñetazos)* se donner; *Fig (contagiarse)* s'attraper; **pegarse (un golpe) con** *o* **contra algo** se cogner contre qch; **se me pegó su acento** j'ai attrapé son accent; **esta música se pega muy fácilmente** c'est un air que l'on retient très facilement

pegatina *nf* autocollant *m*
peinado *nm* coiffure *f*
peinar 1 *vt (desenredar)* peigner; *(arreglar)* coiffer **2 peinarse** *upr (desenredarse)* se peigner; *(arreglarse)* se coiffer
peine *nm* peigne *m*
p. ej. *(abrev por ejemplo)* p. ex.
peladilla *nf* dragée *f*
pelado, -a 1 *adj (cabeza)* tondu(e); *(montaña, fruta)* pelé(e); *(verdura, patata)* épluché(e); *(árbol, habitación, campo)* dénudé(e); *Fam (sin dinero)* fauché(e) **2** *nm,f Andes Fam (niño)* gamin(e) *m,f,* gosse *mf; (adolescente)* ado *mf; Méx Fam (pobre)* miséreux(euse) *m,f* **3** *nm Esp* coupe *f* de cheveux
pelar 1 *vt (pelo)* tondre; *(fruta)* peler; *(verduras, patatas)* éplucher; *Fam* **hace un frío que pela** il fait un froid de canard **2 pelarse** *upr (el piel) (piel) o (persona)* se faire couper les cheveux
peldaño *nm* marche *f; (de escalera de mano)* échelon *m*
pelea *nf (a golpes)* bagarre *f; (en boxeo)* combat *m; (riña)* dispute *f*
pelear 1 *vi* se battre; *(reñir)* se disputer **2 pelearse** *upr (a golpes)* se battre; *(reñir)* se disputer
peletería *nf (oficio)* pelleterie *f;* **en la p.** *(tienda)* chez le fourreur
pelícano *nm* pélican *m*
película *nf (de cine)* film *m; (capa fina, de fotografía)* pellicule *f; Fig* **de p.** du tonnerre ■ **p. del Oeste** western *m;* **p. de terror** *o* **miedo** film d'épouvante; **p. de vídeo** cassette *f* vidéo *(film)*

peligro *nm* danger *m;* **correr un p.** courir un danger; **correr p. de** courir le risque de; **fuera de p.** hors de danger; **p. de muerte** *(en letrero)* danger de mort
peligroso, -a *adj* dangereux(euse)
pelirrojo, -a *adj & nm,f* roux (rousse) *m,f*
pellejo *nm* peau *f; (padrastro)* envie *f*
pellizcar [58] *vt* pincer; *(pan)* grignoter
pellizco *nm (en la piel) (acción)* pincement *m; (marca)* pinçon *m;* **un p. de sal** *(un poco)* une pincée de sel
pelma *Fam* **1** *adj* lourd(e) **2** *nmf* casse-pieds *mf inv*
pelo *nm* poil *m; (cabello)* cheveu *m;* **el p.** *(de persona)* les cheveux; *(de animal)* le pelage; **con pelos y señales** dans les moindres détails; *Fam* **por los pelos** de justesse; **no se mató por un p.** il s'en est fallu d'un cheveu qu'il ne se tue; *Fam* **tomar el p. a alguien** *(burlarse de)* se payer la tête de qn; *(engañar)* faire marcher qn
pelota 1 *nf* ballon *m; (pequeña)* balle *f; (esfera)* boule *f; Fam* **hacer la p. a alguien** cirer les pompes à qn ■ **p. vasca** pelote *f* basque
2 *nmf Fam* lèche-bottes *mf inv*
pelotón *nm* peloton *m; Fig (de gente)* horde *f* ■ **p. de ejecución** peloton d'exécution
pelotudo, -a *adj RP Fam* crétin(e)
peluca *nf* perruque *f*
peludo, -a *adj* poilu(e)
peluquería *nf (establecimiento)* salon *m* de coiffure; *(oficio)* coiffure *f;* **ir a la p.** aller chez le coiffeur
peluquero, -a *nm,f* coiffeur(euse) *m,f*
pelvis *nf inv* bassin *m*
pena *nf* peine *f; CAm, Carib, Col, Méx (vergüenza)* honte *f;* **dar p.** faire de la peine; **(no) valer** *o* **merecer la p. (hacer algo)** (ne pas) valoir la peine (de faire qch); **no vale la p. molestarse** ce n'est pas la peine de se déranger; **es una p.** c'est

dommage; **¡qué p.!** quel dommage!; *CAm, Carib, Col, Méx* **me da p.** j'ai honte; **a duras penas** à grand-peine ▪ **p. capital** peine capitale; **p. de muerte** peine de mort

penalti, penalty *nm* penalty *m*

pendejo, -a *nm,f RP muy Fam (adolescente)* ado *mf*; *Am Fam (estúpido)* débile *mf*

pendiente 1 *adj (sin hacer)* en suspens; **tener una asignatura p.** avoir une matière à repasser; *Fig* **tener una cuenta p.** avoir une affaire à régler; **estar p. de** *(juicio, respuesta)* être dans l'attente de; **está muy p. de sus hijos** *(atenta)* elle s'occupe beaucoup de ses enfants **2** *nm (de reloj)* balancier *m*

pene *nm* pénis *m*

penetrar 1 *vi* pénétrer (**en** dans); **el frío penetra en los huesos** le froid pénètre les os **2** *vt* pénétrer

penicilina *nf* pénicilline *f*

península *nf* péninsule *f*; *(pequeña)* presqu'île *f*; **la p. Ibérica** la péninsule Ibérique

peninsular 1 *adj* péninsulaire **2** *nmf* **los peninsulares** les Espagnols *mpl* du continent

penitencia *nf* pénitence *f*

penoso, -a *adj (trabajo)* pénible; *(acontecimiento)* douloureux(euse); *(espectáculo)* affligeant(e); *CAm, Carib, Col, Méx (vergonzoso)* timide

pensador, -ora *nm,f* penseur(euse) *m,f*

pensamiento *nm (idea, flor)* pensée *f*; *(mente)* esprit *m*

pensar [3] **1** *vi* penser (**en** à); *(reflexionar)* réfléchir; **dar que p.** donner à réfléchir **2** *vt* penser; *(reflexionar)* réfléchir à; **piensa lo que te he dicho** réfléchis à ce que je t'ai dit; **no pienso decírtelo** je n'ai pas envie de te le dire **3** *pensarse vpr* **tengo que pensármelo** je dois y réfléchir

pensativo, -a *adj* pensif(ive)

pensión *nf* pension *f* ▪ **p. alimenticia** *o* **alimentaria** pension alimentaire; **p. completa** pension complète; **p. (de jubilación)** retraite *f*; **media p.** demi-pension *f*

penthouse [pent'aus] *nm CSur, Ven* = appartement de standing au dernier étage d'un immeuble

peña *nf (roca)* rocher *m*; *(grupo de personas)* bande *f* (d'amis); *(asociación)* club *m*

peñasco *nm* rocher *m*

peón *nm (obrero)* manœuvre *m*; *(en ajedrez)* pion *m*; *(juguete)* toupie *f*

peonza *nf* toupie *f*

peor 1 *adj* (**a**) *(comparativo)* pire (**que** que); **tú eres malo pero él es p.** tu es méchant mais lui est encore pire; **su letra es p. que la tuya** son écriture est pire que la tienne; **soy p. alumno que mi hermano** je suis plus mauvais élève que mon frère

(**b**) *(superlativo)* **el p.** le plus mauvais; **la p.** la plus mauvaise; **el p. alumno de la clase** le plus mauvais élève de la classe; **los peores recuerdos de su vida** les plus mauvais souvenirs de sa vie

2 *nmf* **el/la p.** le/la pire; **lo p. es que…** le pire c'est que…; **Juan es el p. del equipo** Juan est le plus mauvais de l'équipe

3 *adv (comparativo y superlativo)* **es p. todavía** c'est encore pire; **es cada vez p.** c'est de pire en pire; **cada día escribe p.** il écrit de plus en plus mal; **hoy ha dormido p. que ayer** aujourd'hui il a a dormi moins bien qu'hier; **si se lo dices será mucho p.** si tu le lui dis, ce sera bien pire; **estar p.** *(enfermo)* aller plus mal; **p. que nunca** pire que jamais; **¡p. para él!** tant pis pour lui! ; **el que canta p.** celui qui chante le plus mal

pepa *nf Perú, Ven* pépin *m*

pepenador, -ora *nm,f CAm, Méx* = personne qui fait les poubelles

pepián *nm CAm, Méx* = sauce à base

de pépins de citrouille, de maïs et de piment

pepino *nm* concombre *m*; *Fam* **importarle algo a alguien un p.** se ficher de qch comme de l'an quarante

pepita *nf* *(de fruta)* pépin *m*; *(de oro)* pépite *f*

pequeño, -a **1** *adj* petit(e) **2** *nm,f* *(niño)* petit(e) *m,f*; **de p. no comía nada** quand j'étais petit, je ne mangeais rien; **los pequeños** les petits

pera **1** *nf* poire *f*; *Am (barbilla)* menton *m* **2** *adj inv* *Fam (pijo)* snobinard(e); **un niño p.** un fils à papa

peral *nm* poirier *m*

percebe *nm* pouce-pied *m*

percha *nf* *(de armario)* cintre *m*; *(de pared, perchero)* portemanteau *m*; *(para pájaros)* perchoir *m*

perchero *nm* portemanteau *m*

percibir *vt* percevoir

perdedor, -ora *adj & nm,f* perdant(e) *m,f*

perder [63] **1** *vt* perdre; *(tren, autobús, ocasión)* rater, manquer; **p. el conocimiento** perdre connaissance; **p. el juicio** perdre la tête; **p. el tiempo** perdre son temps; **p. la esperanza** perdre espoir; **sus malas compañías le perderán** ses mauvaises fréquentations le perdront

2 *vi* perdre; *(decaer)* baisser; *(dejar escapar aire, agua)* fuir; **echarse a p.** *(alimento)* se gâter

3 **perderse** *upr* se perdre; *(desorientarse)* s'y perdre; **se me han perdido las gafas** j'ai perdu mes lunettes; **¡tú te lo pierdes!** tant pis pour toi!

pérdida *nf* perte *f*; *(escape)* fuite *f*; **pérdidas** pertes; *(daños)* dégâts *mpl*

perdigón *nm (munición)* plomb *m* (de chasse); *(pájaro)* perdreau *m*; *(de saliva)* postillon *m*

perdiz *nf* perdrix *f*

perdón *nm* pardon *m*; **es, con p., un pedazo de imbécil** c'est, si vous me permettez l'expression, un bel

imbécile; **no tener p.** être impardonnable; **¡p.!** pardon!

perdonar *vt* pardonner; **te perdono tus críticas** je te pardonne tes critiques; **¡perdona!** excuse-moi!, pardon!; **perdone que le moleste** excusez-moi *ou* pardon de vous déranger; **p. algo a alguien** *(eximir de)* faire grâce de qch à qn; *(deuda, obligación)* libérer qn de qch

peregrinación *nf* pèlerinage *m*

peregrino, -a **1** *adj (ave)* migrateur(trice) **2** *nm,f (persona)* pèlerin *m*

perejil *nm* persil *m*

pereza *nf* paresse *f*; **me da p. ir a pie** je ne me sens pas le courage d'y aller à pied

perezoso, -a *adj & nm,f* paresseux(euse) *m,f*

perfección *nf* perfection *f*; **a la p.** à la perfection

perfeccionista *adj & nmf* perfectionniste *mf*

perfecto, -a *adj* parfait(e)

perfil *nm* profil *m*; *(característica)* trait *m*; **de p.** de profil

perforación *nf* perforation *f*; *(de pozo)* forage *m*

perforar **1** *vt* perforer; *(pozo)* forer **2** **perforarse** *upr* **perforarse las orejas** se faire percer les oreilles

perfumar **1** *vt* parfumer **2** **perfumarse** *upr* se parfumer

perfume *nm* parfum *m*

perfumería *nf* parfumerie *f*

pergamino *nm* parchemin *m*

periferia *nf* périphérie *f*

periférico, -a **1** *adj* périphérique **2** *nm* *Informát* périphérique *m*; *CAm, Méx (carretera)* boulevard *m* périphérique

periódico, -a **1** *adj* périodique **2** *nm* journal *m*

periodismo *nm* journalisme *m*

periodista *nmf* journaliste *mf*

periodo, período *nm* période *f*; *(menstrual)* règles *fpl*; **le vino el p.** elle a eu ses règles

periquito nm perruche f

peritaje nm expertise f

perito nm (experto) expert m; (ingeniero técnico) ingénieur m technique

perjudicar [58] vt nuire à; (moralmente) porter préjudice à; **p. la salud** nuire à la santé

perjuicio nm (moral) préjudice m; (material) dégât m; **p. de** porter préjudice à; **sin p.** sans préjudice de

perla nf perle f; Fig **venir de perlas** bien tomber

permanecer [45] vi rester, demeurer; **p. despierto/mudo** rester éveillé/muet

permanencia nf (duración) permanence f; **su p. en el país...** son séjour dans le pays...; **la p. de las tropas en...** le maintien des troupes dans...

permanente 1 adj permanent(e) **2** nf permanente f

permiso nm permission f; (documento) permis m; **con p., ¿me deja pasar?** pardon, pouvez-vous me laisser passer?; **estar de p.** être en permission; **pedir p. para hacer algo** demander la permission de faire qch ■ **p. de conducir** permis de conduire

permitir 1 vt permettre; **¿me permite?** vous permettez? **2 permitirse** vpr se permettre; **no poder permitirse algo** ne pas pouvoir se permettre qch; **permitirse el lujo de hacer algo** s'offrir le luxe de faire qch

pero 1 conj mais; **un alumno inteligente p. vago** un élève intelligent mais paresseux; **p. ¿cómo quieres que yo lo sepa?** mais comment veux-tu que je le sache? **2** nm mais m; **poner peros a** trouver à redire à

perpendicular adj & nf perpendiculaire f

perpetuo, -a adj perpétuel(elle); (amor, nieves) éternel(elle)

perplejo, -a adj perplexe

perra ver **perro**

perro, -a 1 nm,f chien m, chienne f; **andar como el p. y el gato** s'entendre comme chien et chat; **ser p. viejo** être un vieux renard ■ **p. caliente** hot dog m; **p. lobo** chien-loup m; **p. pastor** chien de berger; **p. policía** chien policier **2** nf **perra** Fam (rabieta) colère f; **agarrar o coger una perra** faire une colère; **no tener (ni) una perra** ne pas avoir un rond

persecución nf (seguimiento) poursuite f; (acoso) persécution f

perseguir [60] vt poursuivre; **p. a alguien** (atormentar) persécuter qn

persiana nf store m; (postigo) persienne f

persona nf personne f; **en p.** en personne; **ser buena p.** être quelqu'un de bien; **en p.** en personne; **p. mayor** grande personne

personaje nm personnage m

personal 1 adj personnel(elle) **2** nm (trabajadores) personnel m **3** nf (en deporte) faute f personnelle

personalidad nf personnalité f

personero, -a nm,f Am porte-parole mf inv

perspectiva nf perspective f; **en p.** en perspective

persuadir 1 vt persuader; **p. a alguien para que haga algo** persuader qn de faire qch **2 persuadirse** vpr persuadirse (de/de que) se persuader (de/que)

persuasión nf persuasion f

pertenecer [45] vi **p. a** appartenir à

perteneciente adj **p. a** appartenant à; **ser p. a** appartenir à

pertenencia nf appartenance f; **pertenencias** (enseres) biens mpl

pértiga nf (vara) perche f; **salto de p.** saut m à la perche

Perú n (el) P. le Pérou

peruano, -a 1 adj péruvien(enne) **2** nm,f Péruvien(enne) m,f

pesa nf poids m; (en deporte) haltère m; Fam **hacer pesas** faire des haltères

pesadez nf lourdeur f; (aburrimiento)

fastidio) ennui *m*; **¡qué p. de película!** quelle barbe, ce film!; **es una p.** c'est pénible

pesadilla *nf* cauchemar *m*; **tener pesadillas** faire des cauchemars

pesado, -a 1 *adj* lourd(e); *(trabajoso)* pénible; *(aburrido)* ennuyeux(euse); *(molesto)* assommant(e); **¡qué pesada eres!** *(cuánto tardas)* ce que tu es longue! **2** *nm,f* casse-pieds *mf inv*

pesadumbre *nf* chagrin *m*

pésame *nm* condoléances *fpl*; **dar el p.** présenter ses condoléances

pesar 1 *nm (tristeza)* chagrin *m*; *(arrepentimiento)* regret *m*; **a p. de** malgré; **a p. de todo** malgré tout; **a p. mío** malgré moi; **a p. de que** bien que; **saldré a p. de que llueve** je sortirai bien qu'il pleuve
2 *vt* peser
3 *vi* peser; *(causar tristeza)* causer du chagrin; **este paquete pesa** ce paquet pèse lourd; **le pesa tanta responsabilidad** toutes ces responsabilités lui pèsent; **me pesa haberlo hecho** je regrette de l'avoir fait; **mal que le pese** qu'il le veuille ou non
4 *pesarse vpr* se peser

pesca *nf* pêche *f*; **ir de p.** aller à la pêche

pescadería *nf* poissonnerie *f*

pescadilla *nf* merlan *m*

pescado *nm* poisson *m* ■ **p. azul** poisson gras; **p. blanco** poisson maigre

pescador, -ora *nm,f* pêcheur(euse) *m,f*

pescar [58] *vt & vi* pêcher

pesebre *nm (para animales)* mangeoire *f*; *(de Navidad)* crèche *f*

pesero *nm* CAm, Méx taxi *m* collectif

peseta *nf* Antes peseta *f*

pesimismo *nm* pessimisme *m*

pesimista *adj & nmf* pessimiste *mf*

pésimo *adj* très mauvais(e)

peso *nm* poids *m*; *(balanza)* balance *f*; *(moneda)* peso *m*; **tiene un kilo de p.** ça pèse un kilo; **campeón en diferentes pesos** champion dans

différentes catégories; **de p.** *(importante)* de poids; **pagar algo a p. de oro** payer qch à prix d'or; **quitar un p. de encima a alguien** ôter un poids à qn ■ **p. bruto** poids brut; **p. muerto** poids mort; **p. neto** poids net

pesquero, -a 1 *adj (barco)* de pêche; *(pueblo)* de pêcheurs; *(industria)* de la pêche **2** *nm* bateau *m* de pêche

pestaña *nf (de párpado)* cil *m*; *(saliente)* bord *m*; *(de papel)* languette *f*

peste *nf (enfermedad)* peste *f*; Fam *(mal olor)* infection *f*; *(plaga)* invasion *f*

pesticida *adj & nm* pesticide *m*

pestillo *nm* verrou *m*; **correr** o **echar el p.** mettre le verrou

petaca *nf (para tabaco)* blague *f* (à tabac); *(para bebidas)* flasque *f*; Méx *(maleta)* valise *f*

pétalo *nm* pétale *m*

petanca *nf* pétanque *f*

petardo *nm (cohete)* pétard *m*

petición *nf (acción)* demande *f*; *(escrito)* pétition *f*; **a p. de** à la demande de ■ **p. de mano** demande en mariage

peto *nm (prenda)* salopette *f*; *(de prenda)* bavette *f*

petróleo *nm* pétrole *m*

petrolero, -a 1 *adj* pétrolier(ère) **2** *nm* pétrolier *m*

petrolífero, -a *adj* pétrolifère *f*

petulante *adj* arrogant(e)

petunia *nf* pétunia *m*

pez 1 *nm* poisson *m* **2** *nf* poix *f*

pezón *nm (de pecho)* mamelon *m*

pezuña *nf (de animal)* sabot *m*

pianista *nmf* pianiste *mf*

piano *nm* piano *m*

piar [31] *vi* piailler

pibe, -a *nm,f* RP Fam gosse *mf*

pica *nf* pique *f*; **picas** *(palo de baraja)* pique *m*

picada *nf* RP tapas *fpl*

picadillo *nm (de carne)* hachis *m*; *(de verdura)* julienne *f*; Chile *(tapas)* tapas *fpl*

picador, -ora *nm,f* picador *m*; *(de caballos)* dresseur(euse) *m,f* de chevaux; *(minero)* piqueur *m*

picadora *nf* hachoir *m*

picadura *nf* piqûre *f*; *(marca)* marque *f*; *(de tabaco)* tabac *m* haché; **tener una p. en un diente** avoir une dent cariée

picante 1 *adj (comida)* piquant(e); *Fig (chiste, historia)* grivois(e) **2** *nm* piment *m*

picantería *nf Andes* petit restaurant *m*

picar [58] **1** *vt* piquer; *(escocer)* gratter; *(cortar)* hacher; *(comer)* grignoter; *(piedra)* concasser; *(hielo)* piler; *Fig (enojar)* titiller; *(ofender)* vexer; *(billete) (sujeto: revisor)* poinçonner; *(en el aparato)* composter; **me picó una avispa** une guêpe m'a piqué; **p. la curiosidad** piquer la curiosité
2 *vi* piquer; *(pez)* mordre; *(escocer)* gratter; *(comer) (ave)* picorer; *(persona)* grignoter; *(sol)* brûler; *Fig (dejarse engañar)* se faire avoir; **¿pican?** ça mord?
3 picarse *vpr (vino)* se piquer; *Fig (enfadarse)* se fâcher; *(ofenderse)* se vexer; *(mar)* s'agiter; *(oxidarse)* se rouiller

pícaro, -a *nm,f (astuto)* malin(igne) *m,f*, *(travieso)* coquin(e) *m,f*, *(en novela)* = héros de la littérature espagnole des XVIᵉ et XVIIᵉ siècles caractérisé par son espièglerie; **ser un p.** (travieso) être grivois

pichincha *nf Bol, RP Fam* occase *f*

pichón *nm* pigeonneau *m*

pickles ['pikles] *nmpl RP* pickles *mpl*

picnic *(pl* picnics*)* *nm* pique-nique *m*

pico *nm (de pájaro)* bec *m*; *(saliente)* coin *m*; *(punta)* pointe *f*; *(herramienta, montaña)* pic *m*; *Fam* **cerrar el p.** fermer son caquet, la fermer; **y p.** *(cantidad indeterminada)* et quelques; **a las cinco y p.** à cinq heures et quelques

picor *nm* démangeaison *f*

picoso, -a *adj Méx* piquant(e)

pie *nm* pied *m*; *(de escrito)* bas *m*; **a p.** à pied; **al p. de la página** au bas de la page; **dar el p.** donner la réplique; **al p. de la letra** au pied de la lettre; **con buen p.** du bon pied; **de** *o* **en p.** debout; **de pies a cabeza** des pieds à la tête; **en p. de guerra** sur le pied de guerre; **seguir en p.** *(oferta, proposición)* être toujours valable; *(edificio)* être toujours debout

piedad *nf (compasión)* pitié *f*; *(religiosidad)* piété *f*

piedra *nf* pierre *f*; **poner la primera p.** poser les bases; *Fig* **quedarse de p.** tomber de haut, ne pas en revenir ■ **p. preciosa** pierre précieuse

piel *nf* peau *f*; *(cuero)* cuir *m*; **jugarse la p.** risquer sa vie; *Fig* **la p. de toro** l'Espagne *f*; **una cazadora de p.** un blouson en cuir; **un abrigo de p.** un manteau de fourrure

pierna *nf (de persona)* jambe *f*; *(de ave, perro)* patte *f*; *(de cordero)* gigot *m*

pieza *nf* pièce *f*; **p. de recambio** *o* **repuesto** pièce détachée; *Fig* **dejar/quedarse de una p.** laisser/rester sans voix

pijama *nm* pyjama *m*

pila *nf* pile *f*; *(fregadero)* évier *m*; *Fam (montón)* montagne *f*; **tiene una p. de deudas** il a une montagne de dettes

pilar *nm* pilier *m*

píldora *nf* pilule *f*; **tomar la p.** prendre la pilule

pileta *nf RP (piscina)* piscine *f*; *(en baño)* lavabo *m*; *(en cocina)* évier *m*

pillar 1 *vt* attraper; *(atropellar)* renverser; *Fam (sorprender)* surprendre; *(aprisionar)* coincer; *(dedo)* pincer; *(chiste, explicación)* saisir; **me pilló en pijama** il m'a surpris en pyjama **2** *vi* **me pilla de paso** c'est sur mon chemin; **me pilla lejos** c'est loin de chez moi **3 pillarse** *vpr* se coincer; *(un dedo)* se pincer

pilotar *vt* piloter

piloto 1 *nm (conductor)* pilote *m*

(indicador luminoso) (de aparato) voyant *m* lumineux; *(de vehículo)* feu *m*; *CSur (impermeable)* imperméable *m* ∎ **p. automático** pilote automatique **2** *adj inv (granja, instituto)* pilote; *(piso)* témoin

pimentón *nm* paprika *m*; *Ven (pimiento morrón)* poivron *m*

pimienta *nf* poivre *m*

pimiento *nm* piment *m* ∎ **p. morrón** poivron *m*

pincel *nm (instrumento)* pinceau *m*

pinchar 1 *vt* piquer; *(rueda, globo)* crever; *Fam Fig (irritar)* asticoter **2** *vi (rueda)* crever; *(barba)* gratter **3 pincharse** *upr* se piquer; *(rueda)* crever; *(inyectarse)* se faire faire une piqûre

pinchazo *nm* piqûre *f*; *(de neumático)* crevaison *f*

pinche 1 *nmf* aide-cuisinier(ère) *m,f* **2** *adj Méx Fam* satané(e)

pincho *nm (espina)* épine *f*; *(varilla)* pique *f*; *(aperitivo)* amuse-gueule *m* ∎ **p. moruno** = brochette de viande de porc

pinga *nf Andes, Méx, Ven Vulg* quéquette *f*

ping-pong [pim'pon] *nm* ping-pong *m*

pingüino *nm* pingouin *m*

pino *nm* pin *m*

pinole *nm CAm, Méx* farine *f* de maïs grillée

pintado, -a 1 *adj (coloreado)* peint(e); *(maquillado)* maquillé(e); **recién p.** *(en letrero)* peinture fraîche; **me va que ni p.** *(ropa)* ça me va comme un gant **2** *nf* pintada *(escrito)* graffiti *m*; *(ave)* pintade *f*

pintalabios *nm inv* rouge *m* à lèvres

pintar 1 *vt* peindre; *Fig (describir)* dépeindre **2** *vi* **p. bien/mal** *(bolígrafo, rotulador)* écrire bien/mal; **aquí no pinto nada** je n'ai rien à faire ici; **¿qué pinto yo en este asunto?** qu'est-ce que j'ai à voir là-dedans? **3** **pintarse** *upr (maquillarse)* se maquiller; **pintárselas uno solo para algo** ne pas avoir son pareil pour qch

pintor, -ora *nm,f* peintre *m*

pintoresco, -a *adj* pittoresque

pintura *nf* peinture *f*; **p. al óleo** peinture à l'huile

pinza *nf* pince *f*; *(para tender la ropa)* pince *f* à linge

piña *nf (tropical)* ananas *m*; *(del pino)* pomme *f* de pin

piñón *nm* pignon *m*

piojo *nm* pou *m*

piola 1 *nf (cuerda)* corde *f* **2** *adj RP Fam (astuto)* malin(igne)

piolín *nm RP* ficelle *f*

pipa *nf (para fumar)* pipe *f*; *(semilla)* pépin *m*; *(de girasol)* graine *f* de tournesol; *(tonel)* tonneau *m*; *Am (camión)* camion-citerne *m*; *Fam* **pasarlo** *o* **pasárselo p.** s'éclater

pipí *nm Fam* pipi *m*; **hacer p.** faire pipi

pique *nm (rivalidad)* concurrence *f*; **tener un p. con alguien** *(un enfado)* être en froid avec qn; **irse a p.** *(barco, plan)* couler

piragua *nf* pirogue *f*; *(en deporte)* canoë *m*

piragüismo *nm* canoë-kayak *m*

pirámide *nf* pyramide *f*

piraña *nf* piranha *m*

pirata *adj* & *nmf* pirate *m*

piratear *vt* & *vi* pirater

Pirineos *nmpl* **los P.** les Pyrénées *fpl*

pirómano, -a *nm,f* pyromane *mf*

piropo *nm Fam* compliment *m*

pirueta *nf* pirouette *f*; *Fig* **hacer piruetas con** jongler avec

pisada *nf* pas *m*

pisar *vt (con el pie)* marcher sur; *(pedal, acelerador)* appuyer sur; **p. a alguien** marcher sur les pieds à qn

piscina *nf* piscine *f*

Piscis 1 *nm inv (zodiaco)* Poissons *mpl* **2** *nmf inv (persona)* Poissons *m inv*

pisco *nm Chile, Perú* eau-de-vie *f* de marc; **p. sauer** = cocktail à l'eau-de-vie de marc, au jus de citron et au sucre

piso *nm (vivienda)* appartement *m*; *(planta)* étage *m*; *(suelo)* sol *m*; *(capa)* couche *f*

pisotón *nm Fam* me dieron un p.
quelqu'un m'a marché sur le pied

pista *nf* piste *f* ▪ **p. de esquí** piste de
ski; **p. de hielo** patinoire *f*; **p. de tenis**
court *m* de tennis

pistacho *nm* pistache *f*

pistola *nf* (*arma, pulverizador*)
pistolet *m*; (*de grapas*) agrafeuse *f*

pistolero, -a 1 *nm,f* tueur(euse) *m,f*
2 *nf* **pistolera** étui *m* de revolver

pitada *nf Am* taffe *f*

pitar 1 *vt* siffler **2** *vi* (*tocar el pito*)
siffler; (*vehículo*) klaxonner; *Fam*
salir/irse/venir pitando sortir/partir/
venir en quatrième vitesse

pitillo *nm* (*cigarro*) cigarette *f*; *Col,Ven*
(*pajita*) paille *f*

pito *nm* (*silbato*) sifflet *m*; (*de vehículo*)
Klaxon® *m*; *Fam* (*pene*) zizi *m*; *Fam*
me importa un p. je m'en fiche
comme de l'an quarante

pitón 1 *nm* (*cuerno*) corne *f*; (*pitorro*)
bec *m* (*verseur*) **2** *nf* (*serpiente*)
python *m*

pizarra *nf* (*material*) ardoise *f*;
(*encerado*) tableau *m*

pizarrón *nm Am* tableau *m* (noir)

pizza ['pitsa] *nf* pizza *f*

pizzería [pitse'ria] *nf* pizzeria *f*

placa *nf* plaque *f*; *Méx* (*matrícula*)
plaque *f* d'immatriculation ▪ **p.
solar** panneau *m* solaire

placer 1 *nm* plaisir *m* **2** [47] *vi* plaire

plagiar *vt* (*copiar*) plagier; *Andes*
(*secuestrar*) kidnapper

plan *nm* plan *m*; **¿qué planes tienes?**
(*para pasar el tiempo*) qu'est-ce que tu
comptes faire?; *Fam* **lo dijo en p. de
broma** il a dit ça pour rire ▪ **p. de
pensiones** *o* **de jubilación** plan
d'épargne retraite

plana *ver* plano

plancha *nf* (*para planchar*) fer *m* à
repasser; (*acción*) repassage *m*; (*para
cocinar*) gril *m*; (*placa*) plaque *f*; (*de
madera*) planche *f*; *Fam* (*metedura de
pata*) gaffe *f*; (*en fútbol*) tacle *m*;
(*carrocería*) tôle *f*; **a la p.** grillé(e)

planchar *vt* repasser

planeta *nm* planète *f*

planilla *nf Am* formulaire *m*

plano, -a 1 *adj* (*llano*) plat(e) **2** *nm*
plan *m*; **en primer p.** au premier
plan; **en segundo p.** à l'arrière-plan;
Fig **de p.** en plein; **el sol da de p. en
la terraza** le soleil donne en plein sur
la terrasse **3** *nf* **plana** (*página*) page *f*;
una ilustración a toda plana une
illustration pleine page

planta *nf* plante *f*; (*piso*) étage *m*;
(*fábrica*) usine *f* ▪ **p. baja** rez-de-
chaussée *m inv*; **p. depuradora**
station *f* d'épuration

plantar 1 *vt* planter; *Fam* (*abandonar*)
plaquer **2 plantarse** *vpr* se planter; **en
cinco minutos te plantas ahí** tu y es
en cinq minutes; **plantarse en algo**
(*en una actitud*) ne pas démordre de
qch; **me planto** (*en juego de naipes*)
servi(e)

planteamiento *nm* (*enfoque*)
approche *f*; (*exposición*) exposé *m*

plantear 1 *vt* (*problema, cuestión*)
poser; (*posibilidad, cambio*) envisager **2 plantearse** *vpr* (*problema,
cuestión*) se poser; (*posibilidad, cambio*) envisager

plantilla *nf* (*de una empresa*)
personnel *m*; (*suela interior*) semelle
f; (*modelo*) patron *m*

plástico, -a 1 *adj & nm* plastique *m*
2 *nf* **plástica** plastique *f*

plastificar [58] *vt* plastifier

plastilina *nf* pâte *f* à modeler

plata *nf* argent *m*; (*objetos de plata*)
argenterie *f*; *Am* (*dinero*) argent *m*; **p.
de ley** argent titré

plataforma *nf* plate-forme *f* ▪ **p.
petrolífera** plate-forme pétrolière

plátano *nm* (*fruta*) banane *f*; (*árbol
tropical*) bananier *m*; (*de sombra*)
platane *m*

platea *nf* parterre *m*

plática *nf CAm, Méx* conversation *f*

platicar [58] *CAm, Méx* **1** *vi* discute
2 *vt* raconter

platillo *nm* (*plato pequeño*) soucoupe
f; (*de balanza*) plateau *m*; **platillo**

(instrumento) cymbale *f* ■ **p. volante** soucoupe volante

plato *nm* assiette *f; (comida)* plat *m; (de tocadiscos)* platine *f; (de balanza, bicicleta)* plateau *m;* **lavar los platos** faire la vaisselle; *Fig* **pagar los platos rotos** payer les pots cassés ■ **p. combinado** plat garni; **primer p.** entrée *f;* **segundo p., p. fuerte** plat de résistance

platudo, -a *adj Am Fam* friqué(e)

playa *nf* plage *f; Am* **p. de estacionamiento** *(aparcamiento)* parking *m*

play-back ['pleiβak] *(pl* play-backs) *nm* play-back *m*

plaza *nf* place *f; (puesto de trabajo)* poste *m; (mercado)* marché *m; (zona, población)* zone *f; (fortificación)* place *f* forte ■ **p. de toros** arènes *fpl*

plazo *nm (de tiempo)* délai *m; (de dinero)* versement *m;* **p. de inscripción** dates *fpl* d'inscription; **a corto/largo p.** à court/long terme; **a plazos** à crédit

plegable *adj* pliant(e)

pleito *nm* procès *m; Am (conflicto)* dispute *f*

plenitud *nf* plénitude *f*

pleno, -a 1 *adj* plein(e); **en p.** *(en medio de)* en plein; *(en su totalidad)* au grand complet; **en p. día** en plein jour; **en plena forma** en pleine forme **2** *nm (reunión)* séance *f* plénière; **acertar el p.** *(en juego de azar)* avoir tous les bons numéros

pliegue *nm* pli *m*

plomería *nf Méx, RP, Ven* plomberie *f*

plomero *nm Méx, RP, Ven* plombier *m*

plomo *nm* plomb *m; Fam (pelmazo)* casse-pieds *m inv*

pluma *nf* plume *f; Carib, Méx (bolígrafo)* stylo *m*

plumero *nm* plumeau *m*

plumier *(pl* plumiers) *nm* plumier *m*

plumón *nm (de ave)* duvet *m*

plural 1 *adj* pluriel(elle) **2** *nm* pluriel *m*

pluralidad *nf* pluralité *f*

plusmarca *nf* record *m*

población *nf* population *f; (acción)* peuplement *m; (ciudad pequeña)* localité *f; Chile (chabola)* bidonville *m* ■ **p. activa** population active

poblado, -a 1 *adj (habitado)* peuplé(e); *Fig (barba, cejas)* fourni(e) **2** *nm* village *m*

poblar [62] **1** *vt* peupler **2 poblarse** *vpr* se peupler

pobre *adj & nmf* pauvre *mf*

pobreza *nf* pauvreté *f;* **p. de** *(de cosas materiales)* manque *m* de

pocho, -a *adj (persona)* patraque; *(fruta)* blet (blette); *Méx Fam* américanisé(e)

pochoclo *nm Arg* pop-corn *m inv*

pocilga *nf* porcherie *f*

pocillo *nm Am (taza)* tasse *f; (jarra)* chope *f*

poco, -a 1 *adj* peu de; **p. trabajo** peu de travail; **de poca importancia** de peu d'importance; **dame unos pocos días** donne-moi quelques jours; **las vacantes son pocas** les places sont rares

2 *pron* peu; **han aprobado pocos** il y en a peu qui ont réussi; **tengo amigos, pero pocos** j'ai des amis, mais j'en ai peu; **unos pocos** quelques-uns *mpl;* **un p. (de)** un peu (de); **un p. de paciencia** un peu de patience; **al p. de hacer algo** peu après avoir fait qch

3 *adv (con escasez)* peu; **come p.** il mange peu; **está p. salado** ce n'est pas très salé; **por p.** pour un peu; **por p. lo consigo** j'ai failli réussir; **por p. se desmaya** pour un peu, il s'évanouissait; **tardaré p.** je ne serai pas long; **al p. de llegar** peu après son arrivée; **dentro de p.** bientôt, sous peu; **hace p. (tiempo)** il n'y a pas longtemps; **a p. a p.** peu à peu

podar *vt (árboles)* élaguer; *(vides, rosales)* tailler

poder[1] [48] **1** *vt* pouvoir; *(tener más fuerza que)* battre; **a mí no hay quien me pueda** je suis le (la) plus fort(e)

2 *vi* pouvoir; **puedo pagarme el viaje** je peux me payer le voyage; **puede ejercer su carrera** il peut exercer son métier; **no podemos abandonarlo** nous ne pouvons pas l'abandonner; **podías habérmelo dicho** tu aurais pu me le dire; **p. con** *(dominar)* être à bout de; **ella sola no podrá con el trabajo** *(realizar)* elle ne pourra pas finir le travail toute seule; **no p. con algo/con alguien** *(no soportar)* ne pas supporter qch/qn; **no puedo más** je n'en peux plus; **¿se puede?** on peut entrer?

3 *v impersonal (ser posible)* **puede que llueva** il va peut-être pleuvoir, il se peut qu'il pleuve; **¿vendrás mañana? – puede** tu viendras demain? – c'est possible *ou* peut-être

poder² *nm* pouvoir *m*; *(capacidad)* puissance *f*; *(autorización)* pouvoir *m*, procuration *f*; **estar en el/hacerse con el p.** être au/prendre le pouvoir; **un detergente de un gran p. limpiador** un détergent très puissant; **estar en p. de alguien** être entre les mains de qn; **dar poderes a alguien** donner procuration à qn; **por poderes** par procuration ▪ **p. adquisitivo** pouvoir d'achat; **p. ejecutivo** pouvoir exécutif; **p. judicial** pouvoir judiciaire; **p. legislativo** pouvoir législatif; **poderes públicos** pouvoirs publics

poderoso, -a *adj* puissant(e)

podio, podium *nm* podium *m*

podrido, -a 1 *participio ver* **pudrir**

2 *adj (putrefacto)* pourri(e)

poema *nm* poème *m*

poesía *nf* poésie *f*

poeta *nm* poète *m*

poético, -a *adj* poétique

polaco, -a 1 *adj* polonais(e) **2** *nm,f* Polonais(e) *m,f* **3** *nm (lengua)* polonais *m*

polar *adj* polaire

polea *nf* poulie *f*

polémico, -a 1 *adj* polémique **2** *nf* **polémica** polémique *f*

polen *nm* pollen *m*

polera *nf* Chile, Perú tee-shirt *m*

policía 1 *nmf* policier *m*, femme *f* policier **2** *nf* police *f*

policiaco, -a, policíaco, -a *adj* policier(ère)

polideportivo, -a 1 *adj* omnisports **2** *nm* palais *m* omnisports

poliéster *nm inv* polyester *m*

polígloto, -a *adj & nm,f* polyglotte *m*

polígono *nm* polygone *m*; *(superficie de terreno)* zone *f* ▪ **p. industrial** zone industrielle

politécnico, -a 1 *adj* polytechnique **2** *nf* **politécnica** = école supérieure d'enseignement technique

político, -a 1 *adj* politique; **el hermano p.** le beau-frère; **la familia política** la belle-famille **2** *nm* homme *m* politique **3** *nf* **política** politique *f*

póliza *nf (de seguros)* police *f*; *(sello)* timbre *m* fiscal

polla *ver* **pollo**

pollera *nf* Andes *(indígena)* = type de jupe longue portée par les Indiennes; *RP (occidental)* jupe *f*

pollo, -a 1 *nm,f (cría de la gallina)* poussin *m* **2** *nm* poulet *m* **3** *nf* **polla** Vulg bite *f*

polo *nm* pôle *m*; *(helado)* glace *f (à l'eau)*; *(camisa)* polo *m*; *(deporte) (con caballos)* polo *m*; *(acuático)* water polo *m* ▪ **p. norte** pôle Nord; **p. sur** pôle Sud

pololo, -a *nm,f* Chile Fam petit(e) ami(e) *m,f*

Polonia *n* la Pologne

polución *nf* pollution *f*

polvera *nf* poudrier *m*

polvo *nm (partículas en el aire)* poussière *f*; *(de producto pulverizado)* poudre *f*; **limpiar** *o* **quitar el p.** faire la poussière *ou* les poussières; **en p.** en poudre; *Vulg* **echar un p.** tirer un coup; *Fam* **estar hecho p.** *(cansado)* être vanné; *(estropeado)* être fichu; *(deprimido)* être au trente-sixième dessous; *Fam* **hacer p. algo** bousiller qch; **polvos** *(maquillaje)* poudre

pólvora nf poudre f

polvoriento, -a adj poussiéreux (euse)

polvorón nm = petit gâteau de consistance friable, à base de farine, de suif et d'amandes, que l'on mange à Noël

pomada nf pommade f

pomelo nm (árbol) pamplemoussier m; (fruto) pamplemousse m

pomo nm (de puerta, cajón) bouton m

pompa nf pompe f (cérémonial)
■ **pompas fúnebres** pompes funèbres

pómulo nm (mejilla) pommette f

ponchar CAm, Méx **1** vt crever
2 poncharse upr crever

poner [49] **1** vt (a) (en general) mettre; ¿dónde has puesto el libro? où as-tu mis le livre?; lo pones de mal humor tu le mets de mauvaise humeur; pon la radio mets la radio; ponle el abrigo mets-lui son manteau
(b) (cambiar el humor de) rendre; p. triste rendre triste
(c) (mostrar) faire; ¡no pongas esa cara! ne fais pas cette tête!
(d) (contribuir) ya he puesto mi parte j'ai déjà payé ma part; p. algo de su parte y mettre du sien
(e) (calificar, tratar) p. a alguien de traiter qn de
(f) (deberes) donner
(g) (telegrama, fax) envoyer; p. una conferencia appeler à l'étranger; ¿me pones con él? tu me le passes?
(h) (en cine, televisión) passer; (en teatro) donner
(i) (instalar) están poniendo el gas y la luz on installe le gaz et l'électricité
(j) (montar) ouvrir; han puesto una tienda ils ont ouvert un magasin
(k) (llamar) appeler; le pusieron Mario ils l'ont appelé Mario
(l) (suponer) pon que…, pongamos que… mettons ou admettons que…
(m) (sujeto: ave) pondre
2 vi (ave) pondre
3 ponerse upr (a) (colocarse) se

mettre; **ponerse de pie** se mettre debout
(b) (ropa, galas, maquillaje) mettre
(c) (estar de cierta manera) devenir; se puso rojo de ira il est devenu rouge de colère; ¡no te pongas así! ne te mets pas dans un état pareil!
(d) (iniciar acción) ponerse a hacer algo se mettre à faire qch
(e) (de salud) ponerse bien se rétablir; ponerse malo o enfermo tomber malade
(f) (llenarse) se ha puesto de barro hasta las rodillas il s'est couvert de boue jusqu'aux genoux
(g) (sujeto: astro) se coucher

pongo ver **poner**

poniente nm (occidente) couchant m; (viento) vent m d'ouest

ponqué nm Col, Ven gâteau m

popa nf poupe f

popote nm Méx paille f (pour boire)

popular adj populaire

popularidad nf popularité f

póquer nm poker m

por prep (a) (causa) à cause de; se enfadó p. tu culpa elle s'est fâchée à cause de toi
(b) (finalidad) pour; lo hizo p. complacerte il l'a fait pour te faire plaisir; lo hizo p. ella il l'a fait pour elle
(c) (medio, modo, agente) par; p. escrito par écrit; p. mensajero/fax par coursier/fax; lo agarraron p. el brazo ils l'ont pris par le bras; huevos p. docenas des œufs à la douzaine; el récord fue batido p. el atleta le record a été battu par l'athlète
(d) (tiempo aproximado) p. abril en avril, dans le courant du mois d'avril
(e) (tiempo concreto) p. la mañana/tarde/noche le matin/l'après-midi/la nuit; p. unos días pour quelques jours
(f) (lugar) había papeles p. el suelo il y avait des papiers par terre; entramos en África p. Tánger nous sommes entrés en Afrique par Tanger; ¿p. dónde vive? où habite-t-il?; pasar p. la aduana passer la

douane; **p. el bosque/la calle** dans la forêt/la rue

(**g**) *(a cambio de)* **lo ha comprado p. poco dinero** il l'a acheté pour une petite somme; **cambió la bicicleta p. la moto** il a échangé son vélo contre une moto

(**h**) *(en lugar de)* pour; **él lo hará p. mí** il le fera pour moi

(**i**) *(valor distributivo)* **tocan a dos p. cabeza** il y en a deux par personne; **20 km p. hora** 20 km à l'heure

(**j**) *(elección)* pour; **votó p. mí** elle a voté pour moi

(**k**) *(en multiplicación)* fois; **tres p. tres…** trois fois trois…

(**l**) *(en busca de)* **baja p. tabaco** descends chercher des cigarettes; **vino a p. los libros** il est venu chercher les livres

(**m**) *(aún sin)* **la mesa está p. poner** la table n'est pas (encore) mise

(**n**) *(a punto de)* **estar p. hacer algo** être sur le point de faire qch; **estuvo p. llamarte** elle a failli t'appeler

(**o**) *(concesión)* **p. mucho que llores, no arreglarás nada** tu auras beau pleurer, cela ne changera rien

porcelana *nf* porcelaine *f*

porcentaje *nm* pourcentage *m*

porche *nm* porche *m*

porción *nf* portion *f*; *(de botín, pastel)* part *f*

porno *adj Fam* porno

pornografía *nf* pornographie *f*

pornográfico, -a *adj* pornographique

poroto *nm Andes, RP* haricot *m*

porque *conj (ya que)* parce que; *(para que)* **¡p. sí/no!** parce que!

porqué *nm* **el p. de…** le pourquoi de…

porro *nm Fam (canuto)* joint *m*; *Am (puerro)* poireau *m*

porrón *nm* = flacon en verre pour boire le vin à la régalade

portaaviones *nm inv* porte-avions *m inv*

portada *nf (de libro, revista)*

couverture *f*; *(de periódico)* une *f*; *(fachada)* façade *f*

portador, -ora *adj & nm,f* porteur(euse) *m,f*

portaequipajes *nm inv (maletero)* coffre *m* à bagages; *(soporte)* galerie *f*

portafolios *nm inv,* **portafolio** *nm Esp (para papeles)* porte-documents *m inv; Am (bolso)* cartable *m*

portal *nm (pieza)* entrée *f*; *(puerta)* portail *m*; *(belén)* crèche *f*; *Informát* portail *m*

portar 1 *vt* porter **2 portarse** *vpr* se comporter; **¡pórtate bien!** sois sage!; **los niños se han portado bien** les enfants se sont bien tenus; **siempre se ha portado bien conmigo** il (elle) a toujours été très correct(e) avec moi

portátil *adj* portatif(ive); *(ordenador)* portable

portavoz *nmf* porte-parole *mf inv*

portazo *nm* **dar un p.** claquer la porte

portería *nf (de edificio)* loge *f* (du gardien); *(en deporte)* buts *mpl*

portero, -a 1 *nm,f (de edificio)* gardien(enne) *m,f*; *(en deporte)* gardien *m* de but **2** *nm* **p. automático** Interphone® *m*

Portugal *n* le Portugal

portugués, -esa 1 *adj* portugais(e) **2** *nm,f* Portugais(e) *m,f* **3** *nm (lengua)* portugais *m*

porvenir *nm* avenir *m*

posada *nf (fonda)* auberge *f*; **dar p. a alguien** *(hospedar)* héberger qn

posavasos *nm inv* dessous *m* de verre

posdata *nf* post-scriptum *m inv*

pose *nf* pose *f (attitude)*

poseedor, -ora 1 *adj* **ser p. de algo** posséder qch **2** *nm,f* possesseur *m*; *(de récord, armas)* détenteur(trice) *m,f*

poseer [36] *vt* posséder

posesión *nf* possession *f*

posesivo, -a *adj* possessif(ive)

posibilidad *nf* possibilité *f*; **hay**

posibilidades de que..., cabe la p. de que... il est possible que...; tiene **posibilidades de éxito** il a des chances de réussir

posible *adj* possible; **hacer p.** rendre possible; **haré (todo) lo p.** je ferai (tout) mon possible; **lo antes p.** le plus tôt possible

posición *nf* position *f*; **tiene una buena p.** il a une belle situation

positivo, -a *adj* positif(ive)

posmoderno, -a *adj & nm,f* postmoderne *mf*

poso *nm* dépôt *m* (*d'un liquide*); **p. de café** marc *m* de café

postal 1 *adj* postal(e) **2** *nf* carte *f* postale

poste *nm* poteau *m*

póster (*pl* pósters) *nm* poster *m*

posterior *adj* (*en el espacio*) arrière; (*en el tiempo*) ultérieur(e); **la puerta p.** la porte de derrière

postre 1 *nm* dessert *m* **2** *nf* **a la p.** en définitive

postular 1 *vt* (*afirmar*) affirmer; (*donativos, fondos*) collecter; *Am* (*nombrar*) sélectionner **2 postularse** *vpr Am* se présenter; **se postuló para las elecciones** il s'est présenté aux élections

póstumo, -a *adj* posthume

postura *nf* (*posición*) posture *f*; (*actitud*) attitude *f*; (*en subasta*) offre *f*; **en una p. incómoda** en mauvaise posture

potable *adj* potable

potaje *nm* (*guiso*) = plat de légumes secs

potencia *nf* puissance *f*; **en p.** (*potencialmente*) potentiellement; (*potencial*) en puissance

potenciar *vt* favoriser

potro, -a 1 *nm,f* poulain *m*, pouliche *f* **2** *nm* cheval-d'arçons *m* **3** *nf* **potra** *Fam* (*suerte*) pot *m*; **tener potra** avoir de la veine *o* du pot

pozo *nm* (*hoyo*) puits *m*

pozole *nm Méx* ragoût *m* de porc au maïs

práctica *ver* **práctico**

practicante 1 *adj* pratiquant(e) **2** *nmf* (*religioso*) pratiquant(e) *m,f*; (*auxiliar médico*) aide-soignant(e) *m,f*

practicar [58] **1** *vt* (*ejercitarse en*) pratiquer; (*hacer*) faire; **p. la natación** faire de la natation **2** *vi* s'exercer

práctico, -a 1 *adj* pratique **2** *nm Náut* pilote *m* **3** *nf* **práctica** pratique *f*; **en la práctica** dans la pratique; **llevar algo a la práctica, poner algo en práctica** mettre qch en pratique; **prácticas** (*en empresa*) stage *m*

pradera *nf* prairie *f*

prado *nm* pré *m*

precario, -a *adj* précaire

precaución *nf* précaution *f*; **tomar precauciones** prendre des précautions

precintar *vt* sceller

precinto *nm Der* scellé *m*; (*acción*) pose *f* des scellés; **un p. de garantía** = un système de fermeture qui garantit la fraîcheur du produit

precio *nm* prix *m*; **al p. de** au prix de ▪ **p. de fábrica** *o* **coste** prix coûtant, prix de revient; **p. de venta** (**al público**) prix (public) de vente

preciosidad *nf* (*cosa o persona*) merveille *f*

precioso, -a *adj* (*bonito*) ravissant(e), adorable; (*valioso*) précieux(euse)

precipicio *nm* précipice *m*

precipitación *nf* précipitation *f*; **precipitaciones** précipitations

precipitado, -a *adj* précipité(e)

precipitar 1 *vt* précipiter **2 precipitarse** *vpr* se précipiter

precisar *vt* (*determinar*) préciser; (*necesitar*) avoir besoin de; **precisa tu colaboración** il a besoin de ta collaboration

preciso, -a *adj* (*determinado, conciso*) précis(e); **es p. que vengas** il faut que tu viennes

precoz *adj* précoce

predecir [50] *vt* prédire

predicar [58] *vt & vi* prêcher; **es como**

p. en el desierto c'est prêcher dans le désert

predilecto, -a *adj* préféré(e)

preeminente *adj* prééminent(e)

preescolar 1 *adj* préscolaire **2** *nm* maternelle *f (cycle)*

preferencia *nf (predilección)* préférence *f; (ventaja)* priorité *f;* **tener p.** *(vehículos)* avoir la priorité

preferible *adj* préférable; **es p. echar limón a vinagre** il vaut mieux mettre du citron que du vinaigre

preferir [61] *vt* préférer; **p. algo a algo** préférer qch à qch; **prefiere el calor al frío** elle préfère la chaleur au froid; **prefiero aburrirme a salir con ella** je préfère m'ennuyer plutôt que de sortir avec elle

prefijo *nm (de palabra)* préfixe *m; (de teléfono)* indicatif *m*

pregón *nm (discurso)* discours *m; (anuncio)* avis *m* (au public)

pregonar *vt (anunciar)* rendre public(ique)

pregunta *nf* question *f;* **hacer una p.** poser une question

preguntar 1 *vt* demander **2** *vi* **p. por alguien** *(interesarse)* demander des nouvelles de qn; **p. por algo/alguien** *(solicitar)* demander qch/qn **3** *preguntarse vpr* se demander

prehistórico, -a *adj* préhistorique

prejuicio *nm* préjugé *m*

prematuro, -a *adj* prématuré(e)

premeditación *nf* préméditation *f;* **con p. y alevosía** avec préméditation

premiar *vt* récompenser

premio *nm (recompensa)* prix *m; (en lotería)* lot *m;* **p. gordo** gros lot

premisa *nf (supuesto)* hypothèse *f*

prenatal *adj* prénatal(e)

prenda *nf (vestido)* vêtement *m; (garantía)* gage *m; (virtud)* qualité *f;* **p. de abrigo** vêtement chaud

prensa *nf* presse *f;* **p. del corazón** presse du cœur

preocupación *nf* souci *m*

preocupado, -a *adj* inquiet(ète); **p. por su hijo** inquiet pour son fils; **p.**

por saber los resultados anxieux(euse) de connaître les résultats

preocupar 1 *vt (inquietar)* inquiéter; **no le preocupa lo que piensen los demás** *(importar)* il se moque de ce que pensent les autres **2** *preocuparse vpr (inquietarse)* s'inquiéter; **preocuparse por alguien** s'inquiéter pour qn; **preocuparse por algo** se préoccuper *ou* s'inquiéter de qch; **¡no te preocupes!** ne t'en fais pas!, ne t'inquiète pas!; **preocuparse de** *(encargarse)* veiller à

prepago *nm (de móvil)* prépaiement *m*

preparación *nf* préparation *f; (conocimientos, cultura)* bagage *m*

preparar 1 *vt* préparer **2** *prepararse vpr* se préparer (**a** *o* **para** à)

preparativo, -a 1 *adj* préparatoire **2** *nmpl* **preparativos** préparatifs *mpl*

preparatorio, -a *adj* préparatoire

preposición *nf* préposition *f*

prepotente *adj (engreído)* arrogant(e); *(poderoso)* tout(e)-puissant(e)

presa *nf (víctima)* proie *f; (dique)* barrage *m;* **ser p. del pánico** être en proie à la panique

prescindir *vi* **p. de** *(renunciar a)* se passer de; *(omitir)* faire abstraction de

presencia *nf* présence *f; (aspecto)* allure *f;* **buena p.** bonne présentation; **en p. de** en présence de; **hacer acto de p.** faire acte de présence; **p. de ánimo** présence d'esprit

presenciar *vt* assister à; *(crimen, delito)* être témoin de

presentación *nf* présentation *f;* **tiene buena p.** c'est bien présenté

presentador, -ora *nm,f* présentateur(trice) *m,f*

presentar 1 *vt* présenter; **me presentó sus excusas** il m'a présenté ses excuses **2** *presentarse vpr* se présenter; **presentarse a un examen** se présenter à un examen

presente 1 *adj* présent(e); **el p. mes** le mois courant; **tener algo p.** ne pas oublier qch **2** *nmf (en un lugar)* personne f présente **3** *nm (regalo)* présent m **4** *nf (carta)* présente f

presentimiento *nm* pressentiment m

preservar *vt* préserver

preservativo *nm* préservatif m

presidencia *nf* présidence f

presidenciable *nmf Am* présidentiable *mf*

presidencial *adj* présidentiel(elle)

presidente, -a *nm,f* président(e) *m,f*

presidiario, -a *nm,f* prisonnier(ère) *m,f*

presidir *vt (ser presidente)* présider; *(sujeto: sentimiento)* présider à

presión *nf* pression f; **hacer p. sobre** faire pression sur; ▪ **p. arterial** *o* **sanguínea** pression artérielle

preso, -a *adj & nm,f* prisonnier(ère) *m,f*

préstamo *nm* prêt m; **pedir un p.** faire un emprunt

prestar 1 *vt* prêter; **p. crédito** a croire à; **p. oídos** prêter l'oreille; **p. servicio** rendre service **2 prestarse** *vpr (ofrecerse)* se proposer; **se prestó a ayudarme** il s'est proposé pour m'aider; **prestarse a** *(participar)* se prêter à; **esto se presta a confusión** cela prête à confusion

prestigio *nm* prestige m

presumido, -a *adj & nm,f* prétentieux(euse) *m,f*

presumir 1 *vt (suponer)* présumer **2** *vi (jactarse)* s'afficher; *(ser vanidoso)* être prétentieux(euse); **presume de guapa** elle se croit belle

presunción *nf* présomption f

presunto, -a *adj* présumé(e); **el p. asesino** l'assassin présumé

presuntuoso, -a *adj & nm,f* prétentieux(euse) *m,f*

presuponer [49] *vt* présupposer

presupuesto, -a 1 *participio ver* **presuponer**

2 *nm (estimación)* devis m; *(dinero disponible)* budget m; *(suposición)* présupposé m

pretencioso, -a *adj & nm,f* prétentieux(euse) *m,f*

pretender *vt (afirmar)* prétendre; *(solicitar)* *(plaza, cargo)* postuler à *ou* pour; **p. hacer algo** *(intentar)* chercher à faire qch; **p. algo** *(aspirar a)* aspirer à qch; **p. hacer algo** avoir l'intention de faire qch; **p. a alguien** *(cortejar)* faire la cour à qn

pretendiente 1 *nmf (aspirante)* candidat(e) *m,f* (**a** à); *(a un trono)* prétendant(e) *m,f* (**a** à) **2** *nm (de una mujer)* prétendant m

pretensión *nf* prétention f

pretexto *nm* prétexte m

prever [69] *vt* prévoir

previo, -a *adj* préalable; **previa consulta del médico** après consultation du médecin

previsión *nf* prévision f; *Andes, RP (social)* sécurité f sociale; **en p. de** en prévision de

previsor, -ora *adj* prévoyant(e)

previsto, -a 1 *participio ver* **prever**

2 *nm* prévu(e)

prieto, -a *adj (apretado)* serré(e); *Méx Fam (moreno)* brun(e), basané(e)

prima *ver* **primo**

primario, -a *adj* primaire

primavera *nf* printemps m

primero, -a

On utilise **primer** devant les noms masculins singuliers.

1 *adj* premier(ère); **lo p.** le plus important; **lo p. es lo p.** procédons par ordre **2** *nm,f* premier(ère) *m,f*; **es el p. de la clase** c'est le premier de la classe **3** *adv (en primer lugar)* d'abord; **p. acaba y luego ya veremos** finis d'abord et on verra après; **p.... que...** *(antes)* plutôt... que...; **p. morir que traicionar** plutôt mourir que trahir **4** *nm (piso)* étage(r) m; *(curso)* première année f; **a primeros de** au début de; **a primeros de año** en début d'année

5 *nf* **primera** *(velocidad, clase)* première *f; Fam* **en este restaurante se come de primera** on mange super bien dans ce restaurant

primo, -a 1 *nm,f (pariente)* cousin(e) *m,f; Fam (tonto)* poire *f;* **hacer el p. se faire avoir** ▪ **p. carnal** *o* **hermano** cousin germain **2** *prima* prime *f*

primogénito, -a *adj & nm,f* aîné(e) *m,f*

princesa *nf* princesse *f*

principado *nm (territorio)* principauté *f*

principal 1 *adj* principal(e) **2** *nm (piso)* = étage situé entre le rez-de-chaussée et le premier; *(jefe)* chef *m*

príncipe *nm* prince *m;* **p. azul** prince charmant

principiante, -a *adj & nm,f* débutant(e) *m,f*

principio *nm (comienzo)* début *m; (fundamento, ley)* principe *m;* **al p.** au début; **a principios de** au début de; **en un p.** à l'origine; **en p.** en principe; **principios** principes

pringoso, -a *adj (grasiento)* graisseux(euse); *(pegajoso)* poisseux(euse)

prioridad *nf* priorité *f*

prisa *nf* hâte *f;* **a** *o* **de p.** vite; **correr p.** être urgent(e); **¿te corre p.?** c'est pressé?; **darse p.** se dépêcher *ou* faire se dépêcher; **meter p. a alguien** bousculer *ou* faire se dépêcher qn; **tener p.** être pressé(e)

prisión *nf (cárcel)* prison *f; (encarcelamiento)* emprisonnement *m*

prisionero, -a *nm,f* prisonnier(ère) *m,f*

prisma *nm* prisme *m; Fig (punto de vista)* angle *m*

prismáticos *nmpl* jumelles *fpl*

privado, -a *adj* privé(e); **en p.** en privé

privar 1 *vt* **p. a alguien/algo de algo** priver qn/qch de qch; **p. a alguien de hacer algo** *(prohibir)* interdire à qn de faire qch **2** *vi (estar de moda)* être à la mode **3 privarse** *vpr* **privarse de** se priver de

privilegiado, -a *adj & nm,f* privilégié(e) *m,f*

privilegio *nm* privilège *m*

proa *nf (de barco)* proue *f; (de avión)* nez *m*

probabilidad *nf* probabilité *f*

probable *adj* probable

probador *nm* cabine *f* d'essayage

probar [62] **1** *vt (demostrar, indicar)* prouver; *(ensayar)* essayer; *(degustar, catar)* goûter **2** *vi* **p. a hacer algo** essayer de faire qch **3 probarse** *vpr (ropa)* essayer

probeta *nf* éprouvette *f*

problema *nm* problème *m*

problemático, -a 1 *adj* problématique **2** *nf* **problemática** problématique *f*

procedencia *nf (origen)* origine *f; (punto de partida)* provenance *f; (pertinencia)* bien-fondé *m*

procedente *adj* **p. de** *(originario de) (gente)* originaire de; *(tren, avión)* en provenance de; **no ser p.** *(no ser oportuno)* être malvenu(e)

proceder 1 *nm* façon *f* d'agir **2** *vi (actuar)* procéder **(con** avec); *(ser oportuno)* convenir; **p. de** *(derivarse)* venir de; **p. de** *(tener origen en) (persona)* être originaire de; *(cosas)* provenir de; **p. a** *(empezar)* procéder à

procedimiento *nm (método)* procédé *m; Der* procédure *f*

procesado, -a *nm,f* accusé(e) *m,f*

procesar *vt (en juicio)* poursuivre; *Informát* traiter

procesión *nf* procession *f*

proceso *nm (fenómeno, operación)* processus *m; (método)* procédé *m; (intervalo)* espace *m; (judicial)* procédure *f*

proclamar 1 *vt* proclamer **2 proclamarse** *vpr (nombrarse)* se proclamer; *(conseguir un título)* être proclamé(e)

procuraduría *nf Méx* ministère *m* de la Justice

procurar 1 *vt (intentar)* s'efforcer de, essayer de; *(proporcionar)* procurer

2 procurarse *upr (conseguir)* se procurer
prodigar [37] **1** *vt* prodiguer **2 prodigarse** *upr (exhibirse)* se montrer; **prodigarse en** *(atenciones, regalos)* se répandre en
producción *nf* production *f*
producir [18] **1** *vt* produire **2 producirse** *upr (ocurrir)* se produire
productividad *nf* productivité *f*
productivo, -a *adj* productif(ive)
producto *nm* produit *m* ■ **p. interior bruto** produit intérieur brut; **p. nacional bruto** produit national brut
productor, -ora **1** *adj & nm,f* producteur(trice) *m,f* **2** *nf* **productora** *(de cine)* maison *f* de production
profecía *nf (predicción)* prophétie *f*
profesión *nf* profession *f*
profesional *adj & nmf* professionnel(elle) *m,f*
profesionista *adj & nmf Méx* professionnel(elle) *m,f*
profesor, -ora *nm,f* professeur *m*; **p. particular** professeur particulier
profeta *nm* prophète *m*
profundidad *nf* profondeur *f*
profundo, -a *adj* profond(e)
programa *nm* programme *m*; *(de televisión, radio)* émission *f*
programación *nf* programmation *f*
programador, -ora *nm,f Informát* programmeur(euse) *m,f*
programar *vt* programmer
progresar *vi* progresser
progresivo, -a *adj* progressif(ive)
progreso *nm* progrès *m*; **hacer progresos** faire des progrès
prohibición *nf* interdiction *f*
prohibido, -a *adj* interdit(e); **p. aparcar** défense de stationner; **p. fumar** défense de fumer; **prohibida la entrada** entrée interdite; **dirección prohibida** sens interdit
prohibir *vt* interdire; **p. a alguien hacer algo** interdire à qn de faire qch; **se prohibe el paso** *(en letrero)* accès interdit

prójimo *nm* prochain *m*
proliferación *nf* prolifération *f*
prólogo *nm* prologue *m*; *(de una obra)* préface *f*, avant-propos *m inv*
prolongar [37] **1** *vt* prolonger **2 prolongarse** *upr* se prolonger
promedio *nm* moyenne *f*
promesa *nf* promesse *f*
prometer **1** *vt* promettre; **prometió venir** il a promis de venir **2** *vi* promettre **3 prometerse** *upr* se fiancer
prometido, -a **1** *nm,f* fiancé(e) *m,f* **2** *adj* **lo p.** *(lo dicho)* ma/ta/etc promesse; **lo p. es deuda** chose promise chose due
promoción *nf* promotion *f*; *Dep* **de p.** *(partido)* de barrage
promocionar **1** *vt (en publicidad)* faire la promotion de; *(en empresa)* promouvoir **2 promocionarse** *upr* se faire valoir
promotor, -ora **1** *adj* **la empresa promotora** le sponsor **2** *nm,f* promoteur(trice) *m,f*
pronóstico *nm* pronostic *m*; *(del tiempo)* prévision *f*; **p. reservado** pronostic réservé
pronto, -a **1** *adj* prompt(e); **una pronta curación** un prompt rétablissement **2** *adv (rápidamente)* vite; *(dentro de poco)* bientôt; *(temprano)* tôt; **ven p.** viens vite; **¡hasta p.!** à bientôt!; **tan p. como** dès que + *indicativo*; **salimos p.** nous sommes partis tôt; **de p.** soudain; **por lo p.** pour le moment
pronunciación *nf* prononciation *f*
pronunciar **1** *vt* prononcer; *(realzar)* souligner **2 pronunciarse** *upr (definirse)* se prononcer (**sobre** sur); *(sublevarse)* se soulever
propaganda *nf* propagande *f*; *(prospectos, anuncios)* publicité *f*; **p. electoral** propagande électorale
propensión *nf* propension *f*, tendance *f*; *(a enfermar)* prédisposition *f*
propenso, -a *adj* **p. a** sujet(ette) à;

ser p. a creer que... être porté(e) à croire que...

propiciar vt favoriser

propicio, -a adj propice

propiedad nf propriété f; (exactitud) justesse f; **con p. correctement ■ p. privada** propriété privée; **p. pública** propriété publique

propietario, -a nm,f (de bienes) propriétaire f; (de cargo) titulaire mf

propina nf pourboire m

propio, -a adj propre; (natural) vrai(e); (en persona) lui-même, elle-même; **tiene vehículo p.** il a son propre véhicule; **por tu p. bien** pour ton bien; **p. de** propre à; **no es p. de él** ça ne lui ressemble pas; **p. para** (apropiado) approprié(e) à; **el garaje está en la propia casa** le garage est dans la maison même; **el p. compositor** le compositeur lui-même

proponer [49] **1** vt proposer **2 proponerse** vpr se proposer

proporcionado, -a adj proportionné(e)

proporcionar vt (información, datos) fournir; (alegría, tristeza) apporter, donner; (ajustar) proportionner

proposición nf proposition f

propósito nm (intención) intention f; (objetivo) but m; **tener el p. de** avoir l'intention de; **a p.** (adecuado) approprié(e); (adrede) exprès; (por cierto) à propos; **a p. de** à propos de

propuesto, -a 1 participio ver proponer
2 nf **propuesta** proposition f

prórroga nf prorogation f; (de servicio militar) report m d'appel; (en deporte) prolongation f

prorrogar [37] vt (contrato, término) proroger; (plazo, decisión) reporter

prosa nf prose f

proscrito, -a adj & nm,f proscrit(e) m,f

prospecto nm prospectus m; (de medicamento) notice f

próspero, -a adj prospère

prostíbulo nm maison f close

prostitución nf prostitution f

prostituta nf prostituée f

protagonista nmf protagoniste mf (de novela) héros m, héroïne f; (actor) acteur(trice) m,f principal(e); (papel) personnage m principal

protección nf protection f

proteger [51] **1** vt protége **2 protegerse** vpr se protéger

protegido, -a adj & nm.f protégé(e m,f

proteína nf protéine f

protesta nf protestation f

protestante adj & nmf protestant(e m,f

protestar vi protester (contra o po contre)

protocolo nm protocole m

provecho nm profit m; (rendimiento efficacité f; **¡buen p.!** bon appétit! de p.** (persona) valable; (lectura consejo) utile; **sacar p. de algo** tire profit ou profiter de qch

provechoso, -a adj profitable

proveedor nm también Informá fournisseur m

provenir [67] vi **p. de** (en el espacio provenir de; (en el tiempo) dater de

proverbio nm proverbe m

provincia nf province f; (división administrativa) département m; **se de provincias** être un(e) provincial(e

provisional adj provisoire; (pres dente, alcalde) par intérim

provocación nf provocation f

provocar [58] vt provoquer; Col, Méx Perú, Ven **¿te provoca hacerlo? (t apetece?** ça te dit de le faire?

provocativo, -a adj provocant(e)

próximo, -a adj proche; (siguiente prochain(e); **el domingo p. di manche prochain; **el p. año** l'anné prochaine

proyección nf projection f; Fig **de p internacional** d'envergure interna tionale

proyectar vt projeter

proyecto nm projet m; **p. d investigación** (de un grupo) projet d

recherche; *(de una persona)* mémoire
m ■ **p. de ley** projet de loi
proyector *nm* projecteur *m*
prudencia *nf* prudence *f*; **con p.**
(comer, beber) avec modération
prudente *adj* prudent(e); **a una hora
p.** à une heure raisonnable
prueba 1 *ver* **probar**
  2 *nf (demostración, manifestación)*
preuve *f*; *(trance, examen, de deporte)*
épreuve *f*; *(comprobación)* essai *m*;
(médica) analyse *f*; **a p. de** à l'épreuve
de; **a toda p.** à toute épreuve; **en** *o*
como p. de comme preuve de; **poner
a p.** *(persona)* mettre à l'épreuve;
(cosa) tester ■ **p. de acceso a la
universidad** examen *m* d'entrée à
l'université; **p. del embarazo** test *m*
de grossesse; **p. del sida** test du sida
psicoanálisis *nm inv* psychanalyse *f*
psicología *nf* psychologie *f*
psicológico, -a *adj* psychologique
psicólogo, -a *nm,f* psychologue *mf*
psicópata *nmf* psychopathe *mf*
psiquiatra *nmf* psychiatre *mf*
psiquiátrico, -a 1 *adj* psychiatrique
  2 *nm* hôpital *m* psychiatrique
psíquico, -a *adj* psychique
púa *nf (de planta, erizo)* piquant *m*; *(de
peine)* dent *f*; *(para guitarra)* médiator
m
pub [paβ, paf] *(pl* **pubs)** *nm* bar *m (café)*
pubertad *nf* puberté *f*
pubis *nm inv* pubis *m*
publicación *nf* publication *f*
publicar [58] *vt* publier
publicidad *nf* publicité *f*
publicitario, -a *adj & nm,f*
publicitaire *mf*
público, -a 1 *adj* public(ique); **en p.**
en public; **hacer p.** *(escándalo,
noticia)* rendre public **2** *nm* public *m*
pucha *interj Andes, RP Fam* **¡p.!,
¡puchas!** punaise!
pucho *nm CSur Fam (colilla)* mégot *m*;
(cigarrillo) cigarette *f*
pudor *nm* pudeur *f*; *(timidez)* retenue *f*
pudrir 1 *vt* pourrir **2** **pudrirse** *vpr*
pourrir

pueblo *nm (población)* village *m*;
(nación, proletariado) peuple *m*
puente *nm* pont *m*; *(en castillo)* pont-
levis *m*; *(aparato dental)* bridge *m*;
hacer p. faire le pont ■ **p. aéreo** pont
aérien
puerco, -a 1 *adj* dégoûtant(e) **2** *nm,f
(animal)* porc *m*, truie *f*; *Fam Fig
(persona) (sucia)* cochon(onne) *m,f*;
(malintencionada) dégueulasse *mf*
puerro *nm* poireau *m*
puerta *nf* porte *f*; *(exterior)* porte-
fenêtre *f*; *(en deporte)* buts *mpl*; **a las
puertas de** à deux doigts de; **a p.
cerrada** à huis clos
puerto *nm* port *m*; *(de montaña)* col *m*
■ **p. deportivo** port de plaisance
Puerto Rico *n* Porto Rico, Puerto
Rico
pues *conj (dado que, porque)* car; *(así
que)* donc; *(enfático)* eh bien; **te
decía, p., que...** je te disais donc
que...; **¡p. ya está!** eh bien voilà!; **¡p.
claro!** mais bien sûr!
puesto, -a 1 *participio ver* **poner**
  2 *adj* **ir muy p.** être bien habillé(e); **p.
que** puisque
  3 *nm (lugar)* poste *m*; *(en fila,
clasificación)* place *f*; *(tenderete)* étal
m; **p. (de trabajo)** poste (de travail);
p. de periódicos kiosque *m* à
journaux ■ **p. de socorro** poste de
secours
  4 *nf* **puesta** *(acción)* mise *f*; *(de ave)*
ponte *f* ■ **puesta al día** mise à jour;
puesta en escena mise en scène;
puesta en marcha mise en marche;
puesta a punto mise au point;
puesta de sol coucher *m* de soleil
pulga *nf* puce *f*; *Fig* **tener malas
pulgas** avoir mauvais caractère
pulgar *nm* pouce *m*
pulir 1 *vt (alisar)* polir; *(perfeccionar)*
peaufiner **2** **pulirse** *vpr (gastarse)*
engloutir
pulmón *nm* poumon *m*
pulmonía *nf* pneumonie *f*
pulpa *nf* pulpe *f*
pulpería *nf Am* épicerie-buvette *f*

pulpo nm (animal) poulpe m; (correa elástica) tendeur m

pulque nm CAm, Méx pulque m (boisson alcoolisée à base de jus d'agave fermenté)

pulquería nf CAm, Méx (bar) = bar où l'on sert du pulque; (tienda) = boutique où l'on vend du pulque

pulsar vt (botón, tecla) appuyer sur; (cuerdas) gratter; (asunto, opinión) sonder

pulsera nf bracelet m

pulso nm (latido) pouls m; (de fuerza) bras m de fer; **a p.** à la force du poignet; **tener buen p.** (firmeza) avoir la main sûre; **tomar el p. a alguien** prendre le pouls à qn

puma nm puma m

puna nf Andes, Arg mal m des hauteurs ou des montagnes

punk [pank] (pl punks) adj & nmf punk mf

punta nf pointe f; (de lengua, dedos) bout m; (del pan) croûton m; **sacar p. a un lápiz** tailler un crayon; **Fam tener algo en la p. de la lengua** avoir qch sur le bout de la langue

puntada nf (de pespunte) point m; (agujero) trou m; RP, Ven (dolor) douleur f vive

puntaje nm CSur ponctuation f

puntapié nm coup m de pied

puntera ver puntero

puntería nf (destreza) adresse f (au tir); (orientación) visée f

puntero, -a 1 adj de pointe **2** nm baguette f **3** nm,f CSur Dep ailier m **4** nf puntera (de zapato, calcetín) bout m

puntiagudo, -a adj pointu(e)

puntilla nf dentelle f rapportée; **dar la p.** donner l'estocade; **de puntillas** sur la pointe des pieds

punto nm point m; (lugar) lieu m; (estado) stade m; (grado de color) nuance f; (pizca, toque) point m; (objetivo) but m; **estar a p.** être au point; **llegar a p.** arriver à point; **dos puntos** deux points; **en p.** pile; **las**

cinco en p. à cinq heures pile; **al p.** immédiatement; **hasta cierto p.** jusqu'à un certain point; **hacer p.** tricoter, faire du tricot ■ **p. cardinal** point cardinal; **p. y coma** point-virgule m; **p. muerto** point mort; **p. de partida** point de départ; **p. de reunión** lieu de rencontre; (en aeropuerto, estación) point de rencontre; **puntos suspensivos** points de suspension; **p. (de sutura)** point (de suture); **p. de venta** point de vente; **p. de vista** point de vue

puntuación nf (calificación) note f; (en concurso, competiciones) classement m; (ortográfica) ponctuation f

puntual adj ponctuel(elle); (exacto, detallado) circonstancié(e)

puntualidad nf (en el tiempo) ponctualité f; (exactitud) précision f

puntualizar [14] vt préciser

puntuar [4] **1** vt (calificar) noter; (escrito) ponctuer **2** vi (calificar) noter; (entrar en el cómputo) compter (para pour)

punzón nm poinçon m

puñado nm poignée f; Fig **a puñados** en pagaille

puñal nm poignard m

puñalada nf coup m de poignard

puñeta muy Fam **1** nf (tontería) connerie f; **hacer la p. a alguien** (hacer una jugarreta) faire une crasse à qn; **mandar a hacer puñetas** envoyer balader **2** interj merde!

puñetazo nm coup m de poing

puñetero, -a muy Fam **1** adj (persona, cosa) foutu(e); **tu p. marido** ton foutu mari **2** nm,f emmerdeur(euse) m,f

puño nm (mano cerrada) poing m; (de manga) poignet m; (empuñadura) poignée f; **de su p. y letra** de sa propre main; **morderse los puños de rabia** écumer de rage; **tener a alguien en un p.** avoir qn sous sa botte

pupa nf (erupción) bouton m

pupitre nm pupitre m

puré nm purée f; Fam **estar hecho p.** être HS

puritano, -a *adj & nm,f* puritain(e) *m,f*

puro, -a 1 *adj* pur(e); *(íntegro)* droit(e) **2** *nm* cigare *m*

puteada *nf CSur Fam* gros mot *m*

putear *Vulg* **1** *vt Esp (fastidiar)* faire chier **2** *vi (ir de putas)* aller voir les putes

puto, -a *Vulg* **1** *adj* este p. ... ce putain de...; **de puta madre** *(cantar, cocinar)* hyper-bien; *(persona, película)* génial(e) **2** *nm,f* prostitué *m*, pute *f*

puzzle ['puθle], **puzle** *nm* puzzle *m*

PVP *nm (abrev* **precio de venta al público)** ppv *m*

pza. *(abrev* **plaza)** Pl., pl.

Qq

que 1 *pron relativo* (**a**) *(sujeto)* qui; **la moto q. me gusta** la moto qui me plaît; **ese hombre es el q. me lo compró** c'est cet homme qui me l'a acheté

(**b**) *(complemento directo)* que; **el hombre q. conociste ayer...** l'homme que tu as rencontré hier...; **el libro q. le regalé** le livre que je lui ai offert

(**c**) *(complemento indirecto)* **ése es el chico al q. hablé** c'est le jeune homme à qui j'ai parlé; **la señora a la q. fuiste a ver** la dame que tu es allé voir

(**d**) *(complemento circunstancial)* **la playa a la q. fui de vacaciones** la plage où j'ai passé mes vacances; **(en) q.** où; **el día en q. fui** le jour où j'y suis allé

2 *conj* que; **es importante q. me escuches** il est important que tu m'écoutes; **me ha confesado q. me quiere** il m'a avoué qu'il m'aime; **es más rápido q. tú** il est plus rapide que toi; **me lo pidió tantas veces q. se lo di** il me l'a demandé tant de fois que je le lui ai donné; **ven aquí q. te vea** viens ici que je te voie; **quiero q. lo hagas** je veux que tu le fasses; **déjalo, q. está durmiendo** laisse-le, il dort; **¡q. te diviertas!** amuse-toi

bien!; **es que...** c'est-à-dire que...

qué 1 *adj* quel (quelle); **¿q. hora es?** quelle heure est-il?; **¿q. libros?** quels livres?; **¡q. día!** quelle journée!

2 *pron* que; **¿q. quieres?** que veux-tu?; **no sé q. hacer** je ne sais pas quoi faire; **¿q. te dijo?** qu'est-ce qu'il t'a dit?; **¿q.?** *(¿cómo?)* quoi?

3 *adv* que; **¡q. tonto eres!** que tu es bête!; **¡y q.!** et alors!; **q. de** que de; **¡q. de gente hay aquí!** que de monde!; **¿q. tal?** comment ça va?

quebrado, -a 1 *adj (camino, terreno)* accidenté(e); *(número)* fractionnaire; **la voz quebrada** la voix cassée; **una línea quebrada** une ligne brisée **2** *nm (fracción)* fraction *f*

quebrar [3] **1** *vt (romper)* casser **2** *vi (empresa)* faire faillite **3 quebrarse** *vpr (romperse)* se casser; *(voz)* se briser

quedar 1 *vi* (**a**) *(permanecer, haber aún, faltar)* rester; **el cuadro quedó sin acabar** le tableau est resté inachevé; **quedan tres manzanas** il reste trois pommes; **nos quedan dos días para...** il nous reste deux jours pour...; **queda mucho por hacer** il reste beaucoup à faire; **¿cuánto queda para León?** il reste combien jusqu'à León?

(**b**) *(mostrarse)* **quedó como un imbécil** il s'est comporté comme un imbécile; **q. bien/mal (con alguien)** faire bonne/mauvaise impression (à qn)

(**c**) *(llegar a ser, resultar)* **la fiesta ha quedado perfecta** la fête a très bien tourné

(**d**) *(sentar)* **q. bien/mal a alguien** aller bien/mal à qn

(**e**) *(citarse)* **q. con alguien** prendre rendez-vous avec qn

(**f**) *Fam (estar situado)* **¿por dónde queda eso?** ça se trouve où, ça?

(**g**) *(acordar)* **q. en** convenir de; **q. en que** convenir que; **¿en qué quedamos?** alors, qu'est-ce qu'on décide?

2 *v impersonal* **por mí que no quede** je ferai tout mon possible

3 quedarse *upr (permanecer)* rester; *(ponerse)* devenir; **se quedó ciego** il est devenu aveugle; **quedarse con algo** *(retener)* garder qch; **quédese con el cambio** gardez la monnaie; *Fam* **quedarse con alguien** *(burlarse de)* se payer la tête de qn

quehacer *nm* travail *m*; **quehaceres domésticos** travaux *mpl* ménagers

quejarse *upr (lamentarse)* se plaindre (de/a de/à)

quejido *nm* gémissement *m*

quemadura *nf* brûlure *f*

quemar 1 *vt* brûler; *(fusible)* fondre; *(motor)* griller **2** *vi* brûler **3 quemarse** *upr* brûler; *(fusible)* griller; **me quemé con café hirviendo** je me suis brûlé avec du café bouillant; **me quemé la mano** je me suis brûlé la main; **se quemó en la playa** elle a pris un coup de soleil à la plage; **se quemó el arroz** il a fait brûler le riz

quepa *ver* **caber**

quepo *ver* **caber**

queque *nm Andes* gâteau *m*

querer [52] **1** *vt* **a**) *(desear)* vouloir; **quiero pan** je veux du pain; **quiere hacerse abogado** il veut devenir avocat; **¿cuánto quiere por esa**

chaqueta? combien voulez-vous pour cette veste?; **q. que alguien haga algo** vouloir que qn fasse qch

(**b**) *(amar)* aimer

2 *vi* vouloir; **ven cuando quieras** viens quand tu veux *ou* voudras; **q. decir** vouloir dire; **queriendo** *(con intención)* exprès; **sin q.** sans faire exprès

3 *v impersonal (haber atisbos)* **quiere llover** on dirait qu'il va pleuvoir

4 quererse *upr* s'aimer

querido, -a 1 *adj* cher(ère) **2** *nm,f* amant *m*, maîtresse *f*; **¡ven, querida!** viens, chérie!

quesadilla *nf Méx* = tortilla fourrée de viande en sauce ou de légumes au fromage, repliée en chausson puis frite au saindoux

queso *nm* fromage *m* ■ **q. manchego** = fromage au lait de brebis typique de la Manche; **q. rallado** fromage râpé

quiebra 1 *ver* **quebrar**

2 *nf (ruina)* faillite *f*; **ir a la q.** faire faillite

quien 1 *pron relativo* (**a**) *(sujeto)* qui; **fue mi hermano q. me lo explicó** c'est mon frère qui me l'a expliqué; **eran sus hermanas quienes la ayudaron** ce sont ses sœurs qui l'ont aidé (**b**) *(complemento)* **son ellos a quienes quiero conocer** ce sont eux que je voudrais connaître; **era de Pepe de q. no me fiaba** c'est à Pepe que je ne faisais pas confiance

2 *pron indefinido* (**a**) *(sujeto)* celui (celle) qui; **q. lo quiera que luche por ello** que celui qui le veut se batte pour l'avoir; **quienes quieran verlo que se acerquen** que ceux qui veulent le voir s'approchent

(**b**) *(complemento)* **apoyaré a quienes considere oportuno** je soutiendrai ceux que je jugerai bon de soutenir; **vaya con q. vaya** allez avec qui bon vous semble; **q. más q. menos** tout un chacun

quién *pron* qui; **¿q. es ese hombre?** qui est cet homme?; **no sé q. viene** je ne sais pas qui vient; **¿a quiénes has**

invitado? qui as-tu invité?; **dime con q. vas a ir** dis-moi avec qui tu vas y aller; **¿q. es?** *(en la puerta)* qui est là?; *(al teléfono)* qui est à l'appareil?; **¡q. pudiera verlo!** si seulement je pouvais le voir!

quieto, -a *adj* tranquille; **¡estate q.!** tiens-toi tranquille!, sois sage!

quilla *nf (de barco)* quille *f; (de ave)* bréchet *m*

quillango *nm Arg, Chile* couverture *f* en fourrure

quilo = **kilo**

quilombo *nm CSur muy Fam (burdel, lío)* bordel *m*

químico, -a 1 *adj* chimique **2** *nm,f* chimiste *mf* **3** *nf* **química** chimie *f*

quimono *nm* kimono *m*

quince 1 *adj num inv* quinze; **el siglo q.** le quinzième siècle **2** *nm inv* quinze *m inv; ver también* **seis**

quincena *nf* quinzaine *f*

quincho *nm RP (techo)* toit *m* de chaume; *(en jardín, playa)* = abri avec un toit de chaume

quiniela *nf (boleto)* bulletin *m* (de loterie); *(combinación)* combinaison *f*; **la q.** le loto sportif ■ **q. hípica** PMU *m*

quinientos, -as *adj num inv* cinq cents; *ver también* **seiscientos**

quinqué *nm* quinquet *m*

quinta *ver* **quinto**

quinteto *nm* quintette *m*

quinto, -a 1 *adj num* cinquième; *ver también* **sexto**
 2 *nm (parte)* cinquième *m; (soldado)* appelé *m*
 3 *nf* **quinta** *(finca)* maison *f* de campagne; *(promoción)* promotion *f*

quiosco *nm* kiosque *m* ■ **q. de periódicos** kiosque à journaux

quirófano *nm* bloc *m* opératoire

quisquilloso, -a *adj (detallista)* pointilleux(euse); *(susceptible)* chatouilleux(euse)

quitamanchas *nm inv* détachant *m*

quitar 1 *vt* enlever; *(desconectar)* éteindre; *(impedir)* empêcher; **q. algo a alguien** *(despojar, robar)* prendre qch à qn; **q. tiempo** prendre du temps; **de quita y pon** amovible; **q. el sueño** empêcher de dormir; **esto no quita que...** il n'empêche que...; **quitando el queso me gusta todo** à part le fromage, j'aime tout
 2 quitarse *vpr (apartarse)* se pousser; *(ropa)* enlever, retirer; *(sujeto: mancha)* partir; **me quito la chaqueta** j'enlève ma veste; **quitarse la vida** se donner la mort

quizá, quizás *adv* peut-être; **q. llueva mañana** peut-être pleuvra-t-il demain; **q. no lo sepas** tu ne le sais peut-être pas; **q. sí/no** peut-être que oui/non

Rr

rábano *nm* radis *m; Fig* **me importa un r.** je m'en fiche comme de l'an quarante

rabia *nf* rage *f*; **me da r.** ça m'énerve

rabieta *nf Fam* **tener una r.** piquer une crise

rabioso, -a *adj* enragé(e); *(tono, voz)* rageur(euse); *(excesivo)* furieux (euse); *(chillón)* criard(e)

rabo *nm* queue *f*

racha *nf (ráfaga)* rafale *f; (época)* vague *f; Fig* **mala r.** mauvaise passe *f; Fig* **a rachas** par à-coups

racial *adj* racial(e)

racimo *nm* (de uvas) grappe *f*; (de plátanos) régime *m*

ración *nf* (porción) part *f*; (cantidad fija) ration *f*; (en bar, restaurante) petite assiette *f*

racismo *nm* racisme *m*

racista *adj & nmf* raciste *mf*

radar *nm* radar *m*

radiación *nf* (rayos, radiactividad) radiation *f*; (acción) rayonnement *m*

radiador *nm* radiateur *m*

radial *adj* (estructura) radial(e); *Am* (emisión, cadena) de radio

radiante *adj* (sol, persona) radieux(euse); **r. de alegría** rayonnant(e) de joie

radiar [14] *vt* (noticias, programa) radiodiffuser

radical 1 *adj* radical(e) **2** *nm* radical *m*

radio 1 *nm* (de rueda, de circunferencia) rayon *m*; (hueso) radius *m*; (elemento químico) radium *m*; **r. de acción** rayon d'action **2** *nf* radio *f*; **oír algo por la r.** entendre qch à la radio

radioaficionado, -a *nm,f* radio-amateur *m*

radiocasete, radiocassette *nm* radiocassette *f*

radiodespertador *nm* radio-réveil *m*

radiodifusión *nf* radiodiffusion *f*

radiograbador *nm* *CSur* radio-cassette *f*

radiografía *nf* radiographie *f*

radiotaxi *nm* radio-taxi *m*

radioyente *nmf* auditeur(trice) *m,f*

raer [53] *vt* racler

ráfaga *nf* rafale *f*; (con los faros) appel *m* de phares

rafting *nm* rafting *m*

raíl, rail *nm* rail *m*

raíz *nf* racine *f*; (causa) origine *f*; **a r. de** à la suite de; **cortar de r.** (mal, problema) éradiquer; **echar raíces** prendre racine ■ **r. cuadrada** racine carrée

raja *nf* (de melón, sandía) tranche *f*; (grieta) (en madera, pared) fissure *f*; (en cristal) fêlure *f*

rajar 1 *vt* (partir) (madera, pared) fissurer; (cristal) fêler; **el mármol está rajado** le marbre est fendu **2 rajarse** *vpr* (partirse) (madera, pared) se fissurer; (cristal) se fêler; (mármol) se fendre; *Fam* (echarse atrás) se dégonfler

rajatabla: a rajatabla *adv* à la lettre

rallador *nm* râpe *f*

rallar *vt* râper

rally ['rrali] *nm* rallye *m*

rama *nf* branche *f*; *Fam Fig* **andarse por las ramas** tourner autour du pot

rambla *nf* (avenida) promenade *f*

ramo *nm* (de flores) bouquet *m*; (actividad) branche *f*

rampa *nf* (para subir y bajar) rampe *f*; (cuesta) côte *f* ■ **r. de lanzamiento** rampe de lancement

rana *nf* grenouille *f*

ranchero, -a 1 *nm,f* fermier(ère) *m,f* **2** *nf* ranchera (canción) = chanson populaire mexicaine; (vehículo) break *m*

rancho *nm* (granja) ranch *m*; *Am* (choza) cahute *f*; *Ven* **ranchos** bidonville *m*

rancio, -a *adj* (pasado) rance; (vino) aigre; (antiguo) ancien(enne)

rango *nm* rang *m*

ranura *nf* rainure *f*; (para monedas) fente *f*

rape *nm* (pez) baudroie *f*; (pescado) lotte *f*; **al r.** (corte de pelo) (à) ras

rapidez *nf* rapidité *f*; **con r.** rapidement

rápido, -a 1 *adj* rapide **2** *adv* vite; **¡no tan r.!** pas si vite! **3** *nm* (tren) rapide *m*; **rápidos** (de río) rapides

raptar *vt* enlever, kidnapper

raqueta *nf* raquette *f*

raro, -a *adj* (extraño, extravagante) bizarre; (excepcional, escaso) rare; **¡qué animal más r.!** quel drôle d'animal!; **lo veo rara vez** je le vois rarement

rascacielos *nm inv* gratte-ciel *m inv*

rascar [58] **1** *vt* gratter; (con espátula)

racler 2 *vi* gratter 3 **rascarse** *upr* se
gratter
rasgar [37] 1 *ut* déchirer 2 **rasgarse**
upr se déchirer
rasgo nm trait m; *(de heroísmo)* acte m;
rasgos *(de rostro, letra)* traits; **a
grandes rasgos** à grands traits
raso, -a 1 *adj (mano)* plat(e); *(lleno)*
plein(e); *(cucharada)* ras(e); *(cielo)*
dégagé(e); *(vuelo)* en rase-mottes;
en campo r. en rase campagne; **muy
r.** très bas 2 nm satin m; **al r.** à la belle
étoile
rastrillo nm *(en jardinería)* râteau m;
(mercado) petit marché m aux puces;
(benéfico) vente f de charité
rastro nm *(huella)* trace f; *(mercado)*
marché m aux puces; **sin dejar r.**
sans laisser de traces
rata nf rat m
ratero, -a nm,f voleur(euse) m,f
rato nm moment m; **al (poco) r. (de)**
juste après; **hace un r.** ça fait un
moment; **mucho r.** longtemps; **pasar
el r.** passer le temps; **pasar un mal r.**
passer un mauvais moment; *Fig* **a
ratos** par moments; **eso tiene para r.**
ce n'est pas demain la veille
ratón nm también Informát souris f
raya nf *(pez, línea)* raie f; *(raspadura, de
color)* rayure f; *(de animal)* zébrure f;
(de pantalón) pli m; *(de cocaína)* ligne
f; *Fig (límite)* limite f; *(guión)* tiret m; **a
rayas** à rayures; **mantener o tener a r.
a alguien** tenir la bride haute à qn;
pasarse de la r. dépasser les bornes
ou les limites
rayo *ver* **raer**
     2 nm *(de luz)* rayon m; *(relámpago)*
foudre f ▪ **r. láser** rayon laser; **r. X**
rayon X; **rayos infrarrojos** rayons
infrarouges; **rayos ultravioleta**
rayons ultraviolets; **rayos uva** UV mpl
rayuela nf RP marelle f
raza nf race f; *Perú Fam (cara)* culot m;
de r. de race
razón nf raison f; *(información)*
renseignements mpl; **dar la r. a
alguien** donner raison à qn; **en r. de**

o a en raison de; **tener r.** avoir
raison; **y con r.** non sans raison; **r. de
ser** raison d'être; **r. aquí** *(en letrero)*
adressez-vous ici pour plus de
renseignements; **a r. de** à raison de
razonable *adj* raisonnable
razonamiento nm raisonnement m
razonar 1 *vt (argumentar)* justifier 2 *vi
(pensar)* raisonner
reacción nf réaction f
reaccionar *vi* réagir
reactor nm *(propulsor)* réacteur m;
(avión) avion m à réaction
real *adj (verdadero)* réel(elle); *(de
monarquía)* royal(e)
realeza nf *(monarcas)* royauté f;
(magnificencia) faste m
realidad nf réalité f; **en r.** en réalité
▪ **r. virtual** réalité virtuelle
realización nf réalisation f
realizar [14] 1 *vt* réaliser; *(esfuerzo,
inversión)* faire 2 **realizarse** *upr* se
réaliser; *(en un trabajo)* s'épanouir
realmente *adv* réellement; **está r.
enfadado** il est vraiment fâché
reanimación nf Med réanimation f
reanimar *vt (físicamente)* revigorer;
(moralmente) réconforter; *Med (resucitar)* réanimer
rebaja nf réduction f; **rebajas** soldes
mpl; **comprar algo de rebajas** acheter
qch en solde; **estar de rebajas** solder;
ir de rebajas faire les soldes
rebajado, -a *adj (precio)* réduit(e);
(mercancía) soldé(e), en solde;
(humillado) rabaissé(e)
rebajar 1 *vt (precio)* baisser;
(mercancía) solder; *(persona)* rabaisser; *(intensidad)* atténuer; *(altura)*
abaisser; **le rebajo 10 euros** je vous
fais une réduction de 10 euros 2
rebajarse *upr* se rabaisser; **rebajarse
a hacer algo** s'abaisser à faire qch
rebanada nf tranche f
rebanar *vt (pan)* couper (en
tranches); *(cortar)* sectionner
rebaño nm troupeau m
rebelarse *upr* se rebeller
rebelde *adj & nmf* rebelle mf

rebeldía nf révolte f
rebelión nf rébellion f
rebenque nm CSur fouet m
rebozado, -a adj enrobé(e) de pâte à frire
rebozo nm Am châle m
recado nm (mensaje) message m; (encargo, diligencia) course f
recaer [13] vi retomber; (enfermo) rechuter; **r. en** (vicio, error) retomber dans; **r. sobre** (culpa, responsabilidad) retomber sur
recalcar [58] vt insister sur
recalentar [3] **1** vt (volver a calentar) réchauffer; (motor) surchauffer **2 recalentarse** upr surchauffer
recámara nf (de arma de fuego) magasin m; CAm, Col, Méx (dormitorio) chambre f
recamarera nf CAm, Col, Méx bonne f
recambio nm (pieza) pièce f de rechange; (de bolígrafo) recharge f; **de r.** de rechange; **una rueda de r.** une roue de secours
recarga nf (de móvil) recharge f
recargar [37] **1** vt (volver a cargar) recharger; (aumentar) majorer; **r. algo/a alguien de algo** surcharger qch/qn de qch **2 recargarse** upr Méx s'appuyer (**contra** contre)
recato nm (decencia) pudeur f; (miramiento) prudence f; **no tener r. en** n'avoir aucun scruple à
recepción nf réception f
recepcionista nmf réceptionniste mf
receptor, -ora **1** adj récepteur(trice) **2** nm,f récepteur(euse) m,f **3** nm (aparato) récepteur m
recesión nf récession f
receta nf (de cocina) recette f; (para medicamento) ordonnance f
rechazar [14] vt (propuesta, petición, transplante) rejeter; (enemigo) repousser
rechazo nm (negativa) refus m; (de transplante, propuesta) rejet m
rechupete: de rechupete adj Fam (comida) **está de r.** c'est succulent

recibidor nm (vestíbulo) entrée f
recibimiento nm accueil m
recibir 1 vt recevoir; (dar la bienvenida, acoger) accueillir; **r. una carta/invitados** recevoir une lettre/des invités **2** vi **el médico recibe los lunes** le médecin reçoit le lundi **3 recibirse** upr Am = obtenir son diplôme de fin de second cycle
recibo nm (acción) réception f; (documento) reçu m; (de alquiler, luz) quittance f
reciclaje nm recyclage m
reciclar vt recycler
recién adv récemment; **r. edificado** récemment construit; **los r. casados** les jeunes mariés; **los r. llegados** les nouveaux venus; **un r. nacido** un nouveau-né
reciente adj récent(e); (pan, pintura, sangre) frais (fraîche)
recinto nm enceinte f
recipiente nm récipient m
recital nm récital m; (de rock) concert m
recitar vt réciter
reclamación nf réclamation f
reclamar 1 vt réclamer **2** vi (protestar) déposer une réclamation (**contra** contre)
reclamo nm (publicidad) réclame f; (pito, de ave) appeau m; Am (queja) réclamation f; (reivindicación) revendication f
recluir [33] **1** vt enfermer **2 recluirse** upr s'enfermer, se cloîtrer
reclusión nf réclusion f
recobrar 1 vt (dinero, salud) recouvrer; (aliento, conocimiento) reprendre **2 recobrarse** upr récupérer; **recobrarse de** se remettre de
recogedor nm pelle f (à poussière)
recoger [53] **1** vt ramasser; (habitación) ranger; (reunir, albergar) recueillir; (cosechar, obtener) récolter; **r. la mesa** débarrasser la table, **pasó a recogerme** il est passé me prendre **2 recogerse** upr (retirarse) aller se coucher; (a meditar) se re

cueillir; **recogerse el pelo** attacher ses cheveux

recogido, -a 1 *adj (lugar)* tranquille; *(cabello)* attaché(e) **2** *nf* **recogida** *(de frutas, cereales)* récolte *f; (de basuras)* ramassage *m*

recolección *nf (de frutas, cereales)* récolte *f; (de fondos)* collecte *f*

recomendado, -a 1 *adj Am (correspondencia)* recommandé(e) **2** *nm,f* **es un r. de** il a été recommandé par

recomendar [3] *vt* recommander

recompensa *nf* récompense *f*

recompensar *vt* récompenser

reconocer [19] **1** *vt* reconnaître; *(examinar)* examiner **2 reconocerse** *vpr* se reconnaître

reconocimiento *nm* reconnaissance *f* ■ **r. (médico)** examen *m* médical

reconquista *nf* reconquête *f;* **la R.** la Reconquista

récord *(pl* **récords)** *nm* record *m;* **batir/establecer un r.** battre/établir un record

recordar [62] *vt* rappeler; *(acordarse de)* se rappeler, se souvenir de; **te recuerdo que tienes que madrugar** je te rappelle que tu dois te lever tôt; **me recuerda a un amigo mío** il me rappelle un ami à moi; **recuerdo mis primeras vacaciones** je me souviens de *ou* je me rappelle mes premières vacances; **si mal no recuerdo** si je me souviens bien

recorrer *vt* parcourir

recorrido *nm (trayecto)* parcours *m*

recortar 1 *vt (cortar) (lo que sobra)* couper; *(figura)* découper; *Fig (sueldo, presupuesto)* réduire **2 recortarse** *vpr (perfilarse)* se découper

recostar [62] **1** *vt* appuyer **2 recostarse** *vpr* s'appuyer

recreo *nm (entretenimiento)* loisir *m; (en colegio)* récréation *f*

recta *ver* **recto**

rectángulo, -a 1 *adj* rectangle **2** *nm* rectangle *m*

rectitud *nf* rectitude *f; Fig (moral)* droiture *f*

recto, -a 1 *adj (derecho)* droit(e); *(justo, verdadero)* juste **2** *nm Anat* rectum *m* **3** *adv* tout droit **4** *nf* **recta** droite *f;* **la recta final** la dernière ligne droite

rector, -ora 1 *adj* directeur(trice) **2** *nm,f* recteur *m*

recuerdo 1 *ver* **recordar** **2** *nm* souvenir *m;* **¡(dale) recuerdos a tu hermano!** bien des choses à ton frère!

recuperación *nf (de lo perdido)* récupération *f; (de la salud)* rétablissement *m; (de la economía)* redressement *m; (examen)* rattrapage *m*

recuperar 1 *vt* récupérer; *(horas de trabajo, examen)* rattraper; **r. fuerzas** reprendre des forces **2 recuperarse** *vpr* **recuperarse de** *(enfermo)* se remettre de; *(de una crisis)* se relever de

recurrir *vi (ante tribunal)* faire appel; **r. a** avoir recours à

recurso *nm (medio)* recours *m; Der* pourvoi *m;* **recursos** ressources *fpl* ■ **recursos naturales** ressources naturelles

red *nf* réseau *m; (malla)* filet *m* ■ **r. de carreteras** *o* **viaria** réseau routier

redacción *nf* rédaction *f*

redactar *vt* rédiger

redactor, -ora *nm,f* rédacteur(trice) *m,f*

redil *nm* enclos *m*

redondel *nm* rond *m*

redondo, -a *adj (circular, esférico)* rond(e); *(ventajoso)* excellent(e); *(rotundo)* catégorique; *(cantidad)* tout rond; **a la redonda** à la ronde; *Fig* **salir r.** être parfait(e)

reducción *nf* réduction *f*

reducir [18] **1** *vt* réduire; *(tropas, rebeldes)* soumettre **2** *vi (cambiar de marcha)* ralentir **3 reducirse** *vpr* **reducirse a** *(limitarse a)* se réduire à; **tanta palabrería se reduce a que...**

(equivale a) tout ce verbiage revient à dire que…

reembolsar 1 *vt* rembourser **2 reembolsarse** *vpr* être remboursé(e)

reembolso *nm* remboursement *m*

reemplazar [14] *vt* remplacer

reestreno *nm* reprise *f*; **película de r.** reprise

reestructurar *vt* restructurer

refacción *nf Am (reparación)* réparation *f*; *Chile, Méx (recambio)* pièce *f* détachée

refaccionar *vt Am* réparer

referencia *nf* référence *f*; *(a una palabra)* renvoi *m*; **con r. a** en ce qui concerne; **referencias** *(informes)* références

referéndum *(pl* referéndums*) nm* référendum *m*

referente *adj* **r. a algo** concernant qch; **en lo r. a…** en ce qui concerne…

referir [61] **1** *vt (narrar)* rapporter **2 referirse** *vpr* **referirse a** *(aludir a)* parler de; *(remitirse a)* se référer à; *(relacionarse con)* se rapporter à; **¿a qué te refieres?** de quoi parles-tu?; **por lo que se refiere a…** en ce qui concerne…

refilón: de refilón *adv (de lado)* de biais; *Fig (de pasada)* en passant; **dar de r.** frôler

refinería *nf* raffinerie *f*

reflejar 1 *vt* refléter **2 reflejarse** *vpr* se refléter

reflejo, -a 1 *adj* réfléchi(e); *(dolor, movimiento)* réflexe **2** *nm* reflet *m*; *(reacción)* réflexe *m*; **tener buenos reflejos** avoir de bons réflexes; **reflejos** *(tinte de pelo)* balayage *m*

reflexión *nf* réflexion *f*

reflexionar *vi* réfléchir

reforma *nf* réforme *f*; *(de local, habitación)* rénovation *f*; **cerrado por reformas** *(en letrero)* fermé pour travaux

reformar 1 *vt* réformer; *(local, casa)* rénover **2 reformarse** *vpr* s'amender

reforzar [30] *vt* renforcer

refrán *nm* proverbe *m*

refrescante *adj* rafraîchissant(e)

refresco *nm (bebida)* rafraîchissement *m*

refrigerador *nm (de alimentos)* réfrigérateur *m*; *(de máquinas)* refroidisseur *m*

refugiado, -a *adj & nm,f* réfugié(e) *m,f*

refugiar 1 *vt* donner refuge à **2 refugiarse** *vpr* se réfugier; **refugiarse de** se mettre à l'abri de

refugio *nm* refuge *m*; *(contra un ataque)* abri *m* ▪ **r. atómico** abri antiatomique; **r. de montaña** refuge (de montagne)

regadera *nf* arrosoir *m*; *Col, Méx, Ven (ducha)* douche *f*

regadío *nm* terres *fpl* irriguées

regalar *vt* offrir; **le regaló flores** il lui a offert des fleurs; **r. a alguien con algo** offrir qch à qn; **nos regaló con sus últimos poemas** il nous a offert ses derniers poèmes

regaliz *nm* réglisse *f*

regalo *nm (obsequio)* cadeau *m*; *(placer)* régal *m*; **de r.** en cadeau

regalón, -ona *adj CSur Fam* gâté(e)

regañar 1 *vt (reprender)* gronder **2** *vi (pelearse)* se disputer

regar [42] *vt* arroser

regata *nf* régate *f*

regatear 1 *vt (en deporte)* no ha regateado esfuerzos il n'a pas ménagé sa peine **2** *vi (discutir el precio)* marchander

regazo *nm* giron *m*

regenerar 1 *vt (tejido, órgano)* régénérer; *(persona)* réhabiliter **2 regenerarse** *vpr (tejido, órgano)* se régénérer; *(persona)* se réhabiliter

regente 1 *adj* régent(e) **2** *nmf (de un país)* régent(e) *m,f*; *(administrador)* gérant(e) *m,f* **3** *nm Méx (alcalde)* maire *m*

régimen *(pl* regímenes*) nm* régime *m*; *(de colegio, instituto)* règlement *m*; **estar a r.** être au régime; **Antiguo r.** Ancien Régime

regio, -a adj royal(e)

región nf région f

regir [54] **1** vt régir; (país, nación) diriger; (negocio) tenir **2** vi (ley) être en vigueur **3** regirse upr regirse por se fier à, suivre

registrado, -a adj (grabado) enregistré(e); (patentado) déposé(e); Méx (correspondencia) recommandé(e)

registradora nf Am caisse f enregistreuse

registrar **1** vt enregistrer; (nacimiento, defunción) déclarer; (patente) déposer; (inspeccionar) fouiller **2** vi fouiller **3** registrarse upr (matricularse) s'inscrire; (suceder) se produire

registro nm registre m; (inspección) fouille f; (de la policía) perquisition f; (señal) signet m ■ r. civil état m civil; r. de la propiedad conservation f des hypothèques

regla nf (norma) règle f; Fam (menstruación) règles fpl; **en r.** en règle; **por r. general** en règle générale

reglamento nm règlement m

regresar **1** vi rentrer, retourner **2** vt Am (devolver) rendre **3** regresarse upr Am (volver) rentrer, retourner

regreso nm retour m

regular¹ **1** adj (reglado, uniforme) régulier(ère); (mediocre) moyen (enne); (moderado) raisonnable; **por lo r.** habituellement **2** adv comme ci comme ça

regular² vt régler; (reglamentar) contrôler

regularidad nf régularité f; **con r.** régulièrement

rehabilitar vt réhabiliter; (enfermo) rééduquer

rehén nm otage m

rehogar [37] vt faire revenir

reina nf (monarca) reine f; (en naipes) dame f; (apelativo) ma belle; **ven aquí, mi r.** viens là, ma belle

reinado nm règne m

reinar vi régner

reincorporar **1** vt réintégrer

2 reincorporarse upr reincorporarse a (trabajo) reprendre

reino nm royaume m; (animal, vegetal) règne m

Reino Unido nm el R. le Royaume-Uni

reintegro nm (reincorporación) réintégration f; (en banco) retrait m; (de gastos, préstamos) remboursement m; (en lotería) remboursement m du billet

reír [55] **1** vi rire **2** vt rire de; **le ríe todas las gracias** il rit de toutes ses plaisanteries **3** reírse upr rire; reírse con o de algo rire de qch; reírse de alguien se moquer de qn

reivindicación nf revendication f

reivindicar [58] vt revendiquer

reja nf grille f; estar entre rejas être derrière les barreaux

rejilla nf (enrejado) grillage m; (de cocina, horno) grille f; (de silla) cannage m

rejuvenecer [45] **1** vt & vi rajeunir **2** rejuvenecerse upr rajeunir

relación nf relation f; (enumeración) liste f; (descripción) récit m; (informe) rapport m; **con r. a, en r. con** en ce qui concerne; **tener r. con alguien** fréquenter qn; **relaciones** (contactos) relations ■ **relaciones públicas** relations publiques

relacionar **1** vt (vincular) mettre en relation **2** relacionarse upr relacionarse con alguien fréquenter qn

relajación nf (reposo) relaxation f

relajar **1** vt (músculo, moral) relâcher **2** relajarse upr (descansar) se détendre

relajo nm Am Fam (alboroto) foire f

relámpago nm éclair m

relampaguear vi étinceler

relatar vt (suceso) relater; (historia) raconter

relativo, -a adj (no absoluto) relatif(ive); r. a algo (concerniente) concernant qch; **en lo r. a...** en ce qui concerne

relato nm (exposición) rapport m;

(narración) récit m; *(cuento)* nouvelle f

relevo nm *(sustituto)* relève f; tomar el r. prendre la relève f; **(carrera de) relevos** course f de relais

relieve nm relief m; *Fig* **poner de r.** mettre en relief

religión nf religion f

religioso, -a adj & nm,f religieux(euse) m,f

relinchar vi hennir

rellano nm *(de escalera)* palier m

rellenar vt remplir; *(agujeros)* boucher; *(pimiento, pavo)* farcir

relleno, -a 1 adj *(pimiento, pavo)* farci(e); *(tarta, pastel)* fourré(e); **estar r.** *(persona)* être enveloppé(e) **2** nm *(de pimiento, pavo)* farce f; *(de tarta, pastel)* garniture f

reloj nm horloge f; *(de pulsera)* montre f; *Fig* **hacer algo contra r.** faire qch dans l'urgence ■ **r. despertador** réveil m; **r. digital** montre à affichage digital; **r. (de pared)** pendule f; **r. de pulsera** montre-bracelet f

relojería nf horlogerie f

relojero, -a nm,f horloger(ère) m,f

remar vi ramer

remediar vt *(mal, problema)* remédier à; *(daño)* réparer; *(peligro)* éviter

remedio nm solution f; *(consuelo)* réconfort m; *(medicina)* remède m; **como último r.** en dernier recours; **no hay** o **queda más r. que…** il n'y a pas d'autre solution que de…; **no tiene más r.** il n'a pas le choix; **¡qué r.!** qu'est-ce qu'on peut y faire?; **sin r.** *(inevitablemente)* forcément

remendar [3] vt raccommoder; *(con parches)* rapiécer; *(zapato)* réparer

remero, -a 1 nm,f rameur(euse) m,f **2** nf **remera** RP *(prenda)* tee-shirt m

remise [rre'mis] nm RP voiture f de location avec chauffeur

remisero, -a nm,f RP chauffeur m de voiture de location

remite nm **el r.** le nom et l'adresse de l'expéditeur

remitente nmf expéditeur(trice) m,f

remitir 1 vt *(enviar)* expédier;

(traspasar) transmettre **2** vi *(disminuir)* s'apaiser; *(fiebre)* baisser; **r. a** *(en texto)* renvoyer à **3 remitirse** upr **remitirse a** *(atenerse a)* s'en remettre à; *(referirse a)* se reporter à

remo nm *(pala)* rame f; *(deporte)* aviron m

remoción nf Am *(de objetos)* enlèvement m, ramassage m; *(de heridos)* transport m

remojar vt *(humedecer)* faire tremper; *(pan)* tremper

remojo nm **poner en r.** faire tremper

remolacha nf betterave f ■ **r. azucarera** betterave sucrière

remolcador, -ora 1 adj remorqueur(euse); **un barco r.** un remorqueur **2** nm remorqueur m

remolcar [58] vt remorquer

remolque nm *(acción)* remorquage m; *(vehículo)* remorque f

remontar 1 vt *(pendiente, montaña)* gravir; *(río, posiciones)* remonter *(obstáculo, desgracia)* surmonter **2 remontarse** upr *(aves, aviones)* s'élever; **remontarse a** *(gastos)* s'élever à; *Fig (en el tiempo)* remonter à

remordimiento nm remords m

remoto, -a adj *(en el tiempo, espacio)* lointain(e); *Fig* **no tengo ni la má remota idea de ello** je n'en ai pas la moindre idée

remover [40] **1** vt remuer; *(muebles objetos)* déplacer; *(pasado)* fouille dans **2 removerse** upr s'agiter

remuneración nf rémunération f

renacuajo nm têtard m

rencor nm rancune f; **guardar r. alguien (por)** garder rancune à q (de)

rendición nf reddition f

rendimiento nm rendement m

rendir [46] **1** vt *(vencer)* soumettre *(ofrecer)* rendre; *(cansar)* épuiser; **homenaje/culto a 2** vi *(tener rendimiento* être performant(e); *(negocio)* rappo ter, être rentable **3 rendirse** upr se rendre **(a** à); *(desanimarse)* abandonner

ner; **rendirse ante la evidencia** se rendre à l'évidence

Renfe nf (abrev **Red Nacional de los Ferrocarriles Españoles**) = réseau public espagnol des chemins de fer, ≃ SNCF f

rengo, -a adj & nm,f Andes, RP boiteux(euse) m,f

renguear vi Andes, RP boiter

reno nm renne m

renovación nf renouvellement m; (reforma, actualización) rénovation f

renovar [62] vt renouveler; (carné, pasaporte) faire renouveler; (reformar, actualizar) rénover; (innovar) donner une nouvelle dimension à

renta nf (ingresos) revenu m; (alquiler) loyer m; (pensión) rente f; **vivir de las rentas** vivre de ses rentes ■ **r. fija** revenu fixe; **r. per cápita** o **por habitante** revenu par habitant; **r. pública** dette f publique; **r. variable** revenu variable; **r. vitalicia** rente viagère

rentable adj rentable

rentar 1 vt (rendir) rapporter; Am (alquilar) louer **2** vi rapporter

renunciar vi renoncer; (rechazar) refuser; **r. a algo** renoncer à qch

reñir [46] **1** vt (persona, perro) gronder; (batalla, combate) livrer **2** vi (enfadarse) se disputer

reo, -a nm,f inculpé(e) m,f

reparación nf réparation f

reparar 1 vt réparer **2** vi (advertir) **r. en algo** remarquer qch; **no r. en gastos** ne pas regarder à la dépense

repartidor, -ora 1 adj distributeur(trice) **2** nm,f livreur(euse) m,f

repartir 1 vt (dividir) partager; (entregar) livrer; (correo, cartas, órdenes) distribuer; (esparcir) étaler; (asignar) répartir **2 repartirse** vpr (dividirse) se partager

reparto nm (de actores, distribución) distribution f; (división) partage m; (de mercancía) livraison f; (asignación) répartition f; (adjudicación de papeles) casting m

repasador nm RP torchon m

repasar vt (revisar) réviser, revoir; (recoser) recoudre

repaso nm (revisión) révision f

repelente adj repoussant(e); (niño) odieux(euse)

repente: de repente adv tout à coup

repentino, -a adj soudain(e)

repercusión nf répercussion f; **su película tuvo gran r. en el público** son film a eu un grand retentissement dans le public

repertorio nm répertoire m

repetición nf répétition f

repetir [46] **1** vt répéter; **r. curso** redoubler; **r. algo** (en comida) reprendre de qch **2** vi redoubler; (alimento) donner des renvois; (comensal) se resservir **3 repetirse** vpr se répéter

réplica nf réplique f; (respuesta) réponse f; **el derecho de r.** le droit de réponse

replicar [58] vt répliquer

repoblación nf repeuplement m ■ **r. forestal** reboisement m

repoblar [62] **1** vt repeupler **2 repoblarse** vpr (de gente) se repeupler

reponer [49] **1** vt (volver a poner) remettre; (en empleo, cargo) rétablir; (sustituir) remplacer; (obra) reprendre; (película, programa) repasser; (replicar) répondre

2 reponerse vpr se remettre (**de** de); **tardó en reponerse** (de una impresión) il a mis du temps à s'en remettre

reportaje nm reportage m

reportar 1 vt (beneficios) rapporter; Méx (denunciar) signaler; (informar) faire un rapport sur; (asuntos) parler de **2 reportarse** vpr Andes, CAm, Méx se présenter; **al llegar a la oficina se reportó a su jefe** en arrivant au bureau il est allé se présenter à son chef

reporte nm Méx (informe) rapport m; (noticia) nouvelle f; **recibí reportes de**

mi hermano j'ai eu des nouvelles de mon frère; **el r. del tiempo** le bulletin météorologique

reportero, -a *nm,f* reporter *m*

reposera *nf CSur* chaise *f* longue

reposo *nm* repos *m*

repostería *nf* pâtisserie *f*

representación *nf* représentation *f*; **en r. de** en tant que représentant(e) de

representante 1 *adj* **ser r. de algo** être représentatif(ive) de qch **2** *nmf* représentant(e) *m,f*; *(de artista)* agent *m*; **r. de** *(vendedor)* représentant en

representar *vt* représenter; *(aparentar)* paraître; *(grito)* jouer; **no r. su edad** ne pas faire son âge

representativo, -a *adj* représentatif(ive); **r. de** représentatif de

represión *nf (política)* répression *f*; *(psicológica)* refoulement *m*

reprimir 1 *vt* réprimer; *(grito)* retenir **2 reprimirse** *upr* réprimer ses envies

reprobar [62] *vt (criticar)* réprouver; *Am (suspender)* échouer à

reprochar 1 *vt* reprocher **2 reprocharse** *upr* se reprocher

reproche *nm* reproche *m*

reproducción *nf* reproduction *f*

reproducir [18] **1** *vt* reproduire; *(discurso)* restituer **2 reproducirse** *upr* se reproduire

reproductor *nm* **r. de CD** lecteur *m* (de) CD; **r. de DVD** lecteur (de) DVD

reptil *nm* reptile *m*

república *nf* république *f* ■ **R. Checa** République tchèque; **R. Dominicana** République dominicaine

republicano, -a *adj & nm,f* républicain(e) *m,f*

repuesto, -a 1 *participio ver* **reponer 2** *adj* remis(e) **3** *nm* pièce *f* de rechange; **(rueda de) r.** roue *f* de secours

repugnar *vt* répugner à; **este olor me repugna** cette odeur me répugne; **me repugna este tipo de película** j'ai horreur de ce genre de film

repuntar *vi Am (persona)* se remettre; *(negocio)* reprendre

repunte *nm Am (recuperación)* reprise *f*; *(aumento)* augmentation *f*; **un r. en las ventas** une reprise des ventes

reputación *nf* réputation *f*; **tener buena/mala r.** avoir bonne/mauvaise réputation

requerir [61] **1** *vt (necesitar)* exiger, demander **2 requerirse** *upr (ser necesario)* falloir; **se requiere la nacionalidad española** la nationalité espagnole est exigée

requesón *nm* caillebotte *f*

res *nf* tête *f* de bétail

resaca *nf (de las olas)* ressac *m*; *Fam (de borrachera)* gueule *f* de bois; **tengo r.** j'ai la gueule de bois

resbalada *nf Am* glissade *f*

resbaladizo, -a *adj* glissant(e)

resbalar 1 *vi* glisser; *(suelo, calzada)* être glissant(e) **2 resbalarse** *upr* glisser

rescatar *vt* sauver; *(objeto)* récupérer; *(rehén, secuestrado)* délivrer; *(mediante pago)* racheter

rescate *nm (de persona en peligro)* sauvetage *m*; *(de rehén, secuestrado)* délivrance *f*, libération *f*; *(dinero)* rançon *f*

resentimiento *nm* ressentiment *m*

reserva 1 *nf* réserve *f*; *(de hotel, tren)* réservation *f*; *(discreción)* discrétion *f*; **reservas** *(energía, recursos)* réserves; **con reservas** sous toutes réserves ■ **r. natural** réserve naturelle **2** *nmf (jugador)* remplaçant(e) *m,f* **3** *nm* **un r. del 81** *(vino)* un millésime 81

reservado, -a 1 *adj* réservé(e) **2** *nm (en tren)* compartiment *m* réservé; *(en restaurante)* salon *m* particulier

reservar 1 *vt* réserver **2 reservarse** *upr* se réserver; **me reservo para el postre** je me réserve pour le dessert

resfriado, -a 1 *adj* enrhumé(e) **2** *nm* rhume *m*

resfriar [31] **1** *vt* refroidir **2 resfriarse** *upr (constiparse)* prendre froid

resfrío *nm RP, Ven* rhume *m*

resguardar 1 *vt* **r. de** protéger de **2 resguardarse** *upr* **resguardarse de** se mettre à l'abri de

resguardo *nm* (*documento*) reçu *m*; (*de envío certificado*) récépissé *m*; (*protección*) abri *m*

residencia *nf* (*lugar*) lieu *m* de résidence; (*casa, establecimiento*) résidence *f*; (*hospital*) hôpital *m*; (*periodo de formación*) internat *m*; (*permiso para extranjeros*) permis *m* de séjour ▪ **r. universitaria** résidence universitaire

residuo *nm* résidu *m*; **residuos radiactivos** déchets *mpl* radioactifs

resignarse *upr* se résigner (**a** à)

resistencia *nf* résistance *f*; **oponer gran r. a** opposer une farouche résistance à

resistente *adj* résistant(e)

resistir 1 *vt* (*tolerar*) supporter; (*oponer resistencia ante*) résister **2** *vi* résister (**a** à) **3 resistirse** *upr* résister (**a** à); **no hay hombre que se le resista** aucun homme ne lui résiste; **me resisto a creerlo** je me refuse à le croire; **se le resisten las matemáticas** il a beaucoup de mal en mathématiques

resolver [40] **1** *vt* (*solucionar*) résoudre; **con ese gol el partido estaba resuelto** ce but a décidé de l'issue du match; **r. hacer algo** (*decidir*) résoudre de faire qch **2 resolverse** *upr* (*solucionarse*) être résolu(e); **resolverse a hacer algo** (*decidirse*) se résoudre à faire qch

resonancia *nf* résonance *f*

resorte *nm* ressort *m*

respaldo *nm* (*de asiento*) dossier *m*; *Fig* (*apoyo*) soutien *m*, appui *m*

respectivo, -a *adj* respectif(ive); **sus respectivos padres** leurs parents respectifs; **en lo r. a...** en ce qui concerne...

respecto *nm* **al r., a este r.** à ce sujet; (**con**) **r. a, r. de** au sujet de, en ce qui concerne

respetable *adj* respectable

respetar *vt* respecter

respeto *nm* respect *m*; **faltar al r. a alguien** manquer de respect à qn; **por r.** par respect pour

respiración *nf* respiration *f*

respirar *vt & vi* respirer

respiro *nm* (*descanso*) répit *m*; (*alivio*) soulagement *m*; **necesitar un r.** avoir besoin de souffler

resplandor *nm* éclat *m*

responder 1 *vt* (*contestar*) répondre à **2** *vi* (*replicar*) répondre; **r. a** (*contestar, corresponder*) répondre à; (*tratamiento*) réagir à; **r. a alguien** répondre à qn; **r. a una pregunta** répondre à une question; **r. a una necesidad** répondre à un besoin; **r. de algo/por alguien** répondre de qch/de qn

responsabilidad *nf* responsabilité *f*

responsable *adj & nmf* responsable *mf*

respuesta *nf* réponse *f*; **en r. a** en réponse à

resta *nf* soustraction *f*

restar 1 *vt* soustraire; *Fig* (*importancia, méritos*) ôter, enlever **2** *vi* (*faltar*) rester

restauración *nf* restauration *f*

restaurante *nm* restaurant *m*

restaurar *vt* restaurer

resto *nm* reste *m*; **restos** restes ▪ **restos mortales** dépouille *f* mortelle

restricción *nf* (*reducción*) restriction *f*; (*de agua, alimentos*) rationnement *m*

resucitar *vt & vi* ressusciter

resuelto, -a 1 *participio ver* **resolver 2** *adj* résolu(e)

resultado *nm* résultat *m*; **dar r.** donner des résultats

resultar 1 *vi* (**a**) (*ocurrir como consecuencia*) résulter; **¿qué resultará de todo esto?** que ressortira-t-il de tout cela? (**b**) (*ser*) **me resulta difícil** ça m'est difficile; **r. un éxito** être réussi(e); **nuestro equipo resultó vencedor** finalement, notre équipe a gagné; **el**

viaje **resultó largo** le voyage a été long; **resultó ser su primo** il s'est avéré que c'était son cousin; **resultó ser inexacto** on a découvert que c'était faux; **dos personas resultaron heridas** deux personnes ont été blessées

(**c**) *(salir bien)* réussir; **el experimento ha resultado** l'expérience a réussi

(**d**) *(costar)* revenir; **nos resultó caro** ça nous est revenu cher

2 *v impersonal* **resulta que…** *(sucede que)* il se trouve que…

resultas: de resultas de *prep* à la suite de

resumen *nm* résumé *m*; **en r.** en résumé

resumir 1 *vt* résumer **2 resumirse** *vpr* **resumirse en** se résumer à

retablo *nm* retable *m*

retal *nm* coupon *m* de tissu

rete- *pref Méx Fam* très

retén *nm* **r. (de bomberos)** piquet *m* d'incendie; *Am (prisión)* maison *f* de correction

retención *nf* rétention *f*; *(en el sueldo)* retenue *f*; **retenciones** *(de tráfico)* embouteillage *m* ■ **r. fiscal** prélèvement *m* fiscal

retirado, -a 1 *adj* retiré(e); *(jubilado)* retraité(e) **2** *nm,f (jubilado)* retraité(e) *m,f* **3** *nf* **retirada** retrait *m*; *(de ejército vencido)* retraite *f*; **batirse en retirada** battre en retraite; *Fig* assurer ses arrières

retirar 1 *vt* retirer; *(jubilar)* mettre à la retraite; **r. su candidatura** retirer sa candidature; **retiro lo dicho** je retire ce que j'ai dit **2 retirarse** *vpr (aislarse, marcharse)* se retirer; *(jubilarse)* prendre sa retraite; *Mil* battre en retraite; *(apartarse)* s'écarter

reto *nm* défi *m*

retocar [58] *vt* retoucher; *(dar el último toque a)* mettre la dernière main à

retorcer [15] **1** *vt* tordre **2 retorcerse** *vpr (contraerse)* se tordre (**de** de)

retórico, -a 1 *adj* rhétorique; **una figura retórica** une figure de rhétorique **2** *nf* **retórica** rhétorique *f*

retorno *nm* retour *m*

retransmisión *nf* retransmission *f*

retransmitir *vt* retransmettre

retrasado, -a 1 *adj* en retard; *(mental)* attardé(e) **2** *nm,f* **r. (mental)** attardé(e) *m,f*

retrasar 1 *vt* retarder; *(hora, fecha)* reculer; *(viaje, proyecto)* repousser **2** *vi (reloj)* retarder **3 retrasarse** *vpr (llegar tarde)* être en retard; *(no estar al día)* prendre du retard; *(aplazarse)* être retardé(e); *(reloj)* retarder

retraso *nm* retard *m*; **llegar con r.** arriver en retard

retratar *vt (fotografiar)* photographier; *(dibujar)* faire le portrait de

retrato *nm* portrait *m*; **ser alguien el vivo r. de alguien** être le portrait vivant de qn ■ **r. robot** portrait-robot *m*

retrete *nm (taza)* cuvette *f* des W-C; *(cuarto)* toilettes *fpl*

retroceder *vi* reculer; **no retrocede ante nada** il ne recule devant rien; **r. en el tiempo** remonter dans le temps

retrospectivo, -a 1 *adj* rétrospectif(ive) **2** *nf* **retrospectiva** rétrospective *f*

retrovisor *nm* rétroviseur *m*

reuma, reúma *nm* rhumatisme *m*

reunión *nf* réunion *f*

reunir 1 *vt* réunir; *(datos)* rassembler **2 reunirse** *vpr (congregarse)* se réunir

revancha *nf* revanche *f*

revelado *nm* développement *m*

revelar 1 *vt* révéler; *(fotografías)* développer **2 revelarse** *vpr* se révéler; **se reveló como un gran músico** il s'est révélé être un grand musicien

reventar [3] **1** *vt (explotar)* faire éclater, crever; *(con explosivos)* faire sauter; *Fam (cansar)* crever; *Fam (destrozar)* démolir **2** *vi (explotar)* éclater, exploser

reventón nm éclatement m; **tuve un r.** mon pneu a éclaté

reverencia nf révérence f

reversa nf Méx (de marche f) arrière

reversible adj réversible

reverso nm revers m; **el r. de la hoja** le verso

revés (pl **reveses**) nm revers m; (de papel) dos m; (de tela) envers m; **los reveses de la vida** les revers de fortune; **al r.** à l'envers; **comemos primero y luego vamos al cine o lo hacemos al r.** nous mangeons d'abord et nous allons au cinéma après ou nous faisons l'inverse; **lo entiende todo al r.** il comprend tout de travers; **al r. de lo que piensas...** contrairement à ce que tu penses...; **del r.** à l'envers

revestimiento nm revêtement m

revisar vt réviser; (cuentas) vérifier; (salud, vista) faire un bilan de; (vehículo) faire réviser

revisión nf révision f; (de cuentas) vérification f ■ **r. médica** examen m médical

revisor, -ora nm,f (en tren, autobús) contrôleur(euse) m,f

revista nf revue f; **pasar r. a algo** passer qch en revue ■ **r. del corazón** magazine m people

revistero nm porte-revues m inv

revolcar [68] **1** vt rouler; (persona) faire tomber **2 revolcarse** vpr se rouler

revoltijo, revoltillo nm fouillis m

revoltoso, -a adj turbulent(e)

revolución nf révolution f; (vuelta) tour m

revolucionario, -a adj & nm,f révolutionnaire mf

revolver [40] **1** vt (dar vueltas a) remuer; (desorganizar) mettre sens dessus dessous; Fig **r. el estómago o las tripas** (dar asco) soulever le cœur **2** vi **r. en** fouiller dans **3 revolverse** vpr (en sillón, cama) remuer; **revolverse contra alguien** se retourner contre qn

revólver nm revolver m

revuelto, -a 1 participio ver **revolver 2** adj (desordenado) sens dessus dessous; (alborotado) troublé(e); (clima) instable; (aguas, mar) agité(e); **tengo el estómago r.** j'ai l'estomac barbouillé **3** nm œufs mpl brouillés **4** nf **revuelta** (disturbio) révolte f; (curva) détour m

rey (pl **reyes**) nm roi m; **los Reyes** le roi et la reine; **los Reyes Magos** les Rois mages

rezar [14] **1** vt dire, faire **2** vi (orar) prier (**por** pour)

rezo nm prière f

ría 1 ver **reír 2** nf ria f

riachuelo nm ruisseau m

riada nf (crecida) crue f; (inundación) inondation f

ribera nf rive f; (de mar) rivage m

rico, -a 1 adj riche (**en** en); (sabroso) délicieux(euse); (simpático) adorable **2** nm,f riche mf; **los ricos** les riches; **nuevo r.** nouveau riche

ridículo, -a 1 adj ridicule **2** nm ridicule m; **hacer el r.** se ridiculiser

riego nm arrosage m; (de campos) irrigation f; **r. sanguíneo** irrigation f

rienda nf (de caballería) rêne f; Fig **dar r. suelta a** laisser libre cours à

riesgo nm risque m; **a todo r.** (seguro, póliza) tous risques; **correr (el) r. de hacer algo** courir le risque de faire qch, risquer de faire qch

riesgoso, -a adj Am risqué(e)

rifar 1 vt tirer au sort **2 rifarse** vpr Fig **rifarse algo** se disputer qch

rigidez nf rigidité f; (severidad) rigueur f; (inexpresividad) impassibilité f

rígido, -a adj rigide; (inexpresivo) figé(e); **volverse r.** (cera, sustancia) se solidifier

rigor nm rigueur f; **de r.** de rigueur; **en r.** à proprement parler

riguroso, -a adj rigoureux(euse)

rímel nm Rimmel® m

rincón nm coin m; (lugar alejado) recoin m

ring [rrin] (pl **rings**) nm ring m

rinoceronte nm rhinocéros m

riña 1 ver **reñir 2** nf dispute f

riñón nm rein m; Fig **costar** o **valer un r.** valoir les yeux de la tête; **riñones** (región lumbar) reins

riñonera nf (pequeño bolso) banane f

río nm fleuve m; (afluente) rivière f; **r. abajo** en aval; **r. arriba** en amont

rioja nm = vin de la région espagnole de La Rioja

riqueza nf richesse f; **tener r. vitamínica** être riche en vitamines

risa nf rire m; **¡qué r.!** quelle rigolade!; **tomar algo a r.** prendre qch à la rigolade

ristra nf chapelet m; **r. de ajos/insultos** chapelet d'ail/injures

ritmo nm rythme m

rito nm rite m

ritual 1 adj rituel(elle) **2** nm rituel m

rival adj & nmf rival(e) m,f

rizado, -a 1 adj (pelo) frisé(e); (mar) moutonneux(euse) **2** nm frisure f

rizo nm (de pelo) boucle f; (acrobacia aérea) looping m; **tener rizos en el pelo** avoir les cheveux bouclés

robar vt (hurtar) voler; (embelesar) ravir; (en cartas, dominó, damas) piocher; Fig **en ese restaurante te roban** (cobran caro) ce sont des voleurs dans ce restaurant

roble nm chêne m (rouvre)

robo nm vol m

robot (pl **robots**) nm robot m ▪ **r. de cocina** robot ménager

robusto, -a adj robuste

roca nf roche f

roce 1 ver **rozar**
2 nm (rozamiento) frottement m; (ligero) frôlement m; (marca) éraflure f; (en la piel) égratignure f; (fricción) friction f; (desavenencia) heurt m; **tener un r. con alguien** (una desavenencia) s'accrocher avec qn

rociar [31] **1** vt (con gotas) asperger; (con líquido) arroser **2** v impersonal **ha rociado** il y a eu de la rosée

rocío nm rosée f

rock nm inv rock m ▪ **r. duro** hard rock m inv

rocoso, -a adj rocheux(euse)

rodaballo nm turbot m

rodaje nm (de película) tournage m; (de vehículo) rodage m

rodar [62] **1** vi (dar vueltas) rouler; (hacer una película) tourner; **rodó escaleras abajo** il a dégringolé l'escalier; **r. por** (deambular) errer dans **2** vt (película) tourner

rodear 1 vt entourer (**con** de); (con tropas, policías) cerner; (dar la vuelta a) faire le tour de; **r. un tema** (eludir) tourner autour d'un sujet **2 rodearse** vpr **rodearse de** s'entourer de

rodeo nm détour m; (espectáculo, reunión de ganado) rodéo m; **no andar** o **ir con rodeos** ne pas y aller par quatre chemins; Fig **dar rodeos** tourner autour du pot

rodilla nf genou m; **de rodillas** à genoux

rodillo nm rouleau m; (de máquina de escribir) chariot m

roedor, -ora 1 adj rongeur(euse) **2** nmpl **roedores** rongeurs mpl

roer [56] vt ronger

rogar [16] vt **r. a alguien (que) haga algo** prier qn de faire qch; **hacerse (de) r.** se faire prier

rojo, -a 1 adj rouge; **el color r.** le rouge **2** nm,f rouge mf **3** nm (color) rouge m; **al r. vivo** (incandescente) chauffé(e) au rouge; Fig (ánimos, persona) chauffé(e) à blanc

rollo nm (cilindro) rouleau m; (de película) bobine f; (de fotos) pellicule f; Fam (embuste) bobard m; Fam (pelmazo) casse-pieds mf inv; Fam **r. (patatero)** baratin m, tchatche f; Fam **cascar** o **soltar un r. a alguien** tenir la jambe à qn; Fam **tener mucho r.** être un moulin à paroles; Fam **cortar el r. a alguien** couper le sifflet à qn; Fam **hay buen r. aquí** (buen ambiente) c'est sympa ici; Fam **ser un r.** (una pesadez) être gonflant(e); Fam **¡qué r.!** quelle barbe!

románico, -a 1 *adj* roman(e) **2** *nm* roman *m*

romano, -a 1 *adj* romain(e) **2** *nm,f* Romain(e) *m,f*

romántico, -a *adj* romantique

rombo *nm* losange *m*

romería *nf (peregrinación)* pèlerinage *m; (fiesta)* fête *f* patronale

romero, -a 1 *nm,f* pèlerin *m* **2** *nm* romarin *m*

romo, -a *adj (punta)* émoussé(e)

rompecabezas *nm inv (juego)* puzzle *m; Fig (problema)* casse-tête *m inv*

rompeolas *nm inv* brise-lames *m*

romper 1 *vt (partir)* casser; *(papel, tela)* déchirer; *(desgastar) (zapato)* abîmer; *(camisa)* user; *(relaciones, compromiso, contrato)* rompre; **r. el corazón a alguien** briser le cœur à qn; **r. el silencio** rompre le silence; *Fig* **r. el hielo** briser la glace

2 *vi (terminar relación)* rompre (**con** avec); *(olas)* se briser; **r. a hacer algo** se mettre à faire qch; **r. a llorar** éclater en sanglots

3 romperse *vpr (partirse)* se casser; *(ropa)* se trouer; **se ha roto una pierna** il s'est cassé une jambe; **se rompió el jarrón** le vase s'est cassé

rompevientos *nm inv Am (anorak)* coupe-vent *m inv; RP (suéter)* pull *m* à col roulé

rompimiento *nm Am* rupture *f*

ron *nm* rhum *m*

roncar [58] *vi* ronfler

ronco, -a *adj (afónico)* enroué(e); *(bronco)* rauque; **me he quedado r.** je me suis cassé la voix

ronda *nf (de vigilancia)* ronde *f; (calle)* boulevard *m* périphérique; *Fam (de bebidas)* tournée *f; (en ciclismo, de juego)* tour *m*

ronquido *nm* ronflement *m*

ronronear *vi* ronronner

ronroneo *nm* ronronnement *m*

ropa *nf* vêtements *mpl;* **quitarse la r.** se déshabiller ■ **r. blanca** linge *m*

(blanc); **r. interior** sous-vêtements *mpl; (femenina)* dessous *mpl;* **r. sucia** linge sale

rosa 1 *nf (flor)* rose *f;* **estar (fresco) como una r.** être frais comme une rose **2** *adj inv (color)* rose **3** *nm (color)* rose *m*

rosado, -a 1 *adj* rose **2** *nm (vino)* rosé *m*

rosal *nm* rosier *m*

rosario *nm (objeto)* chapelet *m; (de desgracias)* suite *f; (rezo)* rosaire *m*

roscón *nm* brioche *f* en couronne; **r. de Reyes** = brioche aux fruits que l'on mange pour la fête des Rois, ≃ galette *f* des Rois

rosetón *nm* rosace *f*

rosquilla *nf* = petit gâteau sec en forme d'anneau; *Fam* **venderse como rosquillas** se vendre comme des petits pains

rosticería *nf Méx* rôtisserie *f (restaurant)*

rostro *nm* visage *m*

rotativo, -a 1 *adj* rotatif(ive) **2** *nf* journal *m* **3** *nf* **rotativa** rotative *f*

roto, -a 1 *participio ver* **romper**

2 *adj* cassé(e); *(tela, papel)* déchiré(e); *Fig (vida, corazón)* brisé(e)

3 *nm (en tela)* accroc *m*

rotonda *nf (plaza)* rond-point *m*

rotulador *nm* feutre *m; (grueso)* marqueur *m; (fluorescente)* surligneur *m*

rótulo *nm (letrero)* écriteau *m; (comercial)* enseigne *f*

rotundo, -a *adj* catégorique; *(fracaso, éxito)* total(e)

rozar [14] **1** *vt (tocar)* frôler; *(raspar)* érafler; *(herir)* écorcher; *Fig (aproximarse a)* friser; **roza los cuarenta** il n'est pas loin des quarante ans **2 rozarse** *vpr (herir)*; *(herirse)* s'écorcher; *Fig* **rozarse con alguien** *(tratar)* fréquenter qn

Rte. *(abrev* **remitente)** exp.

rubí *(pl* **rubís** o **rubíes)** *nm* rubis *m*

rubio, -a *adj & nm,f* blond(e) *m,f*

rubor *nm (vergüenza)* honte *f*; *(sonrojo)* rougeur *f*; **causar r. a alguien** faire rougir qn

ruborizar [14] **1** *vt* faire rougir **2 ruborizarse** *upr* rougir

rudimentario, -a *adj* rudimentaire

rudo, -a *adj (tosco, brusco)* rude; *(grosero)* grossier(ère)

rueda 1 *ver* **rodar**
2 *nf (pieza)* roue *f*; *(corro)* cercle *m*; *(para bailar)* ronde *f*; *Fig* **ir sobre ruedas** marcher comme sur des roulettes ■ **r. delantera** roue avant; **r. de prensa** conférence *f* de presse; **r. de repuesto** roue de secours; **r. trasera** roue arrière

ruedo *nm* arène *f*

ruego *nm* prière *f (demanda)*; **ruegos y preguntas** questions *fpl (à la fin d'une réunion)*

rugby *nm* rugby *m*

rugido *nm (de animal, persona)* rugissement *m*; *(de tripas)* gargouillement *m*

rugir [23] *vi* rugir; *(tripas)* gargouiller

rugoso, -a *adj (áspero)* rugueux (euse); *(con arrugas)* fripé(e)

ruido *nm* bruit *m*

ruidoso, -a *adj* bruyant(e)

ruin *adj (vil)* vil(e); *(avaro)* pingre

ruina *nf* ruine *f*; **dejar en la r.** ruiner; **estar en la r.** être ruiné(e); **ser la r. de alguien** *(perdición)* mener qn à sa perte; **estar hecho una r.** *(un*

desastre) être une loque; **ruinas** ruines

ruinoso, -a *adj (poco rentable)* ruineux(euse); *(edificio)* en ruine

ruiseñor *nm* rossignol *m*

ruleta *nf* roulette *f (juego)*

ruletero *nm CAm, Méx* chauffeur *m* de taxi

rulo *nm (para el pelo)* bigoudi *m*

ruma *nf Andes, Ven* tas *m*

rumba *nf* rumba *f*

rumbo *nm (de barco)* cap *m*; *Fig (orientación)* direction *f*; *(de los acontecimientos)* tournure *f*; **ir con r. a** faire route vers; *Fig* **perder el r.** *(persona)* perdre le nord; **poner r. a** mettre le cap sur; **con r. a** en direction de

rumiante 1 *adj* ruminant(e) **2** *nm* ruminant *m*

rumiar *vt & vi* ruminer

rumor *nm (chisme)* rumeur *f*; *(de voces)* brouhaha *m*; *(de agua)* grondement *m*; **circula el r. de que…** le bruit court que…

rumorearse *v impersonal* **se rumorea que…** le bruit court que…

ruptura *nf* rupture *f*

rural *adj* rural(e); *(médico, cura)* de campagne

Rusia *n* la Russie

ruso, -a 1 *adj* russe **2** *nm,f* Russe *mf* **3** *nm (lengua)* russe *m*

ruta *nf* route *f*

rutina *nf* routine *f*

Ss

S, s *nf (letra)* S *m inv*, s *m inv*
s *(abrev* **segundo)** s; *(abrev* **siglo)** s.
S.A. *nf (abrev* **sociedad anónima)** SA *f*
sábado *nm* samedi *m*; **¿qué día es hoy? – (es) s.** quel jour sommes-nous, aujourd'hui? – (nous sommes) samedi; **cada dos sábados, un s. sí y otro no** un samedi sur deux; **cada s., todos los sábados** tous les samedis; **te llamo el s.** je t'appelle samedi; **el próximo s., el s. que viene** samedi prochain; **el s. pasado** samedi dernier; **el s. por la mañana/la tarde/la noche** samedi matin/après-midi/soir; **en s.** le samedi; **caer en s.** tomber un samedi; **nací en s.** je suis né un samedi; **este s.** *(pasado)* samedi dernier; *(próximo)* samedi prochain; **¿trabajas los sábados?** tu travailles le samedi?; **trabajar un s.** travailler un samedi

sábana *nf* drap *m*

sabañón *nm* engelure *f*

saber [57] **1** *nm* savoir *m*
   2 *vt* savoir; *(entender de)* s'y connaître en; **ya lo sé** je le sais bien; **lo supe ayer** je l'ai su hier; **s. hacer algo** savoir faire qch; **sabe montar en bici** il sait faire du vélo; **hacer s. algo a alguien** faire savoir qch à qn; **a s.** à savoir; **sabe mucha física** il s'y connaît en physique; **que yo sepa** que je sache; **¡y yo que sé!** je n'en sais rien, moi!
   3 *vi* **s. a** *(tener sabor a)* avoir un goût de; **no s. a nada** n'avoir aucun goût; **s. bien/mal** avoir bon/mauvais goût; *Fig* **s. mal a alguien** *(disgustar)* ne pas plaire à qn; *(entristecer)* faire de la peine à qn; **s. de algo** s'y connaître en qch; *(tener noticias)* être au courant de qch; **s. de algo** *(tener noticias)* avoir des nouvelles de qn
   4 saberse *vpr* savoir; **me lo sé de memoria** je le sais par cœur

sabiduría *nf (conocimientos)* savoir *m*; *(prudencia)* sagesse *f*

sabio, -a *adj & nm,f* savant(e) *m,f*

sable *nm* sabre *m*

sabor *nm* goût *m*; **un s. a** un goût de

saborear *vt* savourer

sabotaje *nm* sabotage *m*

sabotear *vt* saboter

sabroso, -a *adj* délicieux(euse)

sacacorchos *nm inv* tire-bouchon *m*

sacapuntas *nm inv* taille-crayon *m*

sacar [58] **1** *vt (poner fuera, hacer salir)* sortir; *(lengua, conclusión, jugo)* tirer; *(quitar)* enlever, retirer; *(buenas notas)* avoir; *(premio)* gagner; *(foto, billete)* prendre; *(dinero)* retirer; *(copia)* faire; *(carné, pasaporte)* se faire faire; *(sonsacar)* soutirer; *(resolver)* résoudre; *(deducir)* déduire, conclure; *(en deporte)* lancer; **sacó el pañuelo del bolsillo** il a sorti son mouchoir de sa poche; **nos sacó algo de comer** il nous a donné quelque chose à manger; **s. a bailar** inviter à danser; **s. adelante** *(hijos)* élever; *(negocio)* faire prospérer; **s. una muela** arracher une dent; **s. en claro** o **limpio** tirer au clair; **sacó tres minutos a su rival** il a pris une avance de trois minutes sur son rival; **s. de banda** faire la remise en jeu
   2 *vi (en deporte)* lancer; *(con la raqueta)* servir

3 **sacarse** *vpr* (*conseguir*) avoir; **sacarse el carné** (**de conducir**) passer son permis (de conduire)

sacarina *nf* saccharine *f*

sacerdote, -tisa *nm,f* prêtre *m*, prêtresse *f*

saciar 1 *vt* assouvir; (*aspiraciones*) répondre à; **s. la sed** étancher sa soif 2 **saciarse** *vpr* (*persona*) se rassasier

saco *nm* sac *m*; *Am* (*chaqueta*) veste *f* ■ **s. de dormir** sac de couchage

sacramento *nm* sacrement *m*

sacrificar [58] 1 *vt* sacrifier; (*animal*) abattre 2 **sacrificarse** *vpr* se sacrifier (**por** pour)

sacrificio *nm* sacrifice *m*

sacristán, -ana *nm,f* sacristain *m*, sacristine *f*

sacudida *nf* secousse *f*

sacudir *vt* secouer; *Fam* (*pegar*) flanquer une volée à

safari *nm* (*expedición*) safari *m*; (*parque*) parc *m* animalier

Sagitario 1 *nm inv* (*zodiaco*) Sagittaire *m inv* 2 *nmf inv* (*persona*) Sagittaire *m inv*

sagrado, -a *adj* sacré(e)

sal *nf* sel *m*; *Fig* (*garbo, en el habla*) piquant *m*; **sales** (*para reanimar, para baño*) sels ■ **s. gorda** gros sel; **s. de mesa** sel fin *ou* de table

sala *nf* salle *f*; (*de tribunal*) salle *f* (d'audience); (*conjunto de magistrados*) chambre *f* ■ **s. de espera** salle d'attente; **s. (de estar)** salle de séjour, séjour *m*; **s. de fiestas** salle de bal

saladito *nm* *RP* petit-four *m* salé

salado, -a *adj* (*con sal*) salé(e); (*con demasiada sal*) trop salé(e); *Fig* (*gracioso*) drôle; *Am* (*desgraciado*) malchanceux(euse)

salamandra *nf* salamandre *f*

salar *vt* saler

salario *nm* salaire *m*; **s. mínimo (interprofesional)** salaire minimum, ≃ SMIC *m*

salchicha *nf* saucisse *f*

salchichón *nm* saucisson *m*

salchichonería *nf* *Méx* charcuterie *f*

saldo *nm* (*de cuenta*) solde *m*; (*de deudas*) règlement *m*; *Fig* (*resultado*) bilan *m*; **saldos** (*restos de mercancías*) soldes

salero *nm* (*recipiente*) salière *f*; *Fig* (*gracia*) charme *m*

salida *nf* sortie *f*; (*del sol*) lever *m*; *Dep* & (*de tren, avión*) départ *m*; (*de carrera*) débouchés *mpl*; (*solución*) issue *f*; (*pretexto*) échappatoire *f*; (*ocurrencia*) trait *m* d'esprit; **s. de emergencia** *o* **de incendios** sortie *ou* issue de secours; **s. de tono** remarque *f* déplacée

salir [59] 1 *vi* (a) (*en general*) sortir; **salió a la calle** il est sorti; **Juan sale mucho con sus amigos** Juan sort souvent avec ses amis; **s. de** sortir de; **salgo del hospital** je sors de l'hôpital

(b) (*tren, barco*) partir; (*avión*) décoller; (*persona*) partir (**de/para** de/pour); **s. corriendo** partir en courant; **s. de viaje** partir en voyage

(c) (*ser novios*) **s. con alguien** sortir avec qn; **María y Pedro están saliendo** María et Pedro sortent ensemble

(d) (*resultar*) **s. elegido/premiado** être élu/recompensé; **salió elegida mejor actriz** elle a été élue meilleure actrice; **s. bien/mal** réussir/échouer; **el pastel te ha salido muy bien** ton gâteau est très réussi; **el plan les ha salido mal** leur plan a échoué; **el postre me ha salido mal** mon dessert est raté

(e) (*en sorteo*) être tiré(e)

(f) (*resolverse*) **el problema no me sale** je n'arrive pas à résoudre ce problème; **nunca me salen los crucigramas** je n'arrive jamais à faire les mots croisés

(g) (*costar*) revenir (**a** *o* **por** à); **s. caro** revenir cher

(h) (*proceder*) **s. de** venir de; **de la uva sale el vino** le raisin donne le vin

(i) (*surgir*) (*sol*) se lever; (*planta, diente*) pousser

(j) *(aparecer) (publicación)* paraître; *(producto)* sortir

(k) *(en imagen, prensa)* ¡qué bien sales en la foto! tu es très bien sur la photo!; **mi vecina salió en la tele** ma voisine est passée à la télé; **la noticia sale en los periódicos** la nouvelle est dans les journaux

(l) *(presentarse) (ocasión, oportunidad)* se présenter

(m) *Informát (de un programa)* quitter

(n) *(parecerse)* **s. a alguien** ressembler à qn

(o) *(sobresalir)* ressortir

2 salirse *vpr (de lugar)* sortir (**de** de); *(gas, líquido)* s'échapper (**por** par); *(rebosar)* déborder; **el agua se salió de la bañera** la baignoire a débordé; **salirse de** *(asociación, carretera)* quitter; **salirse del tema** s'écarter du sujet; **salirse con la suya** arriver à ses fins

saliva *nf* salive *f*

salmón 1 *adj (color)* (rose) saumon *inv* **2** *nm (pez)* saumon *m* **3** *nm inv (color)* (rose *m*) saumon *m*

salmonete *nm* rouget *m*

salón *nm* salon *m; (local)* salle *f* ■ **s. de actos** salle de conférences; **s. de belleza** institut *m* de beauté

salpicadera *nf Méx* garde-boue *m inv*

salpicadero *nm* tableau *m* de bord

salpicar [58] *vt* éclabousser

salpimentar [3] *vt* saupoudrer de sel et de poivre

salsa *nf* sauce *f; (de carne)* jus *m; (música, baile)* salsa *f* ■ **s. bechamel** *o* **besamel** sauce béchamel; **s. mayonesa** *o* **mahonesa** sauce mayonnaise; **s. rosa** sauce cocktail

salsera *nf* saucière *f*

saltamontes *nm inv* sauterelle *f*

saltar 1 *vt* sauter; *(hacer estallar)* faire sauter

2 *vi* sauter; *(al agua)* plonger; *(botón)* tomber; *(levantarse, reaccionar bruscamente)* bondir; *(desparramarse)* jaillir; *(romperse)* se casser; **s. a** *(terreno, pista)* arriver sur; **s. de un**

tema a otro passer du coq à l'âne; **s. 10 metros** faire un saut de 10 mètres; **s. sobre** *(abalanzarse)* sauter sur; **salta a la vista que…** on voit d'ici de suite que…

3 saltarse *vpr* sauter; *(no respetar)* ignorer; *(semáforo, stop)* brûler

salteado, -a *adj (en la sartén)* sauté(e)

saltear *vt (asaltar)* attaquer; *(en la sartén)* faire sauter

salto *nm* saut *m; (al agua)* plongeon *m;* **dar** *o* **pegar un s.** faire un saut; *Fig (asustarse)* faire un bond; *(progresar)* faire un bond en avant ■ **s. de agua** chute *f* d'eau; **s. de altura** saut en hauteur; **s. de longitud** saut en longueur

salud 1 *nf* santé *f;* **estar bien/mal de s.** être en bonne/mauvaise santé **2** *interj (para brindar)* à la tienne/vôtre!; *(tras estornudar)* à tes/vos souhaits!

saludable *adj* sain(e)

saludar 1 *vt (a una persona)* saluer; **saluda a Ana de mi parte** dis bonjour à Ana de ma part; **le saluda atentamente** *(en cartas)* recevez l'expression de mes sentiments distingués **2 saludarse** *vpr* se saluer; **no saludarse** *(estar enemistados)* ne plus se dire bonjour

saludo *nm* salut *m;* **Ana te manda saludos** *(en cartas)* je te transmets le bonjour d'Ana; *(al teléfono)* tu as le bonjour d'Ana; **dirigir un s. a alguien** saluer qn; **un s. afectuoso** *(en cartas)* affectueusement

salvación *nf (rescate)* secours *m; (de las almas)* salut *m;* **no tener s.** *(enfermo)* être perdu(e)

salvadoreño, -a 1 *adj* salvadorien(enne) **2** *nm,f* Salvadorien (enne) *m,f*

salvaje 1 *adj* sauvage; *(brutal)* violent(e) **2** *nmf* sauvage *mf*

salvamanteles *nm inv* dessous-de-plat *m inv*

salvar 1 *vt* sauver; *(obstáculo)* franchir; *(dificultad)* surmonter

2 salvarse *vpr* **salvarse de** *(librarse de)* réchapper de

salvavidas 1 *adj inv* de sauvetage *inv* **2** *nm inv (flotador)* bouée *f* de sauvetage

salvo, -a 1 *adj* sauf (sauve) **2** *adv* sauf; **s. que llueva** sauf s'il pleut; **hablaron todos, s. él** ils ont tous parlé sauf lui **3** *nm* **estar a s.** être en sûreté; **su honor está a s.** son honneur est sauf; **poner algo a s.** mettre qch à l'abri

san *adj* saint; **s. José** saint Joseph

sanatorio *nm* clinique *f*; *(en la montaña)* sanatorium *m*

sanción *nf* sanction *f*

sancocho *nm Andes, Ven* = ragoût fait avec de la viande, des bananes plantains et du manioc

sandalia *nf* sandale *f*

sandía *nf* pastèque *f*

sándwich ['sanwitʃ] *(pl* **sándwiches** *o* **sandwichs**) *nm* sandwich *m* (de pain de mie)

sangrar 1 *vi* saigner; **s. por la nariz** saigner du nez **2** *vt* saigner; *(árbol)* gemmer

sangre *nf* sang *m* ■ **s. fría** sang-froid *m inv*

sangría *nf (de sangre)* saignée *f*; *(bebida)* sangria *f; Informát* retrait *m*, renfoncement *m*

sangriento, -a *adj* sanglant(e); *(despiadado, cruel)* sanguinaire

sanidad *nf (servicio)* santé *f*; *(salubridad)* hygiène *f*; **trabajar en s.** travailler dans le secteur médical; **el ministerio de s.** le ministère de la Santé

sanitario, -a 1 *adj* sanitaire **2** *nm,f (persona)* professionnel(elle) *m,f* de la santé **3** *nmpl* **sanitarios** *(instalación)* sanitaires *mpl*

sano, -a *adj* sain(e); **s. y salvo, sana y salva** sain(e) et sauf (sauve); *(entero)* intact(e)

San Salvador *n* San Salvador

Santa Clos *n Méx* le père Noël

santería *nf Am (tienda)* magasin *m* d'objetos pieux; *(afro)* = culte afro-cubain, mélange de catholicisme et de religions africaines

santiguarse [11] *vpr* se signer

santo, -a 1 *adj* saint(e); **todo el s. día** toute la sainte journée; **hace su santa voluntad** il fait ses quatre volonté **2** *nm,f* saint(e) *m,f* **3** *nm (onomástica)* fête *f* ■ **s. y seña** mot *m* de passe

santuario *nm* sanctuaire *m*

sapo *nm* crapaud *m*

saque 1 *ver* **sacar**
2 *nm (en fútbol, baloncesto)* remise en jeu *f*; *(en tenis, bádminton)* service *m* ■ **s. de banda** (remise en) touche *f*; **s. de esquina** corner *m*

saquear *vt* piller, mettre à sac

sarampión *nm* rougeole *f*

sarcástico, -a *adj* sarcastique

sardana *nf* sardane *f*

sardina *nf* sardine *f*

sargento 1 *nmf* sergent *m*; *Pey (persona autoritaria)* gendarme *m* **2** *nm (herramienta)* serre-joint *m*

sarna *nf* gale *f*

sarpullido *nm* éruption *f* cutanée

sarro *nm* tartre *m*

sartén *nf (utensilio)* poêle *f; Fig* **tener la s. por el mango** tenir les rênes

sastre, -a *nm,f* tailleur *m*, couturière *f*

sastrería *nf* **ir a la s.** aller chez le tailleur

satélite *adj & nm* satellite *m*

sátira *nf* satire *f*

satírico, -a 1 *adj* satirique **2** *nm,f* persifleur(euse) *m,f*; *(escritor)* satiriste *mf*

satisfacción *nf* satisfaction *f; Fig* **darse la s. de** s'offrir le luxe de

satisfacer [32] *vt* satisfaire; *(deuda)* honorer; *(pregunta)* répondre à; *(requisitos)* remplir

satisfecho, -a 1 *participio ver* **satisfacer**
2 *adj (complacido)* satisfait(e); *(al comer)* repu(e); **darse por s.** s'estime heureux(euse)

sauce *nm* saule *m*

sauna *nf* sauna *m*

saxofón, saxo 1 *nm* saxophone *m* **2** *nmf* saxophoniste *mf*

sazonar *vt* assaisonner

se *pron personal* (a) *(reflexivo)* se; *(usted mismo, ustedes mismos)* vous; **se pasea** il se promène; **se divierte** il s'amuse; **hay que lavarse todos los días** il faut se laver tous les jours; **siéntese** asseyez-vous (b) *(recíproco)* **se tutean** ils se tutoient; **se quieren** ils s'aiment (c) *(construcción pasiva)* **se ha suspendido la reunión** la réunion a été suspendue (d) *(impersonal)* on; **se habla inglés** *(en letrero)* on parle anglais; **desde aquí se ve bien** on voit bien d'ici; **se prohíbe fumar** *(en letrero)* interdiction de fumer (e) *(complemento indirecto)* (a él, ella) lui; (a ellos, ellas) leur; (a usted, ustedes) vous; **cómpraselo** achète-le-lui/leur; **se lo dije, pero no me hicieron caso** je le leur ai dit, mais ils ne m'ont pas écouté; **si usted quiere, yo se las mandaré** si vous voulez, je vous les enverrai

sé *ver* **saber, ser**

sea *ver* **ser**

secador *nm* séchoir *m* ■ **s. (de pelo)** sèche-cheveux *m inv*

secadora *nf* séchoir *m* ■ **s. de ropa** sèche-linge *m inv*

secar [58] **1** *vt (ropa, lágrimas)* sécher; *(planta, piel)* dessécher; *(enjugar)* essuyer **2 secarse** *vpr* sécher; *(río, fuente)* s'assécher; *(planta, piel)* se dessécher; **secarse el pelo** se sécher les cheveux

sección *nf (en tienda, almacén)* rayon *m*; *(en empresa)* service *m*; *(de periódico, revista)* pages *fpl*; *(subdivisión)* section *f*; *(dibujo)* coupe *f*; **s. deportiva** pages sportives

seco, -a *adj* sec (sèche); *(río, lago)* à sec; **lavar en s.** nettoyer à sec; **parar en s.** s'arrêter net; **dejar s. a alguien** *(pasmar)* couper le souffle à qn; **a secas** tout court; **se llama**

Juan a secas il s'appelle Juan tout court

secretaría *nf* secrétariat *m*; *Am (ministerio)* ministère *m*

secretario, -a *nm,f* secrétaire *mf*; *Am (ministro)* ministre *mf* ■ **s. de dirección** secrétaire de direction

secreto, -a 1 *adj* secret(ète); **en s.** en secret **2** *nm* secret *m*

secta *nf* secte *f*

sector *nm* secteur *m*; *(de partido)* courant *m*; **un s. de la opinión pública** une partie de l'opinion publique ■ **s. privado** secteur privé; **s. público** secteur public

secuestrador, -ora *nm,f* ravisseur(euse) *m,f*; *(de avión)* pirate *m* de l'air

secuestrar *vt (persona)* enlever; *(barco, avión)* détourner; *(periódico, publicación, bienes)* saisir

secuestro *nm (de persona)* enlèvement *m*; *(de avión, barco)* détournement *m*; *(de periódico, publicación)* saisie *f*

secundario, -a *adj* secondaire

sed 1 *ver* **ser 2** *nf* soif *f*

seda *nf* soie *f*; **como la s.** comme sur des roulettes

sedante 1 *adj (relajante)* apaisant(e); *(medicamento)* sédatif(ive) **2** *nm* sédatif *m*

sede *nf* siège *m (résidence, diocèse)* ■ **la Santa S.** le Saint-Siège

sedentario, -a *adj* sédentaire

sediento, -a *adj* assoiffé(e); *Fig* **s. de** *(deseoso)* assoiffé(e) de

seductor, -ora 1 *adj* séduisant(e) **2** *nm,f* séducteur(trice) *m,f*

segador, -ora 1 *nm,f (agricultor)* moissonneur(euse) *m,f* **2** *nf* **segadora** *(máquina)* moissonneuse *f*; *(herramienta)* faucheuse *f*

segar [42] *vt (mieses)* moissonner; *(hierba)* faucher

segmento *nm* segment *m*

seguido, -a 1 *adj (continuo)* continu(e); *(consecutivo)* de suite, d'affilée; **diez años seguidos** dix ans de suite; **se comió quince pasteles seguidos** il a mangé quinze gâteaux d'affilée; **tener hijos seguidos** avoir des enfants rapprochés; **en seguida** tout de suite **2** *adv* tout droit; *Am (frecuentemente)* souvent

seguir [60] **1** *vt* suivre; *(reanudar, continuar)* poursuivre; **alguien nos seguía** quelqu'un nous suivait; **seguí tus instrucciones** j'ai suivi tes instructions; **sigue unos cursos de...** elle suit des cours de...; **la vida sigue su curso** la vie suit son cours

2 *vi (suceder se)* suivre; *(continuar)* continuer; *(estar todavía)* être toujours; **s. a algo** suivre qch; **la primavera sigue al invierno** le printemps suit l'hiver; **sigue por este camino** continue dans cette voie; **sigue haciendo frío** il continue à faire froid; **sigue enferma/soltera** elle est toujours malade/célibataire; **debes s. intentándolo** il faut que tu continues d'essayer

3 seguirse *vpr (deducirse)* s'ensuivre

según 1 *prep (de acuerdo con)* selon, d'après; *(dependiendo de)* suivant, selon; **s. ella, ha sido un éxito** selon elle, ça a été un succès; **s. yo/tú/***etc* d'après moi/toi/*etc*; **s. la hora que sea** suivant l'heure (qu'il sera); **s. los casos** selon les cas

2 *adv (como)* comme; *(a medida que)* (au fur et) à mesure que; **todo permanecía s. lo había dejado** tout était comme il l'avait laissé; **s. nos acercábamos, el ruido aumentaba** à mesure que nous approchions, le bruit s'amplifiait; **¿te gusta la música? – s.** tu aimes la musique? – ça dépend; **lo intentaré s. esté de tiempo** j'essaierai en fonction du temps que j'aurai; **s. parece** à ce qu'il paraît

segunda *ver* **segundo**

segundero *nm* trotteuse *f*

segundo, -a 1 *adj num* deuxième, second(e); **primos segundos** cousins au second degré; *ver también* **sexto**

2 *nm* seconde *f*

3 *nf* **segunda** *(velocidad, clase)*

seconde *f*; **ir con segundas** *(discurso, palabras)* être plein(e) de sous-entendus

seguramente *adv* sûrement, probablement

seguridad *nf (protección)* sécurité *f*; *(fiabilidad)* sûreté *f*; *(certidumbre, confianza)* assurance *f*; **de s.** *(cinturón, cerradura)* de sécurité; **con s.** avec certitude; **s. en sí mismo** confiance *f* en soi ■ **S. Social** Sécurité sociale

seguro, -a 1 *adj* sûr(e); **ir sobre s.** ne prendre aucun risque; **tener por s. que** être sûr(e) ou certain(e) que **2** *nm (contrato)* assurance *f*; *(dispositivo)* sûreté *f*; *(de pistola)* cran *m* de sûreté; *Fam (Seguridad Social)* Sécu *f*; *CAm, Méx (imperdible)* épingle *f* de nourrice ■ **s. de vida** assurance-vie *f* **3** *adv* sûrement; **s. que vendrá** il va venir, c'est sûr

seis 1 *adj num inv* six; **s. personas** six personnes; **tiene s. años** il a six ans; **página s.** page six; **estamos a día s.** nous sommes le six

2 *nm inv* six *m*; **el s. de agosto** le six août; **calle Mayor (número) s.** six, calle Mayor; **s. por s.** *(en multiplicación)* six fois six; **el s. de diamantes** le six de carreau

3 *pron num* six; **somos s.** nous sommes six; **vinieron s.** ils sont venus à six; **los s.** tous les six

4 *nfpl* **las s.** six heures; **son las s.** il est six heures

seiscientos, -as *adj num inv* six cents; **s. veinte** six cent vingt; **página s.** page six cent

selección *nf* sélection *f*; *(de personal)* recrutement *m* ■ **s. nacional** équipe *f* nationale; **s. natural** sélection naturelle

seleccionador, -ora 1 *adj* de sélection **2** *nm,f (del equipo nacional)* sélectionneur(euse) *m,f*

seleccionar *vt* sélectionner

selectividad *nf (examen)* = examen d'entrée à l'université

selecto, -a adj (excelente) de choix; (escogido) choisi(e); **la gente selecta** les gens bien

self-service [self'serjis] (pl **self-services**) nm self-service m

sello nm (de correos) timbre m; (tampón) tampon m; (sortija) chevalière f; (lacre, impresión) sceau m ■ **s. discográfico** label m (de disques)

selva nf jungle f; (bosque) forêt f ■ **s. tropical** forêt tropicale

semáforo nm feu m

semana nf semaine f; **entre s.** en semaine ■ **S. Santa** Pâques m; **la S. Santa** la semaine sainte

semanada nf Am argent m de poche (distribué chaque semaine)

semanal adj hebdomadaire

semanario, -a adj & nm hebdomadaire m

sembrar [3] vt semer

semejante 1 adj (parecido) semblable (a à); (tal) pareil(eille); **dos casos semejantes** deux cas semblables; **nunca ha habido s. cola** il n'y a jamais eu une queue pareille **2** nm semblable m

semejanza nf ressemblance f

semen nm sperme m

semestre nm semestre m

semidesnatado, -a adj demi-écrémé(e)

semifinal nf demi-finale f

semilla nf graine f

sémola nf semoule f

senado nm sénat m; **el S.** le Sénat

senador, -ora nm,f sénateur m

sencillo, -a 1 adj simple **2** nm CAm, Méx Fam (cambio) petite monnaie f

sendero nm sentier m

seno nm sein m; (concavidad) poche f; Mat & Anat sinus m; **tiene grandes senos** elle a beaucoup de poitrine; Fig **en el s. de** au sein de ■ **s. materno** ventre m de la mère

sensación nf sensation f; (efecto, premonición) impression f; **tener la s. de que** avoir le sentiment ou l'impression que

sensacional adj sensationnel(elle)

sensacionalista adj à sensation inv

sensato, -a adj sensé(e)

sensibilidad nf sensibilité f

sensible adj sensible; (delicado) délicat(e)

sensual adj sensuel(elle)

sentado, -a adj (en asiento) assis(e); (prudente) réfléchi(e); **dar algo por s.** considérer qch comme acquis; **dejar s. que...** établir que...

sentar [3] **1** vt asseoir

2 vi (ropa, peinado) aller; **ese vestido te sienta bien** cette robe te va bien; **el negro no le sienta fatal** le noir ne lui va pas du tout; **s. bien/mal a alguien** (clima, vacaciones, comida) réussir/ ne pas réussir à qn; (comentario, acción) plaire/déplaire à qn; **un descanso te sentará bien** ça te fera du bien de te reposer; **el clima húmedo me sienta mal** le climat humide ne me réussit pas; Fig **s. la cabeza** se ranger

3 sentarse upr (en asiento) s'asseoir

sentencia nf sentence f

sentenciar vt Der condamner (a à)

sentido, -a 1 adj (sentimiento) sincère **2** nm sens m; (conocimiento) connaissance f; **no tiene s. que vengas ahora** ça ne sert à rien que tu viennes maintenant; **de s. único** à sens unique; **quedarse sin s., perder el s.** perdre connaissance ■ **doble s.** double sens; **s. común** sens commun; **s. del humor** sens de l'humour; **sexto s.** sixième sens; **sin s.** non-sens m inv

sentimental adj & nmf sentimental(e) m,f

sentimiento nm sentiment m

sentir [61] **1** nm sentiment m

2 vt (percibir, apreciar) sentir; (ruido) entendre; (hambre, calor) avoir; (cariño, lástima) éprouver, ressentir; (lamentar) regretter; **s. vergüenza** éprouver de la honte; **lo siento (mucho)** je suis (vraiment) désolé(e); **te lo digo como lo siento** je te le dis comme je le pense

3 *vi* **el verano ya se deja s.** ça sent déjà l'été; **sin s.** sans m'en/t'en/etc rendre compte
4 **sentirse** *upr* se sentir; **sentirse cansado** se sentir fatigué; **sentirse superior** se croire supérieur(e); **sentirse forzado a hacer algo** se sentir obligé de faire qch

seña 1 *nf* (*gesto*) signe *m*; (*contraseña*) consigne *f*; **hablar por señas** parler par gestes; **hacer señas (a alguien)** faire des signes (à qn) **2** *nfpl* **señas** (*dirección*) adresse *f*, coordonnées *fpl*

señal *nf* signe *m*; (*aviso*) signal *m*; (*del teléfono*) tonalité *f*; (*huella, cicatriz*) marque *f*; (*adelanto*) acompte *m*, arrhes *fpl*; **en s. de** en signe de; **eso es s. de que...** c'est la preuve que...; *Fig* **dar señales de vida** donner signe de vie ■ **s. (de tráfico)** panneau *m* (de signalisation)

señalado, -a *adj* important(e); **un día s.** un grand jour

señalar *vt* (*marcar, decir*) signaler; (*apuntar*) montrer; (*indicar, anunciar*) indiquer; (*con marcas*) marquer; (*determinar*) fixer; **no señales al señor con el dedo** ne montre pas le monsieur du doigt; **hemos señalado la fecha de...** nous avons fixé la date de...

señalero *nm Urug* clignotant *m*

señor, -ora 1 *adj* (*refinado*) distingué(e); *Fam* (*en aposición*) (*gran*) beau (belle)
2 *nm* (*tratamiento, hombre*) monsieur *m*; (*caballero*) gentleman *m*; (*de feudo*) seigneur *m*; **el s. Gutiérrez** M. Gutiérrez; **los señores Gutiérrez** M. et Mme Gutiérrez; **el s. presidente** M. le président; **Muy s. mío** (*en cartas*) Cher Monsieur; **señores, siéntense** asseyez-vous, messieurs; **como el s. no está...** comme Monsieur n'est pas là...; **el s. de la casa** le maître de maison
3 *nf* **señora** (*tratamiento*) madame *f*; (*esposa*) femme *f*; **la señora Pérez** Mme Pérez; **la señora presidenta** Mme

le président; **¡señoras y señores!** mesdames, mesdemoiselle(s), messieurs!; **Estimada señora** (*en cartas*) Chère Madame; **¿señora o señorita?** madame ou mademoiselle?; **como la señora no está...** comme Madame n'est pas là...; **la señora de la casa** la maîtresse de maison

señorito, -a 1 *adj Pey* **es muy s.** il aime bien se faire servir **2** *nm* **señorita** (*soltera*) demoiselle *f*; (*tratamiento*) mademoiselle *f*; **la señorita Gutiérrez** mademoiselle Gutiérrez; **¡señorita!** (*maestra*) maîtresse!

sepa *ver* **saber**

separación *nf* séparation *f*; (*espacio*) écart *m* ■ **s. de bienes** séparation de biens

separado, -a 1 *adj* (*divorciado*) séparé(e); **estar s. de** (*alejado*) être loin de **2** *nm,f* personne *f* séparée

separar 1 *vt* séparer; (*reservar*) mettre de côté; **s. algo de** (*apartar*) éloigner qch de **2** **separarse** *vpr* se séparer (**de** de); (*apartarse*) s'éloigner (**de** de)

separo *nm Méx* cellule *f* (de prison)

sepia *nf* (*molusco*) seiche *f*

septentrional 1 *adj* septentrional(e) **2** *nmf* habitant(e) *m,f* du Nord

septiembre *nm* septembre *m*; **el 1 de s.** le 1er septembre; **uno de los septiembres más lluviosos de la última década** l'un des mois de septembre les plus pluvieux de la dernière décennie; **a mediados de s.** à la mi-septembre; **a principios/finales de s.** au début/à la fin du mois de septembre, début/fin septembre; **el pasado/próximo (mes de) s.** en septembre dernier/prochain; **en pleno s.** en plein mois de septembre; **en s.** en septembre; **este s. (pasado/próximo)** en septembre (dernier/prochain); **para s.** en septembre; **entrará en el colegio para s.** il fera sa rentrée scolaire en septembre; **lo quiero**

para s. je le veux pour le mois de septembre

séptimo, -a *adj num* septième; *ver también* **sexto**

sepulcro *nm* tombeau *m*

sequía *nf* sécheresse *f*

ser 1 *v aux* être; **fue visto por un testigo** il a été vu par un témoin

2 *v copulativo* être; **es muy guapo** il est très beau; **soy abogado** je suis avocat; **él es del Consejo Superior** il est membre du Conseil supérieur; **este trapo es para limpiar los cristales** c'est le chiffon qui sert à nettoyer les vitres; **este libro no es para niños** ce n'est pas un livre pour les enfants; **s. de** *(estar hecho de)* être en; *(ser originario de)* être de; *(pertenecer a)* être à; **el reloj es de oro** la montre est en or; **yo soy de Madrid** je suis de Madrid; **es de mi hermano** c'est à mon frère

3 *vi* être; *(suceder, ocurrir)* être, avoir lieu; **¿cuánto es?** c'est combien?; **lo importante es decidirse** l'important, c'est de se décider; **es la tercera vez que...** c'est la troisième fois que...; **hoy es martes** aujourd'hui on est mardi; **mañana es 15 de julio** demain c'est le 15 juillet; **¿qué hora es?** quelle heure est-il?; **son las tres de la tarde** il est trois heures de l'après-midi; **¿qué es de ti?** qu'est-ce que tu deviens?; **la conferencia era esta mañana** la conférence a eu lieu ce matin; **¿cómo fue el accidente?** comment l'accident est-il arrivé?; **allí fue donde nació** c'est là qu'il est né; **dos y dos son cuatro** deux et deux font quatre; **a no s. que** à moins que; **de no s. por ti** me hubiera ahogado si tu n'avais pas été là je me serais noyé; **no es nada** ce n'est rien

4 *v impersonal* **(a)** *(expresa tiempo)* **es de día** il fait jour; **es muy tarde** il est très tard

(b) *(antes de infinitivo)* *(expresa necesidad, posibilidad)* **era de esperar** on pouvait s'y attendre; **es de**

suponer que... on peut supposer que...

(c) *(antes de'que')* *(expresa motivo)* **es que ayer no vine porque estaba enfermo** je ne suis pas venu hier parce que j'étais malade; **como sea** coûte que coûte

5 *nm (ente)* être *m*

serenar 1 *vt (persona)* apaiser **2 serenarse** *vpr* se calmer; *(tiempo)* s'améliorer

serenidad *nf (de persona)* sérénité *f*; *(de noche, mar)* calme *m*

sereno, -a *adj (persona)* serein(e); *(atmósfera, cielo)* clair(e); *(mar)* calme

serie *nf* série *f*; **fuera de s.** hors série; **en s.** en série; *Informát* série *inv*

seriedad *nf* sérieux *m*

serio, -a *adj* sérieux(euse); *(color)* sévère; *(ropa)* strict(e); **en s.** sérieusement

sermón *nm* sermon *m*

serpentina *nf* serpentin *m*

serpiente *nf* serpent *m*

serrar [3] *vt* scier

serrín *nm* sciure *f*

serrucho *nm* scie *f* (égoïne)

servicio *nm* service *m*; *(aseo)* toilettes *fpl*; *(turno)* garde *f*; **prestar un s.** rendre un service; **estar de s.** *(soldado)* être de garde ■ **s. doméstico** domestique *mpl*; **s. militar** service militaire; **s. público** service public; **s. de urgencias** service des urgences

servidumbre *nf (criados)* domestiques *mpl*; *(de vicio, pasión)* dépendance *f*; *(condición de siervo)* servitude *f*

servilleta *nf* serviette *f* de table

servir [46] **1** *vt (comida, bebida)* servir; *(ser útil a)* être utile à; **sírvanos dos cervezas** deux bières s'il vous plaît; **¿te sirvo más?** je t'en ressers?; **¿en qué puedo servirle?** en quoi puis-je vous être utile?

2 *vi* servir; **una tabla le servía de mesa** une planche lui servait de table; **s. para** servir à; **no sirve para**

nada ça ne sert à rien; **no sirve para estudiar** il n'est pas fait pour les études

3 servirse *upr (comida, bebida)* se servir; **sírvete...** sers-toi...; **servirse de** *(utilizar)* se servir de; **sírvase sentarse** veuillez vous asseoir

sesenta 1 *adj num inv* soixante; **los (años) s.** les années soixante; **s. hombres** soixante hommes; **s. y dos** soixante-deux; **página s.** page soixante **2** *nm inv* soixante *m inv*

sesión *nf* séance *f*; *(de teatro)* représentation *f*

seso *nm* cervelle *f*; *Fam (sensatez)* jugeote *f*

seta *nf* champignon *m*

setecientos, -as *adj num inv* sept cents; *ver también* **seiscientos**

setenta 1 *adj num inv* soixante-dix **2** *nm inv* soixante-dix *m inv*; *ver también* **sesenta**

setiembre = septiembre

seto *nm* haie *f*

severidad *nf* sévérité *f*

severo, -a *adj* sévère

Sevilla *n* Séville

sevillano, -a 1 *adj* sévillan(e) **2** *nm,f* Sévillan(e) *m,f* **3** *nf* **sevillana** = danse populaire andalouse

sexista *adj & nmf* sexiste *mf*

sexo *nm* sexe *m* ■ **s. débil** sexe faible

sexto, -a *adj num* sixième; **Carlos s.** Charles six; **el s. piso** le sixième étage; **el s. de la clase** le sixième de la clase; **llegó el s.** il est arrivé sixième ■ **s. sentido** sixième sens *m*

sexual *adj* sexuel(elle)

sexualidad *nf* sexualité *f*

shorts [ʃorts] *nm (pantalón)* short *m*

show [ʃou] *(pl* **shows***) nm* show *m*

si *conj* si, s' *(delante de 'i')*; **¿y si fuéramos a verlo?** et si on allait le voir?; **si viene, me voy** s'il vient, je m'en vais; **me pregunto si lo sabe** je me demande s'il le sait; **¡pero si no he hecho nada!** mais je n'ai rien fait!; **si ya sabía yo que...** je savais bien que...

sí 1 *adv (afirmación)* oui; *(tras pregunta negativa)* si; **¿vendrás? – sí** tu viendras? – oui; **¿no te lo dijo? – ¡sí!** il ne te l'a pas dit? – si!; **¡claro que sí!** mais bien sûr!; **sí que me gusta** elle me plaît vraiment; **¡a que no lo haces! – ¡sí!** je parie que tu ne le fais pas! – chiche!; **¡por qué lo quieres? – ¡porque sí!** pourquoi tu le veux? – parce que!; **me voy de viaje – ¿sí?** je pars en voyage – ah bon?

2 *pron personal (él)* lui; *(ella)* elle; *(ellos)* eux; *(ellas)* elles; *(usted, ustedes)* vous; **cuando uno piensa en sí mismo** quand on pense à soi; **decir para sí (mismo)** se dire; **de por sí** en soi

3 *nm (pl* **síes***)* oui *m*; **dar el sí** donner son approbation

sida *nm (abrev* **síndrome de inmunodeficiencia adquirida)** sida *m*

sidecar [siðe'kar] *nm* side-car *m*

sidra *nf* cidre *m*

siembra *nf* semailles *fpl*

siempre *adv* toujours; *CAm, Méx, Ven (sin duda)* vraiment; **como/desde s.** comme/depuis toujours; **lo de s.** comme d'habitude; **somos amigos de s.** nous sommes amis depuis toujours; *CAm, Méx, Ven* **¿s. nos vemos mañana?** on se voit toujours demain?; **s. que** *(cada vez que)* chaque fois que; *(con tal de que)* pourvu que, à condition que; **s. que vengo** chaque fois que je viens; **s. que seas bueno** à condition que tu sois gentil; **s. y cuando, s. que** pourvu que

sien *nf* tempe *f*

sierra 1 *ver* **serrar**

2 *nf (herramienta)* scie *f*; *(de montañas)* sierra *f*, chaîne *f* de montagnes; *(región montañosa)* montagne *f*; **en la s.** à la montagne

siesta *nf* sieste *f*; **dormir** *o* **echarse la s.** faire la sieste

siete 1 *adj num inv* sept **2** *nm inv* sept *m inv*; *ver también* **seis**

sifón *nm* siphon *m; (agua carbónica)* eau *f* de Seltz

sigla *nf* sigle *m*

siglo *nm* siècle *m*; **el s. veinte** le vingtième siècle; **hace siglos que no te veo** ça fait des siècles que je ne t'ai pas vu

significado, -a 1 *adj* important(e) **2** *nm (sentido)* signification *f*

significar [58] **1** *vt* signifier **2** *vi* **significa mucho para mí** *(tiene mucha importancia)* cela représente beaucoup pour moi

significativo, -a *adj (revelador)* significatif(ive); *(mirada, gesto)* éloquent(e); *(importante)* important(e)

signo *nm* signe *m* ∎ **s. de exclamación** *o* **de admiración** point *m* d'exclamation; **s. de interrogación** point d'interrogation; **s. del zodiaco** signe du zodiaque

siguiente **1** *adj* suivant(e); **a la mañana s.** le lendemain matin; **al día s.** le lendemain **2** *nmf* suivant(e) *m,f*; **¡el s.!** au suivant!; **lo s.** la chose suivante

sílaba *nf* syllabe *f*

silbar *vt & vi* siffler

silbato *nm* sifflet *m*

silbido, silbo *nm* sifflement *m; (para abuchear)* sifflet *m; (con silbato)* coup *m* de sifflet

silenciador *nm* silencieux *m*

silencio *nm* silence *m*; **estar en s.** être silencieux(euse); **guardar s. (sobre algo)** garder le silence (sur qch); **romper el s.** rompre le silence

silencioso, -a *adj* silencieux(euse)

silicona *nf* silicone *f*

silla *nf (asiento)* chaise *f; (de montar)* selle *f; (de prelado)* siège *m* ∎ **s. de ruedas** fauteuil *m* roulant

sillín *nm* selle *f (de bicyclette)*

sillón *nm* fauteuil *m*

silueta *nf* silhouette *f*

silvestre *adj* sauvage

símbolo *nm* symbole *m*

simétrico, -a *adj* symétrique

similar *adj* semblable (**a** à)

similitud *nf* similitude *f*

simpatía *nf* sympathie *f*; **tener** *o* **sentir s. por** avoir de la sympathie pour

simpático, -a *adj* sympathique

simpatizante *adj & nmf* sympathisant(e) *m,f*

simpatizar [14] *vi* sympathiser; **s. con** *(persona)* sympathiser avec; *(teoría, idea)* adhérer à; **enseguida simpaticé con ellos** nous avons tout de suite sympathisé

simple 1 *adj* simple; *(bobo)* simplet(ette) **2** *nmf* niais(e) *m,f*

simplicidad *nf* simplicité *f*

simular *vt* simuler; **s. hacer algo** feindre de faire qch

simultáneo, -a *adj* simultané(e)

sin *prep* sans; **s. sal** sans sel; **s. parar** sans arrêt; **s. alcohol** non alcoolisé(e); **s. embargo** cependant; **está s. terminar/hacer** ce n'est pas fini/fait; **s. que nadie se enterara** sans que personne ne sache

sinagoga *nf* synagogue *f*

sinceridad *nf* sincérité *f*; **con s.** sincèrement

sincero, -a *adj* sincère

sincronizar [14] *vt* synchroniser

sindicar *vt Andes, RP, Ven* inculper

sindicato *nm* syndicat *m*

sinergia *nf* synergie *f*

sinfonía *nf* symphonie *f*

sinfónico, -a *adj* symphonique

singani *nm Bol* eau-de-vie *f* de raisin

single ['singel] *nm* 45-tours *m inv*; *CSur (habitación)* chambre *f* pour une personne, chambre *f* individuelle

singular 1 *adj* singulier(ère); *(único)* unique **2** *nm* singulier *m*

siniestro, -a 1 *adj (perverso)* sinistre; *(desgraciado)* funeste **2** *nm* sinistre *m*

sinnúmero *nm* **un s. de** un nombre incalculable de

sino *conj (para contraponer)* mais; *(para exceptuar)* sauf; **no es azul, s. verde** ce n'est pas bleu mais vert; **no sólo es listo, s. también trabajador**

non seulement il est intelligent, mais en plus il est travailleur; **nadie lo sabe s. él** personne ne le sait sauf lui; **no podemos hacer nada s. esperar** nous ne pouvons rien faire d'autre que d'attendre; **no hace s. hablar** il ne fait que parler

sinónimo, -a 1 *adj* synonyme **2** *nm* synonyme *m*

síntesis *nf inv* synthèse *f*; **en s.** en résumé

sintético, -a *adj* synthétique

sintetizador, -ora 1 *adj* de synthèse **2** *nm* synthétiseur *m*

síntoma *nm* symptôme *m*

sintonía *nf (música)* indicatif *m; (de radio) (ajuste)* réglage *m; (estación)* fréquence *f; Fig* **estamos en s.** nous sommes sur la même longueur d'onde

sintonizar [14] **1** *vt* **sintoniza Radio Nacional** mets Radio Nacional **2** *vi Fig (compenetrarse)* être sur la même longueur d'onde; **sintonizan con Radio Nacional** nous écoutez Radio Nacional; *Fig* **s. con alguien sobre algo** s'entendre avec qn sur qch

sinvergüenza 1 *adj* effronté(e) **2** *nmf* crapule *f*

siquiera 1 *conj (aunque)* même si; **ven s. por pocos días** viens ne serait-ce que quelques jours **2** *adv (por lo menos)* au moins; **dime s. su nombre** dis-moi au moins son nom; **ni (tan) s.** même pas; **ni (tan) s. me saludaron** ils ne m'ont même pas dit bonjour

sirena *nf* sirène *f*

sirviente, -a *nm,f* domestique *mf*

sisa *nf (de prenda)* emmanchure *f*

sistema *nm* système *m; (proceder/trabajar con s.** procéder/travailler avec méthode; **por s.** systématiquement; *Informát* **s. operativo** système d'exploitation

sitiar *vt* assiéger

sitio *nm (lugar)* endroit *m; (asiento, hueco)* place *f; (cerco)* siège *m; Méx (de taxi)* station *f;* **hacer s. a alguien**

faire de la place à qn ■ *Informát* **s. Web** site *m* Web

situación *nf* situation *f;* **estar en s. de** *(económica)* être en mesure de; **no estar en s. de pedir nada** ne pas être en position de demander quoi que ce soit

situar [4] **1** *vt* situer; *(colocar)* placer **2 situarse** *vpr* se situer; *(colocarse)* se placer; *(enriquecerse)* se faire une situation

S.L. *nf (abrev* **sociedad limitada)** SARL *f*

SMS *nm* Tel *(abrev* **short message service)** SMS *m;* **un mensaje SMS** un SMS, un texto

s/n *(abrev* **sin número)** = indique qu'il n'y a pas de numéro dans une adresse

sobaco *nm* aisselle *f*

soberbio, -a 1 *adj (arrogante)* prétentieux(euse); *(magnífico)* superbe **2** *nm,f* prétentieux(euse) *m,f* **3** *nf* soberbia orgueil *m*

soborno *nm (acción)* corruption *f; (dinero, regalo)* pot-de-vin *m*

sobra *nf* excédent *m;* **estar de s.** être en trop; **lo sabes de s.** tu le sais parfaitement; **tengo motivos de s. para...** je n'ai que trop de raisons de...; **tenemos comida de s.** *(mucha)* nous avons à manger plus qu'il n'en faut; **sobras** restes *mpl*

sobrar *vi* rester; *(estar de más)* être de trop; **nos sobra comida** il nous reste à manger; **sobra algo** *(hay de más)* il y a quelque chose en trop; **tú te callas porque aquí sobras** toi tais-toi parce que tu es de trop ici

sobrasada *nf* = saucisson pimenté typique de Majorque

sobre¹ *nm (para cartas)* enveloppe *f; (de alimentos)* sachet *m*

sobre² *prep (encima de, acerca de)* sur; *(por encima de)* au-dessus de; *(alrededor de)* vers; **el libro está s. la mesa** le livre est sur la table; **una conferencia s. el desarme** une conférence sur le désarmement; **el**

pato vuela s. el lago le canard vole au-dessus du lac; **llegarán s. las diez** ils arriveront vers dix heures

sobrecarga *nf* surcharge *f*

sobredosis *nf inv* overdose *f*

sobremesa *nf* **en la s.** après le repas

sobrenombre *nm* surnom *m*

sobrepasar *vt* dépasser (**en** en)

sobreponer [49] **1** *vt* superposer; *Fig* **s. a** (*anteponer*) faire passer avant **2 sobreponerse** *upr Fig* **sobreponerse a algo** surmonter qch

sobresaliente 1 *adj* saillant(e); *Fig* (*destacado*) remarquable **2** *nm* mention *f* très bien

sobresalir [59] *vi* (*en tamaño*) dépasser; (*en construcción*) faire saillie; *Fig* **s.** (*entre los demás*) (*en importancia*) se distinguer (des autres)

sobresalto *nm* sursaut *m*

sobretiempo *nm* Andes (*trabajo*) heures *fpl* supplémentaires; (*fútbol*) prolongation *f*

sobrevivir *vi* survivre (**a** à)

sobrevolar [62] *vt* survoler

sobrino, -a *nm,f* neveu *m*, nièce *f*

sobrio, -a *adj* sobre; (*comida*) frugal(e)

sociable *adj* sociable

social *adj* social(e)

socialista *adj & nmf* socialiste *mf*

sociedad *nf* société *f*; **de s.** mondain(e) ■ **alta s.** haute société; **s. anónima** société anonyme; **s. de consumo** société de consommation; **s. (de responsabilidad) limitada** société à responsabilité limitée

socio, -a *nm,f* (*en negocio*) associé(e) *m,f*; (*de club, asociación*) membre *m*

sociología *nf* sociologie *f*

sociólogo, -a *nm,f* sociologue *mf*

socorrer *vt* secourir

socorrismo *nm* secourisme *m*

socorrista *nmf* secouriste *mf*

socorro 1 *nm* secours *m*; **venir en s. de** venir au secours de **2** *interj* au secours!

soda *nf* soda *m*

sofá *nm* canapé *m*; **s. cama** canapé-lit *m*

sofisticado, -a *adj* sophistiqué(e)

sofoco *nm* (*ahogo*) étouffement *m*; *Fig* (*vergüenza*) honte *f*

sofreír [55] *vt* faire revenir

sofrito, -a 1 *participio ver* **sofreír 2** *nm* = friture d'oignons et de tomates

software ['sofwer] *nm inv* Informát logiciel *m*; **paquete de s.** logiciel

sol *nm* soleil *m*; *Fig* (*ángel, ricura*) amour *m*; **hace s.** il fait beau; **tomar el s.** prendre le soleil; *Fam* **de s. a s.** du matin au soir

solamente *adv* seulement

solapa *nf* (*de prenda*) revers *m*; (*de sobre, libro*) rabat *m*

solar 1 *adj* solaire **2** *nm* terrain *m* (à bâtir)

solario, solárium (*pl* solariums) *nm* solarium *m*

soldado *nm* soldat *m*; **s. raso** simple soldat

soldador, -ora 1 *nm,f* soudeur(euse) *m,f* **2** *nm* fer *m* à souder

soldar [62] *vt* souder

soleado, -a *adj* ensoleillé(e)

soledad *nf* solitude *f*

solemne *adj* solennel(elle)

solemnidad *nf* solennité *f*

soler [81] *vi* **suele cenar tarde** en général il dîne tard; **aquí suele hacer mucho frío** il fait généralement très froid ici; **solíamos ir a la playa todos los días** nous allions à la plage tous les jours

solicitar *vt* (*pedir*) demander; (*por escrito*) solliciter; **estar muy solicitado** (*persona*) être très sollicité

solicitud *nf* demande *f*; (*de admisión, inscripción*) dossier *m*; (*atención*) empressement *m*

solidaridad *nf* solidarité *f*

sólido, -a 1 *adj* solide **2** *nm* solide *m*

solista *adj & nmf* soliste *mf*

solitario, -a 1 *adj & nm,f* solitaire *mf* **2** *nm* (*diamante*) solitaire *m*; (*juego de naipes*) réussite *f*

sollozar [14] *vi* sangloter
sollozo *nm* sanglot *m*
solo, -a 1 *adj* seul(e); **lo haré yo s.** je le ferai tout(e) seul(e); **a solas** tout(e) seul(e) **2** *nm* (*musical*) solo *m* **3** *adv* = **sólo**
sólo *adv* seulement; **s. te pido que me ayudes** je te demande seulement de m'aider; **s. quiere verte a ti** il ne veut voir que toi; **no s.... sino (también)...** non seulement... mais encore...; **s. con oírlo, me saca de quicio** rien que de l'entendre, ça me met hors de moi
solomillo *nm* (*de vaca*) aloyau *m*; (*de cerdo*) filet *m*
soltar [62] **1** *vt* lâcher; (*pájaro*) libérer; (*preso*) relâcher; (*pelo*) détacher; (*nudo*) défaire; **no sueltes la cuerda** ne lâche pas la corde; **s. un perro** lâcher un chien; **suelta cada palabrota...** il sort de ces gros mots...; *Fam* **no suelta ni un duro** il ne lâche pas un centime
2 soltarse *vpr* (*desatarse*) se détacher; **el niño se soltó de la mano de su madre** l'enfant a lâché la main de sa mère; **soltarse en** se débrouiller en; **se va a soltar en inglés** il commence à se débrouiller en anglais; **soltarse a hacer algo** commencer à faire qch
soltero, -a *adj* & *nm,f* célibataire *mf*
solterón, -ona *nm,f* vieux garçon *m*, vieille fille *f*
soltura *nf* aisance *f*; **hablar con s.** s'exprimer avec aisance
solución *nf* solution *f*; **sin s. de continuidad** sans transition
solucionar *vt* résoudre
solvente *adj* (*económicamente*) solvable
sombra *nf* ombre *f*; **dar s.** faire de l'ombre; *Fig* **tener mala s.** (*mala idea*) avoir mauvais esprit ■ **s. de ojos** ombre à paupières
sombrero *nm* chapeau *m*
sombrilla *nf* ombrelle *f*; (*grande*) parasol *m*
someter 1 *vt* soumettre **2 someterse**

vpr se soumettre; **someterse a algo** (*conformarse*) se soumettre à qch; (*operación, interrogatorio*) subir qch
somier (*pl* **somieres** *o* **somiers**) *nm* sommier *m*
somnífero, -a 1 *adj* somnifère **2** *nm* somnifère *m*
son 1 *ver* **ser**
   2 *nm* (*sonido*) son *m*; (*estilo*) façon *f*; (*música*) = danse afro-cubaine
sonajero *nm* hochet *m*
sonar¹ *nm* sonar *m*
sonar² [62] **1** *vi* sonner; (*letra*) se prononcer; (*ser conocido*) être connu(e); *Fam* (*parecer*) avoir l'air; (*ser familiar*) dire quelque chose; **así** *o* **tal como suena** comme je vous le dis; **suena raro** ça a l'air bizarre; **suena a falso** ça sonne faux; **me suena** ça me dit quelque chose; **no me suena su nombre** son nom ne me dit rien
   2 *vt* **s. los mocos** *o* **la nariz a alguien** moucher qn
   3 sonarse *vpr* **sonarse (la nariz** *o* **los mocos)** se moucher
sonido *nm* son *m*
sonoro, -a *adj* sonore
sonreír [55] **1** *vi* sourire **2 sonreírse** *vpr* sourire; (*dos personas*) se sourire
sonriente *adj* souriant(e)
sonrisa *nf* sourire *m*
sonrojar 1 *vt* faire rougir **2 sonrojarse** *vpr* rougir
sonso, -a *adj* *Am* *Fam* crétin(e)
soñar [62] **1** *vt* rêver; **soñé que te ibas** j'ai rêvé que tu t'en allais; **¡ni soñarlo!** aucune chance! **2** *vi* rêver (**con** de); **s. despierto** rêver tout éveillé
sopa *nf* (*guiso*) soupe *f*; (*pedazo de pan en sopa*) = morceau de pain que l'on trempe dans la soupe; (*en huevo*) mouillette *f*
sopero, -a 1 *adj* (*cuchara*) à soupe; (*plato*) creux(euse) **2** *nf* **sopera** soupière *f*
sopetón: de sopetón *adv* brutalement; (*decir, contestar*) de but en blanc

soplar vt souffler; (apartar) souffler sur; (hinchar) gonfler

soplete nm chalumeau m

soplido nm souffle m

soplo nm souffle m

soportar 1 vt supporter 2 **soportarse** vpr se supporter

soporte nm (apoyo) support m; Fig soutien m

soprano nmf soprano mf

sorber vt boire; (haciendo ruido) aspirer bruyamment; (tragar) absorber

sorbete nm sorbet m

sordo, -a adj & nm,f sourd(e) m,f; Fam **hacerse el s.** faire la sourde oreille

sordomudo, -a adj & nm,f sourd(e)-muet(ette) m,f

soroche nm Andes mal m des hauteurs ou des montagnes

sorprendente adj surprenant(e)

sorprender 1 vt surprendre; **me sorprende que... ça m'étonne que...** 2 **sorprenderse** vpr être surpris(e); **no se sorprende de nada** elle ne s'étonne de rien

sorpresa nf surprise f; **llevarse una s.** avoir une surprise; **de** o **por s.** par surprise

sortear 1 vt (rifar) tirer au sort; Fig (obstáculo) éviter; (dificultad) surmonter 2 **sortearse** vpr **sortearse algo** tirer qch au sort

sorteo nm tirage m au sort

sortija nf bague f

SOS nm inv SOS m

sosiego nm calme m

soslayo: de soslayo adv de biais, de côté; (mirar) du coin de l'œil

soso, -a adj (sin sal) fade; (sin gracia) insipide

sospechar 1 vt soupçonner (que que); **s. algo** se douter de qch 2 vi **s. de alguien** soupçonner qn

sospechoso, -a adj & nm,f suspect(e) m,f

sostén nm soutien m; (sujetador) soutien-gorge m

sostener [64] 1 vt soutenir; (conversación) tenir; (familia, correspondencia) entretenir 2 **sostenerse** vpr se tenir; **sostenerse en pie** tenir debout

sota nf valet m (carte à jouer)

sotana nf soutane f

sótano nm (piso) sous-sol m; (pieza) cave f

soy ver ser

squash [es'kuaʃ] nm inv squash m

Sr. (abrev señor) M.

Sra. (abrev señora) Mme

Sras. (abrev señoras) Mmes

Sres. (abrev señores) MM.

Srta. (abrev señorita) Mlle

Sta. (abrev santa) Ste

Sto. (abrev santo) St

stock [es'tok] (pl stocks) nm stock m

stop [es'top] (pl stops) nm stop m

su adj posesivo (de él, de ella) son (sa); (de ellos, de ellas) leur; (de usted, de ustedes) votre; **sus libros** (de él, ella) ses livres; (de ellos, ellas) leurs livres; (de usted, ustedes) vos livres

suave adj doux (douce)

suavidad nf douceur f

suavizante 1 adj adoucissant(e) 2 nm (de ropa) adoucissant m; (de pelo) après-shampooing m

subasta nf (venta pública) vente f aux enchères; (contrata pública) appel m d'offres

subcampeón, -ona adj & nm,f Dep second(e) m,f (d'un championnat)

subconsciente 1 adj subconscient(e) 2 nm subconscient m

subdesarrollado, -a adj sous-développé(e)

subdesarrollo nm sous-développement m

subdirector, -ora nm,f sous-directeur(trice) m,f

subdirectorio nm Informát sous-répertoire m

súbdito, -a nm,f (subordinado) sujet(ette) m,f; (ciudadano) ressortissant(e) m,f

subido, -a 1 adj (fuerte) (sabor, olor) fort(e); (color) vif (vive) **2** nf **subida**

montée f; *(ascensión)* ascension f; *(aumento)* hausse f

subir 1 vi monter; *(precio, calidad)* augmenter; **s. a** monter à; *(a montaña)* faire l'ascension de; *(a vehículo)* monter dans

2 vt monter; *(precio, peso)* augmenter; *(producto)* augmenter le prix de; *(alzar, levantar)* remonter; **s. el tono** hausser le ton

3 subirse vpr *(calcetines)* remonter; *(jersey, camisa)* relever; **subirse a** *(caballo, silla)* monter sur; *(árbol)* grimper à; *(vehículo)* monter dans; **el taxi paró y me subí** le taxi s'est arrêté et je suis monté; **subirse los pantalones** remonter son pantalon

súbito, -a adj soudain(e); **de s.** soudain

subjetivo, -a adj subjectif(ive)

subjuntivo nm subjonctif m

sublevar 1 vt *(amotinar)* soulever; *(indignar)* révolter **2 sublevarse** vpr *(amotinarse)* se soulever

sublime adj sublime

submarinismo nm plongée f sous-marine

submarinista 1 adj *(técnica, lenguaje)* de plongée sous-marine **2** nmf plongeur(euse) m,f *(sous-marin(e))*

submarino, -a 1 adj sous-marin(e) **2** nm sous-marin m

subrayar vt souligner

subsidio nm subvention f; *(de desempleo, familiar)* allocation f

subsistencia 1 nf *(vida)* subsistance f; *(conservación)* survie f **2** nfpl **subsistencias** *(medios)* moyens mpl de subsistance; *(reservas)* vivres mpl

subsuelo nm sous-sol m

subte nm Arg Fam métro m

subterráneo, -a 1 adj souterrain(e) **2** nm souterrain m

subtítulo nm sous-titre m

suburbio nm *(extrarradio)* banlieue f; **los suburbios** *(barrios pobres)* les banlieues défavorisées

sucedáneo, -a 1 adj de

remplacement **2** nm succédané m, ersatz m

suceder 1 v impersonal *(ocurrir)* arriver; **suceda lo que suceda** quoi qu'il arrive; **¿qué le sucede?** qu'est-ce qui vous arrive? **2** vt *(sustituir)* succéder à **3** vi **s. a** *(venir después)* succéder à; **a la guerra sucedieron años terribles** des années terribles suivirent la guerre

sucesión nf succession f; *(matemática)* suite f

sucesivo, -a adj successif(ive); **en lo s.** à l'avenir

suceso nm *(acontecimiento)* événement m; *(hecho delictivo)* fait m divers

sucesor, -ora nm,f successeur m

suciedad nf saleté f

sucio, -a adj sale; *(color, trabajo)* salissant(e); *(negocio)* malhonnête; **en s.** au brouillon

suculento, -a adj succulent(e)

sucumbir vi succomber (**a** à)

sucursal nf succursale f

sudadera nf *(prenda)* sweat-shirt m

Sudáfrica n l'Afrique f du Sud

Sudamérica n l'Amérique f du Sud

sudamericano, -a 1 adj sud-américain(e) **2** nm,f Sud-Américain(e) m,f

sudar 1 vi *(transpirar)* suer; *(pared)* suinter **2** vt *(empapar)* tremper de sueur

Sudeste, sudeste 1 adj sud-est inv **2** nm sud-est m inv ■ **S. asiático** Asie f du Sud-Est

Sudoeste, sudoeste 1 adj sud-ouest inv **2** nm sud-ouest m inv

sudor nm *(transpiración)* sueur f

Suecia n la Suède

sueco, -a 1 adj suédois(e) **2** nm,f Suédois(e) m,f **3** nm *(lengua)* suédois m

suegro, -a nm,f beau-père m, belle-mère f; **suegros** beaux-parents mpl

suela nf semelle f

sueldo nm salaire m; *(de funcionario)* traitement m; **a s.** *(asesino)* à gages

suelo nm sol m; **caer al s.** tomber par

terre; **por el s.** par terre; **echar por el s. un plan** faire tomber un projet à l'eau; *Fam* **estar por los suelos** *(producto)* être donné(e); *(persona)* avoir le moral à terre

suelto, -a 1 *adj (no sujeto) (pelo)* détaché(e); *(cordones)* défait(e); *(hoja)* volant(e); *(ropa)* ample; *(separado)* à l'unité, à la pièce; *(nudo)* lâche; *(estilo)* qui coule; *(fiera)* être en liberté; *(ladrón, preso)* courir; **¿tienes algo s.?** *(dinero)* est-ce que tu as de la monnaie?; **la chaqueta y la falda se venden sueltas** la veste et la jupe sont vendues séparément; **el arroz salió s.** le riz n'a pas collé; **está muy s. en inglés** il parle couramment anglais; **tener el estómago s.** avoir la diarrhée **2** *nm (dinero)* (petite) monnaie f

sueño *nm* sommeil m; *(ensueño, ambición)* rêve m; **tener s.** avoir sommeil; **en sueños** en rêve; **tener un s.** faire un rêve

suero *nm* sérum m; *(de la leche)* petit-lait m

suerte *nf (fortuna)* chance f; *(azar)* hasard m; *(destino)* sort m; *(clase, manera)* sorte f; *Taurom* = nom donné aux actions exécutées au cours des tercios ou étapes de la corrida; **por s.** heureusement; **tener s.** avoir de la chance; **tener mala s.** ne pas avoir de chance

suéter *nm* pull m

suficiente 1 *adj* suffisant(e) **2** *nm (nota)* mention f passable **3** *adv* assez; **¿has comido s.?** tu as assez mangé?

sufragar [37] *vt (gastos)* supporter; *(campaña)* financer

sufragio *nm* suffrage m

sufrido, -a *adj (tejido)* résistant(e); *(color)* peu salissant(e); *(persona)* qui supporte beaucoup sans rien dire; **hacerse el s.** *(el resignado)* jouer les martyrs

sufrimiento *nm* souffrance f

sufrir 1 *vt (enfermedad)* souffrir de;

(accidente, heridas) être victime de; *(desgracias)* subir; *(operación, pérdida)* subir **2** *vi (padecer)* souffrir **(de** de); **s. del corazón** être malade du cœur

sugerencia *nf* suggestion f

sugerir [61] *vt* suggérer

suiche *nm Col, Méx, Ven* interrupteur m

suicidio *nm* suicide m

suite [swit] *nf* suite f *(d'hôtel)*

Suiza n la Suisse

suizo, -a 1 *adj* suisse **2** *nm,f* Suisse mf **3** *nm* pain m au lait

sujetador *nm* soutien-gorge m

sujetar 1 *vt* tenir; *(sostener)* retenir; *(someter)* assujettir, soumettre; *(dominar)* maîtriser; *(atar)* attacher **2 sujetarse** *vpr* **sujetarse de** o **a** *(agarrarse)* se tenir à; **sujetarse a** *(someterse)* se soumettre à; *(dieta)* s'astreindre à

sujeto, -a 1 *adj (agarrado)* fixé(e); **s. a** *(expuesto)* exposé(e) à **2** *nm* sujet m; *(persona)* individu m

suma *nf* somme f; *(operación matemática)* addition f; **en s.** en somme

sumar 1 *vt* additionner; *(elevarse a)* s'élever à; **tres y dos suman cinco** trois plus deux font cinq **2 sumarse** *vpr (añadirse)* s'ajouter (**a** à); **sumarse a** *(incorporarse a)* se joindre à

sumario, -a 1 *adj* sommaire **2** *nm (de juicio)* instruction f; *(índice)* sommaire m; *(resumen)* résumé m

sumergible *adj* submersible; *(reloj, cámara)* étanche

sumergir [23] **1** *vt* submerger; *(con fuerza)* plonger **2 sumergirse** *vpr (hundirse)* plonger; *Fig* **sumergirse en** *(sumirse)* se plonger dans

suministrar *vt* fournir

suministro *nm* fourniture f; *(de agua, electricidad)* distribution f

sumiso, -a *adj* soumis(e)

súper 1 *adj Fam* super **inv 2** *nm Fam* supermarché m **3** *nf (gasolina)* super m

superar 1 vt (aventajar, adelantar) dépasser; (problema, dificultad) surmonter 2 **superarse** vpr se surpasser

superficial adj superficiel(elle)

superficie nf surface f; (extensión, apariencia) superficie f

superfluo, -a adj superflu(e)

superior, -ora 1 adj supérieur(e); Fig (excelente) de premier ordre 2 nm,f (de convento) père m supérieur, mère f supérieure 3 nm (jefe) supérieur m (hiérarchique)

supermercado nm supermarché m

superponer [49] vt superposer

superpuesto, -a participio ver **superponer**

superstición nf superstition f

supersticioso, -a adj superstitieux(euse)

superviviente adj & nmf survivant(e) m,f, rescapé(e) m,f

suplemento nm supplément m; **s. dominical** supplément du dimanche

suplente 1 adj suppléant(e); **un jugador s.** un remplaçant 2 nmf suppléant(e) m,f, (actor) doublure f; (jugador) remplaçant(e) m,f

supletorio, -a 1 adj d'appoint 2 nm (teléfono) deuxième poste m

súplica nf (ruego) supplication f; Der & (escrito) requête f

suplir vt (substituir) remplacer; (compensar) suppléer à; **s. algo (con)** compenser qch (par); **su generosidad suple su mal genio** sa générosité compense son mauvais caractère

suponer [49] 1 vt supposer; (significar) représenter; (conjeturar) imaginer; **supongamos que...** supposons ou admettons que...; **yo suponía** je m'en doutais 2 nm **es un s.** c'est une simple supposition 3 **suponerse** vpr s'imaginer, supposer

suposición nf supposition f

supositorio nm suppositoire m

suprimir vt supprimer

supuesto, -a 1 participio ver **suponer** 2 adj prétendu(e); (culpable, asesino) présumé(e); **un nombre s.** un faux nom; **dar algo por s.** tenir qch pour acquis; **por s.** bien sûr 3 nm hypothèse f; **en el s. de que...** en supposant ou admettant que...

Sur, sur 1 nm sud m inv; **el S. de Europa** le sud de l'Europe 2 adj (zona, frontera) sud inv; (viento) du sud

surco nm sillon m; (en camino) ornière f; (en piel) ride f

sureño, -a 1 adj du sud 2 nm,f habitant(e) m,f du Sud

surf, surfing nm surf m

surgir [23] vi surgir; (brotar) jaillir; **si surge la oportunidad** si l'occasion se présente

surtido, -a 1 adj (abastecido) approvisionné(e); **s. en** qui offre un grand choix de; **unas pastas surtidas** (variadas) un assortiment de petits gâteaux 2 nm (de prendas, tejidos) choix m; (de pastas, bombones) assortiment m

surtidor nm (de fuente) jet m d'eau; **s. (de gasolina)** pompe f (à essence)

susceptible adj susceptible

suscribir 1 vt souscrire; (acuerdo, pacto) souscrire à 2 **suscribirse** vpr **suscribirse a** (publicación) s'abonner à

suscripción nf (a una publicación, canal de televisión) abonnement m

suspender vt (cancelar) suspendre; **s. a alguien en un examen** refuser qn à un examen; **s. un examen** rater un examen

suspense nm suspense m

suspenso, -a 1 adj (no aprobado) refusé(e); **en s.** en suspens 2 nm **tener un s.** rater une matière

suspirar vi soupirer

suspiro nm soupir m

sustancia nf substance f ■ **s. gris** matière f grise

sustancial adj substantiel(elle); (medidas, cambio) important(e)

sustantivo, -a 1 adj (importante)

substantiel(elle) 2 *nm (nombre)* substantif *m*

sustituir [33] *vt* remplacer *(por par)*

susto *nm* peur *f;* **dar** *o* **pegar un s. a alguien** faire une frayeur à qn

sustracción *nf (robo)* vol *m; (resta)* soustraction *f*

sustraer [65] **1** *vt (restar)* soustraire; *(robar)* voler, subtiliser **2 sustraerse** *vpr* se soustraire (**a** *o* **de** à)

susurrar *vt* chuchoter

suyo, -a *(mpl* **suyos,** *fpl* **suyas) 1** *adj posesivo (de él)* à lui; *(de ella)* à elle; *(de ellos)* à eux; *(de ellas)* à elles; *(de usted, ustedes)* à vous; **este libro es s.** ce livre est à lui/à elle/*etc;* **un amigo s.** un de ses/leurs/vos amis; **no es asunto s.** ça ne le/la/les/vous regarde pas; **no es culpa suya** ce n'est pas (de) sa/votre/leur faute

2 *pron posesivo* **el s.** *(de él, de ella)* le sien; *(de usted, de ustedes)* le vôtre; *(de ellos, de ellas)* le leur; **la suya** *(de él, de ella)* la sienne; *(de usted, de ustedes)* la vôtre; *(de ellos, de ellas)* la leur; **los suyos** *(de él, ella)* les siens; *(de usted, ustedes)* les vôtres; *(de ellos, ellas)* les leurs; **las suyas** *(de él, ella)* les siennes; *(de usted, ustedes)* les vôtres; *(de ellos, ellas)* les leurs

Tt

t *(abrev* **tonelada, tomo)** t.

tabaco *nm* tabac *m; (cigarrillos)* cigarettes *fpl;* **¿tienes t.?** tu as une cigarette?

tábano *nm* taon *m*

taberna *nf* bistrot *m*

tabique *nm* cloison *f*

tabla 1 *nf (de madera, de surf)* planche *f; (para cortar)* planche *f* à découper; *(de metal)* plaque *f; (de estantería)* étagère *f; (de falda, camisa)* pli *m; (esquema, gráfico)* tableau *m; (lista, catálogo)* table *f* ■ **t. de materias** table des matières; **t. de multiplicar** table de multiplication; **t. de planchar** planche *f* à repasser

2 *nfpl* **tablas** *(en teatro)* planches *fpl;* **quedar en** *o* **hacer tablas** *(en ajedrez, juego)* faire partie nulle

tablao *nm* = sorte de cabaret où sont données des représentations de flamenco

tablero *nm (tabla)* planche *f; (de resultados)* panneau *m* ■ **t. (de ajedrez)** échiquier *m;* **t. (de damas)** damier *m;* **t. (de mandos)** tableau *m* de bord

tableta *nf (de chocolate)* tablette *f*

tablón *nm* planche *f* ■ **t. (de anuncios)** panneau *m* d'affichage

tabú *(pl* **tabúes** *o* **tabús) 1** *adj* tabou(e) **2** *nm* tabou *m*

taburete *nm* tabouret *m*

tacaño, -a *adj* & *nm,f* avare *mf*

tachar *vt (lo escrito)* barrer; **t. lo que no proceda** rayer la mention inutile

tácito, -a *adj* tacite

taco *nm (para tornillo)* cheville *f; (cuña)* cale *f; (de billetes)* liasse *f; Fam Fig (palabrota)* gros mot *m; (de jamón, queso)* cube *m; (de bota de fútbol)* crampon *m; Am (tacón)* talon *m; CAm, Méx* = crêpe de maïs farcie

tacón *nm* talon *m (de chaussure);* **de t. (alto)** à talons (hauts)

tacto *nm* toucher *m; Fig (delicadeza)* tact *m*

tajada *nf* tranche *f*

tal 1 *adj* tel (telle); *(semejante)* tel (telle), pareil(eille); **t. cosa jamás se ha visto** on n'a jamais vu une chose pareille; **en tales condiciones** dans de telles conditions; **lo dijo con t. seguridad que…** il l'a dit avec une telle assurance que…; **mañana a t. hora** demain à telle heure; **te ha llamado un t. Rodríguez** un certain *ou* dénommé Rodríguez t'a appelé

2 *pron* que si t. que si cual, t. y cual, t. y t. ceci, cela; **ser t. para cual** être faits l'un pour l'autre; **y t.** *(coletilla)* et ainsi de suite

3 *adv* ¿qué t.? comment ça va?; **t. cual** tel (telle) quel (quelle); **con t. (de) que** pourvu que, du moment que; **con t. de que volvamos pronto llegaré a tiempo** pourvu que l'on revienne tôt, je serai à l'heure; **t. (y) como** comme

taladradora *nf* perceuse *f*; *(de papel)* perforeuse *f*

taladrar *vt* percer

taladro *nm (taladradora)* perceuse *f*; *(agujero)* trou *m*

talco *nm* talc *m*

talento *nm* talent *m*

Talgo *nm (abrev tren articulado ligero de Goicoechea Oriol)* = train espagnol aux essieux à écartement variable

talla *nf* taille *f*; *(estatuilla)* statuette *f*; *Fig (importancia)* envergure *f*

tallarín *nm* tagliatelle *f*

taller *nm* atelier *m*; *(de reparación de vehículos)* garage *m*

tallo *nm* tige *f*; *(brote)* pousse *f*; *(de hierba)* brin *m*

talón *nm* talon *m*; *(cheque)* chèque *m*; **un zapato sin t.** une chaussure ouverte derrière ■ *Fig* **t. de Aquiles** talon d'Achille; **t. bancario** chèque bancaire; **t. en blanco** chèque en blanc; **t. conformado** chèque certifié

talonario *nm (de cheques)* carnet *m* de chèques, chéquier *m*

tamal *nm CAm, Méx* = boule de farine de maïs diversement farcie,

enveloppée dans des feuilles de maïs ou de bananier puis cuite à la vapeur ou au four

tamaño, -a 1 *adj (semejante)* pareil(eille); **nunca he visto t. atrevimiento** je n'ai jamais vu (une) pareille audace **2** *nm* taille *f*; **de gran t. de grande taille; de t. natural** grandeur nature

también *adv* aussi; *(además)* de plus; **a mí t. me gusta** moi aussi j'aime ça

tambo *nm CSur* élevage *m* laitier

tambor *nm* tambour *m*; *(de pistola)* barillet *m*

tampoco *adv* non plus; **no quiere salir, yo t.** il ne veut pas sortir, moi non plus; **yo t. lo veo** moi non plus je ne le vois pas; **no quiere ni al cine ni t. comer fuera** il ne veut ni aller au cinéma ni aller au restaurant

tampón *nm* tampon *m*

tan *adv (mucho)* si; **t. grande/deprisa** si grand/vite; **¡qué película t. larga!** qu'est-ce qu'il est long, ce film!; **t.… que…** tellement… que…; **es t. tonto que no se entera** il est tellement bête qu'il ne comprend rien; **t.… como… aussi… que…; es t. listo como su hermano** il est aussi intelligent que son frère; **t. sólo** seulement; *ver también* **tanto**

tanda *nf (grupo)* groupe *m*; *(de trabajo)* équipe *f*; *(serie)* série *f*; **t. de palos** volée *f* de coups

tándem *nm (bicicleta)* tandem *m*; *(de actores)* duo *m*

tanga *nm* string *m*

tango *nm* tango *m*

tanque *nm (vehículo militar)* tank *m*; *(vehículo cisterna)* citerne *f*; *(depósito)* réservoir *m*; *(de cerveza)* chope *f*

tanto, -a 1 *adj (gran cantidad, cantidad indeterminada)* tant de, tellement de; **¡tiene tantos libros!** il a tant de livres!; **nos daban tantos euros al día** on nous donnait tant d'euros par jour; **cincuenta y tantos años** cinquante ans et quelques; **t.… como…** autant de… que…

2 *pron (gran cantidad)* autant; *(cantidad por determinar)* tant; **tienes muchos vestidos, yo no tantos** tu as beaucoup de robes, moi je n'en ai pas autant; **otro t.** autant; **a tantos de** *(mes)* le tant; **entre t.** *(mientras)* pendant ce temps, entre-temps; **por (lo) t.** par conséquent

3 *nm* **marcar un t.** *(punto)* marquer un point; *(gol)* marquer un but; **apuntarse un t. (a favor)** marquer des points; **t. por ciento** pourcentage *m*; **estar al t.** *(al corriente)* être au courant; *(atento)* ouvrir l'œil

4 *adv (gran cantidad)* autant; **no me sirvas t.** ne m'en sers pas autant; **t. que** tant que, tellement que; **lo quiere t. que...** elle l'aime tant que...; **de eso hace t. que...** il y a si longtemps de cela que...; **t. como** autant que; **¡y t.!** et comment!; **t. mejor/peor** tant mieux/pis; **en t. que** pendant que; **t. (es así) que** tant et si bien que; **un t.** *(bastante)* quelque peu

5 *nfpl Fam* **llegar a las tantas** arriver très tard

tapa *nf (para cerrar)* couvercle *m*; *(en bar)* = petite quantité d'olives, d'anchois, de tortilla, etc., servie comme amuse-gueule; *(portada) (de libro)* couverture *f*; *(de tacón)* talon *m*; *Am (de botella)* bouchon *m*

tapabarros *nm inv* cache-sexe *m*

tapadera *nf (tapa)* couvercle *m*; *Fig (para encubrir)* couverture *f*

tapado *nm CSur* grand manteau *m*

tapar 1 *vt* couvrir; *(cerrar) (botella, agujero)* boucher; *(baúl, boca)* fermer; *(no dejar ver)* cacher **2 taparse** *vpr* se couvrir; **taparse la boca** mettre la main devant sa bouche

tapete *nm* napperon *m*; *(de juegos, alfombra)* tapis *m*

tapia *nf* mur *m* de clôture

tapicería *nf (tela, oficio)* tapisserie *f*; **en la t.** *(tienda)* chez le tapissier

tapiz *nm (para la pared)* tapisserie *f*

tapizar [14] *vt (mueble)* recouvrir; *(pared)* tapisser

tapón *nm* bouchon *m*

taquería *nf Méx* = magasin de tacos

taquigrafía *nf* sténographie *f*

taquilla *nf (ventanilla)* guichet *m*; *(casillero)* casier *m*; *(recaudación)* recette *f*

taquillero, -a 1 *adj (artista, espectáculo)* qui fait recette; *(película)* qui fait beaucoup d'entrées **2** *nm,f* guichetier(ère) *m,f*

tara *nf* tare *f*

tardar *vi* **t. en hacer algo** *(llevar tiempo)* mettre du temps à faire qch; *(retrasarse)* tarder à faire qch; **tardó un año en hacerlo** il a mis un an à le faire; **tardo dos minutos** il en a pour deux minutes; **no tardaron en venir** ils n'ont pas tardé à venir; **a más t.** au plus tard

tarde 1 *nf (hasta las siete)* après-midi *m* ou *f*; *(después de las siete)* soir *m*; **vendré por la t.** je viendrai dans l'après-midi/dans la soirée; **de t. en t.** de temps à autre; **muy de t. en t.** très rarement; **¡buenas tardes!** *(hasta las siete)* bonjour!; *(después de las siete)* bonsoir!

2 *adv* tard; *(en demasía)* trop tard; **hoy saldré t.** aujourd'hui, je sortirai tard; **t. o temprano** tôt ou tard; **ya es t. para...** il est trop tard pour...; **se está haciendo t.** il commence à se faire tard; **más vale t. que nunca** mieux vaut tard que jamais

tarea *nf (trabajo)* travail *m*; *(misión)* tâche *f*; *(deberes escolares)* devoirs *mpl*; **tareas domésticas** tâches ménagères

tarifa *nf* tarif *m*

tarima *nf* estrade *f*

tarjeta *nf* carte *f* ■ **t. amarilla** carton *m* jaune; **t. de crédito** carte de crédit; *Informát* **t. gráfica** carte graphique; **t. postal** carte postale; **t. de recarga** *(de móvil)* (carte de) recharge *f* ■ **t. roja** carton rouge; **t. de visita** carte de visite

tarro nm (recipiente) pot m; muy Fam **estar mal del t.** être complètement fêlé(e)

tarta nf gâteau m; (plana) tarte f; **una t. de chocolate** un gâteau au chocolat

tartamudo, -a adj & nm,f bègue mf

tasa nf (índice) taux m; (precio, impuesto) taxe f ■ **t. de desempleo** o **paro** taux de chômage; **t. de importación** taxe à l'importation

tasca nf bistrot m

tata nm Am Fam papa m

tatuaje nm tatouage m

taurino, -a adj taurin(e)

Tauro 1 nm inv (zodiaco) Taureau m inv **2** nmf inv (persona) Taureau m inv

tauromaquia nf tauromachie f

taxi nm taxi m

taxímetro nm compteur m de taxi

taxista nmf chauffeur m de taxi

taza nf (para beber) tasse f; (de retrete) cuvette f

tazón nm bol m

te[1] nf (letra) t m inv

te[2] pron personal te; Fam (impersonal) on; **vengo a verte** je viens te voir; **te quiero** je t'aime; **te lo dio** il te l'a donné; **te tiene miedo** il a peur de toi; **¡mírate!** regarde-toi!; **¡no te pierdas!** ne te perds pas!; **te gusta leer** tu aimes lire; **te crees muy listo** tu te crois très malin; **si te dejas pisar, estás perdido** si on se laisse marcher sur les pieds, on est perdu

té nm thé m

teatral adj théâtral(e)

teatro nm théâtre m

tebeo nm bande f dessinée

techo nm (cara interior, tope) plafond m; (tejado, hogar) toit m; **bajo t.** sous un toit

tecla nf touche f

teclado nm clavier m

teclear vi (en máquina) taper

técnico, -a 1 adj technique **2** nm,f technicien(enne) m,f **3** nf **técnica** technique f

tecnología nf technologie f ■ **t. punta** technologie de pointe

tecnológico, -a adj technologique

tecolote nm CAm, Méx hibou m

teja nf tuile f; **color t.** (rouge) brique inv

tejado nm toit m

tejanos nmpl (pantalones) jean m

tejer 1 vt tisser; (labor de punto) tricoter; (labor de ganchillo) faire au crochet; (mimbre, esparto) tresser **2** vi (hacer punto) tricoter; (hacer ganchillo) faire du crochet

tejido nm tissu m

tejo nm (árbol) if m; Fam Fig **tirarle los tejos a alguien** poursuivre qn de ses assiduités

tel. (abrev **teléfono**) tél.

tela nf tissu m; (tejido basto, cuadro) toile f; **poner en t. de juicio** remettre en cause ■ **t. de araña** toile d'araignée

telaraña nf toile f d'araignée

tele nf Fam télé f

telearrastre nm remonte-pente m

telebanca nf banque f en ligne

telecomunicaciones nfpl télécommunications fpl

telediario nm journal m télévisé

teledirigido, -a adj téléguidé(e)

telefax nm télécopieur m

teleférico nm téléphérique m

telefonear 1 vi téléphoner **2** telefonearse** upr s'appeler (au téléphone)

telefónico, -a adj téléphonique

telefonista nmf standardiste mf

teléfono nm téléphone m; (número) numéro m de téléphone; **hablar a alguien por t.** avoir qn au téléphone; **llamar por t.** téléphoner ■ **t. fijo** téléphone fixe; **t. inalámbrico** téléphone sans fil; **t. móvil** téléphone portable; **t. público** téléphone public

telégrafo nm (medio, aparato) télégraphe m

telegrama nm télégramme m

telenovela nf feuilleton m télévisé

telepatía nf télépathie f

telescopio nm télescope m

telesilla nm télésiège m

telespectador, -ora *nm,f* télé-spectateur(trice) *m,f*

telesquí (*pl* **telesquís** *o* **telesquíes**) *nm* téléski *m*

teletexto *nm* télétexte *m*

teletipo *nm* Télétype® *m*

televidente *nmf* télé-spectateur (trice) *m,f*

televisar *vt* téléviser

televisión *nf* télévision *f*; **ver la t.** regarder la télévision ▪ **t. por cable** télévision par câble; **t. digital** télévision numérique; **t. por satélite** télévision par satellite

televisor *nm* téléviseur *m*

télex *nm inv* télex *m*

telón *nm* rideau *m*

tema *nm* (*asunto*) sujet *m*; (*lección*) leçon *f*; (*musical*) thème *m*

temático, -a 1 *adj* thématique; (*parque*) à thème **2** *nf* **temática** thème *m*

temblar [63] *vi* trembler; **t. de frío/de miedo** trembler de froid/de peur

temblor *nm* tremblement *m* ▪ **t. de tierra** tremblement de terre

temer 1 *vt* craindre; **teme el agua/a su madre** il a peur de l'eau/de sa mère; **temo que se vaya** je crains qu'il ne s'en aille **2** *vi* avoir peur, craindre; **teme por sus hijos** il a peur pour ses enfants; **no temas** n'aie pas peur, ne crains rien **3 temerse** *vpr* craindre; **me temo lo peor** je crains le pire; **me lo temía** je m'en doutais

temor *nm* crainte *f*; **por t. a** *o* **de** par crainte de

temperamento *nm* tempérament *m*

temperatura *nf* température *f*; **tomar la t. a alguien** prendre la température à qn ▪ **t. ambiente** *o* **ambiental** température ambiante; **t. máxima** température maximale; **t. mínima** température minimale

tempestad *nf* tempête *f*

templado, -a *adj* (*agua, bebida, comida*) tiède; (*clima, zona*) tempéré(e); (*persona, carácter*) modéré(e)

templo *nm* temple *m*; (*católico*) église *f*

temporada *nf* saison *f*; (*de exámenes*) période *f*; **de t.** (*fruta*) de saison; (*trabajo, actividad*) saisonnier(ère); **una t.** (*periodo indefinido*) un certain temps, quelque temps ▪ **t. alta** haute saison; **t. baja** basse saison; **t. media** intersaison *f*

temporal 1 *adj* temporel(elle); (*provisional*) temporaire **2** *nm* tempête *f*

temporario, -a *adj Am* temporaire, provisoire

temprano, -a 1 *adj* précoce; **a horas tempranas** de bonne heure; **frutas/ verduras tempranas** primeurs *fpl* **2** *adv* tôt; **por la mañana t.** tôt le matin

tenaza *nf* (*herramienta*) tenailles *fpl*; (*de crustáceos*) pince *f*

tendedero *nm* étendoir *m*

tendencia *nf* tendance *f* (**a** à)

tender [63] **1** *vt* (*tumbar*) étendre; (*extender, tramar*) tendre; (*puente, vía férrea*) construire; **t. la ropa** étendre le linge; **t. la mano** tendre la main; **t. una trampa** tendre un piège; *Am* **t. la cama** faire le lit; **t. la mesa** mettre la table **2** *vi* **t. a** tendre à; (*color*) tirer sur **3 tenderse** *vpr* s'étendre

tenderete *nm* étalage *m*

tendero, -a *nm,f* petit(e) commer-çant(e) *m,f*; (*de comestibles*) épicier (ère) *m,f*

tendón *nm* tendon *m*

tenedor¹ *nm* fourchette *f*

tenedor², -ora *nm,f Com* déten-teur(trice) *m,f*

tener [64] **1** *v aux* (**a**) (*antes de participio*) (*haber*) avoir; **teníamos pensado ir al teatro** nous avions pensé aller au théâtre; **tengo leído medio libro** j'ai lu la moitié du livre (**b**) (*antes de participio o adj*) (*mantener*) **me tuvo despierto** ça m'a tenu éveillé; **eso la tiene entretenida** ça l'occupe (**c**) (*expresa obligación*) **t. que** devoir; **tengo que irme** je dois partir, il faut que je parte

2 *vt* (**a**) *(en general)* avoir; **tiene mucho dinero** il a beaucoup d'argent; **tengo un hermano mayor** j'ai un frère aîné; **¿cuántos años tienes?** quel âge as-tu?; **tengo hambre** j'ai faim; **le tiene lástima** il a pitié de lui; **t. un niño** avoir un enfant; **hoy tengo clase** j'ai cours aujourd'hui; **tiene algo que decirnos** il a quelque chose à nous dire

(**b**) *(medir)* faire; **la sala tiene cuatro metros de largo** le salon fait quatre mètres de long

(**c**) *(sujetar, agarrar)* tenir

(**d**) *(estar)* **aquí tiene su cambio** voici votre monnaie; **aquí me tienes** me voici

(**e**) *(para desear)* **¡que tengas un buen viaje!** bon voyage!; **¡que tengan unas felices Navidades!** joyeux Noël!

(**f**) *(valorar, considerar)* **t. a alguien por** *o* **como** tenir qn pour; **t. algo por** *o* **como** considérer qch comme; **ten por seguro que lloverá** tu peux être sûr qu'il pleuvra

(**g**) *Am (llevar)* **tengo tres años aquí** ça fait trois ans que je suis ici

(**h**) *(expresiones)* **no las tiene todas consigo** il n'en mène pas large; **le ruego tenga a bien mandarme…** je vous prie de bien vouloir m'envoyer…; **t. lugar** avoir lieu; **t. presente algo/alguien** se souvenir de qch/qn; **t. que ver con** avoir à voir avec

3 tenerse *upr* **tenerse de pie** *(borracho)* tenir debout; *(niño)* se tenir debout; **tenerse por algo/ alguien** *(considerarse)* se prendre pour qch/qn

tenga *ver* **tener**

tengo *ver* **tener**

teniente *nm* lieutenant *m*

tenis *nm inv* tennis *m* ■ **t. de mesa** tennis de table

tenista *nmf* joueur(euse) *m,f* de tennis

tenor *nm* ténor *m*; **a t. de** compte tenu de

tensión *nf* tension *f*; **alta t.** haute tension ■ **t. (arterial)** tension (artérielle)

tenso, -a *adj* tendu(e)

tentación *nf* tentation *f*; **ser una t.** être tentant(e); **tener la t. de** être tenté(e) de

tentáculo *nm* tentacule *m*

tentempié *nm (comida)* en-cas *m inv*

tenue *adj (lluvia, tela)* fin(e); *(voz)* faible; *(dolor)* léger(ère); *(hilo, luz)* ténu(e)

teñir [46] **1** *vt* teindre (**de** en) **2 teñirse** *upr* **teñirse el pelo** se teindre les cheveux; **teñirse de rubio/moreno** se teindre en blond/ brun

teología *nf* théologie *f*

teoría *nf* théorie *f*; **en t.** en théorie

tercermundista *adj* du tiers-monde; *(política, actitud)* tiers-mondiste

tercero, -a

> On utilise **tercer** devant les noms masculins singuliers.

1 *adj num* troisième; **la tercera edad** le troisième âge; *ver también* **sexto 2** *nm (piso)* troisième *m*; *(de primaria)* quatrième *f*; *(de universidad)* troisième année *f*; *(mediador)* tiers *m*, tierce personne *f* **3** *nf* tercera *(marcha)* troisième *f*; **a la tercera va la vencida** le troisième coup est toujours le bon

tercio *nm (tercera parte)* tiers *m*; *Taurom* = nom donné à chacune des trois étapes de la corrida

terciopelo *nm* velours *m*

terco, -a *adj & nm,f* entêté(e) *m,f*

tereré *nm Arg, Par* = maté froid additionné de jus de citron

tergal *nm* Tergal® *m*

termas *nfpl* thermes *mpl*

terminal 1 *adj* final(e); **en fase t.** *(enfermo, enfermedad)* en phase terminale **2** *nm Informát* terminal *m*; **t. videotexto** terminal vidéotex **3** *nf* *(de aeropuerto)* terminal *m*; *(de autobuses)* terminus *m*

terminar 1 *vt* terminer, finir; **t. un**

trabajo terminer un travail; **t. la carrera** finir ses études

2 *vi (acabar)* se terminer, finir; *(pareja)* rompre; **las vacaciones terminan** les vacances se terminent; **t. con** en finir avec; **hemos terminado con este tema** nous en avons fini avec ce sujet; **t. de/por hacer algo** finir de/par faire qch; **t. en** se terminer en; **terminó en pelea** ça s'est terminé en bagarre

3 *terminarse upr (finalizar)* se terminer; **se ha terminado el butano** il n'y a plus de gaz

término *nm (fin)* fin *f; (plazo)* délai *m; (lugar, posición)* plan *m; (palabra, en ecuación)* terme *m;* **poner t. a algo** mettre un terme à qch; **en el t. de** dans un délai de; **en primer t.** au premier plan; **la estación de t.** le terminus; **t. medio** juste milieu *m;* **por t. medio** en moyenne; **términos** *(palabras)* termes *m;* **los términos del contrato** les termes du contrat; **en términos generales** en règle générale ■ **t. (municipal)** commune *f*

terminología *nf* terminologie *f*

termita *nf* termite *m*

termo *nm* Thermos® *f*

termómetro *nm* thermomètre *m;* **poner el t. a alguien** prendre la température à qn

termostato *nm* thermostat *m*

ternero, -a 1 *nm,f (animal)* veau *m,* génisse *f* **2** *nf* **ternera** *(carne)* veau *m*

terno *nm (traje)* complet *m*

ternura *nf* tendresse *f*

terral *nm Andes* nuage *m* de poussière

terraplén *nm* terre-plein *m*

terrateniente *nmf* propriétaire *mf* terrien(enne)

terraza *nf* terrasse *f; (balcón)* balcon *m*

terremoto *nm* tremblement *m* de terre

terreno, -a 1 *adj* terrestre **2** *nm* terrain *m; Fig (ámbito)* domaine *m* ■ **t. (de juego)** terrain (de jeu)

terrestre *adj* terrestre

terrible *adj* terrible

territorio *nm* territoire *m*

terrón *nm (de tierra)* motte *f; (de azúcar)* morceau *m*

terror *nm* terreur *f; de t. (película)* d'horreur; **dar t. a alguien** terrifier qn

terrorismo *nm* terrorisme *m*

terrorista *adj & nmf* terroriste *mf*

tertulia *nf* = réunion informelle au cours de laquelle un thème particulier est abordé

tesis *nf inv* thèse *f*

tesoro *nm* trésor *m; Fig (persona valiosa)* perle *f* ■ **T. Público** Trésor public

test *(pl* **tests)** *nm* test *m* ■ **t. del embarazo** test de grossesse

testamento *nm* testament *m*

testarudo, -a *adj & nm,f* têtu(e) *m,f*

testear *vt CSur* tester

testículo *nm* testicule *m*

testigo 1 *nmf* témoin *m* **2** *nm (en carreras de relevos)* témoin *m*

testimonio *nm* témoignage *m; Fig* **como t. de** en témoignage de; **dar t. de algo** témoigner de qch

teta *nf Fam (de mujer)* nichon *m; (de animal)* tétine *f*

tetera *nf* théière *f*

tetero *nm Col, Ven* biberon *m*

tetrabrik® *(pl* **tetrabriks)** *nm* brique *f (contenant)*

textil *adj & nm* textile *m*

texto *nm* texte *m*

textura *nf* texture *f*

ti *pron personal (después de prep)* toi; **pienso en ti** je pense à toi; **me acordaré de ti** je me souviendrai de toi

tianguis *nm inv Méx* marché *m*

tibia *nf* tibia *m*

tibio, -a *adj (agua, infusión)* tiède; *Fig (relaciones, sentimiento)* froid(e)

tiburón *nm* requin *m*

ticket *nm* = **tíquet**

tiempo *nm* temps *m; (edad)* âge *m; (en partido, juego)* mi-temps *f inv;* **al poco t.** peu de temps après; **¿qué t. tiene tu**

hijo? quel âge a ton fils?; **a t.** à temps; **aún estás a t. de hacerlo** tu as encore le temps de le faire; **a un t., al mismo t.** en même temps; **con el t.** avec le temps; **con t.** à l'avance; **del t.** *(fruta)* de saison; *(bebida)* à température ambiante; **no me va a dar t. a hacerlo** je ne vais pas avoir le temps de le faire; **hace buen/mal t.** il fait beau/mauvais; **hace t. que...** il y a longtemps que...; **perder el t.** perdre son temps; **tener t. para** avoir le temps de; **todo el t.** tout le temps; **trabajar a t. completo/parcial** travailler à temps plein *ou* complet/ partiel ■ **t. libre** temps libre

tienda 1 *ver* **tender**
2 *nf* magasin *m* ■ **t. (de campaña)** tente *f* (de camping)

tierno, -a *adj* tendre; **pan t.** du pain frais

tierra *nf* terre *f*; *(patria)* pays *m*, terre *f* natale; **caer a t.** tomber à terre; **quedarse en t.** rater son train/avion/ *etc*; **tomar t.** atterrir; **la T.** la Terre ■ **t. firme** terre ferme; **T. del Fuego** la Terre de Feu; **T. Santa** Terre sainte

tieral = **terral**

tieso, -a *adj* raide; *Fig (engreído)* guindé(e)

tiesto *nm (maceta)* pot *m*; *(con flores)* pot *m* de fleurs; *(trasto)* vieillerie *f*

tigre *nm, f* tigre *m*, tigresse *f*

tijeras *nfpl* ciseaux *mpl*

tila *nf (infusión)* tilleul *m*

tilde *nf (signo ortográfico)* tilde *m*; *(acento gráfico)* accent *m* écrit

tilma *nf Méx (poncho)* poncho *m*; *(manta)* couverture *f*

timbal *nm (de orquesta)* timbale *f*

timbre *nm (aparato)* sonnette *f*; *(de documentos, voz)* timbre *m*; **tocar el t.** sonner

tímido, -a *adj & nm,f* timide *mf*

timo *nm (estafa)* escroquerie *f*; *Fam (engaño)* arnaque *f*

timón *nm* gouvernail *m*; *(del piloto)* manche *m* (à balai); *Andes (volante)* volant *m*

tímpano *nm* tympan *m*

tina *nf (tinaja)* jarre *f*; *(recipiente grande)* bac *m*; *CAm, Col, Méx (bañera)* baignoire *f*

tino *nm (puntería, habilidad)* adresse *f*; *Fig (moderación)* modération *f*

tinta *nf* encre *f*

tintero *nm* encrier *m*

tinto, -a 1 *adj* rouge **2** *nm* (vin *m*) rouge *m*; *Col, Ven (café)* café *m* noir

tintorería *nf* teinturerie *f*

tío, -a *nm,f (familiar)* oncle *m*, tante *f*; *Fam (individuo)* mec *m*, nana *f*; **oye, t., ¿tienes un cigarro?** eh, (mon) vieux, t'aurais pas une cigarette?

tiovivo *nm* manège *m*

tipear *Am* **1** *vt* taper **2** *vi* taper à la machine

típico, -a *adj* typique; **el t. español** l'Espagnol type

tipo, -a 1 *nm,f muy Fam* type *m*, nana *f* **2** *nm (clase)* type *m*; **todo t. de** toutes sortes de; *Fam* **tener buen t.** être bien fait(e) ■ **t. (de interés)** taux *m* d'intérêt

tíquet *(pl* **tíquets)** *nm* ticket *m*; *(de espectáculo)* billet *m*; **t. (de compra)** ticket de caisse

tira *nf (banda)* bande *f*; *(de cuero)* lanière *f*; *(de viñetas)* bande *f* dessinée; *Méx Fam* **la t.** *(la policía)* les flics *mpl*

tirabuzón *nm (rizo)* anglaise *f*

tirado, -a 1 *adj Fam (barato)* donné(e); *(fácil)* fastoche **2** *nf* **tirada** *(lanzamiento)* lancer *m*; *(de libro, revista)* tirage *m*; **de o en una tirada** d'une (seule) traite

tirador, -ora 1 *nm,f (persona)* tireur(euse) *m,f* **2** *nm (de cajón, puerta)* poignée *f*; *(de campanilla)* cordon *m*

tiraje *nm Am* tirage *m*

tiranía *nf* tyrannie *f*

tirano, -a 1 *adj* tyrannique **2** *nm,f* tyran *m*

tirante 1 *adj* tendu(e) **2** *nm (de delantal, vestido)* cordon *m*; **tirantes** *(de pantalones)* bretelles *fpl*

tirar 1 vt jeter; (lanzar) lancer; (dejar caer) faire tomber; (líquido) renverser; (disparar) tirer; **t. papeles al suelo/a la basura** jeter des papiers par terre/à la poubelle; **t. cohetes/piedras** lancer des pétards/des pierres; **t. abajo** (edificio) abattre; (puerta) enfoncer; **t. a gol** shooter
2 vi tirer; Fam (funcionar) marcher; (en reparto) shooter; **t. del pelo** tirer les cheveux; **el camión no tira** le camion n'avance pas; **t. a la derecha** prendre à droite; Fam **¡vamos tirando!** on fait aller!; **un marrón tirando a gris** un marron qui tire sur le gris
3 tirarse vpr (lanzarse, arrojarse) se jeter; (tumbarse) s'étendre; **tirarse de cabeza al agua** plonger la tête la première; **se tiró del cuarto piso** il a sauté du quatrième étage; Fam **se tiró el día leyendo** il a passé sa journée à lire

tirita nf pansement m

tiritar vi grelotter

tiro nm tir m; (disparo, estampido) coup m (de feu); (balazo, herida) balle f; (alcance) portée f; (de chimenea) tirage m; (de pantalón) entrejambe m; (de caballos) attelage m; **pegar un t. a alguien** tirer sur qn; **t. al blanco** tir à la cible

tirón nm (muscular) crampe f; (robo) vol m à l'arraché; **de un t.** d'un trait

títere nm (marioneta) marionnette f; Fig (monigote) pantin m; **títeres** (guiñol) spectacle m de marionnettes

titular¹ **1** adj & nmf titulaire mf **2** nm (de periódico) gros titre m

titular² **1** vt (llamar) intituler **2** titularse vpr (llamarse) s'intituler; (licenciarse) obtenir un diplôme (**en** de)

título nm titre m; (de educación) diplôme m; **a t. de** à titre de

tiza nf craie f; (de billar) bleu m

tlapalería nf Méx quincaillerie f

toalla nf serviette f (de toilette, de

plage); (tejido) tissu-éponge m; Fig **arrojar o tirar la t.** jeter l'éponge

tobillo nm cheville f

tobogán nm toboggan m

tocadiscos nm inv tourne-disque m

tocador nm (mueble) coiffeuse f; (habitación) cabinet m de toilette

tocar [58] **1** vt toucher; (instrumento) jouer de; (asunto, tema) aborder; **no toques eso** ne touche pas à ça; **toca la guitarra/el piano** il joue de la guitare/du piano
2 vi (corresponder) (en reparto) revenir; **t. a o con algo** (estar próximo) toucher qch; **le tocó un premio** il a gagné un prix; **t. a su fin** toucher à sa fin; **te toca hacerlo** c'est à toi de le faire; **le ha tocado la lotería** il a gagné à la loterie; **le ha tocado sufrir mucho** il a beaucoup souffert; **hemos comido y ahora nos toca pagar** maintenant que nous avons mangé, il faut payer
3 tocarse vpr (casas, cables) se toucher; **tocarse el pelo** se passer la main dans les cheveux

tocino nm lard m

todavía adv (aún) encore; (con todo, encima) pourtant; **t. no** pas encore; **t. no lo sabe** il ne le sait pas encore; **y t. se queja** et par-dessus le marché, il se plaint

todo, -a 1 adj tout(e); **t. el mundo** tout le monde; **t. el día** toute la journée; **todos los días/los lunes** tous les jours/les lundis; **un vestido t. sucio** une robe toute sale; **está t. preocupado** il est très inquiet; **es t. un éxito** c'est un vrai succès ■ **t. terreno** véhicule m tout-terrain
2 pron (todas las cosas) tout; **lo ha vendido t.** il a tout vendu; **t. es culpa mía** tout est de ma faute; **está en t.** il pense à tout; **no del t.** pas tout à fait; **todos** (todas las personas) tous mpl; **han venido todas** elles sont toutes venues; **todos me lo dicen** tout le monde me le dit
3 nm tout m

4 *adv* tout, entièrement; **con t.** malgré tout, néanmoins; **sobre t.** surtout

toga *nf* toge *f*

toldo *nm* store *m*; *(de camión)* bâche *f*

tolerancia *nf* tolérance *f*

tolerante *adj* tolérant(e)

tolerar *vt* tolérer

toma *nf* prise *f*; *(en cine)* prise *f* de vues ■ **t. de corriente** prise de courant; **t. de posesión** *(de cargo)* prise de possession; *(de gobierno, presidente)* investiture *f*

tomar 1 *vt* prendre; *Am (beber)* boire; ¿**qué quieres t.?** qu'est-ce que tu prends?; **t. a alguien por imbécil** prendre qn pour un imbécile; **t. cariño a alguien** prendre qn en affection; **t. prestado** emprunter; ¡**toma!** *(al dar algo)* tiens!; *(expresa sorpresa)* ah, bon!

2 *vi Am (beber alcohol)* boire; **t. a la derecha/izquierda** *(encaminarse)* prendre à droite/gauche

3 tomarse *upr (comer, beber)* prendre; **tomarse una cerveza** prendre une bière; **tomarse algo bien/a mal** bien/mal prendre qch; **tomarse algo en serio** prendre qch au sérieux

tomate *nm (hortaliza)* tomate *f*; *(en calcetín)* trou *m*; **como un t.** *(colorado)* rouge comme une tomate ■ **t. frito** sauce *f* tomate

tómbola *nf* tombola *f*

tomillo *nm* thym *m*

tomo *nm (volumen)* tome *m*

ton: sin ton ni son *adv* sans rime ni raison

tonada *nf* air *m*

tonel *nm* tonneau *m*

tonelada *nf* tonne *f*

tónico, -a 1 *adj* tonique **2** *nm (reconstituyente)* fortifiant *m*; *(cosmético)* lotion *f* tonique **3** *nf (tendencia)* ton *m*; *(bebida)* Schweppes® *m*

tono *nm* ton *m*; *(muscular)* tonus *m*

tontería *nf (estupidez)* bêtise *f*; *(cosa sin valor)* bricole *f*; **decir cuatro**

tonterías dire trois mots; **hacer una t.** faire une bêtise

tonto, -a 1 *adj* bête, idiot(e) **2** *nm, f* imbécile *mf*; **hacer el t.** faire l'idiot; **hacerse el t.** faire l'innocent; **ser un t.** être bête

topadora *nf CSur* bulldozer *m*

tope 1 *adj inv (límite)* maximal(e); **la fecha t.** la date butoir **2** *adv muy Fam (muy)* super **3** *nm (pieza)* butoir *m*; *(punto máximo)* limite *f*; *(obstáculo)* frein *m*; **a t.** *(de velocidad, intensidad)* à fond; *Fam (lleno)* plein(e) à craquer

tópico, -a 1 *adj (manido)* banal(e); *(medicamento)* topique, à usage local **2** *nm* banalité *f*, cliché *m*

topo *nm* taupe *f*

tórax *nm inv* thorax *m*

torbellino *nm* tourbillon *m*

torcer [15] **1** *vt (doblar)* tordre; **t. la esquina** tourner au coin de la rue **2** *vi (girar)* tourner **3 torcerse** *upr (dislocarse)* se tordre; *(ir mal)* mal tourner; **me torcí el dedo** je me suis tordu le doigt

torcido, -a *adj (doblado)* tordu(e); *(mal colocado)* de travers

tordo *nm (ave)* grive *f*

torear *vt & vi* combattre

torero, -a 1 *nm, f (persona)* torero *m* **2** *nf* torera *(prenda)* boléro *m*

tormenta *nf* orage *m*

tormentoso, -a *adj* orageux(euse)

torneo *nm* tournoi *m*

tornillo *nm* vis *f*; *Fam Fig* **le falta un t.** il lui manque une case

torniquete *nm (en brazo, pierna)* garrot *m*; *(en entrada)* tourniquet *m*

toro *nm* taureau *m*; **toros** *(lidia)* corrida *f*

torpe *adj* maladroit(e); *(falto de inteligencia)* lent(e); **ser t. para algo** ne pas être très doué(e) pour qch

torpedo *nm* torpille *f*

torpeza *nf* maladresse *f*; *(falta de inteligencia)* lenteur *f*

torre *nf* tour *f*; *(de iglesia)* clocher *m* ■ **t. de control** tour de contrôle

torrente *nm* torrent *m*; *Fig (de gente, palabras)* flot *m*

torrija *nf* tranche *f* de pain perdu

torta *nf* galette *f*; *Col, RP (tarta)* gâteau *m* à la crème; *Fam (bofetada)* baffe *f*; **dar** *o* **pegar una t. a alguien** flanquer une baffe à qn

tortazo *nm Fam (bofetada)* baffe *f*; **darse** *o* **pegarse un t.** prendre une gamelle; *(con vehículo)* se planter

tortilla *nf (de huevos)* omelette *f*; *Méx* = crêpe de maïs épaisse servant de base à la cuisine mexicaine; **t. (a la) española** omelette *f* de patatas omelette espagnole; **t. a la francesa** omelette nature

tórtola *nf* tourterelle *f*

tortuga *nf* tortue *f*

torturar 1 *vt* torturer **2 torturarse** *upr* se tourmenter

tos *nf* toux *f*

toser *vi* tousser

tostado, -a 1 *adj* grillé(e); *(color)* foncé(e); *(tez)* hâlé(e) **2** *nf* tostada tranche *f* de pain grillé; **tostadas** pain *m* grillé

tostador *nm*, **tostadora** *nf* grille-pain *m inv*

tostar [62] **1** *vt (dorar, calentar)* faire griller; *(broncear)* brunir **2 tostarse** *upr (broncearse)* se faire bronzer

total 1 *adj* total(e) **2** *nm (suma)* total *m*; *(totalidad, conjunto)* totalité *f*; **en t.** au total **3** *adv Fam (en conclusión)* bref; *(de todas formas)* de toute manière; **t. que me fui** bref, je suis parti; **t. no podemos hacer nada de** toute manière, on ne peut rien y faire

totalidad *nf* totalité *f*

tóxico, -a 1 *adj* toxique **2** *nm* produit *m* toxique, toxique *m*

toxicómano, -a *adj* & *nm,f* toxicomane *mf*

trabajador, -ora *adj* & *nm,f* travailleur(euse) *mf*

trabajar 1 *vi* travailler; *(en película, obra)* jouer; **trabaja de** *o* **como camarero** il est garçon de café **2** *vt* travailler

trabajo *nm* travail *m*; *(empleo)* emploi *m*; **hacer un buen t.** faire du bon travail; **costar mucho t.** demander beaucoup d'efforts ■ **trabajos manuales** travaux manuels

trabalenguas *nm inv* = mot ou phrase difficile à prononcer

tractor, -ora 1 *adj* moteur(trice) **2** *nm* tracteur *m*

tradición *nf* tradition *f*

tradicional *adj* traditionnel(elle); *(persona)* traditionaliste

traducción *nf* traduction *f* ■ **t. automática** traduction automatique; **t. directa** version *f*; **t. inversa** thème *m*; **t. simultánea** interprétation *f* simultanée

traducir [18] **1** *vt* traduire (**de/a** de/en) **2 traducirse** *upr (a otro idioma)* se traduire (**por** par)

traductor, -ora *nm,f* traducteur (trice) *m,f*

traer [65] **1** *vt (trasladar) (cosa)* apporter; *(persona)* amener; *(de un sitio) (cosa)* rapporter; *(persona)* ramener; *(provocar)* causer; **el periódico trae un artículo interesante** il y a un article intéressant dans le journal; **t. algo entre manos** manigancer qch; **t. de cabeza a alguien** rendre la vie impossible à qn

traficar [58] *vi* faire du trafic (**con** *o* **en** de)

tráfico *nm (circulación)* circulation *f*; *(comercio ilegal)* trafic *m*

tragar [37] **1** *vt (ingerir, creer)* avaler; *(absorber)* engloutir; *Fam (comer mucho)* avaler; *Fam Fig* **no (poder) t. a alguien** ne pas pouvoir encadrer qn **2 tragarse** *upr (ingerir, creer)* avaler; *(absorber)* engloutir; *(orgullo, lágrimas)* ravaler; *Fam Fig* **no se tragan** *(no se soportan)* ils ne peuvent pas s'encadrer

tragedia *nf* tragédie *f*

trágico, -a *adj* tragique

trago *nm (de líquido)* gorgée *f*; *Fam (copa)* verre *m*; **de un t.** d'un trait

traición *nf* trahison *f*; **a t.** en traître

traje *nm (vestido de mujer)* robe *f* ■ **t. de baño** maillot *m* de bain; **t. (de chaqueta)** *(de mujer)* tailleur *m*; *(de hombre)* costume *m*; **t. de luces** habit *m* de lumière

trama *nf (de hilos)* trame *f*; *(de obra)* intrigue *f*

tramar *vt* tramer

tramitar *vt (pasaporte, permiso)* faire des démarches pour obtenir; *(venta, préstamo)* s'occuper de

tramo *nm (de carretera)* tronçon *m*; *(de pared)* pan *m*; *(de escalera)* volée *f*

trampa *nf* piège *m*; *(en suelo)* trappe *f*; **hacer trampas** tricher

trampolín *nm* tremplin *m*; *(de piscina)* plongeoir *m*

trancar 1 *vt (asegurar)* verrouiller **2 trancarse** *upr Am (atorarse)* se coincer; **la llave se trancó en la cerradura** la clé s'est coincée dans la serrure

trance *nm (apuro)* mauvais pas *m*; *(estado hipnótico)* transe *f*; **pasar (por) un mal t.** passer un mauvais moment

tranquilidad *nf* tranquillité *f*, calme *m*

tranquilo, -a *adj* tranquille; *(mar, viento, negocio)* calme; *(despreocupado)* insouciant(e); *Fam* **quedarse tan t.** rester de marbre

transar *Am* **1** *vi (negociar)* trouver un compromis; *(transigir)* céder **2** *vt (finanzas)* négocier

transbordador *nm (barco)* ferry *m*

transbordar 1 *vt* transborder **2** *vi* changer de train

transbordo *nm* changement *m*; **hacer t.** changer de train

transcurrir *vi (tiempo)* s'écouler; *(acontecimiento, acción)* se passer

transeúnte *nmf (paseante)* passant(e) *m,f*; *(transitorio)* personne *f* de passage

transferencia *nf (de fondos)* virement *m*; *(cesión)* transfert *m*

transformación *nf* transformation *f*

transformador, -ora 1 *adj* transformateur(trice); *(industria, sistema)* de transformation **2** *nm* transformateur *m*

transformar 1 *vt* **t. algo/a alguien en** transformer qch/qn en **2 transformarse** *upr (cambiar)* se transformer (**en** en); *(mejorar)* être transformé(e)

transfusión *nf* transfusion *f*

transgénico, -a 1 *adj* transgénique **2** *nmpl* **transgénicos** OGM *mpl*

transición *nf* transition *f*; *Pol* **la t.** = nom donné à la période de l'histoire espagnole qui a suivi le franquisme

transigir [23] *vi* transiger (**con** sur)

transistor *nm* transistor *m*

tránsito *nm (circulación)* circulation *f*, passage *m*; *(transporte)* transit *m*

translúcido, -a *adj* translucide

transmitir 1 *vt* transmettre; *(por radio, televisión)* diffuser **2 transmitirse** *upr* se transmettre

transparente *adj* transparent(e)

transportar 1 *vt* transporter **2 transportarse** *upr (embelesarse)* être transporté(e) (**con** de)

transporte *nm* transport *m* ■ **t. público** *o* **colectivo** transports en commun

transversal *adj* transversal(e)

tranvía *nm* tramway *m*

trapecio *nm* trapèze *m*

trapecista *nmf* trapéziste *mf*

trapo *nm* chiffon *m*; **t. (de cocina)** torchon *m*; *Fam* **sacar los trapos sucios (a relucir)** déballer sa vie privée

tráquea *nf* trachée *f*

tras *prep (después de)* après; *(detrás de, en pos de)* derrière; **t. su intervención…** suite à son intervention…; **día t. día** jour après jour; **una mentira t. otra** mensonge sur mensonge; **andar t. alguien** être à la recherche de qn; **andar t. algo** courir après qch

trasero, -a 1 *adj* de derrière; *(asiento, rueda)* arrière *inv* **2** *nm Fam* derrière *m*

trasladar 1 vt (desplazar) déplacer; (viajeros, herido) transporter; (empleado, funcionario) muter; (empresa, local, preso) transférer; (reunión, fecha) reporter
2 trasladarse vpr (desplazarse) se déplacer; (empresa, local) être transféré(e); **trasladarse (de piso)** (mudarse) déménager

traslado nm (desplazamiento) déplacement m; (de viajeros, víveres, herido) transport m; (de preso) transfert m; (mudanza) déménagement m; (de empleado, funcionario) mutation f

traspasar vt (atravesar) transpercer; (cruzar) (camino, río) traverser; (negocio) céder; (jugador) transférer; Fig (límite) dépasser; **se traspasa** (en letrero) bail à céder

traspié nm faux pas m; **dar un t.** faire un faux pas

trasplantar vt transplanter

trasplante nm greffe f

traste nm (de guitarra) touchette f; CSur Fam (trasero) derrière m; Fig **irse al t.** tomber à l'eau; Andes, CAm, Carib, Méx **trastes** affaires fpl

trasto nm (utensilio inútil) vieillerie f; **trastos** (pertenencias) affaires fpl

tratado nm traité m

tratamiento nm traitement m; (título) titre m ■ **t. de textos** traitement de texte

tratar 1 vt traiter; (negociar) négocier; **t. a alguien de tú** tutoyer qn; **t. a alguien de usted** vouvoyer qn **2** vi **t. de** o **sobre** (versar) traiter de; **t. con alguien** fréquenter qn; **t. de hacer algo** essayer de faire qch **3 tratarse** vpr (relacionarse) se fréquenter; **tratarse con alguien** fréquenter qn; **¿de qué se trata?** de quoi s'agit-il?; **se trata de...** il s'agit de...

tratativas nfpl CSur négociations fpl

trato nm (acuerdo) accord m, pacte m; (comportamiento, conducta) traitement m; (relación) fréquentation f; de

t. agradable (d'un commerce) agréable; **no quiero tratos con ellos** je ne veux pas avoir affaire à eux; **cerrar** o **hacer un t.** conclure un marché; **¡t. hecho!** marché conclu!

trauma nm traumatisme m

través 1 a través de prep (de un lado a otro) en travers de; (por entre) à travers, au travers de; (por medio de) par l'intermédiaire de **2 de través** adv de travers

travesaño nm (pieza) traverse f; (palo de portería) barre f transversale

travesía nf (viaje) traversée f; (calle) passage m

travestido, travestí (pl **travestís**) nm travesti m

travieso, -a adj espiègle

trayecto nm trajet m; **final de t.** terminus m

trayectoria nf (de proyectil) trajectoire f; (de persona) parcours m

trazado nm tracé m

trazar [14] vt (dibujar) tracer; (indicar, describir) évoquer; (plan) concevoir

trazo nm trait m

trébol nm trèfle m; **tréboles** (palo de baraja) trèfle m

trece 1 adj num inv treize **2** nm inv treize m inv; ver también **seis**

tregua nf trève f

treinta 1 adj num inv trente **2** nm inv trente m inv; ver también **sesenta**

tremendo, -a adj terrible; **tomar(se) algo a la tremenda** prendre qch au tragique

tren nm train m ■ **t. de alta velocidad** train à grande vitesse; **t. de aterrizaje** train d'atterrissage; **t. de cercanías** train de banlieue; **t. de lavado** portique m de lavage automatique; **t. de vida** train de vie

trenza nf tresse f

trepar vi (subir) grimper

tres 1 adj num inv trois **2** nm inv trois m; ver también **seis**

trescientos, -as adj num inv trois cents; ver también **seiscientos**

tresillo *nm* = salon comprenant un canapé et deux fauteuils assortis

triangular *adj* triangulaire

triángulo *nm* triangle *m*

tribu *nf* tribu *f*

tribuna *nf* tribune *f*

tribunal *nm* tribunal *m*; *(de orden superior)* cour *f*; *(de examen)* jury *m*; **llevar a alguien a los tribunales** traîner qn devant les tribunaux

triciclo *nm* tricycle *m*

trigo *nm* blé *m*

trigueño, -a *Ven* **1** *adj (pelo)* noir(e); *(persona)* aux cheveux noirs **2** *nm,f (moreno)* = personne qui a les cheveux noirs

trillar *vt* battre

trillizos, -as *nm,fpl* triplés(es) *m,fpl*

trimestral *adj* trimestriel(elle)

trimestre *nm* trimestre *m*

trineo *nm (pequeño)* luge *f*; *(grande)* traîneau *m*

trío *nm* trio *m*; *(de naipes)* brelan *m*

tripa *nf (intestino)* tripes *fpl*; *Fam (barriga)* ventre *m*

triple 1 *adj* triple **2** *nm* triple *m*; **el t. de gente** trois fois plus de gens

trípode *nm* trépied *m*

tripulación *nf* équipage *m*

tripulante *nmf* membre *m* de l'équipage

triste *adj* triste; *(humilde) (persona)* pauvre; *(sueldo)* maigre

tristeza *nf* tristesse *f*

triturar *vt* broyer; *(almendras)* piler

triunfal *adj* triomphal(e)

triunfar *vi (vencer)* triompher (**sobre** de); *(tener éxito)* réussir

triunfo *nm* triomphe *m*; *(en encuentro, elecciones)* victoire *f*; *(en la vida)* réussite *f*; *(en juegos de naipes)* atout *m*

trivial *nf,pl* banal(e)

trizas *nf,pl* **hacer t.** *(cosa)* casser en mille morceaux; *(persona)* anéantir

trofeo *nm* trophée *m*

trombón *nm* trombone *m*

trombosis *nf inv* thrombose *f*

trompa *nf* trompe *f*; *Fam (borrachera)*

cuite *f*; **pillar** o **agarrar una t.** prendre une cuite

trompazo *nm* coup *m*

trompeta *nf* trompette *f*

tronar [62] **1** *v impersonal* tonner **2** *vi (resonar)* tonner; *(gritos)* résonner; *Méx Fam (fracasar)* échouer

tronco, -a 1 *nm* tronc *m*; **dormir como un t.** dormir comme une souche **2** *nm,f Fam* mon vieux *m*, ma vieille *f*

trono *nm* trône *m*

tropa *nf* troupe *f*; *Fig (multitud)* armée *f*

tropezar [17] **1** *vi (al caminar)* trébucher **2 tropezarse** *upr Fam (encontrarse)* se retrouver; **tropezarse con alguien** tomber sur qn

tropezón *nm* faux pas *m*; **tropezones** *(en la sopa)* = morceaux de viande, de pain, etc. mélangés à la soupe

tropical *adj* tropical(e)

trópico *nm* tropique *m*

tropiezo *nm (tropezón, falta)* faux pas *m*; *Fig (impedimento)* difficulté *f*, embûche *f*

trotar *vi* trotter

trote *nm* trot *m*; **al t.** au trot

trozar *vt Am (carne)* découper; *(res, tronco)* débiter

trozo *nm* bout *m*; **cortar algo en trozos** couper qch en morceaux

trucar [58] *vt* truquer; *(motor, mecanismo)* trafiquer

trucha *nf (pez)* truite *f*

truco *nm* truc *m*; **pillar el t.** prendre le coup

trueno *nm* coup *m* de tonnerre; **truenos** coups de tonnerre

trufa *nf* truffe *f*

trusa *nf Méx (calzoncillo)* slip *m*; *(braga)* culotte *f*

tu *adj posesivo* ton, ta; **tus libros** tes livres

tú *pron personal (sujeto)* tu; *(predicado)* toi; **tú te llamas Juan** tu t'appelles Juan; **el culpable eres t.** c'est toi le coupable; **de tú a tú** d'égal à égal;

hablar o tratar de tú a alguien tutoyer qn

tuberculosis nf inv tuberculose f

tubería nf (cañería) tuyau m; (tubo) conduite f

tubo nm (de desagüe) tuyau m; (recipiente) tube m ■ **t. digestivo** tube digestif; **t. de ensayo** tube à essai; **t. de escape** pot m d'échappement

tuerca nf écrou m

tuerto, -a adj & nm,f borgne mf

tul nm tulle m

tulipán nm tulipe f (fleur)

tullido, -a adj & nm,f (minusválido) infirme mf

tumba nf tombe f

tumbar 1 vt (derribar) faire tomber; (extender, acostar) allonger
2 tumbarse upr s'allonger

tumbona nf (de colchoneta) transat m; (de tela) chaise f longue

tumor nm tumeur f

tumulto nm (disturbio) tumulte m; (alboroto) cohue f

tuna nf = petit orchestre d'étudiants; CAm, Méx (fruta) figue f de Barbarie

túnel nm tunnel m ■ **t. de lavado** station f de lavage automatique

Túnez n (capital) Tunis; (país) la Tunisie

túnica nf tunique f

tupido, -a adj (bosque, follaje) dense

turbina nf turbine f

turbio, -a adj trouble; Fig (negocio) louche

turbulencia nf turbulence f; (alboroto) tumulte m

turco, -a 1 adj turc (turque) **2** nm,f Turc (Turque) m,f **3** nm (lengua) turc m

turismo nm tourisme m; (automóvil) voiture f de tourisme ■ **t. rural** tourisme rural ou vert

turista nmf touriste mf

turístico, -a adj touristique

turno nm (tanda) tour m; (de trabajo) équipe f; **el gracioso de t.** le rigolo de service

Turquía n la Turquie

turrón nm touron m (confiserie de Noël semblable au nougat)

tute nm (juego de naipes) = jeu de cartes semblable au whist; Fam Fig (trabajo) boulot m; **darse un t.** donner un coup de collier

tutear 1 vt tutoyer **2 tutearse** upr se tutoyer

tutor, -ora nm,f tuteur(trice) m,f; (profesor) (privado) précepteur(trice) m,f; (de un curso) professeur m principal

tuyo, -a (mpl **tuyos**, fpl **tuyas**) **1** adj posesivo à toi; **este libro es t.** ce livre est à toi; **un amigo t.** un de tes amis; **no es asunto t.** ça ne te regarde pas; **no es culpa tuya** ce n'est pas (de) ta faute **2** pron posesivo **el t.** le tien; **la tuya** la tienne; Fam **lo t. es el teatro** ton truc, c'est le théâtre; **tú a lo t.** occupe-toi de tes affaires; **los tuyos** (tu familia) les tiens mpl

TV nf (abrev **televisión**) TV f

Uu

ubicar [58] **1** *vt* placer; *(edificio)* situer **2 ubicarse** *upr* se situer

Ud. *(abrev* **usted**) vous *(vouvoiement d'une personne)*

Uds. *(abrev* **ustedes**) vous *(vouvoiement d'une personne)*

UE *nf (abrev* **Unión Europea**) UE *f*

úlcera *nf* ulcère *m*

ultimar *vt (preparativos)* mettre la dernière main à; *(tratado)* conclure; *Am (matar)* assassiner

último, -a 1 *adj* dernier(ère); **su última película** son dernier film; **el ú. piso** le dernier étage **2** *nm,f* **el ú.** le dernier; **la última** la dernière; **llegar el ú.** arriver dernier; **este ú.** ce dernier; **por ú.** enfin, finalement **3** *nf* **última:** *Fam* **ir a la última** être à la dernière mode

ultramarino, -a 1 *adj* d'outre-mer **2** *nmpl* **(tienda de) ultramarinos** épicerie *f*

ultravioleta *adj inv* ultraviolet(ette)

umbral *nm* seuil *m*; **en el u.** *o* **los umbrales de** au seuil de

un, una 1 *art*

On utilise **un** au lieu de **una** devant les noms féminins accentués sur la première syllabe et commençant par "a" ou "ha".

un hombre/amor un homme/amour; **una mujer/mesa** une femme/table; **un águila** un aigle; **un hacha** une hache **2** *ver* **uno**

unánime *adj* unanime

UNED *nf (abrev* **Universidad Nacional de Educación a Distancia**) = université nationale espagnole d'enseignement à distance

únicamente *adv* uniquement

único, -a *adj (solo)* seul(e); *(excepcional)* unique; **es lo ú. que deseo** c'est la seule chose que je souhaite; **es hijo ú.** il est fils unique

unidad *nf* unité *f*

unido, -a *adj* uni(e)

unifamiliar *adj (vivienda)* individuel(elle)

uniforme *adj & nm* uniforme *m*

unión *nf* union *f*; *(suma, adherimiento)* jonction *f* ▪ **la U. Europea** l'Union européenne

unir 1 *vt* unir; *(piezas)* assembler; *(comunicar) (ciudades)* relier; *(salsa, problemas)* lier; *(acercar)* rapprocher **2 unirse** *upr* s'unir; *(carreteras, ríos)* se rejoindre; **unirse a** *(amigo, invitado)* se joindre à

unisex *adj inv* unisexe

unísono: al unísono *adv* à l'unisson

universal *adj* universel(elle)

universidad *nf* université *f*

universitario, -a 1 *adj* universitaire **2** *nm,f (estudiante)* étudiant(e) à l'université; *(graduado)* diplômé(e) *m,f* de l'université

universo *nm* univers *m*

uno, una

On utilise **un** au lieu de **uno** devant les noms masculins singuliers.

1 *adj* (**a**) *(indefinido)* un (une); **un día volveré** je reviendrai un jour; **unos, unas** des; **había unos coches mal aparcados** il y avait des voitures mal garées; **me voy unos días a Madrid** je vais passer quelques jours à Madrid; **vinieron unas diez personas** une di zaine de personnes sont venues (**b**) *(numeral)* un (une); **un hombre, un voto** un homme, une voix

2 *pron* (**a**) *(indefinido)* un (une), des *pl*; **toma u.** prends-en un; **unos, unas** quelques-uns, quelques-unes; **tienes muchas manzanas, dame unas** tu as beaucoup de pommes, donne-m'en quelques-unes; **un/una de** l'un/l'une de; **u. de ellos** l'un d'eux; **unas son buenas, otras malas** certaines sont bonnes, d'autres mauvaises; *Fam* **u. que te conoce** un type qui te connaît; **lo sé porque me lo han contado unos** je le sais parce qu'on me l'a raconté

(**b**) *(yo)* on; **entonces es cuando se da u. cuenta de…** c'est alors qu'on se rend compte de…

(**c**) *a una (en armonía)* comme un seul homme; *(a la vez)* en chœur; **como u. más** comme tout le monde; **de u. en u., u. por u.** un par un; **más de u.** plus d'un; **una de dos** de deux choses l'une; **u. a u.** un à un; **u. de tantos** un parmi tant d'autres; **unos cuantos** quelques-uns; **u. tras otro** l'un après l'autre

3 *nm* un m; *ver también* **seis**

4 *nf* **una** *(hora)* **la una** une heure

untar 1 *vt* **u. con** *(pan, tostadas)* tartiner de; *(cuerpo)* enduire de; **u. una tostada con mantequilla** étaler du beurre sur une tartine **2 untarse** *vpr (embadurnarse)* **untarse la piel/ cara con** *o* **de** s'enduire la peau/le visage

uña *nf (de persona)* ongle m; *(de animal)* griffe f; *Fig* **ser u. y carne** être comme les deux doigts de la main

uralita *nf* Fibrociment® m

uranio *nm* uranium m

urbanización *nf (acción)* urbanisation f; *(zona residencial)* lotissement m

urbano, -a 1 *adj* urbain(e) **2** *nm,f* agent m de police

urgencia *nf* urgence f; **con u.**

d'urgence; **una u. de** un besoin urgent de; **urgencias** *(en hospital)* urgences

urgente *adj* urgent(e)

urinario, -a 1 *adj* urinaire **2** *nm* urinoirs mpl

urna *nf* urne f; *(de museo)* vitrine f; **acudir a la urnas** *(ir a votar)* se rendre aux urnes

urraca *nf* pie f

urticaria *nf* urticaire f

Uruguay *n* (el) U. l'Uruguay m

uruguayo, -a 1 *adj* uruguayen(enne) **2** *nm,f* Uruguayen(enne) m,f

usado, -a *adj (utilizado)* usagé(e); *(vehículo)* d'occasion; *(palabra)* usité(e); *(gastado)* usé(e)

usar 1 *vt* utiliser, se servir de; *(prenda, gafas)* porter **2 usarse** *vpr* s'utiliser; *(palabra, expresión)* s'employer; *(prenda)* se porter

usina *nf* RP **u. eléctrica** centrale f électrique; **u. nuclear** centrale nucléaire

uso *nm* usage m; *(empleo)* utilisation f; **hacer u. de** *(utilizar)* faire usage de; **usos y costumbres** us mpl et coutumes

usted *pron personal* vous *(vouvoiement d'une personne)*; **ustedes** vous *(vouvoiement de plusieurs personnes)*; **me gustaría hablar con u.** j'aimerais vous parler; **¿cómo están ustedes?** comment allez-vous?; **de u., de ustedes** *(posesivo)* à vous; **hablar** *o* **tratar de u. a alguien** vouvoyer qn

usual *adj* habituel(elle)

usuario, -a *nm,f (de transportes, servicios)* usager m; *(de máquina, ordenador)* utilisateur(trice) m,f

utensilio *nm* ustensile m

útero *nm* utérus m

útil 1 *adj* utile **2** *nm* outil m, instrument m

utilidad *nf (cualidad)* utilité f; *(beneficio)* profit m

utilitario, -a 1 *adj* fonctionnel(elle) **2** *nm (automóvil)* petite voiture f

utilizar [14] *vt* utiliser

uva *nf* raisin *m*; *Fig* **tener mala u.** avoir un sale caractère; **uvas de la suerte** = les douze grains de raisin que l'on mange le 31 décembre aux douze coups de minuit

Vv

vaca *nf (animal)* vache *f*; *(carne)* bœuf *m*; **Fam estar como una v.** *(gordo)* être gros (grosse) comme une vache

vacaciones *nfpl* vacances *fpl*; **estar/ irse de v.** être/partir en vacances; **veinticinco días de v. al año** vingt-cinq jours de congé par an

vacacionista *nmf Méx* vacancier(ère) *m,f*

vacante 1 *adj* vacant(e) **2** *nf* poste *m* vacant

vaciar [31] *vt (recipiente)* vider; *(dejar hueco)* évider

vacilar 1 *vi (dudar)* hésiter; *(luz)* vaciller; *(tambalearse)* chanceler **2** *vt Fam (tomar el pelo a)* faire marcher; **¡no me vaciles!** ne te fiche pas de moi!

vacilón, -ona 1 *adj & nm,f Fam (chulo)* crâneur(euse) *m,f*; *(bromista)* farceur(euse) *m,f*, *CAm, Carib, Méx (fiestero)* fêtard(e) *m,f* **2** *nm CAm, Carib, Méx (fiesta)* fête *f*

vacío, -a 1 *adj* vide; *(frase, discurso)* creux(euse); *(persona)* superficiel(elle); *(no ocupado)* libre **2** *nm* vide *m*; **al v.** sous vide

vacuna *nf* vaccin *m*

vacunar 1 *vt* vacciner **2 vacunarse** *vpr* se faire vacciner

vado *nm (en acera)* bateau *m*; *(de río)* gué *m* ▪ **v. permanente** *(en señal)* sortie *f* de véhicules

vagabundo, -a 1 *adj (perro)* errant(e) **2** *nm,f* vagabond(e) *m,f*

vagina *nf* vagin *m*

vago, -a 1 *adj (holgazán)* feignant(e); *(impreciso)* flou(e), vague **2** *nm,f (holgazán)* feignant(e) *m,f*

vagón *nm* wagon *m*; **v. restaurante** wagon-restaurant *m*

vagoneta *nf* wagonnet *m*

vaho *nm (vapor)* vapeur *f*; *(en cristales)* buée *f*

vaina *nf (de guisantes, judías)* cosse *f*; *(funda)* étui *m*

vainilla *nf (fruto)* vanille *f*; *(planta)* vanillier *m*

vajilla *nf* vaisselle *f*

valdrá *ver* **valer**

vale 1 *nm* bon *m*; *(comprobante)* reçu *m*; *Méx, Ven Fam (amigo)* pote *m*; *(entrada gratuita)* billet *m* gratuit; **v. de regalo** chèque-cadeau *m* **2** *interj* d'accord!, OK!; **¡v. (ya)!** ça suffit!

valentía *nf (valor)* courage *m*; *(hazaña)* haut fait *m*

valer [66] **1** *vi* valoir; *(precio)* coûter; *(ser válido)* être valable; **¿cuánto vale?** combien ça coûte?; **no vale nada** ça ne vaut rien; **este libro vale por mil** ce livre en vaut mille; **más vale que te vayas** il vaut mieux que tu t'en ailles; **es un chico que vale** c'est un garçon bien; **v. para algo** servir à qch; **¿para qué vale?** à quoi ça sert?; **eso aún vale** c'est encore valable; **¿vale?** d'accord?; **¡vale!** d'accord!, OK!

2 *vt* valoir; **vale la pena** ça (en) vaut la peine

3 valerse *vpr* valerse de *(servirse)* se

servir de; **valerse por sí mismo** se débrouiller tout(e) seul(e)

valga ver **valer**

validez nf validité f; **dar v. a algo** valider qch

válido, -a adj valable

valiente 1 adj (valeroso) courageux(euse) **2** nmf (valeroso) brave mf

valioso, -a adj précieux(euse)

valla nf (cerca) clôture f; (en atletismo) haie f ■ **v. publicitaria** panneau m publicitaire

valle nm vallée f

valor nm valeur f; (valentía) courage m

valoración nf évaluation f

valorar 1 vt évaluer; (mérito, cualidad) apprécier; **estar valorado en** être estimé à **2 valorarse** vpr s'estimer

vals (pl valses) nm valse f

válvula nf soupape f ■ **v. de escape** soupape de sécurité

vanidad nf vanité f

vanidoso, -a adj & nm,f vaniteux(euse) m,f

vano, -a adj vain(e); (presuntuoso) vaniteux(euse); **en v.** en vain

vapor nm vapeur f; (barco) bateau m à vapeur, vapeur m; **al v.** à la vapeur; **de v.** (máquina, barco) à vapeur; (baño) de vapeur

vaporizador nm vaporisateur m

vaquero, -a 1 adj (ropa) en jean; **pantalón v.** jean m **2** nm,f vacher(ère) m,f; **una película de vaqueros** un western **3** nmpl **vaqueros** (pantalón) jean m

vara nf (palo) bâton m; (tallo) tige f; Taurom pique f

variable 1 adj variable; (carácter, humor) changeant(e) **2** nf variable f

variar [31] **1** vt (modificar) changer; (dar variedad) varier **2** vi (cambiar) varier

varicela nf varicelle f

variedad nf variété f; **variedades** variétés

varios, -as 1 adj pl (diferente) divers(es); (algunos) plusieurs **2** pron pl (algunos) plusieurs

variz nf varice f; **tener varices** avoir des varices

varón nm (hombre) homme m; (chico) garçon m

varonil adj viril(e)

vasallo, -a nm,f vassal(e) m,f

vasco, -a 1 adj basque **2** nm,f Basque mf **3** nm (lengua) basque m

vasija nf pot m

vaso nm verre m; (vena) vaisseau m

vasto, -a adj vaste

Vaticano nm **el V.** le Vatican

vaya 1 ver **ir**
2 interj (expresa sorpresa) ça alors!; **¡v. con las huelgas otra vez!** (expresa contrariedad) zut! encore les grèves!; **¡v. moto!** (para enfatizar) ouah! la moto!; **¡v. tontería!** quelle idiotie!

Vd. = **Ud.**

Vds. = **Uds.**

ve ver **ir**

vecindad nf voisinage m; Méx (pensión) = maison ou appartement divisé en plusieurs logements

vecindario nm (vecindad) voisins mpl, voisinage m; (habitantes) habitants mpl

vecino, -a 1 adj voisin(e) **2** nm,f (de casa, calle) voisin(e) m,f; (de barrio, localidad) habitant(e) m,f

vegetación nf végétation f

vegetal 1 adj végétal(e) **2** nm végétal m

vegetariano, -a adj & nm,f végétarien(enne) m,f

vehículo nm véhicule m

veinte 1 adj num inv vingt; **el siglo v.** le vingtième siècle **2** nm inv vingt m inv; ver también **sesenta**

vejez nf vieillesse f

vejiga nf vessie f

vela nf (para dar luz) bougie f; (de barco) voile f; (vigilia) veille f; **estar en v.** être éveillé(e); **pasar la noche en v.** passer une nuit blanche

velador nm Am (mueble) table f de nuit; (luz) veilleuse f; Méx, Ven (centinela) gardien m de nuit

velcro® nm Velcro® m

velero, -a 1 *adj* à voiles **2** *nm* voilier *m*
veleta *nf* girouette *f*
vello *nm* duvet *m*
velo *nm* voile *m*
velocidad *nf* vitesse *f*; **de alta v.** à grande vitesse; **v. punta** vitesse de pointe
velódromo *nm* vélodrome *m*
velomotor *nm* cyclomoteur *m*
veloz *adj* rapide
vena *nf* veine *f*
venado *nm* gros gibier *m*
vencedor, -ora 1 *adj* victorieux(euse) **2** *nm,f* vainqueur *m*
vencejo *nm* martinet *m* (oiseau)
vencer [39] **1** *vt* vaincre; (dificultad, obstáculo) surmonter; (aventajar) battre; (en deporte) mener; **v. por tres puntos** mener par trois points; **v. a alguien a algo** battre qn à qch **2** *vi* (ganar) vaincre; (terminar) (contrato, plazo) expirer; (deuda, pago) arriver à échéance **3 vencerse** *upr* **vencerse (con el peso)** s'affaisser (sous le poids)
vencido, -a 1 *adj* (derrotado) vaincu(e); *Com* arrivé(e) à échéance; (caducado) périmé(e); **darse por v.** s'avouer vaincu **2** *nm,f* vaincu(e) *m,f*
vencimiento *nm* (término) (de contrato, plazo) expiration *f*; (de pago, deuda) échéance *f*; (inclinación) affaissement *m*
venda *nf* bandage *m*
vendaje *nm* bandage *m*
vendar *vt* bander
vendaval *nm* vent *m* violent
vendedor, -ora *nm,f* vendeur(euse) *m,f* **v. ambulante** vendeur(euse) ambulant(e)
vender 1 *vt* vendre **2 venderse** *upr* se vendre; **se vende** (en letrero) à vendre
vendimia *nf* (cosecha) vendange *f*; (periodo) vendanges *fpl*
veneno *nm* poison *m*; (de animales) venin *m*
venenoso, -a *adj* (seta) vénéneux(euse); (serpiente) venimeux(euse)

venezolano, -a 1 *adj* vénézuélien(enne) **2** *nm,f* Vénézuélien(enne) *m,f*
Venezuela *n* le Venezuela
venga *ver* **venir**
venganza *nf* vengeance *f*
vengar [37] **1** *vt* venger **2 vengarse** *upr* se venger (**de** de)
vengo *ver* **venir**
venida *nf* venue *f*
venir [67] **1** *vi* (a) (en general) venir; **vino a las doce** il est venu à midi; **esta palabra viene del latín** ce mot vient du latin (b) (llegar) arriver; **ya vienen los turistas** les touristes arrivent; **el año que viene** l'année prochaine (c) (hallarse, estar) su **foto viene en primera página** sa photo est en première page; **el texto viene en inglés** le texte est en anglais (d) (acometer) **le vinieron ganas de reír** il eut envie de rire (e) (ropa, zapato) **v. a alguien** aller à qn; **¿qué tal te viene?** comment ça te va?; **el abrigo le viene pequeño** ce manteau est trop petit pour lui (f) (convenir) **me viene bien/mal** ça m'arrange/ne m'arrange pas; **me viene mejor mañana** ça m'arrange mieux demain (g) (aproximarse) **viene a ser lo mismo** ça revient au même; **nos vino a costar o salir...** ça nous est revenu à… **2** *v aux* (a) (antes de gerundio) (persistir) **las peleas vienen sucediéndose desde hace tiempo** les bagarres se succèdent depuis un certain temps déjà (b) (antes de participio) (estar) **los cambios vienen motivados por...** les changements sont dus à… **3 venirse** *upr* (venir) venir; **se ha venido solo** il est venu tout seul; **venirse abajo** (edificio) s'écrouler; (negocio) couler; (proyectos) tomber à l'eau
venta *nf* (transacción) vente *f*;

(posada) auberge *f*; **estar a la** *o* **en v.** être en vente ∎ **al contado** vente au comptant; **v. por correo** *o* **por correspondencia** vente par correspondance; **v. a domicilio** vente à domicile; **v. a plazos** vente à crédit

ventaja *nf* avantage *m*; **llevar v. a alguien** avoir de l'avance sur qn

ventana *nf* fenêtre *f*; **las ventanas (de la nariz)** les narines *fpl*

ventanilla *nf (taquilla)* guichet *m*; *(de tren, sobre)* fenêtre *f*; *(de vehículo)* vitre *f*; *(de avión)* hublot *m*

ventilación *nf* aération *f*, ventilation *f*

ventilador *nm* ventilateur *m*

ventisca *nf* tempête *f* de neige

ventosa *nf* ventouse *f*

ventoso, -a *adj* venteux(euse)

ventrílocuo, -a *nm,f* ventriloque *mf*

ver [69] **1** *vi* voir; **¿a v.?** *(mirar con interés)* fais/faites voir?; **¡a v!** *(confirmación)* évidemment!; **a v. qué pasa** on verra bien; **dejarse v.** se montrer; **ya veremos** on verra

2 *vt (en general)* voir; *(televisión)* regarder; **desde casa vemos el mar** depuis chez nous on voit la mer; **¿has visto esa película?** as-tu vu ce film?; **fue a v. a unos amigos** il est allé voir des amis; **veo que tendré que irme sola** je vois qu'il faudra que je parte seule; **cada cual tiene su manera de v. las cosas** chacun a sa façon de voir les choses; **¡hay que v. lo tonto que es!** qu'est-ce qu'il peut être bête!; **por lo visto, por lo que se ve** apparemment

3 *nm* **estar de buen v.** avoir belle allure

4 *verse vpr* se voir; **nos vemos a veces** on se voit de temps en temps; **ya me veo haciéndole la maleta** je me vois déjà en train de faire sa valise; **véase anexo 1** voir annexe 1

veraneante *adj* en vacances **2** *nmf* estivant(e) *m,f*

veranear *vi* passer ses grandes vacances (**en** à)

veraneo *nm* grandes vacances *fpl*, vacances *fpl* d'été

veraniego, -a *adj (clima, temporada)* estival(e); *(vestido, traje)* d'été

verano *nm* été *m*

veras: de veras *adv (verdaderamente)* vraiment; *(en serio)* sérieusement

verbena *nf (fiesta)* = fête populaire nocturne; *(planta)* verveine *f*

verbo *nm* verbe *m*

verdad 1 *nf* vérité *f*; **a decir v...., la v. es que...** à vrai dire..., en fait...; **de v.** *(en serio)* sérieusement; *(realmente)* vraiment; **es v. que...** c'est vrai que...; **está bueno, ¿v.?** c'est bon, n'est-ce pas?; *Fig* **cantarle** *o* **decirle a alguien cuatro verdades** dire ses quatre vérités à qn **2** *adj (auténtico)* vrai(e)

verdadero, -a *adj* vrai(e); *(auténtico)* véritable

verde 1 *adj* vert(e); *Fig (obsceno)* cochon(onne); *Fig (inexperto)* jeune; *(proyecto)* prématuré(e) **2** *nm (color)* vert *m*; **los Verdes** les Verts *mpl*

verdulería *nf* **ir a la v.** aller chez le marchand de légumes

verdulero, -a *nm,f* marchand(e) *m,f* de légumes

verdura *nf* légume *m*; **me gusta la v.** j'aime les légumes

vereda *nf (sendero)* sentier *m*; *Andes, RP (acera)* trottoir *m*

veredicto *nm* verdict *m*

vergonzoso, -a 1 *adj (deshonroso)* honteux(euse); *(tímido)* timide **2** *nm,f* timide *mf*

vergüenza *nf* honte *f*; *(dignidad)* dignité *f*; **¿no te da v. hacer eso?** tu n'as pas honte de faire cela?; **me da v. cantar** j'ai honte de chanter; **me daba v. ajena mirarla** j'avais honte pour elle; **¡es una v.!** c'est une honte!; **vergüenzas** *(genitales)* parties *fpl* honteuses

verificar [58] **1** *vt* vérifier; *(aparato, máquina)* tester; *(llevar a cabo)* effectuer **2 verificarse** *vpr (tener* *lugar)* avoir lieu; *(resultar cierto)* se réaliser

verja *nf* grille *f*

vermú (*pl* **vermús**), **vermut** (*pl* **vermuts**) *nm (licor)* vermouth *m*; *(aperitivo)* apéritif *m*

verosímil *adj* vraisemblable

verruga *nf* verrue *f*

versión *nf* version *f*; **en v. original** en version originale

verso *nm (género)* vers *m*; *(poema)* poème *m*; **en v.** en vers

vertedero *nm (de basura)* décharge *f*

verter [63] **1** *vt (derramar)* renverser; *(vaciar)* verser **2 verterse** *upr (derramarse)* se renverser

vertical 1 *adj* vertical(e) **2** *nf (línea)* verticale *f*

vértice *nm* sommet *m*

vertido *nm* déchet *m*; **v. de residuos** évacuation *f* d'effluents

vertiente *nf (de montaña)* versant *m*; *(de tejado)* pente *f*; *Fig (de problema)* aspect *m*

vértigo *nm (mareo)* vertige *m*; **dar v.** donner le vertige

vestíbulo *nm (de edificio, hotel)* hall *m*; *(de oficina)* entrée *f*

vestido, -a 1 *adj* habillé(e) **2** *nm (indumentaria)* vêtement *m*; *(prenda femenina)* robe *f*

vestimenta *nf* vêtements *mpl*

vestir [46] **1** *vt* habiller; *(llevar puesto)* porter **2** *vi (llevar ropa)* s'habiller (**de** en); **v. mucho** *(ser elegante)* faire très habillé **3 vestirse** *upr* s'habiller; **vestirse de hada** se déguiser en fée

vestuario *nm* vestiaire *m*; *(de actores)* loge *f*; *(vestimenta)* garde-robe *f*; *(en teatro)* costumes *mpl*

veterano, -a 1 *adj (que tiene ancianidad)* ancien(enne); *(soldado)* vieux (vieille); *(experto)* chevronné(e) **2** *nm,f* vétéran *m*, ancienne *f*

veterinario, -a 1 *adj & nm,f* vétérinaire *mf* **2** *nf* **veterinaria** *(ciencia)* médecine *f* vétérinaire

vez *nf* fois *f*; *(turno)* tour *m*; **¿has estado**

allí alguna **v.?** tu y es déjà allé?; **a la v. (que)** en même temps (que); **cada v. (que)** chaque fois (que); **cada v. más** de plus en plus; **cada v. menos** de moins en moins; **cada v. la veo más feliz** je la trouve de plus en plus heureuse; **de una v.** d'un seul coup; **de una v. para siempre** *o* **por todas** une (bonne) fois pour toutes; **¡cállate de una v.!** une bonne fois pour toutes, tais-toi!; **muchas veces** *(repetidamente)* plusieurs fois; *(con frecuencia)* souvent; **otra v.** encore une fois; **pocas veces, rara v.** rarement; **por última v.** une dernière fois; **una v.** une fois; **una v. más** une fois de plus; **una y otra v.** à plusieurs reprises; **pedir la v.** demander son tour; **érase una v...** il était une fois...; **a veces** parfois; **de v. en cuando** de temps en temps; **en v. de** au lieu de; **tal v.** peut-être; **una v. que** une fois que

vía 1 *nf* voie *f*; **por v. aérea** par avion; **por v. marítima** par bateau; **por v. terrestre** par voie de terre; **la v. única** voie à sens unique; **dar v. libre** laisser le champ libre; **en vías de** *(de desarrollo, extinción)* en voie de; *(de negociación)* en cours de ■ **v. de comunicación** voie de communication; **v. férrea** voie ferrée; **v. pública** voie publique; **vías respiratorias** voies respiratoires **2** *prep (pasando por)* via; *(por)* par; **v. Bruselas** via Bruxelles; **v. satélite** par satellite

viaducto *nm* viaduc *m*

viajar *vi* voyager

viaje *nm* voyage *m*; **¡buen v.!** bon voyage!; **un v. relámpago** un voyage éclair; **estar de v.** *(profesional)* être en déplacement; **ir de v.** partir en voyage ■ **v. de ida** aller *m*; **v. de ida y vuelta** voyage aller-retour; **v. de novios** voyage de noces; **v. de vuelta** retour *m*

viajero, -a 1 *adj* **una persona viajera** un grand voyageur **2** *nm,f* voyageur(euse) *m,f*; **¡viajeros al tren!** en voiture!

vianda *nf Am (comida)* = repas que l'on apporte sur son lieu de travail; *(recipiente)* = boîte dans laquelle on transporte son déjeuner

víbora *nf* vipère *f*

vibrar *vi* vibrer

vicepresidente, -a *nm,f* vice-président(e) *m,f*

viciar 1 *vt (pervertir)* corrompre; *(niño)* gâter; *Fig (adulterar) (texto, aire)* vicier **2 viciarse** *vpr (habituarse)* être dépendant(e) (**con** de); *(deformarse)* se déformer

vicio *nm* vice *m*; *(mala costumbre)* mauvaise habitude *f*; *(defecto físico)* défaut *m*

vicioso, -a *adj & nm,f (pervertido)* vicieux(euse) *m,f*

víctima *nf* victime *f*; **ser v. de** être victime de

victimar *vt Am* tuer

victimario, -a *nm,f Am* assassin *m*, tueur(euse) *m,f*

victoria *nf* victoire *f*; *Fig* **cantar v.** crier victoire

vid *nf* vigne *f*

vida *nf* vie *f*; *(duración)* durée *f* de vie; **de por v.** à vie; **en v. de** du vivant de; **¡en mi v. he visto cosa igual!** je n'ai jamais vu une chose pareille!; **estar con v.** être en vie; **ganarse la v.** gagner sa vie; **llevar una v. de perros** avoir une vie de chien; *Fig* **pasarse la v. haciendo algo** passer sa vie à faire qch; **perder la v.** perdre la vie

vidente *nmf* voyant(e) *m,f*

vídeo, *Am* **video 1** *nm (técnica)* vidéo *f*; *(filmación)* film *m* vidéo; *(aparato) (reproductor)* magnétoscope *m*; *(filmador)* caméra *f* vidéo; *(cinta)* bande *f* vidéo; **v. doméstico** film vidéo amateur **2** *adj inv* vidéo *inv*

videocámara *nf* Caméscope® *m*

videocasete *nm* cassette *f* vidéo, vidéocassette *f*

videojuego *nm* jeu *m* vidéo

vidriero, -a 1 *nm,f* vitrier *m* **2** *nf*

vidriera *(ventana)* baie *f* vitrée; *(puerta)* porte *f* vitrée; *(de iglesia)* vitrail *m*

vidrio *nm (material)* verre *m*; *(de ventana)* carreau *m*

vieira *nf* coquille *f* Saint-Jacques

viejo, -a 1 *adj* vieux (vieille); **un hombre v.** un vieil homme; **hacerse v.** se faire vieux **2** *nm,f (anciano)* vieux (vieille) *m,f*; *Fam* **mis viejos** *(mis padres)* mes vieux ■ *Chile* V. **Pascuero** père *m* Noël

viento *nm (aire)* vent *m*; **hace v.** il y a du vent; **contra v. y marea** contre vents et marées; **ir v. en popa** marcher merveilleusement bien; **gritar algo a los cuatro vientos** crier qch sur tous les toits

vientre *nm* ventre *m*; **hacer de v.** aller à la selle

viera *ver* ver

viernes *nm inv* vendredi *m* ■ V. **Santo** vendredi saint; *ver también* **sábado**

Vietnam *n* **(el)** V. le Viêt Nam

viga *nf* poutre *f*

vigencia *nf* validité *f*; **estar/entrar en v.** être/entrer en vigueur

vigente *adj (ley)* en vigueur; *(uso, moda)* actuel(elle)

vigilante 1 *nmf* gardien(enne) *m,f* ■ **v. nocturno** veilleur *m* de nuit **2** *adj* vigilant(e)

vigilar 1 *vt* surveiller; *(banco, museo)* assurer la surveillance de **2** *vi* faire attention

vigor *nm* vigueur *f*; *(moral)* courage *m*; *(energía)* énergie *f*; **estar en v.** *(ley)* être en vigueur

vigoroso, -a *adj* vigoureux(euse)

vil *adj (despreciable)* méprisable; *(sin valor)* vil(e)

villa *nf (población)* ville *f*; *(casa)* villa *f*

villancico *nm* chant *m* de Noël

vilo: en vilo *adv (suspendido)* en l'air; **estar en v.** être sur des charbons ardents; **estar en v. por saber algo** mourir d'impatience de savoir qch

vinagre *nm* vinaigre *m*

vinagrera *nf* vinaigrier *m*; **vinagreras** huilier *m*

vinagreta *nf* vinaigrette *f*

vinculación *nf* lien *m*

vincular 1 *vt (enlazar)* lier **2 vincularse** *upr* se lier

vino 1 *ver* **venir**

2 *nm* vin *m* ■ **v. blanco** vin blanc; **v. dulce** vin doux; **v. de mesa** vin de table; **v. rosado** vin rosé; **v. seco** vin sec; **v. tinto** vin rouge

viña *nf* vigne *f*

violación *nf (de ley, derechos)* violation *f*; *(abuso sexual)* viol *m*

violador, -ora *nm,f* violeur(euse) *m,f*

violar *vt* violer

violencia *nf (agresividad, fuerza)* violence *f* ■ **v. doméstica** violence familiale; *(hacia la mujer)* violence conjugale

violento, -a *adj* violent(e); **estar/ sentirse v.** *(incómodo)* être/se sentir gêné(e); **ser v.** être gênant(e)

violeta 1 *nf (flor)* violette *f* **2** *adj inv (color)* violet(ette) **3** *nm (color)* violet *m*

violín *nm (instrumento)* violon *m*

violinista *nmf* violoniste *mf*

violonchelo *nm* violoncelle *m*

virgen 1 *adj & nf* vierge *f*; **la V.** la Vierge

Virgo 1 *nm inv (zodiaco)* Vierge *f inv* **2** *nmf inv (persona)* Vierge *f inv*

virtud *nf* vertu *f*; **tener la v. de** *(la capacidad)* avoir la vertu de; *(el don)* avoir le don de; **en v. de** en vertu de

viruela *nf (enfermedad)* variole *f*; *(pústula)* pustule *f*

virus *nm inv* virus *m*

viruta *nf* copeau *m*

visa *nf Am* visa *m*

visado *nm* visa *m*

víscera *nf* viscère *m*

viscoso, -a 1 *adj* visqueux(euse) **2** *nf* **viscosa** viscose *f*

visera *nf* visière *f*; *(gorra)* casquette *f*; *(de automóvil)* pare-soleil *m inv*

visible *adj* visible; **estar v.** *(presentable)* être visible

visillo *nm* voilage *m*

visita *nf* visite *f*; *(visitante)* visiteur(euse) *m,f*; **tener visitas** avoir de la visite; **pasar v.** examiner (les malades)

visitante *adj & nmf* visiteur(euse) *m,f*

visitar *vt (a amigo, pariente)* rendre visite à; *(cliente, lugar)* visiter; *(sujeto: médico)* examiner

vislumbrar 1 *vt* apercevoir, distinguer; *Fig* entrevoir

2 vislumbrarse *upr* se distinguer; *Fig* se dessiner

víspera *nf (día anterior)* veille *f*; **en vísperas de** à la veille de

vista *nf (sentido, panorama)* vue *f*; *(ojos)* yeux *mpl*; *(mirada)* regard *m*; *Der* audience *f*; **a primera o simple v.** à première vue; **estar a la v.** être en vue; **operar a alguien de la v.** opérer qn des yeux; **no tener mucha v.** *(poco perspicaz)* ne pas être très malin(igne); **fijar la v. en algo** fixer qch; **conocer a alguien de v.** connaître qn de vue; **¡hasta la v.!** à la prochaine!; **perder de vista** perdre de vue; **saltar a la v.** sauter aux yeux; **con vistas al mar** avec vue sur la mer; **a la v.** *(en evidencia)* en vue; *Fig (intenciones)* clair(e); *Fin* à vue; **con vistas a** dans l'intention de, en vue de; **en v. de** au vu de, compte tenu de; **en v. de que** étant donné que

vistazo *nm* coup *m* d'œil; **echar o dar un v.** jeter un coup d'œil

visto, -a 1 *participio ver* **ver**

2 *adj* **estar bien/mal v.** être bien/mal vu(e); **estar muy v.** être banal(e); **v. bueno (y conforme)** lu et approuvé; **por lo v.** apparemment; **v. que** vu que, puisque ■ **v. bueno** approbation *f*

vistoso, -a *adj* voyant(e)

vital *adj* vital(e); *(persona)* plein(e) de vitalité

vitalidad *nf* vitalité *f*

vitamina *nf* vitamine *f*

vitrina *nf* vitrine *f*

viudo, -a *adj & nm,f* veuf (veuve) *m,f*

viva 1 *nm* vivat *m* **2** *interj* hourra!; **¡v. España!** vive l'Espagne!

víveres *nmpl* vivres *mpl*

vivienda *nf* logement *m* ■ **v. de protección oficial** HLM *m* ou *f*

vivir 1 *vt* (*experimentar*) vivre **2** *vi* vivre; (*residir*) habiter; **vivo en Barcelona** j'habite à Barcelone

vivo, -a 1 *adj* vif (vive); (*existente, expresivo*) vivant(e); **un olor v.** une odeur forte; **una ciudad viva** une ville très animée; **estar v.** être en vie; **en v.** (*en directo*) en direct; (*en persona*) en chair et en os **2** *nm,f* **los vivos** les vivants *mpl*

vocabulario *nm* vocabulaire *m*

vocación *nf* vocation *f*

vocal 1 *adj* vocal(e) **2** *nmf* (*de junta, consejo*) membre *m* **3** *nf* voyelle *f*

vodka *nm o nf* vodka *f*

vol. (*abrev* **volumen**) vol.

volador, -ora *adj* volant(e)

volandas: en volandas *adv* **llevar en v.** soulever

volante 1 *adj* volant(e) **2** *nm* volant *m*; (*del médico*) lettre *f*; **estar** *o* **ir al v.** être au volant

volar [62] **1** *vt* (*hacer explotar*) faire sauter **2** *vi* voler; **echar(se) a v.** s'envoler; *Fig* **el tiempo vuela** on ne voit pas passer le temps; *Fig* **me voy volando** je me dépêche; *Fig* **hacer algo volando** faire qch en vitesse

volcán *nm* volcan *m*

volcánico, -a *adj* volcanique

volcar [68] **1** *vt* renverser; (*vaciar*) vider; (*verter*) verser **2** *vi* (*vehículo*) se retourner; (*barco*) chavirer **3 volcarse** *vpr* (*caerse*) se renverser; (*barco*) chavirer; (*esforzarse*) se démener; **volcarse con** *o* **en** se dévouer à

voleibol *nm* volley-ball *m*

volquete *nm* camion *m* à benne

voltaje *nm* voltage *m*

voltear 1 *vt* *Am* (*derribar*) renverser; *Andes, Méx, Ven* (*volver*) **v. la cara** tourner la tête; **v. la espalda a alguien** tourner le dos à qn **2** *vi* *Méx* (*torcer*) tourner **3 voltearse** *vpr* *Andes,*

CAm, Carib, Méx (*volverse*) se retourner; (*volcarse*) se renverser

voltereta *nf* culbute *f*; (*en gimnasia*) roulade *f*; **dar volteretas** faire des galipettes

volumen *nm* volume *m*; **a todo v.** à fond; **subir/bajar el v.** monter/ baisser le son ■ **v. de negocios** *o* **ventas** chiffre *m* d'affaires

voluntad *nf* volonté *f*; **a v.** à volonté; **buena/mala v.** bonne/mauvaise volonté; **contra la v. de alguien** contre la volonté de qn; **por mi/tu/** *etc* **propia v.** de mon/ton/*etc* plein gré; **por v. propia** de sa propre initiative; **v. de hierro** volonté de fer

voluntario, -a *adj & nm,f* volontaire *mf*

voluntarioso, -a *adj* **ser v.** avoir de la volonté

volver [40] **1** *vt* (*dar la vuelta a*) retourner; (*cabeza, espalda*) tourner; (*convertir*) rendre; **lo volvió loco** il l'a rendu fou

2 *vi* (*venir, regresar*) revenir; (*ir de nuevo*) retourner; **vuelve, no te vayas** reviens, ne t'en va pas; **volvamos a nuestro tema** revenons à notre sujet; **v. en sí** revenir à soi; **no pienso v. allí** je n'ai pas l'intention de retourner là-bas; **v. a hacer/leer** refaire/relire; **volvió a mirar** il regarda de nouveau; **vuelve a llover** il recommence à pleuvoir; **no vuelvas a pronunciar esa palabra** ne prononce plus jamais ce mot

3 volverse *upr* (*darse la vuelta*) se retourner; (*convertirse en*) devenir; **volverse a** (*ir de vuelta*) retourner à; **volverse de** (*venir de vuelta*) revenir de; **se ha vuelto muy cursi** elle est devenue très snob; **volverse atrás** (*desdecirse*) faire machine arrière; **volverse contra** *o* **en contra de alguien** se retourner contre qn

vomitar *vt & vi* vomir

vos *pron personal* *Andes, CAm, Carib, RP* (*tú*) (*sujeto*) tu; (*objeto*) toi

vosotros, -as *pron personal Esp* vous

votación *nf (acción)* vote *m*; *(efecto)* élection *f*; *(por voz)* par voie de scrutin

votante *nmf* votant(e) *m,f*

votar 1 *vt* voter 2 *vi* voter; **v. en blanco** voter blanc; **v. por** *(emitir un voto)* voter pour; *(estar a favor)* être pour

voto *nm (sufragio)* voix *f*; *(consulta)* vote *m*; *(derecho a votar)* droit *m* de vote; *(ruego)* vœu *m*; **contar los votos** faire le décompte des voix

voy *ver* **ir**

voz *nf* voix *f*; *(grito)* cri *m*; **alzar o levantar la v. a alguien** élever la voix devant qn; **a media v.** à mi-voix; **en v. alta/baja** à voix haute/basse; **no tener ni v. ni voto** ne pas avoir voix au chapitre; **v. de la conciencia** voix de la conscience; **v. en off** voix off; **a voces** en criant; **dar voces** pousser des cris; **corre la v. de que...** le bruit court que...; **llevar la v. cantante** mener la danse

vuelo *nm* vol *m*; **al v.** *(agarrar)* au vol; *Fig (captar)* du premier coup; **alzar o emprender o levantar el v.** *(despegar)* s'envoler; *Fig (independizarse)* voler de ses propres ailes ■ **v. chárter** vol charter; **v. regular** vol régulier

vuelta *nf* tour *m*; *(regreso)* retour *m*; *(dinero sobrante)* monnaie *f*; *(curva)* tournant *m*; *(cara opuesta)* dos *m*; *(cambio, avatar)* renversement *m*; *(de pantalón, manga)* revers *m*; **dar media v.** faire demi-tour; **dar la v. al mundo** faire le tour du monde; **dar vueltas** tourner; **dar una v.** faire un tour; **a la v.** au retour; **estar de v.** être de retour; **dar la v.** rendre la monnaie; **dar la v. a algo** retourner qch; **darle la v. a la página** tourner la page; **dar(se) la v.** se retourner; **a la v. de la esquina** au coin de la rue; **a v. de correo** par retour du courrier; **darle vueltas a algo** tourner et retourner qch dans sa tête ■ **v. de campana** *(en automóvil)* tonneau *m*; **v. ciclista** tour cycliste

vuelto, -a 1 *participio ver* **volver** 2 *adj* **de cuello v.** *(jersey)* à col roulé 3 *Am (vuelta)* monnaie *f*

vuestro, -a *(mpl* **vuestros**, *fpl* **vuestras)** 1 *adj posesivo* votre; **vuestros libros** vos livres; **un amigo v.** un de vos amis; **no es asunto v.** ça ne vous regarde pas; **no es culpa vuestra** ce n'est pas (de) votre faute 2 *pron posesivo* **el v.** le vôtre; **la vuestra** la vôtre; *Fam* **lo v. es el teatro** votre truc, c'est le théâtre; **los vuestros** *(vuestra familia)* les vôtres *mpl*

vulgar *adj* vulgaire; *(común)* banal(e); *(día, objeto)* ordinaire

Ww

wáter ['bater] *nm* W-C *mpl*

waterpolo [water'polo] *nm* waterpolo *m*

WC [*Esp* uβe'θe, *Am* doβleβe'se] *nm (abrev* **water closet**) W-C *mpl*

whisky ['wiski] *nm* whisky *m*

windsurf ['winsurf, win'surf], **windsurfing** [win'surfin] *nm* **hacer w.** faire de la planche à voile

Xx

xenofobia *nf* xénophobie *f*

xilofón, xilófono *nm* xylophone *m*

Yy

y

conj et; **un café y un pastel** un café et un gâteau; **sabía que no lo conseguiría y seguía intentándolo** il savait qu'il n'y parviendrait pas et pourtant il continuait à essayer; **¡hay restaurantes y restaurantes!** il y a restaurant et restaurant!; **tras horas y horas de espera** après des heures et des heures d'attente; **¿y tu mujer? ¿dónde está?** et ta femme, où est-elle?

ya 1 *adv* (**a**) *(denota pasado)* déjà; **ya en 1950** en 1950, déjà; **ya me lo habías contado** tu me l'avais déjà raconté

(**b**) *(ahora)* maintenant; *(inmediatamente)* tout de suite; **¿nos vamos ya o dentro de un rato?** on part tout de suite ou dans un moment?; **ya no** plus maintenant

(**c**) *(denota futuro)* **ya te llamaré** je t'appellerai; **ya nos habremos ido** nous serons déjà partis

(**d**) *(refuerza al verbo)* **ya entiendo** je comprends; **ya lo sé** je sais bien; **¡ya**

era hora! il était temps!; **¡ya está!** ça y est!; **ya veremos** on verra bien; **¡ya voy!** j'arrive!

(**e**) **ya que** puisque; **ya que has venido...** puisque tu es venu...

2 *conj (distributiva)* **ya llegue tarde, ya llegue temprano...** que j'arrive tôt ou que j'arrive tard...

3 *interj* **¡ya!** *(asentimiento)* je sais!; *(es suficiente)* merci!; *(por fin)* enfin!; *(por supuesto)* évidemment!; **¡ya, ya!** bon, bon!

yacimiento *nm (minero)* gisement *m*
■ **y. (arqueológico)** site *m* archéologique; **y. de petróleo** gisement pétrolier

yanqui 1 *adj Hist* yankee; *Fam* américain(e) 2 *nmf Hist* Yankee *mf*; *Fam* Amerloque *mf*

yate *nm* yacht *m*

yegua *nf* jument *f*

yema *nf (de huevo)* jaune *m*; *(de planta)* bourgeon *m*; *(de dedo)* bout *m*; *(dulce)* = confiserie au jaune d'œuf et au sucre

yen *nm* yen *m*

yerba *nf (césped)* herbe *f*

yerbatero *nm Am* guérisseur *m*

yerno *nm* gendre *m*

Zz

yeso *nm (mineral)* gypse *m; (polvo, escultura)* plâtre *m*

yo 1 *pron personal (sujeto)* je; *(predicado)* moi; **yo me llamo Juan** je m'appelle Juan; **el culpable soy yo** c'est moi le coupable; **yo que tú/él/** *etc* à ta/sa/*etc* place **2** *nm Psi* **el yo** le moi

yodo *nm* iode *m*

yoga *nm* yoga *m*

yogur (*pl* yogures), **yogurt** (*pl* yogurts) *nm* yaourt *m*

yudo *nm* judo *m*

Yugoslavia *n* la Yougoslavie; **la ex Y.** l'ex-Yougoslavie

yunque *nm* enclume *f*

yuyo *nm Andes, RP (hierba medicinal)* plante *f* médicinale; *(hierba mala)* mauvaise herbe *f*

Zz

zacate *nm CAm, Méx* foin *m*

zafiro *nm* saphir *m*

zaguán *nm* entrée *f (vestibule)*

zambo, -a 1 *adj (mestizo)* métis(isse) *(d'Amérindien et de Noir); Esp (rodillas, persona)* cagneux(euse) **2** *nm,f (mestizo)* métis(isse) *m,f (d'Amérindien et de Noir)*

zambullir 1 *vt* plonger **2 zambullirse** *vpr* **zambullirse** *en (agua)* plonger dans; *(actividad)* se plonger dans

zanahoria *nf* carotte *f*

zancadilla *nf* **poner una** *o* **la z. a alguien** *(hacer tropezar)* faire un croche-pied à qn; *Fig (engañar)* tendre un piège à qn; *(dificultar)* mettre des bâtons dans les roues à qn

zanco *nm* échasse *f*

zancudo, -a 1 *adj (persona)* qui a de longues jambes; *(animal)* haut(e) sur pattes; **un ave zancuda** un échassier **2** *nm Am* moustique *m*

zanja *nf* tranchée *f*

zapallito *nm Andes, RP (calabacín)* courgette *f*

zapallo *nm Andes, RP (calabaza)* calebasse *f*

zapateado *nm* = danse espagnole rythmée par des coups de talon

zapatería *nf (taller)* cordonnerie *f; (tienda)* magasin *m* de chaussures

zapatero, -a *nm,f (fabricante, vendedor)* chausseur *m; (reparador)* cordonnier(ère) *m,f*

zapatilla *nf* chausson *m* ■ **z. (de deporte)** chaussure *f* de sport, tennis *f*

zapato *nm* chaussure *f*

zapping ['θapin] *nm inv* zapping *m;* **hacer z.** zapper

zarandear *vt* secouer

zarpar *vi* appareiller

zarpazo *nm* coup *m* de griffe

zarza *nf* ronce *f*

zarzamora *nf (fruto)* mûre *f; (arbusto)* mûrier *m*

zarzuela *nf* zarzuela *f (drame lyrique espagnol); (plato)* = plat de poisson et coquillages en sauce

zinc *nm* zinc *m*

zíper *nm CAm, Carib, Méx* fermeture *f* Éclair®

zócalo *nm (de pared)* plinthe *f; (de pedestal)* socle *m; (de edificio)* soubassement *m*

zodiaco, zodíaco *nm* zodiaque *m*

zona *nf* zone *f;* **z. verde** espace *m* vert

zonzo, -a = sonso

zoo nm zoo m

zoología nf zoologie f

zoológico, -a 1 adj zoologique; *(tratado, tema)* de zoologie **2** nm zoo m

zopenco, -a adj & nm,f crétin(e) m,f

zoquete 1 adj & nmf abruti(e) m,f **2** nm Am *(calcetín)* chaussette f

zorro, -a 1 adj ser z. être rusé(e) comme un renard **2** nm,f renard(e) m,f, Fig **un z. viejo** un vieux renard **3** nm *(piel)* renard m

zueco nm *(zapato)* sabot m

zumbar vi *(abeja)* bourdonner; *(motor)* ronfler

zumbido nm *(de abeja)* bourdonnement m; *(de motor)* ronflement m

zumo nm jus m; **z. de naranja** jus d'orange

zurcir [70] vt repriser

zurdo, -a 1 adj & nm,f *(persona)* gaucher(ère) m,f **2** nf **zurda** *(mano)* main f gauche; *(pie)* pied m gauche

zurrar vt *(piel)* tanner; Fam *(pegar)* flanquer une raclée à

Conjugaisons

Conjugaciones

Conjugaisons espagnoles

Au début de ce guide de la conjugaison espagnole, vous trouverez les trois tables des verbes réguliers (verbes en **-ar**, **-er**, **-ir**) suivies des deux auxiliaires les plus courants : **haber**, utilisé pour former les temps composés, et **ser**, utilisé pour former le passif. Ces cinq verbes sont conjugués sous toutes leurs formes.

Vient ensuite la liste des verbes espagnols irréguliers, numérotés de 3 à 90. Les nombres apparaissant après les verbes dans la partie espagnol-français du dictionnaire renvoient à cette liste.

La première personne de chaque temps est systématiquement donnée, même pour les verbes réguliers. Pour les autres formes, seules celles irrégulières sont indiquées. La mention "etc" après une forme indique que les autres personnes de ce temps se forment à partir de la même racine irrégulière, ex. le futur de **decir** est **yo diré** *etc*, c'est-à-dire : **yo diré, tú dirás, él dirá, nosotros diremos, vosotros diréis, ellos dirán**.

Lorsque la première personne d'un temps est la seule forme irrégulière, elle n'est pas suivie par *etc*, ex. l'indicatif présent de **conocer** est **yo conozco** (irrégulier), mais les autres formes (**tú conoces, él conoce, nosotros conocemos, vosotros conocéis, ellos conocen**) sont régulières et ne sont donc pas indiquées.

INDICATIF Présent	Imparfait	Passé simple	Futur
Verbe régulier en "-ar"		amar	
yo amo	yo amaba	yo amé	yo amaré
tú amas	tú amabas	tú amaste	tú amarás
él ama	él amaba	él amó	él amará
nosotros amamos	nosotros amábamos	nosotros amamos	nosotros amaremos
vosotros amáis	vosotros amabais	vosotros amasteis	vosotros amaréis
ellos aman	ellos amaban	ellos amaron	ellos amarán
Verbe régulier en "-er"		temer	
yo temo	yo temía	yo temí	yo temeré
tú temes	tú temías	tú temiste	tú temerás
él teme	él temía	él temió	él temerá
nosotros tememos	nosotros temíamos	nosotros temimos	nosotros temeremos
vosotros teméis	vosotros temíais	vosotros temisteis	vosotros temeréis
ellos temen	ellos temían	ellos temieron	ellos temerán
Verbe régulier en "-ir"		partir	
yo parto	yo partía	yo partí	yo partiré
tú partes	tú partías	tú partiste	tú partirás
él parte	él partía	él partió	él partirá
nosotros partimos	nosotros partíamos	nosotros partimos	nosotros partiremos
vosotros partís	vosotros partíais	vosotros partisteis	vosotros partiréis
ellos parten	ellos partían	ellos partieron	ellos partirán
1 haber			
yo he	yo había	yo hube	yo habré
tú has	tú habías	tú hubiste	tú habrás
él ha	él había	él hubo	él habrá
nosotros hemos	nosotros habíamos	nosotros hubimos	nosotros habremos
vosotros habéis	vosotros habíais	vosotros hubisteis	vosotros habréis
ellos han	ellos habían	ellos hubieron	ellos habrán
2 ser			
yo soy	yo era	yo fui	yo seré
tú eres	tú eras	tú fuiste	tú serás
él es	él era	él fue	él será
nosotros somos	nosotros éramos	nosotros fuimos	nosotros seremos
vosotros sois	vosotros erais	vosotros fuisteis	vosotros seréis
ellos son	ellos eran	ellos fueron	ellos serán

SUBJONCTIF Présent	Imparfait	IMPÉRATIF	PARTICIPE Présent	Passé
yo ame	yo amara o amase		amando	amado
tú ames	tú amaras o amases	ama (tú)		
él ame	él amara o amase			
nosotros amemos	nosotros amáramos o amásemos	amemos (nosotros)		
vosotros améis	vosotros amarais	amad (vosotros) o amaseis		
ellos amen	ellos amaran o amasen			
yo tema	yo temiera o temiese		temiendo	temido
tú temas	tú temieras o temieses	teme (tú)		
él tema	él temiera o temiese			
nosotros temamos	nosotros temiéramos o temiésemos	temamos (nosotros)		
vosotros temáis	vosotros temierais o temieseis	temed (vosotros)		
ellos teman	ellos temieran o temiesen			
yo parta	yo partiera o partiese		partiendo	partido
tú partas	tú partieras o partieses	parte (tú)		
él parta	él partiera o partiese			
nosotros partamos	nosotros partiéramos o partiésemos	partamos (nosotros)		
vosotros partáis	vosotros partierais o partieseis	partid (vosotros)		
ellos partan	ellos partieran o partiesen			
yo haya	yo hubiera o hubiese		habiendo	habido
tú hayas	tú hubieras o hubieses			
él haya	él hubiera o hubiese			
nosotros hayamos	nosotros hubiéramos o hubiésemos			
vosotros hayáis	vosotros hubierais o hubieseis			
ellos hayan	ellos hubieran o hubiesen			
yo sea	yo fuera o fuese		siendo	sido
tú seas	tú fueras o fueses	sé (tú)		
él sea	él fuera o fuese			
nosotros seamos	nosotros fuéramos o fuésemos	seamos (nosotros)		
vosotros seáis	vosotros fuerais o fueseis	sed (vosotros)		
ellos sean	ellos fueran o fuesen			

INDICATIF Présent	Imparfait	Passé simple	Futur
3 acertar			
yo acierto	yo acertaba	yo acerté	yo acertaré
tú aciertas			
él acierta			
ellos aciertan			
4 actuar			
yo actúo	yo actuaba	yo actué	yo actuaré
tú actúas			
él actúa			
ellos actúan			
5 adecuar			
yo adecuo	yo adecuaba	yo adecué	yo adecuaré
o adecúo			
6 adquirir			
yo adquiero	yo adquiría	yo adquirí	yo adquiriré
tú adquieres			
él adquiere			
ellos adquieren			
7 andar			
yo ando	yo andaba	yo anduve	yo andaré
		tú anduviste	
		él anduvo	
		nosotros anduvimos	
		vosotros anduvisteis	
		ellos anduvieron	
8 argüir			
yo arguyo	yo argüía	yo argüí	yo argüiré
tú arguyes			
él arguye		él arguyó	
ellos arguyen		ellos arguyeron	
9 asir			
yo asgo	yo asía	yo así	yo asiré

SUBJONCTIF Présent	Imparfait	IMPÉRATIF	PARTICIPE Présent	Passé
yo acierte tú aciertes él acierte ellos acierten	yo acertara o acertase	acierta (tú)	acertando	acertado
yo actúe	yo actuara o actuase	actúa (tú)	actuando	actuado
yo adecue	yo adecuara o adecuase	adecua (tú)	adecuando	adecuado
yo adquiera tú adquieras él adquiera ellos adquieran	yo adquiriera o adquiriese	adquiere (tú)	adquiriendo	adquirido
yo ande	yo anduviera o anduviese etc	anda (tú)	andando	andado
yo arguya etc	yo arguyera o arguyese etc	arguye (tú)	arguyendo	argüido
yo asga etc	yo asiera o asiese	ase (tú) asgamos (nosotros)	asiendo	asido

INDICATIF Présent	Imparfait	Passé simple	Futur
10 avergonzar			
yo avergüenzo	yo avergonzaba	yo avergoncé	yo avergonzaré
tú avergüenzas			
él avergüenza			
ellos avergüenzan			
11 averiguar			
yo averiguo	yo averiguaba	yo averigüé	yo averiguaré
12 caber			
yo quepo	yo cabía	yo cupe	yo cabré *etc*
	tú cupiste		
	él cupo		
	nosotros cupimos		
	vosotros cupisteis		
	ellos cupieron		
13 caer			
yo caigo	yo caía	yo caí	yo caeré
		tú caíste	
		él cayó	
		nosotros caímos	
		vosotros caísteis	
		ellos cayeron	
14 cazar			
yo cazo	yo cazaba	yo cacé	yo cazaré
15 cocer			
yo cuezo	yo cocía	yo cocí	yo coceré
tú cueces			
él cuece			
ellos cuecen			
16 colgar			
yo cuelgo	yo colgaba	yo colgué	yo colgaré
tú cuelgas			
él cuelga			
ellos cuelgan			

SUBJONCTIF Présent	Imparfait	IMPÉRATIF	PARTICIPE Présent	Passé
yo avergüence tú avergüences él avergüence nosotros avergoncemos vosotros avergoncéis ellos avergüencen	yo avergonzara o avergonzase	avergüenza (tú)	avergonzando	avergonzado
yo averigüe *etc*	yo averiguara o averiguase	averigua (tú)	averiguando	averiguado
yo quepa *etc*	yo cupiera o cayese *etc*	cae (tú) quepamos (nosotros)	cabiendo	cabido
yo caiga *etc*	yo cayera o cayese *etc*	cae (tú) caigamos (nosotros)	cayendo	caído
yo cace *etc*	yo cazara o cazase	caza (tú)	cazando	cazado
yo cueza tú cuezas él cueza nosotros cozamos vosotros cozáis ellos cuezan	yo cociera o cociese	cuece (tú)	cociendo	cocido
yo cuelgue tú cuelgues él cuelgue nosotros colguemos vosotros colguéis ellos cuelguen	yo colgara o colgase	comienza (tú)	colgando	colgado

INDICATIF Présent	Imparfait	Passé simple	Futur
17 comenzar			
yo comienzo	yo comenzaba	yo comencé	yo comenzaré
tú comienzas			
él comienza			
ellos comienzan			
18 conducir			
yo conduzco	yo conducía	yo conduje	yo conduciré
		tú condujiste	
		él condujo	
		nosotros condujimos	
		vosotros condujisteis	
		ellos condujeron	
19 conocer			
yo conozco	yo conocía	yo conocí	yo conoceré
20 dar			
yo doy	yo daba	yo di	yo daré
		tú diste	
		él dio	
		nosotros dimos	
		vosotros disteis	
		ellos dieron	
21 decir			
yo digo	yo decía	yo dije	yo diré *etc*
tú dices		tú dijiste	
él dice		él dijo	
		nosotros dijimos	
		vosotros dijisteis	
ellos dicen		ellos dijeron	
22 delinquir			
yo delinco	yo delinquía	yo delinquí	yo delinquiré

SUBJONCTIF Présent	Imparfait	IMPÉRATIF	PARTICIPE Présent	Passé
yo comience	yo comenzara comenzase		comenzando	comenzado
tú comiences él comience nosotros comencemos vosotros comencéis ellos comiencen		comienza (tú)		
yo conduzca *etc*	yo condujera *o* condujese *o*	conduce (tú) conduzcamos (nosotros)	conduciendo	conducido
yo conozca *etc*	yo conociera *o* conociese	conoce (tú)	conociendo	conocido
yo dé	yo diera *o* diese *etc*	da (tú)	dando	dado
yo diga *etc*	yo dijera *o* dijese *etc*	di (tú) digamos (nosotros)	diciendo	dicho
yo delinca *etc*	yo delinquiera	delinque (tú)	delinquiendo	delinquido

INDICATIF Présent	Imparfait	Passé simple	Futur
23 dirigir			
yo dirijo	yo dirigía	yo dirig	yo dirigiré
24 discernir			
yo discierno	yo discernía	yo discerní	yo discerniré
	tú disciernes		
	él discierne		
	ellos disciernen		
25 distinguir			
yo distingo	yo distinguía	yo distinguí	yo distinguiré
26 dormir			
yo duermo	yo dormía	yo dormí	yo dormiré
tú duermes			
él duerme		él durmió	
ellos duermen		ellos durmieron	
27 erguir			
yo irgo o yergo	yo erguía	yo erguí	yo erguiré
tú irgues o yergues			
él irgue o yergue		é irguió	
nosotros erguimos			
vosotros erguís			
ellos irguen o		ellos irguieron	
yerguen			
28 errar			
yo yerro	yo erraba	yo erré	yo erraré
tú yerras			
él yerra			
ellos yerran			
29 estar			
yo estoy	yo estaba	yo estuve	yo estaré
tú estás		tú estuviste	
él est²		él estuvo	
nosotros estamos		nosotros estuvimos	
vosotros estái		vosotros estuvisteis	
ellos están		ellos estuvieron	

SUBJONCTIF Présent	Imparfait	IMPÉRATIF	PARTICIPE Présent	Passé
yo dirija *etc*	yo dirigiera *o* dirigiese	dirige (tú)	dirigiendo	dirigido
yo discierna tú disciernas él discierna ellos disciernan	yo discerniera *o* discerniese	discierne (tú)	discerniendo	discernido
yo distinga *etc*	yo distinguiera	distingue (tú)	distinguiendo	distinguido
yo duerma	yo durmiera *o* durmiese *etc* nosotros durmamos vosotros durmáis	duerme (tú)	durmiendo	dormido
yo irga *o* yerga tú irgas *o* yergas él irga *o* yerga nosotros irgamos vosotros irgáis ellos irgan *o* yergan	yo irguiera *o* irguiese	irgue *o* yergue (tú) irgamos *o* yergamos (nosotros)	irguiendo	erguido
yo yerre tú yerres él yerre ellos yerren	yo errara *o* errase	yerra (tú)	errando	errado
yo esté *etc*	yo estuviera *o* estuviese *etc*	está (tú)	estando	estado

INDICATIF Présent	Imparfait	Passé simple	Futur
30 forzar			
yo fuerzo	yo forzaba	yo forcé	yo forzaré
tú fuerzas			
él fuerza			
ellos fuerza			
31 guiar			
yo guío	yo guiaba	yo guié	yo guiaré
tú guías			
él guía			
ellos guían			
32 hacer			
yo hago	yo hacía	yo hice	yo haré *etc*
		tú hiciste	
		él hizo	
		nosotros hicimos	
		vosotros hicisteis	
		ellos hicieron	
33 huir			
yo huyo	yo huía	yo huí	yo huiré
tú huyes			
él huye		él huyó	
ellos huyen		ellos huyeron	
34 ir			
yo voy	yo iba	yo fui	yo iré
tú vas		tú fuiste	
él va		él fue	
nosotros vamos		nosotros fuimos	
vosotros vais		vosotros fuisteis	
ellos van		ellos fueron	
35 jugar			
yo juego	yo jugaba	yo jugué	yo jugaré
tú juegas			
él juega			
ellos juegan			

SUBJONCTIF Présent	Imparfait	IMPÉRATIF	PARTICIPE Présent	Passé
yo fuerce tú fuerces él fuerce nosotros forcemos vosotros forcéis ellos fuercen	yo forzara o forzase	fuerza (tú)	forzando	forzado
yo guíe	yo guiara o guiase	guía (tú)	guiando	guiado
yo haga *etc*	yo hiciera o hiciese *etc*	haz (tú)	haciendo	hecho
yo huya *etc*	yo huyera o huyese *etc*	huye (tú)	huyendo	huido
yo vaya *etc*	yo fuera o fuese *etc*	ve (tú) vayamos (nosotros) id (vosotros)	yendo	ido
yo juegue	yo jugara o jugase tú juegues él juegue nosotros juguemos vosotros juguéis ellos jueguen	juega (tú)	jugando	jugado

INDICATIF Présent	Imparfait	Passé simple	Futur
36 leer			
yo leo	yo leía	yo leí	yo leeré
		tú leíste	
		él leyó	
		nosotros leímos	
		vosotros leísteis	
		ellos leyeron	
37 llegar			
yo llego	yo llegaba	yo llegué	yo llegaré
38 lucir			
yo luzco	yo lucía	yo lucí	yo luciré
39 mecer			
yo mezo	yo mecía	yo mecí	yo meceré
40 mover			
yo muevo	yo movía	yo moví	yo moveré
tú mueves			
él mueve			
ellos mueven			
41 nacer			
yo nazco	yo nacía	yo nací	yo naceré
42 negar			
yo niego	yo negaba	yo negué	yo negaré
tú niegas			
él niega			
ellos niegan			
43 oír			
yo oigo	yo oía	yo oí	yo oiré
tú oyes			
él oye	él oyó		
ellos oyeron	ellos oyeron		
44 oler			
yo huelo	yo olía	yo olí	yo oleré
tú hueles			
él huele			
ellos huelen			
45 parecer			
yo parezco	yo parecía	yo parecí	yo pareceré

SUBJONCTIF Présent	Imparfait	IMPÉRATIF	PARTICIPE Présent	Passé
yo lea	yo leyera o leyese *etc*	lee (tú)	leyendo	leído
yo llegue *etc*	yo llegara o llegase	llega (tú)	llegando	llegado
yo luzca *etc*	yo luciera o luciese	luce (tú)	luciendo	lucido
yo meza *etc*	yo meciera o meciese	mece (tú)	meciendo	mecido
yo mueva tú muevas él mueva ellos muevan	yo moviera o moviese	mueve (tú)	moviendo	movido
yo nazca *etc*	yo naciera o naciese	nace (tú)	naciendo	nacido
yo niegue tú niegues él niegue nosotros neguemos vosotros neguéis ellos nieguen	yo negara o negase	niega (tú)	negando	negado
yo oiga *etc*	yo oyera u oyese *etc*	oye (tú)	oyendo	oído
yo huela tú huelas él huela ellos huelan	yo oliera u oliese	huele (tú)	oliendo	olido
yo parezca *etc*	yo pareciera o pareciese	parece (tú)	pareciendo	parecido

INDICATIF Présent	Imparfait	Passé simple	Futur
46 pedir			
yo pido	yo pedía	yo pedí	yo pediré
tú pides			
él pide	él pidió		
ellos piden	ellos pidieron		
47 placer			
yo plazco	yo placía	yo plací	yo placeré
		él plació o plugo	
		ellos placieron o plugieron	
48 poder			
yo puedo	yo podía	yo pude	yo podré *etc*
tú puedes		tú pudiste	
él puede		él pudo	
		nosotros pudimos	
		vosotros pudisteis	
ellos pueden		ellos pudieron	
49 poner			
yo pongo	yo ponía	yo puse	yo pondré *etc*
		tú pusiste	
		él puso	
		nosotros pusimos	
		vosotros pusisteis	
		ellos pusieron	
50 predecir			
yo predigo	yo predecía	yo predije	yo predeciré
		tú predijiste	
		él predijo	
		nosotros predijimos	
		vosotros predijisteis	
		ellos predijeron	
51 proteger			
yo protejo	yo protegía	yo protegí	yo protegeré

SUBJONCTIF		IMPÉRATIF	PARTICIPE	
Présent	Imparfait		Présent	Passé
yo pida *etc*	yo pidiera *o* pidiese *etc*	pide (tú)	pidiendo	pedido
yo plazca	yo placiera *o* placiese		placiendo	placido
tú plazcas	tú placieras *o* placieses	place (tú)		
él plazca *o* plegue	él placiera, placiese, plugiera *o* plugiese			
nosotros plazcamos	nosotros placiéramos *o* placiésemos	plazcamos (nosotros)		
vosotros plazcáis	vosotros placierais *o* placieseis			
ellos plazcan	ellos placieran, placiesen, pluguieran *o* pluguiesen			
yo pueda	yo pudiera *o* pudiese *etc*	puede (tú)	pudiendo	podido
tú puedas				
él pueda				
ellos puedan				
yo ponga *etc*	yo pusiera *o* pusiese *etc*	pon (tú)	poniendo	puesto
yo prediga *etc*	yo predijera *o* predijese *etc*	predice (tú)	prediciendo	predicho
		predigamos (nosotros)		
yo proteja *etc*	yo protegiera *o* protegiese	protege (tú)	protegiendo	protegido

INDICATIF Présent	Imparfait	Passé simple	Futur
52 querer			
yo quiero	yo quería	yo quise	yo querré *etc*
tú quieres		tú quisiste	
él quiere		él quiso	
		nosotros quisimos	
		vosotros quisisteis	
ellos quieren		ellos quisieron	
53 raer			
yo rao, raigo	yo raía	yo raí	yo raeré
o rayo			
		tú raíste	
		él rayó	
		nosotros raímos	
		vosotros raísteis	
		ellos rayeron	
54 regir			
yo rijo	yo regía	yo regí	yo regiré
tú riges			
él rige		él rigió	
ellos rigen		ellos rigieron	
55 reír			
yo río	yo reía	yo reí	yo reiré
tú ríes			
él ríe		él rió	
		ellos rieron	
56 roer			
yo roo, roigo *o*	yo roía	yo roí	yo roeré
royo			
		él royó	
		ellos royeron	
57 saber			
yo sé	yo sabía	yo supe	yo sabré *etc*
	tú supiste		
	él supo		
	nosotros supimos		
	vosotros supisteis		
	ellos supieron		
58 sacar			
yo saco	yo sacaba	yo saqué	yo sacaré

SUBJONCTIF Présent	Imparfait	IMPÉRATIF	PARTICIPE Présent	Passé
yo quiera tú quieras él quiera	yo quisiera o quisiese *etc*	quiere (tú)	queriendo	querido
ellos quieran				
yo raiga o raya *etc*	yo rayera o rayese *etc*		rayendo	raído
		rae (tú)		
		raigamos o rayamos (nosotros)		
yo rija *etc*	yo rigiera o rigiese etc	rige (tú)	rigiendo	regido
yo ría tú rías él ría nosotros riamos vosotros riáis ellos rían	yo riera o riese *etc*	ríe (tú)	riendo	reído
yo roa, roiga o roya *etc*	yo royera o royese *etc*	roe (tú)	royendo	roído
yo sepa *etc*	yo supiera o supiese *etc*	sabe (tú)	sabiendo	sabido
		sepamos (nosotros)		
yo saque *etc*	yo sacara o sacase	saca (tú)	sacando	sacado

INDICATIF Présent	Imparfait	Passé simple	Futur
59 salir			
yo salgo	yo salía	yo salí	yo saldré *etc*
60 seguir			
yo sigo	yo seguía	yo seguí	yo seguiré
tú sigues			
él sigue		él siguió	
ellos siguen		ellos siguieron	
61 sentir			
yo siento	yo sentía	yo sentí	yo sentiré
tú sientes			
él siente		él sintió	
ellos sienten		ellos sintieron	
62 sonar			
yo sueno	yo sonaba	yo soné	yo sonaré
tú suenas			
él suena			
ellos suenan			
63 tender			
yo tiendo	yo tendía	yo tendí	yo tenderé
tú tiendes	tú tiendas		
él tiende	él tienda		
ellos tienden	ellos tiendan		
64 tener			
yo tengo	yo tenía	yo tuve	yo tendré *etc*
tú tienes		tú tuviste	
él tiene		él tuvo	
		nosotros tuvimos	
		vosotros tuvisteis	
ellos tienen		ellos tuvieron	
65 traer			
yo traigo	yo traía	yo traje	yo traeré
		tú trajiste	
		él trajo	
		nosotros trajimos	
		vosotros trajisteis	

SUBJONCTIF Présent	Imparfait	IMPÉRATIF	PARTICIPE Présent	Passé
yo salga *etc*	yo saliera *o* saliese	sal (tú)	saliendo	salido
yo siga *etc*	yo siguiera *o* siguiese *etc*	sigue (tú)	siguiendo	seguido
yo sienta tú sientas él sienta nosotros sintamos vosotros sintáis ellos sientan	yo sintiera *o* sintiese *etc*	siente (tú)	sintiendo	sentido
yo suene tú suenes él suene ellos suenen	yo sonara *o* sonase	suena (tú)	sonando	sonado
yo tienda	yo tendiera *o* tendiese	tiende (tú)	tendiendo	tendido
yo tenga *etc*	yo tuviera *o* tuviese *etc*	ten (tú)	teniendo	tenido
yo traiga *etc*	yo trajera *o* trajese *etc*	trae (tú)	trayendo	traído

INDICATIF Présent	Imparfait	Passé simple	Futur
66 valer			
yo valgo	yo valía	yo valí	yo valdré *etc*
67 venir			
yo vengo	yo venía	yo vine	yo vendré *etc*
tú vienes		tú viniste	
él viene		él vino	
		nosotros vinimos	
		vosotros vinisteis	
ellos vienen		ellos vinieron	
68 ver			
yo veo	yo veía *etc*	yo vi	yo veré
69 volcar			
yo vuelco	yo volcaba	yo volqué	yo volcaré
tú vuelcas			
él vuelca			
ellos vuelcan			
70 zurcir			
yo zurzo	yo zurcía	yo zurcí	yo zurciré

SUBJONCTIF Présent	Imparfait	IMPÉRATIF	PARTICIPE Présent	Passé
yo valga *etc*	yo valiera *o* valiese	vale (tú)	valiendo	valido
yo venga *etc*	yo viniera *o* viniese etc	ven (tú)	viniendo	venido
yo vea *etc*	yo viera *o* viese	ve (tú)	viendo	visto
yo vuelque tú vuelques él vuelque ellos vuelquen	yo volcara *o* volcase	vuelca (tú)	volcando	volcado
yo zurza *etc*	yo zurciera *o* zurciese	zurce (tú)	zurciendo	zurcido

Conjugaciones francesas

En las próximas páginas encontrarás una lista conjugaciones irregulares modelo. Los números que aparecen detrás de los verbos en la parte francés-español del diccionario, p. ej. [20], remiten a estas tablas.

La conjugación de los verbos más frecuentes como **aller**, **avoir**, **être** y **faire** aparece con todas las formas y en todos los tiempos. En el resto de casos donde no aparecen las formas completas, éstas siguen el modelo marcado por la primera persona del singular o del plural, o ambas.

Como los tiempos compuestos se forman siempre de la misma manera con **avoir** o **être**, estos tiempos no aparecen excepto en los casos mencionados en el párrafo anterior. Igualmente, el tiempo condicional se construye siempre de la misma manera que el tiempo futuro pero con las terminaciones **-ais**, **-ais**, **-ait**, **-ions**, **-iez** y **-aient**. Cuando no aparece, el imperativo tiene la misma forma que el presente (en las formas "tu", "nous" y "vous").

INDICATIVO Presente	Pretérito imperfecto	Pretérito indefinido	Futuro
Verbo regular en "-er"		**aimer**	
j'aime	j'aimais	j'aimai	j'aimerai
tu aimes	tu aimais	tu aimas	tu aimeras
il aime	il aimait	il aima	il aimera
nous aimons	nous aimions	nous aimâmes	nous aimerons
vous aimez	vous aimiez	vous aimâtes	vous aimerez
ils aiment	ils aimaient	ils aimèrent	ils aimeront
Verbo regular en "-ir"		**choisir**	
je choisis	je choisissais	je choisis	je choisirai
tu choisis	tu choisissais	tu choisis	tu choisiras
il choisit	il choisissait	il choisit	il choisira
nous choisissons	nous choisissions	nous choisîmes	nous choisirons
vous choisissez	vous choisissiez	vous choisîtes	vous choisirez
ils choisissent	ils choisissaient	ils choisirent	ils choisiront
Verbo regular en "-re"		**attendre**	
j'attends	j'attendais	j'attendis	j'attendrai
tu attends	tu attendais	tu attendis	tu attendras
il attend	il attendait	il attendit	il attendra
nous attendons	nous attendions	nous attendîmes	nous attendrons
vous attendez	vous attendiez	vous attendîtes	vous attendrez
ils attendent	ils attendaient	ils attendirent	ils attendront
1 avoir			
j'ai	j'avais	j'eus	j'aurai
tu as	tu avais	tu eus	tu auras
il a	il avait	il eut	il aura
nous avons	nous avions	nous eûmes	nous aurons
vous avez	vous aviez	vous eûtes	vous aurez
ils ont	ils avaient	ils eurent	ils auront
2 être			
je suis	j'étais	je fus	je serai
tu es	tu étais	tu fus	tu seras
il est	il était	il fut	il sera
nous sommes	nous étions	nous fûmes	nous serons
vous êtes	vous étiez	vous fûtes	vous serez
ils sont	ils étaient	ils furent	ils seront
3a absoudre			
j'absous	j'absolvais	j'absolus	j'absoudrai
il absout			
nous absolvons			

3b   résoudre PARTICIPIO PASADO résolu (invariable)

4a accroître			
j'accrois	j'accroissais	j'accrus	j'accroîtrai
il accroît			
nous accroissons			

SUBJUNTIVO Presente	Pretérito	IMPERATIVO	PARTICIPIO Presente	Pasado
j'aime	j'aimasse		aimant	aimé
tu aimes	tu aimasses	aime		
il aime	il aimât			
nous aimions	nous aimassions	aimons		
vous aimiez	vous aimassiez	aimez		
ils aiment	ils aimassent			
je choisisse	je choisisse		choisissant	choisi
tu choisisses	tu choisisses	choisis		
il choisisse	il choisît			
nous choisissions	nous choisissions	choisissons		
vous choisissiez	vous choisissiez	choisissez		
ils choisissent	ils choisissent			
j'attende	j'attendisse		attendant	attendu
tu attendes	tu attendisses	attends		
il attende	il attendît			
nous attendions	nous attendissions	attendons		
vous attendiez	vous attendissiez	attendez		
ils attendent	ils attendissent			
j'aie	j'eusse		ayant	eu
tu aies	tu eusses	aie		
il ait	il eût			
nous ayons	nous eussions	ayons		
vous ayez	vous eussiez	ayez		
ils aient	ils eussent			
je sois	je fusse		étant	été
tu sois	tu fusses	sois		
il soit	il fût			
nous soyons	nous fussions	soyons		
vous soyez	vous fussiez	soyez		
ils soient	ils fussent			
j'absolve	*no se usa*		absolvant	absous (-oute)
nous absolvions				
j'accroisse	j'accrusse		accroissant	accru
nous accroissions	nous accrussions			

INDICATIVO Presente	Pretérito imperfecto	Pretérito indefinido	Futuro
4b croître	*sigue el modelo anterior excepto para*		
je croîs		je crûs	
5 accueillir			
j'accueille	j'accueillais	j'accueillis	j'accueillerai
nous accueillons			
6 acheter			
j'achète	j'achetais	j'achetai	j'achèterai
nous achetons			
ils achètent			
7 acquérir			
j'acquiers	j'acquérais	j'acquis	j'acquerrai
il acquiert			
nous acquérons			
ils acquièrent			
8 aller			
je vais	j'allais	j'allai	j'irai
tu vas	tu allais	tu allas	tu iras
il va	il allait	il alla	il ira
nous allons	nous allions	nous allâmes	nous irons
vous allez	vous alliez	vous allâtes	vous irez
ils vont	ils allaient	ils allèrent	ils iront
9 appeler			
j'appelle	j'appelais	j'appelai	j'appellerai
nous appelons			
ils appellent			
10 s'asseoir			
je m'assieds/assois	je m'asseyais/assoyais	je m'assis	je m'assiérai/assoirai
il s'assied/assoit			
nous nous asseyons/ assoyons			
11 battre			
je bats	je battais	je battis	je battrai
il bat			
nous battons			

SUBJUNTIVO Presente	Pretérito	IMPERATIVO	PARTICIPIO Presente	Pasado
	je crûsse			crû
j'accueille	j'accueillisse		accueillant	accueilli
		accueille		
nous accueillions	nous accueillissions	accueillons		
		accueillez		
j'achète	j'achetasse		achetant	acheté
nous achetions	nous achetassions			
j'acquière	j'acquisse		acquérant	acquis
nous acquérions	nous acquissions			
j'aille	j'allasse		allant	allé
tu ailles	tu allasses	va		
il aille	il allât			
nous allions	nous allassions	allons		
vous alliez	vous allassiez	allez		
ils aillent	ils allassent			
j'appelle	j'appelasse		appelant	appelé
nous appelions	nous appelassions			
je m'asseye/assoie	je m'assisse		asseyant/ assoyant	assis
nous nous as- seyions/assoyions	nous nous assissions			
je batte	je battisse		battant	battu
nous battions	nous battissions			

INDICATIVO Presente	Pretérito imperfecto	Pretérito indefinido	Futuro
12 boire			
je bois	je buvais	je bus	je boirai
il boit			
nous buvons			
ils boivent			
13 bouillir			
je bous	je bouillais	je bouillis	je bouillirai
il bout			
nous bouillons			
14 choir			
je chois		il chût	
il chut			
ils choient			
15 clore			
je clos			je clorai
il clôt			
ils closent			
16 commencer			
je commence	je commençais	je commençai	je commencerai
nous commençons			
vous commencez			
ils commencent			
17a conclure			
je conclus	je concluais	je conclus	je conclurai
il conclut			
nous concluons			
17b inclure PARTICIPIO PASADO inclus			
18 conduire			
je conduis	je conduisais	je conduisis	je conduirai
il conduit			
nous conduisons			
19a confire			
je confis	je confisais	je confis	je confirai
il confit			
nous confisons			
19b suffire PARTICIPIO PASADO suffi (*invariable*)			
20 connaître			
je connais	je connaissais	je connus	je connaîtrai
il connaît			
nous connaissons			

| SUBJUNTIVO | | IMPERATIVO | PARTICIPIO | |
Presente	Pretérito		Presente	Pasado
je boive	je busse		buvant	bu
nous buvions	nous bussions			
je bouille	je bouillisse		bouillant	bouilli
nous bouillions	nous bouillissions			
				chu
je close				clos
nous closions				
je commence	je commençasse		commençant	commencé
nous commencions	nous commençassions			
je conclue	je conclusse		concluant	conclu
nous concluions	nous conclussions			
je conduise	je conduisisse		conduisant	conduit
nous conduisions	nous conduisission			
je confise	je confisse		confisant	confit
nous confisions	nous confissions			
je connaisse	je connusse		connaissant	connu
nous connaissions	nous connussions			

INDICATIVO Presente	Pretérito imperfecto	Pretérito indefinido	Futuro
21 coudre			
je couds	je cousais	je cousis	je coudrai
il coud			
nous cousons			
22 courir			
je cours	je courais	je courus	je courrai
il court			
nous courons			
23 craindre			
je crains	je craignais	je craignis	je craindrai
il craint			
nous craignons			
24 créer			
je crée	je créais	je créai	je créerai
nous créons			
25 croire			
je crois	je croyais	je crus	je croirai
il croit			
nous croyons			
ils croient			
26 devoir			
je dois	je devais	je dus	je devrai
il doit			
nous devons			
ils doivent			
27a dire			
je dis	je disais	je dis	je dirai
il dit			
nous disons			
vous dites			
27b contredire, interdire etc **PRESENTE** vous contredisez, interdisez			
28 distraire			
je distrais	je distrayais		je distrairai
il distrait			
nous distrayons			
ils distraient			
29 dormir			
je dors	je dormais	je dormis	je dormirai
il dort			
nous dormons			

SUBJUNTIVO Presente	Pretérito	IMPERATIVO	PARTICIPIO Presente	Pasado
je couse	je cousisse		cousant	cousu
nous cousions	nous cousissions			
je coure	je courusse		courant	couru
nous courions	nous courussions			
je craigne	je craignisse		craignant	craint
nous craignions	nous craignissions			
je crée	je créasse		créant	créé
nous créions	nous créassions			
je croie	je crusse		croyant	cru
nous croyions	nous crussions			
je doive	je dusse		devant	dû (due), dus (dues)
nous devions	nous dussions			
je dise	je disse		disant	dit
nous disions	nous dissions			
je distraie			distrayant	distrait
nous distrayions				
je dorme	je dormisse		dormant	dormi
nous dormions	nous dormissions			

INDICATIVO Presente	Pretérito imperfecto	Pretérito indefinido	Futuro
30 écrire			
j'écris	j'écrivais	j'écrivis	j'écrirai
il écrit			
nous écrivons			
31a émouvoir			
j'émeus	j'émouvais	j'émus	j'émouvrai
il émeut			
nous émouvons			
ils émeuvent			
31b mouvoir PARTICIPIO PASADO mû (mue), mus (mues)			
32 employer			
j'emploie	j'employais	j'employai	j'emploierai
nous employons			
ils emploient			
33 envoyer			
j'envoie	j'envoyais	j'envoyai	j'enverrai
nous envoyons			
ils envoient			
34 espérer			
j'espère	j'espérais	j'espérai	j'espérerai
nous espérons			
ils espèrent			
35 faillir			
je faillis			je faillirai
36 faire			
je fais	je faisais	je fis	je ferai
tu fais	tu faisais	tu fis	tu feras
il fait	il faisait	il fit	il fera
nous faisons	nous faisions	nous fîmes	nous ferons
vous faites	vous faisiez	vous fîtes	vous ferez
ils font	ils faisaient	ils firent	ils feront
37 falloir			
il faut	il fallait	il fallut	il faudra
38 fuir			
je fuis	je fuyais	je fuis	je fuirai
il fuit			
nous fuyons			
ils fuient			
39 geler			
je gèle	je gelais	je gelai	je gèlerai
nous gelons	nous gelions		
ils gèlent			

SUBJUNTIVO Presente	Pretérito	IMPERATIVO	PARTICIPIO Presente	Pasado
j'écrive	j'écrivisse		écrivant	écrit
nous écrivions	nous écrivissions			
j'émeuve	j'émusse		émouvant	ému
nous émouvions	nous émussions			
j'emploie	j'employasse		employant	employé
nous employions	nous employassions			
j'envoie	j'envoyasse		envoyant	envoyé
nous envoyions	nous envoyassions			
j'espère	j'espérasse		espérant	espéré
nous espérions	nous espérassions			
			faillant	failli
je fasse	je fisse		faisant	fait
tu fasses	tu fisses	fais		
il fasse	il fît			
nous fassions	nous fissions	faisons		
vous fassiez	vous fissiez	faites		
ils fassent	ils fissent			
il faille	il fallût			fallu
je fuie	je fuisse		fuyant	fui
nous fuyions	nous fuissions			
je gèle	je gelasse		gelant	gelé
	nous gelassions			

INDICATIVO Presente	Pretérito imperfecto	Pretérito indefinido	Futuro
40 gésir je gis il gît nous gisons	je gisais		
41 haïr je hais il hait nous haïssons	je haïssais	je haïs	je haïrai
42 jeter je jette nous jetons ils jettent	je jetais	je jetai	je jetterai
43 joindre je joins nous joignons	je joignais	je joignis	je joindrai
44 lire je lis nous lisons	je lisais	je lus	je lirai
45 manger je mange nous mangeons	je mangeais	je mangeai	je mangerai
46 mener je mène nous menons ils mènent	je menais	je menai	je mènerai
47 mettre je mets il met nous mettons	je mettais	je mis	je mettrai
48 moudre je mouds il moud nous moulons	je moulais	je moulus	je moudrai
49 mourir je meurs il meurt nous mourons ils meurent	je mourais	je mourus	je mourrai
50a naître je nais il naît nous naissons	je naissais	je naquis	je naîtrai

SUBJUNTIVO Presente	Pretérito	IMPERATIVO	PARTICIPIO Presente	Pasado
			gisant	
je haïsse	je haïsse		haïssant	haï
nous haïssions	nous haïssions			
je jette	je jetasse		jetant	jeté
nous jetions	nous jetassions			
je joigne	je joignisse		joignant	joint
nous joignions	nous joignissions			
je lise	je lusse		lisant	lu
nous lisions	nous lussions			
je mange	je mangeasse		mangeant	mangé
nous mangions	nous mangeassions			
je mène	je menasse		menant	mené
nous menions	nous menassions			
je mette	je misse		mettant	mis
nous mettions	nous missions			
je moule	je moulusse		moulant	moulu
nous moulions	nous moulussions			
je meure	je mourusse		mourant	mort
nous mourions	nous mourussions			
je naisse	je naquisse		naissant	né
nous naissions	nous naquissions			

INDICATIVO Presente	Pretérito imperfecto	Pretérito indefinido	Futuro
50b paître no **PRETÉRITO INDEFINIDO**; **PARTICIPIO PASADO** pu (*invariable; raro*)			
51 ouïr			
j'ois	j'oyais	j'ouïs	j'ouïrai
il oit			
nous oyons			
ils oient			
52 ouvrir			
j'ouvre	j'ouvrais	j'ouvris	j'ouvrirai
nous ouvrons			
53 payer			
je paie/paye	je payais	je payai	je paierai/payerai
nous payons			
ils paient/payent			
54 peindre			
je peins	je peignais	je peignis	je peindrai
il peint			
nous peignons			
55a plaire			
je plais	je plaisais	je plus	je plairai
il plaît	nous plaisions		
55b taire PRESENTE il tait			
56 pleuvoir			
il pleut	il pleuvait	il plut	il pleuvra
57 pouvoir			
je peux/puis	je pouvais	je pus	je pourrai
il peut			
nous pouvons			
58 prendre			
je prends	je prenais	je pris	je prendrai
il prend			
nous prenons			
ils prennent			
59 protéger			
je protège	je protégeais	je protégeai	je protégerai
nous protégeons			
ils protègent			

SUBJUNTIVO Presente	Pretérito	IMPERATIVO	PARTICIPIO Presente	Pasado
j'oie	j'ouïsse		oyant	ouï
nous oyions				
j'ouvre			ouvrant	ouvert
nous ouvrions		ouvre ouvrons ouvrez		
je paie/paye	je payasse		payant	payé
nous payions	nous payassions			
je peigne	je peignisse		peignant	peint
nous peignions	nous peignissions			
je plaise	je plusse		plaisant	plu
nous plaisions	nous plussions			
il pleuve	il plût		pleuvant	plu
je puisse	je pusse		pouvant	pu
nous puissions	nous pussions			
je prenne	je prisse		prenant	pris
nous prenions	nous prissions			
je protège	je protégeasse		protégeant	protégé
nous protégions	nous protégeassions			

INDICATIVO Presente	Pretérito imperfecto	Pretérito indefinido	Futuro
60 recevoir			
je reçois il reçoit nous recevons ils reçoivent	je recevais	je reçus	je recevrai
61 rire			
je ris il rit nous rions	je riais	je ris	je rirai
62 savoir			
je sais il sait nous savons	je savais	je sus	je saurai
63 servir			
je sers il sert nous servons	je servais	je servis	je servirai
64a sortir			
je sors il sort nous sortons	je sortais	je sortis	je sortirai
64b mentir PARTICIPIO PASADO menti (*invariable*)			
65 suivre			
je suis il suit nous suivons	je suivais	je suivis	je suivrai
66 supplier			
je supplie nous supplions	je suppliais	je suppliai	je supplierai
67 tressaillir			
je tressaille nous tressaillons	je tressaillais	je tressaillis	je tressaillirai
68 vaincre			
je vaincs il vainc nous vainquons	je vainquais	je vainquis	je vaincrai
69a valoir			
je vaux il vaut nous valons	je valais	je valus	je vaudrai
69b prévaloir *sigue el modelo anterior excepto para*			

| SUBJUNTIVO | | IMPERATIVO | PARTICIPIO | |
Presente	Pretérito		Presente	Pasado
je reçoive	je reçusse		recevant	reçu
nous recevions	nous reçussions			
je rie	je risse		riant	ri
nous riions	nous rissions			
je sache	je susse		sachant	su
nous sachions	nous sussions	sache		
		sachons		
		sachez		
je serve	je servisse		servant	servi
nous servions	nous servissions			
je sorte	je sortisse		sortant	sorti
nous sortions	nous sortissions			
je suive	je suivisse		suivant	suivi
nous suivions	nous suivissions			
je supplie	je suppliasse		suppliant	supplié
nous suppliions	nous suppliassions			
je tressaille	je tressaillisse		tressaillant	tressailli
nous tressaillions	nous tressaillissions			
je vainque	je vainquisse		vainquant	vaincu
nous vainquions	nous vainquissions			
je vaille	je valusse		valant	valu
nous valions	nous valussions			
je prévale				

INDICATIVO Presente	Pretérito imperfecto	Pretérito indefinido	Futuro
70 venir je viens il vient nous venons ils viennent	je venais	je vins	je viendrai
71 vêtir je vêts il vêt nous vêtons	je vêtais	je vêtis	je vêtirai
72 vivre je vis il vit nous vivons	je vivais	je vécus	je vivrai
73a voir je vois il voit nous voyons ils voient	je voyais	je vis	je verrai
73b pourvoir	*sigue el modelo anterior excepto para*	je pourvus	je pourvoirai
73c prévoir	*sigue el modelo anterior excepto para*	je prévus	je prévoirai
74 vouloir je veux il veut nous voulons ils veulent	je voulais	je voulus	je voudrai

SUBJUNTIVO Presente	Pretérito	IMPERATIVO	PARTICIPIO Presente	Pasado
je vienne	je vinsse		venant	venu
nous venions	nous vinssions			
je vête	je vêtisse		vêtant	vêtu
nous vêtions	nous vêtissions			
je vive	je vécusse		vivant	vécu
nous vivions	nous vécussions			
je voie	je visse		voyant	vu
nous voyions	nous vissions			
je veuille	je voulusse		voulant	voulu
		veuille		
nous voulions	nous voulussions	veuillons veuillez		

Guide de conversation

Rencontres

Bonjour, comment ça va ?
Hola, ¿qué tal?

Ça va bien, merci, et vous ? / Ça va, et toi ?
Bien, gracias, ¿y usted? / Bien, ¿y tú?

Comment tu t'appelles/vous vous appelez ?
¿Cómo te llamas/se llama?

Je m'appelle...
Me llamo...

Enchanté(e) !
Encantado/Encantada!

Je te/vous présente ma femme/mon fils.
Te/le presento a mi mujer/mi hijo.

Quel âge as-tu/avez-vous?
¿Cuántos años tienes/tiene?

J'ai 15/21/40 ans.
Tengo quince/veintiún/cuarenta años.

D'où viens-tu/venez-vous ?
¿De dónde eres/es?

Je viens de Grenoble.
Soy de Grenoble.

Nous sommes français(es).
Somos franceses/francesas.

Nous habitons dans le sud de la France.
Vivimos en el sur de Francia.

Qu'est-ce que tu fais/vous faites dans la vie ?
¿A qué te dedicas/se dedica?

Je suis étudiant(e).
Soy estudiante.

Je suis professeur.
Soy profesor/profesora.

Je travaille dans une banque.
Trabajo en un banco.

J'aime bien le foot/aller au cinéma.
Me gusta el fútbol/ir al cine.

Je n'aime pas le vin rouge/danser.
No me gusta el vino tinto/bailar.

Je peux avoir ton/votre adresse ?
¿Me das tu dirección? / ¿Me da su dirección?

Je te donne mon adresse e-mail.
Te doy mi dirección de e-mail.

Venez nous voir un jour !
¡Venga a vernos un día!

À plus tard/la prochaine !
¡Hasta luego/la próxima!

Comprendre

Pardon ?
¿Perdón?

Comment ? Hein ?
¿Cómo?

Je ne comprends pas.
No entiendo.

Vous pouvez répéter ?
¿Lo puede repetir?

Je parle à peine l'espagnol.
Hablo muy poco espagnol.

Je comprends un petit peu.
Entiendo un poquito.

Qu'est-ce que ça veut dire ?
¿Qué significa?

Pourriez-vous me l'écrire ?
¿Podría escribírmelo?

J'apprends l'espagnol.
Estudio español.

Comment dit-on ... en espagnol ?
¿Cómo se dice ... en español?

Parlez-vous français ?
¿Habla francés?

Qu'est-ce qui se passe ?
¿Qué pasa?

Votre séjour

Nous sommes en vacances.
Estamos de vacaciones.

Je suis ici pour mon travail.
Estoy aquí por asuntos de trabajo.

Je ne suis ici que pour le weekend.
He venido aquí para el fin de semana solamente.

Nous sommes ici pour une semaine.
Estamos aquí para una semana.

C'est la première fois que je viens.
Es la primera vez que vengo.

Nous avons des amis/de la famille ici.
Tenemos amigos/familia aquí.

Je me plais beaucoup ici.
Me gusta mucho aquí.

Bonnes vacances !
¡Buenas vacaciones!

Amuse-toi/Amusez-vous bien !
¡Que te lo pase/se lo pasen bien!

Demander son chemin

Excusez-moi, où est la gare routière, s'il vous plaît ?
Por favor, ¿dónde está la estación de autobuses (Arg, Pér micros; Mex camiones)?

Comment je fais pour aller au château ?
¿Cómo se va al castillo?

Y a-t-il une boulangerie par ici ?
Hay una panadería por aquí.

Le marché, c'est par où ?
El mercado, ¿por dónde está?

Je cherche...
Estoy buscando...

Pourriez-vous me montrer sur la carte ?
¿Me lo podría enseñar en el plano?

C'est loin?
¿Está lejos?

Vous entendrez peut-être...

Siga todo recto.
Continuez tout droit.

Está a la derecha/al izquierda.
C'est à droite/à gauche.

Continue hasta...
Continuez jusqu'à...

---

xlvii

Coja (Am tome) la próxima salida.
Prenez la prochaine sortie.

Demandes, remerciements, opinions

Est-ce que je pourrais avoir un verre d'eau?
¿Me daría un vaso de agua?

Est-ce que je peux vous emprunter un stylo?
¿Puede prestarme un bolígrafo?

Ça vous dérange si j'ouvre la fenêtre ?
¿Le molesta que abra la ventana?

Je peux fumer ?
¿Puedo fumar?

Merci (beaucoup) !
¡(Muchas) gracias!

De rien !
¡De nada!

Merci, c'est très gentil.
Gracias, muy amable.

Merci beaucoup pour votre aide.
Muchas gracias por su ayuda.

Je l'ai bien aimé.
Me gustó mucho.

Ça ne m'a pas plu.
No me gustó.

C'est très joli(e) !
¡Que bonito!

C'était ennuyeux.
Fue aburrido.

Je suis/ne suis pas d'accord.
Soy/No soy de acuerdo.

Vous avez raison.
Tiene razón.

Je les trouve très sympas.
Me parecen muy simpáticos.

Ce n'est pas mal.
No está mal.

Ah bon ? C'est intéressant !
¿De verdad? ¡Que interesante!

Je crois que oui/non.
Creo que sí/no.

Ça m'est égal.
Me da igual.

Je ne sais pas.
No lo sé.

Voyages

Un billet pour Zamora, s'il vous plaît.
Un billete (Arg un pasaje; Méx, Pér un boleto) a Zamora, por favor.

Un aller simple.
Una sólo ida (Méx un boleto sencillo).

Un aller-retour.
Una ida y vuelta.

À quelle heure est le prochain train pour Séville ?
¿A qué hora es el próximo tren a Sevilla?

Il part de quel quai ?
¿De qué andén sale?

Est-ce qu'il y a une correspondance ?
¿Hay un transbordo?

Est-ce que cette place est libre ? Désolé(e), il y a déjà quelqu'un.
¿Está libre este asiento?   Lo siento, está ocupado.

Où est l'enregistrement des bagages pour Iberia ?
¿Dónde se factura el equipaje para Iberia?

Je voudrais une place côté couloir/hublot.
Quisiera una plaza de pasillo/ventanilla.

À quelle heure embarque-t-on ?
¿A qué hora embarcamos?

J'ai raté ma correspondance.
He perdido la conexión.

Mes bagages ne sont pas arrivés.
Mi equipaje no ha llegado.

Avez-vous un dépliant avec les horaires/un plan du métro ?
¿Podría darme un folleto con los horarios/un plano del metro?

Est-ce que ce bus va à la gare ?
¿Este es el autobús (Arg, Pér el micro; Méx el camión) para la estación?

Est-ce que c'est l'arrêt pour le musée ?
¿Esta es la parada (Pér el paradero) del museo?

Quelle ligne dois-je prendre ?
¿Qué línea tengo que coger (Am tomar)?

À quelle heure part le dernier bus/train ?
¿A qué hora sale el último autobús/tren?

Je voudrais louer une voiture pour une semaine.
Quisiera alquilar un coche (Arg un auto; Mex, Pér un carro) para una semana.

Y a-t-il une station-service près d'ici ?
¿Hay una gasolinera (Mex una gasolinería; Pér un grifo) cerca de aquí ?

On est en panne d'essence.
Nos hemos quedado sin gasolina (Arg nafta).

Je suis tombé en panne.
Tengo una avería.

Nous avons crevé.
Hemos pinchado.

Y a-t-il une station de taxis près d'ici ?
¿Hay una parada (Mex un sitio) de taxis por aquí?

Je voudrais aller à l'aéroport.
Voy al aeropuerto.

Ça va coûter combien ?
¿Cuánto me cuesta?

Merci, vous pouvez me déposer ici.
Gracias, puede dejarme aquí.

Vous entendrez peut-être...

¿Cuántas maletas (Arg valijas) tiene?
Combien de bagages avez-vous ?

Su pasaporte, por favor.
Votre passeport, s'il vous plaît.

Esta es su tarjeta de embarque.
Voici votre carte d'embarquement.

Embarque inmediato al puerto número...
Embarquement immédiat à la porte numéro...

Tiene un transbordo a Salamanca.
Vous avez une correspondance à Salamanca.

1

El tren con destino a...
Le train à destination de...

Coja (Am Tome) el autobús (Arg, Pér el micro; Mex el camión) número...
Prenez le bus numéro...

Tiene que bajar en la tercera parada (Pér el tercer paradero).
Il faut descendre au troisième arrêt.

Hébergement

Avez-vous une chambre de libre pour ce soir ?
¿Le quedan una habitación libre para esta noche?

Je voudrais réserver une chambre double/individuelle pour trois nuits.
Quisiera reservar una habitación doble/individual para tres noches.

Je voudrais une chambre avec salle de bains.
Quisiera una habitación con baño.

J'ai fait une réservation au nom de...
He reservado a nombre de...

C'est pour un couple et deux enfants.
Es para una pareja y dos niños.

Vous n'avez rien de moins cher?
¿No tiene nada de más barato?

Est-qu'on peut voir la chambre?
¿Podemos ver la habitación?

Est-ce que le petit déjeuner est compris ?
¿El desayuno está incluido?

À quelle heure est le petit déjeuner ?
¿A qué hora se sirve el desayuno?

À quelle heure doit-on libérer la chambre ?
¿A qué hora tenemos que dejar la habitación libre?

Je peux laisser mes bagages ici ?
¿Puedo dejar mi equipaje aquí?

Il n'y a pas de papier toilette.
No hay papel higiénico.

Il y a un problème avec la douche/la climatisation.
Hay un problema con la ducha/el aire acondicionado.

C'est cassé(e).
Está roto/rota.

Ça ne marche pas.
No funciona.

Je veux changer de chambre.
Quiero cambiar de habitación.

Je viens régler.
Quiero pagar.

Nous voudrons louer une villa avec une piscine.
Quisiéramos alquilar una villa con piscina (Mex una alberca).

Les draps et serviettes sont-ils fournis ?
¿Se proporciona la ropa de cama y las toallas?

Est-ce qu'il y a un camping par ici ?
¿Hay algún camping por aquí?

Est-ce qu'on a besoin d'une voiture ?
¿Necesita un coche (Arg un auto; Mex, Pér un carro)?

Manger et boire

Pouvez-vous me recommander un bon restaurant ?
Me podría recomendar un buen restaurante?

Je voudrais réserver une table pour deux personnes pour demain soir.
Quisiera reservar una mesa para dos para mañana por la noche.

Avez-vous une table pour quatre ?
¿Tiene una mesa para cuatro?

J'ai réservé une table au nom de...
He reservado una mesa a nombre de...

Nous avons choisi.
Ya hemos elegido.

Je vais prendre les sardines.
Yo tomaré las sardinas.

Je suis végétarien(enne).
Soy vegetariano/vegetariana.

Je suis allergique aux fruits de mer.
Soy alergico/alergica a los mariscos.

C'est quoi, le « tocino de cielo » ?
¿Qué es el tocino de cielo?

Quels sont les plats du jour ?
¿Cuáles son los platos del día?

Une bouteille de vin rouge/blanc.
Una botella de vino tinto/blanco.

Deux bières et un Coca®, s'il vous plaît.
Dos cervezas et una Coca-cola®, por favor.

Est-ce qu'on pourrait avoir encore du pain/de l'eau ?
¿Podría traer más pan/agua?

Vous avez quoi comme desserts ?
¿Qué tiene de postre?

C'était délicieux.
Estaba muy rico.

S'il vous plaît !
¡Por favor!

L'addition, s'il vous plaît.
La cuenta, por favor.

Où sont les toilettes, s'il vous plaît ?
¿Dónde están los servicios (Am baños), por favor?

Vous entendrez peut-être...

¿Buenos días, es para comer?	**¿Ha reservado?**
Bonjour, c'est pour manger ?	Vous avez réservé ?
¿A qué nombre?	**¿Para qué hora?**
À quel nom ?	À quelle heure ?
¿Para cuántas personas?	**Lo siento, está completo.**
Pour combien de personnes ?	Désolé, on est complet.
¿Le parece bien esta mesa?	**¿Ha elegido ya?**
Cette table-ci vous convient ?	Vous avez choisi ?
¿Y para beber?	**¿Va a tomar postre?**
Et comme boisson ?	Vous voulez un dessert ?
¡Buen provecho!	**¿Estaba todo bien?**
Bon appétit !	Ça a été ?

Achats

Est-ce que vous vendez des timbres ?
¿Tienen sellos?

Je voudrais un peu de ce fromage-là.
Quisiera un poco de aquél queso.

Deux melons, s'il vous plaît.	**Ça coûte combien ?**
Dos melones, por favor.	*¿Cuánto es?*
Un peu plus/moins.	**Ce sera tout, merci.**
Un poco más/menos.	*Nada más, gracias.*
Non merci, je regarde seulement.	**Où sont les cabines d'essayage ?**
No, gracias, sólo estoy mirando.	*¿Dónde están los probadores?*

Est-ce que je peux essayer ?
¿Puedo probármelo/probármela?
Je chausse du 38.
Calzo el treinta y ocho.

Est-ce que vous l'avez dans une plus grande/plus petite taille?
¿Tiene una talla más/menos?

C'est bon, je le/la prends.
Está bien, me lo/la llevo.

No, je ne l'aime pas.
No, no me gusta.

Est-ce qu'on peut payer par carte de crédit ?
¿Se puede pagar con tarjeta de crédito?

Désolé(e), je n'ai pas de monnaie.
Lo siento, no tengo cambio.

Je peux avoir un sac plastique ?
¿Me da una bolsa de plástico?

Vous entendrez peut-être...

¿Puedo ayudarle?
Je peux vous aider ?

¿Algo más?
Et avec ceci ?

¿No tiene nada de cambio?
Vous n'avez pas de monnaie ?

¿Le pongo una bolsa ?
Voulez-vous un sac en plastique ?

Firme aquí, por favor.
Signez ici, s'il vous plaît.

¿Es para regalo?
C'est pour offrir ?

Santé

J'ai besoin de voir un médecin.
Tengo que ir al médico.

J'ai besoin d'une ambulance !
¡Necesito una ambulancia!

Je voudrais prendre rendez-vous.
Quisiera pedir cita.

J'ai rendez-vous avec le Docteur...
Tengo cita con el doctor...

Le plus tôt possible.
Lo antes posible.

Je ne me sens pas bien.
Ne me encuentro bien.

J'ai mal au ventre/à la tête/à la gorge.
Me duele el vientre/la cabeza/la garganta.

J'ai envie de vomir.	J'ai de la fièvre.
Me mareo.	*Tengo fiebre.*

J'ai une intoxication alimentaire.
Tengo una intoxicación alimentaria.

Je me suis tordu la cheville.
Me he torcido el tobillo.

Ça fait mal.
Me duele.

J'ai de l'asthme/du diabète.
Soy asmático/asmática / diabético/diabética.

Je suis enceinte de quatre mois.
Estoy embarazada de cuatro meses.

Je suis allergique à la pénicilline.
Soy alergico/alérigca a la penicilina.

Ça fait trois jours.	**Ça s'est aggravé.**
Hace tres días.	*Ahora está peor.*

Où est la pharmacie la plus proche ?
¿Dónde está la farmacia más cercana?

J'ai besoin de pansements/d'aspirine.
Necesito tiritas (Am curitas)/aspirina.

Pouvez-vous me donner quelque chose contre le rhume/la diarrée ?
¿Me podría dar algo para un resfriado (Arg un resfrío)/la diarrea?

Vous entendrez peut-être...

Por favor, pase a la sala de espera.
Prenez place dans la salle d'attente.

¿Dónde le duele?
Où est-ce que ça fait mal ?

Respire hondo.	**Túmbese, por favor.**
Respirez bien fort.	Allongez-vous, s'il vous plaît.

Lo normal es que se le pase en unos días.
Ça devrait passer dans quelques jours.

Le doy una receta.
Je vais vous faire une ordonnance.

Vuelva a verme dentro de una semana.
Revenez me voir dans une semaine.

Tómelo tres veces al día antes de las comidas.
Prenez-le trois fois par jour avant les repas.

Urgences

Au secours !	**Au feu !**	**Au voleur !**
¡Socorro!	*¡Fuego!*	*¡Al ladrón!*

Il y a eu un accident.   **C'est urgent !**
Ha habido un accidente.   *¡Es urgente!*

Où est le commissariat/l'hôpital le plus proche ?
¿Dónde está la comisaría más cercana/el hospital más cercano?

Est-ce que vous pouvez m'aider ?
¿Puede ayudarme?

On m'a volé mon sac/mon passeport.
Me han robado el bolso/el pasaporte.

Qu'est-ce que je dois faire ?
¿Qué tengo que hacer?

J'ai perdu mes clés de voiture.
He perdido las llaves de mi coche.

Mon fils/Ma fille a disparu.
Mi hijo/hija ha desaparecido.

Il y a quelqu'un qui me suit.   **J'ai été agressé(e).**
Alguien me está siguiendo.   *He sufrido una agresión.*

Je voudrais faire une déclaration de vol.
Quiero poner una denuncia por robo.

J'ai besoin d'un certificat de police pour ma compagnie d'assurances.
Necesito una copia de la denuncia para mi compañía de seguros.

Le jour et la date

Quel jour sommes-nous ?
¿A qué día estamos?

On est le combien aujourd'hui ?
¿Qué fecha es hoy?

On est vendredi le 9 novembre.
Es viernes nueve de noviembre.

Je suis né(e) en 1980.
Nací en mil novecientos ochenta.

J'ai passé un mois à Malaga en 2002.
Pasé un mes a Málaga en dos mil dos.

Je suis venu il y a quelques années.
Estuve aquí hace unos años.

On revient chaque été.
Volvemos cada verano.

Nous restons deux semaines.
Nos quedamos dos semanas.

Je pars demain/samedi.
Me voy mañana/el sábado.

Je suis arrivé(e) hier.
Llegué ayer.

Je reste jusqu'à vendredi.
Me quedo hasta el viernes.

Nous all ons à la plage tous les jours.
Todos los días vamos a la playa.

L'heure

Excusez-moi, est-ce que vous auriez l'heure, s'il vous plaît ?
Perdone, ¿tiene hora, por favor?

Quelle heure est-il ?
¿Qué hora es?

Il est une heure.
Es la una.

Il est midi/huit heures.
Son las doce/las ocho.

Il est une heure et quart.
Es la una y cuarto.

Il est trois heures moins le quart.
Son las tres menos cuarto.

Il est huit heures et demie.
Son las ocho et media.

Il est midi moins vingt.
Son las doce menos veinte.

Il est onze heures dix.
Son las once y diez

Il est presque dix heures.
Son casí las diez.

Il est deux heures pile.
Son las dos en punto.

Je pars à six heures du matin.
Me voy a las seis de la mañana.

J'arrive vers 17h.
Llego sobre las cinco de la tarde.

Je sors ce soir.
Salgo esta noche.

On se voit demain matin.
Nos vemos mañana por la mañana.

Un instant, s'il vous plaît.
Un momento por favor.

Désolé(e), je suis en retard.
Lo siento, llego tarde.

Ça ouvre/ferme à quelle heure ?
¿A qué hora abre/cierra?

Je reviens dans une demi-heure.
Vuelvo dentro de media hora.

Guía de conversación

Encuentros

Hola, ¿qué tal?
Bonjour, comment ça va ?

Bien, gracias, ¿y usted? / Bien, ¿y tú?
Ça va bien, merci, et vous ? / Ça va, et toi ?

¿Cómo te llamas/se llama?
Comment tu t'appelles/vous vous appelez ?

Me llamo...   **Encantado/Encantada!**
Je m'appelle...   *Enchanté(e) !*

Te/le presento a mi mujer/mi hijo.
Je te/vous présente ma femme/mon fils.

¿Cuántos años tienes/tiene?
Quel âge as-tu/avez-vous?

Tengo 15/21/40 años.
J'ai quinze/vingt-et-un/quarante ans.

¿De dónde eres/es?   **Soy de Grenoble.**
D'où viens-tu/venez-vous ?   *Je viens de Grenoble.*

Somos españoles/españolas.
Nous sommes espagnol(e)s.

Vivimos en el norte de España.
Nous habitons dans le nord de l'Espagne.

¿A qué te dedicas/se dedica?
Qu'est-ce que tu fais/vous faites dans la vie ?

Soy estudiante.   **Soy profesor/profesora.**
Je suis étudiant(e).   *Je suis professeur.*

Trabajo en un banco.
Je travaille dans une banque.

Me gusta el fútbol/ir al cine.
J'aime bien le foot/aller au cinéma.

No me gusta el vino tinto/bailar.
Je n'aime pas le vin rouge/danser.

¿Me das tu dirección? / ¿Me da su dirección?
Je peux avoir ton/votre adresse ?

Te doy mi dirección de e-mail.
Je te donne mon adresse e-mail.

¡Venga a vernos un día!
Venez nous voir un jour !

¡Hasta luego/la próxima!
À plus tard/la prochaine !

Para entender mejor

¿Perdón?
Pardon ?

¿Cómo?
Comment ?

No entiendo.
Je ne comprends pas.

¿Lo puede repetir?
Vous pouvez répéter ?

Hablo muy poco francés.
Je parle à peine français.

Entiendo un poquito.
Je comprends un petit peu.

¿Qué significa?
Qu'est-ce que ça veut dire ?

¿Podría escribírmelo?
Pourriez-vous me l'écrire ?

Estudio el francés.
J'apprends le français.

¿Cómo se dice ... en francés?
Comment dit-on ... en français ?

¿Habla francés?
Parlez-vous français ?

¿Qué pasa?
Qu'est-ce qui se passe ?

Sobre su estancia

Estamos de vacaciones.
Nous sommes en vacances.

Estoy aquí por asuntos de trabajo.
Je suis ici pour mon travail.

He venido aquí para el fín de semana solamente.
Je ne suis ici que pour le weekend.

Estamos aquí para una semana.
Nous sommes ici pour une semaine.

Es la primera vez que vengo.
C'est la première fois que je viens.

Tenemos amigos/familia aquí.
Nous avons des amis/de la famille ici.

Me gusta mucho aquí.
Je me plais beaucoup ici.

¡Buenas vacaciones!
Bonnes vacances !

¡Que te lo pase/se lo pasen bien!
Amuse-toi/Amusez-vous bien !

Cómo preguntar por direcciones

Por favor, ¿dónde está la estación de autobuses?
Excusez-moi, où est la gare routière, s'il vous plaît ?

¿Cómo se va al castillo?
Comment je fais pour aller au château ?

El mercado, ¿por dónde está?
Le marché, c'est par où ?

Hay una panadería por aquí?
Y a-t-il une boulangerie par ici ?

¿Me lo podría enseñar en el plano?
Pourriez-vous me montrer sur la carte ?

Estoy buscando...
Je cherche...

¿Está lejos?
C'est loin?

Quizá oiga decir...

Continuez tout droit.
Siga todo recto.

Continuez jusqu'à...
Continue hasta...

C'est à droite/à gauche.
Está a la derecha/al izquierda.

Prenez la prochaine sortie.
Coja la próxima salida.

Preguntas, agradecimientos, opiniones

¿Me daría un vaso de agua?
Est-ce que je pourrais avoir un verre d'eau ?

¿Puede prestarme un bolígrafo?
Est-ce que vous pouvez me prêter un stylo ?

¿Le molesta que abra la ventana?
Ça vous dérange si j'ouvre la fenêtre ?

¿Puedo fumar?
Je peux fumer ?

¡(Muchas) gracias!
Merci (beaucoup) !

¡De nada!
De rien !

Gracias, muy amable.
Merci, c'est très gentil.

Muchas gracias por su ayuda.
Merci beaucoup pour votre aide.

Me gustó mucho.
Je l'ai bien aimé.

No me gustó.
Ça ne m'a pas plu.

¡Que bonito!
C'est très joli(e) !

Fue aburrido.
C'était ennuyeux.

Soy/No soy de acuerdo.
Je suis/ne suis pas d'accord.

Tiene razón.
Vous avez raison.

Me parecen muy simpáticos.
Je les trouve très sympas.

No está mal.
Ce n'est pas mal.

¿De verdad? ¡Que interesante!
Ah bon ? C'est intéressant !

Creo que sí/no.
Je crois que oui/non.

Me da igual.
Ça m'est égal.

No lo sé.
Je ne sais pas.

Los viajes

Un billete a Lille, por favor.
Un billet pour Lille, s'il vous plaît.

Una sólo ida/ida y vuelta.
Un aller simple/aller-retour.

¿De qué andén sale?
Il part de quel quai ?

¿A qué hora es el próximo tren a Marseille?
À quelle heure est le prochain train pour Marseille ?

¿Hay un transbordo?
Est-ce qu'il y a une correspondance ?

¿Está libre este asiento? **Lo siento, está ocupado.**
Est-ce que cette place est libre ? *Désolé(e), il y a déjà quelqu'un.*

¿Dónde se factura el equipaje para Iberia?
Où est l'enregistrement des bagages pour Iberia ?

Quisiera una plaza de pasillo/ventanilla.
Je voudrais une place côté couloir/hublot.

¿A qué hora embarcamos?
À quelle heure embarque-t-on ?

He perdido la conexión.
J'ai raté ma correspondance.

Mi equipaje no ha llegado.
Mes bagages ne sont pas arrivés.

Avez-vous un dépliant avec les horaires/un plan du métro ?
¿Podría darme un folleto con los horarios/un plano del metro?

¿Este es el autobús para la estación?
Est-ce que ce bus va à la gare ?

¿Esta es la parada del museo?
Est-ce que c'est l'arrêt pour le musée ?

¿Qué línea tengo que coger?
Quelle ligne dois-je prendre ?

¿A qué hora sale el último autobús/tren?
À quelle heure part le dernier bus/train ?

Quisiera alquilar un coche para una semana.
Je voudrais louer une voiture pour une semaine.

¿Hay una gasolinera cerca de aquí ?
Y a-t-il une station-service près d'ici ?

Nos hemos quedado sin gasolina.
On est en panne d'essence.

Tengo una avería. **Hemos pinchado.**
Je suis tombé en panne. *Nous avons crevé.*

¿Hay una parada de taxis por aquí?
Y a-t-il une station de taxis près d'ici ?

Voy al aeropuerto.
Je voudrais aller à l'aéroport.

¿Cuánto me cuesta?
Ça va coûter combien ?

Gracias, puede dejarme aquí.
Merci, vous pouvez me déposer ici.

Quizá oiga decir...

Combien de bagages avez-vous ?
¿Cuántas maletas tiene?

Votre passeport, s'il vous plaît.
Su pasaporte, por favor.

Voici votre carte d'embarquement.
Esta es su tarjeta de embarque.

Embarquement immédiat à la porte numéro...
Embarque inmediato al puerto número...

Vous avez une correspondance à Salamanca.
Tiene un transbordo a Salamanca.

Le train à destination de...
El tren con destino a...

Prenez le bus numéro...
Coja el autobús número...

Il faut descendre au troisième arrêt.
Tiene que bajar en la tercera parada.

El alojamiento

¿Le quedan una habitación libre para esta noche?
Avez-vous une chambre de libre pour ce soir ?

Quisiera reservar una habitación doble/individual para tres noches.
Je voudrais réserver une chambre double/individuelle pour trois nuits.

Quisiera una habitación con baño.
Je voudrais une chambre avec salle de bains.

He reservado a nombre de...
J'ai fait une réservation au nom de...

Es para una pareja y dos niños.
C'est pour un couple et deux enfants.

¿No tiene nada de más barato?
Vous n'avez rien de moins cher?

¿Podemos ver la habitación?
Est-qu'on peut voir la chambre?

¿El desayuno está incluido?
Est-ce que le petit déjeuner est compris ?

¿A qué hora se sirve el desayuno?
À quelle heure est le petit déjeuner ?

¿A qué hora tenemos que dejar la habitación libre?
À quelle heure doit-on libérer la chambre ?

¿Puedo dejar mi equipaje aquí?   No hay papel higiénico.
Je peux laisser mes bagages ici ?   Il n'y a pas de papier toilette.

Hay un problema con la ducha/el aire acondicionado.
Il y a un problème avec la douche/la climatisation.

Está roto/rota.   **No funciona.**
C'est cassé(e).   *Ça ne marche pas.*

Quiero cambiar de habitación.   **Quiero pagar.**
Je veux changer de chambre.   *Je viens régler.*

Quisieramos alquilar una villa con piscina.
Nous voudrons louer une villa avec une piscine.

¿Se proporciona la ropa de cama y las toallas?
Les draps et serviettes sont-ils fournis ?

¿Hay algún camping por aquí?
Est-ce qu'il y a un camping par ici ?

¿Necesita un coche?
Est-ce qu'on a besoin d'une voiture ?

Quizá oiga decir...
Quel est votre nom, s'il vous plaît ?
¿Su nombre, por favor?

Désolé, on est complet.
Lo siento, está completo.

Avec ou sans salle de bains ?
¿Con baño o sin baño?

Pouvez-vous remplir cette fiche ?
¿Puede rellenar este impreso?

La chambre doit être libérée à midi.
Se ruega dejen la habitación libre antes de la doce del mediodía.

Le petit déjeuner est servi de 8h à 11h.
El desayuno se sirve de la ocho hasta las once.

Comida y bebida

Me podría recomendar un buen restaurante?
Pouvez-vous me recommander un bon restaurant ?

Quisiera reservar una mesa para dos para mañana por la noche.
Je voudrais réserver une table pour deux personnes pour demain soir.

¿Tiene una mesa para cuatro?
Avez-vous une table pour quatre ?

He reservado una mesa a nombre de...
J'ai réservé une table au nom de...

Ya hemos elegido.
Nous avons choisi.

Yo tomaré la trucha.
Je vais prendre la truite.

Soy vegetariano/vegetariana.
Je suis végétarien(enne).

Soy alergico/alergica a los mariscos.
Je suis allergique aux fruits de mer.

¿Qué es « bouillabaisse » ?
C'est quoi, bouillabaisse ?

¿Cuáles son los platos del día?
Quels sont les plats du jour ?

Una botella de vino tinto/blanco.
Une bouteille de vin rouge/blanc.

Dos cervezas et una Coca-cola®, por favor.
Deux bières et un Coca®, s'il vous plaît.

¿Podría traer más pan/agua?
Est-ce qu'on pourrait avoir encore du pain/de l'eau ?

¿Qué tiene de postre?
Vous avez quoi comme desserts ?

Estaba muy rico.
C'était délicieux.

¡Por favor!
S'il vous plaît !

La cuenta, por favor.
L'addition, s'il vous plaît.

¿Dónde están los servicios, por favor?
Où sont les toilettes, s'il vous plaît ?

Quizá oiga decir...

Bonjour, c'est pour manger ?
¿Buenos días, es para comer?

À quel nom?
¿A qué nombre?

Pour combien de personnes ?
¿Para cuántas personas?

Cette table-ci vous convient ?
¿Le parece bien esta mesa ?

Et comme boisson ?
¿Y para beber?

Bon appétit !
¡Buen provecho!

Vous avez réservé ?
¿Ha reservado?

À quelle heure ?
¿Para qué hora?

Désolé, on est complet.
Lo siento, está completo.

Vous avez choisi ?
¿Ha elegido ya?

Vous voulez un dessert ?
¿Va a tomar postre?

¿Estaba todo bien?
Ça a été ?

De compras

¿Tienen sellos?
Est-ce que vous vendez des timbres ?

Quisiera un poco de aquél queso.
Je voudrais un peu de ce fromage-là.

Dos melones, por favor.
Deux melons, s'il vous plaît.

¿Cuánto es?
Ça coûte combien ?

Un poco más/menos.
Un peu plus/moins.

Nada más, gracias.
Ce sera tout, merci.

No, gracias, sólo estoy mirando.
Non merci, je regarde seulement.

¿Puedo probármelo/probármela?
Est-ce que je peux essayer ?

¿Dónde están los probadores?
Où sont les cabines d'essayage ?

Calzo el treinta y ocho.
Je chausse du 38.

¿Tiene una talla más/menos?
Est-ce que vous l'avez dans une plus grande/plus petite taille?

Está bien, me lo/la llevo.
C'est bon, je le/la prends.

No, no me gusta.
No, je ne l'aime pas.

¿Se puede pagar con tarjeta de crédito?
Est-ce qu'on peut payer par carte de crédit ?

Lo siento, no tengo cambio.
Désolé(e), je n'ai pas de monnaie.

¿Me da una bolsa de plástico?
Je peux avoir un sac plastique ?

Quizá oiga decir...

Je peux vous aider ?
¿Puedo ayudarle?

Et avec ceci ?
¿Algo más?

Vous n'avez pas de monnaie ?
¿No tiene nada de cambio?

Voulez-vous un sac en plastique ?
¿Le pongo una bolsa ?

Signez ici, s'il vous plaît.
Firme aquí, por favor.

C'est pour offrir ?
¿Es para regalo?

La salud

Tengo que ir al médico.
J'ai besoin de voir un médecin.

¡Necesito una ambulancia!
J'ai besoin d'une ambulance !

Quisiera pedir cita.
Je voudrais prendre rendez-vous.

Tengo cita con el doctor...
J'ai rendez-vous avec le Docteur...

Lo antes posible.
Le plus tôt possible.

Ne me encuentro bien.
Je ne me sens pas bien.

Me duele el vientre/la cabeza/la garganta.
J'ai mal au ventre/à la tête/à la gorge.

Me mareo.
J'ai envie de vomir.

Tengo fiebre.
J'ai de la fièvre.

Tengo una intoxicación alimentaria.
J'ai une intoxication alimentaire.

Me duele.
Ça fait mal.

Me he torcido el tobillo.
Je me suis tordu la cheville.

Soy asmático/asmática / diabético/diabética.
J'ai de l'asthme/du diabète.

Estoy embarazada de cuatro meses.
Je suis enceinte de quatre mois.

Soy alergico/alérigca a la penicilina.
Je suis allergique à la pénicilline.

Hace tres días.
Ça fait trois jours.

Ahora está peor.
Ça s'est aggravé.

¿Dónde está la farmacia más cercana?
Où est la pharmacie la plus proche ?

Necesito tiritas/aspirina.
J'ai besoin de pansements/d'aspirine.

¿Me podría dar algo para un resfriado/la diarrea?
Pouvez-vous me donner quelque chose contre le rhume/la diarrée ?

Quizá oiga decir...

Prenez place dans la salle d'attente.
Por favor, pase a la sala de espera.

Où est-ce que ça fait mal ?
¿Dónde le duele?

Respirez bien fort.
Respire hondo.

Allongez-vous, s'il vous plaît.
Túmbese, por favor.

Ça devrait passer dans quelques jours.
Lo normal es que se le pase en unos días.

Revenez me voir dans une semaine.
Vuelva a verme dentro de una semana.

Je vais vous faire une ordonnance.
Le doy una receta.

Prenez-le trois fois par jour avant les repas.
Tómelo tres veces al día antes de las comidas.

Urgencias

¡Socorro!
Au secours !

¡Fuego!
Au feu !

¡Al ladrón!
Au voleur !

Ha habido un accidente.
Il y a eu un accident.

¡Es urgente!
C'est urgent !

¿Dónde está la comisaría más cercana/el hospital más cercano?
Où est le commissariat/l'hôpital le plus proche ?

¿Puede ayudarme?
Est-ce que vous pouvez m'aider ?

Me han robado el bolso/el pasaporte.
On m'a volé mon sac/mon passeport.

He perdido las llaves de mi coche.
J'ai perdu mes clés de voiture.

Alguien me está siguiendo.
Il y a quelqu'un qui me suit.

He sufrido una agresión.
J'ai été agressé(e).

Mi hijo/hija ha desaparecido.
Mon fils/Ma fille a disparu.

¿Qué tengo que hacer?
Qu'est-ce que je dois faire ?

Quiero poner una denuncia por robo.
Je voudrais faire une déclaration de vol.

Necesito una copia de la denuncia para mi compañía de seguros.
J'ai besoin d'un certificat de police pour ma compagnie d'assurances.

Quizá oiga decir...

Qu'est-ce qui s'est passé ?
¿Qué pasó?

Quand cela est-il passé ?
¿Cuándo ocurrió?

Qu'est-ce qu'il vous manque ?
¿Qué le falta?

Où logez-vous ?
¿Dónde se aloja?

Pouvez-vous le/la décrire ?
¿Puede describirlo/describirla?

Vous devez remplir ce formulaire.
Tiene que rellenar este impreso.

El día y la fecha

¿A qué día estamos?
Quel jour sommes-nous ?

¿Qué fecha es hoy?
On est le combien aujourd'hui ?

Es viernes nueve de noviembre.
On est vendredi le 9 novembre.

Nací en 1980.
Je suis né(e) en mille neuf cent quatre-vingts.

Pasé un mes a Paris en 2002.
J'ai passé un mois à Paris en deux mille deux.

Estuve aquí hace unos años.
Je suis venu il y a quelques années.

Volvemos cada verano.
On revient chaque été.

Nos quedamos dos semanas.
Nous restons deux semaines.

Me voy mañana/el sábado.
Je pars demain/samedi.

Llegué ayer.
Je suis arrivé(e) hier.

Me quedo hasta el viernes.
Je reste jusqu'à vendredi.

Todos los días vamos a la playa.
Nous allons à la plage tous les jours.

La hora

Perdone, ¿tiene hora, por favor?
Excusez-moi, est-ce que vous auriez l'heure, s'il vous plaît ?

¿Qué hora es?
Quelle heure est-il ?

Es la una.
Il est une heure.

Son las doce/las ocho.
Il est midi/huit heures.

Es la una y cuarto.
Il est une heure et quart.

Son las tres menos cuarto.
Il est trois heures moins le quart.

Son las ocho et media.
Il est huit heures et demie.

Son las nueve menos veinte.
Il est neuf heures moins vingt.

Son las once y diez.
Il est onze heures dix.

Son casí las diez.
Il est presque dix heures.

Son las dos en punto.
Il est deux heures pile.

Me voy a las seis de la mañana.
Je pars à six heures du matin.

Llego sobre las cinco de la tarde.
J'arrive vers dix-sept heures.

Salgo esta noche.
Je sors ce soir.

Nos vemos mañana por la mañana.
On se voit demain matin.

Un momento, por favor.
Un instant, s'il vous plaît.

Lo siento, llego tarde.
Désolé(e), je suis en retard.

¿A qué hora abre/cierra?
Ça ouvre/ferme à quelle heure ?

Vuelvo dentro de media hora.
Je reviens dans une demi-heure.

Français-Espagnol

Francés-Español

Aa

A, a [ɑ] *nm inv (lettre)* A *f*, a *f*; **de a à z** de pe a pa

A *(abrév* **autoroute)** A

a *voir* **avoir**

à [a] *prép*

(**a**) *(introduit un complément d'objet indirect)* **parler à qn** hablar a alguien; **penser à qch** pensar en algo

(**b**) *(indique la situation)* en; *(indique la direction)* a; **une maison à la campagne** una casa en el campo; **il habite à Paris** vive en París; **aller à Paris** ir a París; **un voyage à Londres** un viaje a Londres

(**c**) *(introduit un complément de temps)* **à lundi!** ¡hasta el lunes!; **à plus tard!** ¡hasta luego!; **au mois de février** en el mes de febrero

(**d**) *(introduit la manière)* **à pied** a pie; **à bicyclette** en bicicleta; **à haute voix** en voz alta

(**e**) *(introduit un chiffre)* **ils sont venus à dix** han venido diez; **un livre à 7 euros** un libro a 7 euros; **la vitesse est limitée à 50 km/h** la velocidad está limitada a 50 km/h

(**f**) *(avec* **de)** a; **de Paris à Londres** de París a Londres; **de 8 à 10 heures de** (las) 8 a (las) 10

(**g**) *(indique l'appartenance)* **à moi** mío(a); *Fam* **un ami à lui** un amigo suyo

(**h**) *(introduit une caractéristique)* **des chaussures à talons** zapatos de tacón

(**i**) *(introduit le but, la fonction)* **une**

machine à écrire una máquina de escribir; **le courrier à poster** el correo que hay que mandar

abaisser [abese] **1** *vt* bajar; *(humilier)* degradar **2 s'abaisser** *vpr (barrière)* bajarse; *(s'humilier)* rebajarse; **s'a. à faire qch** rebajarse a hacer algo

abandon [abɑ̃dɔ̃] *nm (d'une personne, d'une maison)* abandono *m*; *(d'un droit)* renuncia *f (de* a); *(d'un bien)* cesión *f*; **à l'a.** abandonado(a)

abandonner [abɑ̃dɔne] **1** *vt (quitter, négliger)* abandonar; *(renoncer à)* renunciar a; **a. qch à qn** *(céder)* ceder algo a alguien **2** *vi (laisser tomber)* rendirse; **j'abandonne!** ¡me rindo!

abasourdi, -e [abazurdi] *adj (stupéfait)* atónito(a)

abat-jour [abaʒur] *nm inv* pantalla *f*

abats [aba] *nmpl (de volaille)* menudillos *mpl*; *(de bétail)* asaduras *fpl*, *CSur* achuras *fpl*

abattement [abatmɑ̃] *nm (physique, moral)* abatimiento *m*; *(déduction)* deducción *f* ▪ **a. fiscal** deducción fiscal

abattoir [abatwar] *nm* matadero *m*

abattre [11] [abatr] *vt (arbre)* talar; *(avion, mur)* derribar; *(tuer)* matar; *Fig (épuiser)* agotar; *(démoraliser)* desmoralizar

abbaye [abei] *nf* abadía *f*

abcès [apsɛ] *nm* absceso *m*

abdomen [abdɔmɛn] *nm* abdomen *m*

abdominaux [abdɔmino] *nmpl (muscles)* abdominales *mpl*; **faire des a.** *(exercices)* hacer abdominales

abeille [abɛj] nf abeja f
aberrant, -e [aberã, -ãt] adj aberrante
abîme [abim] nm abismo m
abîmer [abime] 1 vt estropear 2 s'abimer vpr (se détériorer) estropearse; s'a. les yeux estropearse la vista
abject, -e [abʒɛkt] adj abyecto(a)
abolir [abɔlir] vt abolir
abominable [abɔminabl] adj (fait) abominable; (temps) horrible
abondance [abɔ̃dɑ̃s] nf abundancia f
abondant, -e [abɔ̃dɑ̃, -ãt] adj abundante; (végétation) frondoso(a)
abonder [abɔ̃de] vi abundar; la région abonde en gibier en la región abunda la caza; a. dans le sens de qn abundar en la misma opinión que alguien
abonné, -e [abɔne] nm,f (à un journal) suscriptor(ora) m,f, (au téléphone, au théâtre) abonado(a) m,f, (à une bibliothèque) socio(a) m,f
abonnement [abɔnmã] nm (à un journal) suscripción f; (au téléphone, au théâtre) abono m; (à une bibliothèque) carné m de socio
abonner [abɔne] 1 vt a. qn à qch (à un journal) suscribir a alguien a algo; (au théâtre) abonar a alguien a algo; (à une bibliothèque) hacer socio a alguien de algo 2 s'abonner vpr s'a. à qch (journal) suscribirse a algo; (théâtre) abonarse a algo; (bibliothèque) hacerse socio(a) de algo
abord [abɔr] nm être d'un a. difficile/agréable mostrarse inaccesible/accesible; abords (environs) inmediacions fpl; aux abords de en las inmediaciones de; d'a. en primer lugar, primero; tout d'a. ante todo
abordable [abɔrdabl] adj (prix, produit) asequible; (personne, lieu) accesible
aborder [abɔrde] 1 vt (personne, question, bateau) abordar; (virage) entrar en 2 vi Naut atracar
aborigène [abɔriʒɛn] adj & nmf aborigen mf

aboutir [abutir] vi (réussir) llegar a un resultado; a. à/dans (sujet: chemin) desembocar en; Fig a. à qch (sujet: efforts, recherches) conducir a algo
aboyer [32] [abwaje] vi (chien) ladrar; Fam (personne) berrear
abréger [59] [abreʒe] vt (conversation) acortar; (texte) resumir; (mot) abreviar
abréviation [abrevjasjɔ̃] nf abreviatura f
abri [abri] nm abrigo m; être à l'a. de qch (des intempéries) estar al abrigo de algo; Fig (du soupçons) estar libre de algo ■ a. antiatomique refugio m atómico
abricot [abriko] nm albaricoque m, RP damasco m
abriter [abrite] 1 vt (protéger) proteger; (héberger) alojar 2 s'abriter vpr resguardarse (de de)
abrupt, -e [abrypt] adj (chemin, pente) abrupto(a); (ton, manières) brusco(a)
abrutir [abrytir] vt (abêtir) embrutecer; (étourdir) aturdir
abrutissant, -e [abrytisã, -ãt] adj (travail) agotador(ora); (jeu, fatigue-ton) embrutecedor(ora); (bruit) ensordecedor(ora)
absence [apsãs] nf (d'une personne) ausencia f; (carence) falta f; en l'a. de qn en ausencia de alguien
absent, -e [apsã, -ãt] adj & nm,f ausente mf
absenter [apsãte] s'absenter vpr ausentarse (de de)
absolu, -e [apsɔly] adj absoluto(a)
absolument [apsɔlymã] adv (à tout prix) sin falta; (totalement) totalmente; (oui) por supuesto; il faut a. qu'il vienne tiene que venir sin falta; il veut a. sortir por fuerza quiere salir; vous avez a. raison tiene usted toda la razón; a. pas en absoluto
absorbant, -e [apsɔrbã, -ãt] adj absorbente
absorber [apsɔrbe] vt absorber; (ingérer) ingerir

absoudre [3a] [apsudr] *vt* absolver

abstenir [70] [apstənir] **s'abstenir** *vpr* abstenerse; **s'a. de faire qch** abstenerse de hacer algo

abstention [apstɑ̃sjɔ̃] *nf* abstención *f*

abstraction [apstraksjɔ̃] *nf* abstracción *f*; **a. faite de...** aparte de...

abstrait, -e [apstrɛ, -ɛt] *adj* abstracto(a)

absurde [apsyrd] *adj* absurdo(a)

absurdité [apsyrdite] *nf* (parole, action) disparate *m*; **l'a. de** (situation, raisonnement) lo absurdo de

abus [aby] *nm* abuso *m* ■ **a. de confiance** abuso de confianza; **a. de pouvoir** abuso de poder

abuser [abyze] **1** *vi* (exagérer) abusar; **a. de** abusar de **2 s'abuser** *vpr* **si je m'abuse** si no me equivoco

abusif, -ive [abyzif, -iv] *adj* abusivo(a)

académie [akademi] *nf* academia *f*; *Scol & Univ* = distrito educativo en Francia ■ **l'A. française** la Academia francesa

acajou [akaʒu] *nm* caoba *f*

accablant, -e [akɑblɑ̃, -ɑ̃t] *adj* abrumador(ora); (travail, chaleur) agobiante

accabler [akɑble] *vt* (accuser) confundir; **a. qn de qch** (travail) agobiar a alguien de algo; (reproches) colmar a alguien de algo

accalmie [akalmi] *nf* calma *f*

accéder [34] [aksede] *vi* **a. à** acceder a

accélérateur [akseleratœr] *nm* acelerador *m*

accélération [akselerɑsjɔ̃] *nf* (d'un mouvement, d'un véhicule) aceleración *f*; (d'un processus) aceleramiento *m*

accélérer [34] [akselere] **1** *vt & vi* acelerar **2 s'accélérer** *vpr* acelerarse

accent [aksɑ̃] *nm* acento *m*; *Fig* **mettre l'a. sur** poner énfasis en ■ **a. aigu** acento agudo; **a. circonflexe** acento circunflejo; **a. grave** acento grave

accentuation [aksɑ̃tɥasjɔ̃] *nf* acentuación *f*

accentuer [aksɑ̃tɥe] **1** *vt* acentuar **2 s'accentuer** *vpr* acentuarse

acceptable [akseptabl] *adj* aceptable

accepter [aksepte] *vt* aceptar; (permettre) admitir; **a. de faire qch** aceptar hacer algo

acception [aksepsjɔ̃] *nf* acepción *f*

accès [aksɛ] *nm* (entrée) entrada *f*; (voie, crise) acceso *m*; **a. interdit** (sur panneau) prohibida la entrada; **avoir a. à qch** tener acceso a algo; **cette porte donne a. au jardin** esta puerta da al jardín; **cette formation donne a. à...** esta carrera da acceso a...; **a. de colère** arrebato *m* de cólera; **a. de fièvre** acceso de fiebre

accessible [aksesibl] *adj* (lieu, livre) accesible; (prix, produit) asequible

accession [aksesjɔ̃] *nf* acceso *m* (**à** a)

accessoire [akseswar] **1** *adj* accesorio(a) **2** *nm* (de théâtre) atrezo *m*; (de machine) accesorio *m*; (de mode) complemento *m*

accident [aksidɑ̃] *nm* accidente *m*; **par a.** por casualidad ■ **a. de la route** accidente de tráfico; **a. du travail** accidente laboral

accidenté, -e [aksidɑ̃te] *adj & nm,f* accidentado(a) *m,f*

accidentel, -elle [aksidɑ̃tɛl] *adj* (rencontre) accidental, casual; (mort) por accidente

acclamation [aklamɑsjɔ̃] *nf* aclamación *f*

acclamer [aklame] *vt* aclamar

acclimater [aklimate] **1** *vt* aclimatar (**à** a) **2 s'acclimater** *vpr* aclimatarse (**à** a)

accolade [akɔlad] *nf* (signe graphique) llave *f*; (embrassade) abrazo *m*

accommodant, -e [akɔmɔdɑ̃, -ɑ̃t] *adj* (personne) complaciente; (caractère) conciliador(ora)

accommoder [akɔmɔde] **1** *vt* (viande, poisson) preparar **2 s'accommoder** *vpr* **s'a. de qch** conformarse con algo

accompagnateur, -trice [akɔ̃paɲatœr, -tris] *nm,f* acompañante *mf*

accompagnement [akɔ̃paɲmɑ̃] *nm (musical)* acompañamiento *m*; *(de plat)* guarnición *f*

accompagner [akɔ̃paɲe] *vt* acompañar; **a. qch de qch** acompañar algo con algo

accompli, -e [akɔ̃pli] *adj (parfait)* consumado(a)

accomplir [akɔ̃plir] **1** *vt* cumplir **2 s'accomplir** *vpr* cumplirse

accord [akɔr] *nm (entente, traité)* acuerdo *m*; *(consentement)* aprobación *f*; *Mus* acorde *m*; *Gram* concordancia *f*; **donner son a. à** dar su aprobación a; **d'a.** de acuerdo; **être d'a. avec** estar de acuerdo con; **tomber** *ou* **se mettre d'a.** ponerse de acuerdo

accordéon [akɔrdeɔ̃] *nm* acordeón *m*

accorder [akɔrde] **1** *vt (harmoniser)* combinar; *(instrument)* afinar; **a. qch à qn** conceder algo a alguien; **a. de l'importance à qch** conceder importancia a algo; *Gram* **a. qch avec** concordar algo con **2 s'accorder** *vpr Gram* concordar (**avec** con); **s'a. un répit** tomarse un respiro; **tous s'accordent à dire que...** todos coinciden en decir que...

accoster [akɔste] **1** *vt (personne)* abordar; *Naut* atracar **2** *vi Naut* atracar

accotement [akɔtmɑ̃] *nm Esp* arcén *m*, *Méx* acotamiento *m*, *RP* banquina *f*

accouchement [akuʃmɑ̃] *nm* parto *m*

accoucher [akuʃe] *vi* dar a luz; **a. de** dar a luz a **2** *vt* asistir al parto

accouder [akude] **s'accouder** *vpr* **s'a. à** apoyar los codos en

accoudoir [akudwar] *nm* brazo *m (de sillón)*

accoupler [akuple] **s'accoupler** *vpr (animaux)* aparearse

accourir [22] [akurir] *vi* acudir *(rápidamente)*

accoutrement [akutrəmɑ̃] *nm* atavío *m*

accoutumance [akutymɑ̃s] *nf*

(habitude) hábito *m*; *(à une drogue* adicción *f*

accoutumer [akutyme] **1** *vt* **a. qn à qc** acostumbrar a alguien a algo **2 s'accoutumer** *vpr* **s'a. à qch** acostumbrarse a algo

accroc [akro] *nm (déchirure)* des garrón *m*; *(incident)* contratiempo *m*

accrochage [akrɔʃaʒ] *nm (accident* choque *m*; *(dispute)* agarrada *f*

accrocher [akrɔʃe] **1** *vt (suspendre* colgar (**à** a); *(attacher)* enganchar (**à** a); *(déchirer)* engancharse (**à** en con); *(heurter)* chocar con; *(reten* **l'attention de)** impactar **2 s'accroche** *vpr (s'agripper, se disputer)* agarrarse *(persévérer)* esforzarse; **s'a. à qch/q** agarrarse a algo/alguien; *Fi* aferrarse a algo/alguien

accroissement [akrwasmɑ̃] *nr* incremento *m*; **un a. des ventes** u incremento en las ventas

accroître [4a] [akrwatr] **1** *v* incrementar **2 s'accroître** *vp* incrementarse

accroupir [akrupir] **s'accroupir** *vp* ponerse en cuclillas

accueil [akœj] *nm (façon de recevoir* acogida *f*; *(comptoir)* recepción *faire bon a. à qn** recibir bien alguien

accueillant, -e [akœjɑ̃, -ɑ̃t] *ac* acogedor(ora)

accueillir [5] [akœjir] *vt (recevoir* acoger; *(héberger)* alojar, albergar

accumulation [akymylasjɔ̃] *r* acumulación *f*

accumuler [akymyle] **1** *vt* acumular **2 s'accumuler** *vpr* acumularse

accusateur, -trice [akyzatœr, -tris *adj & nm,f* acusador(ora)

accusation [akyzasjɔ̃] *nf* acusació *f*

accusé, -e [akyze] **1** *nm,f* acusado(a *m,f* **2** *nm* **a. de réception** acuse m d recibo

accuser [akyze] **1** *vt* acusar *(accentuer)* resaltar; **a. qn de qc** acusar a alguien de algo; **a**

réception de qch acusar recibo de algo **2 s'accuser** *upr (soi-même)* declararse culpable **(de** de); *(mutuellement)* acusarse

achalandé, -e [aʃalɑ̃de] *adj (approvisionné)* **bien a.** bien surtido(a)

acharné, -e [aʃarne] *adj (amour)* encarnizado(a); *(joueur)* emperdenido(a); *(travail)* intenso(a)

acharnement [aʃarnəmɑ̃] *nm (obstination)* empeño *m* **(à faire qch** en hacer algo); *(rage)* ensañamiento *m*

acharner [aʃarne] **s'acharner** *upr* **s'a. contre** *ou* **sur** *(ennemi, victime)* ensañarse con; *(sujet: sort)* perseguir; **s'a. à faire qch** obstinarse en hacer algo

achat [aʃa] *nm* compra *f*; **faire des achats** ir de compras

acheter [6] [aʃte] **1** *vt* comprar **2 s'acheter** *upr* **où est-ce que ça s'achète?** ¿dónde se compra eso?; **s'a. qch** comprarse algo

acheteur, -euse [aʃtœr, -øz] *nm,f* comprador(ora) *m,f*

achever [46] [aʃve] **1** *vt (terminer)* acabar; *(tuer, accabler)* acabar con **2 s'achever** *upr* acabarse

acide [asid] **1** *adj* ácido(a) **2** *nm* ácido *m*

acidité [asidite] *nf* acidez *f*; *(de propos)* acritud *f*

acier [asje] *nm* acero *m*

aciérie [asjeri] *nf* acería *f*

acné [akne] *nf* acné *m*

acompte [akɔ̃t] *nm* anticipo *m*

à-coup *(pl* **à-coups)** [aku] *nm* sacudida *f*; **par à-coups** a trompicones

acoustique [akustik] **1** *adj* acústico(a) **2** *nf* acústica *f*

acquéreur [akerœr] *nm* adquisidor(ora) *m,f*

acquérir [7] [akerir] *vt* adquirir

acquis, -e [aki, -iz] **1** *pp voir* **acquérir 2** *adj* **être a. à** ser adicto(a) a; **tenir qch pour a.** *(connu)* dar algo por sabido; *(décidé)* dar algo por hecho

3 *nm (droit établi)* derecho *m*

4 *nmpl (savoir)* conocimientos *mpl*

acquittement [akitmɑ̃] *nm (d'un accusé)* absolución *f*

acquitter [akite] **1** *vt (accusé)* absolver; *(dette)* pagar **2 s'acquitter** *upr* **s'a. de qch** *(dette)* saldar algo; *(devoir)* cumplir algo

âcre [akr] *adj* agrio(a)

acrobate [akrɔbat] *nmf* acróbata *mf*

acrobatie [akrɔbasi] *nf* acrobacia *f*

acrylique [akrilik] **1** *adj* acrílico(a) **2** *nm* acrílico *m*

acte [akt] *nm (action)* & *Th* acto *m*; *(de vente)* escritura *f*; **actes** *(d'un congrès)* actas *fpl*; **faire a. de présence** hacer acto de presencia; **prendre a. de qch** tomar nota de algo ■ **a. d'accusation** acta *f* de acusación; **a. de décès** certificado *m* de defunción; **a. de mariage** certificado de matrimonio; **a. de naissance** partida *f* de nacimiento; **a. notarié** acta notarial

acteur, -trice [aktœr, -tris] *nm,f* actor(triz) *m,f*

actif, -ive [aktif, -iv] **1** *adj* activo(a) **2** *nm Fin* activo *m*; *Fig* **avoir qch à son a.** tener algo en su haber

action [aksjɔ̃] *nf aussi Fin* acción *f*; **passer à l'a.** ponerse en acción

actionnaire [aksjɔner] *nmf* accionista *mf*

actionner [aksjɔne] *vt* accionar

activer [aktive] **1** *vt (travaux, processus)* acelerar; *(feu)* avivar, atizar **2 s'activer** *upr (s'affairer)* afanarse; *(se dépêcher)* apresurarse

activité [aktivite] *nf* actividad *f*; **en a.** *(volcan)* en actividad; *(fonctionnaire)* en activo

actrice [aktris] *nf voir* **acteur**

actualité [aktɥalite] *nf* actualidad *f*; **l'a. sportive** la actualidad deportiva; **les actualités** *(à la télé, à la radio)* el noticiario; **être d'a.** estar de actualidad

actuel, -elle [aktɥɛl] *adj* actual

actuellement [aktɥɛlmɑ̃] *adv* actualmente, en la actualidad

acupuncture, acuponcture [akypɔ̃ktyr] *nf* acupuntura *f*

adaptateur [adaptatœr] *nm* Él adaptador *m*

adaptation [adaptɑsjɔ̃] *nf* adaptación *f*

adapter [adapte] **1** *vt (fixer)* acoplar; *(œuvre)* adaptar; **a. qch à** adaptar o adecuar algo a **2 s'adapter** *upr (s'habituer)* adaptarse (**à a**)

additif [aditif] *nm (à un texte)* cláusula *f* adicional; *(substance)* aditivo *m*

addition [adisjɔ̃] *nf (ajout)* adición *f*; *(calcul)* suma *f*; *(au restaurant)* cuenta *f*

additionner [adisjɔne] **1** *vt (calculer)* sumar; **a. qch d'eau** aguar algo **2 s'additionner** *upr* sumarse (**à a**)

adepte [adɛpt] *nmf* adepto(a) *m,f*

adéquat, -e [adekwa, -at] *adj* adecuado(a)

adhérent, -e [aderɑ̃, -ɑ̃t] *nm,f (d'une association)* miembro *m*; *(d'un parti)* afiliado(a) *m,f*

adhérer [34] [adere] *vi (coller)* adherirse (**à a**); **a. à** *(association)* hacerse miembro de; *(parti)* afiliarse a; *(idée)* adherirse a

adhésif, -ive [adezif, -iv] **1** *adj* adhesivo(a) **2** *nm* adhesivo *m*

adhésion [adezjɔ̃] *nf (à un parti)* afiliación *f*; *(à une idée)* adhesión *f*

adieu [adjø] **1** *exclam* ¡adiós!; *Fig* **dire a. à qch** despedirse de algo **2** *nm* adiós *m*; **faire ses adieux à qn** despedirse de alguien

adjectif [adʒɛktif] *nm* adjetivo *m*

adjoint, -e [adʒwɛ̃, -ɛ̃t] *nm,f* adjunto(a) *m,f* ■ **a. au maire** teniente *m* de alcalde

adjuger [45] [adʒyʒe] **1** *vt (aux enchères)* adjudicar; **adjugé!** ¡adjudicado!; **a. qch à qn** *(décerner)* otorgar algo a alguien **2 s'adjuger** *upr* **s'a. qch** adjudicarse algo

admettre [47] [admɛtr] *vt (accepter, accueillir)* admitir; *(autoriser)* autorizar; **admettons que cela soit vrai** supongamos que sea cierto; **être**

admis *(à un examen, à un concours)* aprobar

administrateur, -trice [administratœr, -tris] *nm,f* administrador (ora) *m,f*

administration [administrɑsjɔ̃] *nf* administración *f*

administrer [administre] *vt* administrar

admirable [admirabl] *adj (personne, comportement)* admirable; *(paysage, spectacle)* maravilloso(a)

admiratif, -ive [admiratif, -iv] *adj (regard, remarque)* de admiración

admiration [admirɑsjɔ̃] *nf* admiración *f*; **être en a. devant qch/qn** admirar algo/a alguien

admirer [admire] *vt* admirar

admissible [admisibl] *adj (acceptable)* admisible; *Scol & Univ* = admitido a la última parte de un examen

admission [admisjɔ̃] *nf* admisión *f* (**à a**)

adolescence [adɔlesɑ̃s] *nf* adolescencia *f*

adolescent, -e [adɔlesɑ̃, -ɑ̃t] *adj & nm,f* adolescente *mf*

adopter [adɔpte] *vt* adoptar; *(loi)* aprobar

adoptif, -ive [adɔptif, -iv] *adj* adoptivo(a)

adoption [adɔpsjɔ̃] *nf (d'un enfant)* adopción *f*; *(d'une loi)* aprobación *f* **d'a.** *(famille, pays)* adoptivo(a)

adorable [adɔrabl] *adj* adorable

adorer [adɔre] *vt* adorar; **a. qch/faire qch** encantarle a uno algo/hacer algo; **j'adore le chocolat/nager** me encanta el chocolate/nadar

adosser [adose] **s'adosser** *upr* **s'a. à o contre qch** apoyarse en o contra algo

adoucir [adusir] **1** *vt* suavizar; *(eau)* descalcificar **2 s'adoucir** *upr (clima)* suavizarse; *(personne)* serenarse

adresse [adrɛs] *nf (domicile)* & *Ordine* dirección *f*; *(habileté) (physique)* maña *f*; *(intellectuelle)* ingenio *m*; **partir sans laisser d'a.** irse sin dejar señas; **à l'a. de qn** dirigiéndose a alguien ■ **a.**

électronique dirección de correo electrónico

adresser [adrese] **1** *vt* **a. qch à qn** *(lettre, paquet)* remitir algo a alguien; *(reproche, compliment)* hacer algo a alguien; **a. la parole à qn** dirigir la palabra a alguien **2 s'adresser** *vpr* **s'a. à qn** *(parler à)* dirigirse a alguien; *(être destiné à)* estar destinado(a) a alguien

Adriatique [adrijatik] *nf* **l'A.** el Adriático

adroit, -e [adrwa, -at] *adj (habile)* diestro(a); *(ingénieux)* hábil

adulte [adylt] *adj & nmf* adulto(a) *m,f*

adultère [adylter] **1** *nm* adulterio *m* **2** *adj* adúltero(a)

advenir [70] [advənir] *v impersonnel (aux être)* **qu'adviendra-t-il de ce projet?** ¿qué será de este proyecto?

adverbe [adverb] *nm* adverbio *m*

adversaire [adverser] *nmf* adversario(a) *m,f*

adverse [advers] *adj (opposé)* opuesto(a); *Jur* **la partie a.** la parte contraria

aération [aerɑsjɔ̃] *nf* ventilación *f*

aérer [34] [aere] *vt (pièce)* ventilar; *(linge)* airear, orear

aérien, -enne [aerjɛ̃, -ɛn] *adj* aéreo(a)

aérobic [aerɔbik] *nm* aerobic *m*

aérodynamique [aerɔdinamik] *adj* aerodinámico(a)

aérogare [aerɔgar] *nf (d'un aéroport)* terminal *f*

aéroglisseur [aeroglisœr] *nm* aerodeslizador *m*

aéroport [aerɔpɔr] *nm* aeropuerto *m*

aérosol [aerɔsɔl] *nm* aerosol *m*

affable [afabl] *adj* afable

affaiblir [afeblir] **1** *vt* debilitar **2 s'affaiblir** *vpr* debilitarse

affaire [afer] *nf (question)* asunto *m*; *(marché avantageux)* ganga *f*; *(entreprise commerciale)* negocio *m*; *(scandale)* caso *m*; **affaires** *(activités commerciales)* negocios *mpl; (objets personnels)* cosas *fpl; Fam* **occupe-toi de tes affaires!** ¡ocúpate de tus asuntos!; **avoir à. à qn** *(traiter avec)* tener que tratar con alguien; **faire une (bonne) a.** hacer un buen negocio; **ça fera l'a.** con esto me (las) arreglo *o Esp* me apaño; **se tirer d'a.** salir de un aprieto ■ **les Affaires étrangères** Asuntos exteriores

affairé, -e [afere] *adj* atareado(a)

affairer [afere] **s'affairer** *vpr* atarearse

affaisser [afese] **s'affaisser** *vpr (se creuser)* hundirse; *(tomber)* desplomarse

affaler [afale] **s'affaler** *vpr* repantingarse

affamé, -e [afame] *adj* hambriento(a)

affecté, -e [afɛkte] *adj* afectado(a)

affecter [afɛkte] *vt (toucher)* afectar; *(feindre)* fingir; **a. qch à qch** *(consacrer)* destinar algo a algo; **a. qn à** *(poste, lieu)* destinar a alguien a

affection [afɛksjɔ̃] *nf (sentiment)* afecto *m; Litt (maladie)* afección *f;* **avoir de l'a. pour qn** tenerle afecto a alguien, sentir afecto por alguien

affectueux, -euse [afɛktɥø, -øz] *adj* afectuoso(a)

affichage [afiʃaʒ] *nm (action d'afficher)* fijación *f;* *Ordinat* visualización *f*

affiche [afiʃ] *nf Esp* cartel *m, Am* afiche *m*

afficher [afiʃe] **1** *vt (liste, poster)* fijar; *(sur écran)* visualizar; *Fig (montrer)* hacer alarde de **2 s'afficher** *vpr (s'exhiber)* exhibirse; *(sur écran)* aparecer

affiner [afine] **1** *vt (silhouette)* afinar; *(analyse)* refinar **2 s'affiner** *vpr (silhouette)* afinarse; *(goûts)* refinarse

affinité [afinite] *nf* afinidad *f;* **avoir des affinités avec qn** tener afinidades con alguien

affirmatif, -ive [afirmatif, -iv] **1** *adj (réponse)* afirmativo(a); *(ton)* categórico(a) **2** *exclam Mil ou Fam* ¡sí! **3** *nf* **dans l'affirmative** en caso afirmativo; **répondre par l'affirmative** responder afirmativamente

affirmation [afirmɑsjɔ̃] *nf* afirmación *f*

affirmer [afirme] *vt* afirmar

affliger [45] [afliʒe] *vt (attrister)* afligir; **être affligé de qch** *(handicap)* estar aquejado(a) de algo

affluence [aflyɑ̃s] *nf* afluencia *f*

affluer [aflye] *vi* afluir

affolement [afɔlmɑ̃] *nm* confusión *f*

affoler [afɔle] **1** *vt (paniquer)* alarmar; *(troubler)* turbar **2** **s'affoler** *vpr (paniquer)* perder la calma

affranchir [afrɑ̃fir] **1** *vt (timbrer)* franquear; *(esclave)* libertar **2** **s'affranchir** *vpr* **s'a. de qch** liberarse de algo

affranchissement [afrɑ̃fismɑ̃] *nm (timbrage)* franqueo *m*; *(libération)* liberación *f*

affreux, -euse [afrø, -øz] *adj* horrible

affront [afrɔ̃] *nm* afrenta *f*

affrontement [afrɔ̃tmɑ̃] *nm* enfrentamiento *m*

affronter [afrɔ̃te] **1** *vt (personne)* enfrentarse a *o* con; *(situation)* afrontar **2** **s'affronter** *vpr* enfrentarse

affût [afy] *nm* **être à l'a. (de qch)** estar al acecho (de algo)

affûter [afyte] *vt* afilar

afghan, -e [afgɑ̃, -an] **1** *adj* afgano(a) **2** *nm,f* **A.** afgano(a) *m,f*

Afghanistan [afganistɑ̃] *nm* **l'A.** Afganistán

afin [afɛ̃] **1** **afin de** *prép* a fin de, con el fin de **2** **afin que** *conj* con el fin de que; **écris lisiblement a. que l'on puisse le lire** escribe de manera legible con el fin de que se pueda leer lo que escribes

a fortiori [afɔrsjɔri] *adv* con más razón

africain, -e [afrikɛ̃, -ɛn] **1** *adj* africano(a) **2** *nm,f* **A.** africano(a) *m,f*

Afrique [afrik] *nf* **l'A.** África; **l'A. du Nord** África del Norte; **l'A. du Sud** Sudáfrica

agaçant, -e [agasɑ̃, -ɑ̃t] *adj* irritante

agacer [16] [agase] *vt* irritar

âge [aʒ] *nm* edad *f*; **quel â. as-tu?** ¿cuántos años tienes?; **d'â. mûr** de edad madura; **d'un certain â.** de cierta edad; **en bas â.** muy pequeño(a) ▪ **l'â. d'or de...** la edad de oro de...; **avoir l'â. de raison** tener uso de razón; **le troisième â.** la tercera edad

âgé, -e [aʒe] *adj (vieux)* mayor; **être âgé de 20 ans** tener 20 años

agence [aʒɑ̃s] *nf* agencia *f* ▪ **a. immobilière** agencia inmobiliaria; **a. de voyages** agencia de viajes

agencer [16] [aʒɑ̃se] *vt (éléments)* disponer; *(espace)* distribuir; *(texte)* estructurar

agenda [aʒɛ̃da] *nm* agenda *f* ▪ **a. électronique** agenda electrónica

agenouiller [aʒnuje] **s'agenouiller** *vpr* arrodillarse

agent [aʒɑ̃] *nm (employé)* agente *mf*; *(cause)* agente *m* ▪ **a. de change** agente de cambio y bolsa; **a. de police** guardia *m*, agente de policía; **a. secret** agente secreto

agglomération [aglɔmerɑsjɔ̃] *nf (ville)* núcleo *m* de población

aggraver [agrave] **1** *vt* agravar **2** **s'aggraver** *vpr* agravarse

agile [aʒil] *adj* ágil

agilité [aʒilite] *nf* agilidad *f*

agir [aʒir] **1** *vi (faire)* actuar; *(se comporter)* comportarse; *(être efficace)* surtir efecto **2** **s'agir** *v impersonnel* **de quoi s'agit-il?** ¿de qué se trata?; **il s'agit de ne pas faire d'erreurs** se trata de no cometer ningún error

agitation [aʒitɑsjɔ̃] *nf* agitación *f*

agité, -e [aʒite] *adj* agitado(a)

agiter [aʒite] **1** *vt* agitar **2** **s'agiter** *vpr (bouger)* moverse

agneau, -x [aɲo] *nm (animal, viande)* cordero *m*

agonie [agoni] *nf (d'une personne)* agonía *f*; **être à l'a.** agonizar

agoniser [agonize] *vi* agonizar

agrafe [agraf] *nf* Esp, Ven grapa *f*, RP grampa *f*, Chile corchete *m*

agrafer [agrafe] *vt (papiers)* grapar; *(vêtement)* abrochar

agrafeuse [agraføz] *nf* Esp, Ven grapadora *f*, RP engrampadora *f*, Chile corchetera *f*

agrandir [agrɑ̃dir] **1** *vt* ampliar **2** s'agrandir *vpr* crecer

agrandissement [agrɑ̃dismɑ̃] *nm* ampliación *f*

agréable [agreabl] *adj* agradable

agréer [24] [agree] *vt (demande)* admitir; **veuillez a. mes salutations distinguées** *ou* **l'expression de mes sentiments distingués** *(dans une lettre)* le saluda atentamente

agrémenter [agremɑ̃te] *vt* **a. qch de** decorar algo con

agrès [agrɛ] *nmpl (de gymnastique)* aparatos *mpl* de gimnasia

agresser [agrese] *vt* agredir

agresseur [agrescœr] *nm* agresor *m*

agressif, -ive [agresif, -iv] *adj* agresivo(a)

agression [agresjɔ̃] *nf* agresión *f*

agricole [agrikɔl] *adj* agrícola

agriculteur, -trice [agrikyltœr, -tris] *nm,f* agricultor(ora) *m,f*

agriculture [agrikyltyr] *nf* agricultura *f*

agripper [agripe] *vt* agarrar

agrumes [agrym] *nmpl* cítricos *mpl*

aguets [age] **aux aguets** *adv* **être aux a.** estar al acecho

aguichant, -e [agiʃɑ̃, -ɑ̃t] *adj* provocativo(a)

ai *voir* **avoir**

aide [ɛd] **1** *nf* ayuda *f*; **à l'a.!** ¡socorro!; **venir en a. à qn** venir en ayuda de alguien; **à l'a. de** con ayuda de ■ **a. sociale** asistencia *f* social **2** *nmf* ayudante *mf*

aide-mémoire [ɛdmemwar] *nm inv* cuaderno *m* de notas

aider [ɛde] **1** *vt* ayudar; **a. qn à faire qch** ayudar a alguien a hacer algo **2** s'aider *vpr (mutuellement)* ayudarse; **s'a. de qch** ayudarse de algo

aide-soignant, -e *(mpl* aides-soignants, *fpl* aides-soignantes)

[edswaɲɑ̃, -ɑ̃t] *nm,f* auxiliar *mf* de clínica

aie *etc voir* **avoir**

aïe [aj] *exclam (de douleur)* ¡ay!; *(de désagrément)* ¡vaya!

aigle [ɛgl] *nm* águila *f*

aigre [ɛgr] *adj (saveur, propos)* agrio(a); *(odeur)* acre

aigreur [ɛgrœr] *nf (d'un goût)* agrura *f*; *(de propos)* acritud *f* ■ **aigreurs d'estomac** acidez *f* de estómago

aigri, -e [egri] *adj* amargado(a)

aigu, -uë [egy] *adj* agudo(a)

aiguillage [egɥijaʒ] *nm* Rail cambio *m* de agujas

aiguille [egɥij] *nf* aguja *f*; *(sommet)* pico *m* ■ **a. à coudre** aguja de coser; **a. de pin** aguja de pino; **a. à tricoter** aguja de punto

aiguiller [egɥije] *vt aussi* Fig encarrilar

aiguilleur [egɥijœr] *nm* Rail guardagujas *m inv* ■ **a. du ciel** controlador(ora) *m,f* aéreo(a)

aiguiser [egize] *vt (outil)* afilar; *(sensation)* aguzar

ail [aj] *nm* ajo *m*

aile [ɛl] *nf* ala *f*; *(de moulin)* aspa *f*; *(de voiture, du nez)* aleta *f*

aileron [ɛlrɔ̃] *nm (de requin)* aleta *f*; *(d'avion)* alerón *m*

ailier [elje] *nm* extremo *m*

aille *etc voir* **aller**

ailleurs [ajœr] *adv* en otro lugar, en otra parte; **d'a.** *(de plus)* además; *(au fait)* por cierto; **il ne me plaît pas; d'a., c'est réciproque** no me gusta y además yo a él tampoco; **ah, d'a. je voulais t'en parler** por cierto, quería hablarte de ello; **par a.** *(d'autre part)* por otro lado, por otra parte; *(par d'autres côtés)* por lo demás

aimable [ɛmabl] *adj* amable

aimant¹ [ɛmɑ̃] *nm* imán *m*

aimant², -e [ɛmɑ̃, -ɑ̃t] *adj* cariñoso(a)

aimer [eme] **1** *vt (d'amour)* amar, querer; **j'aime peindre** me gusta pintar; **il aime qu'on lui obéisse** le gusta que le obedezcan; **j'aime bien ton pull** me gusta tu jersey; **j'aimerais bien un café** me tomaría un café; **j'aimerais qu'il s'en aille** me gustaría que se fuera; **a. mieux qch (que)** preferir algo (a) **2 s'aimer** *vpr* amarse, quererse

aine [ɛn] *nf* ingle *f*

aîné, -e [ene] **1** *adj* mayor **2** *nm,f* mayor *mf*; **elle est mon aînée (de deux ans)** es (dos años) mayor que yo

ainsi [ɛ̃si] *adv* así; **a. donc** así pues; **et a. de suite** y así sucesivamente; **pour a. dire** por así decirlo; **a. que** *(de même que, et)* así como; **a. soit-il** así sea

air [ɛr] *nm* aire *m*; **au grand a.** al aire libre; **en l'a.** *(regarder, jeter)* al aire; *Fig (paroles, promesses)* vano(a); **en plein a.** al aire libre; **prendre l'a.** tomar el aire; **il a l'a. sérieux** tiene cara de serio; **il a l'a. de pleurer** parece que está llorando ■ **a. conditionné** aire acondicionado

aire [ɛr] *nf* área *f*; *(nid)* aguilera *f* ■ **a. de jeux** área de juegos; **a. de repos** área de descanso

aisance [ɛzɑ̃s] *nf (facilité)* facilidad *f*; *(richesse)* desahogo *m*; **vivre dans l'a.** vivir desahogadamente

aise [ɛz] *nf* **être à l'a.** *(bien installé)* estar cómodo(a); *(financièrement)* tener dinero; **être mal à l'a.** estar incómodo(a); **mettre qn mal à l'a.** hacer que alguien se sienta a disgusto; **prendre ses aises** instalarse a sus anchas; *Fam* **à l'a.** *(facilement)* fácil

aisé, -e [eze] *adj (facile)* fácil; *(riche)* acomodado(a)

aisément [ezemɑ̃] *adv* fácilmente

aisselle [ɛsɛl] *nf* axila *f*

ajourner [aʒurne] *vt (reporter)* aplazar; *(recaler)* suspender

ajout [aʒu] *nm* añadido *m*

ajouter [aʒute] **1** *vt* añadir (**à** a) **2 s'ajouter** *vpr* **s'a. à qch** sumarse a algo

ajuster [aʒyste] *vt (pièce, vêtemen* ajustar (**à** a); *(coiffure, cravat* arreglar; *(tir)* apuntar

alarme [alarm] *nf* alarma *f*; **donner l'** dar la alarma

alarmer [alarme] **1** *vt* alarm **2 s'alarmer** *vpr* alarmarse

albanais, -e [albane, -ɛz] **1** *a* albanés(esa) **2** *nm,f* **A.** albanés(esa *m,f*

Albanie [albani] *nf* **l'A.** Albania

album [albɔm] *nm* álbum *m* ■ **a. (de photos** álbum de fotos

alcool [alkɔl] *nm* alcohol *m* ■ **a. à 9** alcohol de 90; **a. à brûler** alcohol d quemar

alcoolique [alkɔlik] *adj & nr* alcohólico(a) *m,f*

alcoolisé, -e [alkɔlize] *adj* alcoh lico(a)

alcoolisme [alkɔlism] *nm* alcoholi mo *m*

Alcootest®, Alcotest® [alkɔtɛs *nm (appareil)* alcoholímetro *m*; **fair passer l'A. à qn** hacer la prueba d alcoholemia a alguien

aléatoire [aleatwar] *adj* aleatorio(a)

alentours [alɑ̃tur] *nmpl (abord* alrededores *mpl*; **aux a. de** *(da l'espace)* cerca de; *(dans le temp environ)* alrededor de

alerte [alɛrt] **1** *adj (physiquement)* ág *(esprit)* vivo(a) **2** *nf* alarma *f*; **donn l'a.** dar la alarma ■ **a. à la bomb** alarma de bomba; **fausse a.** fals alarma

alerter [alɛrte] *vt (alarmer)* alerta *(informer) (police, pompiers)* avisa *(presse)* poner sobre alerta

algèbre [alʒɛbr] *nf* álgebra *f*

Algérie [alʒeri] *nf* **l'A.** Argelia

algérien, -enne [alʒerjɛ̃, -ɛn] **1** *a* argelino(a) **2** *nm,f* **A.** argelino(a) *m,f*

algue [alg] *nf* alga *f*

alibi [alibi] *nm* coartada *f*

aliéner [34] [aljene] **1** *vt (asserv* alienar; *(renoncer à)* renunciar **2 s'aliéner** *vpr* **s'a. qch** perder algo

alignement [aliɲmɑ̃] *nm (dispositio*

alineación f; **être dans l'a.** de qch estar alineado(a) con algo

aligner [aliɲe] **1** vt (disposer en ligne) alinear; **a. qch sur qch** (adapter) ajustar algo a algo **2 s'aligner** upr (se mettre en rang) ponerse en fila; **s'a. sur qch** (se conformer à) alinearse con algo

aliment [alimã] nm alimento m

alimentaire [alimãter] adj (produit) alimenticio(a); (industrie) alimentario(a)

alimentation [alimãtasjɔ̃] nf (nourriture) alimentación f; (approvisionnement) abastecimiento m, suministro m (**en** de); (épicerie) comestibles mpl

alimenter [alimãte] vt (nourrir) alimentar; Fig (entretenir) dar pie a; **a. une ville en eau** abastecer a una ciudad de agua

allaiter [alete] vt amamantar

allécher [34] [aleʃe] vt (sujet: nourriture, odeur) atraer; (sujet: proposition) tentar

allée [ale] nf (de parc) paseo m; (de jardin) camino m; (de cinéma, d'avion) pasillo m (entre sillas o butacas) ■ **allées et venues** idas fpl y venidas

allégé, -e [aleʒe] adj (aliment) light inv

alléger [59] [aleʒe] vt (poids) aligerar; Fig (impôts) reducir; (douleur) aliviar

allégorie [alegɔri] nf alegoría f

allégresse [alegres] nf júbilo m

Allemagne [almaɲ] nf l'A. Alemania; Anciennement l'A. de l'Est/l'Ouest Alemania Oriental/Occidental

allemand, -e [almã, -ãd] **1** adj alemán(ana) **2** nm,f **A.** alemán(ana) m,f **3** nm (langue) alemán m

aller [8] [ale] **1** nm ida f ■ **a. simple** billete m de ida; **a. retour** billete m de ida y vuelta

2 vi (aux **être**) (a) (se déplacer) ir; **a. faire qch** ir a hacer algo; **a. chercher les enfants à l'école** ir a buscar a los niños a la escuela

(b) (indique un état) estar; **a. bien/mieux** estar bien/mejor; **(comment) ça va? – ça va** ¿qué tal? – bien

(c) (s'accorder) **a. avec qch** ir con algo; **cette robe te va bien** este vestido te va o sienta bien

(d) (expressions) **allez!** ¡venga!; **allons!** (pour apaiser) ¡venga!; **allons bon!** ¡vaya, hombre!; **allons-y!** ¡vamos!; **cela va de soi** eso cae por su propio peso; **il en va de même pour...** pasa lo mismo con...

3 v aux (exprime le futur proche) **je vais arriver en retard** voy a llegar tarde

4 s'en aller upr irse; **allez-vous-en!** ¡iros!, ¡marchaos!

allergie [alerʒi] nf alergia f (**à** a)

allergique [alerʒik] adj alérgico(a) (**à** a)

alliage [aljaʒ] nm aleación f

alliance [aljãs] nf (union) alianza f; (anneau) anillo m de boda; (mariage) enlace m; **par a.** (parent) político(a)

allié, -e [alje] nm,f aliado(a) m,f

allier [66] [alje] **1** vt (unir) aliar (**à** a o con); (métaux) alear **2 s'allier** upr aliarse (**à** con)

allô [alo] exclam (en décrochant) ¿diga?; (en appelant) ¿oiga?

allocation [alɔkasjɔ̃] nf (aide) subsidio m ■ **a. (de) chômage** subsidio m de desempleo; **allocations familiales** prestación f familiar; **a. (de) logement** = ayuda económica estatal para la vivienda

allocution [alɔkysjɔ̃] nf alocución f

allonger [45] [alɔ̃ʒe] **1** vt (vêtement, silhouette) alargar; (étendre) (membre) estirar; (personne) tender; Culin (sauce) aclarar **2** vi (jours) alargarse **3 s'allonger** upr (se coucher) echarse; (devenir plus long) alargarse

allumage [alymaʒ] nm aussi Aut encendido m

allumer [alyme] **1** vt encender **2 s'allumer** upr encenderse

allumette [alymet] nf Esp cerilla f, Am fósforo m, Méx cerillo m

allure [alyr] nf (apparence) aspecto m; (prestance) porte m; (vitesse) velocidad f; **avoir de l'a.** tener clase; **à toute a.** a toda marcha

allusion [alyzjɔ̃] nf alusión f; **faire a. à** referirse a

alors [alɔr] adv entonces; **a., qu'est-ce qu'on fait?** bueno, ¿qué hacemos?; **il va se mettre en colère - et a.?** se va a enfadar - ¿y qué?; **ou a.** o si no; **ça a.!** ¡vaya!; **a. que** (pendant que) cuando, mientras que; (exprime l'opposition) aunque; **l'orage éclata a. que nous étions dehors** la tormenta estalló cuando estábamos fuera; **on m'accuse a. que je suis innocent** me acusan aunque soy inocente

alouette [alwet] nf alondra f

alourdir [alurdir] vt (véhicule, paquet) volver pesado(a); Fig (impôts) incrementar; (phrase) recargar

Alpes [alp] nfpl **les A.** los Alpes

alphabet [alfabe] nm alfabeto m

alphabétique [alfabetik] adj alfabético(a)

alpinisme [alpinism] nm alpinismo m

alpiniste [alpinist] nmf alpinista mf

altérer [34] [altere] **1** vt alterar **2** s'altérer vpr alterarse

alternance [alternãs] nf alternancia f; **en a.** alternativamente

alternatif, -ive [alternatif, -iv] **1** adj (périodique) alterno(a); (solution, médecine) alternativo(a) **2** nf **alternative** alternativa f

alterner [alterne] **1** vt alternar **2** vi alternarse (**avec** con)

altier, -ère [altje, -ɛr] adj altanero(a)

altitude [altityd] nf altura f, altitud f; **le village est situé à 1 500 m d'a.** el pueblo está a 1.500 m de altitud; **en a.** en las alturas

aluminium [alyminjɔm] nm aluminio m

amabilité [amabilite] nf amabilidad f

amaigrir [amegrir] vt **la maladie l'a beaucoup amaigri** la enfermedad lo ha dejado muy flaco

amande [amãd] nf almendra f

amant [amã] nm amante m

amarre [amar] nf amarra f

amas [ama] nm montón m

amasser [amase] vt amontona, Andes, Carib arrumar

amateur [amatœr] **1** nm (par plaisir) aficionado(a) m,f (**de** a); Sp amateu mf; **en a.** como afición **2** adj (no professionnel) aficionado(a)

Amazone [amazon] nm ou nf **l'A.** e Amazonas

ambassade [ãbasad] nf embajada f

ambassadeur, -drice [ãbasadœr -dris] nm,f embajador(ora) m,f

ambiance [ãbjãs] nf ambiente m musique d'a. música f de fondo

ambiant, -e [ãbjã, -ãt] adj ambiente

ambigu, -uë [ãbigy] adj ambiguo(a)

ambiguïté [ãbigyite] nf ambigüeda f

ambitieux, -euse [ãbisjø, -øz] adj nm,f ambicioso(a) m,f

ambition [ãbisjɔ̃] nf ambición f

ambre [ãbr] nm ámbar m

ambulance [ãbylãs] nf ambulancia

ambulant, -e [ãbylã, -ãt] ad ambulante

âme [ɑm] nf alma f; Litt **rendr l'â.** perecer ■ **l'â. sœur** el alm gemela

amélioration [ameljɔrasjɔ̃] nf mejor f

améliorer [ameljɔre] **1** vt mejora **2** s'améliorer vpr mejorar

amen [amɛn] adv amén

aménagement [amenaʒmã] nm (d'u lieu) habilitación f, acondiciona miento m; (du temps de travail) o ganización f ■ **a. du territoir** ordenación f territorial

aménager [45] [amenaʒe] vt (lieu habilitar, acondicionar; (emploi d temps) reorganizar

amende [amãd] nf multa f; **faire honorable** pedir perdón

amender [amãde] vt (projet de lo enmendar

amener [46] [amne] **1** vt (emmene llevar; (faire venir) traer; Fig (occc sionner) acarrear; **a. qn à faire q** inducir a alguien a hacer algo **2** s'ame ner vpr Fam venir

amenuiser [amənɥize] **s'amenuiser** *vpr* disminuir

amer, -ère [amɛr] *adj* amargo(a)

américain, -e [amerikɛ̃, -ɛn] **1** *adj* americano(a) **2** *nm,f* **A.** americano(a) *m,f* **3** *nm* (*langue*) (inglés) americano *m*

Amérique [amerik] *nf* l'**A.** América; l'**A. centrale** América Central, Centroamérica; l'**A. latine** América Latina, Latinoamérica; l'**A. du Nord** América del Norte, Norteamérica; l'**A. du Sud** América del Sur, Sudamérica

amertume [amɛrtym] *nf* (*goût*) amargor *m*; (*rancœur*) amargura *f*

ameublement [amœbləmã] *nm* mobiliario *m*

ami, -e [ami] **1** *nm,f* amigo(a) *m,f* ▪ **a. d'enfance** amigo de la infancia; (**petit**) **a.** novio *m*; (**petite**) **amie** novia *f* **2** *adj* **être a. avec qn** ser amigo(a) de alguien

amiable [amjabl] **à l'amiable 1** *adj* (*arrangement*) amistoso(a) **2** *adv* (*s'arranger*) amistosamente

amical, -e, -aux, -ales [amikal, -o] **1** *adj* amistoso(a) **2** *nf* **amicale** asociación *f*

amiral, -aux [amiral, -o] *nm* almirante *m*

amitié [amitje] *nf* (*rapports*) amistad *f*; (*affection*) afecto *m*; **avoir de l'a. pour qn** sentir aprecio por alguien; **faire ses amitiés à qn** dar recuerdos a alguien

amnésie [amnezi] *nf* amnesia *f*

amnistie [amnisti] *nf* amnistía *f*

amoindrir [amwɛ̃drir] *vt* disminuir

amonceler [9] [amɔ̃sle] **1** *vt* amontonar; (*accumuler*) acumular **2 s'amonceler** *vpr* amontonarse; (*s'accumuler*) acumularse

amont [amɔ̃] *nm* curso *m* alto; **en a.** (*d'une rivière*) río arriba; *Fig* antes

amoral, -e, -aux, -ales [amɔral, -o] *adj* (*qui ignore la morale*) amoral; (*débauché*) inmoral

amorce [amɔrs] *nf* (*d'un explosif, d'un* hameçon) cebo *m*; *Fig* (*commencement*) inicio *m*

amorcer [16] [amɔrse] *vt* (*explosif, hameçon*) cebar; *Fig* (*commencer*) iniciar

amortir [amɔrtir] *vt* (*choc, bruit*) amortiguar; (*dette, achat*) amortizar

amortisseur [amɔrtisœr] *nm* (*de voiture*) amortiguador *m*

amour [amur] *nm* amor *m*; **faire l'a.** hacer el amor

amoureux, -euse [amurø, -øz] **1** *adj* (*personne*) enamorado(a) (**de** de); (*regard*) de amor; **tomber a. de** enamorarse de **2** *nm,f* novio(a) *m,f*, *Andes* enamorado(a) *m,f*; **un couple d'a.** una pareja de enamorados; **un a./une amoureuse de qch** un/una amante de algo

amour-propre [amurprɔpr] *nm* amor propio *m*

amovible [amɔvibl] *adj* amovible

amphétamine [ɑ̃fetamin] *nf* anfetamina *f*

amphithéâtre [ɑ̃fiteatr] *nm* anfiteatro *m*

ample [ɑ̃pl] *adj* amplio(a); **pour de plus amples informations** para más información

amplement [ɑ̃pləmã] *adv* **a. suffisant** más que suficiente

ampleur [ɑ̃plœr] *nf* (*d'un vêtement*) holgura *f*; (*d'un mouvement*) amplitud *f*; *Fig* (*d'un événement*) importancia *f*

amplificateur [ɑ̃plifikatœr] *nm* amplificador *m*

amplifier [66] [ɑ̃plifje] **1** *vt* (*son*) amplificar; (*problème*) agravar **2 s'amplifier** *vpr* (*problème*) agravarse

amplitude [ɑ̃plityd] *nf* amplitud *f* ▪ **a. thermique** rango *m* de temperaturas

ampoule [ɑ̃pul] *nf* (*d'une lampe*) *Esp* bombilla *f*, *CAm, Col, Ven* bombillo *m*, *Bol, Perú* foco *m*, *CSur* bombita *f*; (*sur la peau, de médicament*) ampolla *f*

amputer [ɑ̃pyte] *vt* amputar

amusant, -e [amyzã, -ãt] *adj* gracioso(a)

amusement [amyzmɑ̃] *nm* diversión *f*

amuser [amyze] **1** *vt* divertir **2** *s'amuser upr (se distraire)* divertirse; **tu t'es bien amusé?** ¿te lo has pasado bien?; **il s'amusait à regarder les gens qui passaient** se dedicaba a mirar a la gente que pasaba

amygdale [amidal] *nf* amígdala *f*

an [ɑ̃] *nm* año *m*; **il a sept ans** tiene siete años

anachronisme [anakrɔnism] *nm* anacronismo *m*

anagramme [anagram] *nf* anagrama *m*

analogie [analɔʒi] *nf* analogía *f*

analogue [analɔg] *adj* análogo(a) (à a)

analphabète [analfabɛt] *adj & nmf* analfabeto(a) *m,f*

analyse [analiz] *nf* análisis *m inv*; *Psy* psicoanálisis *m inv*

analyser [analize] *vt* analizar; *Psy* psicoanalizar

ananas [anana(s)] *nm* piña *f*

anarchie [anarʃi] *nf* anarquía *f*

anarchiste [anarʃist] *adj & nmf* anarquista *mf*

anatomie [anatɔmi] *nf* anatomía *f*

anatomique [anatɔmik] *adj* anatómico(a)

ancêtre [ɑ̃sɛtr] *nm (ascendant)* antepasado *m*; *Fig (forme première)* predecesor *m*; **ancêtres** *(aïeux)* ancestros *mpl*

anchois [ɑ̃ʃwa] *nm (frais)* boquerón *m; (mariné)* anchoa *f*

ancien, -enne [ɑ̃sjɛ̃, -ɛn] *adj* antiguo(a); **l'a. ministre** el exministro

anciennement [ɑ̃sjɛnmɑ̃] *adv* antiguamente

ancienneté [ɑ̃sjɛnte] *nf* antigüedad *f*

ancre [ɑ̃kr] *nf* ancla *f*; **jeter l'a.** echar anclas

Andorre [ɑ̃dɔr] *nf* **(la principauté d')A.** (el principado de) Andorra

andouille [ɑ̃duj] *nf (charcuterie)* = embutido a base de tripas de cerdo; *Fam (personne)* imbécil *mf*, *Chile* huevón(ona) *m,f*

âne [ɑn] *nm* asno *m*, burro *m*; *Fam (personne)* burro *m*

anéantir [aneɑ̃tir] *vt (ville, efforts)* aniquilar; *(démoraliser)* asolar

anecdote [anɛkdɔt] *nf* anécdota *f*

anémie [anemi] *nf Méd* anemia *f*

anémique [anemik] *adj Méd* anémico(a)

anémone [anemɔn] *nf* anémona *f*

ânerie [ɑnri] *nf Fam* burrada *f*

anesthésie [anestezi] *nf* anestesia *f* ■ **a. générale** anestesia general; **a. locale** anestesia local

anesthésier [66] [anestezje] *vt Méd* anestesiar

ange [ɑ̃ʒ] *nm* ángel *m*; **être aux anges** estar en la gloria ■ **a. gardien** ángel de la guarda

angine [ɑ̃ʒin] *nf* angina *f* ■ **a. de poitrine** angina de pecho

anglais, -e [ɑ̃glɛ, -ɛz] **1** *adj* inglés(esa); **filer à l'anglaise** despedirse a la francesa **2** *nm,f* **A.** inglés (esa) *m,f* **3** *nm (langue)* inglés *m*

angle [ɑ̃gl] *nm* ángulo *m*; *(coin)* esquina *f* ■ **a. droit** ángulo recto; **a. mort** *(en voiture)* ángulo muerto

Angleterre [ɑ̃glətɛr] *nf* **A.** Inglaterra

anglican, -e [ɑ̃glikɑ̃, -an] *adj & nm,* anglicano(a) *m,f*

anglophone [ɑ̃glɔfɔn] *adj & nm* anglófono(a) *m,f*

anglo-saxon, -onne *(mpl* anglo-saxons, *fpl* anglo-saxonnes) [ɑ̃glɔsaksɔ̃, -ɔn] **1** *adj* anglosajón(ona) **2** *nm,f* **A.** anglosajón(ona) *m,f*

angoissant, -e [ɑ̃gwasɑ̃, -ɑ̃t] *aa* angustioso(a)

angoisse [ɑ̃gwas] *nf* angustia *f*

angoisser [ɑ̃gwase] **1** *vt* angustiar **2** *v Fam (s'inquiéter)* agobiarse

anguille [ɑ̃gij] *nf* anguila *f*; **il y a a sous roche** aquí hay gato encerrado

anguleux, -euse [ɑ̃gylø, -øz] *aa* anguloso(a)

anicroche [anikrɔʃ] *nf* obstáculo *m* **sans anicroche(s)** sin problemas

animal, -e, -aux, -ales [animal, -o] **1** *nm* animal *m* ■ **a. domestiqu**

animal doméstico; **a. sauvage** animal salvaje **2** *adj (propre à l'animal)* animal

animateur, -trice [animatœr, -tris] *nm,f* animador(ora) m,f; *(de radio, de télé)* presentador(ora) m,f

animation [animasjɔ̃] *nf* animación f; *(spectacle)* actuación f

animé, -e [anime] *adj* animado(a)

animer [anime] **1** *vt (conversation, fête)* animar; *(émission)* presentar **2 s'animer** *upr* animarse

animosité [animozite] *nf* animosidad f

anis [ani(s)] *nm* anís m

annales [anal] *nfpl* anales mpl

anneau, -x [ano] *nm (de rideau)* anilla f; *(bague, de reptile)* anillo m; *(de chaîne)* eslabón m; **les anneaux** *(en gymnastique)* las anillas

année [ane] *nf* año m; **bonne a.!** ¡feliz año nuevo! ■ **a. fiscale** año fiscal; **a. scolaire** curso m escolar

annexe [anɛks] **1** *adj* adicional **2** *nf* anexo m

annexer [anɛkse] *vt (pays)* anexionar; **a. qch à qch** *(joindre)* adjuntar algo a algo

annihiler [aniile] *vt* aniquilar

anniversaire [anivɛrsɛr] *nm (d'une naissance)* cumpleaños m inv; *(d'un événement)* aniversario m; **bon ou joyeux a.!** ¡feliz cumpleaños!

annonce [anɔ̃s] *nf* anuncio m ■ **petite a.** anuncio por palabras

annoncer [16] [anɔ̃se] **1** *vt* anunciar **2 s'annoncer** *upr* **s'a. bien/mal** presentarse fácil/difícil

annuaire [anɥɛr] *nm* anuario m ■ **a. (téléphonique)** guía f telefónica

annuel, -elle [anɥɛl] *adj* anual

annuité [anɥite] *nf (paiement)* anualidad f

annulaire [anyler] *nm* anular m

annulation [anylɑsjɔ̃] *nf* anulación f

annuler [anyle] *vt* anular

anodin, -e [anɔdɛ̃, -in] *adj* anodino(a)

anomalie [anɔmali] *nf* anomalía f

anonymat [anɔnima] *nm* anonimato m; **garder l'a.** mantener el anonimato

anonyme [anɔnim] *adj (sans nom)* anónimo(a); *(impersonnel)* impersonal

anorak [anɔrak] *nm* anorak m

anorexie [anɔrɛksi] *nf* anorexia f

anorexique [anɔrɛksik] *adj* ano-réxico(a)

anormal, -e, -aux, -ales [anɔrmal, -o] **1** *adj* anormal; *(mentalement)* subnormal; **il est a. que...** *(intolérable)* no es normal que... **2** *nm,f (mentalement)* subnormal mf

anse [ɑ̃s] *nf (d'ustensile)* asa f *(de un objeto redondo)*; *(crique)* ensenada f

antarctique [ɑ̃tarktik] **1** *adj* antártico(a) **2** *nm* **l'A.** *(continent)* la Antártida; *(océan)* el océano Antártico

antécédent [ɑ̃tesedɑ̃] *nm* antecedente m

antenne [ɑ̃tɛn] *nf (d'un insecte, de télévision)* antena f; *(succursale)* delegación f; *TV* **être à l'a.** estar en antena ■ **a. parabolique** antena parabólica

antérieur, -e [ɑ̃terjœr] *adj* anterior (**à** a)

anthologie [ɑ̃tɔlɔʒi] *nf* antología f

anthropologie [ɑ̃trɔpɔlɔʒi] *nf* antropología f

antibiotique [ɑ̃tibiɔtik] *nm* antibiótico m

antibrouillard [ɑ̃tibrujar] *adj inv & nm (phare)* **a.** faro m antiniebla

antichambre [ɑ̃tiʃɑ̃br] *nf* antecámara f

anticipation [ɑ̃tisipasjɔ̃] *nf* anticipación f; **roman d'a.** novela f de ciencia ficción

anticipé, -e [ɑ̃tisipe] *adj* anticipado(a); *(paiement)* por adelantado

anticorps [ɑ̃tikɔr] *nm* anticuerpo m

anticyclone [ɑ̃tisiklon] *nm* anticiclón m

antidépresseur [ɑ̃tidepresœr] *nm* antidepresivo m

antidote [ɑ̃tidɔt] *nm* antídoto m (**à** de)

antigel [ɑ̃tiʒel] *nm* anticongelante m

anti-inflamatoire [ɑ̃tiɛ̃flamɑtwar] *nm* antiinflamatorio *m*

antillais, -e [ɑ̃tijɛ, -ɛz] **1** *adj* antillano(a) **2** *nm,f* **A.** antillano(a) *m,f*

Antilles [ɑ̃tij] *nfpl* **les A.** las Antillas

antilope [ɑ̃tilɔp] *nf* antílope *m*

antimite [ɑ̃timit] *nm* matapolillas *m inv*

antimondialisation [ɑ̃timɔ̃djalizasjɔ̃] *nf* antiglobalización *f*

antipathique [ɑ̃tipatik] *adj* antipático(a)

antipodes [ɑ̃tipɔd] *nm Géog* antípodas *fpl*; **être aux a. de** estar en las antípodas de; *Fig (à l'opposé)* ser el polo opuesto de

antiquaire [ɑ̃tikɛr] *nmf* anticuario(a) *m,f*

antique [ɑ̃tik] *adj* antiguo(a); *Péj (vieux)* del año de la nana

antiquité [ɑ̃tikite] *nf* antigüedad *f*; **l'A.** la Antigüedad

antiseptique [ɑ̃tisɛptik] *nm* antiséptico *m*

antitabac [ɑ̃titaba] *adj inv* antitabaco

antithèse [ɑ̃titɛz] *nf* antítesis *f inv*

antivol [ɑ̃tivɔl] *nm* antirrobo *m*

anxiété [ɑ̃ksjete] *nf* ansiedad *f*

anxieux, -euse [ɑ̃ksjø, -øz] *adj* ansioso(a)

août [u(t)] *nm* agosto *m*; *voir aussi* **septembre**

apaiser [apeze] **1** *vt (personne)* aplacar, apaciguar; *(conscience)* acallar; *(douleur)* calmar; *(faim)* aplacar **2 s'apaiser** *upr (personne)* apaciguarse; *(tempête, douleur)* calmarse; *(faim)* aplacarse

apanage [apanaʒ] *nm* **être l'a. de** ser privilegio exclusivo de

aparté [aparte] *nm* aparte *m*; **prendre qn en a.** llevarse a alguien aparte

apathique [apatik] *adj* apático(a)

apercevoir [60] [apɛrsəvwar] **1** *vt* divisar **2 s'apercevoir** *upr* **s'a. de qch/que** darse cuenta de algo/de que; **sans s'en a.** sin querer

apéritif [aperitif] *nm* aperitivo *m*

à-peu-près [apøprɛ] *nm inv* aproximación *f*

apeuré, -e [apœre] *adj* atemorizado(a)

aphone [afɔn] *adj* afónico(a)

aphrodisiaque [afrɔdizjak] *nm* afrodisíaco *m*

aphte [aft] *nm* afta *f*

apiculteur, -trice [apikyltœr, -tris] *nm,f* apicultor(ora) *m,f*

apiculture [apikyltyr] *nf* apicultura *f*

apitoyer [32] [apitwaje] **1** *vt* inspirar compasión a **2 s'apitoyer** *upr* apiadarse (**sur** de); **s'a. sur son sort** apiadarse de su suerte

aplanir [aplanir] *vt* allanar

aplati, -e [aplati] *adj* aplastado(a)

aplatir [aplatir] **1** *vt (écraser)* aplastar **2 s'aplatir** *upr (s'écraser)* aplastarse; **s'a. sur le sol** tirarse al suelo

aplomb [aplɔ̃] *nm (stabilité)* aplomo *m*; *(audace)* desfachatez *f*; **être d'a. (meuble)** estar derecho(a); **je ne me sens pas d'a. aujourd'hui** hoy no me encuentro del todo bien

apocalypse [apɔkalips] *nf* apocalipsis *m inv*; **d'a. (scène)** apocalíptico(a)

apogée [apɔʒe] *nm* apogeo *m*

a posteriori [apɔsterjɔri] *adv* a posteriori

apostrophe [apɔstrɔf] *nf (signe graphique)* apóstrofo *m*; *(interpellation)* apóstrofe *m o f*

apostropher [apɔstrɔfe] *vt (interpeller)* increpar

apothéose [apɔteoz] *nf* apoteosis *f inv*

apparaître [20] [aparɛtr] *(aux être)* **1** *vi (se montrer, se manifester)* aparecer; *Fig (se dévoiler)* salir a la luz **2** *v impersonnel* **il apparaît que...** parece ser que...

appareil [aparɛj] *nm* aparato *m*; *(téléphone)* teléfono *m*; **qui est à l'a.?** ¿quién es?; **Nicolas Redon à l'a.** soy Nicolas Redon ■ **a. photo** cámara *f* fotográfica

apparemment [aparamɑ̃] *adv* aparentemente, al parecer

apparence [aparɑ̃s] *nf* apariencia *f*; **sauver les apparences** guardar las apariencias; **en a.** en apariencia; **il ne faut pas se fier aux apparences** las apariencias engañan

apparent, -e [aparɑ̃, -ɑ̃t] *adj* aparente; *(couture, poutre)* a la vista

apparenter [aparɑ̃te] **s'apparenter** *vpr* **s'a. à qch** semejarse a algo

apparition [aparisjɔ̃] *nf* aparición *f*

appartement [apartəmɑ̃] *nm* piso *m*

appartenir [70] [apartənir] **1** *vi* **a. à** pertenecer a **2** *v impersonnel* **il ne m'appartient pas de prendre cette décision** no me corresponde tomar esta decisión

appât [apɑ] *nm (à la pêche)* cebo *m*; *Fig* **l'a. du gain** el afán de lucro

appauvrir [apovrir] **1** *vt* empobrecer **2 s'appauvrir** *vpr* empobrecerse

appel [apɛl] *nm (cri) Esp* llamada *f*, *Am* llamado *m*; *Jur* apelación *f*, recurso *m*; *Jur* **faire a.** apelar, recurrir; **faire a. à qn** recurrir a alguien; **faire a. à qch** *(exiger)* requerir algo; *(invoquer)* apelar a algo; *Scol* **faire l'a.** pasar lista; **faire un a. de phares** hacer un cambio de luces ■ **a. d'offres** licitación *f*; **a. au secours** llamada de socorro; **a. (téléphonique)** *Esp, RP, Ven* llamada (telefónica), *CAm, Méx* llamado (telefónico)

appelé [aple] *nm Mil* recluta *m*

appeler [9] [aple] **1** *vt* llamar; *(exiger)* requerir; **être appelé à faire qch** tener que hacer algo; **en a. à qch** apelar a algo **2 s'appeler** *vpr* llamarse; **comment t'appelles-tu?** ¿cómo te llamas?; **je m'appelle Sandrine** me llamo Sandrine

appellation [apelasjɔ̃] *nf* denominación *f* ■ **a. d'origine contrôlée** denominación *f* de origen controlada

appendice [apɛ̃dis] *nm* apéndice *m*

appendicite [apɛ̃disit] *nf* apendicitis *f inv*

appesantir [apəzɑ̃tir] **1** *vt* entorpecer **2 s'appesantir** *vpr* **s'a. sur qch** *(insister)* alargarse en algo

appétissant, -e [apetisɑ̃, -ɑ̃t] *adj* apetitoso(a)

appétit [apeti] *nm* apetito *m*; **bon a.!** ¡buen provecho!; **couper l'a. à qn** quitar el apetito a alguien; **manger de bon a.** comer con mucho apetito

applaudir [aplodir] *vt & vi* aplaudir

applaudissements [aplodismɑ̃] *nmpl* aplausos *mpl*

application [aplikasjɔ̃] *nf aussi Ordinat* aplicación *f*; **mettre qch en a.** *(conseils, connaissances)* poner algo en práctica

applique [aplik] *nf (lampe)* aplique *m*

appliquer [aplike] **1** *vt* aplicar *(sur en)* **2 s'appliquer** *vpr* *(s'efforcer)* aplicarse; **s'a. à** *(convenir à, concerner)* aplicarse a

appoint [apwɛ̃] *nm (monnaie)* suelto *m*; **faire l'a.** dar cambio; **d'a.** *(radiateur)* adicional; **un salaire d'a.** un sobresueldo

apport [apɔr] *nm (de capital)* aportación *f*; *(de chaleur, de calories)* aporte *m*; *Fig (contribution)* contribución *f*

apporter [apɔrte] *vt (objet)* traer *(à a)*; *(raison, preuve)* aportar; *(changement, amélioration)* acarrear

apposer [apoze] *vt (affiche)* fijar; **a. sa signature à qch** firmar algo

appréciable [apresjabl] *adj* apreciable

appréciation [apresjasjɔ̃] *nf (estimation)* apreciación *f*; *(jugement)* juicio *m*; *Scol* opinión *f*

apprécier [66] [apresje] *vt* apreciar

appréhender [apreɑ̃de] *vt (craindre)* temer; *(arrêter)* aprehender; **a. de faire qch** tener miedo de hacer algo

appréhension [apreɑ̃sjɔ̃] *nf* aprensión *f*

apprendre [58] [aprɑ̃dr] *vt (étudier)* aprender; *(être informé de)* enterarse de *(que que)*; **a. à faire qch** aprender a hacer algo; **a. qch à qn** *(enseigner)* enseñar algo a alguien; *(informer)* informar de algo a alguien; **a. à qn à**

faire qch enseñar a alguien a hacer algo

apprenti, -e [aprɑ̃ti] *nm,f* aprendiz (iza) *m,f*

apprentissage [aprɑ̃tisaʒ] *nm* aprendizaje *m*

apprivoiser [aprivwaze] *vt (animal)* domesticar; *(personne)* domar

approbateur, -trice [aprɔbatœr, -tris] *adj* de aprobación

approbation [aprɔbasjɔ̃] *nf* aprobación *f*

approche [aprɔʃ] *nf (d'un événement)* proximidad *f*; *(point de vue)* enfoque *m*; **à l'a. de** *(événement, date)* al aproximarse

approcher [aprɔʃe] **1** *vt (rapprocher)* acercar (**de** a); **a. qn** *(contacter)* dirigirse a alguien **2** *vi* acercarse (**de** a) **3 s'approcher** *vpr* acercarse (**de** a)

approfondir [aprɔfɔ̃dir] *vt (développer)* profundizar en

approprié, -e [aprɔprije] *adj* apropiado(a), adecuado(a) (**à** a)

approprier [66] [aprɔprije] **1** *vt Belg (nettoyer)* limpiar **2 s'approprier** *vpr* apropiarse de

approuver [apruve] *vt* aprobar

approvisionnement [aprɔvizjɔnmɑ̃] *nm* abastecimiento *m* (**en** de)

approvisionner [aprɔvizjɔne] **1** *vt (ville, magasin)* abastecer (**en** de); *(compte en banque)* ingresar dinero en **2 s'approvisionner** *vpr* abastecerse (**en** de)

approximatif, -ive [aprɔksimatif, -iv] *adj* aproximado(a)

approximation [aprɔksimasjɔ̃] *nf* aproximación *f*

appui [apɥi] *nm* apoyo *m*

appui-tête *(pl* **appuis-tête)** [apɥitet] *nm* reposacabezas *m inv*

appuyer [32] [apɥije] **1** *vt* apoyar **2** *vi* **a. sur qch** *(presser sur)* apretar algo; *(insister sur)* hacer hincapié en algo **3 s'appuyer** *vpr* **s'a. à** *ou* **contre** apoyarse en *o* contra; **s'a. sur qch** *(se baser sur)* basarse en algo; **s'a. sur qn** *(se reposer sur)* apoyarse en alguien

âpre [ɑpr] *adj (goût, ton)* áspero(a); *(concurrence)* duro(a); *(combat)* cruel; *(discussion)* violento(a)

après [apre] **1** *prép* **(a)** *(dans le temps)* después de; **a. quoi** después de lo cual; **a. que** después de que; **c'est arrivé a. que tu es partie** llegó después de que tú te fueras; **je le verrai a. qu'il aura fini** lo veré después de que termine; **a. tout** después de todo
(b) *(indique l'attachement, l'hostilité)* **aboyer a. qn** ladrar a alguien; **être toujours a. qn** estar todo el día detrás de alguien; **se fâcher a. qn** enfadarse con alguien
(c) d'a. *(selon)* según; **d'a. moi** en mi opinión
2 *adv* después; **un mois a.** un mes después; **la rue/le mois d'a.** la calle/ el mes siguiente; **et a.?** *(et ensuite?)* ¿y después?; *(exprime l'indifférence)* ¿y qué?

après-demain [apredmɛ̃] *adv* pasado mañana

après-guerre *(pl* **après-guerres)** [apreger] *nm ou nf* posguerra *f*

après-midi [apremidi] *nm inv ou nf inv* tarde *f*

après-rasage *(pl* **après-rasages)** [aprerazaʒ] *nm* loción *f* para después del afeitado

après-ski *(pl* **après-skis)** [apreski] *nm* bota *f* après-ski

après-vente [aprevɑ̃t] *adj inv voir* **service**

a priori [aprijori] **1** *adv* a priori **2** *nm inv* prejuicio *m*

à-propos [apropo] *nm inv* pertinencia *f*; **avoir le sens de l'à.** intervenir de manera oportuna

apte [apt] *adj* **a. à qch/à faire qch** apto(a) para algo/para hacer algo

aptitude [aptityd] *nf* aptitud *f*

aquarelle [akwarel] *nf* acuarela *f*

aquarium [akwarjɔm] *nm* acuario *m*

aquatique [akwatik] *adj* acuático(a)

arabe [arab] **1** *adj* árabe **2** *nmf* **A.** árabe *mf* **2** *nm (langue)* árabe *m*

Arabie [arabi] nf l'A. Arabia; l'A. saoudite Arabia Saudí

arachide [araʃid] nf Esp cacahuete m, CAm, Méx cacahuate m, Andes, RP, Ven maní m

araignée [areɲe] nf araña f ■ a. de mer centolla f, centollo m

arbitrage [arbitraʒ] nm arbitraje m

arbitraire [arbitrer] adj arbitrario(a)

arbitre [arbitr] nm árbitro m

arbre [arbr] nm árbol m; (axe) eje m ■ a. fruitier árbol frutal; a. généalogique árbol genealógico

arbuste [arbyst] nm arbusto m

arc [ark] nm arco m ■ a. de cercle arco de circunferencia; a. de triomphe arco de triunfo

arcade [arkad] nf (pilier) arcada f; **arcades** (d'une place, d'une rue) soportales mpl ■ a. sourcilière arco m de la ceja

arc-en-ciel (pl arcs-en-ciel) [arkɑ̃sjɛl] nm arco iris m

archaïque [arkaik] adj arcaico(a)

arche [arʃ] nf Archit arco m ■ l'a. de Noé el arca f de Noé

archéologie [arkeɔlɔʒi] nf arqueología f

archéologique [arkeɔlɔʒik] adj arqueológico(a)

archéologue [arkeɔlɔg] nmf arqueólogo(a) m,f

archet [arʃe] nm arco m

architecte [arʃitɛkt] nmf arquitecto(a) m,f

architecture [arʃitɛktyr] nf arquitectura f

archives [arʃiv] nfpl (documents) archivos mpl; (bibliothèque) archivo m

arctique [arktik] 1 adj ártico(a) 2 nm l'A. el Ártico

ardent, -e [ardɑ̃, -ɑ̃t] adj ardiente

ardeur [ardœr] nf ardor m; (au travail) dinamismo m

ardoise [ardwaz] nf pizarra f

ardu, -e [ardy] adj arduo(a)

arène [aren] nf ruedo m; **arènes** (pour courses de taureaux) plaza f de toros

arête [aret] nf (de poisson) espina f;

(d'un toit) caballete m; (d'une montagne) cresta f; (du nez) línea f

argent [arʒɑ̃] 1 adj inv plateado(a) 2 nm (métal, couleur) plata f; (monnaie) dinero m ■ a. liquide dinero en metálico; a. de poche dinero de bolsillo, dinero para gastos menudos; (que donnent les parents) paga f

argenté, -e [arʒɑ̃te] adj plateado(a)

argenterie [arʒɑ̃tri] nf plata f (vajilla y cubertería)

argentin, -e [arʒɑ̃tɛ̃, -in] 1 adj argentino(a) 2 nm,f A. argentino(a) m,f

Argentine [arʒɑ̃tin] nf l'A. (la) Argentina

argile [arʒil] nf arcilla f

argot [argo] nm (langue populaire) argot m; (jargon) jerga f

argotique [argɔtik] adj de argot

argument [argymɑ̃] nm argumento m

aride [arid] adj árido(a)

aristocrate [aristɔkrat] nmf aristócrata mf

aristocratie [aristɔkrasi] nf aristocracia f

aristocratique [aristɔkratik] adj aristocrático(a)

arithmétique [aritmetik] nf aritmética f

armature [armatyr] nf armazón m; Fig (base) estructura f

arme [arm] nf arma f; **armes** (blason) armas fpl; **prendre les armes** tomar las armas ■ a. blanche arma blanca; a. à feu arma de fuego

armée [arme] nf (troupes) ejército m; **être à l'a.** (service militaire) hacer la mili ■ l'a. de l'air el ejército del aire; l'A. du Salut el Ejército de Salvación; l'a. de terre el ejército de tierra

armement [arməmɑ̃] nm armamento m; **l'industrie de l'a.** la industria armamentista

armer [arme] 1 vt (personne, groupe) armar; (fusil) cargar; (appareil photo) arrastrar 2 s'armer vpr s'a. de qch (pistolet, couteau) tomar algo; Fig s'a. de patience armarse de paciencia

armistice [armistis] *nm* armisticio *m*

armoire [armwar] *nf* armario *m* ■ **a. à pharmacie** armarito *m*

armure [armyr] *nf* armadura *f*

aromate [arɔmat] *nm* especia *f*

aromatique [arɔmatik] *adj* aromático(a)

arôme [arom] *nm* (*odeur*) (*d'un plat*) olor *m*; (*d'un vin*) bouquet *m*; (*d'une fleur*) fragancia *f*; (*goût*) aroma *m*

arpenter [arpɑ̃te] *vt* (*parcourir*) recorrer (*a grandes pasos*)

arqué, -e [arke] *adj* arqueado(a)

arrache-pied [araʃpje] **d'arrache-pied** *adv* sin descanso

arracher [araʃe] *vt* arrancar; **a. qch (des mains) à qn** quitar algo a alguien (de las manos)

arrangement [arɑ̃ʒmɑ̃] *nm* (*entente*) & *Mus* arreglo *m*; (*disposition*) colocación *f*

arranger [45] [arɑ̃ʒe] **1** *vt* (*ordonner, réparer*) arreglar; (*organiser*) concertar; **ça ne m'arrange pas** no me viene bien **2 s'arranger** *vpr* (*s'amé-liorer*) arreglarse; (*se mettre d'accord*) ponerse de acuerdo; **s'a. pour faire qch** arreglárselas para hacer algo

arrestation [arestasjɔ̃] *nf* detención *f*; **être en état d'a.** estar detenido(a)

arrêt [are] *nm* (*d'un mouvement, de bus*) parada *f*; (*interruption*) interrupción *f*, suspensión *f*; *Jur* fallo *m*; **être à l'a.** (*véhicule*) estar parado(a); **sans a.** (*sans répit*) sin cesar; (*tout le temps*) todo el tiempo ■ **a. maladie** baja *f* por enfermedad; **a. de travail** baja *f* (laboral)

arrêté [arete] *nm* (*décision administrative*) orden *f* gubernativa ■ **a. municipal** decreto *m* municipal

arrêter [arete] **1** *vt* (*véhicule, machine*) parar; (*études, activité*) dejar; (*voleur*) detener; (*date*) fijar; **a. son choix sur qch** decidirse por algo **2** *vi* (*cesser*) parar; **a. de faire qch** dejar de hacer algo **3 s'arrêter** *vpr* pararse; **s'a. à des détails** pararse en detalles; **s'a. de faire qch** dejar de hacer algo

arriéré, -e [arjere] **1** *adj Péj* (*personne*) retrasado(a); (*idées*) anticuado(a); (*pays, région*) atrasado(a) **2** *nm* (*de paiement*) atraso *m*

arrière [arjer] **1** *adj inv* trasero(a) **2** *nm* (*de véhicule*) parte *f* de atrás; *Sp* defensa *m*; **à l'a.** en la parte de atrás, detrás; **rester en a.** quedarse atrás; **tomber en a.** caerse hacia atrás; **en a. de** detrás de

arrière-goût (*pl* **arrière-goûts**) [arjergu] *nm* regusto *m*

arrière-pays [arjerpei] *nm inv* interior *m*

arrière-pensée (*pl* **arrière-pensées**) [arjerpɑ̃se] *nf* segunda intención *f*; **sans a.** de buena fe

arrière-plan (*pl* **arrière-plans**) [arjerplɑ̃] *nm* segundo plano *m*

arrière-saison (*pl* **arrière-saisons**) [arjersezɔ̃] *nf* final *m* del otoño

arrivage [arivaʒ] *nm* (*de marchandises*) arribada *f*

arrivée [arive] *nf* (*venue*) llegada *f*; (*d'air, d'essence*) entrada *f*

arriver [arive] **1** *vi* (*venir*) llegar (**à/de** a/de); (*réussir*) triunfar; **j'arrive!** ¡ya voy!; **a. à faire qch** (*réussir*) conseguir hacer algo **2** *v impersonnel* pasar, suceder; **il arrive à tout le monde de se tromper** todos podemos equivocarnos; **il m'est arrivé une drôle d'aventure** me ha pasado una cosa curiosa; **quoi qu'il arrive** pase lo que pase

arriviste [arivist] *adj & nmf* arribista *mf*

arrogance [arɔgɑ̃s] *nf* arrogancia *f*

arrogant, -e [arɔgɑ̃, -ɑ̃t] *adj* arrogante

arroger [45] [arɔʒe] **s'arroger** *vpr* **s'a. le droit de faire qch** arrogarse el derecho de hacer algo

arrondir [arɔ̃dir] *vt* redondear; **a. ses fins de mois** redondear el sueldo

arrondissement [arɔ̃dismɑ̃] *nm* = en Francia, división administrativa intermedia entre el departamento y el 'canton'; *(dans une grande ville)* distrito *m* municipal

arroser [aroze] *vt (plante, jardin)* regar; *Fam (célébrer)* remojar

arrosoir [arozwar] *nm* regadera *f*

arsenal, -aux [arsənal, -o] *nm* arsenal *m*

arsenic [arsənik] *nm* arsénico *m*

art [ar] *nm* arte *m o f* ■ **a. dramatique** arte dramático; **arts plastiques** artes plásticas

artère [arter] *nf* arteria *f*; **grande a.** *(rue)* gran arteria

artichaut [artiʃo] *nm* alcachofa *f*, *CSur* alcaucil *m*

article [artikl] *nm* artículo *m* ■ **a. défini** artículo determinado; **a. de fond** artículo de fondo; **a. indéfini** artículo indeterminado

articulation [artikylɑsjɔ̃] *nf (des os)* articulación *f*; *(prononciation)* vocalización *f*

articuler [artikyle] **1** *vt* articular; **articulez!** ¡vocalice! **2 s'articuler** *upr* **s'a. autour de** *(idées, axe)* articularse alrededor de

artifice [artifis] *nm voir* **feu**

artificiel, -elle [artifisjɛl] *adj* artificial

artillerie [artijri] *nf* artillería *f*

artisan [artizɑ̃] *nm* artesano(a) *m,f*

artisanal, -e, -aux, -ales [artizanal, -o] *adj* artesanal

artisanat [artizana] *nm (art)* artesanía *f*; *(ensemble des artisans)* artesanado *m*

artiste [artist] *nmf* artista *mf* ■ **a. peintre** pintor(ora) *m,f*

artistique [artistik] *adj* artístico(a)

as¹ *voir* **avoir**

as² [as] *nm* as *m*

ascendant, -e [asɑ̃dɑ̃, -ɑ̃t] **1** *adj* ascendente **2** *nm* ascendiente *m*

ascenseur [asɑ̃sœr] *nm* ascensor *m*, *Méx* elevador *m*

ascension [asɑ̃sjɔ̃] *nf (montée)* ascensión *f*; *(réussite)* ascenso *m*; **l'a. de l'Everest** la ascensión al Everest;

l'A., le jeudi de l'A. *(fête)* la Ascensión

asiatique [azjatik] **1** *adj* asiático(a) **2** *nmf* **A.** asiático(a) *m,f*

Asie [azi] *nf* **l'A.** Asia; **l'A. centrale** Asia central; **l'A. du Sud-Est** el Sureste asiático

asile [azil] *nm (refuge)* asilo *m*; *(psychiatrique)* manicomio *m* ■ **a. politique** asilo político

aspect [aspe] *nm* aspecto *m*

asperge [aspɛrʒ] *nf* espárrago *m*

asperger [45] [aspɛrʒe] *vt* **a. qch/qn de qch** salpicar algo/a alguien de algo

asphalte [asfalt] *nm* asfalto *m*

asphyxie [asfiksi] *nf* asfixia *f*

asphyxier [66] [asfiksje] **1** *vt* asfixiar **2 s'asphyxier** *upr* asfixiarse

aspirateur [aspiratœr] *nm* aspirador *m*

aspiration [aspirɑsjɔ̃] *nf* aspiración *f*

aspirer [aspire] **1** *vt* aspirar **2** *vi* **a. à qch/à faire qch** aspirar a algo/a hacer algo

aspirine [aspirin] *nf* aspirina *f*

assaillant [asajɑ̃] *nm* asaltante *m*

assaillir [67] [asajir] *vt* asaltar; **a. qn de questions** acosar a alguien a *o* con preguntas

assainir [asenir] *vt* sanear

assaisonnement [asɛzɔnmɑ̃] *nm* aliño *m*

assaisonner [asɛzɔne] *vt* aliñar

assassin [asasɛ̃] *nm* asesino(a) *m,f*

assassinat [asasina] *nm* asesinato *m*

assassiner [asasine] *vt* asesinar

assaut [aso] *nm* asalto *m*; **donner l'a. à** asaltar; **prendre qch d'a.** tomar algo por asalto

assécher [34] [aseʃe] *vt (terre)* desecar; *(réserve d'eau)* desaguar

assemblage [asɑ̃blaʒ] *nm (montage)* montaje *m*; *(réunion)* combinación *f*; *Tech* ensamblaje *m*

assemblée [asɑ̃ble] *nf (public)* reunión *f*; *(réunion)* junta *f*; *Pol* asamblea *f* ■ **a. générale** asamblea general; **l'Assemblée nationale** ≃ el Congreso de los diputados

assembler [asɑ̃ble] **1** *vt (monter)* montar; *(réunir)* reunir; *Tech* ensamblar **2 s'assembler** *vpr (personnes)* congregarse

asséner [34] [asene] *vt (coup)* asestar

asseoir [10] [aswar] **1** *vt (sur un siège)* sentar; *(réputation)* consolidar **2** *vi* **faire a. qn** sentar a alguien **3 s'asseoir** *vpr* sentarse

assermenté, -e [asεrmɑ̃te] *adj (fonctionnaire, traducteur)* jurado(a); *(témoin)* juramentado(a)

asservir [asεrvir] *vt* esclavizar

assez [ase] *adv (suffisamment)* suficiente; *(plutôt)* bastante; **a.!** *(exprime l'agacement)* ¡basta!; **a. de chaises** suficientes sillas; **a. de lait** suficiente leche; **en avoir a. de** estar harto(a) de; **il roule a. vite** conduce bastante rápido

assidu, -e [asidy] *adj (élève)* asiduo(a); *(travail)* constante

assiduité [asidɥite] *nf (zèle)* perseverancia f; *(fréquence)* asiduidad f

assiéger [59] [asjeʒe] *vt* asediar

assiette [asjεt] *nf* plato *m*; *Fig* **ne pas être dans son a.** no encontrarse bien ▪ **a. anglaise** entremeses *mpl* variados; **a. creuse** *ou* **à soupe** plato hondo *o* sopero; **a. à dessert** plato de postre

assigner [asiɲe] *vt (fonds, tâche)* asignar; *Jur* **a. qn en justice** citar a alguien a juicio

assimiler [asimile] **1** *vt (aliment, connaissances)* asimilar; *(confondre)* confundir (à con); *(intégrer)* integrar **2 s'assimiler** *vpr (s'intégrer)* integrarse

assis, -e [asi, -iz] **1** *pp voir* **asseoir 2** *adj* sentado(a)

assise [asiz] *nf (base)* cimientos *mpl*; **assises** *(tribunal)* sala f de lo penal; *(congrès)* congreso *m*

assistance [asistɑ̃s] *nf* asistencia f; *(auditoire)* audiencia f ▪ **l'A. publique** la Asistencia social

assistant, -e [asistɑ̃, -ɑ̃t] *nm,f (auxiliaire)* asistente *mf*; *(enseignant)* auxiliar *mf* de conversación ▪ **assistante sociale** asistente f social

assister [asiste] **1** *vi* **a. à qch** asistir a algo **2** *vt (seconder)* ayudar; *(porte secours à)* prestar asistencia a

association [asɔsjasjɔ̃] *nf* asociación

associé, -e [asɔsje] **1** *adj* asociado(a **2** *nm,f* socio(a) *m,f*

associer [66] [asɔsje] **1** *vt (personnes idées)* asociar (à con); **a. qn à qch** *(faire participer)* hacer participar a alguien en algo **2 s'associer** *vp (collaborer)* asociarse (à *ou* ave con); *(se combiner)* combinarse (à con); **s'a. à qch** *(participer)* participar en algo

assoiffé, -e [aswafe] *adj (d'eau* sediento(a); *Fig (de pouvoir, d'argent* ávido(a)

assombrir [asɔ̃brir] **1** *vt* oscurecer *Fig (attrister)* ensombrecer **2 s'as sombrir** *vpr (devenir sombre)* oscure cerse; *Fig (s'attrister)* ensombrecer se

assommer [asɔme] *vt (en frappant* tumbar; *(ennuyer)* aburrir; *(accabler* agobiar

Assomption [asɔ̃psjɔ̃] *nf* **l'A.** la Asunción

assorti, -e [asɔrti] *adj (coordonné* combinado(a) (à con); *(approvi sionné)* surtido(a); **ce couple est bien a.** hacen buena pareja; **chocolats assortis** bombones *mpl* surtidos

assortiment [asɔrtimɑ̃] *nm (choix* surtido *m*

assortir [asɔrtir] *vt (objets)* combina (à con)

assoupir [asupir] **s'assoupir** *vpr* dar una cabezada

assouplir [asuplir] **1** *vt (corps)* dar flexibilidad a; *(matière)* ablandar *(règlement)* hacer flexible; *(caractère* suavizar **2 s'assouplir** *vpr (physique ment)* adquirir flexibilidad; *(morale ment)* suavizarse

assouvir [asuvir] *vt (faim)* saciar *(passions)* satisfacer

assujettir [asyʒetir] *vt (fixer)* fijar; **a. qn à qch** someter a alguien a algo

assumer [asyme] **1** *vt (accepter)* asumir; *(fonctions)* desempeñar **2 s'assumer** *vpr* aceptarse a sí mismo(a)

assurance [asyrɑ̃s] *nf* seguridad *f*; *(contrat)* seguro *m*; **j'ai reçu l'a. qu'on m'aiderait** me han asegurado que me ayudarían ■ **a. maladie** seguro de enfermedad; **a. tous risques** seguro a todo riesgo

assuré, -e [asyre] *nm,f* asegurado(a) *m,f* ■ **a. social** beneficiario *m* de la Seguridad Social

assurer [asyre] **1** *vt* asegurar; **il m'a assuré de sa bonne foi/qu'il viendrait** me aseguró que era de buena fe/que vendría; **a. à qn une retraite confortable** garantizar a alguien una buena pensión de jubilación
2 *vi Fam* dar la talla
3 s'assurer *vpr* asegurarse (**contre** contra); **s'a. de qch/que** *(confirmer)* asegurarse de algo/de que; **s'a. qch** *(obtenir)* asegurarse algo

asthme [asm] *nm* asma *m*

asticot [astiko] *nm* gusano *m* blanco

astiquer [astike] *vt* sacar brillo a

astre [astr] *nm* astro *m*

astreignant, -e [astrɛɲɑ̃, -ɑ̃t] *adj* esclavizante

astreindre [54] [astrɛ̃dr] **1** *vt* **a. qn à faire qch** obligar a alguien a hacer algo **2 s'astreindre** *vpr* **s'a. à faire qch** someterse a hacer algo

astrologie [astrɔlɔʒi] *nf* astrología *f*

astrologue [astrɔlɔg] *nmf* astrólogo(a) *m,f*

astronaute [astronot] *nmf* astronauta *mf*

astronome [astrɔnɔm] *nmf* astrónomo(a) *m,f*

astronomie [astrɔnɔmi] *nf* astronomía *f*

astuce [astys] *nf (ingéniosité)* astucia *f*; *(ruse)* truco *m*; *(plaisanterie)* broma *f*

astucieux, -euse [astysjø, -øz] *adj*

(personne) astuto(a), *Méx* abusado(a); *(idée)* ingenioso(a)

atelier [atəlje] *nm (d'un artisan, dans une usine)* taller *m*; *(de peintre)* estudio *m*

athée [ate] *adj & nmf* ateo(a) *m,f*

Athènes [aten] *n* Atenas

athlète [atlɛt] *nmf* atleta *mf*

athlétisme [atletism] *nm* atletismo *m*

atlantique [atlɑ̃tik] **1** *adj* atlántico(a) **2** *nm* **l'A.** el Atlántico

atlas [atlɑs] *nm* atlas *m*

atmosphère [atmɔsfɛr] *nf Géog* atmósfera *f*; *(air)* aire *m*; *(ambiance)* ambiente *m*

atmosphérique [atmɔsferik] *adj* atmosférico(a)

atome [atom] *nm* átomo *m*

atomique [atɔmik] *adj* atómico(a)

atomiseur [atɔmizœr] *nm* pulverizador *m*

atout [atu] *nm (carte)* triunfo *m*; *Fig (ressource)* ventaja *f*, baza *f*

âtre [ɑtr] *nm* hogar *m (chimenea)*

atroce [atrɔs] *adj (crime)* atroz; *(souffrance)* espantoso(a)

atrocité [atrɔsite] *nf* atrocidad *f*

attabler [atable] **s'attabler** *vpr* sentarse a la mesa

attachant, -e [ataʃɑ̃, -ɑ̃t] *adj* entrañable

attache [ataʃ] *nf* atadura *f*; **attaches** *(relations)* vínculos *mpl*

attaché, -e [ataʃe] *nm,f* agregado(a) *m,f* ■ **a. d'ambassade** agregado diplomático; **a. culturel** agregado cultural; **a. de presse** responsable *mf* de prensa

attaché-case *(pl* attachés-cases*)* [ataʃekɛz] *nm* maletín *m*

attachement [ataʃmɑ̃] *nm* apego *m*

attacher [ataʃe] **1** *vt (animal, paquet)* atar; *(ceinture, manteau)* abrochar; **a. qch à qch** atar algo a algo
2 s'attacher *vpr (se fermer)* abrocharse; **s'a. à** *(se prendre d'affection)* encariñarse con; **s'a. à qch/à faire qch** *(s'appliquer)* esmerarse en algo/en hacer algo

attaquant, -e [atakɑ̃, -ɑ̃t] *adj & nm,f* atacante *mf*

attaque [atak] *nf* ataque *m*; **avoir une a.** tener un ataque; *Fam* **je ne me sens pas d'a. (pour...)** no me siento con fuerzas (para...) ■ **a. à main armée** atraco *m* a mano armada

attaquer [atake] **1** *vt* atacar; *Jur (jugement)* impugnar; *Fam (commencer)* liarse con; **a. qn en justice** llevar a alguien a los tribunales **2 s'attaquer** *vpr* **s'a. à qch/qn** atacar algo/a alguien

attardé, -e [atarde] *adj & nm,f* retrasado(a) *m,f* (mental)

attarder [atarde] **s'attarder** *vpr* tardar; **s'a. à des détails** pararse en detalles

atteindre [54] [atɛ̃dr] *vt (toucher, s'élever à)* alcanzar; *(affecter)* afectar; *(arriver à)* llegar a

atteinte [atɛ̃t] *nf* **hors d'a.** fuera de alcance; **porter a. à qch** atentar contra algo

atteler [9] [atle] **1** *vt (animal)* uncir; *(véhicule)* enganchar **2 s'atteler** *vpr* **s'a. à la tâche** ponerse manos a la obra

attenant, -e [atnɑ̃, -ɑ̃t] *adj* contiguo(a); **a. à qch** lindante con algo

attendre [atɑ̃dr] **1** *vt* esperar; **j'attends que la pluie cesse** espero que deje de llover; **a. qch de qn** esperar algo de alguien **2** *vi* esperar; **en attendant** mientras tanto **3 s'attendre** *vpr* **s'a. à qch** esperarse algo; **il s'attendait à ce qu'elle lui donne cette réponse** se esperaba que le diera esa respuesta

attendrir [atɑ̃drir] **1** *vt (personne)* enternecer, ablandar; *(viande)* macerar **2 s'attendrir** *vpr* enternecerse (**sur** por)

attendrissant, -e [atɑ̃drisɑ̃, -ɑ̃t] *adj (personne)* enternecedor(ora); *(geste)* conmovedor(ora)

attendu, -e [atɑ̃dy] **1** *pp voir* **attendre 2** *adj* **très a.** muy esperado(a) **3** *conj* **a. que** en vista de que

attentat [atɑ̃ta] *nm* atentado *m* ■ **a. à la bombe** atentado con bomba; **a. à la pudeur** atentado contra la moral

attente [atɑ̃t] *nf (action d'attendre)* espera *f*; *(espoir)* expectativa *f*; **contre toute a.** contra todo pronóstico; **répondre à l'a. de qn** responder a las expectativas de alguien

attentif, -ive [atɑ̃tif, -iv] *adj* atento(a) (**à** a)

attention [atɑ̃sjɔ̃] **1** *nf* atención *f*; **à l'a. de** a la atención de; **faire a. que** vigilar que; **faire a. à qch** tener cuidado con algo *exclam* ¡cuidado!

attentionné, -e [atɑ̃sjɔne] *adj* considerado(a); **a. avec qn** atento(a) con alguien

atténuer [atenɥe] **1** *vt* atenuar **2 s'atténuer** *vpr* atenuarse

atterrir [aterir] *vi* aterrizar

atterrissage [aterisaʒ] *nm* aterrizaje *m*; **à l'a.** al aterrizar ■ **a. forcé** aterrizaje forzoso

attestation [atɛstasjɔ̃] *nf (certificat)* certificado *m*

attester [atɛste] *vt (confirmer)* atestiguar; *(certifier)* testificar

attirail [atiraj] *nm Fam* trastos *mpl*

attirance [atirɑ̃s] *nf* atracción *f*

attirant, -e [atirɑ̃, -ɑ̃t] *adj* atractivo(a)

attirer [atire] **1** *vt* atraer; **a. qn vers soi** atraer a alguien hacia sí; **a. des ennuis à qn** acarrear problemas a alguien; **a. l'attention de qn (sur qch)** llamar la atención a alguien (sobre algo) **2 s'attirer** *vpr (estime, critiques)* ganarse; **s'a. des ennuis** tener problemas

attitré, -e [atitre] *adj (représentant, fournisseur)* acreditado(a); *(place)* reservado(a); *Hum (habituel)* habitual

attitude [atityd] *nf (posture)* postura *f*; *(comportement)* actitud *f*

attraction [atraksjɔ̃] *nf (force, centre d'intérêt)* atracción *f* ■ **a. terrestre** gravedad *f* terrestre

attrait [atrɛ] *nm* atracción *f*

attraper [atrape] *vt (saisir) Esp* coger, *Am* agarrar; *(prendre au piège)* atrapar; *(surprendre)* pillar; *(train, avion)* pillar por los pelos; *(maladie) Esp* coger, *Am* agarrar; *(tromper)* engañar

attrayant, -e [atrɛjɑ̃, -ɑ̃t] *adj* atrayente

attribuer [atribɥe] **1** *vt* **a. qch à** *(qualité, mérite, échec)* atribuir algo a; *(prix, privilège)* otorgar algo a; *(rôle)* asignar algo a **2 s'attribuer** *vpr (mérite, privilège)* atribuirse

attribut [atriby] *nm* atributo *m*

attribution [atribysjɔ̃] *nf (d'un prix)* adjudicación *f* **(à** a); *(d'une tâche, d'une place, d'un rôle)* asignación *f* **(à** a); *(d'un échec, d'un succès)* atribución *f* **(à** a); **attributions** *(compétences)* competencias *fpl*

attrister [atriste] **1** *vt* entristecer **2 s'attrister** *vpr* entristecerse **(de** por)

attroupement [atrupmɑ̃] *nm* aglomeración *f*

attrouper [atrupe] **s'attrouper** *vpr* aglomerarse

au [o] *voir* **à**

aube [ob] *nf* alba *f*; **à l'a.** de madrugada

auberge [obɛrʒ] *nf* hostal ■ **a. de jeunesse** albergue *m* juvenil

aubergine [obɛrʒin] *nf* berenjena *f*

aucun, -e [okœ̃, -yn] **1** *adj* **(a)** *(sens négatif)* ninguno(a); **il n'y a aucune boutique ici** no hay ninguna tienda aquí **(b)** *(sens positif)* cualquier; **il lit plus qu'a. autre enfant** lee más que cualquier otro niño **2** *pron* **(a)** *(sens négatif)* ninguno(a); **il n'en veut a.** no quiere ninguno; **a. d'entre nous** ninguno de nosotros **(b)** *(sens positif)* cualquiera; **il parle mieux allemand qu'a. de nous** habla mejor alemán que cualquiera de nosotros; *Littr* **d'aucuns** algunos

audace [odas] *nf (hardiesse)* audacia *f*; *(insolence)* osadía *f*; *(innovation)* atrevimiento *m*

audacieux, -euse [odasjø, -øz] *adj (hardi)* audaz; *(insolent)* atrevido(a)

au-dehors [odəor] *adv (por)* fuera; **a. de** fuera de

au-delà [odla] **1** *adv (plus loin)* más allá **(de** de); *(davantage)* más **(de** de) **2** *nm* **l'a.** el más allá

au-dessous [odsu] *adv (en bas)* debajo **(de** de); **a. de 1 000 euros** por debajo de 1.000 euros; **les enfants a. de trois ans** los niños de menos de tres años

au-dessus [odsy] *adv (en haut)* encima **(de** de); **a. de 150 euros** por encima de 150 euros; **les enfants a. de sept ans** los niños de más de siete años

au-devant [odvɑ̃] **au-devant de** *prép* **aller a. de qn** ir al encuentro de alguien; **aller a. des ennuis** buscar problemas

audible [odibl] *adj* audible

audience [odjɑ̃s] *nf* audiencia *f*

audiovisuel, -elle [odjovizɥɛl] **1** *adj* audiovisual **2** *nm* **l'a.** *(secteur)* imagen *f* y sonido; *(techniques)* medios *mpl* audiovisuales

auditeur, -trice [oditœr, -tris] *nm,f (de conférence)* asistente *mf*; *(de radio)* radioyente *mf*; *Fin* auditor(ora) *m,f*

audition [odisjɔ̃] *nf* audición *f*; *(pour un rôle)* prueba *f*

auditoire [oditwar] *nm* auditorio *m*

auditorium [oditɔrjɔm] *nm* auditórium *m*, auditorio *m*

augmentation [ɔgmɑ̃tasjɔ̃] *nf* aumento *m*; *(d'un taux)* incremento *m*; *(des prix)* subida *f* ■ **a. (de salaire)** aumento de sueldo

augmenter [ɔgmɑ̃te] **1** *vt* aumentar; *(durée)* alargar; *(prix, salaire)* subir; **a. qn** subirle el sueldo a alguien **2** *vi* aumentar

augure [ogyr] *nm* augurio *m*; **de bon / mauvais a.** de buen/mal augurio

aujourd'hui [oʒurdɥi] *adv (ce jour)* hoy; *(à notre époque)* hoy, hoy en día

auparavant [oparavɑ̃] *adv* antes

auprès [oprɛ] **auprès de** *prép (près de)*

junto a; *(comparé à)* al lado de; *(dans l'opinion de, en s'adressant à)* ante

auquel [okɛl] *voir* **lequel**

aura *etc voir* **avoir**

auréole [ɔreɔl] *nf* aureola *f*

auriculaire [ɔrikylɛr] **1** *adj* auricular **2** *nm* (dedo) meñique *m*

aurore [ɔrɔr] *nf (aube)* aurora *f*; **se lever aux aurores** levantarse de madrugada

auspices [ɔspis] *nmpl* **sous les a. de qn** bajo los auspicios de alguien; **sous d'heureux a.** con buenos auspicios

aussi [osi] **1** *adv* (**a**) *(pareillement, en plus)* también; **moi a.** yo también (**b**) *(dans une comparaison)* **il n'est pas a. intelligent que son frère** no es tan inteligente como su hermano; **je n'ai jamais rien vu d'a. beau** nunca he visto nada tan bonito; **j'aurais pu (tout) a. bien refuser** también habría podido negarme; **a. incroyable que cela puisse paraître** por muy increíble que parezca **2** *conj (c'est pourquoi)* por lo tanto; **a. décida-t-elle de déménager** por lo tanto decidió mudarse

aussitôt [osito] *adv* en seguida; **a. que** tan pronto como; **a. arrivé, il se servit un whisky** nada más llegar, se sirvió un whisky

austère [ɔstɛr] *adj* austero(a)

austérité [ɔsterite] *nf* austeridad *f*

austral, -e, -als *ou* **aux, -ales** [ɔstral, -o] *adj* austral

Australie [ɔstrali] *nf* l'**A.** Australia

australien, -enne [ɔstraljɛ̃, -ɛn] **1** *adj* australiano(a) **2** *nm,f* **A.** australiano(a) *m*

autant [otɑ̃] *adv* (**a**) *(comparatif)* **a. que** tanto como; **ça me déplaît a. qu'à toi** me desagrada tanto como a ti; **a. que possible** en la medida de lo posible; **a. de... que** tanto(a)... como; **il y a a. de femmes que d'hommes** tantas mujeres como hombres (**b**) *(à un tel point, en si grande quantité)* tanto(a); **je ne pensais pas qu'ils seraient a.** no pensaba que

fueran tantos; **a. de tanto(a); a. de patience** tanta paciencia (**c**) *(expressions)* **j'aimerais bien en faire a.** me gustaría hacer lo mismo; **a. dire la vérité** más vale decir la verdad; **d'a. que** más aún cuando; **d'a. moins/plus que** menos/más aún cuando; **(pour) a. que je sache** que yo sepa

autel [otɛl] *nm* altar *m*

auteur [otœr] *nm* autor(ora) *m,f*

authentique [otɑ̃tik] *adj (document, œuvre)* auténtico(a); *(sentiment)* verdadero(a); *(événement, histoire)* real

autiste [otist] **1** *adj* autista, autístico(a) **2** *nmf* autista *mf*

autobiographie [otobjɔgrafi] *nf* autobiografía *f*

autobus [otobys] *nm Esp* autobús *m*, *Arg* colectivo *m*, *CAm, Méx* camión *m*, *Chile* micro *m*, *Col, Ecuad, Ven* buseta *f*, *Cuba* guagua *f*, *Urug* ómnibus *m*

autocar [otokar] *nm* autocar *m*, autobús *m (de línea regular)*

autocollant, -e [otokɔlɑ̃, -ɑ̃t] **1** *adj* adhesivo(a) **2** *nm* pegatina *f*

autodéfense [otodefɑ̃s] *nf* autodefensa *f*

autodidacte [otodidakt] *adj & nmf* autodidacta *mf*

auto-école *(pl* auto-écoles*)* [otoekɔl] *nf* autoescuela *f*

autographe [otograf] *nm* autógrafo *m*

automatique [otomatik] *adj* automático(a)

automatiser [otomatize] *vt* automatizar

automne [otɔn] *nm* otoño *m*

automobile [otomɔbil] **1** *adj* automóvil; *(industrie)* del automóvil **2** *nf Vieilli (voiture)* automóvil *m*

automobiliste [otomɔbilist] *nmf* automovilista *mf*

autonome [otonɔm] *adj* autónomo(a); *(personne)* independiente

autonomie [otonomi] *nf* autonomía *f*

autopsie [otɔpsi] *nf* autopsia *f*

autoradio [otoradjo] *nm* autorradio *m*

autorisation [otorizasjõ] *nf* autorización *f*; **avoir l'a. de faire qch** estar autorizado(a) a hacer algo; **donner à qn l'a. de faire qch** autorizar a alguien a hacer algo

autorisé, -e [otorize] *adj* autorizado(a)

autoriser [otorize] *vt* autorizar; **a. qn à faire qch** autorizar a alguien a hacer algo

autoritaire [otoriter] *adj* autoritario(a)

autorité [otorite] *nf* autoridad *f*; **faire a.** sentar cátedra

autoroute [otorut] *nf* autopista *f*

auto-stop [otostɔp] *nm* autostop *m*, autoestop *m*; **faire de l'a.** hacer autostop *o* autoestop

auto-stoppeur, -euse (*mpl* **autostoppeurs**, *fpl* **auto-stoppeuses**) [otostɔpœr, -øz] *nm,f* autoestopista *mf*, autostopista *mf*

autour [otur] *adv* alrededor; **a. de** (*en cercle*) en torno a; (*près de, environ*) alrededor de

autre [otr] **1** *adj indéfini* otro(a); **un a. homme** otro hombre; **l'un et l'a. projet** uno y otro proyecto; **nous autres** nosotros(as); **vous autres** vosotros(as) **2** *pron indéfini* el (la) otro(a); **je ne les apprécie ni l'un ni l'a.** no me gustan ni el uno ni el otro; **il faut vous aider l'un l'a./les uns les autres** tenéis que ayudaros el uno al otro/los unos a los otros; **les autres** (*les gens*) los demás; **nul a.** ningún (ninguna) otro(a); **quelqu'un d'a.** otra persona; **rien d'a.** nada más; **entre autres** entre otras cosas

autrefois [otrəfwa] *adv* antaño

autrement [otrəmã] *adv* (*différemment*) de otro modo; (*sinon*) si no; (*beaucoup plus*) mucho más; **obéis, a. tu seras puni** obedece si no te van a castigar; **c'est a. mieux** es mucho mejor; **a. dit** dicho de otro modo

Autriche [otriʃ] *nf* l'A. Austria

autrichien, -enne [otriʃjɛ̃, -ɛn] **1** *adj* austríaco(a) **2** *nm,f* **A.** austríaco(a) *m,f*

autruche [otryʃ] *nf* avestruz *m*

autrui [otrɥi] *pron* el prójimo

auvent [ovã] *nm* (*en toile*) toldo *m*; (*en dur*) tejadillo *m*

aux [o] *voir* **à**

auxiliaire [ɔksiljɛr] **1** *adj* auxiliar **2** *nmf* (*assistant*) ayudante *mf* **3** *nm* Gram auxiliar *m*

auxquels, auxquelles [okɛl] *voir* **lequel**

av. (*abrév* **avenue**) Avda.

aval¹ [aval] *nm* (*d'un cours d'eau*) curso *m* bajo; **en a.** (*d'une rivière*) río abajo; *Fig* después

aval² *nm* (*caution*) aval *m*; **donner son a. à qch** avalar algo

avalanche [avalãʃ] *nf* (*en montagne*) alud *m*; *Fig* **une a. de** una avalancha de

avaler [avale] *vt* (*manger*) engullir; *Fam* (*croire*) tragarse; *Fam* (*supporter*) tragar

avance [avãs] *nf* (*progression*) avance *m*; (*avantage*) (*dans l'espace*) ventaja *f*; (*dans le temps*) adelanto *m*; (*somme d'argent*) adelanto *m*, anticipo *m*; **faire des avances à qn** hacer proposiciones a alguien; **une heure à l'a.** una hora antes; **arriver à l'a.** llegar antes de tiempo; **d'a.** (*remercier, payer*) por adelantado; **une heure d'a.** una hora de adelanto; **avoir 3 km d'a.** llevar 3 km de ventaja; **arriver en a.** llegar adelantado(a); **être en a. sur** (*époque, concurrence*) ir por delante de; (*horaire, programme*) ir adelantado(a) en; **par a.** de antemano

avancement [avãsmã] *nm* (*déroulement*) progreso *m*; (*promotion*) ascenso *m*

avancer [16] [avãse] **1** *vt* (*dans l'espace, dans le temps*) adelantar; (*tête, main*) alargar; (*idée, théorie*) proponer; **a. qch à qn** (*argent*) adelantar algo a alguien

2 *vi (progresser)* avanzar; *(faire saillie)* sobresalir; *(montre)* adelantar; **a. d'une minute** *(montre)* adelantar un minuto; **ça ne t'avancera à rien** con eso no adelantarás nada

3 s'avancer *vpr (s'approcher)* acercarse (**vers** a); *(prendre de l'avance)* adelantarse

avant [avã] **1** *prép* antes de; **a. les vacances** antes de las vacaciones; **a. moi** antes que yo; **a. de faire qch** antes de hacer algo; **a. que** antes de que; **a. tout** ante todo **2** *adv* antes; **la semaine d'a.** la semana anterior; **en a.** hacia adelante; **en a. de** por delante de **3** *nm (d'un véhicule)* delantera *f*; *Sp* delantero *m*; **à l'a.** delante **4** *adj inv* delantero(a)

avantage [avãtaʒ] *nm* ventaja *f*; **tirer a. de qch** sacar provecho de algo

avantager [45] [avãtaʒe] *vt* favorecer

avantageux, -euse [avãtaʒø, -øz] *adj (profitable, économique)* ventajoso(a); *(flatteur)* favorecedor(ora)

avant-bras [avãbʀa] *nm inv* antebrazo *m*

avant-centre *(pl* avants-centres*)* [avãsãtʀ] *nm* delantero *m* centro

avant-dernier, -ère *(mpl* avant-derniers, *fpl* avant-dernières*)* [avã-dɛʀnje, -ɛʀ] *adj* penúltimo(a)

avant-hier [avãtjɛʀ] *adv* anteayer

avant-première *(pl* avant-premières*)* [avãpʀəmjɛʀ] *nf* preestreno *m*

avant-propos [avãpʀɔpo] *nm inv* prólogo *m*

avare [avaʀ] *adj & nmf* avaro(a) *m,f*

avarice [avaʀis] *nf* avaricia *f*

avarie [avaʀi] *nf* avería *f*

avarié, -e [avaʀje] *adj (nourriture)* estropeado(a)

avec [avɛk] **1** *prép* con; **et a. ça?** ¿desea algo más? **2** *adv* con él/ella/*etc*; **tiens mon sac, je ne peux pas courir a.** toma mi bolso, no puedo correr con él

avenant, -e [avnã, -ãt] **1** *adj* *(personne)* afable **2** *nm Jur* cláusula adicional; **à l'a.** al paso

avènement [avɛnmã] *nm (d'un roi)* llegada *f* al trono; *Fig & Rel* advenimiento *m*

avenir [avniʀ] *nm* futuro *m*; *(d'une personne)* porvenir *m*; **d'a.** *(métier)* con futuro; **à l'a.** en lo sucesivo

aventure [avãtyʀ] *nf* aventura *f*

aventurer [avãtyʀe] **s'aventurer** *vp* aventurarse; **s'a. à faire qch** arriesgarse a hacer algo

aventurier, -ère [avãtyʀje, -ɛʀ] *nm, f* aventurero(a) *m,f*

avenue [avny] *nf* avenida *f*

avérer [34] [aveʀe] **s'avérer** *vp* resultar; **la situation s'avère difficile** la situación resulta difícil

averse [avɛʀs] *nf* chaparrón *m* ■ *Can* **a. de neige** nevada *f*

avertir [avɛʀtiʀ] *vt (mettre en garde)* advertir; *(prévenir)* avisar (**de** de)

avertissement [avɛʀtismã] *nm (menace) & Sp* amonestación *f*; *(à l'école)* aviso *m*; *(préambule)* preámbulo *m*

avertisseur [avɛʀtisœʀ] *nm (Klaxon®)* claxon *m*; **a. d'incendie** alarma *f* de incendios

aveu, -x [avø] *nm* confesión *f*; **de l'a. de** según el testimonio de; **faire un a. à qn** confesarle algo a alguien

aveugle [avœgl] *adj & nmf* ciego(a) *m*

aveuglément [avœglemã] *adv* ciegamente

aveugler [avœgle] *vt (priver de la vue)* cegar; *(éblouir)* deslumbrar; *Fig (troubler)* ofuscar

aveuglette [avœglɛt] **à l'aveuglette** *adv* a ciegas

aviateur, -trice [avjatœʀ, -tʀis] *nm* aviador(ora) *m,f*

aviation [avjasjɔ̃] *nf* aviación *f*

avide [avid] *adj* ávido(a) (**de qch** de algo); **a. de faire qch** ansioso(a) por hacer algo

avidité [avidite] *nf* avidez *f*

avilir [aviliʀ] *vt* envilecer

avion [avjɔ̃] *nm* avión *m*; **en a.** e

avión; **par a.** *(courrier)* por vía aérea ■ **a. de chasse** caza *m*; **a. à réaction** avión a reacción, reactor *m*

aviron [aviʁɔ̃] *nm* remo *m*

avis [avi] *nm (opinion)* opinión *f*, parecer *m*; *(annonce, message)* aviso *m*; **changer d'a.** cambiar de opinión; **être d'a. que** ser del parecer o de la opinión que; **à mon a.** a mi parecer, en mi opinión; **sauf a. contraire** salvo objeciones ■ **a. de décès** notificación *f* de defunción

avisé, -e [avize] *adj* prudente; **être bien/mal d. de faire qch** hacer bien/mal en hacer algo

aviser [avize] **1** *vt* **a. qn de qch** informar a alguien de algo **2** *vi* decidir **3** *s'aviser vpr* **s'a. que** *(s'apercevoir)* percatarse de que; **et ne t'avise pas de recommencer!** ¡no se te ocurra volver a empezar!

av. J.-C. *(abrév avant Jésus-Christ)* a. de JC, a. JC

avocat¹, -e [avɔka, -at] *nm,f Jur* abogado(a) *m,f*; *Fig (défenseur)* defensor(ora) *m,f*

avocat² *nm (fruit)* aguacate *m*, *Andes, RP* palta *f*

avoine [avwan] *nf* avena *f*

avoir [1] [avwaʁ] **1** *vt* **(a)** tener; **il a une fille** tiene una hija; **elle a vingt ans** tiene veinte años; **a. faim/sommeil** tener hambre/sueño **(b)** *(obtenir)* obtener; **a. son permis de conduire** sacarse el carnet de conducir; **a. sa licence** licenciarse **(c)** *(expressions)* **en a. après qn** tener algo contra alguien; **j'en ai pour cinq minutes** sólo serán cinco minutos; *Fam* **se faire a.** dejarse engañar **(d)** **a. à** *(devoir)* tener que; **tu n'avais**

pas à lui parler sur ce ton no tenías que haberle hablado en este tono; **tu n'avais qu'à me le demander** no tenías más que preguntármelo; **tu n'as qu'à y aller toi-même** ve tú mismo

2 *v aux* haber; **je l'ai vu la semaine dernière** lo vi la semana pasada

3 *nm* haber *m*

4 il y a *v impersonnel* **(a)** *(il existe)* hay; **il y a des problèmes** hay problemas; **qu'est-ce qu'il y a?** ¿qué pasa? **(b)** *(dans le temps)* hace; **il y a dix ans (que)** hace diez años (que) **(c)** **il n'y a qu'à lui demander** no hay más que preguntarle

avoisinant, -e [avwazinɑ̃, -ɑ̃t] *adj (lieu, maison)* próximo(a); *(sens, couleur)* parecido(a)

avortement [avɔʁtəmɑ̃] *nm* aborto *m*; *Fig (d'un projet)* fracaso *m*

avorter [avɔʁte] **1** *vi* abortar; *Fig (échouer)* fracasar **2** *vt* **se faire a.** abortar

avouer [avwe] **1** *vt (confesser)* confesar; *(admettre)* reconocer, admitir **2** *s'avouer vpr* **s'a. coupable** declararse culpable; **s'a. vaincu** darse por vencido(a)

avril [avʁil] *nm* abril *m*; **le premier a.** ≃ el Día de los Inocentes; *voir aussi* **septembre**

axe [aks] *nm* eje *m*; *(d'une politique)* línea *f*; **dans l'a. de** *(dans le prolongement de)* en la misma línea que ■ **grand a. (routier)** carretera *f* troncal

axer [akse] *vt* **a. qch sur qch** centrar algo en algo

ayant *etc voir* **avoir**

azote [azɔt] *nm* nitrógeno *m*

Bb

B, b [be] *nm inv (lettre)* B *f*, b *f*
babines [babin] *nfpl* belfos *mpl*
bâbord [babɔr] *nm* babor *m*; **à b.** a
babor
baby-foot [babifut] *nm* futbolín *m*
baby-sitter *(pl baby-sitters)* [bebisi-
tœr] *nmf* canguro *mf*
baby-sitting [bebisitiŋ] *nm* **faire du
b.** *Esp* hacer de canguro, *Am* cuidar
niños
bac¹ [bak] *Fam* = **baccalauréat**
bac² *nm (bateau)* transbordador *m*; *(de
réfrigérateur)* bandeja *f* ▪ **b. à glace**
bandeja para los cubitos de hielo; **b.
à légumes** verdulero *m*
baccalauréat [bakalɔrea] *nm* =
examen y título de Bachillerato que
permite el acceso a los estudios
superiores
bâche [baʃ] *nf* cubierta *f* de lona
bachelier, -ère [baʃəlje, -ɛr] *nm,f* =
persona que ha aprobado el examen
de enseñanza secundaria
bâcler [bakle] *vt* hacer deprisa y
corriendo; **c'est du travail bâclé** es
una chapuza
bactérie [bakteri] *nf* bacteria *f*
badaud, -e [bado, -od] *nm,f*
mirón(ona) *mf*
badge [badʒ] *nm (d'identification)*
tarjeta *f*
badigeonner [badiʒɔne] *vt (mur)*
encalar; *(plaie)* cubrir (**de** de); *(tarte)*
recubrir (**de** de)
badiner [badine] *vi* **ne pas b. avec qch**
no jugar con algo
baffle [bafl] *nm* bafle *m*
bafouiller [bafuje] *vt & vi* farfullar
bagage [bagaʒ] *nm (valise)* maleta *f*;

(connaissances) bagaje *m*; **les
bagages** el equipaje; **b. culturel**
bagaje cultural ▪ **b. à main** bulto *m*
de mano
bagarre [bagar] *nf* pelea *f*
bagarrer [bagare] **se bagarrer** *vpr*
pelearse; **se b. pour faire qch** *(se
démener)* afanarse para hacer algo
bague [bag] *nf (bijou)* anillo *m*, sortija
f; *(de cigare)* vitola *f* ▪ **b. de fiançailles**
sortija de compromiso
baguette [bagɛt] *nf (pain)* barra *f* (de
pan); *(petit bâton)* varilla *f*; *(pour
manger)* palillo *m*; *(de chef d'orchestre)*
batuta *f*; *(de tambour)* baqueta *f* ▪ **b.
magique** varita *f* mágica
bahut [bay] *nm (buffet)* aparador *m*
baie¹ [be] *nf (fruit)* baya *f*
baie² *nf (crique)* bahía *f*
baie³ *nf* **b. vitrée** ventanal *m*
baignade [bɛɲad] *nf (action)* baño *m*;
b. interdite *(sur panneau)* prohibido
bañarse
baigner [beɲe] **1** *vt* bañar **2** *vi* **b. dans**
(être immergé dans) nadar en **3 se
baigner** *vpr* bañarse
baigneur, -euse [bɛɲœr, -øz] *nm,f*
bañista *mf*
baignoire [bɛɲwar] *nf* bañera *f*, *Arg*
bañadera *f*, *CAm, Col, Méx* tina *f*
bail [baj] *(pl* **baux** [bo]*) nm Jur*
contrato *m* de arrendamiento; *Fam
Fig* **ça fait un b. que...** hace un siglo
que...
bâiller [baje] *vi (personne)* bostezar;
(vêtement) dar de sí
bâillon [bajɔ̃] *nm* mordaza *f*
bâillonner [bajɔne] *vt (mettre un
bâillon à)* amordazar; *Fig* acallar

bain [bɛ̃] *nm* baño *m*; **prendre un b.** tomar un baño, bañarse; **prendre un b. de soleil** tomar el sol ■ **b. de mer** baño de mar; **b. moussant** baño de espuma; **b. de pieds** pediluvio *m*

baiser [beze] **1** *nm* beso *m* **2** *vt (embrasser)* besar; *Vulg (coucher avec)* follar con

baisse [bɛs] *nf* bajada *f*; *(de température)* descenso *m*; **être en b.** estar a la baja

baisser [bese] **1** *vt* bajar **2** *vi (température, prix)* descender, bajar; *(vue)* debilitarse **3** **se baisser** *vpr* agacharse

bal [bal] *nm* baile *m* ■ **b. masqué** *ou* **costumé** baile de máscaras o de disfraces; **b. populaire** *ou* **musette** baile popular

balade [balad] *nf Fam* paseo *m*; **faire une b.** dar un paseo; **partir en b.** salir de paseo

balader [balade] *Fam* **1** *vi* **envoyer b. qch** *(bousculer)* lanzar algo por los aires; *Fig* **envoyer b. qn** mandar a alguien a paseo **2** **se balader** *vpr* darse una vuelta

baladeur [baladœr] *nm* Walkman® *m*

balafre [balafr] *nf* cuchillada *f (en la cara)*

balai [bale] *nm (pour nettoyer)* escoba *f*; *(d'essuie-glace)* escobilla *f*; *Fam* **il a cinquante balais** tiene cincuenta tacos

balance [balɑ̃s] *nf* balanza *f*; *Astrol* **B. Libra** *f* ■ **b. commerciale** balanza comercial; **b. des paiements** balanza de pagos

balancer [balɑ̃se] [16] [balɑ̃se] **1** *vt (bouger)* balancear; *Fam (lancer)* tirar; *Fam (mettre à la poubelle)* tirar a la basura; *Fam (dénoncer)* chivar **2** **se balancer** *vpr (sur une chaise)* balancearse; *(sur une balançoire)* columpiarse; *Fam* **je m'en balance!** ¡me importa un bledo!

balancier [balɑ̃sje] *nm (de pendule)* péndulo *m*; *(de funambule)* balancín *m*

balançoire [balɑ̃swar] *nf* columpio *m*

balayer [53] [baleje] *vt (nettoyer)* barrer; *Fig (écarter)* desechar

balayeur, -euse [balɛjœr, -øz] *nm,f* barrendero(a) *m,f*

balbutier [66] [balbysje] **1** *vi* balbucear **2** *vt* balbucir

balcon [balkɔ̃] *nm (de maison)* balcón *m*; *(de théâtre)* palco *m*; *(de cinéma)* anfiteatro *m*

Baléares [balear] *nfpl* **les B.** (las) Baleares

baleine [balɛn] *nf* ballena *f*

balise [baliz] *nf (marque, dispositif)* baliza *f*; *Ordinat* etiqueta *f*

baliser [balize] **1** *vt* balizar **2** *vi Fam (avoir peur)* tener canguelo

balivernes [balivɛrn] *nfpl* pamplinas *fpl*

ballant, -e [balɑ̃, -ɑ̃t] *adj* **les bras ballants** con los brazos colgando

balle [bal] *nf (d'arme, de marchandises)* bala *f*; *(de jeu, de sport)* pelota *f*

ballerine [balrin] *nf* bailarina *f*

ballet [balɛ] *nm* ballet *m*; *Fig (activité intense)* baile *m*

ballon [balɔ̃] *nm (de sport)* balón *m*; *(jouet, montgolfière)* globo *m*; *Fam (verre de vin)* vaso *m* ■ **b. d'eau chaude** termo *m* de agua caliente

ballonné, -e [balɔne] *adj* hinchado(a)

ballottage [balɔtaʒ] *nm Pol* = empate entre candidatos en la primera vuelta de una votación; **en b.** = que no ha obtenido la mayoría

ballotter [balɔte] **1** *vt (secouer)* sacudir **2** *vi* traquetear

balluchon [balyʃɔ̃] = baluchon

balnéaire [balneɛr] *adj* costero(a)

balourd, -e [balur, -urd] *adj & nm,f* palurdo(a) *m,f*

balte [balt] **1** *adj* báltico(a); **les pays Baltes** los países bálticos **2** *nmf* **B.** báltico(a) *m,f*

Baltique [baltik] *nf* **la B.** el Báltico

baluchon [balyʃɔ̃] *nm* petate *m*; *Fig* **faire son b.** liar el petate

balustrade [balystrad] *nf Archit* balaustrada *f*; *(rambarde)* barandilla *f*

bambou [bɑ̃bu] *nm* bambú *m*

ban [bã] *nm (applaudissements)* aplauso *m*; **bans** *(de mariage)* amonestaciones *fpl*; **mettre qn au b. de la société** marginar a alguien de la sociedad

banal, -e, -als, -ales [banal] *adj* banal

banalité [banalite] *nf (caractère trivial)* trivialidad *f*; *(lieu commun)* tópico *m*

banane [banan] *nf (fruit)* plátano *m*; *(sac)* riñonera *f*; *(coiffure)* tupé *m*

bananier [bananje] *nm (arbre)* plátano *m*

banc [bã] *nm* banco *m* ■ **le b. des accusés** el banquillo de los acusados; **b. d'essai** banco de pruebas; *Can* **b. de neige** = nieve amontonada por el viento; **b. de sable** banco de arena

bancaire [bãker] *adj* bancario(a)

bancal, -e, -als, -ales [bãkal] *adj (meuble)* cojo(a); *Fig (raisonnement, idée)* errado(a)

bandage [bãdaʒ] *nm* vendaje *m*

bande [bãd] *nf (de tissu, de papier)* tira *f*; *(de film, d'enregistrement)* cinta *f*; *(bandage)* venda *f*; *(groupe)* pandilla *f*, *Naut* escora *f*; *(de billard)* & *Rad* banda *f*; **il fait toujours b. à part** siempre va por su cuenta ■ **b. d'arrêt d'urgence** carril *m* de emergencia; **b. dessinée** cómic *m*; **b. de fréquence** banda de frecuencia; **b. magnétique** cinta magnética; **b. sonore** banda sonora; **b. Velpeau** venda

bande-annonce *(pl* **bandes-annonces)** [bãdanɔ̃s] *nf* trailer *m*, avances *mpl*

bandeau, -x [bãdo] *nm (sur les yeux)* venda *f*; *(dans les cheveux)* cinta *f*

bander [bãde] *vt (plaie)* vendar; *(arc)* tensar; **b. les yeux à qn** vendar los ojos a alguien

banderole [bãdrɔl] *nf* banderola *f*

bande-son *(pl* **bandes-son)** [bãdsɔ̃] *nf* banda *f* sonora

bandit [bãdi] *nm (hors-la-loi)* ban-

dido(a) *m,f*; *(escroc)* estafador(ora) *m,f*

bandoulière [bãduljer] *nf* bandolera *f*; **en b.** en bandolera

banlieue [bãljø] *nf* afueras *fpl* ■ **la grande b.** el área metropolitana

banlieusard, -e [bãljøzar, -ard] *nm*, = habitante de las afueras de París

bannière [banjer] *nf* estandarte *m*

bannir [banir] *vt* desterrar

banque [bãk] *nf (établissement,* banco *m*; *(activité, au jeu)* banca ■ **b. d'affaires** banco de negocios *Ordinat* **b. de données** banco de datos; **b. en ligne** telebanca *f*; **b. d'organes** banco de órganos; **b. du sang** banco de sangre; **b. du sperme** banco de esperma

banqueroute [bãkrut] *nf (faillite,* bancarrota *f*; **faire b.** quebrar

banquet [bãke] *nm* banquete *m*

banquette [bãket] *nf* banqueta *f*; **b. arrière** *(d'une voiture)* asiento *m* trasero

banquier, -ère [bãkje, -er] *nm,* banquero(a) *m,f*; *(au jeu)* banca *f*

banquise [bãkiz] *nf* banco *m* de hielo

baptême [batem] *nm (sacrement,* bautismo *m*; *(cérémonie)* bautizo *m* ■ **b. de l'air** bautismo del aire

baptiser [batize] *vt* bautizar

baquet [bake] *nm* cubeta *f*

bar¹ [bar] *nm (café)* bar *m*; **au b.** *(au comptoir)* en la barra ■ *Suisse* **b. à café** cafetería *f*

bar² *nm (poisson)* lubina *f*

bar³ *nm (unité de pression)* bar *m*

baraque [barak] *nf (cabane)* barraca *f*, *Fam (maison)* casa *f*

baraquement [barakmã] *nm* zona de barracas

baratin [baratẽ] *nm Fam* charlatanería *f*

baratiner [baratine] *vt Fam* camelar

barbare [barbar] **1** *adj* bárbaro(a); *Péj (crime, mœurs)* salvaje **2** *nmf aussi Péj* bárbaro(a) *m,f*

barbarie [barbari] *nf* barbarie *f*

barbe [barb] *nf* barba *f; Fam* **quelle** *ou* **la b.!** ¡qué lata! ■ **b. à papa** algodón *m* (de azúcar)

barbecue [barbəkju] *nm* barbacoa *f*

barbelé, -e [barbəle] **1** *adj voir* **fil 2** *nm* alambre *m* de espino; **barbelés** *(clôture)* alambrada *f* de espino

barbiche [barbiʃ] *nf* perilla *f*

barbiturique [barbityrik] *nm* barbitúrico *m*

barboter [barbɔte] *vi (se baigner)* chapotear

barboteuse [barbɔtøz] *nf* pelele *m (prenda)*

barbouiller [barbuje] *vt (salir)* embadurnar; *Péj (peindre, écrire sur)* pintarrajear; **être barbouillé, avoir l'estomac barbouillé** tener el estómago revuelto

barbu, -e [barby] **1** *adj* barbudo(a) **2** *nm (personne)* barbudo *m*

barder¹ [barde] *vt Culin* enalbardar; *Fig* **être bardé de qch** *(décorations, diplômes)* estar cargado(a) de algo

barder² *vi Fam* **ça va b.!** ¡se va a armar (una)!

barème [barɛm] *nm* baremo *m*

baril [baril] *nm* barril *m*

bariolé, -e [barjɔle] *adj* abigarrado(a)

barman [barman] *(pl* **barmans** *ou* **barmen** [barmɛn]) *nm* barman *m*

baromètre [barɔmetr] *nm* barómetro *m*

baron, -onne [barɔ̃, -ɔn] *nm,f* barón(onesa) *m,f*

baroque [barɔk] *adj (style)* barroco(a); *(idée)* extravagante

barque [bark] *nf* barca *f*

barquette [barket] *nf (de fruits)* cestita *f; (de congélation)* bandeja *f*

barrage [baraʒ] *nm (sur une rivière)* embalse *m, Esp* presa *f, Am* represa *f; (sur la route)* barrera *f* ■ **b. de police** cordón *m* policial

barre [bar] *nf (de bois)* vara *f; (de métal, de chocolat)* barra *f; (gouvernail)* timón *m; (trait)* raya *f; Jur* barra *f;* **la b. du t** el palote de la t; *Jur* **appeler**

qn à la b. llamar a alguien al estrado (a declarar) ■ *Ordinat* **b. d'espacement** espaciador *m;* **b. fixe** barra fija; *Ordinat* **b. d'outils** barra de herramientas; **barres parallèles** (barras) paralelas *fpl*

barreau, -x [baro] *nm* barrote *m; Jur* **le b.** el Colegio de Abogados

barrer [bare] **1** *vt (rue, route)* cortar; *(mot)* tachar; *(chèque)* barrar; *(bateau)* llevar el timón de; *Can (fermer à clef)* cerrar (con llave); **b. la route à qn** cerrar el paso a alguien **2 se barrer** *upr Fam (partir)* abrirse

barrette [baret] *nf (à cheveux)* pasador *m*

barricade [barikad] *nf* barricada *f*

barricader [barikade] **1** *vt (rue)* obstruir con una barricada; *(porte)* atrancar **2 se barricader** *upr* atrincherarse

barrière [barjer] *nf* barrera *f* ■ **b. douanière** barrera arancelaria

barrique [barik] *nf* barrica *f*

baryton [baritɔ̃] *nm* barítono *m*

bas¹, basse [bɑ, bɑs] **1** *adj* bajo(a) **2** *nm (partie inférieure)* parte *f* de abajo, parte *f* inferior; **au b. de** en la parte inferior de; **de b. en haut** de abajo a arriba **3** *adv* bajo; **parler b.** hablar bajo; **mettre b.** parir; **à b. la dictature!** ¡abajo la dictadura!; **en b.** abajo

bas² *nm (vêtement)* media *f* ■ **des b. résille** medias de rejilla

basané, -e [bazane] *adj* moreno(a)

bas-côté *(pl* **bas-côtés**) [bɑkote] *nm Esp* arcén *m, Méx* acotamiento *m, RP* banquina *f*

bascule [baskyl] *nf (balance)* báscula *f; (balançoire)* balancín *m*

basculer [baskyle] **1** *vi* oscilar, bascular; *Fig* **b. dans qch** *(sujet: vie, film)* dar un vuelco hacia o a algo **2** *vt (renverser) Esp* tumbar, *Am* volcar, voltear; *(appel)* pasar

base [bɑz] *nf* base *f; (de colonne)* basa *f;* **à b. de qch** a base de algo; **de b.** *(connaissances)* básico(a); *(salaire)* base ■ *Ordinat* **b. de données** base de datos

baser [baze] **1** *vt* **b. qch sur** basar algo en; *Mil* **être basé à** estar destacado en **2 se baser** *vpr* **se b. sur qch** basarse en algo

bas-fond (*pl* **bas-fonds**) [bafɔ̃] *nm* (*dans l'océan*) bajío *m*, bajo *m*; **les bas-fonds** (*de la société*) los bajos fondos; (*quartiers pauvres*) los barrios bajos

basilic [bazilik] *nm* (*plante*) albahaca *f*

basilique [bazilik] *nf* basílica *f*

basket [baskɛt] **1** *nm* (*sport*) baloncesto *m* **2** *nf* (*chaussure*) zapatilla *f* de deporte

basket-ball [basketbol] *nm* baloncesto *m*

basque¹ [bask] **1** *adj* vasco(a) **2** *nmf* **B.** vasco(a) *m,f* **3** *nm* (*langue*) vasco *m*, euskera *m*

basque² *nf* (*de vêtement*) faldón *m*; *Fig* **être toujours pendu aux basques de qn** estar siempre pegado a las faldas de alguien

basse [bas] **1** *adj voir* **bas 2** *nf* (*en musique*) bajo *m*

basse-cour (*pl* **basses-cours**) [baskur] *nf* corral *m*

bassin [basɛ̃] *nm* (*cuvette*) barreño *m*; (*pièce d'eau*) estanque *m*; (*de piscine*) piscina *f*, *Méx* alberca *f*, *RP* pileta *f*; *Anat* pelvis *f inv*; *Géog* cuenca *f* ■ **grand b.** piscina para adultos; **petit b.** piscina para niños; **le B. parisien** la depresión parisina

bassine [basin] *nf* barreño *m*

basson [basɔ̃] *nm* (*instrument*) bajón *m*, fagot *m*; (*musicien*) bajonista *mf*

bastion [bastjɔ̃] *nm aussi Fig* bastión *m*

bas-ventre (*pl* **bas-ventres**) [bavɑ̃tr] *nm* bajo vientre *m*

bataille [bataj] *nf* (*militaire*) batalla *f*; (*bagarre*) riña *f*; (*jeu de cartes*) guerrilla *f*; **en b.** (*cheveux*) desgreñado(a) ■ **b. navale** (*jeu*) barcos *mpl*

bataillon [batajɔ̃] *nm* batallón *m*

bâtard, -e [bɑtar, -ard] **1** *adj* bastardo(a); *Péj* (*hybride*) híbrido(a) **2** *nm,f* *Péj* (*enfant illégitime*) bastardo(a) *m,f* **3** *nm* (*pain*) barra *f* de cuarto corta; (*chien*) chucho *m*

bateau, -x [bato] **1** *nm* barco *m*; *Fam Fig* **mener qn en b.** quedarse con alguien ■ **b. à moteur** (*petit*) barca *f* a motor; (*grand*) barco a motor; **b. de pêche** (*petit*) barca de pesca; (*grand*) (*barco*) pesquero *m*; **b. à voile** barco de vela **2** *adj inv* (*encolure, lit*) barco *inv*; (*sujet, argument*) trillado(a)

bateau-mouche (*pl* **bateaux-mouches**) [batomuʃ] *nm* = barco que da paseos por el Sena en París

bâti, -e [bati] **1** *adj* edificado(a); **bien b.** (*personne*) bien proporcionado(a) **2** *nm* (*en couture*) hilván *m*; *Constr* armazón *m o f*

bâtiment [batimɑ̃] *nm* (*édifice*) edificio *m*; (*navire*) navío *m*; **il travaille dans le b.** trabaja en la construcción

bâtir [batir] *vt* (*construire*) construir; (*en couture*) hilvanar; (*théorie*) elaborar; (*fortune*) labrarse

bâtisse [batis] *nf* caserón *m*

bâton [batɔ̃] *nm* (*canne*) bastón *m*; (*morceau*) (*de bois*) palo *m*; (*de rouge à lèvres, de craie, de réglisse*) barra *f*; *Fig* **mettre des bâtons dans les roues à qn** poner trabas a alguien; **à bâtons rompus** sin orden ni concierto ■ **b. de ski** bastón (*para esquiar*)

bâtonnet [batɔnɛ] *nm* bastoncillo *m*

battant, -e [batɑ̃, -ɑ̃t] **1** *adj* **sous une pluie battante** con un chaparrón; **le cœur b.** con el corazón palpitante **2** *nm,f* (*personne*) luchador(ora) *m,f* **3** *nm* (*de porte, de fenêtre*) batiente *m*; (*de cloche*) badajo *m*

battement [batmɑ̃] *nm* (*mouvement, bruit*) golpeteo *m*; (*intervalle de temps*) tiempo *m* libre; **une heure de b.** una hora libre ■ **b. d'ailes** aleteo *m*; **b. de cils** parpadeo *m*; **b. de cœur** latido *m*

batterie [batri] *nf* batería *f* ■ **b. de cuisine** batería de cocina

batteur, -euse [batœr, -øz] **1** *nm,f (musicien)* batería *mf; (au cricket, au base-ball)* bateador(ora) *m,f* **2** *nm (appareil ménager)* batidora *f* **3** *nf* **batteuse** *(machine agricole)* trilladora *f*

battre [11] [batr] **1** *vt (frapper) (personne)* pegar; *(tapis)* sacudir; *(vaincre)* ganar; *(en politique)* derrotar; *Culin* batir; *(cartes)* barajar; **b. les blancs en neige** batir las claras a punto de nieve **2** *vi (cœur)* latir; *(porte, volet)* golpetear; **b. des mains** tocar palmas; *Fig* **b. de l'aile** ir o andar de capa caída; **b. son plein** estar en su apogeo; **b. en retraite** batirse en retirada **3 se battre** *upr (combattre)* pelearse *(contre ou avec* con); *(s'acharner)* luchar *(pour/contre* por/contra)

battue [baty] *nf* batida *f*

baume [bom] *nm* bálsamo *m*

bavard, -e [bavar, -ard] *adj & nm,f* charlatán(ana) *m,f*

bavardage [bavardaʒ] *nm* charloteo *m;* **bavardages** *(racontars)* habladurías *fpl*

bavarder [bavarde] *vi* charlar; *(jaser)* cotillear

bave [bav] *nf* baba *f*

baver [bave] *vi* babear; *(stylo)* chorrear; *Fam* **en b.** pasarlas canutas

bavette [bavet] *nf (viande)* lomo *m* bajo; *(bavoir)* babero *m; Fam* **tailler une b. (avec qn)** pegar la hebra (con alguien), estar de palique (con alguien)

baveux, -euse [bavø, -øz] *adj (qui bave)* baboso(a); *(omelette)* poco hecho(a)

bavoir [bavwar] *nm* babero *m*

bavure [bavyr] *nf (tache)* tinta *f* corrida; *(erreur)* error *m* ■ **b. policière** error policial

bazar [bazar] *nm (boutique)* bazar *m; Fam (attirail)* bártulos *mpl; Fam* **quel b.!** *(désordre)* ¡vaya leonera!

BCG [beseʒe] *nm (abrév* **bacille Calmette-Guérin)** vacuna *f* de la tuberculosis

BD [bede] *nf (abrév* **bande dessinée) une BD** un tebeo o cómic, *RP* una tira cómica; **la BD** el cómic, *RP* la tira cómica

bd *(abrév* **boulevard)** bulevar *m*

béant, -e [beã, -ãt] *adj* muy abierto(a)

béat, -e [bea, -at] *adj (heureux)* plácido(a); *(niais)* beatífico(a)

beau, belle [bo, bel] *(mpl* **beaux)**

Delante de los nombres masculinos que empiezan por vocal o h muda se utiliza **bel** en lugar de **beau**.

1 *adj* hermoso(a); *(personne)* guapo(a); *(important)* bueno(a); **un b. jour** un buen día; **c'était bel et bien lui** sí que era él **2** *adv* **il fait b.** hace buen tiempo; **j'ai b. essayer, je n'y arrive pas** por más o mucho que lo intente, no lo consigo **3** *nm* **être au b. fixe** *(temps)* mantenerse; **avoir le moral au b. fixe** tener la moral muy alta; **faire le b.** *(chien)* ponerse a cuatro patas **4** *nf* **belle** *(dans un jeu)* desempate *m; Fam* **se faire la belle** tomar las de Villadiego; **de plus belle** con más fuerza que antes

beaucoup [boku] **1** *adv* mucho; **c'est b. mieux** es mucho mejor; **b. de** mucho(a); **b. de gens** mucha gente; **b. d'accidents** muchos accidentes; **de b.** con diferencia; **il s'en faut de b.** ni mucho menos **2** *pron inv* muchos(as); **nous sommes b. à penser que…** somos muchos los que pensamos que…

beau-fils *(pl* **beaux-fils)** [bofis] *nm (gendre)* yerno *m; (après remariage)* hijastro *m*

beau-frère *(pl* **beaux-frères)** [bofrer] *nm* cuñado *m*

beau-père *(pl* **beaux-pères)** [boper] *nm (père du conjoint)* suegro *m; (après remariage)* padrastro *m*

beauté [bote] *nf* belleza *f;* **de toute b.** bellísimo(a); **être en b.** estar guapísimo(a)

beaux-arts [bozar] *nmpl* bellas artes *fpl*

beaux-parents [boparã] *nmpl* suegros *mpl*

bébé [bebe] *nm (enfant)* bebé *m; (mammifère)* cachorro *m; (oiseau)* polluelo *m; Péj (personne immature)* crío(a) *m,f*

bébé-éprouvette *(pl* **bébés-éprouvette)** [bebeepruvet] *nm* bebé probeta *m*

bec [bɛk] *nm (d'oiseau)* pico *m; (d'instrument de musique)* boquilla *f; (de cruche)* pitorro *m; Can & Suisse (baiser)* beso *m; Fam* **clouer le b. à qn** cerrar el pico a alguien ▪ **b. de gaz** farol *m* de gas; **b. verseur** pitorro

bec-de-lièvre *(pl* **becs-de-lièvre)** [bɛkdəljɛvr] *nm* labio *m* leporino

bêche [bɛʃ] *nf* laya *f*

bêcher [beʃe] *vt (terrain)* layar

bécoter [bekɔte] *Fam* **se bécoter** *vpr* besuquearse

bedonnant, -e [bədɔnã, -ãt] *adj* barrigón(ona)

bée [be] *adj f voir* **bouche**

bégayer [53] [begeje] *vi* tartamudear

bègue [bɛg] *adj & nmf* tartamudo(a) *m,f*

beige [bɛʒ] **1** *adj* beige *inv* **2** *nm* beige *m*

beignet [bɛɲe] *nm* buñuelo *m*

bel [bɛl] *voir* **beau**

bêler [bele] *vi* balar

belette [bəlɛt] *nf* comadreja *f*

belge [bɛlʒ] **1** *adj* belga **2** *nmf* **B.** belga *mf*

Belgique [bɛlʒik] *nf* **la B.** Bélgica

bélier [belje] *nm (animal)* carnero *m; (poutre)* ariete *m; Astrol* **B.** Aries *m*

belle [bɛl] *voir* **beau**

belle-fille *(pl* **belles-filles)** [bɛlfij] *nf (épouse du fils)* nuera *f; (après remariage)* hijastra *f*

belle-mère *(pl* **belles-mères)** [bɛlmɛr] *nf (mère du conjoint)* suegra *f; (après remariage)* madrastra *f*

belle-sœur *(pl* **belles-sœurs)** [bɛlsœr] *nf* cuñada *f*

belvédère [bɛlvedɛr] *nm* mirador *m*

bémol [bemɔl] *nm* bemol *m*

bénédiction [benediksjɔ̃] *nf Rel* bendición *f; (assentiment)* beneplácito *m*

bénéfice [benefis] *nm* beneficio *m;* **au b. de** *(au profit de)* a beneficio de; **accorder à qn le b. du doute** conceder a alguien el beneficio de la duda

bénéficiaire [benefisjɛr] **1** *adj* **être b.** *(entreprise)* haber obtenido beneficios **2** *nmf (personne)* beneficiario(a) *m,f*

bénéficier [66] [benefisje] *vi* **b. de** *(obtenir, avoir)* disfrutar de; *(tirer profit de)* sacar provecho de

bénéfique [benefik] *adj* beneficioso(a)

Benelux [benelyks] *nm* **le B.** el Benelux

bénévole [benevɔl] *adj & nmf* voluntario(a) *m,f*

bénin, -igne [benɛ̃, -iɲ] *adj (maladie, accident)* leve; *(tumeur)* benigno(a)

bénir [benir] *vt* bendecir

bénit, -e [beni, -it] *adj voir* **eau**

benne [bɛn] *nf (de camion)* volquete *m; (de grue)* pala *f; (de téléphérique)* cabina *f; (wagonnet)* vagoneta *f* ▪ **b. à ordures** camión *m* de la basura

BEP [beape] *nm (abrév* **brevet d'études professionnelles)** = diploma de estudios profesionales que se obtiene a los diecisiete años

béquille [bekij] *nf (pour marcher)* muleta *f; (de deux-roues)* patilla *f*

berceau, -x [bɛrso] *nm (lit d'enfant, lieu d'origine)* cuna *f*

bercer [16] [bɛrse] **1** *vt (bébé)* acunar **2** **se bercer** *vpr* **se b. d'illusions** hacerse ilusiones

berceuse [bɛrsøz] *nf (chanson)* nana *f,* canción *f* de cuna; *Can (fauteuil)* mecedora *f*

béret [berɛ] *nm* boina *f*

berge¹ [bɛrʒ] *nf (bord)* orilla *f*

berge² *nf Fam* **il a cinquante berges** tiene cincuenta tacos

berger, -ère [bɛrʒe, -er] **1** *nm,f (personne)* pastor(ora) *m,f* **2** *nm* **b. allemand** pastor *m* alemán; **b. des Pyrénées** pastor del Pirineo **3** *nf* **bergère** *(fauteuil)* poltrona *f*

berlingot [bɛrlɛ̃go] *nm (bonbon)* = caramelo en forma de rombo; *(de lait)* bolsa *f*

bermuda [bɛrmyda] *nm* bermudas *fpl*

berner [bɛrne] *vt* engañar

besogne [bəzɔɲ] *nf* trabajo *m*

besoin [bəzwɛ̃] *nm* necesidad *f*; **avoir b. de** necesitar; **avoir b. de faire qch** necesitar hacer algo; **au b.** en caso de necesidad

bestial, -e, -aux, -ales [bɛstjal, -o] *adj* bestial

bestiole [bɛstjɔl] *nf* bicho *m*

bétail [betaj] *nm* ganado *m*

bête [bɛt] **1** *adj (stupide)* tonto(a); **c'est tout b.** *(simple)* es muy fácil; **c'est b.!** *(regrettable)* ¡qué tonto!, ¡qué tontería! **2** *nf* bestia *f*; **c'est ma b. noire** es lo que más odio ■ **b. de somme** bestia de carga

bêtise [betiz] *nf* tontería *f*, *CAm, Méx* babosada *f*, *RP* bobada *f*; *Can (injure)* insulto *m*

béton [betɔ̃] *nm* hormigón *m*

betterave [bɛtrav] *nf* remolacha *f* ■ **b. sucrière** *ou* **à sucre** remolacha azucarera

beur [bœr] *nmf* = francés de origen magrebí

beurre [bœr] *nm* mantequilla *f*; **un œil au b. noir** un ojo morado; *Fam* **faire son b.** *(s'enrichir)* hacer su agosto; **vouloir le b. et l'argent du b.** querer el oro y el moro ■ **b. de cacahouètes** mantequilla de cacahuete; **b. de cacao** manteca *f* de cacao

beurrer [bœre] *vt* untar con mantequilla

bévue [bevy] *nf* metedura *f* de pata; **commettre une b.** meter la pata

biais [bjɛ] *nm (en couture)* bies *m inv*; *(point de vue)* ángulo *m*; *(moyen détourné)* truco *m*; **de** *ou* **en b.** en diagonal; *(en couture)* al sesgo; **regarder qn de b.** mirar de reojo a alguien; **par le b. de** por medio de

biaiser [bjeze] *vi* andarse con rodeos

bibelot [biblo] *nm* bibelot *m*

biberon [bibrɔ̃] *nm Esp* biberón *m*, *Am* mamadera *f*

bible [bibl] *nf* biblia *f*; **la B.** la Biblia

bibliographie [biblijɔgrafi] *nf* bibliografía *f*

bibliothécaire [biblijɔtekɛr] *nmf* bibliotecario(a) *m,f*

bibliothèque [biblijɔtɛk] *nf (meuble)* librería *f*, biblioteca *f*; *(lieu)* & *Ordinat* biblioteca *f* ■ **b. de prêt** biblioteca de préstamo

Bic® [bik] *nm* boli *m*

bicarbonate [bikarbɔnat] *nm* bicarbonato *m* ■ **b. de soude** bicarbonato sódico

biceps [bisɛps] *nm* bíceps *m inv*

biche [biʃ] *nf* cierva *f*

bicolore [bikɔlɔr] *adj* bicolor

bicyclette [bisiklɛt] *nf* bicicleta *f*

bidet [bidɛ] *nm* bidé *m*

bidon [bidɔ̃] **1** *nm (récipient)* bidón *m* **2** *adj inv Fam (faux)* falso(a)

bidonville [bidɔ̃vil] *nm* barrio *m* de chabolas

bidule [bidyl] *nm Fam* chisme *m*

bien [bjɛ̃] **1** *adj inv* (**a**) *(satisfaisant)* bueno(a); **il est b., ce bureau** está bien este despacho; **il est b. comme prof** es buen profesor

(**b**) *(à l'aise)* **on est b. au soleil** se está bien al sol; **être b. avec qn** *(en bons termes)* llevarse bien con alguien

(**c**) *(en forme)* **je ne me sens pas très b.** no me encuentro muy bien

(**d**) *(beau)* bonito(a); **une robe drôlement b.** un vestido muy bonito

(**e**) *(moral)* bueno(a); **ce n'est pas b. de mentir** no está bien mentir

2 *nm* bien *m*; **biens** *(possessions)* bienes *mpl*; **dire du b. de** hablar bien de; **faire du b.** à sentar bien a ■ **biens de consommation** bienes de consumo

3 adv (a) (de manière satisfaisante) bien; **on mange b. ici** se come bien aquí; **c'est b. fait pour toi** te lo has merecido

(b) (beaucoup) mucho; (très) muy; **b. de** mucho(a); **il a b. de la chance** tiene mucha suerte; **b. souvent** muy a menudo; **b. plus tard** mucho más tarde; **elle est b. jolie** es muy bonita; **en es-tu b. sûr?** ¿estás completamente seguro?; **on a b. ri** nos hemos reído mucho

(c) (au moins) **il y a b. trois heures que j'attends** hace por lo menos tres horas que espero

(d) (sert à conclure ou à introduire) **b., c'est fini pour aujourd'hui** bueno, se acabó por hoy; **b., je t'écoute** bien o bueno, te escucho

(e) (en effet) **c'est b. lui** efectivamente es él; **c'est b. ce que je disais** es justo lo que yo decía

(f) (pourtant) **il faut b. que quelqu'un le fasse** alguien tiene que hacerlo; **il doit b. y avoir un moyen** debe de haber una manera de hacerlo

(g) (expressions) **b. entendu** desde luego, por supuesto; **b. que** aunque; **b. qu'il ait terminé son travail, il ne sortira pas** aunque ha terminado su trabajo, no saldrá; **b. sûr** desde luego, por supuesto

bien-aimé, -e (mpl bien-aimés, fpl bien-aimées) [bjɛneme] adj & nm,f amado(a) m,f

bien-être [bjɛnɛtr] nm bienestar m

bienfaisant, -e [bjɛfəzɑ̃, -ɑ̃t] adj beneficioso(a)

bienfait [bjɛfɛ] nm (faveur) favor m; (effet bénéfique) efecto m benéfico

bienfaiteur, -trice [bjɛfɛtœr, -tris] nm,f benefactor(ora) m,f

bien-fondé [bjɛfɔde] nm pertinencia f

bienheureux, -euse [bjɛnœrø, -øz] adj dichoso(a)

bientôt [bjɛto] adv pronto; **à b.** hasta pronto

bienveillance [bjɛvɛjɑ̃s] nf benevolencia f

bienveillant, -e [bjɛvɛjɑ̃, -ɑ̃t] adj benevolente

bienvenu, -e [bjɛvny] **1** adj (qui arrive à propos) oportuno(a) **2** nm,f **un café serait le b.** un café sería bienvenido; **soyez la bienvenue** sea usted bienvenida **3** nf **bienvenue** bienvenida f; **souhaiter la bienvenue à qn** dar la bienvenida a alguien; **Can bienvenue!** (de rien) ¡de nada!

bière¹ [bjɛr] nf (boisson) cerveza f ■ **b. blonde** cerveza rubia; **b. brune** cerveza negra; **b. pression** cerveza de barril

bière² nf (cercueil) ataúd m

biftek [biftɛk] nm bistec m

bifurcation [bifyrkasjɔ̃] nf bifurcación f

bifurquer [bifyrke] vi (route, voie ferrée) bifurcarse; (voiture) girar

bigamie [bigami] nf bigamia f

bigarré, -e [bigare] adj abigarrado(a)

bigorneau, -x [bigorno] nm bígaro m

bigoudi [bigudi] nm bigudí m

bijou, -x [biʒu] nm joya f ■ **bijoux fantaisie** bisutería f

bijouterie [biʒutri] nf joyería f

bijoutier, -ère [biʒutje, -ɛr] nm,f joyero(a) m,f

bilan [bilɑ̃] nm balance m; **déposer son b.** declararse en quiebra ■ **b. de santé** chequeo m

bilatéral, -e, -aux, -ales [bilateral, -o] adj (contrat, décision) bilateral

bile [bil] nf bilis f inv; Fam **se faire de la b.** preocuparse

bilingue [bilɛg] adj bilingüe

billard [bijar] nm (jeu) billar m; (table de jeu) mesa f de billar

bille [bij] nf (de verre) Esp canica f, Am bolita f; (de billard) bola f; (de bois) madero m

billet [bijɛ] nm billete m; (de cinéma,

de théâtre) entrada f ■ **b. d'avion**
billete de avión; **b. de banque** billete
de banco; **b. de train** billete de tren
billetterie [bijɛtri] nf (de gare, de
théâtre) Esp taquilla f, Am boletería f
■ **b. automatique** (de gare) máquina
f (expendedora) de billetes
bimensuel, -elle [bimãsɥɛl] adj
bimensual
binaire [binɛr] adj binario(a)
biochimie [bjɔʃimi] nf bioquímica f
biodégradable [bjɔdegradabl] adj
biodegradable
biographie [bjɔgrafi] nf biografía f
biologie [bjɔlɔʒi] nf biología f
biologique [bjɔlɔʒik] adj bioló-
gico(a)
bipède [biped] nm bípedo m
birman, -e [birmã, -an] **1** adj
birmano(a) **2** nm,f **B.** birmano(a) m,f
bis [bis] **1** adv (numéro) bis **2** exclam **b.!**
b.! ¡otra! ¡otra!
biscornu, -e [biskɔrny] adj (objet) de
forma irregular; (idée) retorcido(a)
biscotte [biskɔt] nf biscote m
biscuit [biskɥi] nm (gâteau sec) galleta
f; (porcelaine) porcelana f sin
esmaltar
bise [biz] nf (vent) cierzo m; Fam
(baiser) beso m; **faire la b. à qn** dar
dos besos a alguien
bisexuel, -elle [bisɛksɥɛl] adj
bisexual
bison [bizɔ̃] nm bisonte m
bisou [bizu] nm Fam besito m; **gros
bisous** (dans une lettre) un beso muy
fuerte
bissextile [bisɛkstil] adj **année b.** año
m bisiesto
bistro(t) [bistro] nm Fam bar m
bitume [bitym] nm (revêtement)
asfalto m
bizarre [bizar] adj extraño(a), raro(a)
blafard, -e [blafar, -ard] adj pálido(a)
blague [blag] nf (plaisanterie) chiste
m; (farce) broma f; **sans b.?** ¿de
verdad?
blaguer [blage] vi Fam (plaisanter)
bromear

blaireau, -x [blɛro] nm (animal) tejón
m; (pour se raser) brocha f de afeitar
blâme [blam] nm (désapprobation)
censura f; (sanction) sanción f
blâmer [blame] vt (désapprouver)
censurar
blanc, blanche [blã, blãʃ] **1** adj
blanco(a); (page, nuit) en blanco
inv
2 nm,f **B.** (personne) blanco(a) m,f
3 nm (couleur) blanco m; (sur papier)
espacio m en blanco; (dans la
conversation) silencio m; (de volaille)
pechuga f; (d'œuf) clara f; (vin) vino
m blanco; **le b.** (linge de maison) =
mantería, toallas y ropa de cama; **à
b.** (chauffer) al rojo blanco; (tirer) al
blanco
4 nf **blanche** Mus blanca f
blanchâtre [blãʃatr] adj blanque-
cino(a)
blancheur [blãʃœr] nf blancura f
blanchir [blãʃir] **1** vt (mur, tissu,
argent) blanquear; (linge) lavar;
(légumes) escaldar; Fig (accusé)
exculpar; **b. à la chaux** blanquear
con cal **2** vi (cheveux) encanecer
blanchisserie [blãʃisri] nf lavandería
f
blanchisseur, -euse [blãʃisœr, -øz]
nm,f lavandero(a) m,f
blasé, -e [blaze] adj hastiado(a)
blason [blazɔ̃] nm blasón m
blasphème [blasfɛm] nm blasfemia f
blasphémer [34] [blasfeme] vi
blasfemar
blatte [blat] nf cucaracha f
blazer [blazɛr] nm Esp americana f, Am
saco m
blé [ble] nm (céréale) trigo m; Fam
(argent) pasta f ■ Can **b. d'Inde** maíz
m
blême [blɛm] adj pálido(a)
blessant, -e [blɛsã, -ãt] adj hiriente
blessé, -e [blese] nm,f herido(a) m,f
blesser [blese] **1** vt (physiquement)
herir, hacer una herida a; (sujet:
souliers) hacer daño a; (moralement)
herir; **b. qn au bras** herir a alguien

en el brazo **2 se blesser** *vpr* hacerse una herida

blessure [blesyʀ] *nf* herida *f*

bleu, -e [blø] **1** *adj* azul; *(peu cuit)* poco hecho(a) **2** *nm (couleur)* azul *m*; *(meurtrissure)* cardenal *m*, morado *m*; *(fromage)* queso *m* azul; *Fam (novice)* recluta *m* ▪ **b. ciel** azul celeste; **b. marine** azul marino; **b. de travail** mono *m* de trabajo

bleuet [bløɛ] *nm* aciano *m*; *Can (baie)* arándano *m*

blindé, -e [blɛ̃de] *adj (véhicule, porte)* blindado(a)

bloc [blɔk] *nm* bloque *m*; *(groupe)* coalición *f*; *(bloc-notes)* bloc *m*; **visser à b.** atornillar bien; **en b.** en bloque ▪ **b. opératoire** quirófano *m*

blocage [blɔkaʒ] *nm (des prix, des salaires)* congelación *f*; *(d'une roue)* bloqueo *m*; *Psy* bloqueo *m* (mental)

bloc-notes [blɔknɔt] *(pl blocs-notes)* *nm* bloc *m* de notas

blocus [blɔkys] *nm* bloqueo *m*

blond, -e [blɔ̃, blɔ̃d] **1** *adj & nm,f* rubio(a) *m,f*, *Bol* choco(a) *m,f*, *Col* mono(a) *m,f*, *Méx* güero(a) *m,f*, *Ven* catire(a) *m,f*; **b. cendré/platine/vénitien** rubio ceniza/platino/bermejo **2** *nf* **blonde** *(cigarette)* rubio *m*; *(bière)* rubia *f*; *Can (petite amie)* novia *f*

bloquer [blɔke] **1** *vt* bloquear; *(prix, salaires)* congelar; *Can (examen)* suspender; *Belg Fam (étudier)* empollar **2 se bloquer** *vpr* bloquearse

blottir [blɔtiʀ] **se blottir** *vpr* acurrucarse

blouse [bluz] *nf (de travail, d'écolier)* bata *f*; *(chemisier)* blusa *f* ▪ **b. blanche** bata blanca

blouson [bluzɔ̃] *nm Esp* cazadora *f*, *CSur* campera *f*

bluff [blœf] *nm (aux cartes)* farol *m*; *Fig* fantasmada *f*

bluffer [blœfe] *vi* tirarse un farol

boa [bɔa] *nm* boa *f*

bobard [bɔbaʀ] *nm Fam* trola *f*

bobine [bɔbin] *nf (de fil)* bobina *f*; *(de ruban, de film)* carrete *m*

bocal, -aux [bɔkal, -o] *nm* tarro *m* ▪ **b. à poissons** pecera *f*

bœuf [bœf, *pl* bø] **1** *nm (animal)* buey *m*; *(viande)* vaca *f* ▪ **b. bourguignon** guiso *m* de carne de vaca **2** *adj inv Fam* **faire un effet b.** quedar imponente

bogue *nm Ordinat* error *m*

bohème [bɔɛm] *adj & nmf* bohemio(a) *m,f*

bohémien, -enne [bɔemjɛ̃, -ɛn] *nm,f (gitan)* gitano(a) *m,f*

boire [12] [bwaʀ] **1** *vt* beber; *(sujet: plante, roche poreuse)* chupar; **b. les paroles de qn** escuchar con fervor a alguien **2** *vi* beber

bois [bwa] **1** *nm (forêt)* bosque *m*; *(matériau de construction)* madera *f* ▪ **b. (de chauffage)** leña *f*; **b. mort** madera seca; **petit b.** leña menuda **2** *nmpl (instruments de musique)* instrumentos *mpl* de viento; *(cornes)* cornamenta *f*

boisé, -e [bwaze] *adj* poblado(a) de árboles

boiseries [bwazʀi] *nfpl* carpintería *f*

boisson [bwasɔ̃] *nf* bebida *f* ▪ **b. alcoolisée** bebida alcohólica; **b. gazeuse** bebida con gas; **b. non alcoolisée** bebida sin alcohol

boîte [bwat] *nf (récipient)* caja *f*; *Fam (entreprise)* empresa *f*; *Fam (discothèque)* discoteca *f*; **en b.** *(en conserve)* en lata ▪ **b. de conserve** lata *f* de conservas; **b. à gants** guantera *f*; **b. aux lettres** buzón *m*; **b. à musique** caja de música; **b. postale** apartado *m* de correos; **b. de vitesses** caja de cambios

boiter [bwate] *vi* cojear

boiteux, -euse [bwatø, -øz] *adj & nm,f* cojo(a) *m,f*

boîtier [bwatje] *nm* caja *f*

boive *etc voir* **boire**

bol [bɔl] *nm* tazón *m*, bol *m*; **prendre un b. d'air** tomar el aire; *Fam* **avoir du b.** tener suerte

bolide [bɔlid] *nm* bólido *m*

Bolivie [bɔlivi] *nf* **la B.** Bolivia

bolivien, -enne [bɔlivjɛ̃, -ɛn] **1** *adj* boliviano(a) **2** *nm,f* **B.** boliviano(a) *m,f*

bombardement [bɔ̃bardəmɑ̃] *nm* bombardeo *m*

bombarder [bɔ̃barde] *vt Mil* bombardear; *Fig* **b. qn de qch** *(accabler)* bombardear a alguien de algo

bombe [bɔ̃b] *nf (projectile)* bomba *f*; *(atomiseur)* spray *m*; *(de cavalier)* gorra *f (de jinete)* ▪ **b. atomique** bomba atómica; **b. incendiaire** bomba incendiaria; **b. à retardement** bomba de efecto retardado

bon¹, bonne [bɔ̃, bɔn] **1** *adj* (a) *(agréable, bien fait)* bueno(a) (b) *(dans l'expression d'un souhait)* **anniversaire!** ¡feliz cumpleaños!; **bonne soirée!, b. après-midi!** ¡adiós! (c) *(doué)* bueno(a); **elle est bonne en espagnol** se le da bien el español (d) *(exact) (réponse)* correcto(a) (e) *(bénéfique)* bueno(a); **il serait b. de...** convendría...; **c'est b. à savoir** está bien saberlo (f) *(adéquat)* adecuado(a); **arriver au b. moment** llegar en un momento oportuno; **être b. à jeter** estar para tirar (g) *(valable) (ticket, abonnement)* válido(a) (h) *(en intensif)* **deux bonnes heures** dos horas largas; **j'ai attrapé un b. rhume** he pillado un buen resfriado (i) *(généreux, gentil)* bueno(a) **2** *adv* **il fait b.** hace buen tiempo; **sentir b.** oler bien **3** *exclam* ¡bueno!; **ah b.?** ¡vaya! **4** *nm,f (personne)* **un b. à rien** un inútil; **les bons et les méchants** los buenos y los malos **5** *nm* **ça a du b.** tiene cosas buenas; **pour de b.** de verdad

bon² [bɔ̃] *nm (coupon)* bono *m* ▪ **b. de commande** nota *f* de pedido, orden *f*; **b. du Trésor** bono del Tesoro, obligación *f* del Estado

bonbon [bɔ̃bɔ̃] *nm (friandise)* caramelo *m*; *Belg (biscuit)* galleta *f*

bonbonne [bɔ̃bɔn] *nf (de gaz)* bombona *f*; *(de vin, d'huile)* garrafa *f*

bond [bɔ̃] *nm* brinco *m*; **faire un b.** *(bondir)* dar un brinco; *(progresser)* dar un salto; **se lever d'un b.** levantarse de un salto; **faire faux b. à qn** fallarle a alguien

bonde [bɔ̃d] *nf (d'évier)* desagüe *m*; *(bouchon)* tapón *m*

bondé, -e [bɔ̃de] *adj* abarrotado(a)

bondir [bɔ̃dir] *vi (sauter)* brincar; *(s'élancer)* abalanzarse; *(réagir violemment)* saltar; **b. sur** saltar sobre

bonheur [bɔnœr] *nm (félicité)* felicidad *f*; *(chance)* suerte *f*; **porter b. (à)** dar suerte; **par b.** por suerte

bonhomme [bɔnɔm] *(pl bonshommes* [bɔ̃zɔm]) *nm (représentation)* muñeco *m*; *(petit garçon)* hombrecito *m*; *Fam (homme)* tío *m* ▪ **b. de neige** muñeco de nieve

bonjour [bɔ̃ʒur] **1** *nm* dire **b. à qn** saludar a alguien **2** *exclam (le matin)* ¡buenos días!, *Am* ¡buen día!; *(l'après-midi)* ¡buenas tardes!; *(en général)* ¡hola!

bon marché [bɔ̃marʃe] *adj inv* barato(a)

bonne [bɔn] **1** *adj voir* **bon 2** *nf Esp* criada *f*, *Bol, CSur* mucama *f*

bonnement [bɔnmɑ̃] *adv* **tout b.** lisa y llanamente

bonnet [bɔnɛ] *nm (chapeau)* gorro *m*; *(de soutien-gorge)* copa *f* ▪ **b. de bain** gorro de baño

bonneterie [bɔnetri] *nf (marchandise)* géneros *mpl* de punto

bonsoir [bɔ̃swar] **1** *nm* dire **b. à qn** saludar a alguien *(de tarde o de noche)* **2** *exclam (l'après-midi)* ¡buenas tardes!; *(la nuit)* ¡buenas noches!; *(en général)* ¡hola!

bonté [bɔ̃te] *nf* bondad *f*; **avoir la b. de faire qch** tener la bondad de hacer algo

bonus [bɔnys] *nm (supplément)* plus *m*; *(d'assurance automobile)* bonificación *f*

bord [bɔr] *nm (extrémité, côté)* borde

m; (rivage) orilla *f; (lisière)* lindero *m;
(bordure) (de vêtement) ribete *m; (de
chapeau)* ala *f;* **au b. de** al borde de;
au b. de la mer a orillas del mar;
(vacances) en la playa, en la costa;
être au b. des larmes estar a punto
de llorar; **à b. de** *(bateau, avion)* a
bordo de; **passer par-dessus b.** caer
por la borda

bordeaux [bɔrdo] **1** *adj (couleur)*
burdeos *inv* **2** *nm (vin, couleur)*
burdeos *m inv*

bordée [bɔrde] *nf Can* **b. (de neige)**
nevada *f*

border [bɔrde] *vt (être en bordure de)*
bordear; *(lit)* remeter; *(personne au
lit)* arropar; *Naut* costear; **bordé de**
(sujet: route) bordeado(a) de

bordereau, -x [bɔrdəro] *nm (liste)*
relación *f* detallada; *(formulaire)*
impreso *m*

bordure [bɔrdyr] *nf (bord)* borde *m;
(de fleurs)* bordura *f; (de vêtement)*
ribete *m;* **en b. de qch** al borde de algo

borgne [bɔrɲ] **1** *adj (personne)*
tuerto(a); *Fig (hôtel)* de mala muerte
2 *nmf* tuerto(a) *m,f*

borne [bɔrn] *nf (marque)* mojón *m;
Fam (kilomètre)* kilómetro *m; Fig
dépasser les bornes* pasarse de la
raya; **sans bornes** sin límites ∎ **b.
kilométrique** mojón *m*

borné, -e [bɔrne] *adj (obtus)* corto(a)
de alcances

borner [bɔrne] **1** *vt* limitar **2 se borner**
vpr **se b. à qch/à faire qch** limitarse a
algo/a hacer algo

Bosnie [bɔsni] *nf* **la B.(-Herzégovine)**
Bosnia Herzegóvina

bosquet [bɔskɛ] *nm* bosquecillo *m*

bosse [bɔs] *nf (à la suite d'un coup)*
chichón *m; (de bossu, de chameau)*
giba *f,* joroba *f; (de terrain)* montículo
m

bosser [bɔse] *vi Fam* currar

bossu, -e [bɔsy] *adj & nm,f*
jorobado(a) *m,f*

botanique [bɔtanik] **1** *adj* botánico(a)
2 *nf* botánica *f*

botte [bɔt] *nf (chaussure)* bota *f; (de
foin, de légumes)* manojo *m; (en
escrime)* estocada *f* ∎ **bottes en
caoutchouc** botas de goma

botter [bɔte] *vt Fam* **b. les fesses à qn**
dar una patada en el culo a alguien;
Fam **ça me botte** me chifla

bottillon [bɔtijɔ̃] *nm* bota *f*

Bottin® [bɔtɛ̃] *nm Fam (annuaire
téléphonique)* guía *f* telefónica

bottine [bɔtin] *nf* botín *m*

bouc [buk] *nm (animal)* macho *m*
cabrío; *(barbe)* perilla *f* ∎ **b.
émissaire** chivo *m* expiatorio

boucan [bukɑ̃] *nm Fam* jaleo *m*

bouche [buʃ] *nf* boca *f;* **rester b. bée**
quedarse boquiabierto(a); **de b. à
oreille** de boca en boca ∎ **b. d'égout**
alcantarilla *f;* **b. d'incendie** boca de
incendios; **b. de métro** boca de metro

bouché, -e [buʃe] *adj (obstrué)*
atascado(a); *(vin, cidre)* embotella-
do(a); *(oreille)* taponado(a); *Fam (stupide)* bobo(a)

bouche-à-bouche [buʃabuʃ] *nm inv*
boca a boca *m*

bouchée [buʃe] *nf* bocado *m*

boucher[1], -ère [buʃe, -ɛr] *nm,f*
carnicero(a) *m,f*

boucher[2] *vt (bouteille, trou, vue)*
tapar; *(passage)* interceptar

boucherie [buʃri] *nf* carnicería *f*

bouche-trou *(pl* **bouche-trous)**
[buʃtru] *nm Fam (personne)* figu-
rante(a) *m,f; (objet)* relleno *m*

bouchon [buʃɔ̃] *nm (de bouteille)*
tapón *m, Am* tapa *f; (de canne à pêche)*
flotador *m; (emboutteillage)* Esp atasco
m, Col trancón *m, Méx* atorón *m, RP*
embotellamiento *m*

boucle [bukl] *nf (de ceinture, de soulier)*
hebilla *f; (de cheveux, looping)* rizo *m;
(de fleuve)* meandro *m* ∎ **b. d'oreille**
Esp pendiente *m, Am* aro *m, Urug*
caravana *f, Ven* zarcillo *m*

bouclé, -e [bukle] *adj (cheveux)*
rizado(a); **un petit garçon tout b.** un
niño con el pelo rizado

boucler [bukle] **1** *vt (attacher)*

abrocharse; *(cheveux)* rizar, *Méx* enchinar, *RP* enrular; *Fam (fermer)* cerrar; *Fam (enfermer)* encerrar; *(quartier)* acordonar; *Fam (terminer)* acabar; *Fam* **boucle-la!** ¡cierra el pico! **2** *vi (cheveux)* rizarse, *Méx* enchinarse, *RP* enrularse

bouclier [buklije] *nm* escudo *m*

bouddhiste [budist] *adj & nmf* budista *mf*

bouder [bude] **1** *vi (être renfrogné)* enfurruñarse **2** *vt (personne)* esquivar; *(chose)* pasar de

boudeur, -euse [budœr, -øz] *adj* enfurruñado(a)

boudin [budɛ̃] *nm* morcilla *f* ■ **b. blanc** = embutido de carne blanca y leche

boue [bu] *nf (terre)* barro *m*

bouée [bwe] *nf* boya *f* ■ **b. de sauvetage** salvavidas *m inv*

boueux, -euse [bwø, -øz] *adj* fangoso(a)

bouffe [buf] *nf Fam* comida *f*

bouffée [bufe] *nf (d'air)* bocanada *f*; *(de parfum)* tufarada *f*; *(de cigarette)* calada *f*; *(accès)* arrebato *m* ■ **b. de chaleur** sofoco *m*

bouffer [bufe] *vt & vi Fam* comer

bouffi, -e [bufi] *adj (yeux, visage)* abotargado(a)

bougeoir [buʒwar] *nm* palmatoria *f*

bougeotte [buʒɔt] *nf Fam* **avoir la b.** ser (un) culo de mal asiento

bouger [45] [buʒe] **1** *vt* mover **2** *vi* moverse **3** *se bouger* *vpr Fam* moverse

bougie [buʒi] *nf (chandelle)* vela *f*; *(de moteur)* bujía *f*

bougonner [bugɔne] *vi* refunfuñar

bouillabaisse [bujabes] *nf Culin* bullabesa *f*

bouillant, -e [bujɑ̃, -ɑ̃t] *adj (eau, café)* hirviendo; *Fig (tempérament, personne)* ardiente

bouillie [buji] *nf (pour bébé)* papilla *f*; **réduire qch en b.** hacer puré de algo

bouillir [13] [bujir] *vi (liquide)* hervir; **faire b. qch** hervir algo; *Fig* **b. de**

colère estar poseído(a) de cólera; **b. d'impatience** estar muerto(a) de impaciencia

bouilloire [bujwar] *nf* hervidora *f*

bouillon [bujɔ̃] *nm (soupe)* caldo *m*; *(bulle)* borbotón *m*; **à gros bouillons** a borbotones

bouillonner [bujɔne] *vi (liquide, torrent)* borbotear, borbollar; *Fig (s'agiter)* hervir

bouillotte [bujɔt] *nf* bolsa *f* de agua caliente

boulanger, -ère [bulɑ̃ʒe, -ɛr] *nm,f* panadero(a) *m,f*

boulangerie [bulɑ̃ʒri] *nf* panadería *f*; **b.-pâtisserie** panadería-confitería *f*

boule [bul] *nf* bola *f*; *(de loto)* ficha *f*; **se rouler en b.** hacerse una bola; *Fam* **perdre la b.** volverse majareta ■ **b. de neige** bola de nieve; *Fig* **faire b. de neige** hacerse una bola de nieve

bouledogue [buldɔg] *nm* buldog *m*

boulet [bulɛ] *nm (de canon)* bala *f*; *(de forçat)* grillete *m*; *Fig (fardeau)* cruz *f*

boulette [bulɛt] *nf (de pain, de papier)* bolita *f*; *(de viande)* albóndiga *f*; *Fam* **faire une b.** *(bévue)* meter la pata

boulevard [bulvar] *nm (rue)* bulevar *m*; **le (théâtre de) b.** la comedia ligera

bouleversant, -e [bulvɛrsɑ̃, -ɑ̃t] *adj* conmovedor(ora)

bouleverser [bulvɛrse] *vt (émouvoir)* conmocionar, trastornar; *(modifier)* perturbar, trastornar

boulimie [bulimi] *nf* bulimia *f*

boulon [bulɔ̃] *nm* perno *m*

boulot [bulo] *nm Fam* trabajo *m*

bouquet [bukɛ] *nm (de fleurs)* ramo *m*; *(d'un vin)* buqué *m*; *Fig* **ça c'est le b.!** ¡lo que faltaba!

bouquin [bukɛ̃] *nm Fam* libro *m*

bouquiner [bukine] *vt & vi Fam* leer

bouquiniste [bukinist] *nmf* = librero de viejo

bourbier [burbje] *nm* barrizal *m*; *Fig (situation)* lodazal *m*

bourde [burd] *nf Fam (baliverne)* bola *f* *(mentira)*; **faire une b.** *(gaffe)* meter la pata

bourdon [burdɔ̃] *nm* *(insecte)* abejorro *m*; *Fam* **avoir le b.** tener morriña

bourdonnement [burdɔnmɑ̃] *nm* *(d'insecte, de moteur)* zumbido *m*; *(de voix)* murmullo *m*

bourdonner [burdɔne] *vi* zumbar

bourgeois, -e [burʒwa, -az] *adj & nm,f* burgués(esa) *m,f*

bourgeoisie [burʒwazi] *nf* burguesía *f* ▪ **la haute b.** la alta burguesía

bourgeon [burʒɔ̃] *nm* yema *f*, brote *m*

Bourgogne [burgɔɲ] *nf* **la B.** Borgoña

bourrage [buraʒ] *nm* *(de coussin)* relleno *m* ▪ *Fam* **b. de crâne** lavado *m* de cerebro

bourrasque [burask] *nf* borrasca *f*

bourratif, -ive [buratif, -iv] *adj* *Fam* pesado(a)

bourré, -e [bure] *adj* *très Fam (ivre)* *Esp* pedo *inv*, *CAm* bolo(a), *Méx* cuete *inv*, *RP* en cuete, en pedo; **b. de qch** *(plein)* lleno(a) de algo

bourreau, -x [buro] *nm* verdugo *m* ▪ *Hum* **b. des cœurs** rompecorazones *m inv*

bourrelet [burlɛ] *nm* *(de graisse)* michelín *m*; *(sous une porte)* burlete *m*

bourrer [bure] **1** *vt (coussin)* rellenar; *(valise)* abarrotar; *(fusil, pipe)* cargar; **b. qn de qch** *(nourriture)* atiborrar a alguien de algo **2 se bourrer** *upr* **se b. de gâteaux** atiborrarse de pasteles

bourrique [burik] *nf (ânesse)* burra *f*; *Fam (personne)* burro(a) *m,f*

bourru, -e [bury] *adj* huraño(a)

bourse [burs] *nf (porte-monnaie)* monedero *m*; *(d'études)* beca *f*; *Fin* **la B.** la Bolsa

boursier, -ère [bursje, -ɛr] **1** *adj (élève)* becario(a); *Fin* bursátil **2** *nm,f (étudiant)* becario(a) *m,f*; *Fin* bolsista *mf*

boursouflé, -e [bursufle] *adj* hinchado(a)

bousculade [buskylad] *nf (cohue)* avalancha *f*; *(précipitation)* prisa *f*

bousculer [buskyle] *vt (pousser)* empujar, dar un empujón a; *(presser)* meter prisa a; *Fig (habitudes)* tirar, hacer caer

bousiller [buzije] *vt Fam* cargarse

boussole [busɔl] *nf* brújula *f*

bout [bu] *nm (extrémité)* punta *f*; *(fin)* final *m*; *(morceau)* trozo *m*; **au b. de trois jours** al cabo de tres días; **b. à b.** uno(a) al lado de otro(a); **d'un b. à l'autre** de punta a punta, de cabo a rabo; **jusqu'au b.** hasta el final; **être à b.** *(physiquement, nerveusement)* estar exhausto(a); **pousser qn à b.** sacar a alguien de sus casillas; **venir à b. de** acabar con

boutade [butad] *nf* broma *f*

boute-en-train [butɑ̃trɛ̃] *nm inv* alma *f*

bouteille [butɛj] *nf* botella *f*; *(de gaz)* bombona *f*

boutique [butik] *nf* tienda *f*

bouton [butɔ̃] *nm (de vêtement, interrupteur)* botón *m*; *(de porte)* tirador *m*; *(sur la peau)* grano *m*; *(bourgeon)* botón *m*, yema *f* ▪ **b. de manchette** gemelo *m*

bouton-d'or *(pl* **boutons-d'or)** [butɔ̃dɔr] *nm* botón *m* de oro

boutonner [butɔne] **1** *vt* abrochar **2 se boutonner** *upr* abrocharse

boutonnière [butɔnjɛr] *nf* ojal *m*

bouture [butyr] *nf* esqueje *m*

bowling [buliŋ] *nm (jeu)* bolos *mpl*; *(lieu)* bolera *f*

box *(pl* **boxes)** [bɔks] *nm (d'une écurie)* box *m*; *(pour voiture)* cochera *f*, garaje *m* ▪ **le b. des accusés** el banquillo de los acusados

boxe [bɔks] *nf Esp* boxeo *m*, *Am* box *m*

boxer [bɔkse] *vi* boxear

boxeur [bɔksœr] *nm* boxeador *m*

boyau, -x [bwajo] *nm (chambre à air)* tubular *m*; *(corde)* cuerda *f (de tripa)*; *(galerie)* galería *f* estrecha; **boyaux** *(intestins)* tripas *fpl*

boycotter [bɔjkɔte] *vt* boicotear

BP [bepe] *(abrév* **boîte postale)** Apdo.

bracelet [brasle] *nm (bijou)* pulsera *f*; *(de montre)* correa *f*

bracelet-montre *(pl* **bracelets-**

montres) [braslɛmɔ̃tr] *nm* reloj *m* de pulsera

braconner [brakɔne] *vi (chasser)* practicar la caza furtiva; *(pêcher)* practicar la pesca furtiva

braconnier, -ère [brakɔnje, -ɛr] *nm,f (chasseur)* cazador(ora) *m,f* furtivo(a); *(pêcheur)* pescador(ora) *m,f* furtivo(a)

brader [brade] *vt* liquidar

braderie [bradri] *nf (soldes)* liquidación *f*

braguette [bragɛt] *nf* bragueta *f*

braille [braj] *nm* braille *m*

brailler [braje] *vi* berrear

braire [28] [brɛr] *vi* rebuznar

braise [brɛz] *nf* brasa *f*

brancard [brɑ̃kar] *nm (civière)* camilla *f*; *(d'attelage)* varal *m*

branchage [brɑ̃ʃaʒ] *nm* ramaje *m*; **des branchages** ramas *fpl* cortadas

branche [brɑ̃ʃ] *nf (d'arbre)* rama *f*; *(de lunettes)* patilla *f*; *(de compas)* pierna *f*; *(secteur, discipline)* ramo *m*

branchement [brɑ̃ʃmɑ̃] *nm* conexión *f*

brancher [brɑ̃ʃe] *vt (à une prise)* enchufar; *(à un réseau)* conectar; *Fam* **ça te branche de venir au ciné?** ¿te molaría venir al cine?

brandir [brɑ̃dir] *vt* blandir

branlant, -e [brɑ̃lɑ̃, -ɑ̃t] *adj (meuble)* cojo(a)

braquer [brake] **1** *vt Fam (attaquer)* atracar; **b. qch sur qch/qn** *(arme)* apuntar a algo/alguien con algo; *(lampe)* dirigir algo hacia algo/alguien; *(regard)* fijar algo en algo/alguien **2** *vi (en voiture)* girar **3 se braquer** *upr (personne)* rebotarse

bras [bra] *nm* brazo *m*; **b. dessus, b. dessous** del brazo; **à b. ouverts** con los brazos abiertos ■ *Fig* **b. droit** brazo derecho, mano *f* derecha; **b. de fer** *(jeu)* pulso *m*; **faire un b. d'honneur à qn** hacer un corte de mangas a alguien; **b. de mer** brazo de mar

brasier [brazje] *nm* hoguera *f*

bras-le-corps [bralkɔr] **à bras-le-corps** *adv* por la cintura

brassage [brasaʒ] *nm (de bière)* braceado *m*; *Fig (mélange)* mezcla *f*

brassard [brasar] *nm* brazalete *m*

brasse [bras] *nf (nage)* braza *f*; **nager la b.** nadar a braza ■ **b. papillon** mariposa *f*

brassée [brase] *nf* brazada *f*

brasser [brase] *vt (mélanger)* remover; **b. la bière** elaborar cerveza; *Fig* **b. de l'argent** manejar dinero

brasserie [brasri] *nf (café-restaurant)* café restaurante *m*; *(usine de bière)* cervecería *f*

brassière [brasjɛr] *nf (de bébé)* camisita *f*; *Can (soutien-gorge)* sujetador *m*

brave [brav] *adj (courageux)* valiente; *(naïf)* inocentón(ona) valiente; **un b. homme** un buen hombre

braver [brave] *vt (défier)* desafiar; *(mépriser)* afrontar

bravo [bravo] *exclam* ¡bravo!

bravoure [bravur] *nf* valentía *f*

break [brɛk] *nm* furgoneta *f*

brebis [brəbi] *nf* oveja *f* ■ *Fig* **b. galeuse** oveja negra

brèche [brɛʃ] *nf* brecha *f*

bredouille [brəduj] *adj* **rentrer b.** volver con las manos vacías

bredouiller [brəduje] *vi & vt* balbucear

bref, brève [brɛf, brɛv] **1** *adj* breve **2** *adv* resumiendo, en resumen; **en b.** en pocas palabras **3** *nf* **brève** *Journ* noticia *f* breve

Brésil [brezil] *nm* **le B.** (el) Brasil

brésilien, -enne [breziljɛ̃, -ɛn] **1** *adj* brasileño(a), *CSur* brasilero(a) **2** *nm,f* **B.** brasileño(a) *m,f*, *CSur* brasilero(a) *m,f*

Bretagne [brətaɲ] *nf* **la B.** (la) Bretaña

bretelle [brətɛl] *nf (de vêtement)* tirante *m*; *(de fusil)* bandolera *f*; *(d'autoroute)* enlace *m*; **bretelles** *(pour pantalon)* *Esp* tirantes *mpl*, *CSur* tiradores *mpl*

breton, -onne [brətɔ̃, -ɔn] **1** *adj*

bretón(ona) *2 nm,f* **B.** bretón(ona) *m,f*
3 *nm (langue)* bretón *m*

breuvage [bʁœvaʒ] *nm* brebaje *m*

brève [bʁɛv] *voir* **bref**

brevet [bʁəvɛ] *nm (certificat, diplôme)*
diploma *m*; *(d'invention)* patente *f*
■ **b. des collèges** = examen escolar
que se realiza a los quince años; **b.
de technicien** diploma técnico

breveter [42] [bʁəvte] *vt* patentar

bric-à-brac [bʁikabʁak] *nm inv*
batiburrillo *m*; *(boutique)* tienda *f* de
objetos de segunda mano

bricolage [bʁikɔlaʒ] *nm (travail
manuel)* bricolaje *m*; *(réparation
provisoire, travail bâclé)* chapuza *f*

bricole [bʁikɔl] *nf (objet)* tontería *f*; *Fig
(fait insignifiant)* menudencia *f*

bricoler [bʁikɔle] **1** *vi (faire des travaux
manuels)* hacer bricolaje **2** *vt Fam
(réparer)* arreglar; *(fabriquer)* hacer

bricoleur, -euse [bʁikɔlœʁ, -øz] **1** *adj*
mañoso(a) **2** *nm,f* manitas *mf inv*

bride [bʁid] *nf (de cheval)* brida *f*

bridge [bʁidʒ] *nm (jeu de cartes)*
bridge *m*; *(prothèse dentaire)* puente *m*

brièvement [bʁijɛvmɑ̃] *adv* breve-
mente

brigade [bʁigad] *nf Mil* destacamento
m; *(d'ouvriers, d'employés)* brigada *f*

brigand [bʁigɑ̃] *nm (bandit)*
bandolero *m*; *(homme malhonnête)*
sinvergüenza *m*

brillamment [bʁijamɑ̃] *adv* brillantemente

brillant, -e [bʁijɑ̃, -ɑ̃t] **1** *adj* brillante,
Méx brilloso(a) **2** *nm (diamant)*
brillante *m*; *(éclat)* brillo *m*

briller [bʁije] *vi* brillar

brimer [bʁime] *vt* humillar

brin [bʁɛ̃] *nm (de paille, de muguet)*
brizna *f*; *(fil)* hilo *m*; *Fig* **un b. de**
(petite quantité) una pizca de; **faire
un b. de toilette** lavarse un poco por
encima ■ **b. d'herbe** brizna de
hierba

brindille [bʁɛ̃dij] *nf* ramita *f*

bringue [bʁɛ̃g] *nf Fam (fête)* **faire la b.**
salir de marcha

brio [bʁijo] *nm (talent)* ingenio *m*; **avec
b.** brillantemente

brioche [bʁijɔʃ] *nf (pâtisserie)* brioche
m, bollo *m*; *Fam* **avoir de la b.** *(du
ventre)* tener barriga

brioché, -e [bʁijɔʃe] *adj* de brioche

brique [bʁik] *nf (de construction)*
ladrillo *m*

briquer [bʁike] *vt* dar lustre a, sacar
brillo a

briquet [bʁikɛ] *nm* encendedor *m*,
mechero *m*

brise [bʁiz] *nf* brisa *f*

brise-lames [bʁizlam] *nm inv*
rompeolas *m inv*

briser [bʁize] **1** *vt (objet, grève)* romper;
(carrière, espoir) destrozar; *(résistance,
orgueil)* vencer; **b. le cœur à qn**
romperle el corazón a alguien
2 se briser *vpr* romperse; *(espoir)*
venirse abajo

britannique [bʁitanik] **1** *adj*
británico(a) **2** *nmf* **B.** británico(a) *m,f*

broc [bʁo] *nm* jarra *f*

brocante [bʁɔkɑ̃t] *nf (activité)* venta *f*
de objetos usados o viejos; *(magasin)*
baratillo *m*, cacharrería *f*

brocanteur, -euse [bʁɔkɑ̃tœʁ, -øz]
nm,f anticuario(a) *m,f*

broche [bʁɔʃ] *nf (bijou)* broche *m*;
(pour rôtir) pincho *m*, brocheta *f*; *Méx*
clavo *m*; *Él* enchufe *m* macho; **cuire à
la b.** asar en el espetón

broché, -e [bʁɔʃe] *adj (tissu,
briscado(a); (livre)* en rústica

brochet [bʁɔʃɛ] *nm* lucio *m*

brochette [bʁɔʃɛt] *nf* pincho *m*; *Fig
(groupe)* ramillete *m*

brochure [bʁɔʃyʁ] *nf* folleto *m*

brocoli [bʁɔkɔli] *nm* brócoli *m*, bréco
m

broder [bʁɔde] **1** *vt (tissu)* bordar **2** *vi
(exagérer)* exagerar

broderie [bʁɔdʁi] *nf* bordado *m*

broncher [bʁɔ̃ʃe] *vi* rechistar; **sans b.**
sin rechistar

bronches [bʁɔ̃ʃ] *nfpl* bronquios *mpl*

bronchite [bʁɔ̃ʃit] *nf* bronquitis *f inv*

bronzage [bʁɔ̃zaʒ] *nm* bronceado *m*

bronze [brɔ̃z] *nm* bronce *m*

bronzer [brɔ̃ze] *vi* broncearse

brosse [brɔs] *nf* cepillo *m*; *(pinceau)* brocha *f*; **en b.** *(coiffure)* al cepillo ■ **b. à cheveux** cepillo para el pelo; **b. à dents** cepillo de dientes

brosser [brɔse] 1 *vt (cheveux, habits)* cepillar; *(portrait)* bosquejar; *Belg Fam* **b. un cours** hacer novillos 2 *se brosser upr (se nettoyer)* cepillarse; **se b. les cheveux/les dents** cepillarse el pelo/los dientes

brouette [bruet] *nf* carretilla *f*

brouhaha [bruaa] *nm* guirigay *m*

brouillard [brujar] *nm* niebla *f*

brouillé, -e [bruje] *adj (teint)* turbado(a); **il est b. avec son père** ha reñido con su padre

brouiller [bruje] 1 *vt (vue)* nublar; *(teint)* turbar; *(émission)* interferir en 2 *se brouiller upr (se fâcher)* pelearse (**avec** con); *(vue)* nublarse; *(devenir confus)* confundirse

brouillon, -onne [brujɔ̃, -ɔn] 1 *adj (élève)* desordenado(a); *(travail)* sucio(a) 2 *nm* borrador *m*; **au b.** en sucio

broussaille [brusaj] *nf* **broussailles** maleza *f*; **en b.** *(cheveux)* enmarañado(a)

brousse [brus] *nf* sabana *f*

brouter [brute] 1 *vt* pacer 2 *vi (animal)* pacer; *(embrayage)* vibrar

broyer [32] [brwaje] *vt* moler; **b. du noir** estar deprimido(a)

bru [bry] *nf Vieilli* nuera *f*

brugnon [brynjɔ̃] *nm* nectarina *f*

bruine [bruin] *nf* llovizna *f*, *Am* garúa *f*

bruiner [bruine] *v impersonnel* **il bruine** está chispeando

bruissement [bruismã] *nm (de la soie)* roce *m*

bruit [brui] *nm* ruido *m*; *(rumeur)* rumor *m*; **faire du b.** hacer ruido; *Fig (faire sensation)* dar mucho de que hablar; **sans b.** sin hacer ruido; **le b. court que...** corre el rumor de que... ■ **b. de fond** ruido de fondo

bruitage [bruitaʒ] *nm* efectos *mpl* de sonido

brûlant, -e [brylã, -ãt] *adj (objet)* que quema; *(soleil)* abrasador(ora); *(front)* que arde; *(amour)* ardiente; *(question)* candente; **la soupe est brûlante** la sopa quema

brûle-pourpoint [brylpurpwɛ̃] **à brûle-pourpoint** *adv* a quemarropa

brûler [bryle] 1 *vt (détruire)* quemar; *(sujet: soleil)* abrasar; *(sujet: fumée, piment)* irritar; *(feu rouge)* saltarse 2 *vi (être détruit)* quemarse; **b. de désir/d'impatience** arder en deseos de/impaciencia 3 *se brûler upr* quemarse

brûlure [brylyr] *nf (lésion, marque)* quemadura *f*; *(sensation)* ardor *m*; **avoir des brûlures d'estomac** tener ardor de estómago

brume [brym] *nf* bruma *f*

brumeux, -euse [brymø, -øz] *adj (temps)* nuboso(a)

brun, -e [brœ̃, bryn] 1 *adj (cheveux, personne)* moreno(a), *Andes, RP* morocho(a); *(bière, tabac)* negro(a) 2 *nm,f (personne)* moreno(a) *m,f* 3 *nm (couleur)* castaño *m* 4 *nf* **brune** *(cigarette)* cigarrillo *m* negro; *(bière)* cerveza *f* negra

brunir [brynir] 1 *vt (peau)* tostar; *(métal)* bruñir 2 *vi (cheveux)* oscurecerse; *(peau, personne)* tostarse

Brushing® [brœʃiŋ] *nm* peinado *m* con secador

brusque [brysk] *adj* brusco(a)

brusquement [bryskəmã] *adv* bruscamente

brusquer [bryske] *vt (presser)* precipitar; *(traiter sans ménagement)* ser duro(a) con

brut, -e [bryt] *adj (pétrole, toile)* crudo(a); *(pierre, minerai)* en bruto; *(cidre)* seco(a); *Fig (donnée, fait)* desnudo(a); *(salaire, produit)* bruto(a)

brutal, -e, -aux, -ales [brytal, -o] *adj (violent)* brutal, violento(a); *(soudain)* repentino(a); **être b. avec qn**

comportarse como un animal con alguien

brutaliser [brytalize] *vt* maltratar

brute [bryt] *nf (personne violente)* animal *m*

Bruxelles [brysɛl] *n* Bruselas

bruyamment [brɥijamɑ̃] *adv* ruidosamente

bruyant, -e [brɥijɑ̃, -ɑ̃t] *adj* ruidoso(a)

bruyère [bryjɛr, brɥijɛr] *nf (plante)* brezo *m; (lande)* brezal *m*

BTS [beteɛs] *nm (abrév* **brevet de technicien supérieur**) = diploma de técnico superior que se realiza en dos años de estudios después del bachillerato

bu, -e *pp voir* boire

buanderie [bɥɑ̃dri] *nf* lavadero *m*

bûche [byʃ] *nf* tronco *m; Fam* **prendre** *ou* **ramasser une b.** *(tomber)* pegarse un batacazo ■ **b. de Noël** tronco de Navidad, brazo *m* de gitano

bûcher¹ [byʃe] *nm (supplice)* hoguera *f, (funéraire)* pira *f*

bûcher² *vt & vi Fam (étudier)* empollar

bûcheron [byʃrɔ̃] *nm* leñador *m*

bûcheur, -euse [byʃœr, -øz] *adj & nm,f Fam* empollón(ona) *m,f*

budget [bydʒɛ] *nm* presupuesto *m*

budgétaire [bydʒetɛr] *adj* presupuestario(a)

buée [bɥe] *nf* vaho *m*

buffet [byfɛ] *nm (meuble)* aparador *m; (réception)* bufé *m* ■ **b. de gare** bar-restaurante *m* de estación

buffle [byfl] *nm* búfalo *m*

buisson [bɥisɔ̃] *nm* matorral *m*

buissonnière [bɥisɔnjer] *adj f voir* **école**

bulbe [bylb] *nm* bulbo *m*

bulgare [bylgar] **1** *adj* búlgaro(a) **2** *nmf* **B.** búlgaro(a) *m,f* **3** *nm (langue)* búlgaro *m*

Bulgarie [bylgari] *nf* **la B.** Bulgaria

bulldozer [buldozɛr] *nm Esp* bulldozer *m, CSur* topadora *f*

bulle [byl] *nf (d'air, de gaz) & Méd* burbuja *f; (de bande dessinée)*

bocadillo *m* ■ **b. de savon** pompa de jabón

bulletin [byltɛ̃] *nm (publication imprimé)* boletín *m; Scol* notas *fpl (certificat)* recibo *m* ■ **b. méteó** parte *m* meteorológico; **b. de salaire** *ou* **de paie** nómina *f;* **b. de santé** parte médico; **b. de vote** papeleta *f*

bureau, -x [byro] *nm (lieu de travail service)* oficina *f; (meuble)* mesa *f* de despacho; *(pièce)* despacho *m (comité directeur)* comité *m* ■ **b. de change** oficina de cambio; **b d'études** gabinete *m* de estudios; **b. de poste** oficina de correos; **b. de tabac** estanco *m;* **b. de vote** colegio *m* electoral

bureaucratie [byrokrasi] *nf* burocracia *f*

Bureautique® [byrotik] *nf* ofimática *f*

burette [byrɛt] *nf (de mécanicien* aceitera *f; (de chimiste)* bureta *f*

burin [byrɛ̃] *nm (outil)* buril *m*

buriné, -e [byrine] *adj (visage, traits* surcado(a) por las arrugas

burlesque [byrlɛsk] *adj (comique ridicule)* grotesco(a); *Th* burlesco(a)

bus [bys] *nm (transport) Esp* autobús *m, Arg* colectivo *m, CAm, Méx* camión *m, Chile* micro *m, Col, Ecuad, Ven* buseta *f, Cuba* guagua *f, Uru* ómnibus *m; Ordinat* bus *m*

buste [byst] *nm* busto *m*

bustier [bystje] *nm* bustier *m*

but [byt] *nm (objectif)* objetivo *m,* meta *f; (intention)* fin *m; (destination* destino *m; Sp (point)* gol *m; Sp* le **buts** *(cage, poteaux)* la portería; **aller droit au b.** ir directo al grano **toucher au b.** alcanzar la meta; **dan le b. de faire qch** con el fin de hacer algo

butane [bytan] *nm* butano *m*

buté, -e [byte] *adj* terco(a)

buter [byte] **1** *vi* **b. sur** *ou* **contre qch** *(pierre)* tropezar con algo; *Fig (difficulté)* encallarse en algo **2** *se* **buter** *vpr* emperrarse

butin [bytɛ̃] *nm* botín *m*
buvard [byvar] *nm* (*papier*) papel *m* secante; (*sous-main*) secafirmas *m inv*

buvette [byvɛt] *nf* bar *m*
buveur, -euse [byvœr, -øz] *nm,f* bebedor(ora) *m,f*

Cc

C, c [se] *nm inv* (*lettre*) C *f*, c *f*
c' *voir* ce²
ça [sa] *pron démonstratif* (*pour désigner un objet*) eso; (*le plus proche du locuteur*) esto; **ça y est** ya está; **ça vaut mieux** más vale; **c'est ça** eso es; **comment ça va?** ¿qué tal?; **où ça?** ¿dónde?; **quand ça?** ¿cuándo?; **qui ça?** ¿quién?
çà [sa] **çà et là** *adv* aquí y allá
cabane [kaban] *nf* (*abri*) cabaña *f*, *CAm, Cuba* bohío *m*; (*remise*) caseta *f*; *Fam* (*prison*) chirona *f* ▪ **c. à lapins** conejera *f*
cabaret [kabarɛ] *nm* cabaret *m*
cabillaud [kabijo] *nm* bacalao *m* fresco
cabine [kabin] *nf* (*de navire*) camarote *m*; (*d'avion, de fusée*) cabina *f* ▪ **c. de douche** ducha *f*; **c. d'essayage** probador *m*; **c. téléphonique** cabina telefónica
cabinet [kabinɛ] *nm* (*petite pièce*) & *Pol* gabinete *m*; (*toilettes*) retrete *m*, *Arg* inodoro *m*, *Urug* wáter *m*; (*dentaire, médical*) consultorio *m* ▪ **c. d'avocats** bufete *m*, consultorio jurídico; **c. de toilette** cuarto *m* de baño
câble [kɑbl] *nm* cable *m*
cabrer [kɑbre] **se cabrer** *vpr* (*cheval*) encabritarse; *Fig* (*s'irriter*) saltar
cabriole [kabrijɔl] *nf* cabriola *f*
cabriolet [kabrijɔlɛ] *nm* cabriolé *m*
cacahouète, cacahuète [kakawɛt] *nf Esp* cacahuete *m*, *CAm, Méx*

cacahuate *m*, *Andes, RP, Ven* maní *m*
cacao [kakao] *nm* cacao *m*
cache [kaʃ] **1** *nf* (*cachette*) escondite *m* **2** *nm* (*d'appareil photo*) tapa *f* (del objetivo)
cache-cache [kaʃkaʃ] *nm inv* **jouer à c.** jugar al escondite
cachemire [kaʃmir] *nm* cachemira *f*
cache-nez [kaʃne] *nm inv* bufanda *f*
cacher [kaʃe] **1** *vt* esconder; (*masquer*) tapar; **il m'a caché qu'il avait un fils** me ocultó que tenía un hijo; **je ne vous cache pas que…** no le niego que… + *subjonctif* **2 se cacher** *vpr* esconderse
cachet [kaʃɛ] *nm* (*comprimé*) tableta *f*; (*sceau*) sello *m*; (*rétribution*) cachet *m*; **avoir du c.** tener carácter ▪ **c. de la poste** matasellos *m inv*
cacheter [42] [kaʃte] *vt* (*enveloppe*) cerrar; (*bouteille*) precintar
cachette [kaʃɛt] *nf* escondite *m*; **en c.** a escondidas
cachot [kaʃo] *nm* calabozo *m*
cachotterie [kaʃɔtri] *nf* **faire des cachotteries (à qn)** andarse con tapujos (con alguien)
cactus [kaktys] *nm* cactus *m inv*
cadavérique [kadaverik] *adj* cadavérico(a)
cadavre [kadɑvr] *nm* cadáver *m*
Caddie® [kadi] *nm* (*de supermarché*) carrito *m*
cadeau, -x [kado] *nm* regalo *m*; **faire c. de qch à qn** regalar algo a alguien

cadenas [kadnɑ] *nm* cadenado *m*
cadence [kadɑ̃s] *nf (de musique)* cadencia *f*; *(de travail)* ritmo *m*; **en c.** al compás
cadet, -ette [kadɛ, -ɛt] **1** *adj* menor **2** *nm,f (plus jeune)* menor *mf*; **être le c. de qn** ser más joven que alguien; **il est mon c. de deux ans** tiene dos años menos que yo
cadran [kadrɑ̃] *nm (de montre)* esfera *f*; *(de téléphone)* disco *m*; *(de compteur)* frontal *m* de datos y lectura ■ **c. solaire** reloj *m* de sol
cadre [kadr] *nm (bordure, contexte)* marco *m*; *(sur formulaire)* recuadro *m*; *(décor, milieu)* ambiente *m*; *(responsable)* ejecutivo *m*; **dans le c. de** en el marco de ■ **c. moyen** cargo *m* intermedio; **c. supérieur** ejecutivo
cadrer [kadre] **1** *vi (concorder)* concordar (**avec** con) **2** *vt* Phot, Cin & TV encuadrar
caduc, caduque [kadyk] *adj (feuille)* caduco(a); *(périmé)* obsoleto(a)
cafard [kafar] *nm (insecte)* cucaracha *f*; *Fam* **avoir le c.** *(être triste)* estar deprimido(a)
café [kafe] *nm (plante, boisson)* café *m*; *(lieu)* bar *m*, *CSur* confitería *f* ■ **c. crème** café con leche; **c. instantané o soluble; c. au lait** café con leche; *Suisse* **c. nature** café solo; **c. noir** café solo; **c. en poudre** *ou* **soluble** café instantáneo o soluble
caféine [kafein] *nf* cafeína *f*
cafetière [kaftjɛr] *nf* cafetera *f*
cage [kaʒ] *nf (pour animaux)* jaula *f*; **mettre en c.** enjaular ■ **c. d'ascenseur** hueco *m* del ascensor; **c. d'escalier** hueco *m* de la escalera; **c. thoracique** caja *f* torácica
cageot [kaʒo] *nm (caisse)* banasta *f*
cagneux, -euse [kaɲø, -øz] *adj (genoux)* torcido(a)
cagnotte [kaɲɔt] *nf* bote *m*
cagoule [kagul] *nf (passe-montagne)* pasamontañas *m inv*; *(de pénitent)* capirote *m*; *(de voleur)* verdugo *m*
cahier [kaje] *nm* cuaderno *m* ■ **c. de**

brouillon cuaderno de sucio; **c. des charges** pliego *m* de condiciones
cahin-caha [kaɛ̃kaa] *adv* **aller c.** ir tirando
caille [kaj] *nf* codorniz *f*
cailler [kaje] **1** *vi (lait)* cuajarse; *(sang)* coagularse; *Fam* **ça caille!** ¡qué frío! **2 se cailler** *vpr Fam* helarse
caillot [kajo] *nm* coágulo *m*
caillou, -x [kaju] *nm* piedra *f*
Caire [kɛr] *voir* **Le Caire**
caisse [kɛs] *nf* caja *f* ■ **c. enregistreuse** caja registradora; **c. d'épargne** caja de ahorros; **c. de retraite** caja de pensiones; *Mus* **grosse c.** bombo *m*
caissier, -ère [kesje, -ɛr] *nm,f (de banque, de magasin)* cajero(a) *m,f*; *(au cinéma) Esp* taquillero(a) *m,f*, *Am* boletero(a) *m,f*
cajoler [kaʒɔle] *vt* mimar, *Méx* apapachar
cajou [kaʒu] *nm voir* **noix**
calamar [kalamar] *nm* calamar *m*
calamité [kalamite] *nf* catástrofe *f*
calcaire [kalkɛr] **1** *adj* calcáreo(a) **2** *nm* caliza *f*
calcium [kalsjɔm] *nm* calcio *m*
calcul [kalkyl] *nm aussi Méd* cálculo *m*
calculateur, -trice [kalkylatœr, -tris] **1** *adj* calculador(ora) **2** *nf* **calculatrice** calculadora *f*; **calculatrice de poche** calculadora de bolsillo
calculer [kalkyle] *vt* calcular
calculette [kalkylɛt] *nf* minicalculadora *f*
cale [kal] *nf (de navire)* cala *f*; *(pour immobiliser)* taco *m*; *(pour mettre d'aplomb)* cuña *f*; **en c. sèche** en dique seco
caleçon [kalsɔ̃] *nm (d'homme)* calzoncillos *mpl*, *Col* pantaloncillos *mpl*, *Ven* interiores *mpl*; *(de femme) Esp* mallas *fpl*, *Am* leggings *mpl*, medias *fpl* de gimnasia
calembour [kalɑ̃bur] *nm* juego *m* de palabras
calendrier [kalɑ̃drije] *nm (à accrocher)*

almanaque *m*; *(planning)* agenda *f*; *(système)* calendario *m*

calepin [kalpɛ̃] *nm* bloc *m* de notas

caler [kale] **1** *vt (immobiliser)* calzar; *(installer)* instalar **2** *vi (moteur, véhicule)* calarse; *Fam (être bloqué)* rendirse; *Fam (être rassasié)* estar lleno(a)

calfeutrer [kalføtre] **1** *vt (porte, fenêtre)* tapar con burletes **2 se calfeutrer** *upr* recluirse, encerrarse

calibre [kalibr] *nm (de fusil, de fruit) & Fig* calibre *m*; *Tech* calibrador *m*

califourchon [kalifurʃɔ̃] **à califourchon** *adv* a horcajadas *(sur* en o sobre)

câlin, -e [kɑlɛ̃, -in] **1** *adj (personne)* mimoso(a); *(regard, ton)* acariciador(ora) **2** *nm* mimo *m*

calmant [kalmɑ̃] *nm (pour la douleur)* calmante *m*; *(pour l'anxiété)* tranquilizante *m*

calmar [kalmar] = **calamar**

calme [kalm] **1** *adj* tranquilo(a) **2** *nm* calma *f*; **garder son c.** conservar la calma ▪ *Naut* **c. plat** calma chicha; *Fig* **c'est le c. plat** está todo tranquilísimo

calmer [kalme] **1** *vt* calmar **2 se calmer** *upr* calmarse; *(vent)* amainar

calomnie [kalɔmni] *nf* calumnia *f*

calomnier [66] [kalɔmnje] *vt* calumniar

calorie [kalɔri] *nf* caloría *f*

calotte [kalɔt] *nf (bonnet)* bonete *m*; *Fam (gifle)* torta *f*

calque [kalk] *nm (papier)* papel *m* de calco; *(copie)* calco *m*; *Fig (imitation)* copia *f*

calvaire [kalvɛr] *nm* calvario *m*

calvitie [kalvisi] *nf* calvicie *f*

camarade [kamarad] *nmf (ami)* compañero(a) *m,f*; *Pol* camarada *mf* ▪ **c. d'école ou de classe** compañero(a) de escuela o de clase

camaraderie [kamaradri] *nf* camaradería *f*

Cambodge [kɑ̃bɔdʒ] *nm* **le C.** Camboya

cambouis [kɑ̃bwi] *nm* grasa *f (de vehículo, máquina, etc)*

cambriolage [kɑ̃brijɔlaʒ] *nm* robo *m*

cambrioler [kɑ̃brijɔle] *vt (maison)* robar; **j'ai été cambriolé** han robado en mi casa

cambrioleur, -euse [kɑ̃brijɔlœr, -øz] *nm,f* ladrón(ona) *m,f*

camée [kame] *nm (bijou)* camafeo *m*

caméléon [kameleɔ̃] *nm* camaleón *m*

camelote [kamlɔt] *nf Péj* baratija *f*

camembert [kamɑ̃bɛr] *nm* camembert *m*

caméra [kamera] *nf* cámara *f*

cameraman [kameraman] *(pl* **cameramans** *ou* **cameramen** [kameramen]) *nm* cámara *m*

Caméscope® [kameskɔp] *nm* cámara *f* de vídeo, videocámara *f*

camion [kamjɔ̃] *nm* camión *m*

camion-citerne *(pl* **camions-citernes)** [kamjɔ̃sitern] *nm* camión *m* cisterna

camionnette [kamjɔnɛt] *nf* camioneta *f*

camionneur [kamjɔnœr] *nm (conducteur)* camionero(a) *m,f*; *(entrepreneur)* transportista *mf*

camomille [kamɔmij] *nf* manzanilla *f*

camouflage [kamuflaʒ] *nm (déguisement) & Mil* camuflaje *m*; *Fig (de preuves)* ocultación *f*

camoufler [kamufle] *vt (dissimuler)* disimular; *(preuves, intentions)* ocultar; **ils ont camouflé le meurtre en suicide** han hecho que el asesinato parezca un suicidio

camp [kɑ̃] *nm (lieu où l'on campe)* campamento *m*; *(lieu d'internement)* campo *m* de prisioneros; *(dans un match)* campo *m*; *(parti)* bando *m* ▪ **c. de concentration** campo de concentración; **c. de vacances** colonias *fpl*

campagnard, -e [kɑ̃paɲar, -ard] *adj & nm,f* campesino(a) *m,f*

campagne [kɑ̃paɲ] *nf (régions rurales)* campo *m*; *Mil, Com & Pol* campaña *f*; **faire c. pour qch** hacer campaña a favor de algo ■ **c. d'affichage** campaña de publicidad exterior; **c. électorale** campaña electoral; **c. de presse** campaña de prensa; **c. publicitaire** campaña publicitaria

camper [kɑ̃pe] **1** *vi (faire du camping)* hacer camping; *Fig (s'installer provisoirement)* quedarse, parar; **c. sur ses positions** seguir en sus trece **2** *vt (chapeau)* plantar; *(personnage, scène)* describir

campeur, -euse [kɑ̃pœr, -øz] *nm,f* campista *mf*

camping [kɑ̃piŋ] *nm* camping *m*; **faire du c.** hacer camping ■ **c. sauvage** acampada *f* libre

camping-car *(pl* camping-cars) [kɑ̃piŋkar] *nm* = furgoneta acondicionada para camping

campus [kɑ̃pys] *nm* campus *m*

Canada [kanada] *nm* **le C.** (el) Canadá

canadien, -enne [kanadjɛ̃, -ɛn] **1** *adj* canadiense **2** *nm,f* **C.** canadiense *mf* **3** *nf* **canadienne** *(tente)* tienda *f (de* campaña) canadiense

canal, -aux [kanal, -o] *nm* canal *m*; *Can (chaîne de télé)* canal *m*, cadena *f*; **le c. de Panama** el canal de Panamá

canalisation [kanalizɑsjɔ̃] *nf (conduit)* canalización *f*

canaliser [kanalize] *vt (cours d'eau)* canalizar; *Fig (foule, énergie)* encauzar

canapé [kanape] *nm (siège)* sofá *m*; *Culin* canapé *m*

canapé-lit *(pl* canapés-lits) [kanapeli] *nm* sofá cama *m*

canard [kanar] *nm (oiseau)* pato *m*; *Fam (journal)* periódico *m*

canari [kanari] *nm* canario *m*

cancans [kɑ̃kɑ̃] *nmpl* cotilleos *mpl*; **colporter des c. sur qn** cotillear de alguien

cancer [kɑ̃ser] *nm Méd* cáncer *m*; *Astrol* **C.** Cáncer *m*

cancéreux, -euse [kɑ̃serø, -øz] *adj & nm,f* canceroso(a) *m,f*

cancérigène [kɑ̃seriʒen] *adj* cancerígeno(a)

candidat, -e [kɑ̃dida, -at] *nm,f* candidato(a) *m,f*

candidature [kɑ̃didatyr] *nf* candidatura *f*; **poser sa c. pour qch** presentar una candidatura para algo

candide [kɑ̃did] *adj* cándido(a)

cane [kan] *nf* pata *f (hembra del pato)*

caneton [kantɔ̃] *nm* anadón *m*

canette [kanet] *nf (de boisson)* botellín *m*

canevas [kanva] *nm (de broderie)* cañamazo *m*; *Fig (d'un livre, d'un exposé)* esquema *m*

caniche [kaniʃ] *nm* caniche *m*

canicule [kanikyl] *nf* canícula *f*

canif [kanif] *nm* navaja *f*

canine [kanin] *nf* canino *m*

caniveau, -x [kanivo] *nm* alcantarilla *f*

canne [kan] *nf (bâton)* bastón *m* ■ **c. à pêche** caña *f* de pescar; **c. à sucre** caña de azúcar

cannelle [kanel] *nf (aromate)* canela *f*

cannibale [kanibal] *adj & nmf* caníbal *mf*

canoë-kayak [kanɔekajak] *nm* piragüismo *m*

canon[1] [kanɔ̃] *nm (arme, tube)* cañón *m*

canon[2] **1** *adj inv Fam* imponente **2** *nm (modèle, chanson) & Rel* canon *m*; **chanter en c.** cantar en canon

canot [kano] *nm* bote *m*, lancha *f*; *Can (canoë)* piragua *m*, canoa *f* ■ **c. pneumatique** bote neumático, lancha neumática; **c. de sauvetage** bote salvavidas, lancha salvavidas

cantatrice [kɑ̃tatris] *nf* cantante *f (de* ópera)

cantine [kɑ̃tin] *nf (réfectoire)* comedor *m*; *(malle)* baúl *m*

canton [kɑ̃tɔ̃] *nm (en France)* ≃ comarca *f*; *(en Suisse)* cantón *m*

cantonade [kɑ̃tɔnad] **à la cantonade** *adv* al foro

cantonner [kɑ̃tɔne] **se cantonner** *vpr* **se c. à** limitarse a

canular [kanylar] *nm* broma *f*; **monter un c.** gastar una broma

CAO [seao] *nf* (*abrév* **conception assistée par ordinateur**) CAD *m*

caoutchouc [kautʃu] *nm* (*plante, substance*) caucho *m*; (*matériau artificiel*) goma *f*

CAP [seape] *nm* (*abrév* **certificat d'aptitude professionnelle**) = diploma que se obtiene a los diecisiete o dieciocho años, tras dos años de formación profesional, ≃ F.P. *f*

cap [kap] *nm* (*pointe de terre*) cabo *m*; (*direction*) rumbo *m*; **mettre le c. sur** poner rumbo a; *Fig* **passer le c. de qch** atravesar el umbral de algo

capable [kapabl] *adj* (*compétent*) competente; **être c. de faire qch** ser capaz de hacer algo

capacité [kapasite] *nf* capacidad *f*
■ **c. en droit** (*diplôme*) = diploma universitario de derecho al que pueden acceder los estudiantes que no aprobaron el bachillerato

CAPES [kapes] *nm* (*abrév* **certificat d'aptitude au professorat de l'enseignement du second degré**) = título de profesor de enseñanza secundaria obtenido tras unas oposiciones del mismo nombre

capillaire [kapiler] *adj* capilar

capitaine [kapiten] *nm* capitán *m*

capital, -e, -aux, -ales [kapital, -o] **1** *adj* capital **2** *nm* capital *m*; **capitaux** capital ■ **c. social** capital social **3** *nf* **capitale** (*ville*) capital *f*; (*majuscule*) mayúscula *f*

capitalisme [kapitalism] *nm* capitalismo *m*

capitaliste [kapitalist] *adj & nmf* capitalista *mf*

capituler [kapityle] *vi* capitular (**devant** ante)

caporal, -aux [kapɔral, -o] *nm* *Mil* cabo *m*

capot [kapo] *nm* (*de voiture*) capó *m*; (*de machine*) tapa *f*

capote [kapɔt] *nf* (*de voiture, de landau*) capota *f*; (*manteau de soldat*) capote *m*; *Fam* (*préservatif*) condón *m*

câpre [kɑpr] *nf* alcaparra *f*

caprice [kapris] *nm* capricho *m*; **faire un c.** tener un capricho

capricieux, -euse [kaprisjø, -øz] *adj* (*personne*) caprichoso(a); *Fig* (*temps, moteur*) inestable

Capricorne [kaprikɔrn] *nm* *Astrol* Capricornio *m*

capsule [kapsyl] *nf* (*de bouteille*) chapa *f*; (*spatiale*) cápsula *f*

capter [kapte] *vt* captar

captif, -ive [kaptif, -iv] *adj & nm,f* cautivo(a) *m,f*

captivant, -e [kaptivã, -ãt] *adj* cautivador(ora)

captiver [kaptive] *vt* cautivar

captivité [kaptivite] *nf* cautividad *f*; **en c.** en cautividad

capture [kaptyr] *nf* (*action*) captura *f*; (*prise*) presa *f*

capturer [kaptyre] *vt* capturar

capuche [kapyʃ] *nf* capucha *f*

capuchon [kapyʃɔ̃] *nm* capuchón *m*

caqueter [42] [kakte] *vi* (*poule*) cacarear; *Péj* (*personne*) chismorrear

car¹ [kar] *nm* autocar *m*

car² *conj* puesto que

carabine [karabin] *nf* carabina *f*

caractère [karakter] *nm* carácter *m*; (*caractéristique*) rasgo *m*; (*d'écriture*) carácter *m*, letra *f*; **avoir bon/mauvais c.** tener buen/mal carácter; **en petits caractères** en letra pequeña; **en gros caractères** en grandes letras ■ **c. d'imprimerie** letra de imprenta

caractériser [karakterize] **1** *vt* caracterizar **2 se caractériser** *vpr* **se c. par qch** caracterizarse por algo

caractéristique [karakteristik] **1** *adj* característico(a) **2** *nf* característica *f*

carafe [karaf] *nf* (*récipient*) jarra *f*

carambolage [karãbɔlaʒ] *nm* (*accident*) colisión *f* en cadena

caramel [karamel] *nm* (*sucre fondu*) caramelo *m* (líquido); (*bonbon*) caramelo *m* (golosina)

carapace [karapas] *nf* caparazón *m*

carat [kara] nm quilate m; **de l'or (à) 18 carats** oro de 18 quilates

caravane [karavan] nf (de camping, du désert) caravana f; (cortège) comitiva f

carbone [karbɔn] nm carbono m; **(papier) c.** papel m carbón

carbonique [karbɔnik] adj voir gaz, neige

carburant [karbyrɑ̃] nm carburante m

carburateur [karbyratœr] nm carburador m

carcasse [karkas] nf (d'animal) huesos mpl; (de bateau, de voiture) esqueleto m, armazón m o f; Fam (de personne) esqueleto m

cardiaque [kardjak] adj cardiaco(a)

cardigan [kardigɑ̃] nm chaqueta f de punto, cárdigan m

cardinal, -e, -aux, -ales [kardinal, -o] **1** adj cardinal **2** nm Rel cardenal m

Carême [karem] nm Cuaresma f

carence [karɑ̃s] nf Méd carencia f (**en** de); (d'une administration) incompetencia f

caresse [kares] nf caricia f

caresser [karese] vt acariciar

cargaison [kargezɔ̃] nf cargamento m

caricature [karikatyr] nf caricatura f

carie [kari] nf caries f inv

carillon [karijɔ̃] nm (de cloche) repique m; (d'horloge) toque m; (de porte) timbre m

carlingue [karlɛ̃g] nf (d'avion) carlinga f

carnage [karnaʒ] nm matanza f, masacre f

carnassier [karnasje] nm carnívoro m

carnaval [karnaval] nm carnaval m

carnet [karne] nm cuadernillo m, libreta f; (à feuilles détachables) bloc m ■ **c. d'adresses** agenda f de direcciones; **c. de chèques** talonario m de cheques; **c. de notes** boletín m (escolar); **c. de tickets** (de métro) bono m de metro; (d'autobus) bonobús m

carnivore [karnivɔr] adj carnívoro(a)

carotte [karɔt] nf zanahoria f

carpette [karpɛt] nf alfombrilla f

carré, -e [kare] **1** adj cuadrado(a); **être c. en affaires** ser honesto(a) en los negocios **2** nm (quadrilatère) cuadrado m; (petit terrain) parcela f; (de cartes) póker m; Naut & Mil comedor m de oficiales; **élever un nombre au c.** elevar un número al cuadrado

carreau, -x [karo] nm (carrelage) azulejo m; (sur le sol) baldosa f; (vitre) cristal m; (motif carré) cuadro m; (aux cartes) diamante m; **à carreaux** a cuadros

carrefour [karfur] nm (de routes) cruce m; Fig (forum) foro m; (situation charnière) encrucijada f

carrelage [karlaʒ] nm (sur un mur) azulejos mpl; (par terre) baldosas fpl

carrément [karemɑ̃] adv (dire) claramente; Fam (complètement) totalmente

carrière [karjer] nf (de pierres) cantera f; (profession) carrera f; **faire c. dans qch** hacer carrera en algo

carrosse [karɔs] nm carroza f

carrosserie [karɔsri] nf carrocería f

carrure [karyr] nf (d'une personne) anchura f de espaldas; (d'un vêtement) anchura f de hombros

cartable [kartabl] nm cartera f

carte [kart] nf (à jouer) carta f, naipe m; (géographique) mapa m; (au restaurant) carta f; (document) tarjeta f; carné m; **manger à la c.** comer a la carta; Fig **donner c. blanche à qn** dar carta blanca a alguien; Fig **jouer cartes sur table** actuar a las claras ■ **c. d'abonnement** tarjeta (de abono); **c. bancaire** tarjeta bancaria; **c. bleue** tarjeta bancaria; **c. de crédit** tarjeta de crédito; **c. d'étudiant** carné de estudiante; Ordinat **c. d'extension** tarjeta de expansión; Ordinat **c. graphique** tarjeta gráfica; **c. grise** permiso m de circulación; **c. d'identité** carné de identidad documento m nacional de identidad; Ordinat **c. mémoire** tarjeta de memoria; *Ordinat* **c. mère** placa *f* madre; **C. Orange** = abono mensual para los transportes públicos de París; **c. postale** (tarjeta) postal *f*; **c. à puce** tarjeta inteligente; **c. routière** mapa de carreteras; **c. de séjour** permiso *m* de residencia; **c. de visite** tarjeta de visita

cartomancien, -enne [kartɔmãsjɛ̃, -ɛn] *nm,f* echador(ora) *m,f* de cartas

carton [kartɔ̃] *nm (matière)* cartón *m*; *(emballage)* caja *f* de cartón; *(cible)* blanco *m*; *(d'invitation)* tarjeta *f*; *Fam Fig* **faire un c.** *(réussir)* tener gran éxito ■ **c. à chapeaux** sombrerera *f*; **c. à dessin** carpeta *f* de dibujos; **c. jaune** tarjeta amarilla; **c. rouge** tarjeta roja

cartonné, -e [kartɔne] *adj* de cartón; *(livre)* en cartoné

cartouche [kartuʃ] *nf (de fusil, de dynamite)* & *Ordinat* cartucho *m*; *(de stylo, de briquet)* recambio *m*; *(de cigarettes)* cartón *m*

cas [kɑ] *nm* caso *m*; **prends un parapluie, au c. où il pleuvrait** llévate un paraguas, por si llueve; *Fam* **au c. où** *(à tout hasard)* por si acaso; **en aucun c.** en ningún caso; **en c. de besoin** en caso de necesidad; **en tout c.** en todo caso; **le c. échéant** llegado el caso

casanier, -ère [kazanje, -ɛr] *adj & nm,f* hogareño(a) *m,f*, casero(a) *m,f*

cascade [kaskad] *nf (chute d'eau)* cascada *f*; *(au cinéma)* escena *f* de riesgo

cascadeur, -euse [kaskadœr, -øz] *nm,f (au cinéma)* doble *mf*, especialista *mf*

case [kɑz] *nf (sur un échiquier, un formulaire)* casilla *f*; *(de boîte, de tiroir)* compartimento *m*; *(habitation)* cabaña *f*

caser [kaze] *Fam* **1** *vt (placer)* poner; *(trouver un emploi pour)* colocar; *(marier)* casar **2 se caser** *vpr (se placer)* ponerse; *(trouver un emploi)* colocarse; *(se marier)* casarse

caserne [kazern] *nf* cuartel *m*

casier [kazje] *nm (de rangement)* casillero *m* ■ **c. à bouteilles** botellero *m*; **c. judiciaire** (certificado *m* de) antecedentes *mpl* penales

casino [kazino] *nm* casino *m*

casque [kask] *nm (de protection, à écouteurs)* casco *m*

casquette [kasket] *nf* gorra *f*

cassant, -e [kasɑ̃, -ɑ̃t] *adj (matière)* quebradizo(a); *(voix, ton)* tajante

cassation [kasasjɔ̃] *nf voir* **cour**

casse [kas] *nf (bris, dommage)* destrozos *mpl*; *(de voitures)* desguace *m*

casse-cou [kasku] *nmf inv Fam* atrevido(a) *m,f*

casse-croûte [kaskrut] *nm inv* tentempié *m*; *Can (snack)* cafetería *f*

casse-noisettes [kasnwazet] *nm inv* cascanueces *m inv*

casse-pieds! [kaspje] *Fam* **1** *adj inv* **ce qu'il est c.!** ¡qué peñazo de tío! **2** *nmf inv* peñazo *mf*

casser [kase] **1** *vt* romper; *Jur* anular; *Fam* **à tout c.** *(tout au plus)* como máximo, como mucho **2** *vi* romperse **3 se casser** *vpr (se briser)* romperse; *Fam (partir)* largarse

casserole [kasrɔl] *nf* cacerola *f*

casse-tête [kastet] *nm inv (jeu)* rompecabezas *m inv*; *(problème)* quebradero *m* de cabeza

cassette [kaset] *nf (audio, vidéo)* casete *f*; *(coffret)* cofrecillo *m*

cassis [kasis] *nm (arbuste, liqueur)* casis *m inv*; *(fruit)* grosella *f* negra

cassoulet [kasule] *nm* = guiso de judías blancas y carne

cassure [kasyr] *nf* rotura *f*; *Fig* ruptura *f*

castagnettes [kastaɲet] *nfpl* castañuelas *fpl*

caste [kast] *nf* casta *f*

castor [kastɔr] *nm* castor *m*

castrer [kastre] *vt* castrar

catalogue [katalɔg] *nm* catálogo *m*

cataloguer [katalɔge] *vt* catalogar; *Fig* tildar (**comme** de)

catalyseur [katalizœr] *nm* catalizador *m*

catalytique [katalitik] *adj voir* **pot**

catastrophe [katastrɔf] *nf* catástrofe *f*; **partir en c.** salir a toda velocidad

catastrophique [katastrɔfik] *adj* catastrófico(a)

catch [katʃ] *nm* lucha *f* libre

catéchisme [kateʃism] *nm* catecismo *m*

catégorie [kategɔri] *nf* categoría *f*

catégorique [kategɔrik] *adj* categórico(a)

cathédrale [katedral] *nf* catedral *f*

catholicisme [katɔlisism] *nm* catolicismo *m*

catholique [katɔlik] *adj* católico(a); *Fam Fig* **pas très c.** turbio(a)

catimini [katimini] **en catimini** *adv* a escondidas, a hurtadillas

cauchemar [koʃmar] *nm* pesadilla *f*

cause [koz] *nf causa f*; **à c. de** a causa de, debido a; *(par la faute de)* por culpa de; **être en c.** *(en jeu)* estar en juego; **pour c. de** por; **remettre qch en c.** poner algo en tela de juicio

causer¹ [koze] *vt (provoquer)* causar

causer² *vi Fam (parler)* charlar (**de** sobre); *(cancaner)* murmurar

caustique [kostik] *adj aussi Fig* cáustico(a)

caution [kosjɔ̃] *nf (somme d'argent)* paga y señal *f*; *(personne)* fiador(ora) *m,f*; *(soutien)* aval *m*; **verser une c.** dejar paga y señal; **se porter c. pour qn** salir fiador de alguien

cautionner [kosjɔne] *vt (se porter garant pour)* salir fiador(ora) de; *Fig (soutenir)* avalar

cavalier, -ère [kavalje, -ɛr] **1** *adj (insolent)* insolente **2** *nm,f* jinete *m*, amazona *f* **3** *nm (aux échecs)* caballo *m*

cave [kav] *nf (sous-sol)* sótano *m*; *(à vin)* bodega *f*; *(cabaret)* cabaret *m*

caveau, -x [kavo] *nm (sépulture)* panteón *m*

caverne [kavɛrn] *nf* caverna *f*

caviar [kavjar] *nm* caviar *m*

cavité [kavite] *nf* cavidad *f*

CCP [sesepe] *nm (abrév* **compte chèque postal, compte courant postal)** cuenta *f* corriente postal

CD [sede] *nm (abrév* **Compact Disc)** CD *m*

CD-Rom [sederɔm] *nm inv* CD-ROM *m*

CE [seə] **1** *nm (abrév* **comité d'entreprise)** comité *m* de empresa; *(abrév* **cours élémentaire)** **CE1** = curso de primaria que se realiza a los siete años, *Esp* ≃ segundo *m* de primaria; **CE2** = curso de primaria que se realiza a los ocho años, *Esp* ≃ tercero *m* de primaria **2** *nf (abrév* **Communauté européenne) CE** *f*

ce¹, cet, cette [sə, set] *(pl* **ces** [se])

Antes de nombres masculinos que comienzan por vocal o h muda se utiliza **cet**.

adj démonstratif (proche) este (esta); *(éloigné)* ese (esa); **ce mois-ci** este mes; **cette année-là** aquel año

ce²

Antes de e se utiliza **c'**.

pron démonstratif **c'est** es; **ce sont** son; **c'est mon bureau** es mi despacho; **ce sont mes enfants** son mis hijos; **qui est-ce?** ¿quién es?; **tu sais ce à quoi je pense** ya sabes en lo que pienso; **ce dont je me souviens** aquello de lo que me acuerdo; **ce que, ce qui** lo que; **ils ont obtenu ce qui leur revenait** han obtenido lo que les correspondía; **c'est ce que je lui ai dit** es lo que le he dicho; **ce qui est étonnant** lo asombroso; **c'est elle qui a obtenu le poste** ella fue la que obtuvo el puesto

ceci [səsi] *pron démonstratif* esto; **c. (étant) dit** dicho esto; **à c. près que** excepto que

cécité [sesite] *nf* ceguera *f*

céder [34] [sede] **1** *vt (donner)* ceder; *(vendre)* traspasar; **c. la parole à qn** ceder la palabra a alguien; **c. sa place à qn** dejar el sitio a alguien **2** *vi (se soumettre, se rompre)* ceder;

cédérom

57

centuple

c. à qch *(demande, menace)* ceder a o ante algo; *(tentation)* caer en algo; *(colère)* dejarse llevar por algo; **c. à qn** *(s'abandonner)* entregarse a alguien

cédérom [sederɔm] *nm Ordinat* cederrón *m*

cèdre [sedr] *nm* cedro *m*

ceinture [sɛ̃tyr] *nf* cinturón *m*; *(taille)* cintura *f* ■ **c. de sécurité** cinturón de seguridad

cela [səla] *pron démonstratif* eso; *(plus éloigné)* aquello; **il y a des années de c.** hace años de aquello; **après c.** después de eso; **et pourquoi c.?** ¿cómo es eso?; **c. (étant) dit** dicho esto

célèbre [selebr] *adj* famoso(a), célebre

célébrer [34] [selebre] *vt (anniversaire, messe)* celebrar

célébrité [selebrite] *nf (renommée)* fama *f*; *(personne)* celebridad *f*

céleri [selri] *nm* **c. (en branches)** apio *m*; **c.-rave** apio-nabo *m (raíz)*

céleste [selest] *adj (du ciel)* celeste

célibat [seliba] *nm* celibato *m*

célibataire [selibater] *adj & nmf* soltero(a) *m,f*

celle [sɛl] *voir* **celui**

cellier [selje] *nm* bodega *f*

Cellophane® [selɔfan] *nf* celofán *m*

cellulaire [selyler] *adj* celular

cellule [selyl] *nf (de prisonnier, de moine)* celda *f*; *Biol & Pol* célula *f*; *(groupe)* comisión *f* ■ **c. familiale** unidad *f* familiar; **c. photoélectrique** célula fotoeléctrica

celui, celle [səlɥi, sɛl] *(mpl* **ceux** [sø], *fpl* **celles** [sɛl]) *pron démonstratif* el (la); **celle de devant** la de delante; **ceux d'entre nous qui...** aquellos de (entre) nosotros que...; **c'est celle qui te va le mieux** es la que mejor te sienta; **ceux que je connais** los que conozco

cendre [sɑ̃dr] *nf* ceniza *f*; **le mercredi des Cendres** el Miércoles de Ceniza

cendrier [sɑ̃drije] *nm* cenicero *m*

censé, -e [sɑ̃se] *adj* **il est c. être à Paris** se supone que está en París; **elle n'est pas censée le savoir** no tiene por qué saberlo

censeur [sɑ̃sœr] *nm* censor(ora) *m,f*; *(de lycée)* jefe(a) *m,f* de estudios

censure [sɑ̃syr] *nf* censura *f*

censurer [sɑ̃syre] *vt* censurar

cent¹ [sɑ̃] **1** *adj* ciento; *(devant substantif)* cien; **c. deux euros** ciento dos euros; **quatre cents pages** cuatrocientas páginas; **c. personnes** cien personas; **c. mille euros** cien mil euros **2** *nm inv (chiffre)* cien *m*; **trois pour c.** tres por ciento

cent² [sɛnt] *nm (monnaie du Canada et des États-Unis)* centavo *m*

centaine [sɑ̃tɛn] *nf* centena *f*, centenar *m*

centenaire [sɑ̃tner] *adj & nmf* centenario(a) *m,f*

centième [sɑ̃tjɛm] **1** *adj & nmf* centésimo(a) *m,f* **2** *nm* centésima parte *f*; *voir aussi* **sixième**

centime [sɑ̃tim] *nm (d'euro)* céntimo *m*

centimètre [sɑ̃timetr] *nm (mesure)* centímetro *m*; *(ruban)* cinta *f* métrica

central, -e, -aux, -ales [sɑ̃tral, -o] **1** *adj* central, céntrico(a); **un quartier très c.** un barrio muy céntrico **2** *nm (tennis)* pista *f* central ■ **c. téléphonique** central *f* telefónica **3** *nf* **centrale** central *f* ■ **centrale d'achat** central de compras; **centrale nucléaire** central nuclear

centraliser [sɑ̃tralize] *vt* centralizar

centre [sɑ̃tr] *nm* centro *m* ■ **c. aéré** = centro de esparcimiento infantil, gestionado por los ayuntamientos; **c. commercial** centro comercial; **c. culturel** centro cultural; **c. de tri** oficina *f* de clasificación

centrer [sɑ̃tre] *vt* centrar

centre-ville *(pl* **centres-villes**) [sɑ̃trəvil] *nm* centro *m* urbano

centuple [sɑ̃typl] *nm* céntuplo *m*; **je te le rendrai au c.** te lo devolveré con creces

cependant [səpādā] *conj* sin embargo

céramique [seramik] *nf* cerámica *f*

cercle [sɛrkl] *nm* círculo *m*; *(de personnes)* corro *m* ■ **c. vicieux** círculo vicioso

cercueil [sɛrkœj] *nm* ataúd *m*

céréale [sereal] *nf* cereal *m*

cérébral, -e, -aux, -ales [serebral, -o] *adj* cerebral

cérémonie [seremɔni] *nf (manifestation)* ceremonia *f*, acto *m*; *Fig* **faire des cérémonies** hacer cumplidos

cerf [sɛr] *nm* ciervo *m*

cerf-volant *(pl* cerfs-volants*)* [sɛr-vɔlā] *nm (jouet)* cometa *f*

cerise [sriz] *nf* cereza *f*

cerisier [srizje] *nm* cerezo *m*

cerner [sɛrne] *vt (encercler)* rodear; *Fig (problème, question)* delimitar, acotar

cernes [sɛrn] *nmpl (sous les yeux)* ojeras *fpl*

certain, -e [sɛrtɛ̃, -ɛn] **1** *adj* seguro(a); **c'est sûr et c.** segurísimo; **être c. que** estar seguro de que **2** *adj indéfini* cierto(a); *(devant un nom de personne)* tal; **dans certains cas** en ciertos casos; **un c. temps** algún tiempo; **d'un c. âge** de cierta edad; **un c. Jean** un tal Jean **3** *pron indéfini* **certains, certaines** algunos(as) *m,fpl*

certainement [sɛrtɛnmã] *adv (probablement)* probablemente; *(certes)* por supuesto

certificat [sɛrtifika] *nm (attestation)* certificado *m*; *(diplôme)* diploma *m*

certifier [66] [sɛrtifje] *vt (document)* compulsar; **c. à qn que...** *(assurer)* asegurar a alguien que...

certitude [sɛrtityd] *nf* certeza *f*; **avoir la c. que** tener la certeza de que

cerveau, -x [sɛrvo] *nm* cerebro *m*

cervelle [sɛrvɛl] *nf Anat & Culin* sesos *mpl*; *(facultés mentales)* cerebro *m*

CES [seɔɛs] *nm (abrév* **contrat emploi-solidarité***)* = empleo subvencionado por el gobierno

ces [se] *voir* **ce[1]**

césarienne [sezarjɛn] *nf* cesárea *f*

cesse [sɛs] *nf* **sans c.** sin cesar, sin parar

cesser [sese] **1** *vt* suspender **2** *vi* cesar, terminar; **ne pas c. de faire qch** no parar de hacer algo

cessez-le-feu [seselfø] *nm inv* alto *m* el fuego

cet [sɛt] *voir* **ce[1]**

ceux [sø] *voir* **celui**

chacun, -e [ʃakœ̃, -yn] *pron indéfini* cada uno(a); **c. de nous** cada uno de nosotros; **c. pour soi** cada cual a lo suyo; **tout un c.** todos y cada uno

chagrin [ʃagrɛ̃] *nm* pena *f*; **avoir du c.** estar triste

chagriner [ʃagrine] *vt* apenar

chahut [ʃay] *nm* jaleo *m*; **faire du c.** armar jaleo

chahuter [ʃayte] **1** *vt (importuner)* abuchear; *(bousculer)* incordiar **2** *vi* armar jaleo

chaîne [ʃɛn] *nf* cadena *f*; **chaîne** *(pour pneus)* cadenas *fpl*; *Fig & Litt (servitude)* lazos *mpl*; **à la c.** en cadena ■ **c. cryptée** cadena de emisión codificada; **c. (hi-fi)** equipo *m* de música; **c. de montage** cadena de montaje; **c. de montagnes** cadena montañosa, cordillera *f*; **c. stéréo** cadena, equipo de música

chaînon [ʃɛnɔ̃] *nm (maillon)* eslabón *m*; *Fig* **le c. manquant** el vínculo que falta

chair [ʃɛr] *nf (viande)* carne *f*; *(de fruit)* pulpa *f*; **avoir la c. de poule** tener la carne de gallina

chaire [ʃɛr] *nf (estrade) (de prédicateur)* púlpito *m*; *(de professeur)* tarima *f*; *Univ (poste)* cátedra *f*

chaise [ʃɛz] *nf* silla *f* ■ **c. longue** tumbona *f*

châle [ʃɑl] *nm* chal *m*, mantón *m*

chalet [ʃalɛ] *nm (de montagne)* chalé *m*, chalé *m*; *Can (maison de campagne)* casa *f* de campo

chaleur [ʃalœr] *nf* calor *m*; **en c.** en celo

chaleureux, -euse [ʃalœrø, -øz] *adj* caluroso(a)

challenge [ʃalãʒ] *nm* trofeo *m*; *(défi)* reto *m*

chaloupe [ʃalup] *nf* bote *m*, chalupa *f*

chalumeau, -x [ʃalymo] *nm* soplete *m*

chalutier [ʃalytje] *nm (bateau)* trainera *f*; *(pêcheur)* pescador *m* de trainera

chamailler [ʃamaje] **se chamailler** *vpr Fam* pelearse

chambre [ʃɑ̃br] *nf (de maison, d'hôtel)* cuarto *m*, habitación *f*; *(local)* cámara *f*; *Jur* sala *f* ■ **c. à air** cámara de aire; **c. d'amis** cuarto de invitados; **C. de commerce et d'industrie** Cámara de Comercio e Industria; **c. à coucher** dormitorio *m*; **C. des députés** Cámara de los diputados; **c. double** habitación doble; **c. froide** cámara frigorífica; **c. à gaz** cámara de gas; **c. noire** cámara oscura

chambrer [ʃɑ̃bre] *vt (vin)* poner del tiempo; *Fam (se moquer de)* cachondearse de

chameau, -x [ʃamo] *nm (mammifère)* camello *m*; *Fam (personne)* mal bicho *m*

champ [ʃɑ̃] *nm aussi Ordinat* campo *m* ■ **c. de bataille** campo de batalla; **c. de courses** hipódromo *m*

champagne [ʃɑ̃paɲ] *nm* champán *m* (francés)

champêtre [ʃɑ̃petr] *adj* campestre

champignon [ʃɑ̃piɲɔ̃] *nm (végétal)* seta *f*; *Biol & Méd* hongo *m*; *Fam (accélérateur)* acelerador *m*

champion, -onne [ʃɑ̃pjɔ̃, -ɔn] *nm,f (sportif)* campeón(ona) *m,f*

championnat [ʃɑ̃pjɔna] *nm* campeonato *m*

chance [ʃɑ̃s] *nf (sort)* suerte *f*; *(possibilité)* posibilidad *f*, probabilidad *f*; **avoir de la c.** tener suerte; **porter c.** traer suerte, dar (buena) suerte; **avoir des chances de faire qch** tener probabilidades de hacer algo; **bonne c.!** ¡buena suerte!

chanceler [9] [ʃɑ̃sle] *vi* tambalearse

chancelier [ʃɑ̃səlje] *nm* canciller *m*

chanceux, -euse [ʃɑ̃sø, -øz] *adj* afortunado(a)

chandail [ʃɑ̃daj] *nm* jersey *m*

Chandeleur [ʃɑ̃dlœr] *nf* Candelaria *f*

chandelier [ʃɑ̃dəlje] *nm* candelabro *m*

chandelle [ʃɑ̃del] *nf* vela *f*; **dîner aux chandelles** cenar a la luz de las velas

change [ʃɑ̃ʒ] *nm Fin* cambio *m*; *(couche de bébé)* pañal *m*

changeant, -e [ʃɑ̃ʒɑ̃, -ɑ̃t] *adj (temps)* variable; *(humeur)* cambiante

changement [ʃɑ̃ʒmɑ̃] *nm* cambio *m*; *(en train)* transbordo *m*, trasbordo *m*

changer [45] [ʃɑ̃ʒe] **1** *vt* cambiar (**contre** por); **c. qch en qch** *(monnaie)* cambiar algo en algo; *(transformer)* convertir algo en algo **2** *vi* cambiar; **c. de** *(adresse, vêtement)* cambiar de; *Iron* **pour c.** para variar **3** **se changer** *vpr (changer de vêtements)* cambiarse; **se c. en** *(se transformer)* convertirse en, transformarse en

chanson [ʃɑ̃sɔ̃] *nf* canción *f*

chant [ʃɑ̃] *nm* canto *m*; **apprendre le c.** estudiar canto ■ **c. de Noël** villancico *m*

chantage [ʃɑ̃taʒ] *nm* chantaje *m*; **faire du c. à qn** hacerle chantaje a alguien

chanter [ʃɑ̃te] **1** *vt* cantar **2** *vi* cantar; *Fig* **faire c. qn** hacerle chantaje a alguien

chanteur, -euse [ʃɑ̃tœr, -øz] *nm,f* cantante *mf*

chantier [ʃɑ̃tje] *nm (de construction)* obra *f*; *Fam (désordre)* leonera *f*; *Fig* **en c.** *(en cours)* en marcha ■ **c. naval** astillero *m*

chantilly [ʃɑ̃tiji] *nf* **(crème) c.** nata *f* montada

chantonner [ʃɑ̃tɔne] **1** *vt* tararear **2** *vi* canturrear

chaos [kao] *nm* caos *m inv*

chapeau, -x [ʃapo] *nm* sombrero *m*; *aussi Iron* **c.!** ¡bravo!, ¡muy bien!

chapelle [ʃapɛl] *nf (petite église)* capilla *f*

chapelure [ʃaplyr] *nf* pan *m* rallado

chapiteau, -x [ʃapito] *nm (de colonne)* capitel *m; (de cirque)* carpa *f*

chapitre [ʃapitr] *nm (de livre)* capítulo *m; (sujet)* tema *m; (de budget)* partida *f*, asiento *m*

chaque [ʃak] *adj indéfini* cada; **c. personne** cada persona; **ils coûtent 10 euros c.** cuestan 10 euros cada uno

char [ʃar] *nm (véhicule)* carro *m; (de carnaval)* carroza *f*, *Can (voiture)* Esp coche *m*, *Am* carro *m*, *RP* auto *m* ■ **c. d'assaut** carro de combate

charabia [ʃarabja] *nm* galimatías *m inv*

charbon [ʃarbɔ̃] *nm* carbón *m* ■ **c. de bois** carbón de leña

charcuterie [ʃarkytri] *nf (magasin)* charcutería *f*, tienda *f* de embutidos; *(produits)* embutidos *mpl*

charcutier, -ère [ʃarkytje, -ɛr] *nm,f* charcutero(a) *m,f*

chardon [ʃardɔ̃] *nm (plante)* cardo *m*

charge [ʃarʒ] *nf* cargo *m; (fardeau, attaque)* carga *f;* **charges** *(d'appartement)* gastos *mpl* de comunidad; *(dépenses)* costes *mpl*; **être à la c. de qn** *(frais, travaux)* correr a cargo de alguien; *(personne)* estar a cargo de alguien; **prendre qch/qn en c.** hacerse cargo de algo/de alguien ■ **charges sociales** cargas sociales

chargé, -e [ʃarʒe] **1** *adj (personne, véhicule)* cargado(a); *(journée, programme)* ocupado(a), cargado(a); *(décoration)* recargado(a); **être c. de faire qch** *(responsable)* estar encargado(a) de hacer algo **2** *nm,f* **c. d'affaires** encargado(a) *m,f* de negocios; **c. de mission** delegado(a) *m,f*

chargement [ʃarʒəmã] *nm (de marchandises)* cargamento *m; (d'une arme)* carga *f*

charger [45] [ʃarʒe] **1** *vt (véhicule, arme)* & *Ordinat* cargar; *(attaquer)* cargar contra; **c. qn de qch/de faire**

qch encargar a alguien de algo/qu haga algo **2 se charger** *vpr (port une charge)* cargarse; **se c. de qch/d** *(s'occuper de)* ocuparse de alg alguien; **se c. de faire qc** encargarse de hacer algo

chariot [ʃarjo] *nm (charrett* carretilla *f; (table roulante)* carrito *r (de machine à écrire, de supermarch* carro *m*

charitable [ʃaritabl] *adj* caritativo(a

charité [ʃarite] *nf (chrétienne)* carida *f; (bonté)* bondad *f*

charmant, -e [ʃarmã, -ãt] *a* encantador(a)

charme¹ [ʃarm] *nm (attrait)* atracció *f; (envoûtement)* hechizo *m*

charme² *nm (arbre)* carpe *m*

charmer [ʃarme] *vt* cautivar; **(je sui charmé de faire votre connaissanc** encantado de conocerle

charmeur, -euse [ʃarmœr, -øz] **1** *a* encantador(ora) **2** *nm,f* sedu tor(ora) *m,f* ■ **c. de serpents** enca tador *m* de serpientes

charnel, -elle [ʃarnɛl] *adj* carnal

charnier [ʃarnje] *nm* osario *m*

charnière [ʃarnjɛr] **1** *nf* bisagra *f* **2** *a inv* decisivo(a)

charnu, -e [ʃarny] *adj* carnoso(a)

charpente [ʃarpãt] *nf (de bâtimen* armazón *m; (de personne)* osamenta

charpentier [ʃarpãtje] *nm* carpi tero(a) *m,f* de obra, carpintero(a) *m* de blanco

charrette [ʃarɛt] *nf* carreta *f; Suisse de Paul!* ¡caramba con Paul!

charrier [66] [ʃarje] **1** *vt (entraîne* arrastrar; *(transporter)* acarrear; *Fa (se moquer de)* pitorrearse d chotearse de **2** *vi Fam (exagére* pasarse

charrue [ʃary] *nf* arado *m; Fig mettr la c. avant les bœufs* empezar la cas por el tejado

charter [ʃarter] *nm* chárter *m*

chasse [ʃas] *nf (activité)* caza *(poursuite)* caza *f*, persecución **prendre qn en c.** perseguir a alguie tirer la c. *(des toilettes)* tirar de la cadena ■ **c. à courre** montería *f*; **c. d'eau** cisterna *f*; **c. gardée** *(terrain)* coto *m* privado de caza; *Fig* terreno *m* reservado

chassé-croisé *(pl* **chassés-croisés)** [ʃasekrwaze] *nm* cruce *m*

chasse-neige [ʃasnɛʒ] *nm inv (véhicule)* quitanieves *m inv*; *(position des skis)* cuña *f*

chasser [ʃase] **1** *vt (animal)* cazar; *(faire partir) (personne)* expulsar; *(idées noires)* desechar; *(employé)* despedir **2** *vi (aller à la chasse)* cazar

chasseur, -euse [ʃasœr, -øz] **1** *nm,f* cazador(ora) *m,f* **2** *nm (d'hôtel)* botones *m inv*; *(avion)* avión *m* de caza ■ *Mil* **c. alpin** cazador *m* de montaña

châssis [ʃasi] *nm (de fenêtre, de porte)* contramarco *m*; *(de véhicule)* chasis *m inv*; *(de machine)* bastidor *m*

chat, chatte [ʃa, ʃat] *nm,f* gato(a) *m,f*

châtaigne [ʃatɛɲ] *nf* castaña *f*

châtaignier [ʃatɛɲe] *nm* castaño *m*

châtain [ʃatɛ̃] **1** *adj (couleur)* castaño(a) *m* **2** *nm* castaño *m*

château, -x [ʃato] *nm* castillo *m*; **le c. de Versailles** el palacio de Versalles ■ **c. d'eau** arca *f* de agua; **c. fort** fortaleza *f*

châtiment [ʃatimɑ̃] *nm* castigo *m*

chaton [ʃatɔ̃] *nm (petit chat)* gatito *m*; *(de bague)* engaste *m*

chatouiller [ʃatuje] *vt* hacer cosquillas a

chatouilles [ʃatuj] *nfpl* cosquillas *fpl*

châtrer [ʃatre] *vt* castrar, capar

chatte [ʃat] *voir* **chat**

chaud, -e [ʃo, ʃod] **1** *adj* caliente; *(temps, voix)* cálido(a); *Fig (enthousiaste)* entusiasta; *(sensuel)* ardiente **2** *nm* calor *m*; **garder qch au c.** mantener algo caliente; **rester au c.** no salir (de casa); **avoir c.** tener calor; **il fait c.** hace calor; **tenir c.** *(vêtement)* abrigar

chaudement [ʃodmɑ̃] *adv (féliciter,*

recommander) calurosamente; **être c. vêtu** llevar ropa de abrigo

chaudière [ʃodjɛr] *nf* caldera *f*

chauffage [ʃofaʒ] *nm* calefacción *f* ■ **c. central** calefacción central

chauffant, -e [ʃofɑ̃, -ɑ̃t] *adj voir* **couverture, plaque**

chauffard [ʃofar] *nm* **c'est un c.** conduce como un loco

chauffe-eau [ʃofo] *nm inv* calentador *m* de agua

chauffer [ʃofe] **1** *vt* calentar **2** *vi (devenir chaud)* calentarse; *(moteur)* calentar; *Fam* **ça va c.!** ¡se va a armar una buena! **3** *se* **chauffer** *vpr* calentarse; **se c. au gaz** tener calefacción de gas

chauffeur [ʃofœr] *nm* conductor(ora) *m,f*; *(domestique)* chófer *m*, chofer *m*

chaume [ʃom] *nm* paja *f*

chaumière [ʃomjɛr] *nf* choza *f*, *CAm* mediagua *f*

chaussée [ʃose] *nf* calzada *f*

chausser [ʃose] **1** *vt (souliers, skis)* calzarse; *(lunettes)* calarse; *(enfant)* calzar **2** *vi* **c. grand/petit** *(chaussures)* venir en tallas grandes/pequeñas; **c. du 40** calzar un 40 **3** *se* **chausser** *vpr* calzarse

chaussette [ʃosɛt] *nf* calcetín *m*

chausson [ʃosɔ̃] *nm (pantoufle, chaussure de danse)* zapatilla *f*; *(de bébé)* peúco *m*; *Culin* empanadilla *f* ■ **c. aux pommes** = pastel de manzana

chaussure [ʃosyr] *nf* zapato *m*; **(l'industrie de) la c.** la industria del calzado ■ **c. basse** zapato plano; **c. de marche** calzado *m* de marcha; **c. montante** botín *m*; **c. de ski** bota *f* de esquí

chauve [ʃov] *adj & nmf* calvo(a) *m,f*

chauve-souris *(pl* **chauves-souris)** [ʃovsuri] *nf* murciélago *m*

chauvin, -e [ʃovɛ̃, -in] *adj & nm,f* chovinista *mf*

chaux [ʃo] *nf* cal *f*

chavirer [ʃavire] **1** *vi (bateau, projet)*

irse a pique **2** *vt Fig (bouleverser)* emocionar

chef [ʃɛf] *nm* jefe(a) *m,f; (dans un hôpital)* director(ora) *m,f* de servicio; *(cuisinier)* jefe(a) de cocina, chef *mf*; **en c.** jefe; *Mil* en jefe ■ *Jur* **c. d'accusation** cargo *m*; **c. d'entreprise** empresario(a) *m,f*; **c. de famille** cabeza *mf* de familia; **c. de file** jefe de filas; **c. de gare** jefe de estación; **c. d'orchestre** director(ora) de orquesta; **c. de service** director(ora) de departamento

chef-d'œuvre *(pl* **chefs-d'œuvre)** [ʃedœvr] *nm* obra *f* maestra

chef-lieu *(pl* **chefs-lieux)** [ʃefljø] *nm* cabeza *f (de distrito, municipio, departamento)*

chemin [ʃəmɛ̃] *nm* camino *m*; **en c.** por el camino ■ **c. de fer** ferrocarril *m*

cheminée [ʃəmine] *nf* chimenea *f*

cheminot [ʃəmino] *nm* ferroviario *m*

chemise [ʃəmiz] *nf (vêtement)* camisa *f; (dossier)* carpeta *f* ■ **c. de nuit** camisón *m*

chemisier [ʃəmizje] *nm (vêtement)* blusa *f*

chenal, -aux [ʃənal, -o] *nm* canal *m*

chêne [ʃɛn] *nm* roble *m*

chenil [ʃənil] *nm* perrera *f; Suisse (désordre)* leonera *f*

chenille [ʃənij] *nf (animal, de véhicule)* oruga *f*

chèque [ʃɛk] *nm* cheque *m*, talón *m* ■ **c. barré** cheque *o* talón cruzado; **c. en blanc** cheque en blanco; **c. en bois** *ou* **sans provision** cheque *o* talón sin fondos; **c. au porteur** cheque *o* talón al portador; **c. postal** cheque postal; **c. de voyage** cheque de viaje

chèque-restaurant *(pl* **chèques-restaurant)** [ʃɛkrɛstɔrɑ̃] *nm* ticket-restaurante *m*

chéquier [ʃekje] *nm* talonario *m* de cheques, *Am* chequera *f*

cher, chère [ʃɛr] **1** *adj (coûteux)* caro(a); *(aimé)* querido(a); *(dans une*

lettre) estimado(a), querido(a) **2** *nm* **mon c.** querido; **ma chère** querida *adv* caro; **coûter c.** costar caro

chercher [ʃɛrʃe] *vt* buscar; **aller qch/qn** ir a buscar algo/a alguien; ●● **à faire qch** procurar hacer algo

chercheur, -euse [ʃɛrʃœr, -øz] *nm (scientifique)* investigador(ora) *m,f* ■ **c. d'or** buscador *m* de oro

chéri, -e [ʃeri] **1** *adj (aimé)* querido(a 2** *nm,f* **mon c.,** **ma chérie** cariño

chérir [ʃerir] *vt (personne)* quere *(chose, idée)* amar

chétif, -ive [ʃetif, -iv] *adj (enfan* enclenque; *(arbre)* raquítico(a)

cheval, -aux [ʃəval, -o] *nm* caballo *n* **faire du c.** hacer equitación practicar la equitación; **être à c. su** **qch** *(être assis sur)* estar sentado(a) horcajadas en algo; *Fig (tenir à)* se estricto(a) con respecto a algo *o* e algo ■ **c. d'arçons** potro *m*

chevalet [ʃəvalɛ] *nm (de peintre* caballete *m; (de tisserand)* bastidc *m; (de menuisier)* banco *m*

chevalier [ʃəvalje] *nm* caballero *m*

chevalière [ʃəvaljɛr] *nf* sello *f (sortija)*

chevaucher [ʃəvoʃe] **1** *vt* montar **2** s **chevaucher** *vpr (tuiles, dent* encabalgarse, solaparse

chevelu, -e [ʃəvly] *adj* melenudo(a)

chevelure [ʃəvlyr] *nf* cabellera *f*

chevet [ʃəvɛ] *nm (du lit)* cabecera **être au c. de qn** estar a la cabecer de alguien

cheveu, -x [ʃəvø] *nm* pelo *m*, cabell *m*; **avoir les cheveux longs/frisé** tener el pelo largo/rizado ■ **c. blan** cana *f*

cheville [ʃəvij] *nf (partie de la jambe* tobillo *m; (pour consolider)* clavija *f*

chèvre [ʃɛvr] **1** *nf* cabra *f; Fam* rendr **qn c.** sacar de sus casillas a alguie **2** *nm* queso *m* de cabra

chevreau, -x [ʃəvro] *nm (anima* cabrito *m; (peau)* cabritilla *f*

chèvrefeuille [ʃɛvrəfœj] *nm* madre selva *f*

chevreuil [ʃəvrœj] *nm (animal)* corzo *m*; *(viande)* ciervo *m*

chevronné, -e [ʃəvrɔne] *adj* veterano(a)

chez [ʃe] *prép (dans la maison de)* en casa de; **il est c. lui** está en su casa; **il va c. lui** va a su casa; **je reste c. moi** me quedo en casa; **aller c. le médecin** ir al médico; **ce que j'aime c. lui** lo que me gusta de él; **c. les Espagnols, on dîne tard** los españoles cenan tarde; **faites comme c. vous** ¡está en su casa!

chic [ʃik] **1** *adj (élégant)* elegante, *Méx* elegantoso(a); **un c. type** un gran tipo **2** *nm* **avoir du c.** *(élégance)* tener estilo; **avoir le c. pour faire qch** tener el don de hacer algo **3** *exclam Vieilli* **c. (alors)!** ¡qué bien!

chicorée [ʃikɔre] *nf (racine, boisson)* achicoria *f*; *(salade)* escarola *f*

chien, chienne [ʃjɛ̃, ʃjɛn] **1** *nm,f (animal)* perro(a) *m,f* ▪ **c. d'aveugle** perro lazarillo; **c. de berger** perro pastor; **c. de chasse** perro de caza; **c. de garde** perro guardián; **c. policier** perro policía; **c. de race** perro de raza **2** *nm (d'arme)* gatillo *m*; **en c. de fusil** acurrucado(a)

chiendent [ʃjɛ̃dɑ̃] *nm* grama *f*

chienne [ʃjɛn] *voir* **chien**

chiffon [ʃifɔ̃] *nm* trapo *m*

chiffre [ʃifr] *nm (caractère)* cifra *f*; *(montant)* importe *m*; *(code secret)* clave *f* ▪ **c. d'affaires** volumen *m* de negocios; **chiffres arabes** números *mpl* arábigos; **chiffres romains** números romanos

chiffrer [ʃifre] *vt (évaluer)* calcular; *(numéroter)* numerar; *(message)* cifrar

chignon [ʃiɲɔ̃] *nm* moño *m*, *Méx* chongo *m*

Chili [ʃili] *nm* **le C.** Chile

chilien, -enne [ʃiljɛ̃, -ɛn] **1** *adj* chileno(a) **2** *nm,f* **C.** chileno(a) *m,f*

chimie [ʃimi] *nf* química *f*

chimiothérapie [ʃimjɔterapi] *nf* quimioterapia *f*

chimique [ʃimik] *adj* químico(a)

chimiste [ʃimist] *nmf* químico(a) *m,f*

chimpanzé [ʃɛ̃pɑze] *nm* chimpancé *m*

Chine [ʃin] *nf* **la C.** China

chinois, -e [ʃinwa, -az] **1** *adj* chino(a) **2** *nm,f* **C.** chino(a) *m,f* **3** *nm (langue)* chino *m*

chiot [ʃjo] *nm* cachorro *m*

chips [ʃips] *nfpl* patatas *fpl* fritas

chirurgical, -e, -aux, -ales [ʃiryrʒikal, -o] *adj* quirúrgico(a)

chirurgie [ʃiryrʒi] *nf* cirugía *f*

chirurgien [ʃiryrʒjɛ̃] *nm* cirujano(a) *m,f*

chlore [klɔr] *nm* cloro *m*

choc [ʃɔk] *nm (coup, conflit)* choque *m*; **image-c.** imagen *f* impresionante; **prix-chocs** *(sur une vitrine)* precios *mpl* de ganga ▪ **c. opératoire** shock *m* postoperatorio; **c. pétrolier** crisis *f* del petróleo

chocolat [ʃɔkɔla] *nm* chocolate *m*; *(bonbon)* bombón *m* ▪ **c. chaud** chocolate a la taza; **c. glacé** bombón helado; **c. au lait** chocolate con leche; **c. noir** *ou* **à croquer** chocolate (a la taza)

chœur [kœr] *nm* coro *m*

choir [14] *vi (aux* être*) Litt (tomber)* caer; **se laisser c.** dejarse caer

choisi, -e [ʃwazi] *adj (morceau, œuvre)* escogido(a); *(langage, style)* rebuscado(a); *(public)* selecto(a)

choisir [ʃwazir] *vt* elegir, escoger; **c. de faire qch** decidir hacer algo

choix [ʃwa] *nm (décision)* elección *f*; *(d'articles)* selección *f*; **avoir le c.** poder elegir; **laisser le c. à qn** dejar a alguien escoger; **nous n'avons pas le c., il faut partir** no tenemos más remedio que irnos; **au c.** a elegir

cholestérol [kɔlesterɔl] *nm* colesterol *m*

chômage [ʃomaʒ] *nm* desempleo *m*, *Esp* paro *m*, *CSur* cesantía *f*; **être au c.** estar en paro ▪ **c. technique** paro técnico

chômer [ʃome] *vi* eh bien, tu n'as pas chômé! ¡no has perdido el tiempo!

chômeur, -euse [ʃomœr, -øz] *nm,f* parado(a) *m,f*

choquant, -e [ʃɔkã, -ãt] *adj* chocante

choquer [ʃɔke] *vt (scandaliser)* chocar; *(traumatiser)* afectar

chorale [kɔral] *nf* coral *f*

choriste [kɔrist] *nmf* corista *mf*

chose [ʃoz] *nf* cosa *f*; **c'est peu de c.** poca cosa; **de deux choses l'une** una de dos

chou, -x [ʃu] *nm (légume)* col *f*; *(pâtisserie)* petisú *m*; *Fam* **mon c.** *(personne)* cielito mío ▪ **c. de Bruxelles** col de Bruselas; **c. à la crème** bocadito *m* de nata

choucroute [ʃukrut] *nf* choucroute *f*

chouette [ʃwɛt] **1** *nf* lechuza *f* **2** *adj Fam (personne)* majo(a); *(chose)* guay **3** *exclam* ¡(qué) guay!

chou-fleur *(pl* **choux-fleurs)** [ʃuflœr] *nm* coliflor *f*

chrétien, -enne [kretjɛ̃, -ɛn] *adj & nm,f* cristiano(a) *m,f*

Christ [krist] *nm* **le C.** Cristo *m*; **c.** *(crucifix)* cristo *m*

christianisme [kristjanism] *nm* cristianismo *m*

chrome [krom] *nm* cromo *m*; **chromes** *(d'une voiture)* cromado *m*

chronique [krɔnik] **1** *adj* crónico(a) **2** *nf* crónica *f*

chronologie [krɔnɔlɔʒi] *nf* cronología *f*

chronomètre [krɔnɔmetr] *nm* cronómetro *m*

chronométrer [34] [krɔnɔmetre] *vt* cronometrar

chuchotement [ʃyʃɔtmã] *nm* cuchicheo *m*

chuchoter [ʃyʃɔte] *vt & vi* cuchichear

chut [ʃyt] *exclam* ¡chitón!

chute [ʃyt] *nf (accident)* caída *f*; *(de température, de tension)* bajada *f*; *(cascade)* catarata *f*; *(de tissu)* jirón *m* ▪ **c. d'eau** salto *m* de agua; **c. de neige** nevada *f*

Chypre [ʃipr] *n* Chipre

chypriote [ʃiprijɔt] **1** *adj* chipriota **2** *nmf* C. chipriota *mf*

-ci [si] *adv* **cet homme-ci** este hombre; **de-ci de-là** por aquí y por allá

ci-après [siapre] *adv* más adelante; **l'exemple c.** el ejemplo siguiente

cible [sibl] *nf (d'un tir)* blanco *m*; *(d'une publicité)* objetivo *m*

ciboulette [sibulet] *nf* cebolleta *f*

cicatrice [sikatris] *nf* cicatriz *f*

cicatriser [sikatrize] *vi* cicatrizar

ci-contre [sikɔ̃tr] *adv* en la otra página; **le schéma c.** el esquema de la otra página

ci-dessous [sidəsu] *adv* más abajo; **l'exemple c.** el ejemplo siguiente

ci-dessus [sidəsy] *adv* más arriba; **l'exemple c.** el ejemplo anterior

cidre [sidr] *nm* sidra *f*

Cie *(abrév* **compagnie)** C

ciel [sjel] *nm* cielo *m*; **à c. ouvert** a cielo abierto

cierge [sjerʒ] *nm* cirio *m*

cigale [sigal] *nf* cigarra *f*

cigare [sigar] *nm* cigarro *m* puro, puro *m*

cigarette [sigaret] *nf* cigarrillo *m*

ci-gît [siʒi] *adv* aquí yace

cigogne [sigɔɲ] *nf* cigüeña *f*

ci-joint, -e [siʒwɛ̃, -ɛt] **1** *adj* adjunto(a) **2** *adv* **veuillez trouver c....** le adjunto...

cil [sil] *nm* pestaña *f*

cime [sim] *nf (d'un arbre)* copa *f*; *(d'une montagne)* cima *f*

ciment [simã] *nm* cemento *m*

cimetière [simtjer] *nm* cementerio *m*

cinéaste [sineast] *nmf* cineasta *mf*

ciné-club *(pl* **ciné-clubs)** [sineklœb] *nm* cine-club *m*

cinéma [sinema] *nm* cine *m* ▪ **c. muet** cine mudo

cinéphile [sinefil] *adj & nmf* cinéfilo(a) *m,f*

cinglé, -e [sɛ̃gle] *adj & nm,f Fam* chiflado(a) *m,f*

cingler [sɛ̃gle] *vt* azotar

cinq [sɛ̃k] **1** *adj inv* cinco **2** *nm inv* cinco *m*; *voir aussi* **six**

cinquantaine [sɛ̃kɑ̃tɛn] *nf* cincuentena *f*; **avoir la c.** estar en los cincuenta

cinquante [sɛ̃kɑ̃t] **1** *adj inv* cincuenta **2** *nm inv* cincuenta *m*; *voir aussi* **six**

cinquantième [sɛ̃kɑ̃tjɛm] **1** *adj & nmf* quincuagésimo(a) *m,f*, **2** *nm* quincuagésimo *m*, quincuagésima parte *f*; *voir aussi* **sixième**

cinquième [sɛ̃kjɛm] **1** *adj & nmf* quinto(a) *m,f* **2** *nm* quinta parte *f*, quinto *m* **3** *nf (classe)* = curso de secundaria que se realiza a los doce años, *Esp* ≃ primero *m* de ESO; *(vitesse)* quinta *f*; *voir aussi* **sixième**

cintre [sɛ̃tr] *nm (pour les vêtements)* percha *f*

cirage [siraʒ] *nm* betún *m*

circonscription [sirkɔ̃skripsjɔ̃] *nf* circunscripción *f* ■ **c. électorale** circunscripción electoral

circonscrire [30] [sirkɔ̃skrir] *vt (incendie, épidémie)* localizar; *(sujet)* delimitar; *(figure géométrique)* circunscribir

circonspect, -e [sirkɔ̃spɛ, -ɛkt] *adj* circunspecto(a)

circonstance [sirkɔ̃stɑ̃s] *nf* circunstancia *f*

circuit [sirkɥi] *nm* circuito *m*; *(parcours)* ruta *f* ■ **c. (automobile)** circuito automovilístico; *Écon* **c. de distribution** canal *m* de distribución; *Él* **c. intégré** circuito integrado

circulaire [sirkylɛr] **1** *adj* circular **2** *nf* circular *f*

circulation [sirkylasjɔ̃] *nf* circulación *f*; *(trafic)* circulación *f*, tráfico *m*

circuler [sirkyle] *vi* circular

cire [sir] *nf* cera *f*

ciré [sire] *nm* impermeable *m*

cirer [sire] *vt (meuble, parquet)* encerar; *(chaussures)* limpiar

cirque [sirk] *nm* circo *m*; *Fam Fig (désordre)* jaleo *m*; *Fam* **arrête ton c.!** ¡deja de hacer teatro!

cisaille [sizaj] *nf (à métaux)* cizalla *f*; *(de jardinier)* podadora *f*, podadera *f*

ciseau, -x [sizo] *nm (de sculpteur, de menuisier)* cincel *m*; **ciseaux** tijeras *fpl*

citadelle [sitadɛl] *nf* ciudadela *f*

citadin, -e [sitadɛ̃, -in] **1** *adj* urbano(a) **2** *nm,f* habitante *mf* de la gran ciudad

citation [sitasjɔ̃] *nf (d'écrit, de propos)* cita *f*; *Jur & Mil* citación *f*

cité [site] *nf (ville)* ciudad *f*; *(de banlieue)* arrabal *m* ■ **c. universitaire**, *Fam* **c. U** ciudad universitaria

citer [site] *vt* citar

citerne [sitɛrn] *nf (réservoir d'eau)* cisterna *f*, aljibe *m*; *(cuve)* cuba *f*

citoyen, -enne [sitwajɛ̃, -ɛn] *nm,f* ciudadano(a) *m,f*

citron [sitrɔ̃] *nm* limón *m* ■ **c. pressé** zumo *m* de limón natural; **c. vert** limón verde

citronnade [sitrɔnad] *nf* limonada *f*

citrouille [sitruj] *nf* calabaza *f*

civet [sivɛ] *nm* encebollado *m*

civière [sivjɛr] *nf* camilla *f*

civil, -e [sivil] **1** *adj* civil **2** *nm* civil *m*; **dans le c.** en la vida civil; **en c.** de paisano

civilisation [sivilizasjɔ̃] *nf* civilización *f*

civilisé, -e [sivilize] *adj* civilizado(a)

civique [sivik] *adj* cívico(a)

clair, -e [klɛr] **1** *adj* claro(a); **c'est c. et net** está bien claro **2** *adv* **voir c.** ver claro **3** *nm* **tirer qch au c.** sacar algo en claro; **en c.** *(émission)* no codificado(a); *(en d'autres termes)* o sea ■ **c. de lune** claro *m* de luna

clairière [klɛrjɛr] *nf* claro *m*

clairon [klɛrɔ̃] *nm* corneta *f*, clarín *m*

clairsemé, -e [klɛrsəme] *adj (cheveux)* ralo(a); *(arbres)* poco frondoso *m*

clairvoyant, -e [klɛrvwajɑ̃, -ɑ̃t] *adj* clarividente

clan [klɑ̃] *nm* clan *m*

clandestin, -e [klɑ̃dɛstɛ̃, -in] **1** *adj* clandestino(a) **2** *nm,f (résident)* ilegal *mf*; *(passager)* polizón *m*

clapier [klapje] *nm* conejera *f*

clapoter [klapɔte] *vi* chapotear

claque [klak] *nf (gifle)* bofetada *f*, *Am* cachetada *f*

claquer [klake] **1** *vt (fermer brusquement)* cerrar de un golpe; *Fam (dépenser)* pulirse; *Fam (fatiguer)* reventar; **c. la porte** dar un portazo **2** *vi (provoquer un claquement)* restallar; *Fam (mourir)* palmarla; **faire c. ses doigts/sa langue** chasquear los dedos/la lengua; **je claque des dents** me castañean los dientes **3 se claquer** *vpr* **se c. un muscle** hacerse un tirón

claquettes [klaket] *nfpl* claqué *m*

clarifier [66] [klarifje] *vt* clarificar

clarinette [klarinɛt] *nf* clarinete *m*

clarté [klarte] *nf (lumière)* luz *f*; *(transparence)* transparencia *f*; *Fig (d'un raisonnement)* claridad *f*

classe [klɑs] **1** *nf* clase *f*; *(qualité)* categoría *f*; *Mil (contingent)* reemplazo *m*; **première c.** *(en train)* primera clase; **aller en c.** ir a clase; *Mil* **faire ses classes** hacer la instrucción militar ▪ **c. de mer** = colonia escolar en la playa; **c. de neige** semana *f* blanca; **c. verte** = colonia escolar en el campo **2** *adj inv Fam* guay

classement [klɑsmɑ̃] *nm (rangement, classification)* clasificación *f*; *(liste)* lista *f*

classer [klɑse] *vt (ranger, classifier)* clasificar; *(dossier, affaire)* archivar; **un monument classé** un monumento nacional

classeur [klɑsœr] *nm (meuble)* archivador *m*; *(dossier à feuillets mobiles)* carpeta *f* de anillas

classification [klasifikɑsjɔ̃] *nf* clasificación *f*

classique [klasik] **1** *adj* clásico(a) **2** *nm* clásico *m*; *(musique)* música *f* clásica

claustrophobe [klostrɔfɔb] *adj* claustrofóbico(a)

clavecin [klavsɛ̃] *nm* clavicordio *m*

clavicule [klavikyl] *nf* clavícula *f*

clavier [klavje] *nm* teclado *m*

clé, clef [kle] *nf* llave *f*; *Mus* clave *f*; **fermer qch à c.** cerrar algo con llave; **mot(-)/rôle(-)c.** palabra *f*/papel *m* clave ▪ **c. de contact** llave de contacto; **à molette** llave inglesa; **c. de sol** clave de sol; **c. de voûte** clave de bóveda; *Fig* piedra *f* angular

clément, -e [klemɑ̃, -ɑ̃t] *adj (indulgent)* clemente; *(temps)* suave *f*

clémentine [klemɑ̃tin] *nf* clementina *f*

clerc [klɛr] *nm* **c. de notaire** pasante *mf* de notario

clergé [klɛrʒe] *nm* clero *m*

cliché [kliʃe] *nm (négatif)* negativo *m*, cliché *m*; *(photo)* fotografía *f*; *Fig (lieu commun)* cliché *m*

client, -e [klijɑ̃, -ɑ̃t] *nm, f* cliente *m*

clientèle [klijɑ̃tɛl] *nf* clientela *f*

cligner [kliɲe] *vi* **c. de l'œil** guiñar el ojo

clignotant, -e [kliɲɔtɑ̃, -ɑ̃t] **1** *adj* parpadeante **2** *nm (de voiture) Esp* intermitente *m*, *Col, Méx* direccional *m*, *RP* señalero *m*

clignoter [kliɲɔte] *vi* parpadear

climat [klima] *nm* clima *m*

climatisation [klimatizɑsjɔ̃] *nf* climatización *f*

climatisé, -e [klimatize] *adj* climatizado(a)

clin d'œil *(pl* **clins d'œil**) [klɛ̃dœj] *nm* **faire un c. à qn** hacer un guiño a alguien, guiñar el ojo a alguien; **en un c.** en un abrir y cerrar de ojos

clinique [klinik] **1** *nf* clínica *f* **2** *adj* clínico(a)

clip [klip] *nm (vidéo)* videoclip *m*, clip *m*; *(boucle d'oreille)* pendiente *m* de clip

cliquer [klike] *vi Ordinat* hacer clic (**sur** en)

clivage [klivaʒ] *nm (division)* división *f*

clochard, -e [klɔʃar, -ard] *nm, f* vagabundo(a) *m, f*

cloche [klɔʃ] *nf (d'église)* campana *f*;

(couvercle) tapadera f; *Fam (imbécile)* lelo(a) m,f ■ **c. à fromage** quesera f

cloche-pied [klɔʃpje] **à cloche-pied** *adv* a la pata coja

clocher¹ [klɔʃe] nm campanario m

clocher² vi *Fam* **il y a quelque chose qui cloche** hay algo que no encaja

cloison [klwazɔ̃] nf tabique m

cloître [klwatr] nm claustro m

cloîtrer [klwatre] **se cloîtrer** vpr *(s'isoler)* enclaustrarse

clone [klon] nm *Biol* clon m

cloque [klɔk] nf *(sur la peau)* ampolla f; *(de peinture)* vejiga f

clore [15] [klɔr] vt *(fermer)* cerrar; *(entourer)* cercar; *(débat)* concluir

clôture [klotyr] nf *(en fil de fer)* alambrada f; *(en bois)* cerca f, valla f; *(fermeture)* *(d'un scrutin, de la Bourse)* cierre m; *(d'un compte)* liquidación f; *(d'un débat)* clausura f

clôturer [klotyre] vt *(terrain)* cercar; *(compte)* liquidar; *(débat)* clausurar

clou [klu] nm *(pointe)* clavo m; **traverser dans les clous** cruzar por el paso de cebra; *Fam* **ne pas valoir un c.** no valer un pimiento; **le c. du spectacle** la atracción principal ■ **c. de girofle** clavo de especia

clouer [klue] vt clavar; **cloué sur place** *(stupéfait)* clavado en el sitio

clown [klun] nm payaso m

club¹ [klœb] nm *(groupe)* club m

club² nm *(de golf)* palo m

coaguler [kɔagyle] vi *(sang)* coagularse; *(lait)* cuajarse

coalition [kɔalisjɔ̃] nf *(politique)* coalición f

cobaye [kɔbaj] nm *(animal)* cobaya f, conejillo m de Indias; *Fig (personne)* conejillo m de Indias

cocaïne [kɔkain] nf cocaína f

coccinelle [kɔksinɛl] nf *(insecte)* mariquita f; *(voiture)* escarabajo m

cocher¹ [kɔʃe] nm cochero m

cocher² vt marcar con una cruz

cochon, -onne [kɔʃɔ̃, -ɔn] **1** adj *(obscène)* *Esp* guarro(a), *Am* cerdo(a) **2** nm,f *Péj* cerdo(a) m,f, marrano(a)

m,f **3** nm *(animal)* cerdo m, *Am* chancho m ■ **c. d'Inde** conejillo m de Indias, cobaya f; **c. de lait** cochinillo m

cochonnerie [kɔʃɔnri] nf *Fam (saleté, nourriture)* porquería f; *(obscénité)* guarrada f

cocktail [kɔktɛl] nm cóctel m

coco [koko] nm voir **noix**

cocu, -e [kɔky] adj & nm,f *Fam* cornudo(a) m,f

code [kɔd] nm código m; **passer le c.** *(pour le permis de conduire)* hacer el (examen) teórico; **codes** *(phares)* luces fpl de cruce ■ **c. pénal** código penal; **c. postal** código postal; **c. de la route** código de (la) circulación

code-barres *(pl* **codes-barres)** [kɔdbar] nm código m de barras

coder [kɔde] vt codificar

cœur [kœr] nm corazón m; **au c. de la jungle/nuit** en plena selva/noche; **avoir bon c.** tener buen corazón; **faire qch de bon c.** hacer algo de buena gana; **par c.** de memoria; **avoir mal au c.** estar mareado(a); **pour en avoir le c. net** para quedarse tranquilo(a), por las dudas ■ **c. d'artichaut** (corazón de) alcachofa f

coffre [kɔfr] nm *(meuble)* baúl m; *(de voiture)* *Esp* maletero m, *Chile, Perú* maletera f, *Col, RP* baúl m, *Méx* cajuela f, *Ven* maleta f; *(de banque)* caja f fuerte

coffre-fort *(pl* **coffres-forts)** [kɔfrəfɔr] nm caja f fuerte

coffret [kɔfrɛ] nm *(petit coffre)* cofrecito m; *(de disques, livres)* estuche m ■ **c. à bijoux** joyero m

cogner [kɔɲe] **1** vt *Fam (battre)* sacudir **2** vi *(porte, volet)* golpear **(contre** contra); **c. à la porte** aporrear la puerta; *Fam* **c. sur qn** sacudir a alguien; *Fam* **ça cogne** *(il fait chaud)* (el sol) pica **3 se cogner** vpr *(se heurter)* darse un golpe **(à** ou **contre** contra); **se c. la tête** golpearse la cabeza

cohérence [kɔerɑ̃s] *nf* coherencia *f*
cohérent, -e [kɔerɑ̃, -ɑ̃t] *adj* coherente
cohésion [kɔezjɔ̃] *nf* cohesión *f*
cohue [kɔy] *nf (foule)* tropel *m*; *(bousculade)* barullo *m*
coiffer [kwafe] **1** *vt (peigner)* peinar; *(diriger)* dirigir; **c. qn de qch** *(casquette)* poner algo en la cabeza de alguien; **coiffé d'un chapeau** con sombrero **2 se coiffer** *vpr (se peigner)* peinarse; **se c. de qch** *(casquette)* tocarse con algo
coiffeur, -euse [kwafœr, -øz] **1** *nm,f* peluquero(a) *m,f*; **aller chez le c.** ir a la peluquería **2** *nf* **coiffeuse** *(meuble)* tocador *m*
coiffure [kwafyr] *nf (coupe de cheveux)* peinado *m*; *(chapeau)* sombrero *m*; *(profession)* peluquería *f*
coin [kwɛ̃] *nm (angle rentrant, endroit retiré)* rincón *m*; *(saillant)* esquina *f*; *(commissure)* comisura *f*; *(pour caler)* calzo *m*; *(pour fendre)* cuña *f*; **au c. du feu** junto al fuego; **du c. de l'œil** con el rabillo del ojo; *Fam* **il y a un hôpital dans le c.?** ¿hay un hospital por aquí?; *Fam* **le petit c.** el retrete
coincé, -e [kwɛ̃se] *adj Fam (complexé)* cortado(a)
coincer [16] [kwɛ̃se] **1** *vt (bloquer)* atrancar, atascar; *Fam (attraper, mettre en difficulté)* acorralar **2 se coincer** *vpr* atrancarse, atascarse; **se c. les doigts dans la porte** pillarse los dedos con la puerta
coïncidence [kɔɛ̃sidɑ̃s] *nf* coincidencia *f*
coïncider [kɔɛ̃side] *vi* coincidir
col [kɔl] *nm* cuello *m*; *(en montagne)* puerto *m* ■ **c. du fémur** cuello del fémur; **c. roulé** cuello vuelto; **c. en V** cuello de pico
colère [kɔlɛr] *nf (mauvaise humeur)* cólera *f*, ira *f*; **être en c.** estar enfadado(a) o enojado(a); **se mettre en c.** enfadarse, enojarse; **piquer une c.** agarrar una rabieta

coléreux, -euse [kɔlerø, -øz], **colérique** [kɔlerik] *adj* colérico(a)
colimaçon [kɔlimasɔ̃] **en colimaçon** *adv* de caracol
colin [kɔlɛ̃] *nm* merluza *f*
colique [kɔlik] *nf* cólico *m*; **avoir la c.** tener un cólico
colis [kɔli] *nm* paquete *m*
collaborateur, -trice [kɔlaboratœr, -tris] *nm,f* colaborador(ora) *m,f*; *Hist (sous l'Occupation)* colaboracionista *mf*
collaboration [kɔlaborasjɔ̃] *nf* colaboración *f*; *Hist (sous l'Occupation)* colaboracionismo *m*
collaborer [kɔlabore] *vi* colaborar (**à** en)
collant, -e [kɔlɑ̃, -ɑ̃t] **1** *adj (étiquette)* adhesivo(a); *(vêtement)* ceñido(a); *Fam (personne)* pesado(a) **2** *nm (sous-vêtement féminin)* medias *fpl*, *Esp, Ven* panty *m*, *Col* mediapantalón *m*, *Méx* pantimedias *fpl*, *RP* cancanes *fpl* o *mpl*, *RP* medias *fpl* bombacha; *(de danse)* malla *f*
colle [kɔl] *nf (substance)* cola *f*, pegamento *m*; *Fam (question difficile)* pregunta *f* difícil; *Scol Fam (retenue)* castigo *m*
collecte [kɔlɛkt] *nf* colecta *f*; **c. de vêtements** recogida *f* de ropa
collectif, -ive [kɔlɛktif, -iv] *adj* colectivo(a)
collection [kɔlɛksjɔ̃] *nf* colección *f*
collectionner [kɔlɛksjone] *vt* coleccionar
collectionneur, -euse [kɔlɛksjonœr, -øz] *nm,f* coleccionista *mf*
collectivité [kɔlɛktivite] *nf* comunidad *f*; **les collectivités locales** = las administraciones locales y regionales en Francia
collège [kɔlɛʒ] *nm (établissement scolaire)* = colegio donde se imparten los cursos del primer ciclo de enseñanza secundaria; *(de personnes)* colegio *m*
collégien, -enne [kɔleʒjɛ̃, -ɛn] *nm,f* colegial(ala) *m,f*

collègue [kɔlɛg] *nmf* colega *mf*

coller [kɔle] **1** *vt* pegar; *Fam (suivre partout)* pegarse a; *Fam (avec une question)* pillar; *Scol Fam (punir)* castigar; *Fam* **c. qch à qn** *(gifle, punition)* soltar algo a alguien; *Fam* **être collé à un examen** suspender un examen **2** *vi (adhérer)* pegarse; *Fam* **c. avec qch** *(correspondre)* pegar con algo **3** **se coller** *vpr* **se c. contre** *(se plaquer)* arrimarse a

collier [kɔlje] *nm* collar *m*

colline [kɔlin] *nf* colina *f*

collision [kɔlizjɔ̃] *nf* colisión *f*; **entrer en c. avec** chocar contra

colloque [kɔlɔk] *nm* coloquio *m*

colmater [kɔlmate] *vt (fuite)* taponar; *(brèche)* tapar

colombe [kɔlɔ̃b] *nf* paloma *f*

Colombie [kɔlɔ̃bi] *nf* **la C.** Colombia

colombien, -enne [kɔlɔ̃bjɛ̃, -ɛn] **1** *adj* colombiano(a) **2** *nm,f* **C.** colombiano(a) *m,f*

colon [kɔlɔ̃] *nm* colono *m*

colonel [kɔlɔnɛl] *nm* coronel *m*

colonial, -e, -aux, -ales [kɔlɔnjal, -o] *adj* colonial

colonie [kɔlɔni] *nf* colonia *f* ▪ **c. de vacances** colonia de verano

coloniser [kɔlɔnize] *vt* colonizar

colonne [kɔlɔn] *nf* columna *f*; *(file)* fila *f* ▪ **c. vertébrale** columna vertebral

colorant [kɔlɔrɑ̃] *nm* colorante *m*

colorer [kɔlɔre] *vt* dar color a

colorier [66] [kɔlɔrje] *vt* colorear

coloris [kɔlɔri] *nm* colorido *m*

colossal, -e, -aux, -ales [kɔlɔsal, -o] *adj* colosal

colporter [kɔlpɔrte] *vt (marchandises)* vender *(de manera ambulante)*; *(rumeur)* divulgar

colza [kɔlza] *nm* colza *f*

coma [kɔma] *nm* coma *m*; **être dans le c.** estar en coma

combat [kɔ̃ba] *nm (bataille)* combate *m*; *Fig (lutte)* lucha *f* ▪ **c. de boxe** combate de boxeo

combatif, -ive [kɔ̃batif, -iv] *adj* combativo(a)

combattant, -e [kɔ̃batɑ̃, -ɑ̃t] *adj & nm,f* combatiente *mf* ▪ **ancien c.** ex combatiente

combattre [11] [kɔ̃batr] **1** *vt (adversaire)* combatir contra o con; *(chose, idée)* combatir **2** *vi* combatir, luchar

combien [kɔ̃bjɛ̃] **1** *adv* cuánto; **c. coûte ce livre?** ¿cuánto cuesta este libro?; **c. de** cuánto(a); **c. de pilules prenez-vous?** ¿cuántas pastillas toma? **2** *nm inv* **le c.?** *(jour)* ¿qué día?; **le c. sommes-nous?** ¿a qué día estamos?; **tous les c.?** ¿cada cuánto?

combinaison [kɔ̃binezɔ̃] *nf* combinación *f*; *(sous-vêtement)* enagua *f*, viso *m*, *Esp, Col* combinación *f*, *Méx, Ven* fondo *m*; *(vêtement) Esp* mono *m*, *Am* overol *m* ▪ **c. de plongée** traje *m* de submarinismo; **c. de ski** mono de esquí

combiné [kɔ̃bine] *nm (du téléphone)* auricular *m*

combiner [kɔ̃bine] *vt* combinar; *(organiser)* organizar

comble [kɔ̃bl] **1** *nm* colmo *m*; **c'est un ou le c.!** ¡es el colmo!; **les combles** *(grenier)* el desván, la buhardilla **2** *adj* abarrotado(a), atestado(a)

combler [kɔ̃ble] *vt (trou, fossé)* llenar; *(déficit, lacune)* subsanar; *(personne)* colmar (**de** de)

combustible [kɔ̃bystibl] *nm* combustible *m*

combustion [kɔ̃bystjɔ̃] *nf* combustión *f*

comédie [kɔmedi] *nf* comedia *f*; *Fig (caprice)* teatro *m* ▪ **c. musicale** comedia musical

comédien, -enne [kɔmedjɛ̃, -ɛn] *adj & nm,f* comediante(a) *m,f*

comestible [kɔmɛstibl] *adj* comestible

comète [kɔmɛt] *nf* cometa *m*

comique [kɔmik] *adj & nmf* cómico(a) *m,f*

comité [kɔmite] *nm* comité *m*; *Fig* **en petit c.** en petit comité ▪ **c. d'entreprise** comité de empresa

commandant [kɔmɑ̃dɑ̃] *nm* comandante *m; (dans la marine)* capitán *m*

commande [kɔmɑ̃d] *nf (de marchandises)* pedido *m; (d'une machine)* mando *m; Ordinat* comando *m;* **passer une c.** pasar un pedido; **sur c.** por encargo; *Fig* **prendre les commandes de qch** tomar las riendas de algo ■ **c. à distance** mando a distancia; **c. numérique** comando numérico

commander [kɔmɑ̃de] **1** *vt (personne)* mandar a, dar órdenes a; *(opération)* dirigir; *(plat)* pedir; *(livre, meuble)* encargar; *(contrôler)* controlar **2** *vi* mandar; **c. à qn de faire qch** mandar a alguien que haga algo

commando [kɔmɑ̃do] *nm* comando *m*

comme [kɔm] **1** *conj* (**a**) *(introduit la comparaison)* como; **il est médecin, c. son père** es médico como su padre; **il était c. fou** estaba como loco; **c. prévu** como estaba previsto
(**b**) *(exprime la manière)* como; **il faut faire c. ça** se hace así; **fais c. il te plaira** haz como te plazca, haz lo que te plazca
(**c**) *(ainsi que)* **les filles c. les garçons jouent au foot** tanto las chicas como los chicos juegan al fútbol
(**d**) *(en tant que)* como; **il est bien c. professeur** es un buen profesor; **qu'est-ce que vous avez c. desserts?** ¿qué tienen de postre?
(**e**) *(introduit la cause)* como; **il pleuvait, nous sommes rentrés** como llovía, hemos vuelto
(**f**) *(expressions)* **c. ci, c. ça** regular; **c. il faut** *(bien)* bien, como es debido; **c. quoi,...** para que veas que...; **gentil/ mignon c. tout** amabilísimo/ monísimo
2 *adv* **c. c'est long!** ¡qué largo es!; **c. il nage bien!** ¡qué bien nada!; **c. tu as grandi!** ¡cómo has crecido!

commémorer [kɔmemɔre] *vt* conmemorar

commencement [kɔmɑ̃smɑ̃] *nm* principio *m*

commencer [16] [kɔmɑ̃se] **1** *vt* empezar, comenzar **2** *vi* empezar, comenzar; *Iron* **ça commence bien!** ¡empezamos bien!; **c. à faire qch** empezar o comenzar a hacer algo; **c. par qch/par faire qch** empezar por algo/por hacer algo

comment [kɔmɑ̃] *adv* cómo; **c. vas-tu?** ¿cómo estás?; **c. cela ou ça?** ¿cómo es eso?; *Fam* **et c.!** ¡ya lo creo!

commentaire [kɔmɑ̃tɛr] *nm* comentario *m*

commentateur, -trice [kɔmɑ̃tatœr, -tris] *nm,f* comentarista *mf*

commenter [kɔmɑ̃te] *vt* comentar

commérages [kɔmeraʒ] *nmpl* comadreos *mpl*, cotilleos *mpl*

commerçant, -e [kɔmɛrsɑ̃, -ɑ̃t] **1** *adj* comercial; **être c.** *(aimable avec les clients)* ser buen comerciante **2** *nm,f* comerciante *mf*

commerce [kɔmɛrs] *nm* comercio *m;* **dans le c.** *(dans les magasins)* en los comercios ■ **c. électronique** comercio electrónico; **c. équitable** comercio justo; **c. extérieur** comercio exterior

commercial, -e, -aux, -ales [kɔmɛrsjal, -o] **1** *adj* comercial; *(droit)* mercantil **2** *nm,f* comercial *mf*

commercialiser [kɔmɛrsjalize] *vt* comercializar

commère [kɔmɛr] *nf Péj* cotilla *f*

commettre [47] [kɔmɛtr] *vt* cometer

commis, -e [kɔmi, -iz] **1** *pp voir* **commettre**
2 *nm* dependiente *m* ■ *Vieilli* **c. voyageur** viajante *m* (de comercio)

commissaire [kɔmisɛr] *nm* comisario *m*

commissariat [kɔmisarja] *nm* comisaría *f; (organisme)* comisariado *m*

commission [kɔmisjɔ̃] *nf (délégation, rémunération)* comisión *f; (message)* recado *m;* **faire une c. à qn** dar un recado a alguien; **faire les commissions** *(achats)* hacer la compra

commode¹ [kɔmɔd] *adj* cómodo(a);
il n'est pas c. *(aimable)* no es nada
fácil

commode² *nf (meuble)* cómoda *f*

commun, -e [kɔmœ̃, -yn] *adj
(collectif)* común; *(répandu)* corriente; *Péj (banal)* vulgar; *Péj (manières)*
basto(a); **être c. à** ser común; **en c.**
en común

communal, -e, -aux, -ales
[kɔmynal, -o] *adj* municipal

communauté [kɔmynote] *nf
(collectivité)* comunidad *f* ■ **C.
européenne** Comunidad Europea

commune [kɔmyn] *nf* municipio *m*

communication [kɔmynikasjɔ̃] *nf*
comunicación *f*; **c. (téléphonique)**
Esp llamada *f*, *Am* llamado *m*; **être en
c. avec qn** estar hablando con alguien
por teléfono ■ **c. locale** llamada *f*
urbana o local

communion [kɔmynjɔ̃] *nf* comunión
f; **être en c. avec** estar en comunión
con

communiqué [kɔmynike] *nm*
comunicado *m* ■ **c. de presse**
comunicado de prensa

communiquer [kɔmynike] **1** *vt*
comunicar; *(chaleur)* transmitir;
(énergie, rire) contagiar **2** *vi (pièces)*
comunicar (**avec** con); *(personnes)*
comunicarse (**avec** con)

communisme [kɔmynism] *nm* comunismo *m*

communiste [kɔmynist] *adj & nmf*
comunista *mf*

commutateur [kɔmytatœr] *nm*
conmutador *m*

compact, -e [kɔ̃pakt] **1** *adj*
compacto(a) **2** *nm* disco *m*
compacto, compact *m*

compagne [kɔ̃paɲ] *nf* compañera *f*

compagnie [kɔ̃paɲi] *nf* compañía *f*;
tenir c. à qn hacer compañía a
alguien ■ **c. aérienne** compañía
aérea; **c. d'assurances** compañía de
seguros

compagnon [kɔ̃paɲɔ̃] *nm (ami)*
compañero *m*; *(artisan)* oficial *m*

comparable [kɔ̃parabl] *adj* comparable (**à** a)

comparaison [kɔ̃parezɔ̃] *nf* comparación *f*; **c. de qch con** comparación con algo; **c'est sans (aucune)
c.** no tiene comparación

comparaître [kɔ̃paretr] *vi Jur*
comparecer (**devant** ante)

comparer [kɔ̃pare] *vt* comparar (**à** *ou*
avec con)

compartiment [kɔ̃partimɑ̃] *nm*
compartimento *m* ■ **c. fumeurs**
compartimento de fumadores; **c.
non-fumeurs** compartimento de no
fumadores

compas [kɔ̃pa] *nm* compás *m*; *Fig*
avoir de c. dans l'œil tener mucho ojo

compassion [kɔ̃pasjɔ̃] *nf* compasión
f; **avoir de la c. pour qn** sentir
compasión por alguien

compatible [kɔ̃patibl] *adj aussi
Ordinat* compatible (**avec** con)

compatir [kɔ̃patir] *vi* **je compatis** te/
lo/*etc* compadezco

compatriote [kɔ̃patrijɔt] *nmf* compatriota *mf*

compensation [kɔ̃pɑ̃sasjɔ̃] *nf* compensación *f*

compenser [kɔ̃pɑ̃se] *vt* compensar

compétence [kɔ̃petɑ̃s] *nf* competencia *f*

compétent, -e [kɔ̃petɑ̃, -ɑ̃t] *adj*
competente

compétitif, -ive [kɔ̃petitif, -iv] *adj*
competitivo(a)

compétition [kɔ̃petisjɔ̃] *nf* competición *f*; **être en c. (avec)** competir
(con)

complaisant, -e [kɔ̃plezɑ̃, -ɑ̃t] *adj*
complaciente; *Péj (satisfait de soi)*
satisfecho(a) de sí mismo(a)

complément [kɔ̃plemɑ̃] *nm* complemento *m*; **pour tout c. d'información...** para más información... ■ **c.
d'agent** complemento agente; **c.
d'objet direct** complemento directo;
c. d'objet indirect complemento
indirecto

complémentaire [kɔ̃plemɑ̃ter] *adj*

(caractères, couleurs) complementario(a); *(supplémentaire)* suplementario(a)

complet, -ète [kɔ̃plɛ, -ɛt] **1** *adj* completo(a); *(pain, riz)* integral; *(hôtel, théâtre)* lleno(a) **2** *nm* traje *m*

compléter [34] [kɔ̃plete] **1** *vt* completar **2 se compléter** *upr* complementarse

complexe [kɔ̃plɛks] **1** *adj* complejo(a) **2** *nm* complejo *m* ■ **c. d'Œdipe** complejo de Edipo; **c. sportif** polideportivo *m*

complexé, -e [kɔ̃plɛkse] *adj* acomplejado(a)

complexité [kɔ̃plɛksite] *nf* complejidad *f*

complication [kɔ̃plikɑsjɔ̃] *nf (complexité)* complejidad *f*; *(aggravation)* complicación *f*; *Méd* **complications** complicaciones

complice [kɔ̃plis] *adj & nmf* cómplice *mf*

complicité [kɔ̃plisite] *nf* complicidad *f*

compliment [kɔ̃plimã] *nm* cumplido *m*; **faire ses compliments à qn** *(le féliciter)* felicitar a alguien

compliqué, -e [kɔ̃plike] *adj* complicado(a)

compliquer [kɔ̃plike] **1** *vt* complicar **2 se compliquer** *upr* complicarse

complot [kɔ̃plo] *nm* complot *m*

comportement [kɔ̃pɔrtəmã] *nm* comportamiento *m*

comporter [kɔ̃pɔrte] **1** *vt (être composé de)* constar de **2 se comporter** *upr* comportarse

composant [kɔ̃pozã] *nm* componente *m*

composante [kɔ̃pozãt] *nf* componente *f*

composer [kɔ̃poze] **1** *vt* componer, formar; *(numéro de téléphone) Esp* marcar, *Andes, RP* discar; **être composé de** estar compuesto(a) de **2 se composer** *upr* **se c. de** componerse de, constar de

compositeur, -trice [kɔ̃pozitœr, -tris]

nm,f (de musique) compositor(ora) *m,f*; *(typographe)* cajista *mf*

composition [kɔ̃pozisjɔ̃] *nf* composición *f*; *(devoir sur table)* ejercicio *m*; *(rédaction)* redacción *f*; **être de bonne c.** ser de buena pasta

composter [kɔ̃pɔste] *vt (billet)* picar

compote [kɔ̃pɔt] *nf* compota *f*

compréhensible [kɔ̃preãsibl] *adj* comprensible

compréhensif, -ive [kɔ̃preãsif, -iv] *adj* comprensivo(a)

compréhension [kɔ̃preãsjɔ̃] *nf* comprensión *f*

comprendre [58] [kɔ̃prãdr] **1** *vt* comprender, entender; *(comporter, inclure)* comprender **2** *vi* comprender, entender

compresse [kɔ̃prɛs] *nf* compresa *f*

comprimé [kɔ̃prime] *nm* comprimido *m*

comprimer [kɔ̃prime] *vt* comprimir; *(serrer)* apretar; *Fig (dépenses)* reducir

compris, -e [kɔ̃pri, -iz] **1** *pp voir* **comprendre**

2 *adj (situé)* comprendido(a); *(inclus)* incluido(a); **tout c.** todo incluido; **y c. les enfants** incluidos los niños; **mercredi (y) c.** miércoles inclusive

compromettre [47] [kɔ̃prɔmetr] **1** *vt* comprometer **2 se compromettre** *upr* involucrarse (**dans** en)

compromis, -e [kɔ̃prɔmi, -iz] **1** *pp voir* **compromettre**

2 *nm* compromiso *m (acuerdo)*

comptabilité [kɔ̃tabilite] *nf (technique)* contabilidad *f*; *(service)* departamento *m* de contabilidad

comptable [kɔ̃tabl] *nmf Esp* contable *mf*, *Am* contador(ora) *m,f*

comptant [kɔ̃tã] **1** *adj m* al contado **2** *adv* **payer** *ou* **régler c.** pagar *o* abonar al contado **3** *nm* **au c.** al contado

compte [kɔ̃t] *nm* cuenta *f*; **comptes** *(comptabilité)* cuentas *fpl*; **faire ses comptes** hacer cuentas; **se mettre à son c.** establecerse por su cuenta *o* por cuenta propia; **faire le c. de qch**

hacer el recuento de algo; **prendre qch en c., tenir c. de qch** tener en cuenta algo; **rendre c. de qch (à qn)** dar cuenta de algo (a alguien); **se rendre c. de qch/que** darse cuenta de algo/de que; **au bout du c., en fin de c.** a o en fin de cuentas, después de todo; **tout c. fait** después de todo ■ **c. bancaire** *ou* **en banque** cuenta bancaria; **c. chèques** = cuenta corriente con talonario; **c. courant** cuenta corriente; **c. de dépôt** cuenta de depósito; **c. (d')épargne** cuenta de ahorros; **c. d'exploitation** cuenta de explotación; **c. postal** cuenta de la caja postal; **c. à rebours** cuenta atrás

compte-gouttes [kɔ̃tgut] *nm inv* cuentagotas *m inv*

compter [kɔ̃te] **1** *vt (dénombrer)* contar; *(inclure)* contar con; **je compte m'installer à Paris** pienso instalarme en París **2** *vi* contar; **c. sur** contar con; **c. parmi** contarse entre; **à c. de…** a partir de…

compte(-)rendu *(pl* **comptes(-)rendus)** [kɔ̃trɑ̃dy] *nm* informe *m*; *(d'un livre)* reseña *f*; *(d'une séance)* acta *f*

compteur [kɔ̃tœr] *nm* contador *m*

comptoir [kɔ̃twar] *nm (de bar)* barra *f*; *(de magasin)* mostrador *m*; *Suisse (foire)* feria *f* de muestras

comte, comtesse [kɔ̃t, kɔ̃tes] *nm,f* conde(esa) *m,f*

concéder [34] [kɔ̃sede] *vt (point, victoire)* conceder

concentration [kɔ̃sɑ̃trasjɔ̃] *nf* concentración *f*

concentré [kɔ̃sɑ̃tre] *nm* concentrado *m*

concentrer [kɔ̃sɑ̃tre] **1** *vt* concentrar **2 se concentrer** *upr* concentrarse *(sur* en)

concept [kɔ̃sept] *nm* concepto *m*

conception [kɔ̃sepsjɔ̃] *nf (d'un projet, d'un enfant)* concepción *f*; *(d'une machine)* diseño *m* ■ **c. assistée par ordinateur** diseño asistido por ordenador *o Am* computadora

concerner [kɔ̃serne] *vt* concernir; **il se**

sent très **concerné par…** le preocupa mucho…; **en ce qui concerne…** en lo que se refiere a…, en lo que concierne a…; **en ce qui me concerne** por lo que a mí respecta

concert [kɔ̃ser] *nm* concierto *m*

concertation [kɔ̃sertasjɔ̃] *nf* concertación *f*

concerter [kɔ̃serte] **1** *vt* concertar **2 se concerter** *upr* ponerse de acuerdo

concession [kɔ̃sesjɔ̃] *nf* concesión *f*

concessionnaire [kɔ̃sesjoner] *nmf* concesionario(a) *m,f*

concevoir [60] [kɔ̃səvwar] *vt* concebir

concierge [kɔ̃sjerʒ] *nmf* portero(a) *m,f*

concilier [66] [kɔ̃silje] *vt* **c. qch et** *ou* **avec qch** compaginar algo y *o* con algo

concis, -e [kɔ̃si, -iz] *adj* conciso(a)

concluant, -e [kɔ̃klyɑ̃, -ɑ̃t] *adj* concluyente

conclure [17a] [kɔ̃klyr] **1** *vt (affaire, marché)* cerrar; *(discours, écrit)* concluir; **j'en conclus que…** deduzco que… **2** *vi* **c. à** *(innocence)* determinar

conclusion [kɔ̃klyzjɔ̃] *nf (fin, déduction)* conclusión *f*; **en c.** en conclusión

concombre [kɔ̃kɔ̃br] *nm* pepino *m*

concorder [kɔ̃korde] *vi* concordar *(avec* con)

concourir [22] [kɔ̃kurir] *vi (à un concours)* presentarse; **c. à qch** *(contribuer)* contribuir a algo

concours [kɔ̃kur] *nm (examen)* examen *m* de selección; *(dans l'administration)* oposición *f*; *(compétition)* concurso *m*; *(collaboration)* colaboración *f* ■ **c. de circonstances** cúmulo *m* de circunstancias; **c. hippique** concurso hípico

concret, -ète [kɔ̃krɛ, -ɛt] *adj* concreto(a)

concrétiser [kɔ̃kretize] **1** *vt (projet, souhait)* materializar; *(accord, offre)* concretar **2 se concrétiser** *upr (projet, souhait)* materializarse; *(accord, offre)* concretarse

conçu, -e *voir* **concevoir**

concubin, -e [kɔ̃kybɛ̃, in] *nm,f* pareja *f*, compañero(a) *m,f* *(con el/la que se convive)*

concubinage [kɔ̃kybinaʒ] *nm* concubinato *m*

concurrence [kɔ̃kyrɑ̃s] *nf* competencia *f*

concurrent, -e [kɔ̃kyrɑ̃, -ɑ̃t] *adj & nm,f* competidor(ora) *m,f*

condamnation [kɔ̃danɑsjɔ̃] *nf* condena *f*

condamné, -e [kɔ̃dane] **1** *adj (malade)* desahuciado(a) **2** *nm,f (à une peine)* condenado(a) *m,f*

condamner [kɔ̃dane] *vt* condenar; *(blâmer, dénoncer)* denunciar, condenar; *(fermer)* condenar, tapiar; **c. qn à qch/à faire qch** condenar a alguien a algo/a hacer algo

condensation [kɔ̃dɑ̃sɑsjɔ̃] *nf* condensación *f*

condition [kɔ̃disjɔ̃] *nf* condición *f*; *(état physique)* condiciones *fpl* físicas; **à c. de** con la condición de; **à c. que** a condición de que ■ **conditions de vie** condiciones de vida

conditionnel, -elle [kɔ̃disjɔnɛl] **1** *adj* condicional **2** *nm* Gram condicional *m*

conditionner [kɔ̃disjɔne] *vt (influencer)* & Psy condicionar; *(produit)* envasar

condoléances [kɔ̃dɔleɑ̃s] *nfpl* pésame *m*; **présenter ses c. à qn** dar el pésame a alguien

conducteur, -trice [kɔ̃dyktœr, -tris] **1** *adj* Él conductor(ora) **2** *nm,f (chauffeur)* conductor(ora) *m,f*

conduire [18] [kɔ̃dyir] **1** *vt* conducir; *(en voiture)* llevar en coche *o Am* carro *o RP* auto **2** *vi* **c. à qch** conducir *o* llevar a algo **3 se conduire** *vpr* portarse

conduit, -e [kɔ̃dyi, -it] **1** *pp voir* **conduire** **2** *nm* conducto *m*

conduite [kɔ̃dyit] *nf (d'un véhicule)*

conducción *f*; *(d'une entreprise, d'un projet)* dirección *f*; *(comportement)* conducta *f*; *(canalisation)* conducto *m* ■ **c. accompagnée** = conducción en la compañía de una persona con carné

cône [kon] *nm* cono *m*

confection [kɔ̃fɛksjɔ̃] *nf* confección *f*

confectionner [kɔ̃fɛksjɔne] *vt* confeccionar

confédération [kɔ̃federɑsjɔ̃] *nf* confederación *f*

conférence [kɔ̃ferɑ̃s] *nf* conferencia *f* ■ **c. de presse** rueda *f* de prensa

conférer [34] [kɔ̃fere] *vt* **c. qch à qn** conferir algo a alguien

confesser [kɔ̃fese] **1** *vt* confesar **2 se confesser** *upr* confesarse

confession [kɔ̃fesjɔ̃] *nf* confesión *f*

confetti [kɔ̃feti] *nm* confeti *m*

confiance [kɔ̃fjɑ̃s] *nf* confianza *f*; **avoir c. en** tener confianza en, confiar en; **avoir c. en soi** tener confianza en uno mismo; **faire c. à** fiarse de

confiant, -e [kɔ̃fjɑ̃, -ɑ̃t] *adj* confiado(a)

confidence [kɔ̃fidɑ̃s] *nf* confidencia *f*

confidentiel, -elle [kɔ̃fidɑ̃sjɛl] *adj* confidencial

confier [66] [kɔ̃fje] **1** *vt* **c. qch à qn** *(donner, dire)* confiar algo a alguien **2 se confier** *vpr* **se c. à qn** confiarse a alguien

configuration [kɔ̃figyrɑsjɔ̃] *nf* Ordinat configuración *f*

confins [kɔ̃fɛ̃] **aux confins de** *prép* en los confines de

confire [19a] [kɔ̃fir] *vt (dans du sucre)* confitar; *(dans de la graisse)* conservar *(en su propia grasa)*

confirmation [kɔ̃firmɑsjɔ̃] *nf* confirmación *f*

confirmer [kɔ̃firme] **1** *vt* confirmar **2 se confirmer** *vpr* confirmarse

confiserie [kɔ̃fizri] *nf (activité, magasin)* confitería *f*; **confiseries** *(sucreries)* golosinas *fpl*

confisquer [kɔ̃fiske] *vt (biens)* confiscar, decomisar; *(objet)* quitar

confit, -e [kɔ̃fi, -it] **1** *adj voir* **fruit** **2** *nm (d'oie, de canard)* carne *f* en conserva *(en su propia grasa)*

confiture [kɔ̃fityr] *nf* mermelada *f*

conflit [kɔ̃fli] *nm* conflicto *m*

confondre [kɔ̃fɔ̃dr] *vt* confundir

conforme [kɔ̃fɔrm] *adj* **c. à qch** conforme a o con algo

conformément [kɔ̃fɔrmemɑ̃] *adv* **c. à qch** conforme a algo

conformer [kɔ̃fɔrme] **1** *vt* **c. qch à qch** ajustar algo a algo **2 se conformer** *upr* **se c. à qch** *(s'adapter à)* adaptarse a algo; *(obéir à)* someterse a algo

conformiste [kɔ̃fɔrmist] *adj & nmf* conformista *mf*

conformité [kɔ̃fɔrmite] *nf* conformidad *f* **(à** con)

confort [kɔ̃fɔr] *nm* comodidad *f*, confort *m*; **tout c.** con todas las comodidades

confortable [kɔ̃fɔrtabl] *adj (fauteuil)* cómodo(a), confortable; *(vie)* desahogado(a); *(avance)* cómodo(a)

confrère [kɔ̃frɛr] *nm* colega *m*

confrontation [kɔ̃frɔ̃tasjɔ̃] *nf (face à face)* careo *m*; *(comparaison)* confrontación *f*, cotejo *m*

confronter [kɔ̃frɔ̃te] *vt (mettre face à face)* confrontar, enfrentar; *(comparer)* confrontar, cotejar; **être confronté à qch** enfrentarse a algo

confus, -e [kɔ̃fy, -yz] *adj (embrouillé)* confuso(a); **je suis vraiment c.** lo siento mucho

confusion [kɔ̃fyzjɔ̃] *nf* confusión *f*

congé [kɔ̃ʒe] *nm (vacances)* vacaciones *fpl*; *(arrêt de travail)* baja *f* laboral; **en c.** de vacaciones; **donner son c. à qn** despedir a alguien; **prendre c.** despedirse ■ **c. (de) maladie** baja por enfermedad; **c. (de) maternité** baja por maternidad; **congés payés** vacaciones pagadas

congédier [66] [kɔ̃ʒedje] *vt* despedir, *CSur* cesantear

congélateur [kɔ̃ʒelatœr] *nm* congelador *m*

congeler [39] [kɔ̃ʒle] *vt* congelar

congère [kɔ̃ʒɛr] *nf* = nieve amontonada por el viento

Congo [kɔ̃go] *nm* **le C.** el Congo

congolais, -e [kɔ̃gɔlɛ, -ɛz] **1** *adj* congoleño(a) **2** *nm,f* **C.** congoleño(a) *m,f*

congrès [kɔ̃grɛ] *nm* congreso *m*

conjoint, -e [kɔ̃ʒwɛ̃, -ɛt] **1** *adj (demande)* conjunto(a) **2** *nm,f* cónyuge *mf*

conjonction [kɔ̃ʒɔ̃ksjɔ̃] *nf* conjunción *f*

conjonctivite [kɔ̃ʒɔ̃ktivit] *nf* conjuntivitis *f inv*

conjoncture [kɔ̃ʒɔ̃ktyr] *nf* coyuntura *f*

conjugaison [kɔ̃ʒygɛzɔ̃] *nf* conjugación *f*

conjugal, -e, -aux, -ales [kɔ̃ʒygal, -o] *adj* conyugal

conjuguer [kɔ̃ʒyge] *vt* conjugar

connaissance [kɔnɛsɑ̃s] *nf (savoir, conscience)* conocimiento *m*; *(relation)* conocido(a) *m,f*; **à ma c.** que yo sepa; **en c. de cause** con conocimiento de causa; **perdre/reprendre c.** perder/recobrar el conocimiento; **prendre c. de qch** enterarse de algo; **faire c. (avec qn)** conocerse (con alguien)

connaisseur, -euse [kɔnɛsœr, -øz] *adj & nm,f* entendido(a) *m,f*

connaître [20] [kɔnɛtr] **1** *vt* conocer **2 se connaître** *upr (personnes)* conocerse; **s'y c. en qch** saber de algo

connecter [kɔnɛkte] *vt* conectar

connexion [kɔnɛksjɔ̃] *nf* conexión *f*

connu, -e [kɔny] **1** *pp voir* **connaître** **2** *adj* conocido(a)

conquérant, -e [kɔ̃kerɑ̃, -ɑ̃t] *adj & nm,f* conquistador(ora) *m,f*

conquérir [7] [kɔ̃kerir] *vt* conquistar

conquête [kɔ̃kɛt] *nf* conquista *f*

consacrer [kɔ̃sakre] **1** *vt (église)* consagrar; **c. qch à** *(employer)* dedicar algo a **2 se consacrer** *upr* **se**

c. à *(se vouer à)* consagrarse a; *(s'occuper de)* dedicarse a
conscience [kɔ̃sjɑ̃s] *nf* conciencia *f*; **avoir c. de qch** tener conciencia de algo, ser consciente de algo; **avoir bonne c.** tener la conciencia tranquila; **avoir mauvaise c.** tener mala conciencia; **perdre/reprendre c.** perder/recobrar el conocimiento ■ **c. professionnelle** ética *f* profesional
consciencieux, -euse [kɔ̃sjɑ̃sjø, -øz] *adj* concienzudo(a)
conscient, -e [kɔ̃sjɑ̃, -ɑ̃t] *adj* consciente
consécutif, -ive [kɔ̃sekytif, -iv] *adj* consecutivo(a); **c. à qch** *(résultant)* provocado(a) por algo
conseil [kɔ̃sɛj] *nm (avis, assemblée)* consejo *m*; *(conseiller)* asesor(ora) *m,f* (en de) ■ **c. d'administration** consejo de administración; **c. de classe** junta *f* de evaluación; **c. de discipline** consejo de disciplina; **c. général** diputación *f* provincial; **c. des ministres** consejo de ministros; **c. municipal** concejo *m*, pleno *m* del Ayuntamiento
conseiller[1], -ère [kɔ̃seje, -ɛr] *nm,f* consejero(a) *m,f* ■ **c. municipal** concejal *m*
conseiller[2] *vt (aider)* aconsejar; **c. qch à qn** aconsejar algo a alguien; **c. à qn de faire qch** aconsejar a alguien hacer algo
consentement [kɔ̃sɑ̃tmɑ̃] *nm* consentimiento *m*
consentir [64a] [kɔ̃sɑ̃tir] *vi* **c. à qch/à faire qch** consentir algo/en hacer algo; **je consens à ce qu'il parte** consiento que se marche
conséquence [kɔ̃sekɑ̃s] *nf* consecuencia *f*; **en c.** *(donc)* en o por consecuencia; **agir en c.** actuar en consecuencia; **ça ne porte pas à c.** no tiene importancia
conséquent, -e [kɔ̃sekɑ̃] **par conséquent** *adv* por consiguiente, por lo tanto

conservateur, -trice [kɔ̃sɛrvatœr, -tris] **1** *adj & nm,f* conservador(ora) *m,f* **2** *nm (produit)* conservante *m*
conservatoire [kɔ̃sɛrvatwar] *nm* conservatorio *m* ■ **c. d'art dramatique** escuela *f* de arte dramático; **c. de musique** conservatorio (de música)
conserve [kɔ̃sɛrv] *nf* conserva *f*; **mettre qch en c.** poner algo en conserva
conserver [kɔ̃sɛrve] **1** *vt* conservar; *(bâtiment)* mantener **2 se conserver** *vpr* conservarse
considérable [kɔ̃siderabl] *adj* considerable
considération [kɔ̃siderasjɔ̃] *nf* consideración *f*; **en c. de qch** en consideración a algo; **prendre qch en c.** tomar algo en consideración
considérer [34] [kɔ̃sidere] *vt (envisager)* considerar; *(observer)* mirar; **c. que** considerar que
consigne [kɔ̃siɲ] *nf (ordre, à bagages)* consigna *f*; *(d'une bouteille)* importe *m* del casco
consigner [kɔ̃siɲe] *vt (bagage)* dejar en consigna; *(bouteille)* = cobrar el importe del casco de *(una botella)*; *(écrire)* anotar; *Mil* acuartelar
consistance [kɔ̃sistɑ̃s] *nf* consistencia *f*
consistant, -e [kɔ̃sistɑ̃, -ɑ̃t] *adj* consistente
consister [kɔ̃siste] *vi* **c. en qch** *(se composer de)* constar de algo; *(équivaloir à)* consistir en algo; **c. à faire qch** consistir en hacer algo
consœur [kɔ̃sœr] *nf* colega *f*
consolation [kɔ̃sɔlasjɔ̃] *nf voir* **lot**
console [kɔ̃sɔl] *nf (table) & Ordina* consola *f*
consoler [kɔ̃sɔle] *vt* consolar
consolider [kɔ̃sɔlide] *vt* consolidar
consommateur, -trice [kɔ̃sɔmatœr, -tris] *nm,f Écon* consumidor(ora) *m,f*; *(d'un bar)* cliente(a) *m,f*
consommation [kɔ̃sɔmasjɔ̃] *nf (de papier, d'essence)* consumo *m*; *(bois son)* consumición *f*

consommer [kɔsɔme] **1** *vt* consumir; *(accomplir)* consumar **2** *vi* consumar

consonne [kɔsɔn] *nf* consonante *f*

conspiration [kɔspirasjɔ̃] *nf* conspiración *f*

conspirer [kɔspire] *vi* conspirar

constamment [kɔstamɑ̃] *adv* constantemente

constant, -e [kɔstɑ̃, -ɑ̃t] *adj* constante

constat [kɔsta] *nm (procès-verbal) (par un officiel)* atestado *m*, acta *f*; *(par un particulier)* parte *m*; *(constatation)* constatación *f*

constatation [kɔstatasjɔ̃] *nf* constatación *f*

constater [kɔstate] *vt (se rendre compte de)* constatar; *(consigner)* hacer constar

constellation [kɔstelasjɔ̃] *nf* constelación *f*

consterner [kɔsterne] *vt* consternar

constipation [kɔstipasjɔ̃] *nf* estreñimiento *m*

constituer [kɔstitɥe] *vt* constituir; *(dossier)* elaborar

constitution [kɔstitysjɔ̃] *nf* constitución *f*

constructeur [kɔstryktœr] *nm (fabricant)* fabricante *m*; *(bâtisseur)* constructor *m*

construction [kɔstryksjɔ̃] *nf* construcción *f*

construire [18] [kɔstrɥir] *vt* construir

consul [kɔsyl] *nm* cónsul *m*

consulat [kɔsyla] *nm* consulado *m*

consultation [kɔsyltasjɔ̃] *nf* consulta *f*

consulter [kɔsylte] **1** *vt* consultar; *(avocat)* consultar con **2** *vi (médecin)* tener consulta, visitar

contact [kɔtakt] *nm* contacto *m*; **être/ entrer en c. avec** estar/ponerse en contacto con; **mettre/couper le c.** darle al/apagar el contacto

contacter [kɔtakte] *vt* ponerse en contacto con, contactar con

contagieux, -euse [kɔtaʒjø, -øz] *adj* contagioso(a)

contaminer [kɔtamine] *vt* contaminar

conte [kɔt] *nm* cuento *m* ■ **c. de fées** cuento de hadas

contempler [kɔtɑple] *vt* contemplar

contemporain, -e [kɔtɑpɔrɛ̃, -ɛn] *adj & nm,f* contemporáneo(a) *m,f*

contenance [kɔtnɑs] *nf (d'une bouteille, d'un réservoir)* capacidad *f*; *(attitude)* compostura *f*

contenir [70] [kɔtnir] **1** *vt (sujet: récipient, salle)* tener (una) capacidad para; *(include, retenir)* contener **2 se contenir** *vpr* contenerse

content, -e [kɔtɑ̃, -ɑ̃t] *adj* contento(a); **c. de qch/qn** contento con algo/alguien; **c. de faire qch** contento de hacer algo; **c. de soi** satisfecho(a) de sí mismo(a)

contenter [kɔtɑ̃te] **1** *vt (personne)* contentar; *(caprice, besoin)* satisfacer **2 se contenter** *vpr* **se c. de qch/de faire qch** contentarse con algo/con hacer algo

contentieux [kɔtɑsjø] *nm* contencioso *m*

contenu, -e [kɔtny] **1** *pp voir* **contenir** **2** *nm* contenido *m*

conter [kɔte] *vt* contar *(relatar)*

contestation [kɔtestasjɔ̃] *nf* contestación *f*

conteste [kɔtest] **sans conteste** *adv* sin lugar a dudas

contester [kɔteste] **1** *vt* discutir **2** *vi* protestar

conteur, -euse [kɔtœr, -øz] *nm,f* narrador(ora) *m,f*

contexte [kɔtekst] *nm* contexto *m*

contigu, -uë [kɔtigy] *adj* contiguo(a) (à a)

continent [kɔtinɑ̃] *nm* continente *m*

continental, -e, -aux, -ales [kɔtinɑtal, -o] *adj* continental

contingent [kɔtɛʒɑ̃] *nm Mil* contingente *m*; *(de marchandises)* cupo *m*, contingente *m*

continu, -e [kɔtiny] *adj* continuo(a); *Ordinat* **impression en c.** impresión *f* en papel continuo

continuation [kɔ̃tinɥɑsjɔ̃] *nf* continuación *f*; **bonne c.!** ¡que la cosa siga bien!

continuel, -elle [kɔ̃tinɥel] *adj* continuo(a)

continuer [kɔ̃tinɥe] **1** *vt* continuar **2** *vi* continuar, seguir; **c. à** *ou* **de faire qch** continuar o seguir haciendo algo

continuité [kɔ̃tinɥite] *nf* continuidad *f*

contorsionner [kɔ̃tɔrsjɔne] **se contorsionner** *upr* contorsionarse

contour [kɔ̃tur] *nm* (*limite, silhouette*) contorno *m*

contourner [kɔ̃turne] *vt* (*obstacle*) rodear, salvar; *Fig* (*difficulté*) salvar, esquivar

contraceptif, -ive [kɔ̃traseptif, -iv] **1** *adj* anticonceptivo(a) **2** *nm* anticonceptivo *m*

contracter [kɔ̃trakte] *vt* contraer

contraction [kɔ̃traksjɔ̃] *nf* (*d'un muscle*) contracción *f*

contractuel, -elle [kɔ̃traktɥel] *nm,f* (*chargé du stationnement*) = agente de policía encargado de sancionar los estacionamientos indebidos

contradiction [kɔ̃tradiksjɔ̃] *nf* contradicción *f*; **être en c. avec** estar en contradicción con, contradecirse con

contradictoire [kɔ̃tradiktwar] *adj* (*idées*) contradictorio(a); (*débat*) polémico(a)

contraignant, -e [kɔ̃treɲɑ̃, -ɑ̃t] *adj* (*devoir, travail*) apremiante; (*horaire*) exigente

contraindre [23] [kɔ̃trɛ̃dr] *vt* **c. qn à faire qch** obligar a alguien a hacer algo

contrainte [kɔ̃trɛ̃t] *nf* (*violence*) coacción *f*; (*obligation*) obligación *f*; **sous la c.** por coacción

contraire [kɔ̃trer] **1** *adj* (*opposé*) contrario(a) **2** *nm* contrario *m*; **au c. (de)** al contrario (de)

contrairement [kɔ̃trermɑ̃] **contrairement à** *prép* contrariamente a

contrarier [66] [kɔ̃trarje] *vt* (*irriter*) contrariar; (*contrecarrer*) oponerse a

contrariété [kɔ̃trarjete] *nf* contrariedad *f*

contraste [kɔ̃trast] *nm* contraste *m*

contraster [kɔ̃traste] *vi* contrastar

contrat [kɔ̃tra] *nm* contrato *m* ■ **c. à durée déterminée** contrato temporal; **c. à durée indéterminée** contrato fijo o indefinido

contravention [kɔ̃travɑ̃sjɔ̃] *nf* multa *f*

contre [kɔ̃tr] *prép* contra; (*comparaison*) frente a; (*échange*) por; **je suis c.** estoy en contra; **élu à quinze voix c. neuf** elegido por quince votos a favor y nueve en contra; **échanger qch c. qch** cambiar algo por algo; **par c.** en cambio

contre-attaque (*pl* **contre-attaques**) [kɔ̃tratak] *nf* contraataque *m*

contrebande [kɔ̃trəbɑ̃d] *nf* contrabando *m*

contrebandier, -ère [kɔ̃trəbɑ̃dje, -er] *nm,f* contrabandista *mf*

contrebas [kɔ̃trəba] **en contrebas** *adv* más abajo (**de** de)

contrebasse [kɔ̃trəbas] *nf* contrabajo *m*

contrecarrer [kɔ̃trəkare] *vt* oponerse a

contrecœur [kɔ̃trəkœr] **à contrecœur** *adv* a regañadientes

contrecoup [kɔ̃trəku] *nm* consecuencia *f*

contre-courant [kɔ̃trəkurɑ̃] **à contre-courant** *adv* a contracorriente (**de** de)

contredire [27b] [kɔ̃trədir] **1** *vt* contradecir **2 se contredire** *upr* contradecirse

contre-espionnage [kɔ̃trespjɔnaʒ] *nm* contraespionaje *m*

contrefaçon [kɔ̃trəfasɔ̃] *nf* (*d'une marque*) imitación *f*; (*de billets, d'une signature*) falsificación *f*

contre-jour [kɔ̃trəʒur] *nm* contraluz *f*; **à c.** a contraluz

contremaître [kɔ̃trəmetr] *nm* capataz *m*

contre-offensive (*pl* **contre-offensives**) [kɔ̃trɔfɑ̃siv] *nf* contra-ofensiva *f*

contrepartie [kɔ̃trəparti] *nf* (*compensation*) contrapartida *f*; **en c.** en contrapartida

contre-pied [kɔ̃trəpje] *nm* **prendre le c. de qch** defender lo contrario de algo

contreplaqué [kɔ̃trəplake] *nm* contrachapado *m*

contrer [kɔ̃tre] *vt* (*s'opposer à*) oponerse a

contresens [kɔ̃trəsɑ̃s] *nm* contrasentido *m*

contretemps [kɔ̃trətɑ̃] *nm* contratiempo *m*; **à c.** *Mus* a contratiempo; *Fig* a destiempo

contribuable [kɔ̃tribɥabl] *nmf* contribuyente *mf*

contribuer [kɔ̃tribɥe] *vi* **c. à qch/à faire qch** contribuir en algo/a hacer algo

contribution [kɔ̃tribysjɔ̃] *nf* (*somme d'argent*) contribución *f* (*à* en), (*collaboration*) colaboración *f* (*à* en), contribución *f* (*à* a); **mettre qn à c.** recurrir a alguien, echar mano de alguien ■ **contributions directes** impuestos *mpl* directos; **contributions indirectes** impuestos indirectos

contrôle [kɔ̃trol] *nm* control *m* ■ *Scol & Univ* **c. continu** evaluación *f* continua; **c. d'identité** control de identidad; **être sous c. judiciaire** estar bajo vigilancia judicial; **c. des naissances** control de natalidad

contrôler [kɔ̃trole] **1** *vt* (*maîtriser, diriger*) controlar; (*vérifier*) comprobar **2 se contrôler** *vpr* controlarse

contrôleur, -euse [kɔ̃trolœr, -øz] *nm,f* (*de métro, de train*) revisor(ora) *m,f*, interventor(ora) *m,f* ■ **c. aérien** controlador(ora) *m,f* aéreo(a)

controverse [kɔ̃trɔvɛrs] *nf* controversia *f*

controversé, -e [kɔ̃trɔvɛrse] *adj* controvertido(a)

contusion [kɔ̃tyzjɔ̃] *nf* contusión *f*

convaincre [68] [kɔ̃vɛ̃kr] *vt* **c. qn de qch/de faire qch** convencer a alguien de algo/de que haga algo

convalescence [kɔ̃valesɑ̃s] *nf* convalecencia *f*; **être en c.** estar en período de convalecencia

convalescent, -e [kɔ̃valesɑ̃, -ɑ̃t] *adj & nm,f* convaleciente *mf*

convenable [kɔ̃vnabl] *adj* (*respectable*) decente; (*suffisant*) aceptable; (*approprié*) conveniente

convenance [kɔ̃vnɑ̃s] *nf* **à ma/sa c.** a mi/su conveniencia; **les convenances** las reglas de urbanidad

convenir [70] [kɔ̃vnir] **1** *vi* **c. de qch/de faire qch** (*se mettre d'accord*) acordar algo/hacer algo; **c. à qn** (*satisfaire*) convenir a alguien; **c. à** *ou* **pour qch** ser adecuado(a) para algo; **c. que/de qch** (*admettre*) admitir *ou* reconocer que/algo **2** *v impersonnel* **il convient d'y réfléchir** convendría pensárselo

convention [kɔ̃vɑ̃sjɔ̃] *nf* (*accord*) convenio *m*; (*assemblée*) convención *f*; **les conventions** los convencionalismos ■ **c. collective** convenio colectivo

conventionné, -e [kɔ̃vɑ̃sjɔne] *adj* (*médecin*) = que aplica la tarifa establecida por la Seguridad Social en Francia

conventionnel, -elle [kɔ̃vɑ̃sjɔnel] *adj* convencional

convenu, -e [kɔ̃vny] *adj* (*décidé*) convenido(a); **comme c.** según lo acordado

converger [45] [kɔ̃vɛrʒe] *vi* converger

conversation [kɔ̃vɛrsasjɔ̃] *nf* conversación *f*

conversion [kɔ̃vɛrsjɔ̃] *nf* conversión *f*

convertir [kɔ̃vɛrtir] **1** *vt* convertir (*à/en* a/en) **2 se convertir** *vpr* convertirse (*à* a)

conviction [kɔ̃viksjɔ̃] *nf* convicción *f*

convier [66] [kɔ̃vje] *vt* **c. qn à qch** convidar a alguien a algo

convive [kɔ̃viv] *nmf* comensal *mf*

convivial, -e, -aux, -ales [kɔ̃vivjal, -o] *adj* distendido(a); *Ordinat* de fácil manejo

convocation [kɔ̃vɔkasjɔ̃] *nf* convocatoria *f*

convoi [kɔ̃vwa] *nm* convoy *m* ■ **c. funèbre** cortejo *m* fúnebre

convoiter [kɔ̃vwate] *vt* codiciar

convoquer [kɔ̃vɔke] *vt* convocar

convoyer [32] [kɔ̃vwaje] *vt* escoltar

convulsion [kɔ̃vylsjɔ̃] *nf* convulsión *f*

coopération [kɔɔperasjɔ̃] *nf* cooperación *f*

coopérer [34] [kɔɔpere] *vi* cooperar (à en)

coordination [kɔɔrdinasjɔ̃] *nf* coordinación *f*

coordonnées [kɔɔrdɔne] *nfpl Math & Géog* coordenadas *fpl*; *(adresse)* señas *fpl*

coordonner [kɔɔrdɔne] *vt* coordinar

copain [kɔpɛ̃], **copine** [kɔpin] *Fam* **1** *adj* **nous sommes copains** somos amigos **2** *nm,f Esp* colega *mf*, *Am* compañero(a) *m,f*; *(petit ami)* novio(a) *m,f*

copeau, -x [kɔpo] *nm* viruta *f*

copie [kɔpi] *nf (double, reproduction)* copia *f*; *(d'examen)* examen *m*; **rendre c. blanche** entregar el examen en blanco ■ **c. double** = pliego de papel en el que los estudiantes hacen sus deberes; *Ordinat* **c. de sauvegarde** copia de seguridad

copier [66] [kɔpje] **1** *vt* copiar **2** *vi* **c. sur qn** copiar de alguien

copieux, -euse [kɔpjø, -øz] *adj* copioso(a)

copine [kɔpin] *voir* **copain**

copropriété [kɔprɔprijete] *nf* copropiedad *f*

coq [kɔk] *nm* gallo *m*; **passer du c. à l'âne** saltar de un tema a otro ■ **c. de bruyère** urogallo *m*; **c. au vin** guiso *m* de pollo y vino tinto

coque [kɔk] *nf (de noix, d'amande)* cáscara *f*; *(de navire)* casco *m*; *(coquillage)* berberecho *m*

coquelicot [kɔkliko] *nm* amapola *f*

coqueluche [kɔklyʃ] *nf* tos *f* ferina; *Fam* **être la c. de** hacer furor entre

coquet, -ette [kɔkɛ, -et] *adj (élégant)* coqueto(a); *Hum* **la coquette somme de...** la bonita cantidad de...

coquetier [kɔktje] *nm* huevera *f*

coquillage [kɔkijaʒ] *nm (mollusque)* marisco *m (que tiene concha)*; *(coquille)* concha *f*

coquille [kɔkij] *nf (de mollusque)* concha *f*; *(d'œuf)* cáscara *f*; *(typographique)* gazapo *m*, errata *f* ■ **c. Saint-Jacques** *(mollusque)* vieira *f*; *(coquille)* concha

coquin, -e [kɔkɛ̃, -in] *adj & nm,f (malicieux)* pícaro(a) *m,f*

cor [kɔr] *nm (au pied)* callo *m*; *(instrument)* trompa *f*; **à c. et à cri** a voz en grito

corail, -aux [kɔraj, -o] *nm (animal, calcaire)* coral *m*; *(couleur)* color *m* coral

Coran [kɔrɑ̃] *nm* **le C.** el Corán

corbeau, -x [kɔrbo] *nm* cuervo *m*

corbeille [kɔrbɛj] *nf (panier)* cesta *f*; *(au théâtre)* palco *m*; *(à la Bourse)* corro *m*; *Ordinat* papelera *f* ■ **c. à papiers** papelera

corbillard [kɔrbijar] *nm* coche *m* fúnebre

corde [kɔrd] *nf* cuerda *f*; **les cordes** *(d'un orchestre)* las cuerdas, los instrumentos de cuerda ■ **c. raide** cuerda floja; *Fig* **être sur la c. raide** estar en la cuerda floja; **c. à sauter** comba *f*; **cordes vocales** cuerdas vocales

cordial, -e, -aux, -ales [kɔrdjal, -o] *adj* cordial

cordon [kɔrdɔ̃] *nm* cordón *m* ■ **c. ombilical** cordón umbilical; **c. de police** cordón policial

cordon-bleu *(pl* **cordons-bleus** [kɔrdɔ̃blø] *nm* cocinero(a) *m,f* excelente

cordonnerie [kɔrdɔnri] *nf* zapatería *f*

cordonnier, -ère [kɔrdɔnje, -er] *nm,f* zapatero(a) *m,f*

Corée [kɔre] nf Corea; **la C. du Nord/ du Sud** Corea del Norte/del Sur

coréen, -enne [kɔreɛ̃, -ɛn] **1** adj coreano(a) **2** nm,f **C.** coreano(a) m,f **3** nm (langue) coreano m

coriace [kɔrjas] adj (viande) correoso(a); Fig (caractère) tenaz

corne [kɔrn] nf cuerno m; (matière) asta f; (callosité) callosidades fpl, durezas fpl ■ **c. de brume** sirena f de niebla

corneille [kɔrnɛj] nf corneja f

cornemuse [kɔrnəmyz] nf gaita f

corner¹ [kɔrne] vt (page) doblar

corner² [kɔrnɛr] nm Sp córner m

cornet [kɔrne] nm cucurucho m ■ **c. à dés** cubilete m; **c. à pistons** cornetín m

corniche [kɔrniʃ] nf cornisa f

cornichon [kɔrniʃɔ̃] nm pepinillo m

corporation [kɔrpɔrasjɔ̃] nf gremio m

corporel, -elle [kɔrpɔrɛl] adj (besoins, exercice) corporal; Jur (bien) material

corps [kɔr] nm cuerpo m ■ **c. d'armée** cuerpo de ejército; **c. à c.** cuerpo a cuerpo; **c. diplomatique** cuerpo diplomático; **c. enseignant** cuerpo docente

corpulent, -e [kɔrpylɑ̃, -ɑ̃t] adj corpulento(a)

correct, -e [kɔrɛkt] adj correcto(a)

correcteur, -trice [kɔrɛktœr, -tris] **1** adj & nm,f corrector(ora) m,f **2** nm Ordinat **c. orthographique** corrector m ortográfico

correction [kɔrɛksjɔ̃] nf corrección f; (punition) correctivo m

correspondance [kɔrɛspɔ̃dɑ̃s] nf correspondencia f; (train, bus) enlace m; **par c.** por correo

correspondant, -e [kɔrɛspɔ̃dɑ̃, -ɑ̃t] **1** adj correspondiente **2** nm,f (par lettres) correspondiente m,f; (au téléphone) interlocutor(ora) m,f; (journaliste) corresponsal m

correspondre [kɔrɛspɔ̃dr] vi (par lettres) cartearse (**avec** con); **c. à qch** corresponder a algo

corrida [kɔrida] nf corrida f

corridor [kɔridɔr] nm pasillo m, corredor m; Géog corredor m

corrigé [kɔriʒe] nm corrección f; **le c. de l'examen** el examen modelo

corriger [45] [kɔriʒe] vt corregir; (battre) pegar

corrompre [kɔrɔ̃pr] vt corromper

corrompu, -e [kɔrɔ̃py] **1** pp voir **corrompre** **2** adj corrupto(a)

corrosion [kɔrozjɔ̃] nf corrosión f

corruption [kɔrypsjɔ̃] nf corrupción f

corsage [kɔrsaʒ] nm (chemisier) blusa f; (de robe) cuerpo m

Corse [kɔrs] nf **la C.** Córcega

corse [kɔrs] **1** adj corso(a) **2** nmf **C.** corso(a) m,f **3** nm (langue) corso m

corsé, -e [kɔrse] adj (café) fuerte; (problème) arduo(a)

corset [kɔrsɛ] nm corsé m

cortège [kɔrtɛʒ] nm cortejo m, séquito m

corvée [kɔrve] nf faena f

cosmétique [kɔsmetik] **1** adj cosmético(a) **2** nm cosmético m

cosmique [kɔsmik] adj cósmico(a)

cosmonaute [kɔsmɔnot] nmf cosmonauta mf

cosmopolite [kɔsmɔpɔlit] adj cosmopolita

cossu, -e [kɔsy] adj (maison, intérieur) señorial

costaud [kɔsto] (f **costaud** ou **costaude** [kɔstod]) adj Fam (personne) forzudo(a)

costume [kɔstym] nm traje m

cote [kɔt] nf (niveau) cota f, nivel m; (d'un livre) signatura f; Fin cotización f; (d'une voiture) valoración f; (d'un cheval) apuesta f; Fam **avoir la c. avec qn** contar con la estima de alguien ■ **c. de popularité** cota o nivel de popularidad

coté, -e [kɔte] adj (estimé) cotizado(a); Fin **être c. en Bourse** cotizar en Bolsa

côte [kot] nf (os) costilla f; (de bœuf) chuletón m; (d'agneau, de porc) chuleta f; *(pente)* cuesta f; *(littoral)* costa f; **c. à** la c. uno(a) al lado del (de la) otro(a) ■ **la C. d'Azur** la Costa Azul

côté [kote] *nm* lado m; *(flanc)* costado m, lado m; **les bons/mauvais côtés de** *(personne, situation)* el lado bueno/malo de; **à c. de** al lado de; **les voisins d'à c.** los vecinos de al lado; **de l'autre c. de qch** al otro lado de algo; **elle est partie de ce c.** se fue por allí; **du c. de** *(aux environs de)* por; **mettre qch de c.** guardar algo; **sur le c.** *(sur le flanc)* de costado, de lado

coteau, -x [koto] *nm (petite colline)* cerro m; *(versant)* ladera f

côtelé, -e [kotle] *adj voir* **velours**

côtelette [kotlεt] *nf* chuleta f

côtier, -ère [kotje, -εr] *adj* costero(a)

cotisation [kotizasjɔ̃] *nf (à un club, à un parti)* cuota f; *(à la Sécurité sociale)* cotización f

cotiser [kotize] **1** *vi (à un club, à un parti)* pagar una cuota; *(à la Sécurité sociale)* cotizar **2 se cotiser** *vpr* hacer una colecta

coton [kotɔ̃] *nm* algodón m ■ **c. hydrophile** algodón hidrófilo

côtoyer [32] [kotwaje] *vt (fréquenter)* frecuentar

cou [ku] *nm* cuello m

couchage [kuʃaʒ] *nm voir* **sac**

couchant [kuʃɑ̃] **1** *adj m* **soleil c.** sol m poniente **2** *nm* poniente m

couche [kuʃ] *nf* capa f; *(de bébé)* pañal m; *(classe sociale)* clase f ■ **fausse c.** aborto m natural o espontáneo

couche-culotte *(pl* **couches-culottes)** [kuʃkylɔt] *nf* braga f pañal, pañal m

coucher [kuʃe] **1** *vt (enfant)* acostar; *(objet)* tumbar; *(blessé)* tender **2** *vi (dormir)* dormir; *Fam* **c. avec qn** *(avoir des rapports sexuels)* acostarse con alguien **3** *nm* **au c.** al acostarse ■ **c. de soleil** puesta f de sol **4 se coucher** *vpr (s'allonger)* tumbarse; *(se mettre au lit)* acostarse; *(se courber)* inclinarse; *(soleil)* ponerse

couchette [kuʃεt] *nf* litera f

coude [kud] *nm* codo m; *(d'un chemin, d'une rivière)* recodo m

coudre [21] [kudr] *vt & vi* coser

couette [kwεt] *nf (coiffure)* coleta f; *(édredon)* funda f nórdica, plumón m

couffin [kufɛ̃] *nm (berceau)* cuco m, capacho m

coulée [kule] *nf (de lave, de boue)* río m; *(de métal)* colada f

couler [kule] **1** *vt (navire, entreprise)* hundir; *(métal, béton)* vaciar, colar **2** *vi (liquide)* correr; *(robinet)* gotear; *(bateau, personne)* hundirse; **avoir le nez qui coule** moquear

couleur [kulœr] *nf* color m; *(aux cartes)* palo m; **avoir des couleurs** *(au visage)* tener buen color; **dans les couleurs** en color

couleuvre [kulœvr] *nf* culebra f

coulisses [kulis] *nfpl (de théâtre)* bastidores *mpl*; *Fig (dessous)* entresijos *mpl*; *aussi Fig* **dans les c.** entre bastidores

couloir [kulwar] *nm* pasillo m; *Géog* corredor m; *Sp* calle f ■ **c. aérien** pasillo o corredor aéreo

coup [ku] *nm* golpe m; *(d'horloge)* campanada f; *(d'arme à feu)* disparo m; *(action spectaculaire)* jugada f; *Fam (fois)* vez f; *Fam* **boire un c.** tomar una copa; **préparer un mauvais c.** preparar una mala pasada; **à c. sûr** seguro; **du c.,...** resulta que...; **du premier c.** a la primera; **c. sur c.** uno(a) tras otro(a); **sous le c. de** *(sous l'effet de)* bajo el efecto de; *Fam* **avoir un c. dans le nez** estar un poco contentillo(a); *Fam* **être dans le c.** *(être au courant)* estar en el ajo; **passer un c. de balai** pasar la escoba; **donner un c. de main à qn** echar una mano a alguien; **jeter un c. d'œil à qch** echar un vistazo a algo; **j'ai attrapé un c. de soleil** me he quemado ■ **c. de barre** *(fatigue)* bajón m; **c. de coude** codazo m; *Fam* **c. dur** duro golpe; **c. d'État** golpe de Estado; **c. de feu** disparo m; **c. de fi**

telefonazo *m*; **passer un c. de fil (à qn)** dar un telefonazo (a alguien); **c. de foudre** flechazo *m*; **avoir le c. de foudre pour qn** enamorarse perdidamente de alguien; **c. de fouet** latigazo *m*; *Fig* empujón *m*; **c. franc** golpe franco; **c. de fusil** disparo (de fusil); **c. de grâce** golpe de gracia; **c. de marteau** martillazo *m*; **c. de pied** patada *f*, puntapié *m*; **c. de poing** puñetazo *m*; **c. de téléphone** telefonazo; **passer un c. de téléphone** llamar por teléfono; **c. de théâtre** golpe de efecto; **c. de tonnerre** trueno *m*; **c. de vent** golpe de viento; **passer en c. de vent** hacer una visita fugaz

coupable [kupabl] **1** *adj (personne)* culpable; *(pensée)* censurable **2** *nmf* culpable *mf*

coupe [kup] *nf (à boire, sportive)* copa *f*; *(de cheveux, de vêtement)* corte *m*; *(d'arbres)* tala *f*; *(plan)* sección *f*; *(réduction)* recorte *m*

coupé, -e [kupe] **1** *adj* cortado(a); *(alcool, vin)* aguado(a) **2** *nm* cupé *m*

coupe-papier [kuppapje] *nm inv* abrecartas *m inv*

couper [kupe] **1** *vt* cortar; *(blé, herbe)* segar; *(traverser)* cruzar; *(vin)* aguar; *(aux cartes)* matar **2** *vi* cortar **3** **se couper** *upr* cortarse; **se c. le doigt** cortarse el dedo

couple [kupl] *nm (de personnes, d'oiseaux)* pareja *f*; *Phys & Math* par *m*

couplet [kuplɛ] *nm* estrofa *f*

coupole [kupɔl] *nf* cúpula *f*

coupon [kupɔ̃] *nm (de tissu)* retal *m*; *(ticket)* cupón *m*

coupure [kupyr] *nf* corte *m*; *Fig (rupture)* interrupción *f*; *(billet de banque)* billete *m*; **grosses/petites coupures** billetes grandes/pequeños ■ **c. de courant** apagón *m*; **c. de presse** recorte *m* (de prensa)

cour [kur] *nf (de maison, de ferme)* patio *m*; *(entourage)* corte *f*; *(tribunal)* tribunal *m*; **faire la c. à qn** cortejar a alguien ■ **c. d'assises** ≃ audiencia *f*

provincial; **C. de cassation** Tribunal Supremo; **C. des comptes** Tribunal de Cuentas; **c. de récréation** patio de recreo; **c. martiale** tribunal militar

courage [kuraʒ] *nm (bravoure)* valor *m*, valentía *f*; *(énergie)* ánimo *m*; **bon c.!** ¡ánimo!

courageux, -euse [kuraʒø, -øz] *adj* valiente

courant, -e [kurã, -ãt] **1** *adj* corriente **2** *nm* corriente *f*; **être au c. (de qch)** estar al corriente (de algo); **mettre/ tenir qn au c. (de qch)** poner/ mantener a alguien al corriente (de algo); **c. février** durante el mes de febrero ■ **c. d'air** corriente de aire

courbatures [kurbatyr] *nfpl* agujetas *fpl*

courbe [kurb] **1** *nf* curva *f* ■ **c. de niveau** curva de nivel **2** *adj* curvo(a)

courber [kurbe] **1** *vt (branche, tige)* curvar; *(tête, front)* inclinar **2** **se courber** *upr (branche, tige)* curvarse; *(se baisser)* inclinarse

coureur, -euse [kurœr, -øz] *nm,f* corredor(ora) *m,f*; *Fam (séducteur)* seductor(ora) *m,f* ■ **c. automobile** piloto *mf* de carreras; **c. cycliste** ciclista *mf*

courgette [kurʒɛt] *nf* calabacín *m*

courir [22] [kurir] **1** *vt (course, risque)* correr; *(fréquenter)* frecuentar; **c. les magasins** ir de tiendas; *Fam* **c. les filles** andar detrás de las chicas **2** *vi* correr; *Fam* **tu peux toujours c.!** ¡ni lo sueñes!

couronne [kurɔn] *nf* corona *f*; *(pain)* rosco *m*

couronnement [kurɔnmã] *nm* coronación *f*

couronner [kurɔne] *vt* coronar; **et pour c. le tout,...** para colmo de males,...

courrier [kurje] *nm* correo *m* ■ **c. du cœur** consultorio *m* sentimental; **c. électronique** correo electrónico

courroie [kurwa] *nf* correa *f* ■ **c. de transmission** correa de transmisión

cours¹ [kur] *nm* curso *m*; *(leçon)* clase

f; Fin cotización *f;* **avoir c.** *(monnaie)* tener curso legal; *Fig* practicarse; **au c. de** durante el transcurso de; **en c.** *(année)* en curso; *(affaire)* pendiente; **en c. de route** por el camino; **donner** *ou* **laisser libre c. à** dar rienda suelta a ■ **c. d'eau** río *m;* **c. élémentaire 1** = curso de primaria que se realiza a los siete años, *Esp* ≃ 2° *m* de primaria; **c. élémentaire 2** = curso de primaria que se realiza a los ocho años, *Esp* ≃ 3° *m* de primaria; **c. magistral** clase teórica; **c. moyen 1** = curso de primaria que se realiza a los nueve años, *Esp* ≃ 4° *m* de primaria; **c. moyen 2** = curso de primaria que se realiza a los diez años, *Esp* ≃ 5° *m* de primaria; **c. préparatoire** = curso de primaria que se realiza a los seis años, *Esp* ≃ 1° *m* de primaria

cours² *voir* **courir**

course [kurs] *nf (action de courir, compétition)* carrera *f; (d'un projectile)* trayectoria *f;* **c. contre la montre** carrera contrarreloj; **faire une c.** hacer un recado; **faire les courses** hacer la compra ■ **c. automobile** carrera automovilística; **c. à pied** carrera pedestre; **courses (de chevaux)** carreras (de caballos); **courses de taureaux** corridas *fpl* (de toros)

coursier, -ère [kursje, -ɛr] *nm,f* mensajero(a) *m,f*

court¹, -e [kur, kurt] **1** *adj* corto(a) **2** *adv* **être à c. d'argent/d'idées** andar corto(a) de dinero/de ideas; **prendre qn de c.** pillar a alguien desprevenido(a)

court² *voir* **courir**

court-circuit *(pl* **courts-circuits)** [kursirkɥi] *nm* cortocircuito *m*

courtier, -ère [kurtje, -ɛr] *nm,f* corredor(ora) *m,f*

courtisan, -e [kurtizã, -an] *nm,f (à la cour)* cortesano(a) *m,f*

courtiser [kurtize] *vt (femme)* cortejar; *(flatter)* adular

courtois, -e [kurtwa, -az] *adj* cortés

courtoisie [kurtwazi] *nf* cortesía *f*

couru, -e [kury] **1** *pp voir* **courir** **2** *adj (fréquenté)* concurrido(a)

cousin, -e [kuzɛ̃, -in] *nm,f* primo(a) *m,f,* ■ **c. germain** primo hermano

coussin [kusɛ̃] *nm* cojín *m; Belg (oreiller)* almohada *f* ■ **c. d'air** colchón *m* de aire

cousu, -e [kuzy] **1** *pp voir* **coudre** **2** *adj* cosido(a); **c. de fil blanc** *(mensonge)* descarado(a)

coût [ku] *nm* coste *m*

couteau, -x [kuto] *nm* cuchillo *m; (outil)* espátula *f; (coquillage)* navaja *f* ■ **c. à cran d'arrêt** navaja de muelle

coûter [kute] *vt & vi* costar; **ça coûte combien?** ¿cuánto cuesta?, ¿cuánto es?; **coûte que coûte** cueste lo que cueste

coûteux, -euse [kutø, -øz] *adj* costoso(a)

coutume [kutym] *nf* costumbre *f*

couture [kutyr] *nf* costura *f;* **battre qn à plate c.** *ou* **plates coutures** pegar una paliza a alguien

couturier, -ère [kutyrje, -ɛr] *nm,f* modisto(a) *m,f* ■ **grand c.** modisto de alta costura

couvent [kuvã] *nm* convento *m*

couver [kuve] **1** *vt (œuf, maladie)* incubar; *(enfant)* mimar, *Méx* apapachar **2** *vi (complot)* cocerse; *(feu)* arder con rescoldos

couvercle [kuvɛrkl] *nm* tapadera *f*

couvert, -e [kuvɛr, -ɛrt] **1** *pp voir* **couvrir** **2** *adj (habillé)* abrigado(a); *(ciel)* nublado(a); **c. de qch** *(plein)* lleno(a) de algo **3** *nm (à table)* cubierto *m;* **mettre le c.** poner la mesa; **se mettre à c.** ponerse a cubierto

couverture [kuvɛrtyr] *nf (de lit)* manta *f, Am* cobija *f,* frazada *f; (de livre)* cubierta *f,* tapa *f; (de magazine)* portada *f; (protection) ou Journ* cobertura *f; (d'une activité secrète)* tapadera *f; (toit)* cubierta *f* ■ **c. chauffante** manta eléctrica; **c**

sociale cobertura de la Seguridad Social

couveuse [kuvøz] *nf (machine)* incubadora *f*; *(poule)* clueca *f*

couvre-feu *(pl* couvre-feux*)* [kuvrə-fø] *nm* toque *m* de queda

couvre-lit *(pl* couvre-lits*)* [kuvrəli] *nm* colcha *f*

couvrir [52] [kuvrir] **1** *vt* cubrir; *(vêtir)* abrigar; *(livre)* forrar; *(récipient, bruit)* tapar; **c. qn de qch** *(combler de)* cubrir a alguien de algo **2 se couvrir** *vpr* cubrirse; *(se vêtir)* abrigarse

crabe [krab] *nm* cangrejo *m*

crachat [kraʃa] *nm* escupitajo *m*

cracher [kraʃe] **1** *vt* escupir **2** *vi* escupir; *(radio)* chisporrotear; *Fam Fig* **ne pas c. sur qch** no hacer ascos a algo

crachin [kraʃɛ̃] *nm* calabobos *m inv*

craie [krɛ] *nf (roche)* roca *f* caliza; *(pour écrire)* tiza *f*, *Méx* gis *m*

craindre [23] [krɛ̃dr] **1** *vt (redouter)* temer, tener miedo de; *(être sensible à)* ser muy sensible a; **c. les chatouilles** tener cosquillas; **c. de faire qch** temer hacer algo, tener miedo de hacer algo; **je crains que nous (n')ayons raté le train** me temo que hemos perdido el tren **2** *vi Fam* **ça craint!** *(ennuyeux)* ¡qué fastidio!; *(nul)* ¡qué porquería!; *(louche)* ¡qué cutre!

crainte [krɛ̃t] *nf* temor *m*; **de c. de faire qch** por temor a hacer algo; **de c. qu'il (ne) parte** por temor a que se vaya

craintif, -ive [krɛ̃tif, -iv] *adj* temeroso(a)

cramer [krame] *Fam* **1** *vt & vi* achicharrar **2 se cramer** *vpr* achicharrarse; **se c. les doigts** achicharrarse los dedos

crampe [krɑ̃p] *nf* calambre *m* ■ **c. d'estomac** retortijón *m* de estómago

crampon [krɑ̃pɔ̃] *nm (crochet)* gancho *m*; *(de chaussures)* taco *m*

cramponner [krɑ̃pɔne] **se cram-ponner** *vpr (s'agripper)* agarrarse (**à** à); *Fig (s'attacher)* aferrarse (**à** a)

cran [krɑ̃] *nm (de ceinture)* agujero *m*; *(entaille)* muesca *f*; *Fam (audace)* agallas *fpl*, *Fig* **baisser/monter d'un c.** bajar/subir un punto ■ **(couteau à) c. d'arrêt** navaja *f* automática; **c. de sûreté** seguro *m*

crâne [krɑn] *nm* cráneo *m*

crapaud [krapo] *nm* sapo *m*

crapule [krapyl] *nf* crápula *f*

craquement [krakmɑ̃] *nm* crujido *m*

craquer [krake] **1** *vi (faire un bruit)* crujir; *(se déchirer)* reventar; *(être effondré)* hundirse; *Fam (se laisser tenter)* rendirse; **il n'en peut plus, il va c.** no puede más, le va a dar algo **2** *vt (allumette)* frotar; *(déchirer)* desgarrar, romper

crasse [kras] **1** *nf (saleté)* mugre *f*; *Fam (mauvais tour)* jugarreta *f* **2** *adj (bêtise, ignorance)* craso(a)

crasseux, -euse [krasø, -øz] *adj* mugriento(a)

cratère [krater] *nm* cráter *m*

cravate [kravat] *nf* corbata *f*

crayon [krejɔ̃] *nm* lápiz *m* ■ **c. de couleur** lápiz de color; **c. optique** lápiz óptico

créancier, -ère [kreɑ̃sje, -ɛr] *nm,f* acreedor(ora) *m,f*

créateur, -trice [kreatœr, -tris] *adj & nm,f* creador(ora) *m,f*

création [kreasjɔ̃] *nf* creación *f*

créature [kreatyr] *nf* criatura *f*

crèche [krɛʃ] *nf (garderie)* guardería *f* infantil; *(de Noël)* belén *m*

crédible [kredibl] *adj* creíble

crédit [kredi] *nm* crédito *m*; **faire c. à qn** dar crédito a alguien; **acheter à c.** comprar a crédito

créditeur, -trice [kreditœr, -tris] *adj & nm,f* acreedor(ora) *m,f*

crédule [kredyl] *adj* crédulo(a)

créer [24] [kree] *vt* crear

crémaillère [kremajɛr] *nf (de chemi-née)* llares *fpl*; *Tech* cremallera *f*; *Fig* **pendre la c.** inaugurar la casa con una fiesta

crème [krɛm] **1** *nf* crema *f*; *(du lait)* nata *f* ■ **c. anglaise** crema inglesa;

c. fouettée nata batida; **c. fraîche** nata; **c. glacée** helado *m*; **c. hydratante** crema hidratante; **c. à raser** crema de afeitar **2** *adj inv (couleur)* crema *inv* **3** *nm (café)* café *m* con leche

crémerie [kʀemri] *nf* mantequería *f*, lechería *f*

crémeux, -euse [kʀemø, -øz] *adj* cremoso(a)

créneau, -x [kʀeno] *nm (de fortification)* almena *f*; *(horaire)* hueco *m*; *Com* segmento *m* de mercado; **faire un c.** *(en voiture)* aparcar

créole [kʀeɔl] **1** *adj* criollo(a) **2** *nmf* **C.** criollo(a) *m,f* **3** *nm (langue)* criollo *m*

crêpe [kʀɛp] **1** *nf* crepe *f* **2** *nm (tissu)* crespón *m*; *(caoutchouc)* crepé *m*

crêperie [kʀɛpʀi] *nf* crepería *f*

crépiter [kʀepite] *vi* crepitar

crépu, -e [kʀepy] *adj* crespo(a)

crépuscule [kʀepyskyl] *nm* anochecer *m*

cresson [kʀesɔ̃, kʀasɔ̃] *nm* berro *m*

Crète [kʀɛt] *nf* **la C.** Creta

crête [kʀɛt] *nf* cresta *f*

creuser [kʀøze] **1** *vt (trou, sol)* cavar; *(bois)* vaciar; *Fig (sujet, idée)* profundizar en, ahondar en **2** *vi Fam* **ça creuse!** *(ça donne faim)* ¡esto abre el estómago! **3 se creuser** *vpr (écart)* agrandarse; *Fam* **se c. la tête** *ou* **la cervelle** estrujarse los sesos

creux, -euse [kʀø, kʀøz] **1** *adj (vide)* hueco(a); *(période)* bajo(a); *(raisonnement)* vacío(a) **2** *nm* hueco *m*

crevaison [kʀavɛzɔ̃] *nf* pinchazo *m*

crevasse [kʀavas] *nf* grieta *f*

crever [kʀave] **1** *vt aussi Fam* reventar **2** *vi (éclater)* reventar; *(pneu)* pinchar; *Fam (mourir)* palmarla; *Fam Fig* **c. de faim** morirse de hambre **3 se crever** *vpr Fam (se fatiguer)* reventarse

crevette [kʀavɛt] *nf Esp* gamba *f*, *Am* camarón *m* ■ **c. grise** quisquilla *f*; **c. rose** camarón *m*

cri [kʀi] *nm* grito *m*; *Fig* **c'est du dernier c.** es el último grito

criard, -e [kʀijaʀ, -aʀd] *adj* chillón(ona)

crier [66] [kʀije] **1** *vi* gritar; *(protester)* clamar; **c. contre** *ou* **après qn** clamar contra alguien **2** *vt* gritar; **sans c. gare** sin avisar

crime [kʀim] *nm (meurtre, faute)* crimen *m*; *Jur (infraction)* delito *m*

criminalité [kʀiminalite] *nf* criminalidad *f*

criminel, -elle [kʀiminɛl] *adj & nm,f* criminal *mf*

crinière [kʀinjɛʀ] *nf (d'un lion, d'une personne)* melena *f*; *(d'un cheval)* crines *fpl*

crique [kʀik] *nf* cala *f*

crise [kʀiz] *nf (accès)* ataque *m*, crisis *f inv*; *(phase critique)* crisis *f inv* ■ **c. cardiaque** ataque cardíaco, crisis cardíaca; **c. de foie** ataque hepático, crisis hepática; **c. de nerfs** ataque de nervios

crisper [kʀispe] **1** *vt (visage)* crispar; *(personne)* crisparle los nervios a **2 se crisper** *vpr* crisparse

crisser [kʀise] *vi* rechinar

cristal, -aux [kʀistal, -o] *nm* cristal *m* ■ **à cristaux liquides** de cristal líquido; **c. de roche** cristal de roca

cristallin, -e [kʀistalɛ̃, -in] *adj* cristalino(a) **2** *nm (de l'œil)* cristalino *m*

critère [kʀitɛʀ] *nm* criterio *m*

critique [kʀitik] **1** *adj & nmf* crítico(a) *m,f* **2** *nf* crítica *f*

critiquer [kʀitike] *vt* criticar

croasser [kʀɔase] *vi* graznar

Croatie [kʀɔasi] *nf* **la C.** Croacia

croc [kʀo] *nm (crochet)* gancho *m*; *(canine)* colmillo *m*; *Fam* **avoir les crocs** *(avoir faim)* tener gusa

croche [kʀɔʃ] *nf Mus* corchea *f*

croche-pied *(pl* **croche-pieds)** [kʀɔʃpje] *nm* zancadilla *f*; **faire un c. à qn** poner la zancadilla a alguien

crochet [kʀɔʃɛ] *nm* gancho *m*, *(ouvrage de tricot)* ganchillo *m*; *(signe graphique)* corchete *m*; *(détour)* rodeo *m*; **vivre aux crochets de qn** vivir a expensas de alguien

crochu, -e [krɔʃy] *adj (doigts, nez, bec)* ganchudo(a); *(ongles)* curvado(a)

crocodile [krɔkɔdil] *nm* cocodrilo *m*

croire [25] [krwar] **1** *vt* creer; **je le crois capable de tout** le creo capaz de cualquier cosa; **j'ai cru l'apercevoir hier** me pareció verlo ayer **2** *vi* creer (**à/en** en) **3 se croire** *upr* **se c. malin/drôle** creerse muy listo/gracioso

croisade [krwazad] *nf* cruzada *f*

croisé, -e [krwaze] **1** *adj (veste)* cruzado(a) **2** *nm Hist* cruzado *m* **3** *nf* **croisée** *(fenêtre)* ventana *f*; **à la croisée des chemins** en la encrucijada

croisement [krwazmɑ̃] *nm* cruce *m*

croiser [krwaze] **1** *vt (jambes, bras, espèces)* cruzar; *(route)* atravesar; *(passer à côté de)* cruzarse con **2** *vi Naut* patrullar **3 se croiser** *upr* cruzarse

croisière [krwazjer] *nf* crucero *m*

croissance [krwasɑ̃s] *nf* crecimiento *m* ■ **c. économique** crecimiento económico

croissant, -e [krwasɑ̃, -ɑ̃t] **1** *adj* creciente **2** *nm (demi-lune)* media luna *f*; *(pâtisserie)* croissant *m* ■ **c. de lune** luna *f* creciente

croître [4b] [krwatr] *vi* crecer

croix [krwa] *nf* cruz *f*; *(signe graphique)* cruz *f*, aspa *f*; **en c.** en cruz ■ **c. de guerre** medalla *f* al mérito militar; **C.-Rouge** Cruz Roja

croquant, -e [krɔkɑ̃, -ɑ̃t] *adj* crujiente

croque-monsieur [krɔkməsjø] *nm inv* = sandwich caliente de jamón y queso

croquer [krɔke] **1** *vt (manger)* comer a mordiscos; *(dessiner)* bosquejar **2** *vi* crujir; **c. dans qch** morder algo

croquis [krɔki] *nm* croquis *m inv*

crotte [krɔt] *nf* caca *f*

crottin [krɔtɛ̃] *nm (de cheval)* cagajón *m*; *(fromage)* = queso de cabra pequeño de forma redonda

crouler [krule] *vi* **c. sous qch** *(poids)* hundirse por algo; *Fig (travail, responsabilités)* estar agobiado(a) por algo

croupe [krup] *nf* grupa *f*; **monter en c.** ir a la grupa

croupier [krupje] *nm* croupier *m*, crupier *m*

croupir [krupir] *vi (eau)* estancarse; *Fig (personne)* pudrirse

croustillant, -e [krustijɑ̃, -ɑ̃t] *adj (biscuit, pain)* crujiente; *(détail)* picante

croustiller [krustije] *vi* crujir

croûte [krut] *nf (de pain, de fromage)* corteza *f*; *(sur une plaie)* costra *f*; *Culin* **en c.** en hojaldre; *Fam* **casser la c.** picar algo ■ **c. terrestre** corteza terrestre

croûton [krutɔ̃] *nm (bout du pain)* pico *m*; *(pain frit)* picatoste *m*

croyance [krwajɑ̃s] *nf* creencia *f*

croyant, -e [krwajɑ̃, -ɑ̃t] *adj & nm,f* creyente *mf*

CRS [seerɛs] *nmpl (abrév* **Compagnie républicaine de sécurité)** antidisturbios *mpl*

cru¹, -e [kry] *pp voir* **croire**

cru², -e *adj (aliment)* crudo(a); *(lumière, couleur)* vivo(a); *(histoire)* verde; **monter à c.** montar a pelo

cru³ *nm (terroir)* viñedo *m*; *(vin)* caldo *m*; *Fig* **de mon/ton/***etc* **c.** de mi/tu/*etc* propia cosecha

cruauté [kryote] *nf* crueldad *f*

cruche [kryʃ] *nf (objet)* cántaro *m*; *Fam (personne)* zoquete *mf*

crucial, -e, -aux, -ales [krysjal, -o] *adj* crucial

crucifix [krysifi] *nm* crucifijo *m*

crucifixion [krysifiksjɔ̃] *nf* crucifixión *f*

crudités [krydite] *nfpl* = verduras crudas troceadas que se toman como entremeses

crue [kry] *nf* crecida *f*; **le fleuve est en c.** hay una crecida

cruel, -elle [kryɛl] *adj* cruel

crustacé [krystase] *nm* crustáceo *m*

crypte [kript] *nf* cripta *f*

crypté, -e [kripte] *adj voir* **chaîne**

Cuba [kyba] *n* Cuba

cubain, -e [kybɛ̃, -ɛn] **1** *adj* cubano(a) **2** *nm,f* **C.** cubano(a) *m,f*

cube [kyb] **1** *nm* cubo *m*; *Math* **au c.** al cubo **2** *adj Math* cúbico(a)

cueillir [5] [kœjir] *vt (fruits, fleurs)* recoger, *Esp* coger

cuillère, cuiller [kɥijɛr] *nf* cuchara *f* ▪ **c. à café** cucharilla *f* de café; **c. à dessert** cuchara de postre; **c. à soupe** cuchara sopera; **petite c.** cucharilla

cuillerée [kɥijere] *nf* cucharada *f*

cuir [kɥir] *nm* cuero *m*, piel *f* ▪ **c. chevelu** cuero cabelludo; **c. véritable** piel genuina

cuire [18] [kɥir] **1** *vt* cocer **2** *vi (aliment)* cocer; **faire c. qch** cocer algo

cuisine [kɥizin] *nf* cocina *f*; **faire la c.** cocinar

cuisiner [kɥizine] *vt & vi* cocinar

cuisinier, -ère [kɥizinje, -ɛr] **1** *nm,f* cocinero(a) *m,f* **2** *nf* **cuisinière** *(appareil)* cocina *f* ▪ **cuisinière électrique** cocina eléctrica; **cuisinière à gaz** cocina de gas

cuisse [kɥis] *nf* muslo *m*

cuisson [kɥisɔ̃] *nf* cocción *f*

cuit, -e [kɥi, kɥit] **1** *pp voir* **cuire** **2** *adj* cocido(a); **bien c.** muy hecho(a)

cuivre [kɥivr] *nm (métal)* cobre *m*; **les cuivres** *(d'un orchestre)* los metales

cuivré, -e [kɥivre] *adj* cobrizo(a)

cul-de-sac *(pl* **culs-de-sac)** [kydsak] *nm* callejón *m* sin salida

culinaire [kyliner] *adj* culinario(a)

culminer [kylmine] *vi* **le mont Blanc culmine à 4 807 mètres** el Mont Blanc tiene 4.807 metros de altitud

culot [kylo] *nm (d'une ampoule)* casquillo *m*; *Fam (toupet)* morro *m*, *RP* tupé *m*

culotte [kylɔt] *nf (sous-vêtement féminin)* *Esp* bragas *fpl*, *Andes* calzón *m*, *RP* bombacha *f*, *Carib* blúmer *m*, *Méx*, *Ven* pantaleta *f* ▪ **c. de cheval** pantalones *mpl* de montar; *(cellulite)* pistoleras *fpl*

culpabilité [kylpabilite] *nf* culpabilidad *f*

culte [kylt] *nm* culto *m*

cultivateur, -trice [kyltivatœr, -tris] *nm,f* labrador(ora) *m,f*

cultivé, -e [kyltive] *adj (plante, terre)* cultivado(a); *(personne)* culto(a)

cultiver [kyltive] *vt* cultivar

culture [kyltyr] *nf (instruction, civilisation)* cultura *f*; *(agricole)* cultivo *m* ▪ **c. générale** cultura general; **c. physique** cultura física

culturel, -elle [kyltyrɛl] *adj* cultural

cumuler [kymyle] *vt* acumular

cupide [kypid] *adj* codicioso(a)

cure [kyr] *nf* cura *f*; *Fig* **faire une c. de qch** darse un hartón de algo ▪ **c. de désintoxication** cura de desintoxicación; **c. de sommeil** cura de sueño; **c. thermale** cura termal

curé [kyre] *nm* cura *m*

cure-dents [kyrdɑ̃] *nm inv* mondadientes *m inv*, palillo *m* (de dientes)

curer [kyre] *vt (puits)* mondar; *(pipe)* limpiar

curieux, -euse [kyrjø, -øz] **1** *adj* curioso(a); **je serais c. de savoir si…** me gustaría saber si…, me pregunto si… **2** *nm,f* curioso(a) *m,f*

curiosité [kyrjozite] *nf* curiosidad *f*

curriculum vitae [kyrikylɔmvite] *nm inv* currículum *m* vitae

curseur [kyrsœr] *nm* cursor *m*

cutané, -e [kytane] *adj* cutáneo(a)

cuve [kyv] *nf* cuba *f*

cuvée [kyve] *nf (récolte)* cosecha *f*

cuvette [kyvɛt] *nf (récipient)* palangana *f*; *(de lavabo)* lavabo *m*; *(de W-C)* taza *f*; *Géog* depresión *f*

CV [seve] *nm (abrév* **curriculum vitae)** currículum *m* vitae; *(abrév* **cheval-vapeur)** CV *m*

cyanure [sjanyr] *nm* cianuro *m*

cybercafé [siberkafe] *nm Ordinat* cibercafé *m*

cyclable [siklabl] *adj voir* **piste**

cycle [sikl] *nm* ciclo *m* ▪ **premier c.** *(au collège)* = los cuatro cursos que se realizan entre los once y los

catorce años; *(à l'université)* primer ciclo; **second c.** *(au lycée)* = los tres cursos anteriores al "baccalauréat"; *(à l'université)* segundo ciclo; **troisième c.** *(à l'université)* tercer ciclo
cyclisme [siklism] *nm* ciclismo *m*
cycliste [siklist] *adj & nmf* ciclista *mf*
cyclomoteur [siklɔmɔtœr] *nm* ciclomotor *m*
cyclone [siklon] *nm* ciclón *m*

cygne [siɲ] *nm* cisne *m*
cylindre [silɛ̃dr] *nm* cilindro *m*
cylindrique [silɛ̃drik] *adj* cilíndrico(a)
cymbales [sɛ̃bal] *nfpl* platillos *mpl*
cynique [sinik] *adj & nmf* cínico(a) *m,f*
cyprès [siprɛ] *nm* ciprés *m*
cypriote [siprijɔt] **1** *adj* chipriota **2** *nmf* **C.** chipriota *mf*

Dd

D, d [de] *nm inv (lettre)* D *f*, d *f*
D *(abrév* **route départementale)** carretera *f* secundaria
dactylo [daktilo] **1** *nmf (personne)* mecanógrafo/a *m,f* **2** *nf (procédé)* mecanografía *f*
daigner [deɲe] *vi* **d. faire qch** dignarse a hacer algo
daim [dɛ̃] *nm (animal)* gamo *m; (peau)* ante *m*
dalle [dal] *nf* losa *f*
daltonien, -enne [daltɔnjɛ̃, -ɛn] *adj & nm, f* daltónico(a) *m,f*
dame [dam] *nf (femme)* señora *f; (aux cartes)* reina *f;* **dames** *(jeu)* damas *fpl*
damner [dane] *vt* condenar
dandiner [dɑ̃dine] **se dandiner** *vpr (canard)* balancearse; *(personne)* contonearse
Danemark [danmark] *nm* **le D.** Dinamarca
danger [dɑ̃ʒe] *nm* peligro *m;* **en d.** en peligro
dangereux, -euse [dɑ̃ʒrø, -øz] *adj* peligroso(a)
danois, -e [danwa, -az] **1** *adj* danés(esa) **2** *nm,f* **D.** danés(esa) *m,f* **3** *nm (langue)* danés *m*

dans [dɑ̃] *prép* (**a**) *(à l'intérieur de)* en; **d. la chambre** en la habitación (**b**) *(pendant)* en; *(au bout de)* dentro de; **d. un mois** dentro de un mes; **ils sont arrivés d. la matinée** llegaron por la mañana (**c**) *(indique l'état, la manière)* en; **vivre d. la misère** vivir en la miseria (**d**) *(environ)* **ça coûte d. les 100 euros** cuesta unos 100 euros
danse [dɑ̃s] *nf* baile *m*, danza *f* ▪ **d. classique** ballet *m* clásico; **d. contemporaine** ballet contemporáneo
danser [dɑ̃se] *vt & vi* bailar
danseur, -euse [dɑ̃sœr, -øz] *nm,f* bailarín(ina) *m,f*
dard [dar] *nm* aguijón *m*
date [dat] *nf* fecha *f;* **à quelle d.?** ¿qué día?; **en d. du** con fecha de ▪ **d. de naissance** fecha de nacimiento
dater [date] **1** *vt (lettre)* fechar; *(objet ancien)* datar **2** *vi (être démodé)* estar anticuado(a); **d. de** datar de; **à d. de** a partir de
datte [dat] *nf* dátil *m*
dauphin [dofɛ̃] *nm (animal)* delfín *m*
davantage [davɑ̃taʒ] *adv* más; **d. de loisirs** más distracciones
de [də]

Antes de vocal o h muda se usa **d'**. De se une con los artículos determinados para formar las contracciones **du** (del) y **des** (de los, de las).

1 prép (**a**) (indique la provenance) de; **revenir de Paris** volver de París

(**b**) (indique une progression) **de... à** de... a; **d'une ville à l'autre** de una ciudad a otra; **il y avait de 20 à 30 personnes** había entre 20 y 30 personas

(**c**) (indique l'appartenance) de; **la porte du salon** la puerta del salón

(**d**) (indique la nature, la matière) de; **un bracelet d'argent** una pulsera de plata

(**e**) (introduit une mesure) de; **la terrasse fait 10 mètres de long** la terraza tiene 10 metros de largo; **12 euros de l'heure** 12 euros la hora

(**f**) (indique la manière) con; **d'un air amusé** con aire divertido

(**g**) (introduit l'agent) por, de; **accompagné de ses amis** acompañado de o por sus amigos

(**h**) (parmi) de; **l'un d'eux** uno de ellos; **le meilleur élève de la classe** el mejor alumno de la clase

(**i**) (avec un infinitif) **ce n'est pas bien de mentir** no está bien mentir; **ils m'ont demandé de travailler pour eux** me han pedido que trabaje para ellos

2 art partitif **je prendrai du fromage** tomaré queso; **boire de l'eau** beber agua; **avez-vous du pain?** ¿tiene pan?

3 art indéfini **ils n'ont pas d'enfants** no tienen hijos

dé [de] nm (à jouer) dado m ▪ d. à coudre dedal m

déballer [debale] vt desembalar; Fam Fig (confier) desembuchar

débarbouiller [debarbuje] se débarbouiller vpr lavarse la cara

débardeur [debardœr] nm (vêtement) camiseta f de tirantes

débarquement [debarkəmɑ̃] nm desembarco m

débarquer [debarke] **1** vt desembarcar **2** vi (d'un bateau) desembarcar; Fam (arriver à l'improviste) encajarse

débarras [debara] nm trastero m; Fam **bon d.!** ¡adiós, muy buenas!

débarrasser [debarase] **1** vt (pièce) despejar; (table) quitar; **d. qn de qch** (vêtement) ayudar a alguien a quitarse algo; **débarrasse-moi de ces paquets** toma estos paquetes **2** se débarrasser vpr **se d. de** deshacerse de; **il s'est débarrassé de son manteau** se quitó el abrigo

débat [deba] nm debate m

débattre [11] [debatr] **1** vt discutir **2** vi **d. de qch** discutir sobre algo **3** se débattre vpr debatirse

débaucher [deboʃe] vt (corrompre) corromper, pervertir; (licencier) despedir

débit [debi] nm (d'un compte) débito m, debe m; (d'un fleuve) caudal m; (de marchandises) salida f; (élocution) modo m de hablar

débiter [debite] vt (compte) cargar; (marchandises) despachar; (couper) cortar; Fam Fig (prononcer) soltar

débiteur, -trice [debitœr, -tris] adj & nm,f deudor(ora) m,f

débloquer [debloke] **1** vt (machine) desbloquear; (salaires, prix) descongelar **2** vi Fam (perdre la tête) delirar

déboiser [debwaze] vt talar

déboîter [debwate] **1** vt (épaule) dislocar **2** vi (en voiture) salirse de la fila **3** se déboîter vpr **se d. l'épaule** dislocarse el hombro

déborder [deborde] vi desbordarse; Fig **d. d'imagination** estar rebosante de imaginación

débouché [debuʃe] nm (professionnel, commercial) salida f

déboucher [debuʃe] **1** vt (bouteille) destapar, abrir; (lavabo, conduit) desatascar; (nez) despejar **2** vi desembocar (**sur** en)

debout [dəbu] adv de pie; aussi Fig **ne pas tenir d.** no tenerse en pie; **allez, d.!** (réveille-toi) ¡venga, arriba!

déboutonner [debutɔne] vt desabotonar

débraillé, -e [debraje] adj descamisado(a)

débrancher [debrɑ̃ʃe] vt desenchufar

débrayage [debrejaʒ] nm (en voiture) desembrague m; (du travail) paro m (huelga)

débrayer [53] [debreje] vi (en voiture) desembragar; (cesser le travail) hacer un paro

débris [debri] nm pedazo m

débrouillard, -e [debrujar, -ard] adj & nm,f espabilado(a) m,f

débrouiller [debruje] 1 vt (fils) desenredar; (affaire, mystère) esclarecer 2 **se débrouiller** vpr (s'arranger) arreglárselas; (dans une matière) defenderse

début [deby] nm comienzo m, principio m; **d. avril** a principios de abril; **au d.** al principio; **au d. de** al principio de; (d'année, de mois) a principios de; **du d. à la fin** de principio a fin

débutant, -e [debytɑ̃, -ɑ̃t] adj & nm,f debutante mf

débuter [debyte] vi empezar, comenzar (**par** con); (dans une carrière) debutar

deçà [dəsa] **en deçà de** prép de este lado de; Fig (en dessous de) por debajo de

décadent, -e [dekadɑ̃, -ɑ̃t] adj decadente

décaféiné, -e [dekafeine] nm descafeinado m

décalage [dekalaʒ] nm (dans le temps) desfase m; (dans l'espace) desajuste m; Fig (différence) distancia f ▪ **d. horaire** diferencia f horaria

décaler [dekale] vt (dans le temps) aplazar; (dans l'espace) desplazar; **d. qch d'un mètre** desplazar algo un metro

décalquer [dekalke] vt calcar

décaper [dekape] vt decapar

décapiter [dekapite] vt (personne) decapitar

décapotable [dekapɔtabl] nf descapotable f

décapsuleur [dekapsylœr] nm abrebotellas m inv, abridor m (de botellas)

décarcasser [dekarkase] **se décarcasser** vpr Fam romperse los cuernos

décédé, -e [desede] adj fallecido(a)

déceler [39] [desle] vt (repérer) descubrir

décembre [desɑ̃br] nm diciembre m; voir aussi **septembre**

décence [desɑ̃s] nf decencia f

décennie [deseni] nf decenio m

décent, -e [desɑ̃, -ɑ̃t] adj decente

décentralisation [desɑ̃tralizasjɔ̃] nf descentralización f

déception [desɛpsjɔ̃] nf decepción f

décerner [deserne] vt conceder

décès [desɛ] nm fallecimiento m; Jur defunción f

décevant, -e [desvɑ̃, -ɑ̃t] adj decepcionante

décevoir [60] [desvwar] vt decepcionar

déchaîner [deʃene] 1 vt desatar 2 **se déchaîner** vpr (tempête, éléments) desatarse; Fig (personne) enfurecerse, Méx enchilarse; **se d. contre** ensañarse con

décharge [deʃarʒ] nf (électrique) descarga f; (dépotoir) vertedero m

décharger [45] [deʃarʒe] vt (véhicule, marchandises) descargar; **d. qn de qch** (responsabilité) descargar o eximir a alguien de algo

déchausser [deʃose] 1 vt (enfant) descalzar 2 **se déchausser** vpr (personne) descalzarse

déchéance [deʃeɑ̃s] nf (déclin) decadencia f; Jur (d'un droit) privación f

déchet [deʃe] nm (perte) desecho m; **déchets** (ordures) restos mpl, residuos mpl ▪ **déchets radioactifs** residuos radiactivos

déchiffrer [deʃifre] vt (énigme, inscription) descifrar; (partition) repentizar

déchirer [deʃire] 1 vt (tissu) desgarrar;

(papier) rasgar; *Fig (blesser moralement)* destrozar **2 se déchirer** *vpr (tissu)* rasgarse; *(personnes)* enfrentarse continuamente; *(vêtement, tendon)* desgarrarse

déchirure [deʃiryr] *nf* desgarradura *f*; *Fig (morale)* dolor *m* ■ **d. musculaire** desgarro *m* muscular

déchu, -e [deʃy] *adj (ange)* caído(a); *(souverain)* destronado(a)

décidé, -e [deside] *adj (ton, personne)* resuelto(a); **d. à faire qch** resuelto(a) a hacer algo

décidément [desidemã] *adv* decididamente

décider [deside] **1** *vt* decidir; **d. qn à faire qch** convencer a alguien para que haga algo **2** *vi* decidir; **d. de faire qch** decidir hacer algo; **d. de qch** *(fixer)* determinar algo **3 se décider** *vpr* decidirse *(pour* por); **se d. à faire qch** decidirse a hacer algo

décimal, -e, -aux, -ales [desimal, -o] **1** *adj* decimal **2** *nf* **décimale** decimal *m*

décimer [desime] *vt* diezmar

décimètre [desimetr] *nm (dixième de mètre)* decímetro *m*; *(règle)* regla *f*

décisif, -ive [desizif, -iv] *adj* decisivo(a)

décision [desizjɔ̃] *nf* decisión *f*

déclaration [deklarasjɔ̃] *nf* declaración *f*; *(de vol, de perte)* denuncia *f* ■ **d. d'impôts** declaración de la renta

déclarer [deklare] **1** *vt (annoncer)* declarar; *(vol, perte)* denunciar **2 se déclarer** *vpr* declararse *(pour/contre* a favor de/en contra de)

déclencher [deklɑ̃ʃe] **1** *vt (mécanisme)* activar; *(conflit, crise)* desencadenar **2 se déclencher** *vpr* activarse; *(conflit, crise)* desencadenarse

déclic [deklik] *nm (de mécanisme)* disparador *m*; *(bruit)* clic *m*; *Fig* **avoir un d.** tener una revelación

déclin [deklɛ̃] *nm (d'un pays)* decadencia *f*; *(de la population)* descenso *m*

décliner [dekline] **1** *vi (pays)* estar en

decadencia; *(santé)* debilitarse; *(jour)* declinar **2** *vt (refuser)* & *Gram* declinar; *(identité)* dar a conocer

décocher [dekɔʃe] *vt (flèche)* disparar; *Fig (remarque)* lanzar

décoder [dekɔde] *vt* descodificar

décodeur [dekɔdœr] *nm* descodificador *m*

décoiffer [dekwafe] **1** *vt* despeinar **2 se décoiffer** *vpr* despeinarse

décoincer [16] [dekwɛ̃se] *vt (mécanisme)* desbloquear

décollage [dekɔlaʒ] *nm* despegue *m*; **au d.** al despegar

décoller [dekɔle] **1** *vt & vi* despegar **2 se décoller** *vpr* despegarse

décolleté, -e [dekɔlte] **1** *adj* escotado(a) **2** *nm* escote *m*

décolorer [dekɔlɔre] *vt* descolorar

décombres [dekɔ̃br] *nmpl* escombros *mpl*

décommander [dekɔmɑ̃de] **1** *vt* cancelar **2 se décommander** *vpr* cancelar una cita

décomposer [dekɔpoze] **1** *vt* descomponer; *(problème)* analizar **2 se décomposer** *vpr* descomponerse; **se d. en** *(se diviser)* dividirse en

décomposition [dekɔpozisjɔ̃] *nf* descomposición *f*; *(d'un problème)* análisis *m inv*

décompte [dekɔ̃t] *nm* descuento *m*

déconcentrer [dekɔ̃sɑ̃tre] **1** *vt* desconcentrar **2 se déconcentrer** *vpr* desconcentrarse

déconcerter [dekɔ̃serte] *vt* desconcertar

décongeler [39] [dekɔ̃ʒle] *vt* descongelar

décongestionner [dekɔ̃ʒestjɔne] *vt* descongestionar

déconnecter [dekɔnekte] *vt* desconectar

déconseiller [dekɔ̃seje] *vt* desaconsejar; **d. à qn de faire qch** desaconsejar a alguien que haga algo

décontracté, -e [dekɔ̃trakte] *adj (muscle)* relajado(a); *(personne)* tranquilo(a); *(ambiance)* distendido(a)

décontracter [dekɔ̃trakte] **1** *vt* relajar **2 se décontracter** *vpr* relajarse

décor [dekɔr] *nm (décoration)* decoración *f; (de théâtre)* decorado *m; Fig (cadre)* marco *m (fondo)*

décorateur, -trice [dekɔratœr, -tris] *nm,f* decorador(ora) *m,f*

décoratif, -ive [dekɔratif, -iv] *adj* decorativo(a)

décoration [dekɔrasjɔ̃] *nf* decoración *f; (insigne)* condecoración *f*

décorer [dekɔre] *vt (pièce)* decorar; *(personne)* condecorar

décortiquer [dekɔrtike] *vt (fruit)* pelar; *Fig (texte)* desmenuzar

découdre [21] [dekudr] **1** *vt* descoser **2** *vi* **en d.** llegar a las manos **3 se découdre** *vpr* descoserse

découler [dekule] *vi* **d. de** derivarse de

découper [dekupe] *vt (viande, tissu)* cortar; *(article, texte)* recortar

décourager [45] [dekuraʒe] **1** *vt (démoraliser)* desalentar, desanimar; **d. qn de faire qch** disuadir a alguien de hacer algo **2 se décourager** *vpr* desanimarse

décousu, -e [dekuzy] *adj* descosido(a); *Fig (conversation)* deshilvanado(a)

découvert, -e [dekuvɛr, -ɛrt] **1** *pp voir* **découvrir**
2 *adj* descubierto(a)
3 *nm* **d. (bancaire)** descubierto *m;* **être à d.** tener un descubierto, estar en números rojos

découverte [dekuvɛrt] *nf* descubrimiento *m*

découvrir [52] [dekuvrir] **1** *vt* descubrir; *(casserole)* destapar **2 se découvrir** *vpr (ciel)* despejarse; *(ôter son chapeau)* descubrirse

décrire [30] [dekrir] *vt* describir

décrocher [dekrɔʃe] **1** *vt (détacher)* desenganchar; *(tableau, téléphone)* descolgar; *Fam (obtenir)* conseguir **2** *vi (au téléphone)* descolgar; *Fam (perdre le fil)* desconectar
3 se décrocher *vpr (se détacher)*

desengancharse; *(tableau)* descolgarse

décroître [4a] [dekrwatr] *vi* decrecer

décrypter [dekripte] *vt* descifrar

déçu, -e [desy] **1** *pp voir* **décevoir**
2 *adj (personne)* decepcionado(a); *(espoir)* frustrado(a)

déculotter [dekylɔte] **se déculotter** *vpr (enlever son pantalon)* quitarse los pantalones; *(enlever son slip)* quitarse las bragas/los calzoncillos

décupler [dekyple] *vt* multiplicar por diez, decuplicar; *Fig (forces)* multiplicar

dédaigner [dedɛɲe] *vt (mépriser)* desdeñar

dédaigneux, -euse [dedɛɲø, -øz] *adj* desdeñoso(a)

dédain [dedɛ̃] *nm* desdén *m*

dedans [dədɑ̃] **1** *adv* dentro **2** *nm* interior *m;* **de d.** *(depuis l'intérieur)* desde dentro; **en d.** por dentro

dédicace [dedikas] *nf* dedicatoria *f*

dédicacer [16] [dedikase] *vt (livre)* dedicar

dédier [66] [dedje] *vt* dedicar

dédire [27b] [dedir] **se dédire** *vpr* desdecirse

dédommagement [dedɔmaʒmɑ̃] *nm (financier)* indemnización *f; (récompense)* compensación *f*

dédommager [45] [dedɔmaʒe] *vt (financièrement)* indemnizar; *(récompenser)* compensar

dédoubler [deduble] *vt* desdoblar

déduction [dedyksjɔ̃] *nf* deducción *f*

déduire [18] [dedɥir] *vt* deducir

déesse [dees] *nf* diosa *f*

défaillance [defajɑ̃s] *nf (d'une machine)* fallo *m,* avería *f; (faiblesse physique)* desfallecimiento *m*

défaillir [35] [defajir] *vi Litt (s'évanouir)* desfallecer; *(mémoire)* fallar

défaire [36] [defɛr] **1** *vt* deshacer; *(paquet)* abrir **2 se défaire** *vpr* deshacerse **(de** de)

défait, -e [defɛ, -ɛt] **1** *pp voir* **défaire**
2 *adj (air, mine)* descompuesto(a)

défaite [defɛt] *nf* derrota *f*

défaut [defo] *nm* (*imperfection*) defecto *m*; **à d. de** a falta de; **faire d.** hacer falta; *Ordinat* **par d.** predefinido(a)

défavorable [defavɔrabl] *adj* desfavorable

défavorisé, -e [defavɔrize] *adj* (*pauvre*) desfavorecido(a)

défavoriser [defavɔrize] *vt* desfavorecer

défection [defɛksjɔ̃] *nf* deserción *f*

défectueux, -euse [defɛktɥø, -øz] *adj* (*machine, produit*) defectuoso(a)

défendre [defɑ̃dr] **1** *vt* (*personne, opinion*) defender; **d. qch à qn** prohibir algo a alguien; **d. à qn de faire qch** prohibir a alguien que haga algo **2 se défendre** *vpr* defenderse; **il se défend d'être avare** niega que sea avaro

défense¹ [defɑ̃s] *nf* (*protection*) defensa *f*; (*interdiction*) prohibición *f*; **prendre la d. de qn** defender a alguien

défense² *nf* (*d'éléphant*) colmillo *m*

défenseur [defɑ̃sœr] *nm* defensor(ora) *m,f*

défensif, -ive [defɑ̃sif, -iv] **1** *adj* defensivo(a) **2** *nf* **défensive: être sur la défensive** estar a la defensiva

déferler [defɛrle] *vi* (*vagues*) romper; *Fig* **d. sur** (*personnes*) invadir

défi [defi] *nm* desafío *m*, reto *m*

déficit [defisit] *nm* déficit *m*; **être en d.** tener déficit

déficitaire [defisitɛr] *adj* deficitario(a)

défier [66] [defje] *vt* (*personne*) desafiar, retar; (*mort, danger*) desafiar; **d. qn de faire qch** desafiar o retar a alguien a que haga algo; **d. l'imagination** resultar increíble; **des prix défiant toute concurrence** unos precios imbatibles

défilé [defile] *nm* (*parade, succession*) desfile *m*

défiler [defile] **1** *vi* desfilar; *Ordinat* **faire d. un document (vers le bas/** haut) desplazarse (hacia abajo/arriba) en un documento **2 se défiler** *vpr Fam* escaquearse

définir [definir] *vt* definir

définitif, -ive [definitif, -iv] *adj* definitivo(a)

définition [definisjɔ̃] *nf* definición *f*

définitivement [definitivmɑ̃] *adv* definitivamente

déflagration [deflagrasjɔ̃] *nf* explosión *f*

défoncer [16] [defɔ̃se] **1** *vt* (*sommier, fauteuil*) desfondar; (*porte*) echar abajo **2 se défoncer** *vpr Fam* (*faire tout son possible*) romperse los cuernos; **se d. à la cocaïne** meterse coca

déformation [defɔrmasjɔ̃] *nf* deformación *f*

déformer [defɔrme] **1** *vt* deformar **2 se déformer** *vpr* deformarse

défouler [defule] **se défouler** *vpr* desquitarse (**sur** con)

défricher [defriʃe] *vt* desbrozar; *Fig* (*domaine*) despejar

défunt, -e [defɛ̃, -œ̃t] *nm,f* difunto(a) *m,f*

dégagé, -e [degaʒe] *adj* (*ciel, vue*) despejado(a); (*ton, air*) desenvuelto(a)

dégager [45] [degaʒe] **1** *vt* (*odeur*) desprender, soltar; (*idée, blessé*) sacar, extraer; (*pièce, vue*) despejar; **d. qn de qch** (*responsabilités*) liberar a alguien de algo **2** *vi Fam* (*partir*) largarse **3 se dégager** *vpr* (*ciel, nez*) despejarse; (*odeur, idée*) desprenderse; **se d. de qch** (*se libérer*) liberarse de algo

dégainer [degene] *vt* (*revolver*) desenfundar; (*épée*) desenvainar

dégâts [degɑ] *nmpl* daños *mpl*, estragos *mpl*; **faire des d.** causar estragos

dégel [deʒɛl] *nm* deshielo *m*; *Écon & Pol* desbloqueo *m*

dégeler [39] [deʒle] **1** *vt* (*produit surgelé*) & *Écon* descongelar; *Fig* (*atmosphère*) caldear **2** *vi* descongelarse

dégénérer [34] [deʒenere] vi degenerar (**en** en)

dégonfler [degɔ̃fle] **1** vt desinflar **2** vi desinflarse **3 se dégonfler** vpr (objet) desinflarse; Fam (renoncer) rajarse

dégouliner [deguline] vi gotear

dégourdi, -e [degurdi] adj (vif) despabilado(a)

dégourdir [degurdir] **se dégourdir** vpr **se d. les jambes** estirar las piernas

dégoût [degu] nm asco m (**pour** por)

dégoûtant, -e [degutɑ̃, -ɑ̃t] adj (sale) asqueroso(a); (révoltant, grossier) repugnante

dégoûter [degute] vt dar asco a; **d. qn de qch** hacer aborrecer a alguien algo

dégrader [degrade] **1** vt (humilier) & Mil degradar; (édifice, site) deteriorar **2 se dégrader** vpr (situation) degradarse; (santé) empeorar

dégrafer [degrafe] vt desabrochar

degré [dəgre] nm grado m; Litt (marche) peldaño m; **prendre qch au premier d.** interpretar algo al pie de la letra

dégrossir [degrosir] vt (pièce de bois) desbastar; Fig (travail) preparar

déguisement [degizmɑ̃] nm disfraz m

déguiser [degize] **1** vt (personne) disfrazar; (voix, écriture) disimular **2 se déguiser** vpr disfrazarse (**en** de)

dégustation [degystasjɔ̃] nf (de mets) degustación f; (de vin) cata f

déguster [degyste] **1** vt (mets) saborear; (vin) catar **2** vi Fam (souffrir) pasarlas canutas

déhancher [deɑ̃ʃe] **se déhancher** vpr contonearse

dehors [dəɔr] **1** adv fuera; **jeter** ou **mettre qn d.** echar a alguien; **en d.** hacia fuera; **en d. de** (à part) aparte de **2** nm exterior m; **sous des d. aimables** bajo una apariencia amable

déjà [deʒa] adv ya; **je l'ai d. vu** ya lo he visto; **tu m'as d. dit comment tu t'appelles, d.?** ¿cómo me has dicho que te llamas?; **c'est d. ça** no está tan mal, algo es algo; **d. que je n'en ai pas beaucoup,...** encima de que no tengo mucho...

déjeuner [deʒœne] **1** vi (le matin) desayunar; (à midi) comer, almorzar **2** nm (repas du matin) desayuno m; (repas de midi) comida f, almuerzo m; Can (dîner) cena f ■ **d. d'affaires** almuerzo de negocios

déjouer [deʒwe] vt desbaratar

délabré, -e [delabre] adj ruinoso(a)

délacer [16] [delase] vt desatar

délai [dele] nm (temps accordé) plazo m; (sursis) prórroga f; **sans d.** (vite) sin demora ■ **d. de livraison** plazo de entrega

délaisser [delese] vt abandonar

délasser [delase] **1** vt relajar **2 se délasser** vpr relajarse

délavé, -e [delave] adj descolorido(a)

délayer [53] [deleje] vt (diluer) desleír, diluir

délecter [delekte] **se délecter** vpr **se d. de qch/de faire qch** deleitarse con algo/haciendo algo

délégation [delegasjɔ̃] nf delegación f

délégué, -e [delege] nm,f delegado(a) m,f ■ **d. de classe** delegado(a) de clase

déléguer [34] [delege] vt delegar

délibération [deliberasjɔ̃] nf deliberación f

délibéré, -e [delibere] adj (intentionnel) deliberado(a)

délicat, -e [delika, -at] adj delicado(a)

délicatesse [delikates] nf delicadeza f

délice [delis] nm delicia f

délicieux, -euse [delisjø, -øz] adj delicioso(a)

délimiter [delimite] vt delimitar

délinquance [delɛ̃kɑ̃s] nf delincuencia f

délinquant, -e [delɛ̃kɑ̃, -ɑ̃t] nm,f delincuente mf

délire [delir] nm delirio m; **en d.** (public, foule) delirante; Fig **c'est du d.!** ¡es una locura!

délit [deli] *nm* delito *m*; **en flagrant d.** in fraganti

délivrance [delivrãs] *nf (d'un prisonnier)* liberación *f*; *(soulagement)* alivio *m*; *(d'un passeport)* expedición *f*

délivrer [delivre] *vt (prisonnier)* liberar; *(passeport)* expedir; *(marchandise)* entregar; *Fig* **d. qn de** *(débarrasser)* librar a alguien de

déloger [45] [deloʒe] *vt* desalojar; *(décoincer)* desatascar

déloyal, -e, -aux, -ales [delwajal, -o] *adj* desleal

Deltaplane® [dɛltaplan] *nm* ala *f* delta

déluge [delyʒ] *nm* diluvio *m*

demain [dəmɛ̃] *adv* mañana; **d. matin** mañana por la mañana; **à d.!** ¡hasta mañana!

demande [dəmãd] *nf (souhait)* petición *f*; *(candidature)* solicitud *f*; *Écon & Jur* demanda *f* ■ **d. d'emploi** solicitud de empleo; **d. en mariage** petición de mano

demander [dəmãde] **1** *vt (aide, argent)* pedir; *(nécessiter)* requerir; **d. qch à qn** *(interroger)* preguntarle algo a alguien; **elle m'a demandé si/pourquoi...** me preguntó si/por qué...; **d. à qn de faire qch** pedir a alguien que haga algo; **on te demande** te llaman **2 se demander** *vpr* **se d. si/pourquoi...** preguntarse si/por qué...

demandeur¹, -euse [dəmãdœr, -øz] *nm,f* **d. d'asile** solicitante *mf* de asilo; **d. d'emploi** solicitante de empleo

demandeur², -eresse [dəmãdœr, -drɛs] *nm,f Jur* demandante *mf*

démangeaison [demãʒɛzɔ̃] *nf* picazón *f*; **avoir des démangeaisons** sentir picazón

démanger [45] [demãʒe] *vt (gratter)* picar; *Fig* **ça me démange de...** tengo unas ganas de...

démanteler [39] [demãtle] *vt* desmantelar

démaquillant [demakijã] *nm* desmaquillador *m*, desmaquillante *m*

démaquiller [demakije] **1** *vt* desmaquillar **2 se démaquiller** *vpr* desmaquillarse

démarche [demarʃ] *nf (manière de marcher)* andares *mpl*; *(raisonnement)* enfoque *m*; *(requête)* gestión *f*, trámite *m*

démarcheur, -euse [demarʃœr, -øz] *nm,f* vendedor(ora) *m,f* a domicilio

démarquer [demarke] **1** *vt (solder)* = cambiar o quitar la marca de un artículo para venderlo más barato **2 se démarquer** *vpr (se distinguer) & Sp* desmarcarse (**de** de)

démarrage [demaraʒ] *nm* arranque *m*; **au d.** al arrancar ■ **d. en côte** arranque en una cuesta

démarrer [demare] **1** *vi* arrancar; **faire d. qch** poner en marcha algo **2** *vt (voiture)* arrancar, poner en marcha; *Fig (travail, projet)* poner en marcha

démarreur [demarœr] *nm* arranque *m (mecanismo)*

démasquer [demaske] *vt* desenmascarar

démêler [demele] *vt (cheveux, fils)* desenredar; *Fig (affaire)* desembrollar

déménagement [demenaʒmã] *nm* mudanza *f*

déménager [45] [demenaʒe] **1** *vt (meuble)* trasladar **2** *vi (changer d'adresse)* mudarse

déménageur [demenaʒœr] *nm (entrepreneur)* empresa *f* de mudanzas; *(employé)* mozo *m* de mudanzas

démener [46] [demne] **se démener** *vpr (s'agiter)* forcejear; *Fig (se donner du mal)* moverse

dément, -e [demã, -ãt] **1** *adj Méd* demente; *Fam (incroyable)* alucinante **2** *nm,f Méd* demente *mf*

démenti [demãti] *nm* mentís *m inv*; **opposer un d. à qch** dar un mentís a algo

démentiel, -elle [demãsjɛl] *adj* demencial; *Fam (incroyable)* alucinante

démentir [64a] [demãtir] *vt* desmentir

démerder [demɛrde] **se démerder** *vpr très Fam (se débrouiller)* arreglárselas, apañárselas

démesuré, -e [demǝzyre] *adj* desmesurado(a)

démettre¹ [47] [demɛtr] **1** *vt (articulation)* dislocar **2 se démettre** *vpr* **se d. l'épaule** dislocarse el hombro

démettre² [47] *vt* **d. qn de ses fonctions** destituir a alguien de sus funciones

demeurant [dǝmœrã] **au demeurant** *adv* por lo demás

demeure [dǝmœr] *nf (manoir)* mansión *f; Litt (domicile)* residencia *f;* **à d.** para siempre; **mettre qn en d. de faire qch** obligar a alguien a hacer algo

demeurer [dǝmœre] *vi (aux être) (rester)* quedarse, permanecer; *(aux avoir) (habiter)* residir

demi, -e [dǝmi] **1** *adj* medio(a); **et d.** y medio; **une d.-cuillère de sucre** media cucharada de azúcar; **un d.-succès** un éxito a medias **2** *nm (bière)* caña *f; Sp* medio *m* **3** *nf* **demie: à la demie** a la media, a y media **4** *adv* **à d.** *(à moitié)* medio; *(en partie)* a medias; **à d. nu** medio desnudo; **faire les choses à d.** hacer las cosas a medias

demi-cercle *(pl* **demi-cercles)** [dǝmiserkl] *nm* semicírculo *m*

demi-douzaine *(pl* **demi-douzaines)** [dǝmiduzɛn] *nf* media docena *f*

demi-écrémé, -e *(mpl* **demi-écrémés,** *fpl* **demi-écrémées)** [dǝmiekreme] *adj* semidesnatado(a)

demi-finale *(pl* **demi-finales)** [dǝmifinal] *nf* semifinal *f*

demi-frère *(pl* **demi-frères)** [dǝmifrɛr] *nm* hermanastro *m*

demi-heure *(pl* **demi-heures)** [dǝmijœr] *nf* media hora *f*

demi-journée *(pl* **demi-journées)** [dǝmiʒurne] *nf* media jornada *f*

demi-mot [dǝmimo] **à demi-mot** *adv*

comprendre à d. entender sin necesidad de palabras

demi-pension *(pl* **demi-pensions)** [dǝmipãsjõ] *nf* media pensión *f*

demi-pensionnaire *(pl* **demi-pensionnaires)** [dǝmipãsjɔnɛr] *nmf* medio pensionista *mf*

demi-sœur *(pl* **demi-sœurs)** [dǝmisœr] *nf* hermanastra *f*

démission [demisjõ] *nf* dimisión *f;* **il a donné sa d.** presentó su dimisión

démissionner [demisjɔne] *vi* dimitir

demi-tarif *(pl* **demi-tarifs)** [dǝmitarif] *nm* medio billete *m*

demi-tour *(pl* **demi-tours)** [dǝmitur] *nm* media vuelta *f;* **faire d.** dar media vuelta

démocrate [demɔkrat] *adj & nmf* demócrata *mf*

démocratie [demɔkrasi] *nf* democracia *f*

démocratique [demɔkratik] *adj* democrático(a)

démodé, -e [demɔde] *adj (vêtement)* pasado(a) de moda; *(théorie)* anticuado(a)

démographie [demɔgrafi] *nf* demografía *f*

demoiselle [dǝmwazɛl] *nf (jeune fille)* señorita *f* ■ **d. d'honneur** dama *f* de honor

démolir [demɔlir] *vt (édifice)* demoler; *(véhicule, objet)* destrozar; *(théorie, réputation)* arruinar; *Fam (personne)* moler a palos

démolition [demɔlisjõ] *nf* demolición *f*

démon [demõ] *nm* demonio *m; (enfant)* diablo *m*

démonstratif, -ive [demõstratif, -iv] **1** *adj Gram* demostrativo(a); *(personne)* expansivo(a) **2** *nm Gram* demostrativo *m*

démonstration [demõstrasjõ] *nf* demostración *f*

démonter [demõte] *vt (appareil)* desmontar; *(meuble)* desarmar; *Fig (troubler)* desmoronar

démontrer [demõtre] *vt* demostrar

démoraliser [demɔralize] *vt* desmoralizar

démordre [demɔrdr] *vi* **elle n'en démord pas** no da su brazo a torcer

démouler [demule] *vt (statue)* vaciar; *(gâteau)* desmoldar

démuni, -e [demyni] *adj* necesitado(a)

dénigrer [denigre] *vt* denigrar

dénivellation [denivelasjõ] *nf* desnivel *m*

dénombrer [denõbre] *vt* contar

dénoncer [16] [denõse] **1** *vt* denunciar **2 se dénoncer** *vpr* entregarse

dénoter [denɔte] *vt* denotar

dénouement [denumã] *nm* desenlace *m*

dénouer [denwe] *vt (nœud)* desanudar; *Fig (affaire)* desenmarañar

denrée [dãre] *nf* comestible *m*
■ **denrées alimentaires** productos *mpl* alimenticios

dense [dãs] *adj* denso(a)

densité [dãsite] *nf* densidad *f*

dent [dã] *nf* diente *m*; **mordre à belles dents dans** qch morder algo con ganas; **en dents de scie** dentado(a), serrado(a); *Fig (humeur)* fluctuante; **avoir les dents longues** ser ambicioso(a); *Fam* **avoir une d. contre** qn tenerle manía a alguien ■ **d. de lait** diente de leche; **d. de sagesse** muela *f* del juicio

dentaire [dãtɛr] *adj* dental

dentelé, -e [dãtle] *adj* dentado(a)

dentelle [dãtɛl] *nf* encaje *m*

dentier [dãtje] *nm* dentadura *f* postiza

dentifrice [dãtifris] *nm* dentífrico *m*

dentiste [dãtist] *nmf* dentista *mf*

dénuder [denyde] *vt (partie du corps)* dejar al descubierto; *(fil électrique)* pelar

dénué, -e [denɥe] *adj* **d. de** desprovisto(a) de

dénuement [denɥmã] *nm* indigencia *f*

déodorant [deɔdɔrã] *nm* desodorante *m*

dépannage [depanaʒ] *nm* reparación *f*

dépanner [depane] *vt (réparer)* reparar, *Am* refaccionar; *Fam Fig (aider)* echar una mano a

dépanneur [depanœr] *nm (de voiture)* mecánico(a) *m,f*, *Am* auxilio *m*; *(d'appareils)* técnico(a) *m,f*; *Can* = tienda de comestibles que abre hasta tarde

dépanneuse [depanøz] *nf* grúa *f*

dépareillé, -e [depareje] *adj (service)* dispar; *(chaussettes)* desparejado(a)

départ [depar] *nm (d'une personne)* partida *f*; *(d'un train, d'une course)* salida *f*; *(d'un employé)* marcha *f*; *(début)* punto *m* de partida; **au d.** *(au début)* al principio

départager [45] [departaʒe] *vt (concurrents)* desempatar

département [departəmã] *nm (territoire)* departamento *m*, = división territorial en Francia; *(service)* departamento *m* ■ **d. d'outre-mer** = provincia francesa de ultramar

départemental, -e, -aux, -ales [departəmãtal, -o] **1** *adj* departamental; *(route)* secundario(a) **2** *nf* **départementale** *(route)* carretera *f* secundaria

dépassé, -e [depase] *adj (périmé)* anticuado(a); *Fam* **être d. (par les événements)** verse desbordado(a) por los acontecimientos

dépasser [depase] **1** *vt (voiture)* adelantar; *(en hauteur, en temps)* sobrepasar; *(prévisions, attentes)* superar; *(limite, cap)* rebasar, sobrepasar **2** *vi (clou, vêtement)* sobresalir

dépayser [depeize] *vt* cambiar de ambiente

dépêche [depɛʃ] *nf Journ* comunicado *m*; *(correspondance officielle)* despacho *m*

dépêcher [depeʃe] **1** *vt Litt (envoyer)* mandar **2 se dépêcher** *vpr* darse prisa; **se d. de faire** qch apresurarse a hacer algo

dépendance [depādās] *nf* dependencia *f*

dépendre [depādr] *vi* d. de depender de; **ça dépend** depende

dépens [depā] *nmpl Jur* costas *fpl*; **aux d. de qn** a costa de alguien

dépense [depās] *nf* gasto *m*; **les dépenses publiques** el gasto público

dépenser [depāse] **1** *vt* gastar **2 se dépenser** *vpr (physiquement)* cansarse; *(s'investir)* desvivirse

dépensier, -ère [depāsje, -er] *adj* gastador(ora), derrochador(ora)

dépérir [deperir] *vi (personne)* depauperarse; *(santé)* decaer; *(plante)* marchitarse

dépêtrer [depetre] **se dépêtrer** *vpr* se d. de qch *(chose encombrante)* deshacerse de algo; *(situation)* salir de algo; **se d. de qn** deshacerse de alguien

dépilatoire [depilatwar] *adj* depilatorio(a)

dépistage [depistaʒ] *nm (d'une maladie)* control *m* de la incidencia

dépit [depi] *nm* despecho *m*; **par d.** por despecho; **en d. de** a pesar de

dépité, -e [depite] *adj* disgustado(a)

déplacement [deplasmā] *nm* desplazamiento *m*; *(voyage)* viaje *m*, desplazamiento *m*; **être en d.** estar de viaje; *Fig* **ça vaut le d.** vale la pena ir

déplacer [16] [deplase] **1** *vt (objet, meuble)* desplazar; *(fonctionnaire)* trasladar; *Fig (problème)* desviar **2 se déplacer** *vpr* desplazarse; **il s'est déplacé une vertèbre** se le ha desplazado una vértebra

déplaire [55a] [depler] *vi* d. à qn *(ne pas plaire)* desagradar a alguien, no gustar a alguien

déplaisant, -e [deplezā, -āt] *adj* desagradable

dépliant [deplijā] *nm* folleto *m*

déplier [66] [deplije] **1** *vt* desplegar, abrir **2 se déplier** *vpr* desplegarse

déploiement [deplwamā] *nm* despliegue *m*

déplorer [deplɔre] *vt* deplorar

déployer [32] [deplwaje] *vt* desplegar; *Fig (montrer)* dar muestra de

déporter [deporte] *vt (prisonnier)* deportar; *(véhicule)* desviar

déposer [depoze] **1** *vt (personne, objet)* dejar; *(sédiments)* depositar; *(argent)* ingresar (**sur** en); *(marque, brevet)* registrar; *Jur (plainte)* presentar; *(monarque)* destituir; **d. son bilan** declararse en suspensión de pagos **2** *vi Jur* deponer **3 se déposer** *vpr* depositarse

dépositaire [depoziter] *nmf Com* concesionario(a) *m,f*; *(d'un objet)* depositario(a) *m,f*

déposséder [34] [deposede] *vt* d. qn de qch desposeer a alguien de algo

dépôt [depo] *nm* depósito *m*; *(de bus)* cochera *f*; *(d'argent)* ingreso *m*, depósito *m* ▪ **d. de bilan** (declaración *f* de) suspensión *f* de pagos; **d. légal** depósito legal; **d. d'ordures** vertedero *m*

dépouille [depuj] *nf (peau)* piel *f*; **d. (mortelle)** *(corps)* restos *mpl (mortales)*

dépouillement [depujmā] *nm (sobriété)* austeridad *f*; *(des votes)* escrutinio *m*

dépouiller [depuje] *vt (votes)* escrutar; **d. qn de qch** despojar a alguien de algo

dépourvu, -e [depurvy] *adj* d. de desprovisto de; **prendre qn au d.** pillar a alguien desprevenido(a)

dépoussiérer [34] [depusjere] *vt* limpiar el polvo de; *Fig (rajeunir)* renovar

dépressif, -ive [depresif, -iv] *adj & nm,f* depresivo(a) *m,f*

dépression [depresjɔ̃] *nf* depresión *f*; **faire une d.** tener una depresión

déprimé, -e [deprime] *adj* deprimido(a)

déprimer [deprime] **1** *vt* deprimir **2** *vi Fam* estar depre

depuis [dəpɥi] **1** *prép* desde; **d.... jusqu'à** desde… hasta; **d. dix ans** desde hace diez años; **d. combien de**

temps est-il là? ¿cuánto tiempo hace que está aquí?; **d. que...** desde que...; **d. longtemps** desde hace tiempo; **d. toujours** desde siempre 2 *adv* desde entonces; **nous ne l'avons plus vu d.** desde entonces no lo hemos visto

député, -e [depyte] *nm,f* diputado(a) *m,f* ▪ **d. européen** eurodiputado *m*

déraciner [derasine] *vt (arbre)* arrancar de cuajo, arrancar de raíz; *Fig (personne)* desarraigar

dérailler [deraje] *vi (train)* descarrilar; *Fam (montre)* funcionar mal; *Fam (personne)* desvariar

dérangement [derãʒmã] *nm (gêne)* molestia *f*; **en d.** *(téléphone)* averiado *m* ▪ **d. intestinal** trastorno *m* estomacal

déranger [45] [derãʒe] 1 *vt (objets, pièce)* desordenar; *(personne)* molestar, importunar; *(esprit)* perturbar; **ça vous dérange si...?** ¿le molesta si...? 2 **se déranger** *vpr (se déplacer)* moverse; *(s'interrompre)* molestarse

déraper [derape] *vi (voiture)* derrapar; *Fig (prix)* descontrolarse

dérégler [34] [deregle] 1 *vt (mécanisme)* estropear; *(estomac)* destrozar 2 **se dérégler** *vpr (mécanisme)* estropearse

dérision [deriziõ] *nf* escarnio *m*; **tourner qch en d.** hacer escarnio de algo

dérisoire [derizwar] *adj* irrisorio(a)

dérive [deriv] *nf (mouvement)* deriva *f*; *(de bateau)* orza *f*; *Fig* **aller à la d.** ir a la deriva

dériver [derive] 1 *vt* derivar 2 *vi (aller à la dérive)* derivar; **d. de qch** *(découler)* derivar o provenir de algo

dermatologue [dɛrmatɔlɔg] *nmf* dermatólogo(a) *m,f*

dernier, -ère [dɛrnje, -ɛr] 1 *adj* último(a); **l'année dernière** el año pasado; **en d.** en último lugar 2 *nm,f* último(a) *m,f*; *(benjamin)* pequeño(a) *m,f*; **ce d.** éste, este último

dérober [derɔbe] 1 *vt* hurtar 2 **se**

dérober *vpr (s'effondrer)* hundirse; *(ne pas répondre)* evitar responder

dérogation [derɔgasjɔ̃] *nf* derogación *f*

dérouler [derule] 1 *vt (bobine de fil)* desenrollar 2 **se dérouler** *vpr (événement)* desarrollarse

déroute [derut] *nf Mil* espantada *f*; *Fig (échec)* desastre *m*; **mettre en d.** poner en fuga

dérouter [derute] *vt (personne)* desconcertar; *(avion)* desviar

derrière [dɛrjɛr] 1 *adv* detrás 2 *prép (en arrière de)* detrás de; *(au-delà de)* más allá de, detrás de 3 *nm (partie arrière)* parte *f* de atrás; *(fesses)* trasero *m*; **de d.** *(porte, pattes)* de atrás, de detrás

des [de] 1 *art indéfini voir* **un** 2 *prép voir* **de**

dès [dɛ] *prép (depuis)* desde; **d. l'enfance** desde niño(a); **d. maintenant** desde ahora, a partir de ahora; **d. demain** a partir de mañana; **d. lors** desde entonces; **d. lors que** ya que; **d. que** en cuanto + *subjonctif*; **d. que j'arriverai, je l'informerai** en cuanto llegue, le pondré al corriente; **d. que possible** cuanto antes

désabusé, -e [dezabyze] *adj* desengañado(a)

désaccord [dezakɔr] *nm* desacuerdo *m*

désaffecté, -e [dezafɛkte] *adj* abandonado(a)

désagréable [dezagreabl] *adj* desagradable

désagréger [59] [dezagreʒe] **se désagréger** *vpr* disgregarse

désagrément [dezagremã] *nm* disgusto *m*

désaltérer [34] [dezaltere] 1 *vt* quitar la sed a 2 **se désaltérer** *vpr* beber

désamorcer [16] [dezamɔrse] *vt (arme)* descebar; *Fig (complot)* desarticular

désapprobation [dezaprɔbasjɔ̃] *nf* desaprobación *f*

désapprouver [dezapruve] *vt* desaprobar

désarmement [dezarməmã] *nm* desarme *m*

désarmer [dezarme] **1** *vt* desarmar; *(fusil)* desmontar **2** *vi* **ne pas d.** *(personne)* no rendirse

désarroi [dezarwa] *nm* desconcierto *m*

désastre [dezastr] *nm* desastre *m*

désastreux, -euse [dezastrø, -øz] *adj* desastroso(a)

désavantage [dezavãtaʒ] *nm* desventaja *f*

désavantager [45] [dezavãtaʒe] *vt* perjudicar

désavouer [dezavwe] *vt (renier)* negar; *(désapprouver)* desaprobar

désaxé, -e [dezakse] *adj & nm,f* desequilibrado(a) *m,f*

descendance [desãdãs] *nf* descendencia *f*

descendant, -e [desãdã, -ãt] *nm,f* descendiente *mf*

descendre [desãdr] **1** *vt (aux* **avoir**) bajar; *Fam (tuer)* liquidar; **d. la rivière** ir río abajo **2** *vi (aux* **être**) bajar; *(d'un véhicule)* bajar(se); *(être en pente)* ser empinado(a), estar en cuesta; *(séjourner)* alojarse; **d. de** *(être issu de)* descender de

descente [desãt] *nf (action, au ski)* descenso *m*; *(pente)* bajada *f* ▪ **d. de lit** alfombrilla *f* de cama; **d. de police** redada *f* policial

descriptif, -ive [dɛskriptif, -iv] **1** *adj* descriptivo(a) **2** *nm* descripción *f* detallada

description [dɛskripsjɔ̃] *nf* descripción *f*

désemparé, -e [dezãpare] *adj* desamparado(a)

déséquilibre [dezekilibr] *nm* desequilibrio *m*

déséquilibré, -e [dezekilibre] *nm,f* desequilibrado(a) *m,f*

déséquilibrer [dezekilibre] *vt* desequilibrar

désert, -e [dezɛr, -ɛrt] **1** *adj* desierto(a) **2** *nm* desierto *m*

déserter [dezɛrte] **1** *vt (endroit)* abandonar; *(cause)* desertar de **2** *vi (soldat)* desertar

désertion [dezɛrsjɔ̃] *nf* deserción *f*

désertique [dezɛrtik] *adj* desértico(a)

désespéré, -e [dezɛspere] *adj (personne, situation)* desesperado(a); *(regard)* de desesperación

désespérément [dezɛsperemã] *adv* desesperadamente

désespérer [34] [dezɛspere] **1** *vt* desesperar **2** *vi* perder la esperanza; **d. de faire qch** perder toda esperanza de hacer algo **3** **se désespérer** *upr* desesperarse

désespoir [dezɛspwar] *nm* desesperación *f*; **en d. de cause** en último extremo

déshabiller [dezabije] **1** *vt* desnudar **2** **se déshabiller** *upr* desnudarse

déshériter [dezerite] *vt* desheredar

déshonneur [dezɔnœr] *nm* deshonor *m*, deshonra *f*

déshonorer [dezɔnɔre] *vt* deshonrar

déshydrater [dezidrate] **1** *vt* deshidratar **2** **se déshydrater** *upr* deshidratarse

désigner [deziɲe] *vt (choisir)* designar, nombrar; *(montrer)* señalar

désillusion [dezilyzjɔ̃] *nf* desilusión *f*

désinfectant [dezɛ̃fɛktã] *nm* desinfectante *m*

désinfecter [dezɛ̃fɛkte] *vt* desinfectar

désinstaller [dezɛ̃stale] *vt* desinstalar

désintégrer [34] [dezɛ̃tegre] **1** *vt* desintegrar **2** **se désintégrer** *upr* desintegrarse

désintéressé, -e [dezɛ̃terese] *adj* desinteresado(a)

désintéresser [dezɛ̃terese] **se désintéresser** *upr* **se d. de** desentenderse de

désintoxiquer [dezɛ̃tɔksike] *vt* desintoxicar

désinvolte [dezɛ̃vɔlt] *adj (à l'aise)* desenvuelto(a); *(sans gêne)* atrevido(a)

désinvolture [dezɛ̃vɔltyr] *nf* atrevimiento *m*

désir [dezir] *nm* deseo *m*

désirable [dezirabl] *adj* deseable

désirer [dezire] *vt* desear

désistement [dezistəmã] *nm* renuncia *f*

désister [deziste] **se désister** *vpr* desistir, retirarse

désobéir [dezɔbeir] *vi* desobedecer; **d. à qch/à qn** desobedecer algo/a alguien

désobéissant, -e [dezɔbeisã, -ãt] *adj* desobediente

désobligeant, -e [dezɔbliʒã, -ãt] *adj* descortés

désodorisant [dezɔdɔrizã] *nm* ambientador *m*

désœuvré, -e [dezœvre] *adj* ocioso(a)

désolé, -e [dezɔle] *adj* **être d.** sentirlo (mucho); **je suis d., mais je dois m'en aller** lo siento (mucho) pero tengo que irme

désordonné, -e [dezɔrdɔne] *adj* desordenado(a)

désordre [dezɔrdr] *nm (fouillis)* desorden *m*; *Fig (confusion)* confusión *f*; **désordres** *(troubles)* disturbios *mpl*; **en d.** desordenado(a)

désormais [dezɔrmɛ] *adv* a partir de ahora, de ahora en adelante

despote [despɔt] *nmf* déspota *mf*

desquels, desquelles [dekɛl] *voir* **lequel**

dessécher [34] [deseʃe] **1** *vt (peau)* resecar **2 se dessécher** *vpr (se déshydrater)* resecarse

dessein [desɛ̃] *nm* propósito *m*; **à d.** a propósito; **dans le d. de faire qch** con el propósito de hacer algo

desserrer [desere] *vt* aflojar

dessert [desɛr] *nm* postre *m*

desserte [desɛrt] *nf (meuble)* mesa *f* auxiliar; *(service d'autobus)* servicio *m* de transporte

desservir [63] [desɛrvir] *vt (désavantager)* perjudicar; *(table)* quitar; *(ville, localité)* pasar por

dessin [desɛ̃] *nm* dibujo *m*; *Fig*

(contour) (d'une chose) contorno *m*; *(du visage)* perfil *m* ■ **d. animé** dibujos animados; **d. industriel** el diseño industrial

dessinateur, -trice [desinatœr, -tris] *nm,f* dibujante *mf*

dessiner [desine] **1** *vt* dibujar **2 se dessiner** *vpr (silhouette, solution)* dibujarse

dessous [dəsu] **1** *adv* debajo; **en d.** abajo; **agir par en d.** actuar de manera subrepticia; **en d. de** debajo de; **en d. de zéro** bajo cero **2** *nm (partie inférieure)* parte *f* de abajo; **les voisins du d.** los vecinos de abajo **3** *nmpl (sous-vêtements féminins)* ropa *f* interior femenina; **les d. de qch** *(secrets)* los entresijos de algo

dessous-de-plat [dəsudpla] *nm inv* salvamanteles *m inv*

dessus [dəsy] **1** *adv* encima, arriba; **en d.** encima, arriba **2** *nm* parte *f* de encima; **les voisins du d.** los vecinos de arriba; **avoir le d.** ganar; **reprendre le d.** recuperarse

déstabiliser [destabilize] *vt* desestabilizar

destin [destɛ̃] *nm* destino *m*

destinataire [destinatɛr] *nmf* destinatario(a) *m,f*

destination [destinasjɔ̃] *nf* destino *m*; **à d. de** con destino a; **arriver à d.** llegar a destino

destinée [destine] *nf* destino *m*

destiner [destine] **1** *vt* **d. qch à** destinar algo a; **d. qn à qch** destinar a alguien a algo **2 se destiner** *vpr* **se d. à la médecine** ir a ser médico

destituer [destitɥe] *vt* destituir

destructeur, -trice [destryktœr, -tris] *adj* destructor(ora)

destruction [destryksjɔ̃] *nf* destrucción *f*

désuet, -ète [dezɥɛ, -ɛt] *adj* anticuado(a)

désuétude [dezɥetyd] *nf* **tomber en d.** caer en desuso

détachant [detaʃã] *nm* quitamanchas *m inv*

détaché, -e [detaʃe] *adj (air)* indiferente

détachement [detaʃmɑ̃] *nm (indiférence)* indiferencia *f; Mil* destacamento *m;* **être en d.** *(fonctionnaire)* estar destinado(a) fuera

détacher¹ [detaʃe] **1** *vt (cheveux, chien)* soltar; *(liens)* desatar; *(découper)* recortar; *(fonctionnaire)* destinar provisionalmente **2 se détacher** *vpr (défaire ses liens)* desatarse; *(se libérer)* librarse (**de** de); *Fig* **se d. de qn** *(se désintéresser)* apartarse de alguien; **se d. sur** *(ressortir)* recortar-se en

détacher² *vt (nettoyer)* quitar las manchas de

détail [detaj] *nm* detalle *m;* **en d.** con todo detalle; *Com* **au d.** al por menor, al detalle

détaillant, -e [detajɑ̃, -ɑ̃t] *nm,f* minorista *mf,* detallista *mf*

détaillé, -e [detaje] *adj* detallado(a)

détecter [detekte] *vt* detectar

détecteur [detektœr] *nm* detector *m*

détective [detektiv] *nm* detective *mf*

déteindre [54] [detɛ̃dr] *vi (changer de couleur)* desteñir; *Fig* **d. sur** *(influencer)* contagiar

détendre [detɑ̃dr] **1** *vt (personne)* relajar; *(atmosphère)* hacer menos tenso(a) **2 se détendre** *vpr (personne)* relajarse; *(corde, ressort)* aflojarse; *(atmosphère, relations)* volverse menos tenso(a), volverse menos tirante

détendu, -e [detɑ̃dy] *adj (personne)* relajado(a); *(corde, ressort)* flojo(a)

détenir [70] [detnir] *vt (objet, record)* poseer; *(secret, vérité)* detentar; *(garder en captivité)* retener

détente [detɑ̃t] *nf (repos)* descanso *m;* *(d'un ressort) & Pol* distensión *f;* **avoir une bonne d.** tener un buen salto, saltar mucho

détenteur, -trice [detɑ̃tœr, -tris] *nm,f* poseedor(ora) *m,f*

détention [detɑ̃sjɔ̃] *nf (possession)* posesión *f; (emprisonnement)* detención *f* ■ *Jur* **d. provisoire** prisión *f* preventiva

détenu, -e [detny] **1** *pp voir* **détenir** **2** *nm,f* detenido(a) *m,f*

détergent [detɛrʒɑ̃] *nm* detergente *m*

détérioration [deterjorasjɔ̃] *nf* deterioro *m*

détériorer [deterjore] **1** *vt* estropear **2 se détériorer** *vpr* deteriorarse

déterminant, -e [determinɑ̃, -ɑ̃t] *adj* determinante

détermination [determinasjɔ̃] *nf (résolution)* determinación *f,* decisión *f*

déterminé, -e [determine] *adj (fixé)* determinado(a); *(air, personne)* determinado(a), decidido(a)

déterminer [determine] *vt* determinar

déterrer [detere] *vt* desenterrar

détestable [detɛstabl] *adj* odioso(a), detestable

détester [detɛste] *vt* odiar, detestar; *(plat)* aborrecer

détonation [detɔnasjɔ̃] *nf* detonación *f*

détonner [detɔne] *vi* desentonar

détour [detur] *nm (déviation)* rodeo *m;* *(méandre)* recodo *m;* **sans d.** *(franchement)* sin rodeos

détourné, -e [deturne] *adj* indirecto(a)

détournement [deturnəmɑ̃] *nm* desvío *m* ■ **d. d'avion** secuestro *m* aéreo; **d. de fonds** malversación *f;* **d. de mineur** corrupción *f* de menores

détourner [deturne] **1** *vt* desviar; *(avion)* secuestrar; *(regard)* desviar; *(tête)* volver; *(fonds)* malversar; *Fig* **d. qn de** *(écarter)* apartar a alguien de **2 se détourner** *vpr (tourner la tête)* apartar la vista; *Fig* **se d. de** *(se désintéresser)* apartarse de

détraquer [detrake] **1** *vt Esp* estropear, *Am* descomponer **2 se détraquer** *vpr Esp* estropearse, *Am* descomponerse, *Perú* malograrse

détresse [detrɛs] *nf (sentiment)* desamparo *m; (situation)* miseria *f*

détriment [detrimɑ̃] **au détriment de** *prép* en detrimento de

détritus [detrity(s)] *nm* detritus *m inv*

détroit [detrwa] *nm* estrecho *m*; **le d. de Gibraltar** el estrecho de Gibraltar

détromper [detrɔpe] **1** *vt* sacar del error **2 se détromper** *upr* **détrompe-toi,…** no te engañes,…

détrôner [detrone] *vt* destronar

détruire [18] [detrɥir] *vt* destruir

dette [dɛt] *nf* deuda *f*

DEUG [dœg] *nm* (*abrév* **diplôme d'études universitaires générales**) = diploma que se obtiene tras dos años de estudios universitarios generales

deuil [dœj] *nm* (*mort*) deceso *m*, defunción *f*; (*tenue, période*) luto *m*; (*douleur*) duelo *m*; **en d.** de luto

deux [dø] **1** *adj inv* dos **2** *nm inv* dos *m*; (**tous**) **les d.** ambos(as); *voir aussi* **six**

deuxième [døzjɛm] *adj & nmf* segundo(a) *m,f*; *voir aussi* **sixième**

deux-pièces [døpjɛs] *nm inv* (*appartement*) piso *m* con un dormitorio y salón; (*maillot de bain*) bikini *m*

deux-roues [døru] *nm inv* vehículo *m* de dos ruedas

dévaler [devale] *vt* bajar a toda prisa por

dévaliser [devalize] *vt* (*cambrioler*) desvalijar

dévaloriser [devalɔrize] **1** *vt* desvalorizar; (*personne*) menospreciar **2 se dévaloriser** *upr* (*monnaie*) desvalorizarse; (*personne*) menospreciarse

dévaluation [devalɥasjɔ̃] *nf* devaluación *f*

dévaluer [devalɥe] *vt* devaluar

devancer [16] [dəvɑ̃se] *vt* (*précéder*) adelantar; (*surpasser*) aventajar; (*anticiper*) anticiparse a

devant [dəvɑ̃] **1** *adv* delante **2** *prép* (*en face de, en avant de*) delante de; (*en présence de, face à*) ante **3** *nm* parte *f* de delante, delantera *f*; **de d.** (*pattes, roues*) de delante; **prendre les devants** tomar la delantera, adelantarse

devanture [dəvɑ̃tyr] *nf* escaparate *m*

dévaster [devaste] *vt* devastar

développement [devlɔpmɑ̃] *nm* desarrollo *m*; *Phot* revelado *m*; **les derniers développements** (*d'une affaire*) los últimos acontecimientos

développer [devlɔpe] **1** *vt* desarrollar; *Phot* revelar **2 se développer** *upr* desarrollarse

devenir [70] [dəvnir] *vi* (*aux* **être**) (*involontairement*) volverse; (*après des efforts*) llegar a ser; **il est devenu sourd** se ha vuelto sordo; **il est devenu président** ha llegado a ser presidente; **que devient-elle?** ¿qué es de ella?, ¿qué ha sido de ella?

dévergondé, -e [devergɔ̃de] *adj & nm,f* desvergonzado(a) *m,f*

déverser [deverse] *vt* verter

déviation [devjasjɔ̃] *nf* (*d'une trajectoire*) desviación *f*; (*de la circulation*) desvío *m*

dévier [66] [devje] **1** *vt* desviar **2** *vi* **d. de** desviarse de; *Fig* (*doctrine, résolutions*) apartarse de

devin [dəvɛ̃] *nm* adivino(a) *m,f*

deviner [dəvine] *vt* adivinar

devinette [dəvinɛt] *nf* adivinanza *f*, acertijo *m*

devis [dəvi] *nm* presupuesto *m*

dévisager [45] [devizaʒe] *vt* mirar de hito en hito

devise [dəviz] *nf* divisa *f*

dévisser [devise] *vt* desatornillar, destornillar

dévoiler [devwale] *vt* desvelar; (*secret, intentions*) revelar

devoir [26] [dəvwar] **1** *nm* deber *m*; **se faire un d. de faire qch** sentirse obligado(a) a hacer algo; **faire ses devoirs** hacer los deberes

2 *vt* (**a**) (*argent, respect*) deber

(**b**) (*indique l'obligation*) (*matérielle*) deber, tener que; (*morale*) haber de; **je dois le faire** debo hacerlo; **je dois partir** tengo que irme; **tu dois travailler davantage** has de trabajar más; **tu n'aurais pas dû lui dire ça** no le debías haber dicho eso

(**c**) (*indique la probabilité*) deber de;

ça doit coûter cher esto debe de costar caro
(**d**) *(indique l'intention)* **il doit commencer bientôt** empezará dentro de poco
3 se devoir *vpr* **se d. de faire qch** deber hacer algo
dévorer [devɔre] *vt* devorar
dévotion [devɔsjɔ̃] *nf* devoción *f*
dévoué, -e [devwe] *adj* devoto(a); **être d. à qn** estar dedicado(a) a alguien
dévouement [devumɑ̃] *nm* abnegación *f*
dévouer [devwe] **se dévouer** *vpr (se sacrifier)* sacrificarse; **se d. à** *(se consacrer)* consagrarse a
dextérité [deksterite] *nf* destreza *f*, habilidad *f*
diabète [djabɛt] *nm* diabetes *f inv*
diabétique [djabetik] *adj & nmf* diabético(a) *m,f*
diable [djabl] *nm* diablo *m*; **au d. l'avarice!** ¡no seamos rácanos!
diabolique [djabɔlik] *adj* diabólico(a)
diadème [djadɛm] *nm* diadema *f*
diagnostic [djagnɔstik] *nm* diagnóstico *m*
diagnostiquer [djagnɔstike] *vt* diagnosticar
diagonal, -e, -aux, -ales [djagɔnal, -o] **1** *adj* diagonal **2** *nf* **diagonale** diagonal *f*
dialecte [djalɛkt] *nm* dialecto *m*
dialogue [djalɔg] *nm* diálogo *m*
dialoguer [djalɔge] *vi* dialogar
diamant [djamɑ̃] *nm* diamante *m*
diamètre [djamɛtr] *nm* diámetro *m*
diapason [djapazɔ̃] *nm* diapasón *m*; *Fig* **se mettre au d.** hacer como todo el mundo
diapositive [djapozitiv] *nf* diapositiva *f*
diarrhée [djare] *nf* diarrea *f*
dictateur [diktatœr] *nm* dictador *m*
dictature [diktatyr] *nf* dictadura *f*
dictée [dikte] *nf* dictado *m*
dicter [dikte] *vt* dictar

diction [diksjɔ̃] *nf* dicción *f*
dictionnaire [diksjɔnɛr] *nm* diccionario *m*
dièse [djɛz] *nm* sostenido *m*
diesel [djezɛl] *nm* diesel *m*
diète [djɛt] *nf (régime)* dieta *f*; **être à la d.** estar a dieta
diététicien, -enne [djetetisjɛ̃, -ɛn] *nm,f* dietista *mf*
diététique [djetetik] *nf* dietética *f*
dieu, -x [djø] *nm* dios *m*; **D.** Dios *m*; **D. merci,...** gracias a Dios,...; **mon D.!** ¡Dios mío!
diffamation [difamasjɔ̃] *nf* difamación *f*; **procès en d.** juicio *m* por difamación
différé [difere] *nm TV* **en d.** en diferido
différence [diferɑ̃s] *nf* diferencia *f*; **faire la d. entre** diferenciar entre; **à la d. de** a diferencia de
différencier [66] [diferɑ̃sje] **1** *vt* **d. qch de** diferenciar algo de **2 se différencier** *vpr* **se d. de** diferenciarse de
différend [diferɑ̃] *nm (desacuerdo)*; **avoir un d. avec qn** tener diferencias con alguien
différent, -e [diferɑ̃, -ɑ̃t] *adj (distinct)* diferente; **différentes personnes** varias personas, diferentes personas
différer [34] [difere] **1** *vt (retarder)* aplazar **2** *vi (être différent)* **d. de qch** diferir de algo
difficile [difisil] *adj* difícil; **d. à faire** difícil de hacer
difficilement [difisilmɑ̃] *adv* difícilmente
difficulté [difikylte] *nf* dificultad *f*; **en d.** en dificultades, en apuros; **faire des difficultés** poner dificultades
difforme [diform] *adj* deforme
diffuser [difyze] *vt* difundir; *(émission)* emitir
diffusion [difyzjɔ̃] *nf* difusión *f*; *(d'émissions)* emisión *f*
digérer [34] [diʒere] *vt* digerir
digestif, -ive [diʒestif, -iv] **1** *adj* digestivo(a) **2** *nm* digestivo *m*
digestion [diʒestjɔ̃] *nf* digestión *f*

digne [din] *adj* digno(a) (**de** de)

digne [diɲ] *adj* digno(a) (**de** de)
dignité [diɲite] *nf* dignidad *f*
digue [dig] *nf* dique *m*
dilapider [dilapide] *vt* dilapidar
dilater [dilate] **1** *vt* dilatar **2 se dilater**
vpr dilatarse
dilemme [dilɛm] *nm* dilema *m*
diluer [dilɥe] **1** *vt* diluir **2 se diluer** *vpr*
diluirse
dimanche [dimɑ̃ʃ] *nm* domingo *m*;
voir aussi **samedi**
dimension [dimɑ̃sjɔ̃] *nf (taille)*
dimensión *f*; *Fig (ampleur)* magnitud
f; *Fig (aspect)* aspecto *m*; **prendre les
dimensions de** tomar las medidas de
diminuer [diminɥe] **1** *vt* reducir **2** *vi*
disminuir
diminutif [diminytif] *nm (nom)*
diminutivo *m*
diminution [diminysjɔ̃] *nf* disminución *f*
dinde [dɛ̃d] *nf* pava *f*
dindon [dɛ̃dɔ̃] *nm* pavo *m*, *Méx*
guajolote *m*
dîner [dine] **1** *vi (le soir)* cenar; *(à midi)*
comer, almorzar **2** *nm (repas du soir)*
cena *f*; *(repas de midi)* comida *f*,
almuerzo *m*
dinosaure [dinozɔr] *nm* dinosaurio
m
diplomate [diplɔmat] *adj & nmf*
diplomático(a) *m,f*
diplomatie [diplɔmasi] *nf* diplomacia
f
diplomatique [diplɔmatik] *adj* diplo-
mático(a)
diplôme [diplom] *nm* diploma *m*
diplômé, -e [diplome] *adj & nm,f*
diplomado(a) *m,f*
dire [27a] [dir] **1** *vt* decir; **d. à qn que...**
decir a alguien que... ; **dis-lui de
venir** dile que venga; **on dit que...** se
dice que..., dicen que...; **on dirait
que...** parece que...; **(et) d. que je
n'étais pas là!** ¡y pensar que no
estaba allí!; **que dirais-tu d'un pique-
nique?** ¿qué me dices de un picnic?;
qu'en dis-tu? ¿qué te parece?; **ça te
dit de...?** te apetece...?; **ça ne me dit**

rien *(ça ne me plaît pas)* no me apetece
nada; *(ça ne me rappelle rien)* no me
suena; **vouloir d.** querer decir
2 se dire *vpr* decirse; **il s'est dit très
satisfait** dijo estar muy satisfecho
direct, -e [dirɛkt] **1** *adj* directo(a) **2** *nm*
Sp & TV directo *m*; **en d.** en directo
directement [dirɛktəmɑ̃] *adv* direc-
tamente
directeur, -trice [dirɛktœr, -tris] **1** *adj*
(comité) director(ora); *(ligne, roue)*
director(triz) **2** *nm,f (responsable)*
director(ora) *m,f* ▪ **d. général**
director(ora) general
direction [dirɛksjɔ̃] *nf* dirección *f*; **en
d. de** *(train)* con destino a; **dans la d.
de** en dirección de; **sous la d. de** bajo
la dirección de
dirigeant, -e [diriʒɑ̃, -ɑ̃t] **1** *adj*
dirigente **2** *nm,f* dirigente *mf*; *(d'une
entreprise)* directivo(a) *m,f*
diriger [45] [diriʒe] **1** *vt (entreprise,
regard)* dirigir *(sur* hacia); *(véhicule)*
conducir **2 se diriger** *vpr* **se d. vers**
dirigirse hacia
dis, disais *etc voir* **dire**
discernement [disɛrnəmɑ̃] *nm* dis-
cernimiento *m*
discerner [disɛrne] *vt (voir, entendre)*
distinguir; *(différencier)* discernir
disciple [disipl] *nmf* discípulo(a) *m,f*
discipline [disiplin] *nf* disciplina *f*
discipliner [disipline] *vt* disciplinar
discontinu, -e [diskɔ̃tiny] *adj*
discontinuo(a)
discorde [diskɔrd] *nf* discordia *f*
discothèque [diskɔtɛk] *nf* discoteca *f*
discours [diskur] *nm* discurso *m*
discréditer [diskredite] *vt* desacreditar
discret, -ète [diskrɛ, -ɛt] *adj* discre-
to(a)
discrètement [diskrɛtmɑ̃] *adv* discre-
tamente, con discreción
discrétion [diskresjɔ̃] *nf* discreción *f*
discrimination [diskriminasjɔ̃] *nf*
discriminación *f* ▪ **d. raciale**
discriminación racial
disculper [diskylpe] **1** *vt* probar l

inocencia de **2 se disculper** *upr* probar su inocencia

discussion [diskysjɔ̃] *nf (conversation)* conversación *f; (débat)* debate *m; (contestation)* discusión *f*

discutable [diskytabl] *adj* discutible

discuter [diskyte] **1** *vt (débattre)* debatir; *(contester)* discutir **2** *vi (converser)* hablar (**de** de); *(contester)* discutir

dise *etc voir* **dire**

disgrâce [disgrɑs] *nf* desgracia *f (pérdida de favor);* **tomber en d.** caer en desgracia

disgracieux, -euse [disgrasjø, -øz] *adj (visage)* poco agraciado(a)

disjoncteur [disʒɔ̃ktœr] *nm* disyuntor *m*

disloquer [disløke] **1** *vt (famille, empire)* desmembrar **2 se disloquer** *upr* **se d. l'épaule** dislocarse el hombro

disparaître [20] [disparetr] *vi* desaparecer

disparité [disparite] *nf (d'âge, de salaire)* disparidad *f; (d'éléments, de couleurs)* discordancia *f*

disparition [disparisjɔ̃] *nf* desaparición *f*

disparu, -e [dispary] **1** *pp voir* **disparaître**
2 *nm,f* desaparecido(a) *m,f; (mort)* difunto(a) *m,f*

dispensaire [dispɑ̃ser] *nm* dispensario *m*

dispense [dispɑ̃s] *nf* dispensa *f*

dispenser [dispɑ̃se] **1** *vt (soin)* dispensar; **d. qn de qch** dispensar a alguien de algo **2 se dispenser** *upr* **tu pourrais te d. de ce genre de commentaire!** ¡excusabas de hacer ese comentario!

disperser [disperse] **1** *vt* dispersar **2 se disperser** *upr* dispersarse

disponibilité [disponibilite] *nf* disponibilidad *f; (d'un fonctionnaire)* excedencia *f*

disponible [disponibl] *adj* disponible

disposé, -e [dispoze] *adj* dispues-

to(a); **être d. à faire qch** estar dispuesto a hacer algo; **être bien d. envers qn** tener buena disposición hacia alguien, estar bien dispuesto hacia alguien

disposer [dispoze] **1** *vt (arranger)* disponer, poner **2** *vi* **d. de** disponer de; **vous pouvez d.** puede retirarse **3 se disposer** *upr* **se d. à faire qch** disponerse a hacer algo

dispositif [dispozitif] *nm* dispositivo *m*

disposition [dispozisjɔ̃] *nf (arrangement)* distribución *f*, disposición *f; être à la d. de qn* estar a disposición de; **prendre ses dispositions** hacer los preparativos

disproportionné, -e [disprɔpɔrsjɔne] *adj* desproporcionado(a)

dispute [dispyt] *nf* disputa *f*, discusión *f*

disputer [dispyte] **1** *vt* disputar **2 se disputer** *upr (se quereller)* pelearse; *(match, course)* disputarse; **se d. qch** disputarse algo

disquaire [disker] *nmf* vendedor(ora) *m,f* de discos

disqualifier [66] [diskalifje] *vt* descalificar

disque [disk] *nm* disco *m* ▪ *Ordinat* **d. amovible** disco (duro) removible *o* extraíble; **d. compact** compact disc *m*, disco compacto; *Ordinat* **d. dur** disco duro; *Ordinat* **d. fixe** disco (duro) no removible *o* no extraíble; **d. laser** disco láser

disquette [disket] *nf* disquete *m*

disséminer [disemine] *vt* diseminar

disséquer [34] [diseke] *vt* disecar; *Fig (ouvrage)* desmenuzar

dissertation [disertasjɔ̃] *nf* disertación *f*

dissident, -e [disidɑ̃, -ɑ̃t] *adj & nm,f* disidente *mf*

dissimuler [disimyle] **1** *vt (cacher)* disimular; *(taire)* ocultar **2 se dissimuler** *upr (se cacher)* ocultarse, esconderse

dissiper [disipe] **1** *vt* disipar; *(distraire)*

distraer 2 se dissiper *vpr (brouillard, doute)* disiparse; *(être inattentif)* distraerse

dissocier [66] [disɔsje] *vt* disociar

dissolution [disɔlysjɔ̃] *nf* disolución f

dissolvant [disɔlvɑ̃] *nm* disolvente *m*; *(à ongles)* quitaesmalte *m*

dissoudre [3a] [disudr] **1** *vt* disolver **2 se dissoudre** *vpr* disolverse

dissuader [disɥade] *vt* **d. qn de faire qch** disuadir a alguien de hacer algo

dissuasion [disɥazjɔ̃] *nf* disuasión f

distance [distɑ̃s] *nf* distancia f; **à d.** a distancia; **garder ses distances** guardar las distancias

distancer [16] [distɑ̃se] *vt* dejar atrás; **il a largement distancé son rival** le ha sacado una amplia ventaja a su rival

distant, -e [distɑ̃, -ɑ̃t] *adj* distante

distiller [distile] *vt* destilar

distinct, -e [distɛ̃, -ɛkt] *adj (séparé)* distinto(a); *(clair)* claro(a)

distinctif, -ive [distɛ̃ktif, -iv] *adj* distintivo(a)

distinction [distɛ̃ksjɔ̃] *nf* distinción f; **faire la d. entre** distinguir entre

distingué, -e [distɛ̃ge] *adj* distinguido(a)

distinguer [distɛ̃ge] **1** *vt* distinguir **2 se distinguer** *vpr* distinguirse

distraction [distraksjɔ̃] *nf* distracción f

distraire [28] [distrɛr] **1** *vt* distraer **2 se distraire** *vpr* distraerse

distrait, -e [distrɛ, -ɛt] **1** *pp voir* **distraire**

2 *adj* distraído(a)

distrayant, -e [distrɛjɑ̃, -ɑ̃t] *adj* distraído(a)

distribuer [distribɥe] *vt* repartir, distribuir

distributeur, -trice [distribɥtœr, -tris] **1** *nm,f* repartidor(ora) *m,f* **2** *nm Com* distribuidor(ora) *m,f*; *(machine)* máquina *f* expendedora ▪ **d. automatique** *(de billets)* cajero *m* automático

distribution [distribysjɔ̃] *nf (répartition),* Cin & Th reparto *m*; *(disposition)* & Com distribución f

district [distrikt] *nm* distrito *m*

dit, -e [di, dit] **1** *pp voir* **dire** **2** *adj* Émile Fabre, **d. Mimile** Émile Fabre, llamado Mimile; **à l'heure dite** a la hora prevista

divaguer [divage] *vi* divagar

divan [divɑ̃] *nm* diván *m*

divergence [divɛrʒɑ̃s] *nf* divergencia f, discrepancia f

diverger [45] [divɛrʒe] *vi (lignes)* divergir; *Fig (opinions)* divergir, discrepar

divers, -e [divɛr, -ɛrs] **1** *adj (sujet pluriel)* diverso(a); *(sujet singulier)* variado(a) **2** *adj indéfini* varios(as); **cas sont possibles** hay varios casos posibles

diversifier [66] [diversifje] **1** diversificar **2 se diversifier** *vpr* diversificarse

diversion [diversjɔ̃] *nf* diversión f; **faire d.** desviar la atención

diversité [diversite] *nf* diversidad f

divertir [divertir] **1** *vt* divertir **2 se divertir** *vpr* divertirse

divertissement [divertismɑ̃] *nm (passe-temps)* diversión f

divin, -e [divɛ̃, -in] *adj* divino(a)

divinité [divinite] *nf* divinidad f

diviser [divize] **1** *vt* dividir **2 se diviser** *vpr* se **d. en deux** dividirse en dos

division [divizjɔ̃] *nf* división f

divorce [divɔrs] *nm* divorcio *m*

divorcé, -e [divɔrse] *adj & nm* divorciado(a) *m,f*

divorcer [16] [divɔrse] *vi* divorciarse

divulguer [divylge] *vt* divulgar

dix [dis] **1** *adj inv* diez **2** *nm inv* diez *n voir aussi* **six**

dix-huit [dizɥit] **1** *adj inv* diecioch **2** *nm inv* dieciocho *m*; *voir aussi* **six**

dixième [dizjem] **1** *adj & nm* décimo(a) *m,f* **2** *nm* décimo *n* décima parte f; *voir aussi* **sixième**

dix-neuf [diznœf] **1** *adj inv* diecinuev **2** *nm inv* diecinueve *m*; *voir aussi* **six**

dix-sept [diset] **1** *adj inv* diecisiete **2** *nm inv* diecisiete *m; voir aussi* **six**

dizaine [dizɛn] *nf* decena *f;* **une d. de** *(environ)* unos(as) diez

djembé [dʒɛmbe] *nm* djembé *m*

docile [dɔsil] *adj* dócil

docteur [dɔktœr] *nm (médecin)* médico *m,f,* doctor(ora) *m,f;* **d. en philosophie** doctor(ora) en filosofía

doctorat [dɔktɔra] *nm* doctorado *m*

doctrine [dɔktrin] *nf* doctrina *f*

document [dɔkymɑ̃] *nm* documento *m*

documentaire [dɔkymɑ̃tɛr] *nm* documental *m*

documentation [dɔkymɑ̃tasjɔ̃] *nf (technique)* documentación f; *(documents)* papeles *mpl*

documenter [dɔkymɑ̃te] **se documenter** *upr* documentarse

dodu, -e [dɔdy] *adj (enfant, bras)* regordete(a); *(animal)* cebado(a)

doigt [dwa] *nm* dedo *m;* **un d. de** *(vin, alcool)* un dedo de; **être à deux doigts de faire qch** estar a un paso de hacer algo; **connaître qch sur le bout des doigts** saberse algo al dedillo; *Fam* **faire qch les doigts dans le nez** hacer algo con los ojos cerrados ∎ **d. de pied** dedo del pie; **petit d.** dedo meñique, meñique *m; Fig* **ne pas lever le petit d.** no mover ni un dedo

doigté [dwate] *nm (adresse manuelle)* destreza f; *(tact)* tacto *m*

dois, doive *etc voir* **devoir**

dollar [dɔlar] *nm* dólar *m*

domaine [dɔmɛn] *nm (propriété) & Ordinat* dominio *m; (secteur, compétence)* campo *m*

dôme [dom] *nm (d'un bâtiment)* cúpula f

domestique [dɔmɛstik] **1** *adj* doméstico(a) **2** *nmf Esp* criado(a) *m,f, Andes, RP* mucamo(a) *m,f, RP* empleada f (doméstica)

domestiquer [dɔmɛstike] *vt (animal)* domesticar

domicile [dɔmisil] *nm* domicilio *m;* **à d.** a domicilio

dominant, -e [dɔminɑ̃, -ɑ̃t] *adj* dominante

domination [dɔminasjɔ̃] *nf (autorité)* dominación f

dominer [dɔmine] **1** *vt* dominar **2** *vi (régner)* dominar; *(prédominer)* predominar; *(triompher)* ganar **3 se dominer** *upr* controlarse

dommage [dɔmaʒ] *nm (dégât)* daño *m,* desperfecto *m; (préjudice)* daño *m;* **(c'est) d.!** ¡qué pena!, ¡qué lástima! ∎ **dommages et intérêts** daños y perjuicios

dompter [dɔ̃te] *vt (animal)* domar; *(colère)* dominar

DOM-TOM [dɔmtɔm] *nmpl (abrév* **départements d'outre-mer et territoires d'outre-mer)** = provincias y territorios franceses de ultramar

don [dɔ̃] *nm (cadeau)* donación f; *(talent, aptitude)* don *m;* **faire d. de qch à qn** donar algo a alguien; *aussi Iron* **avoir le d. de faire qch** tener el don de hacer algo; **le d. du sang** la donación de sangre

donation [dɔnasjɔ̃] *nf* donación f

donc [dɔ̃k] *conj (marque la conséquence)* así pues, así que; *(après une digression, pour renforcer)* pues; **elle est malade et ne pourra d. pas venir** está enferma así que no podrá venir; **je disais d. que...** pues como decía...; **mais tais-toi d.!** ¡cállate ya!

donjon [dɔ̃ʒɔ̃] *nm* torreón *m*

donné, -e [dɔne] *adj (lieu, date)* dado(a); **étant d. que** dado que

donnée [dɔne] *nf* dato *m*

donner [dɔne] **1** *vt* dar; *(nom)* poner; *(âge)* echar; *(complice)* delatar; **d. l'heure à qn** decir la hora a alguien; **elle m'a donné un livre à lire** me ha dado un libro para que lo lea; **ça n'a rien donné** no ha dado resultado; **d. qch à qn** *(maladie, passion)* contagiar algo a alguien; **d. sur** *(mer, jardin)* dar a

2 *vi* **d. à penser que** dar a pensar que; **d. dans qch** *(s'adonner)* darse a algo

3 se donner *upr* **se d. du mal pour**

faire qch esforzarse por hacer algo; **se d. à fond** entregarse por completo

donneur, -euse [dɔnœr, -øz] nm,f (d'organe, de sang) donante mf

dont [dɔ̃] pron relatif (**a**) (complément de verbe ou d'adjectif) (relatif à un objet) del (de la) que; (relatif à une personne) de quien; **l'accident d. il est responsable** el accidente del que es responsable; **les corvées d. il a été dispensé** las faenas de las que se ha liberado; **c'est quelqu'un d. on dit le plus grand bien** es una persona de quien se dicen muchas cosas buenas; **les personnes d. je parle…** las personas de quienes hablo…

(**b**) (complément de nom ou de pronom) cuyo(a); **un meuble d. le bois est vermoulu** un mueble cuya madera está carcomida; **c'est quelqu'un d. j'apprécie l'honnêteté** es alguien cuya honradez admiro; **celui d. les parents sont divorcés** aquél cuyos padres están divorciados

(**c**) (indique la partie d'un tout) de los (las) cuales; **j'ai vu plusieurs films, d. deux étaient intéressants** he visto varias películas, dos de las cuales eran interesantes

(**d**) (parmi eux) uno(a) de ellos(as); **plusieurs personnes ont téléphoné, d. ton frère** han llamado varias personas, una de ellas (era) tu hermano

dopage [dɔpaʒ] nm doping m

doper [dɔpe] **1** vt dopar **2 se doper** vpr doparse

doré, -e [dɔre] adj dorado(a)

dorénavant [dɔrenavɑ̃] adv en adelante, en lo sucesivo

dorer [dɔre] **1** vt dorar **2** vi (gâteau) dorarse; **faire d. qch** dorar algo **3 se dorer** vpr **se d. au soleil** tomar el sol

dormir [29] [dɔrmir] vi dormir; **d. debout** quedarse dormido(a)

dortoir [dɔrtwar] nm dormitorio m común

dos [do] nm (d'une personne, d'un vêtement) espalda f; (d'un siège) respaldo m; (d'un livre, d'un animal) lomo m; (verso) dorso m; **à d. d'âne** en burro; **au d. de** (papier, livre) al dorso de; **je ne l'ai vu que de d.** sólo lo he visto por detrás; **étendu sur le d.** tendido(a) boca arriba; **tourner le d. à** dar la espalda a

dose [doz] nf dosis f inv

doser [doze] vt dosificar

dossard [dɔsar] nm dorsal m

dossier [dɔsje] nm (d'un fauteuil) respaldo m; (documents) dossier m; (classeur) carpeta f; Fig (sujet) tema m; Ordinat fichero m ▪ **d. médical** historial m (médico)

dot [dɔt] nf dote f

douane [dwan] nf aduana f

douanier, -ère [dwanje, -ɛr] adj & nm,f aduanero(a) m,f

doublage [dublaʒ] nm (de dialogues) doblaje m; (par une doublure) substitución f

double [dubl] **1** adj doble; **en d. exemplaire** por duplicado **2** adv doble **3** nm doble m; (copie) copia f; (au tennis) dobles mpl

doubler [duble] **1** vt (multiplier) duplicar; Cin doblar; (vêtement) forrar; (véhicule) adelantar; Fam (trahir) engañar **2** vi (véhicule) adelantar; (être multiplié par deux) duplicarse

doublure [dublyr] nf (d'un vêtement) forro m; Th & Cin doble mf

douce [dus] voir doux

doucement [dusmɑ̃] adv (avec douceur) con suavidad, con dulzura; (lentement) despacio, lentamente; (bas) bajo

douceur [dusœr] nf suavidad f; (du caractère) dulzura f; **en d.** con suavidad

douche [duʃ] nf ducha f, Col, Méx, Ven regadera f

doucher [duʃe] **1** vt duchar **2 se doucher** vpr ducharse

doué, -e [dwe] adj dotado(a); **être d.**

pour qch estar dotado para algo; **être
d. de qch** tener algo
douillet, -ette [duje, -et] *adj (lit)*
mullido(a); *(personne)* delicado(a)
douleur [dulœr] *nf* dolor *m*
douloureux, -euse [dulurø, -øz] *adj
(blessure, événement)* doloroso(a);
(partie du corps) dolorido(a)
doute [dut] *nm* duda *f*; **sans aucun d.**
sin duda alguna, sin ninguna duda;
sans d. seguramente
douter [dute] **1** *vt* **d. de** dudar de;
d. que dudar que **2 se douter** *vpr* **je
me doute que ça n'a pas été facile**
me imagino que no ha sido fácil; **je
m'en doutais** lo suponía, me lo
imaginaba
douteux, -euse [dutø, -øz] *adj*
dudoso(a); *(sale)* sucio(a)
doux, douce [du, dus] *adj* suave;
(personne, caractère) dulce; *(climat)*
templado(a); *Fam* **en douce** disi-
muladamente
douzaine [duzɛn] *nf (douze)* docena *f*;
une d. de *(environ douze)* unos(as)
doce
douze [duz] **1** *adj inv* doce **2** *nm inv*
doce *m*; *voir aussi* **six**
dragée [draʒe] *nf (confiserie)* peladilla
f; *(comprimé)* gragea *f*
dragon [dragɔ̃] *nm (monstre)* dragón
m
drainer [drene] *vt (terrain, plaie)*
drenar; *Fig (capitaux)* atraer
dramatique [dramatik] *adj* dramá-
tico(a)
drame [dram] *nm* drama *m*
drap [dra] *nm (de lit)* sábana *f*; *(étoffe)*
paño *m*; *Belg (serviette)* toalla *f*
drapeau, -x [drapo] *nm* bandera *f*; *Fig*
être sous les drapeaux servir a la
bandera
dresser [drese] **1** *vt (tête, tente)*
levantar; *(liste, procès-verbal)* elaborar; *(statue)* erigir; *(animal)* adiestrar;
d. l'oreille prestar atención **2 se
dresser** *vpr (se mettre debout)* Esp
levantarse, *Am* pararse; *(s'élever)*
erguirse; *(apparaître)* surgir

dresseur, -euse [dresœr, -øz] *nm,f*
domador(ora) *m,f*
drogue [drɔg] *nf* droga *f* ◼ **d. douce**
droga blanda; **d. dure** droga dura
drogué, -e [drɔge] *nm,f* drogadicto(a)
m,f
droguer [drɔge] **1** *vt* drogar **2 se
droguer** *vpr* drogarse; **se d. à
l'héroïne** inyectarse heroína
droguerie [drɔgri] *nf* droguería *f*
droguiste [drɔgist] *nmf* droguero(a)
m,f
droit¹, -e [drwa, drwat] **1** *adj (vertical)*
derecho(a); *(rectiligne, honnête)*
recto(a) **2** *adv (selon une ligne droite)*
recto; *(directement)* derecho, directo;
tout d. todo recto **3** *nf* **droite** *(ligne)*
recta *f*
droit², -e 1 *adj (situé à droite)*
derecho(a) **2** *nf* **droite** derecha *f*; **à
droite (de)** a la derecha (de); *Pol* **de
droite** de derechas
droit³ *nm* derecho *m*; **avoir le d. de
faire qch** tener derecho a hacer algo;
avoir d. à qch tener derecho a algo;
être en d. de estar en el derecho de
◼ **droits d'auteur** derechos de autor;
d. civil derecho civil; **d. commercial**
derecho mercantil; **droits de douane**
derechos de aduana; **droits
d'inscription** matrícula *f*; **d. de vote**
derecho al voto
droitier, -ère [drwatje, -ɛr] *adj & nm,f*
diestro(a) *m,f (que usa la mano
derecha)*
drôle [drol] *adj (amusant)* diver-
tido(a); *(bizarre)* raro(a); **quelle d.
d'idée!** ¡vaya idea!, ¡menuda idea!
drôlement [drolmã] *adv (bizarre-
ment)* de una manera muy rara; *Fam
(très)* muy, super-; **il fait d. chaud**
hace mogollón de calor
dru, -e [dry] *adj* abundante
du [dy] *voir* **de**
dû, due [dy] **1** *pp voir* **devoir**
2 *nm* **j'ai réclamé mon dû** reclamé lo
que se me debía
duc [dyk] *nm* duque *m*
duchesse [dyʃɛs] *nf* duquesa *f*

due [dy] *voir* **dû**

duel [dɥɛl] *nm* duelo *m*

dune [dyn] *nf* duna *f*

duo [dɥo] *nm* dúo *m*

dupe [dyp] *adj* **je ne suis pas d.** a mí no me engaña/engañan/*etc*

duper [dype] *vt* embancar

duplex [dypleks] *nm* dúplex *m inv*

duplicata [dyplikata] *nm inv* duplicado *m*

duquel [dykɛl] *voir* **lequel**

dur, -e [dyr] **1** *adj* duro(a); *(difficile)* difícil **2** *adv (avec force)* fuerte; *(avec ténacité)* duro

durable [dyrabl] *adj* duradero(a)

durant [dyrɑ̃] *prép* durante

durcir [dyrsir] **1** *vt* endurecer **2** *vi* endurecerse **3 se durcir** *vpr* endurecerse

durée [dyre] *nf* duración *f*

durement [dyrmɑ̃] *adv (violemment)* con fuerza; *(péniblement)* con rigor, con crudeza; *(sévèrement)* duramente

durer [dyre] *vi* durar

dureté [dyrte] *nf* dureza *f*; *(difficulté)* dificultad *f*

duvet [dyvɛ] *nm (plumes)* plumón *m*; *(sac de couchage)* saco *m* de dormir *(de plumón)*; *(poils fins)* bozo *m*; *Belg & Suisse (édredon)* edredón *m*

dynamique [dinamik] *adj* dinámico(a)

dynamite [dinamit] *nf* dinamita *f*

dynamo [dinamo] *nf* dinamo *f* o *m*

dynastie [dinasti] *nf* dinastía *f*

dyslexique [disleksik] *adj* disléxico(a)

Ee

E, e [ə] *nm inv (lettre)* E *f*, e *f*

eau, -x [o] *nf* agua *f*; **prendre l'e.** calar; *Fig* **tomber à l'e.** irse a pique, aguarse ■ **e. bénite** agua bendita; **e. de Cologne** agua de Colonia; **e. douce** agua dulce; **e. gazeuse** agua con gas; **e. de mer** agua salada; **e. minérale** agua mineral; **e. plate** agua sin gas; **e. de toilette** (agua de) colonia *f*

eau-de-vie *(pl* **eaux-de-vie)** [odvi] *nf* aguardiente *m*

ébaucher [oboʃe] *vt (œuvre, plan)* bosquejar; *Fig (sourire)* esbozar

ébéniste [ebenist] *nmf* ebanista *mf*

éblouir [ebluir] *vt* deslumbrar

éboueur [ebwœr] *nm* basurero(a) *m,f*

ébouillanter [ebujɑ̃te] **1** *vt* escaldar **2 s'ébouillanter** *vpr* escaldarse

éboulement [ebulmɑ̃] *nm* desprendimiento *m*

ébouriffé, -e [eburife] *adj* alborotado(a)

ébranler [ebrɑ̃le] *vt (faire trembler)* estremecer, sacudir; *(santé, moral)* quebrantar; *(gouvernement)* hacer tambalear; *(conviction)* hacer temblar

ébrécher [34] [ebreʃe] *vt (verre, assiette)* picar; *(lame, couteau)* mellar

ébriété [ebrijete] *nf* **conduite en état d'é.** conducción *f* en estado de embriaguez

ébrouer [ebrue] **s'ébrouer** *vpr* sacudirse

ébruiter [ebrɥite] **1** *vt* divulgar **2 s'ébruiter** *vpr* divulgarse

ébullition [ebylisjɔ̃] *nf* ebullición *f*

écaille [ekaj] *nf (de poisson, de reptile)* escama *f*; *(de peinture, de vernis)* desconchón *m*; *(matière)* concha *f*

écailler [ekaje] **1** *vt (poisson)* escamar;

(huître) abrir **2 s'écailler** *vpr (peinture, vernis)* desconcharse

écarquiller [ekarkije] *vt* **é. les yeux** abrir los ojos como platos

écart [ekar] *nm (dans l'espace)* distancia *f*, separación *f*; *(dans le temps)* intervalo *m*; *(différence)* diferencia *f*; *(mouvement)* extraño *m*; **à l'é. (de)** *(d'un groupe)* separado(a) (de); *(isolé) (maison)* aislado(a) (de); **faire le grand é.** abrirse de piernas

écartement [ekartəmɑ̃] *nm* distancia *f*

écarter [ekarte] **1** *vt (bras, rideaux)* abrir; *(éloigner)* apartar; *(danger)* eliminar; *(solution)* desechar **2 s'écarter** *vpr (se mettre de côté)* apartarse

ecclésiastique [eklezjastik] *nm* eclesiástico *m*

écervelé, -e [esɛrvəle] *adj & nm,f* atolondrado(a) *m,f*

échafaudage [eʃafodaʒ] *nm (sur un bâtiment)* andamio *m*, andamiaje *m*; *(amas)* montón *m*, pila *f*

échalote [eʃalɔt] *nf* chalote *m*

échancré, -e [eʃɑ̃kre] *adj (vêtement)* escotado(a)

échancrure [eʃɑ̃kryr] *nf (d'un vêtement)* escote *m*

échange [eʃɑ̃ʒ] *nm* intercambio *m*; **en é. (de)** a cambio (de)

échanger [45] [eʃɑ̃ʒe] *vt (sourires, impressions)* intercambiar; **é. qch contre qch** cambiar algo por algo

échantillon [eʃɑ̃tijɔ̃] *nm* muestra *f*

échapper [eʃape] **1** *vi* **é. à** escapar *o* escaparse de; **son nom m'échappe** no me sale ahora su nombre, no recuerdo su nombre; **laisser é. qch** *(occasion)* dejar escapar algo; *(mot)* soltar algo **2** *vt* **l'é. belle** salvarse por los pelos **3 s'échapper** *vpr* escaparse (**de** de), escapar (**de** de)

écharde [eʃard] *nf* astilla *f*

écharpe [eʃarp] *nf* bufanda *f*; **en é.** *(bras)* en cabestrillo

échasses [eʃas] *nfpl* zancos *mpl*

échauffer [eʃofe] **1** *vt* calentar; *(énerver)* irritar **2 s'échauffer** *vpr* calentarse

échéance [eʃeɑ̃s] *nf (date de paiement)* vencimiento *m*; *(somme d'argent)* desembolso *m*; **à longue é.** a largo plazo; **arriver à é.** vencer

échéant [eʃeɑ̃] *adj m* voir **cas**

échec [eʃɛk] *nm* fracaso *m*; **échecs** *(jeu)* ajedrez *m*; **é. et mat** jaque mate

échelle [eʃɛl] *nf (objet)* escalera *f*; *(ordre de grandeur)* escala *f*; **à grande é.** a gran escala; **faire la courte é. à qn** aupar a alguien

échelon [eʃlɔ̃] *nm (barreau)* escalón *m*, peldaño *m*; *Fig (niveau)* grado *m*, escalón *m*

échelonner [eʃlɔne] **1** *vt* escalonar **2 s'échelonner** *vpr* escalonarse

échevelé, -e [eʃəvle] *adj (personne)* despeinado(a); *(course, rythme)* desenfrenado(a)

échiquier [eʃikje] *nm (jeu)* tablero *m* de ajedrez; *Fig (politique)* tablero *m*

écho [eko] *nm* eco *m*

échographie [ekografi] *nf* ecografía *f*

échoir [14] [eʃwar] *vi (terme)* vencer; **é. à qn** *(être dévolu)* tocarle a alguien

échouer [eʃwe] *vi (ne pas réussir)* fracasar; *(navire)* encallar; *Fig (aboutir)* ir a parar; **é. à un examen** suspender un examen

éclabousser [eklabuse] *vt* salpicar

éclaboussures [eklabusyr] *nfpl* salpicaduras *fpl*

éclair [eklɛr] *nm (de lumière)* relámpago *m*; *Fig (instant)* chispa *f*; *(gâteau)* = pastelito alargado relleno de crema de chocolate o de café

éclairage [eklɛraʒ] *nm (des rues)* alumbrado *m*; *(d'un local)* iluminación *f*

éclaircie [eklɛrsi] *nf* claro *m* *(entre nubes)*

éclaircir [eklɛrsir] **1** *vt* aclarar **2 s'éclaircir** *vpr* aclararse; **s'é. la voix** aclararse la voz

éclaircissement [eklɛrsismɑ̃] *nm* aclaración *f*

éclairer [eklere] **1** *vt (illuminer)* alumbrar, iluminar; **é. qn sur qch**

(renseigner) aclarar a alguien sobre algo **2 s'éclairer** *upr* alumbrarse; *(visage)* iluminarse; *(situation)* aclararse

éclaireur, -euse [eklɛrœr, -øz] *nm,f* explorador(ora) *m,f*

éclat [ekla] *nm (de lumière)* resplandor *m; (de couleur, des yeux)* brillo *m; (de verre, de pierre)* fragmento *m; (faste)* esplendor *m;* **rire aux éclats** reír a carcajadas; **voler en éclats** romperse en mil pedazos ■ **é. de rire** carcajada *f;* **éclats de voix** gritos *mpl*

éclatant, -e [eklatɑ̃, -ɑ̃t] *adj (lumière, couleur, succès)* brillante; *(beauté)* resplandeciente; *(rire)* sonoro(a)

éclater [eklate] **1** *vi* estallar; **é. de rire** echarse a reír; **é. en sanglots** echarse a llorar **2 s'éclater** *upr Fam* pasárselo de miedo

éclectique [eklɛktik] *adj* ecléctico(a)

éclipse [eklips] *nf* eclipse *m* ■ **é. de lune** eclipse lunar; **é. de soleil** eclipse solar

éclipser [eklipse] **1** *vt* eclipsar **2 s'éclipser** *upr* eclipsarse

éclore [15] [eklɔr] *vi (fleur, œuf)* hacer eclosión

écluse [eklyz] *nf* esclusa *f*

écœurant, -e [ekœrɑ̃, -ɑ̃t] *adj* repugnante, asqueroso(a); *Fam (démoralisant)* asqueroso(a)

écœurer [ekœre] *vt* dar asco a; *Fam (décourager)* desmoralizar

école [ekɔl] *nf* escuela *f,* colegio *m; (éducation)* enseñanza *f;* **faire l'é.** hacer o crear escuela; **faire l'é. buissonnière** hacer novillos ■ **é. maternelle** parvulario *m;* **é. primaire** escuela primaria; **l'é. privée** la enseñanza privada; **grande é.** = establecimiento de enseñanza superior de gran prestigio al que se accede por examen de ingreso

écolier, -ère [ekɔlje, -er] *nm,f* escolar *mf,* colegial(ala) *m,f*

écologie [ekɔlɔʒi] *nf* ecología *f*

écologique [ekɔlɔʒik] *adj* ecológico(a)

écologiste [ekɔlɔʒist] *nmf* ecologista *mf*

économe [ekɔnɔm] **1** *adj* ahorrador(ora); **être é. de qch** ahorrarse algo **2** *nmf* ecónomo(a) *m,f*

économie [ekɔnɔmi] *nf (science, système)* economía *f; (vertu, gain)* ahorro *m; (pécule)* ahorros *mpl;* **faire des économies** ahorrar

économique [ekɔnɔmik] *adj* económico(a)

économiser [ekɔnɔmize] *vt* ahorrar

écoper [ekɔpe] **1** *vt (dans un bateau)* achicar **2** *vi Fam (être puni)* pagar el pato; **é. de qch** *(sanction, corvée)* cargar con algo

écorce [ekɔrs] *nf* corteza *f, (d'agrume)* cáscara *f,* piel ■ **é. terrestre** corteza terrestre

écorcher [ekɔrʃe] *vt (égratigner)* arañar; *(nom, langue)* destrozar; *(lapin)* despellejar

écossais, -e [ekɔse, -ez] **1** *adj* escocés(esa) **2** *nm,f* É. escocés(esa) *m,f*

Écosse [ekɔs] *nf* l' É. Escocia

écouler [ekule] **1** *vt* deshacerse de **2 s'écouler** *upr (liquide)* escurrirse; *(temps)* pasar

écourter [ekurte] *vt* acortar

écoute [ekut] *nf* être à l'é. *(radio)* estar a la escucha; *Fig* être à l'é. de *(personne, problèmes)* escuchar; **heure de grande é.** hora *f* de gran audiencia ■ **écoutes téléphoniques** escuchas *fpl* telefónicas

écouter [ekute] **1** *vt* escuchar **2 s'écouter** *upr* tu t'écoutes trop eres un hipocondríaco; **s'é. parler** creerse muy interesante

écouteur [ekutœr] *nm* auricular *m*

écran [ekrɑ̃] *nm* pantalla *f* ■ **le grand é.** *(le cinéma)* la pantalla grande; **le petit é.** *(la télévision)* la pequeña pantalla; *Ordinat* **é. tactile** pantalla táctil

écrasant, -e [ekrazɑ̃, -ɑ̃t] *adj (majorité, défaite)* aplastante

écraser [ekraze] **1** vt (comprimer, vaincre) aplastar; (accabler) agobiar, abrumar; (marcher sur) pisar; (renverser) atropellar; **il s'est fait é. par une voiture** lo ha atropellado un automóvil **2 s'écraser** upr (avion) estrellarse

écrémer [34] [ekreme] vt (lait) desnatar; Fig (prendre le meilleur de) escoger lo mejor de

écrevisse [ekrəvis] nf cangrejo m de río

écrier [ekrije] **s'écrier** upr exclamar

écrin [ekrɛ̃] nm joyero m (estuche)

écrire [30] [ekrir] **1** vt escribir **2 s'écrire** upr (correspondre) escribirse, cartearse; (s'orthographier) escribirse

écrit, -e [ekri, -it] **1** pp voir **écrire 2** nm (ouvrage, document) escrito m; (examen) examen m escrito; **par é.** por escrito

écriteau, -x [ekrito] nm letrero m, cartel m

écriture [ekrityr] nf (système de signes) escritura f; (graphie) letra f; (style) estilo m; Com **tenir les écritures** llevar los libros ▪ **les (Saintes) Écritures** las (Sagradas) Escrituras

écrivain [ekrivɛ̃] nm escritor(ora) m,f

écrou [ekru] nm tuerca f

écrouer [ekrue] vt encarcelar

écrouler [ekrule] **s'écrouler** upr derrumbarse, desplomarse

écru, -e [ekry] adj (couleur) de color crudo(a)

écueil [ekœj] nm aussi Fig escollo m

écuelle [ekɥel] nf escudilla f

écume [ekym] nf (de mer, de bière) espuma f; (bave) baba f, espumarajo m

écureuil [ekyrœj] nm ardilla f

écurie [ekyri] nf (bâtiment) cuadra f, caballeriza f; Fig (chevaux de courses) cuadra f; (voitures de course) escudería f

écusson [ekysɔ̃] nm (armoiries) escudo m; (badge) insignia f

écuyer, -ère [ekɥije, -ɛr] nm,f (de cirque) caballista mf

édifice [edifis] nm (construction) edificio m

édifier [66] [edifje] vt (bâtiment) construir, edificar; (théorie) elaborar

éditer [edite] vt editar

éditeur, -trice [editœr, -tris] nm,f editor(ora) m,f

édition [edisjɔ̃] nf edición f

éditorial, -aux [editɔrjal, -o] nm editorial m

éducateur, -trice [edykatœr, -tris] nm,f educador(ora) m,f ▪ **é. spécialisé** = profesor de educación especial

éducatif, -ive [edykatif, -iv] adj educativo(a)

éducation [edykasjɔ̃] nf educación f

éduquer [edyke] vt educar

effacé, -e [efase] adj (personne, caractère) discreto(a)

effacer [16] [efase] **1** vt (supprimer) & Ordinat borrar; Fig (éclipser) eclipsar **2 s'effacer** upr (s'estomper) borrarse; (s'écarter) apartarse

effarant, -e [efarɑ̃, -ɑ̃t] adj espantoso(a)

effaroucher [efaruʃe] vt asustar

effectif, -ive [efɛktif, -iv] **1** adj efectivo(a) **2** nm **e. effectifs** Mil efectivos mpl; Scol alumnado m

effectivement [efɛktivmɑ̃] adv (réellement) realmente; (pour confirmer) efectivamente

effectuer [efɛktɥe] vt efectuar

efféminé, -e [efemine] adj afeminado(a)

effervescent, -e [efɛrvesɑ̃, -ɑ̃t] adj efervescente

effet [efɛ] nm efecto m; (impression produite) efecto m, impresión f; **faire e.** (médicament) hacer efecto; **faire de l'e. à qn** (nouvelle, remarque) afectar a alguien; **sous l'e. de** bajo los efectos de; **en e.** en efecto, efectivamente ▪ **e. de serre** efecto (de) invernadero; **effets spéciaux** (au cinéma) efectos especiales

efficace [efikas] adj (remède, mesure) eficaz; (personne) eficaz, eficiente

efficacité [efikasite] *nf* eficacia *f*
effilocher [efiloʃe] **1** *vt* deshilachar **2** *s'effilocher upr* deshilacharse
effleurer [eflœre] *vt* rozar; *(problème, affaire)* tratar superficialmente; **cette pensée ne l'a jamais effleuré** nunca se le ha ocurrido esta idea
effondrer [efɔ̃dre] *s'effondrer upr* hundirse, desmoronarse
efforcer [16] [efɔrse] *s'efforcer upr* **s'e. de faire qch** esforzarse en hacer algo
effort [efɔr] *nm* esfuerzo *m*
effraction [efraksjɔ̃] *nf Jur* fractura *f*; **entrer par e.** entrar forzando la entrada
effrayant, -e [efrejɑ̃, -ɑ̃t] *adj* espantoso(a)
effrayer [53] [efreje] **1** *vt* asustar **2** *s'effrayer upr* asustarse (**de** de o **por**)
effriter [efrite] *s'effriter upr (mur, pierre)* reducirse a polvo; *Fig (majorité)* desmoronarse
effronté, -e [efrɔ̃te] *adj & nm,f* descarado(a) *m,f*
effroyable [efrwajabl] *adj* espantoso(a)
effusion [efyzjɔ̃] *nf (de sentiments)* efusión *f*; **avec e.** efusivamente ■ **e. de sang** derramamiento *m* de sangre
égal, -e, -aux, -ales [egal, -o] **1** *adj (équivalent)* igual (**à** o que); *(régulier)* regular; **ça m'est é.** me da lo mismo **2** *nm,f* igual *mf*; **sans é.** sin igual
également [egalmɑ̃] *adv (aussi)* también; *(avec égalité)* con igualdad
égaler [egale] *vt Math* ser, dar; *(être à la hauteur de)* igualar; **deux plus trois égale cinq** dos y tres son cinco
égaliser [egalize] **1** *vt (rendre égal)* igualar **2** *vi (dans un match)* empatar
égalitaire [egaliter] *adj* igualitario(a)
égalité [egalite] *nf* igualdad *f*; **être à é.** ir empatados(as)
égard [egar] *nm* respeto *m*; **être plein d'égards pour qn** colmar de atenciones a alguien; **à cet é.** a este

respecto; **à l'é. de** respecto a; **par é. pour** por respeto hacia
égarer [egare] **1** *vt* extraviar **2** *s'égarer upr* extraviarse; *(discussion)* desviarse; *Fig (divaguer)* divagar
égayer [53] [egeje] *vt* alegrar, animar
église [egliz] *nf* iglesia *f*
égoïste [egɔist] *adj & nmf* egoísta *mf*
égorger [egɔrʒe] *vt* degollar
égout [egu] *nm* alcantarilla *f*; **les égouts** el alcantarillado
égoutter [egute] **1** *vt* escurrir; *(fromage)* desuerar **2** *s'égoutter upr* escurrirse
égouttoir [egutwar] *nm (à légumes)* escurridor *m*; *(à vaisselle)* escurridor *m*, escurreplatos *m inv*
égratigner [egratiɲe] **1** *vt* arañar **2** *s'égratigner upr* arañarse
égratignure [egratiɲyr] *nf* arañazo *m*, rasguño *m*
Égypte [eʒipt] *nf* l'É. Egipto
égyptien, -enne [eʒipsjɛ̃, -ɛn] **1** *adj* egipcio(a) **2** *nm,f* **É.** egipcio(a) *m,f*
éjecter [eʒekte] *vt* eyectar; *Fam (personne)* echar; **il s'est fait é.** lo han echado
élaboration [elabɔrasjɔ̃] *nf* elaboración *f*
élaborer [elabɔre] *vt* elaborar
élan¹ [elɑ̃] *nm (animal)* alce *m*
élan² [elɑ̃] *nm (mouvement)* impulso *m*; **prendre son é.** tomar impulso; **é. de générosité** arrebato *m* de generosidad
élancé, -e [elɑ̃se] *adj* esbelto(a)
élancement [elɑ̃smɑ̃] *nm* punzada *f*
élancer [16] [elɑ̃se] **1** *vi* **ma jambe m'élance** tengo punzadas en la pierna **2** *s'élancer upr (se précipiter)* lanzarse; *(en sport)* tomar impulso
élargir [elarʒir] **1** *vt* ensanchar; *Fig (connaissances)* ampliar **2** *s'élargir upr* ensancharse; *Fig (connaissances)* ampliarse
élastique [elastik] **1** *adj* elástico(a) **2** *nm* elástico *m*, goma *f*
électeur, -trice [elektœr, -tris] *nm,f* elector(ora) *m,f*

élection [elɛksjɔ̃] *nf* elección *f*
■ **élections municipales** elecciones
municipales; **é. présidentielle** elecciones presidenciales

électoral, -e, -aux, -ales [elɛktɔral,
-o] *adj* electoral

électorat [elɛktɔra] *nm* electorado *m*

électricien, -enne [elɛktrisjɛ̃, -ɛn]
nm,f electricista *mf*

électricité [elɛktrisite] *nf* electricidad
f ■ **é. statique** electricidad estática

électrique [elɛktrik] *adj* eléctrico(a)

électrocuter [elɛktrɔkyte] **1** *vt*
electrocutar **2 s'électrocuter** *vpr*
electrocutarse

électroménager [elɛktrɔmenaʒe]
1 *adj m* **appareil é.** electrodoméstico
m
2 *nm* **l'é.** los electrodomésticos

électronique [elɛktrɔnik] **1** *adj*
electrónico(a) **2** *nf* electrónica *f*

élégance [elegɑ̃s] *nf* elegancia *f*

élégant, -e [elegɑ̃, -ɑ̃t] *adj* elegante,
Méx elegantoso(a)

élément [elemɑ̃] *nm* elemento *m*; *(de
cuisine)* módulo *m*

élémentaire [elemɑ̃tɛr] *adj* elemental

éléphant [elefɑ̃] *nm* elefante *m*

élevage [elvaʒ] *nm* *(activité)* cría *f*;
(installation) criadero *m*

élevé, -e [elve] *adj* *(haut, important)*
elevado(a); **bien/mal é.** *(personne)*
bien/mal educado(a)

élève [elɛv] *nmf* alumno(a) *m,f*

élever [46] [elve] **1** *vt* *(enfant)* educar;
(animaux) criar; *(statue, protestations)*
levantar; *(prix)* subir; *(esprit)* elevar
2 s'élever *vpr* elevarse; **s'é. contre**
(protester) levantarse contra

éleveur, -euse [elvœr, -øz] *nm,f*
criador(ora) *m,f*

éliminatoire [eliminatwar] *adj* eliminatorio(a)

éliminer [elimine] *vt* eliminar

élire [44] [elir] *vt* elegir

élite [elit] *nf* elite *f*; **d'é.** de elite

elle [el] *pron personnel* ella *f*; **e. est
fatiguée** está cansada; **d'où est-e.?**

¿de dónde es?; **e. est jolie, Marie** es
guapa, Marie; **Juliette, e., n'a pas
aimé le film** pues a Juliette no le ha
gustado la película; **je fais plus de
sport qu'e.** yo hago más deporte que
ella; **c'est à e.** es suyo(a); **e. l'a
emporté avec e.** se lo llevó

elle-même [elmɛm] *pron personnel*
ella (misma) *f*

éloge [elɔʒ] *nm* elogio *m*; **faire l'é. de
qch/de qn** elogiar algo/a alguien

élogieux, -euse [elɔʒjø, -øz] *adj*
elogioso(a)

éloigné, -e [elwaɲe] *adj* alejado(a);
Fig **être e. de** ser diferente de

éloigner [elwaɲe] **1** *vt* alejar **2 s'éloigner** *vpr* alejarse

éloquent, -e [elɔkɑ̃, -ɑ̃t] *adj*
elocuente

élu, -e [ely] **1** *pp voir* **élire**
2 *nm,f* *(politique)* elegido(a) *m,f*

élucider [elyside] *vt* dilucidar

Élysée [elize] *n* **l'É.** el Elíseo *(residencia
oficial del presidente de la República
Francesa)*

émail, -aux [emaj, -o] *nm* esmalte *m*;
en é. esmaltado(a)

e-mail [imɛl] *nm* e-mail *m*

émanation [emanasjɔ̃] *nf* emanación
f

émanciper [emɑ̃sipe] **1** *vt* emancipar
2 s'émanciper *vpr* *(se libérer)*
emanciparse; *(se dévergonder)* espabilarse

émaner [emane] *vi* **é. de** emanar de

emballage [ɑ̃balaʒ] *nm* embalaje *m*

emballer [ɑ̃bale] **1** *vt* *(objet, moteur)*
embalar; *(cadeau)* envolver; *Fam
(plaire à)* entusiasmar **2 s'emballer**
vpr *(personne, moteur)* embalarse;
(cheval) desbocarse

embarcadère [ɑ̃barkadɛr] *nm* embarcadero *m*

embarcation [ɑ̃barkasjɔ̃] *nf* embarcación *f*

embarquement [ɑ̃barkəmɑ̃] *nm* *(de
marchandises)* embarque *m*; *(de
passagers)* embarco *m*

embarquer [ɑ̃barke] **1** *vt* *(mar-*

chandises, passagers) embarcar; *Fam (malfaiteur)* trincar; *Fam (emporter)* llevarse **2** *vi* embarcarse **3 s'embarquer** *upr* embarcarse

embarras [ābara] *nm (situation difficile)* aprieto *m*, apuro *m*; *(confusion)* molestia *f*; **avoir l'e. du choix** tener mucho donde escoger; **être dans l'e.** *(financièrement)* estar en un aprieto o apuro; **mettre qn dans l'e.** poner a alguien en un compromiso; **tirer qn d'e.** sacar a alguien de un aprieto o apuro

embarrasser [ābarase] **1** *vt (encombrer)* estorbar; *(rendre confus)* poner en un compromiso **2 s'em-barrasser** *upr* **s'e. de qch** *(s'encombrer)* cargar con algo

embauche [āboʃ] *nf* contratación *f*

embaucher [āboʃe] *vt* contratar

embaumer [ābome] **1** *vt (corps)* embalsamar; **les fleurs embaumaient la pièce** las flores perfumaban la habitación; **e. la lavande** oler a lavanda **2** *vi* desprender buen olor

embellir [ābelir] **1** *vt* embellecer; *Fig (vérité)* adornar **2** *vi* embellecerse

embêtant, -e [ābetā, -āt] *adj Fam (situation)* molesto(a); *(personne)* pesado(a)

embêter [ābete] *Fam* **1** *vt* molestar **2 s'embêter** *upr (s'ennuyer)* aburrirse; **s'e. à faire qch** molestarse en hacer algo

emblée [āble] **d'emblée** *adv* en seguida

emblème [āblem] *nm* emblema *m*

emboîter [ābwate] **1** *vt* **e. qch dans qch** encajar algo en algo; **e. le pas à qn** ir tras los pasos de alguien **2 s'emboîter** *upr* encajar

embouchure [ābuʃyr] *nf (d'un fleuve)* desembocadura *f*; *(d'un instrument)* boquilla *f*, embocadura *f*

embourber [āburbe] **s'embourber** *upr (véhicule)* atascarse

embouteillage [ābuteʒaʒ] *nm Esp* atasco *m*, *Col* trancón *m*, *Méx* atorón *m*, *RP* embotellamiento *m*

emboutir [ābutir] *vt (voiture)* chocar contra; *Tech* embutir

embranchement [ābrāʃmā] *nm (de chemins)* cruce *m*

embraser [ābraze] **1** *vt (incendier)* abrasar; *(éclairer)* iluminar **2 s'embraser** *upr (prendre feu)* abrasarse; *(s'éclairer)* iluminarse

embrasser [ābrase] **1** *vt (donner un baiser à)* besar; *Fig (englober)* abarcar; *(adopter) (religion, carrière)* abrazar **2 s'embrasser** *upr* besarse

embrasure [ābrazyr] *nf (de porte)* hueco *m*

embrayage [ābrejaʒ] *nm* embrague *m*

embrayer [53] [ābreje] *vi Aut* embragar

embrouiller [ābruje] **1** *vt* enredar **2 s'em-brouiller** *upr* liarse

embûches [ābyʃ] *nfpl* obstáculos *mpl*

embuscade [ābyskad] *nf* emboscada *f*

embusquer [ābyske] **s'embusquer** *upr* emboscarse

émeraude [emrod] *nf* esmeralda *f*

émerger [45] [emerʒe] *vi (sortir de l'eau)* emerger; *Fig (apparaître)* surgir; *Fam (se réveiller)* despertarse

émerveiller [emerveje] **1** *vt* maravillar **2 s'émerveiller** *upr* **je m'émerveille de...** me maravilla...

émetteur, -trice [emetœr, -tris] **1** *adj* emisor(ora) **2** *nm* emisor *m*

émettre [47] [emetr] *vt* emitir

émeute [emøt] *nf* motín *m*

émietter [emjete] *vt (pain)* desmigar

émigrant, -e [emigrā, -āt] *nm,f* emigrante *mf*

émigré, -e [emigre] *adj & nm,f* emigrado(a) *m,f*

émigrer [emigre] *vi* emigrar

éminent, -e [eminā, -āt] *adj* eminente

émissaire [emiser] **1** *nm* emisario(a) *m,f* **2** *adj voir* **bouc**

émission [emisjɔ̃] *nf (de gaz, d'ondes)* emisión *f*; *(programme)* programa *m*

emmanchure [ɑ̃mɑ̃ʃyr] *nf* sisa *f*

emmêler [ɑ̃mele] **1** *vt (fils)* enredar; *Fig (idées)* embrollar **2 s'emmêler** *vpr (fils, idées)* enredarse

emménager [45] [ɑ̃menaʒe] *vi* instalarse

emmener [46] [ɑ̃mne] *vt* llevar

emmitoufler [ɑ̃mitufle] **s'emmitoufler** *vpr* abrigarse

émotif, -ive [emɔtif, -iv] *adj* emotivo(a)

émotion [emosjɔ̃] *nf* emoción *f*

émoussé, -e [emuse] *adj* desafilado(a)

émouvant, -e [emuvɑ̃, -ɑ̃t] *adj* emocionante

émouvoir [31a] [emuvwar] **1** *vt (attendrir)* emocionar; *(troubler)* conmover **2 s'émouvoir** *vpr (s'attendrir)* emocionarse; *(se troubler)* conmoverse

empailler [ɑ̃paje] *vt (animal)* disecar; *(chaise)* empajar

empaqueter [42] [ɑ̃pakte] *vt* empaquetar

emparer [ɑ̃pare] **s'emparer** *vpr* **s'e. de qch** apoderarse de algo; *(ville)* tomar algo

empêchement [ɑ̃peʃmɑ̃] *nm* impedimento *m*

empêcher [ɑ̃peʃe] **1** *vt* impedir; **e. que** impedir que; **e. qn de faire qch** impedir a alguien que haga algo **2 s'empêcher** *vpr* **je n'ai pas pu m'e. de rire** no pude contener la risa

empereur [ɑ̃prœr] *nm* emperador *m*

empester [ɑ̃peste] **1** *vt (empuantir)* apestar; *(sentir)* apestar a **2** *vi* apestar

empêtrer [ɑ̃petre] **s'empêtrer** *vpr* liarse

empiéter [34] [ɑ̃pjete] *vi* **e. sur qch** *(déborder)* invadir algo; *Fig* inmiscuirse en algo

empiler [ɑ̃pile] **1** *vt* apilar **2 s'empiler** *vpr* amontonarse

empire [ɑ̃pir] *nm* imperio *m; Litt (emprise)* dominio *m*

empirer [ɑ̃pire] *vi* empeorar

emplacement [ɑ̃plasmɑ̃] *nm* situa-

ción *f (localización); (de parking)* plaza *f*

emplettes [ɑ̃plɛt] *nfpl* **faire ses e.** hacer la compra

emplir [ɑ̃plir] *vt* llenar (**de** de)

emploi [ɑ̃plwa] *nm* empleo *m* ■ **e. du temps** horario *m*

employé, -e [ɑ̃plwaje] *nm,f* empleado(a) *m,f* ■ **e. de banque** empleado(a) de banca; **e. de bureau** oficinista *mf*

employer [32] [ɑ̃plwaje] **1** *vt (utiliser)* emplear; *(salarier)* dar empleo a, emplear **2 s'employer** *vpr* emplearse

employeur, -euse [ɑ̃plwajœr, -øz] *nm,f* empleador(ora) *m,f*

empocher [ɑ̃pɔʃe] *vt Fam* embolsarse

empoigner [ɑ̃pwaɲe] *vt (saisir)* empuñar

empoisonner [ɑ̃pwazɔne] *vt* envenenar; *(empuantir)* apestar

emporter [ɑ̃pɔrte] **1** *vt* llevarse; *(entraîner)* arrastrar; **à e.** *(plat)* para llevar; **l'e. sur** *(adversaire)* superar a; *Fig* prevalecer sobre **2 s'emporter** *vpr* montar en cólera

empreinte [ɑ̃prɛ̃t] *nf* huella *f* ■ **empreintes digitales** huellas digitales *o* dactilares

empresser [ɑ̃prese] **s'empresser** *vpr* **s'e. de faire qch** apresurarse en hacer algo; **s'e. auprès de qn** mostrarse atento(a) con alguien

emprise [ɑ̃priz] *nf* influencia *f; sous* l'e. de bajo la influencia de

emprisonner [ɑ̃prizɔne] *vt (incarcérer)* encarcelar; *(immobiliser)* aprisionar

emprunt [ɑ̃prœ̃] *nm* préstamo *m;* **faire un e.** pedir un préstamo

emprunter [ɑ̃prœ̃te] *vt (objet, argent)* pedir prestado(a); *(route)* tomar, *Esp* coger, *Am* agarrar; **e. qch à qn** *(argent)* pedir prestado algo a alguien; *Fig (expression)* tomar algo de alguien

ému, -e [emy] **1** *pp voir* **émouvoir** **2** *adj* emocionado(a)

en¹ [ɑ̃] *prép* (**a**) en; **en 1994/automne**

en 1994/otoño; **arbres en fleur** árboles en flor; **sucre en morceaux** azúcar en terrones; **en anglais** en inglés; **en vacances** de vacaciones; **agir en traître** actuar a traición; **il parle en expert** habla como experto; **je la préfère en vert** la prefiero (en) verde; **en avion** en avión; **en dollars** en dólares

(b) *(matière)* de; **une théière en argent** una tetera de plata

(c) *(devant un participe présent)* **en arrivant à Paris** al llegar a París; **il parlait en mangeant** hablaba mientras comía; **en faisant un effort** haciendo un esfuerzo; **elle répondit en souriant** respondió con una sonrisa

en² *pron* (a) *(de cela)* **nous en avons déjà parlé** ya hemos hablado (de ello); **j'ai du chocolat, tu en veux?** tengo chocolate, ¿quieres?; **j'en connais un/plusieurs** conozco uno/ varios (b) *(de là)* de allí; **j'en viens à l'instant** acabo de llegar de allí

ENA [ena] *nf (abrév* **École nationale d'administration)** = prestigiosa escuela superior dedicada a la formación de altos funcionarios

encadrement [ãkadrəmã] *nm (d'un tableau, d'une porte)* marco *m*; *(responsables) (d'une entreprise)* directivos *mpl*; *(d'un groupe)* responsables *mpl*; *Écon (des prix)* contención *f*

encadrer [ãkadre] *vt (photo, visage)* enmarcar; *(équipe, groupe)* dirigir; *(détenu)* flanquear; *Fam* **ne pas pouvoir e. qn** no tragar a alguien

encaisser [ãkese] *vt (argent)* cobrar; *(chèque)* cobrar, hacer efectivo; *Fam (critique, coup)* encajar

encart [ãkar] *nm* encarte *m*

enceinte¹ [ãsɛ̃t] *adj f* embarazada

enceinte² *nf (muraille)* muralla *f*; *(salle)* recinto *m*; **dans l'e. de** en el recinto de ■ **e. (acoustique)** altavoz *m*

encercler [ãserkle] *vt (lieu, personne)* rodear; *(avec un stylo)* rodear con un círculo

enchaînement [ãʃɛnmã] *nm* encadenamiento *m*; *(liaison)* enlace *m*

enchaîner [ãʃene] **1** *vt* encadenar; *(idées)* enlazar **2** *vi* **e. sur qch** proseguir con algo **3** **s'enchaîner** *vpr (idées)* enlazarse

enchanté, -e [ãʃãte] *adj* encantado(a); **e. de faire votre connaissance** encantado de conocerle

enchantement [ãʃãtmã] *nm (sortilège)* encantamiento *m*; *Fig (ravissement)* encanto *m*; *(merveille)* maravilla *f*; **comme par e.** como por arte de magia

enchanter [ãʃãte] *vt* encantar

enchère [ãʃer] *nf (offre)* puja *f*; *(au jeu)* apuesta *f*; **vendre qch aux enchères** subastar algo

enclencher [ãklãʃe] **1** *vt* poner en marcha **2** **s'enclencher** *vpr (mécanisme)* engranar

enclin, -e [ãklɛ̃, -in] *adj* **e. à qch/à faire qch** propenso(a) a algo/a hacer algo

enclos [ãklo] *nm* cercado *m*

encoche [ãkɔʃ] *nf* muesca *f*

encolure [ãkɔlyr] *nf (d'un cheval)* cuello *m*; *(d'un vêtement)* escote *m*

encombrant, -e [ãkɔ̃brã, -ãt] *adj (colis)* voluminoso(a); *Fig* **être e.** *(personne)* ser un estorbo

encombre [ãkɔ̃br] **sans encombre** *adv* sin tropiezos

encombré, -e [ãkɔ̃bre] *adj* atestado(a); *Fig (ligne téléphonique)* saturado(a)

encombrement [ãkɔ̃brəmã] *nm (embouteillage)* atasco *m*, embotellamiento *m*; *(volume)* volumen *m*; *Fig (de lignes téléphoniques)* saturación *f*

encombrer [ãkɔ̃bre] **1** *vt (pièce, passage)* obstruir, estorbar; *(personne)* agobiar **2** **s'encombrer** *vpr* **s'e. de** *(bagages, personne)* cargar con

encontre [ãkɔ̃tr] **à l'encontre de** *prép* en contra de

encore [ãkɔr] *adv* (a) *(toujours)* todavía, aún; **e. un mois** un mes más; **pas e.** todavía no, aún no (**b**) *(de nouveau)* otra vez, de nuevo; **tu manges e.!** ¡estás comiendo otra vez!; **il m'a e. menti** ha vuelto a mentirme; **e. une fois** una vez más

(**c**) *(plus) (avec un verbe)* (todavía) más, (aún) más; *(avec un adjectif)* aún; **baissez-le e.** bájelo aún más; **e. mieux** aún mejor; **e. plus** todavía más; **mais e.?** ¿y qué más?

(**d**) *(marque une restriction)* **il ne suffit pas d'être doué, e. faut-il être travailleur** no basta con tener dotes, además hay que ser trabajador; **il y en a assez pour deux, et e.!** hay suficiente para dos, y aún así…!; **si e. tu conduisais, tu pourrais m'y emmener** si me condujeras, podrías llevarme; **e. que** aunque + *indicatif*; **j'aimerais y aller, e. qu'il soit très tard** me gustaría ir aunque es muy tarde

encourageant, -e [ãkuraʒã, -ãt] *adj* alentador(ora)

encourager [45] [ãkuraʒe] *vt (personne)* alentar, animar; *(activité)* fomentar; **e. qn à faire qch** alentar o animar a alguien a hacer algo o a que haga algo

encrasser [ãkrase] **1** *vt (appareil)* atascar **2 s'encrasser** *vpr (appareil)* atascarse

encre [ãkr] *nf* tinta *f* ■ **e. de Chine** tinta china

encyclopédie [ãsiklɔpedi] *nf* enciclopedia *f*

endetter [ãdete] **s'endetter** *vpr* endeudarse

endimanché, -e [ãdimãʃe] *adj* endomingado(a)

endive [ãdiv] *nf* endibia *f*, endivia *f*

endoctriner [ãdɔktrine] *vt* adoctrinar

endolori, -e [ãdɔlɔri] *adj* dolorido(a)

endommager [45] [ãdɔmaʒe] *vt* dañar, deteriorar

endormi, -e [ãdɔrmi] *adj* dormido(a)

endormir [29] [ãdɔrmir] **1** *vt* dormir; *(ennuyer, affaiblir)* adormecer; *(soupçons)* disipar **2 s'endormir** *vpr* dormirse

endosser [ãdose] *vt (vêtement)* ponerse; *(chèque)* endosar

endroit [ãdrwa] *nm (lieu, point)* sitio *m*; *(côté)* derecho *m*; **à quel e.?** ¿dónde?; **mettre qch à l'e.** poner algo del derecho; **par endroits** en algunos sitios

enduire [18] [ãdɥir] **1** *vt* **e. qch de** untar algo con **2 s'enduire** *vpr* **s'e. de** untarse con

enduit, -e [ãdɥi, -it] **1** *pp voir* **enduire 2** *nm* enlucido *m*

endurance [ãdyrãs] *nf (physique)* resistencia *f*; *(morale)* resistencia *f*, aguante *m*; **course d'e.** carrera *f* de resistencia

endurcir [ãdyrsir] **1** *vt (rendre dur, moins sensible)* curtir; **e. qn à** *(aguerrir)* volver a alguien insensible a **2 s'endurcir** *vpr* volverse insensible (**à** a)

endurer [ãdyre] *vt* aguantar

énergie [enerʒi] *nf* energía *f* ■ **é. nucléaire** energía nuclear; **é. solaire** energía solar

énergique [enerʒik] *adj* enérgico(a)

énerver [enerve] **1** *vt* poner nervioso(a) **2 s'énerver** *vpr* ponerse nervioso(a)

enfance [ãfãs] *nf* infancia *f*, niñez *f*

enfant [ãfã] *nmf (jeune)* niño(a) *m,f*; *(fils, fille)* hijo(a) *m,f* ■ **e. de chœur** monaguillo *m*; **e. unique** hijo(a) único(a)

enfantin, -e [ãfãtẽ, -in] *adj (de l'enfance)* infantil; *(facile)* para niños

enfer [ãfer] *nm* infierno *m*; **les Enfers** los infiernos *mpl*; *Fam* **d'e.** *(formidable)* genial, fantástico(a)

enfermer [ãferme] **1** *vt* encerrar **2 s'enfermer** *vpr* encerrarse

enfiler [ãfile] *vt (aiguille)* enhebrar; *(perles)* ensartar; *(vêtement)* ponerse

enfin [ãfɛ̃] *adv (finalement)* por fin, al fin; *(dans une liste)* finalmente, por último; *(pour récapituler)* en fin; *(pour rectifier)* en fin, bueno

enflammer [ãflame] **1** *vt* incendiar **2 s'enflammer** *vpr (bois)* incendiarse; *Fig (personne, imagination)* encenderse

enfler [ɑ̃fle] *vi* hincharse, inflarse

enfoncer [16] [ɑ̃fɔ̃se] **1** *vt* (*clou, écharde*) clavar (**dans** en); (*défoncer*) derribar; *Fam Fig* (*humilier*) hundir; **e. qch dans** (*enfouir*) hundir algo en **2 s'enfoncer** *vpr* (*s'affaisser*) hundirse; *Fig* (*s'enferrer*) enredarse; **s'e. dans** (*eau, boue*) hundirse en; (*forêt, ville*) adentrarse en; (*sujet: clou*) clavarse en

enfouir [ɑ̃fwir] *vt* (*ensevelir*) sepultar, enterrar; (*cacher*) esconder

enfourner [ɑ̃furne] *vt* (*pour cuire*) hornear

enfreindre [54] [ɑ̃frɛ̃dr] *vt* infringir

enfuir [38] [ɑ̃fɥir] **s'enfuir** *vpr* huir

engagé [ɑ̃gaʒe] *nm Mil* **e. (volontaire)** voluntario *m*

engageant, -e [ɑ̃gaʒɑ̃, -ɑ̃t] *adj* atrayente, atractivo(a)

engagement [ɑ̃gaʒmɑ̃] *nm* (*obligation*) & *Pol* compromiso *m*; *Mil* alistamiento *m*; *Sp* saque *m*

engager [45] [ɑ̃gaʒe] **1** *vt* (*lier, impliquer*) comprometer; (*embaucher*) contratar; (*faire entrer*) meter; (*capitaux*) invertir; (*négociation, débat*) entablar **2 s'engager** *vpr* (*politiquement*) comprometerse; (*dans l'armée*) alistarse; **s'e. dans** (*s'avancer*) entrar en; **s'e. à faire qch** comprometerse a hacer algo

engelure [ɑ̃ʒlyr] *nf* sabañón *m*

engendrer [ɑ̃ʒɑ̃dre] *vt* engendrar

engin [ɑ̃ʒɛ̃] *nm* (*machine*) artefacto *m*; *Mil* (*projectile*) misil *m*; *Fam Péj* (*objet*) trasto *m* ■ **e. blindé** vehículo *m* blindado; **e. spatial** nave *f* espacial

englober [ɑ̃glɔbe] *vt* englobar

engloutir [ɑ̃glutir] *vt* engullir; (*fortune*) enterrar

engorger [45] [ɑ̃gɔrʒe] **1** *vt* (*obstruer*) atascar; *Méd* obstruir **2 s'engorger** *vpr* (*s'obstruer*) atascarse; *Méd* obstruirse

engouement [ɑ̃gumɑ̃] *nm* entusiasmo *m*

engouffrer [ɑ̃gufre] **1** *vt Fam* (*dévorer*) tragar; (*dilapider*) enterrar **2 s'engouffrer** *vpr* **s'e. dans** meterse en

engourdir [ɑ̃gurdir] **s'engourdir** *vpr* (*membre*) entumecerse; *Fig* (*esprit*) abotargarse

engrais [ɑ̃grɛ] *nm* abono *m*

engraisser [ɑ̃grese] **1** *vt* (*animal*) cebar; (*terre*) abonar **2** *vi* engordar

engrenage [ɑ̃grənaʒ] *nm aussi Fig* engranaje *m*

énigmatique [enigmatik] *adj* enigmático(a)

énigme [enigm] *nf* (*mystère*) enigma *f*; (*jeu*) adivinanza *f*

enjambée [ɑ̃ʒɑ̃be] *nf* zancada *f*

enjamber [ɑ̃ʒɑ̃be] *vt* (*obstacle*) pasar por encima de; *Fig* (*rivière*) atravesar

enjeu, -x [ɑ̃ʒø] *nm* (*mise*) apuesta *f*; *Fig* (*but*) lo que está en juego

enjoliver [ɑ̃ʒɔlive] *vt* adornar

enjoué, -e [ɑ̃ʒwe] *adj* jovial

enlacer [16] [ɑ̃lase] **1** *vt* abrazar **2 s'enlacer** *vpr* abrazarse

enlaidir [ɑ̃ledir] *vt* afear

enlèvement [ɑ̃lɛvmɑ̃] *nm* (*rapt*) rapto *m*; (*d'ordures*) recogida *f*

enlever [46] [ɑ̃lve] *vt* (*ôter, supprimer*) quitar; (*emporter*) llevarse; (*kidnapper*) raptar; (*ordures*) recoger; **e. qch à qn** quitarle algo a alguien

enliser [ɑ̃lize] **s'enliser** *vpr* (*s'enfoncer*) hundirse; *Fig* (*stagner*) estancarse

enneigé, -e [ɑ̃neʒe] *adj* nevado(a), cubierto(a) de nieve

ennemi, -e [ɛnmi] *adj & nm,f* enemigo(a) *m,f*

ennui [ɑ̃nɥi] *nm* (*lassitude*) aburrimiento *m*; (*problème*) problema *m*

ennuyé, -e [ɑ̃nɥije] *adj* (*personne*) en un aprieto; (*air*) contrariado(a)

ennuyer [32] [ɑ̃nɥije] **1** *vt* (*lasser*) aburrir; (*contrarier*) molestar, *Esp* fastidiar, *Am* embromar; **ça vous ennuie si j'ouvre la fenêtre?** ¿le molesta que abra la ventana? **2 s'ennuyer** *vpr* aburrirse

ennuyeux, -euse [ɑ̃nɥijø, -øz] *adj* (*lassant*) aburrido(a); (*gênant*) molesto(a)

énoncer [16] [enɔ̃se] *vt* (*proposition, faits*) enunciar; (*jugement*) leer

énorme [enɔrm] *adj (immense)* enorme

énormément [enɔrmemã] *adv* muchísimo; **é. de muchísimo(a)**; **é. de gens** muchísima gente

énormité [enɔrmite] *nf (gigantisme)* enormidad *f*; *(propos absurde)* barbaridad *f*

enquête [ãkɛt] *nf (recherche)* & *Jur* investigación *f*; *(sondage)* encuesta *f*

enquêter [ãkete] *vi (policier)* llevar a cabo una investigación; *(sonder)* hacer una encuesta

enragé, -e [ãraʒe] *adj (chien)* rabioso(a); *Fig (joueur)* empedernido(a)

enrager [45] [ãraʒe] *vi* **elle enrageait de devoir lui obéir** le daba rabia tener que obedecerlo; **faire e. qn** hacer rabiar a alguien

enrayer [53] [ãreje] **1** *vt (épidémie)* detener; *(inflation)* frenar **2 s'enrayer** *vpr (arme)* encasquillarse

enregistrement [ãrʒistrəmã] *nm (de son, d'images, de données)* grabación *f*; *(inscription)* inscripción *f* ■ **e. (des bagages)** *(à l'aéroport)* facturación *f* (de equipajes)

enregistrer [ãrʒistre] *vt (son, images, données)* grabar; *(plainte)* registrar; *(bagages)* facturar

enrhumer [ãryme] **s'enrhumer** *vpr* resfriarse

enrichir [ãriʃir] **1** *vt* enriquecer **2 s'enrichir** *vpr* enriquecerse

enrober [ãrobe] *vt* bañar (**de** con)

enrouer [ãrwe] **s'enrouer** *vpr* enronquecerse

enrouler [ãrule] **1** *vt* enrollar **2 s'enrouler** *vpr* **s'e. autour de qch** enrollarse alrededor de algo; **s'e. dans qch** *(se pelotonner)* envolverse en algo

ensabler [ãsable] **1** *vt* encallar **2 s'ensabler** *vpr* encallar; *(port)* enarenarse

ensanglanté, -e [ãsãglãte] *adj* ensangrentado(a)

enseignant, -e [ãsɛɲã, -ãt] **1** *adj* docente **2** *nm,f* profesor(ora) *m,f*

enseigne [ãsɛɲ] *nf (de commerce)* letrero *m*; *(drapeau)* bandera *f*, estandarte *m*; **être logés à la même e.** estar en la misma situación ■ **e. lumineuse** rótulo *f* o letrero luminoso

enseignement [ãsɛɲmã] *nm* enseñanza *f* ■ **l'e. primaire** la enseñanza primaria; **l'e. secondaire** la enseñanza secundaria; **l'e. supérieur** la enseñanza superior; **l'e. technique** la enseñanza técnica

enseigner [ãsɛɲe] **1** *vt* enseñar; **e. qch à qn** enseñar algo a alguien **2** *vi* enseñar

ensemble [ãsãbl] **1** *adv (en collaboration)* juntos(as); *(en même temps)* a la vez; **aller e.** *(en harmonie)* ir bien, pegar **2** *nm* conjunto *m*; **l'e. des personnes présentes** la totalidad de los presentes; **dans l'e.** en conjunto ■ **grand e.** = zona de edificios en las afueras de la ciudad

ensevelir [ãsəvlir] *vt* sepultar

ensoleillé, -e [ãsəleje] *adj* soleado(a)

ensommeillé, -e [ãsəmeje] *adj* soñoliento(a)

ensorceler [9] [ãsɔrsəle] *vt* hechizar

ensuite [ãsɥit] *adv (plus tard)* después; *(plus loin)* a continuación; *(en second lieu)* y además

ensuivre [65] [ãsɥivr] **s'ensuivre** *v impersonnel* **il s'en est suivi...** ha provocado...; **il s'ensuit que...** se sigue que...

entailler [ãtaje] *vt* cortar

entamer [ãtame] *vt (nourriture, boisson)* empezar; *(conversation, négociations)* entablar; *(travail)* empezar, comenzar; *(économies, réputation)* mermar

entartrer [ãtartre] **1** *vt* cubrir de sarro **2 s'entartrer** *vpr* cubrirse de sarro

entasser [ãtase] **1** *vt (objets)* amontonar; *(personnes)* apiñar **2 s'entasser** *vpr (objets)* amontonarse; *(personnes)* apiñarse

entendre [ãtãdr] **1** *vt* oír; *(écouter)* escuchar; **e. dire que...** oír decir que...; **e. parler de qch** oír hablar de

algo; **qu'est-ce que tu entends par là?** ¿qué quieres decir con eso?; **laisser e. à qn que...** dar a entender a alguien que...; **ne rien vouloir e.** no atender a razones
2 s'entendre *vpr (sympathiser)* llevarse bien (**avec** con); *(se mettre d'accord)* ponerse de acuerdo (**avec** con)

entendu, -e [ātādy] **1** *pp voir* **entendre**
2 *adj (sourire, air)* cómplice; **(c'est) e.!** ¡de acuerdo!

entente [ātāt] *nf (harmonie)* armonía *f*; *(accord)* acuerdo *m*; *Pol* alianza *f*

entériner [āterine] *vt* ratificar

enterrement [ātermā] *nm* entierro *m*

enterrer [ātere] **1** *vt* enterrar **2 s'enterrer** *vpr (s'isoler)* aislarse

en-tête (*pl* **en-têtes**) [ātɛt] *nm* membrete *m*; **papier à e.** papel *m* con membrete

entêté, -e [ātete] *adj* terco(a)

entêter [ātete] **s'entêter** *vpr* empeñarse; **s'e. à faire qch** empeñarse en hacer algo

enthousiasme [ātuzjasm] *nm* entusiasmo *m*

enthousiaste [ātuzjast] *adj* entusiasta

enticher [ātiʃe] **s'enticher** *vpr* **s'e. de** encapricharse por

entier, -ère [ātje, -ɛr] *adj* entero(a); **en e.** en su totalidad

entonner [ātɔne] *vt (chant)* entonar

entonnoir [ātɔnwar] *nm (instrument)* embudo *m*

entorse [ātɔrs] *nf* esguince *m*

entortiller [ātɔrtije] **1** *vt* enredar **2 s'entortiller** *vpr* **s'e. autour de** enrollarse en

entourage [āturaʒ] *nm* entorno *m*

entourer [āture] **1** *vt* rodear **2 s'entourer** *vpr* **s'e. d'artistes** rodearse de artistas; **s'e. de précautions** tomar muchas precauciones

entracte [ātrakt] *nm* entreacto *m*

entraider [ātrede] **s'entraider** *vpr* ayudarse mutuamente

entraînant, -e [ātrenā, -āt] *adj* alegre

entraînement [ātrenmā] *nm (d'un sportif)* entrenamiento *m*; *(préparation)* práctica *f*; *(d'un mécanisme)* arrastre *m*

entraîner [ātrene] **1** *vt (emmener)* & *Tech* arrastrar; *(provoquer)* suponer; *(sportif)* entrenar **2 s'entraîner** *vpr (sportif)* entrenarse; *(se préparer)* practicar; **s'e. à faire qch** entrenarse para hacer algo

entraîneur [ātrenœr] *nm* entrenador(ora) *m,f*

entraver [ātrave] *vt (animal)* trabar; *Fig (action)* poner trabas a

entre [ātr] *prép* entre; **e. nous** entre nosotros; **certains d'e. eux** algunos de ellos

entrecôte [ātrəkot] *nf* entrecot *m*

entrée [ātre] *nf* entrada *f*; *(plat)* entrante *m*, primer plato *m*; *Ordinat (touche)* intro *m*; **e. libre** *(sur panneau)* entrada libre; **e. interdite** *(sur panneau)* entrada prohibida; **d'e. (de jeu)** de entrada ■ **e. des artistes** entrada de artistas; **e. en matière** introducción *f*; **e. de service** entrada de servicio

entrelacer [16] [ātrəlase] **1** *vt* entrelazar **2 s'entrelacer** *vpr* entrelazarse

entremêler [ātrəmele] **1** *vt* entremezclar (**avec** con), mezclar (**de** con), *CSur* entreverar (**de** con) **2 s'entremêler** *vpr* entremezclarse (**de** con), mezclarse (**de** con), *CSur* entreverarse (**de** con)

entremets [ātrəmɛ] *nm* postre *m*

entreposer [ātrəpoze] *vt* depositar

entrepôt [ātrəpo] *nm* almacén *m*

entreprendre [58] [ātrəprādr] *vt (commencer)* emprender; **e. de faire qch** proponerse a hacer algo

entrepreneur, -euse [ātrəprənœr, -øz] *nm,f (en bâtiment)* contratista *mf*; *(patron)* empresario(a) *m,f*

entreprise [ātrəpriz] *nf* empresa *f* ■ **la libre e.** la libre empresa

entrer [ātre] **1** *vi (aux* **être)** *(pénétrer)*

entrar; **entrez!** ¡adelante!; **faire e. qch dans qch** introducir algo en algo; **e. à l'hôpital** ingresar en el hospital; **e. à l'université** entrar en la universidad; **e. dans** entrar en; *(bain)* meterse en; **e. en scène** entrar en escena **2** *vt (aux* **avoir)** *aussi Ordinat* introducir

entresol [ɑ̃trəsɔl] *nm* entresuelo *m*

entre-temps [ɑ̃trətɑ̃] *adv* mientras tanto

entretenir [70] [ɑ̃trətnir] **1** *vt (paix, jardin, personne)* mantener; *(feu)* alimentar; *(relation)* cultivar; **e. qn de qch** *(lui parler)* conversar con alguien sobre algo **2 s'entretenir** *vpr (se parler)* conversar **(avec** con)

entretien [ɑ̃trətjɛ̃] *nm (soins)* cuidado *m,* mantenimiento *m; (conversation)* conversación *f* ■ **e. d'embauche** entrevista *f* para un trabajo

entrevoir [73a] [ɑ̃trəvwar] *vt* entrever

entrevue [ɑ̃trəvy] *nf* entrevista *f*

entrouvrir [52] [ɑ̃truvrir] *vt* entreabrir

énumération [enymerɑsjɔ̃] *nf* enumeración *f*

énumérer [34] [enymere] *vt* enumerar

envahir [ɑ̃vair] *vt* invadir

envahissant, -e [ɑ̃vaisɑ̃, -ɑ̃t] *adj (personne)* avasallador(ora)

envahisseur [ɑ̃vaisœr] *nm* invasor *m*

enveloppe [ɑ̃vlɔp] *nf (de lettre)* sobre *m; (budget)* presupuesto *m;* **sous e.** en un sobre ■ **e. autocollante** sobre autoadhesivo

envelopper [ɑ̃vlɔpe] **1** *vt* envolver **2 s'envelopper** *vpr* **s'e. dans** envolverse en

envenimer [ɑ̃vnime] **1** *vt (blessure)* infectar; *Fig (querelle)* enconar; *(relation)* emponzoñar **2 s'envenimer** *vpr (blessure)* infectarse; *Fig (querelle)* enconarse; *(relation)* emponzoñarse

envergure [ɑ̃vergyr] *nf* envergadura *f;* **d'e.** de gran envergadura

envers[1] [ɑ̃ver] *prép (à l'égard de)* (para) con

envers[2] *nm (de vêtement)* revés *m; Fig (face cachée)* cara *f* oculta; *Fig* **l'e. du**

décor la otra cara de la moneda; **à l'e.** al revés, del revés

envie [ɑ̃vi] *nf (désir)* ganas *fpl; (jalousie)* envidia *f;* **avoir e. de qch/ de faire qch** tener ganas de algo/de hacer algo; **faire e. à qn** apetecer a alguien

envier [66] [ɑ̃vje] *vt* envidiar

envieux, -euse [ɑ̃vjø, -øz] *adj & nm,f* envidioso(a) *m,f*

environ [ɑ̃virɔ̃] *adv* aproximadamente, alrededor de

environnement [ɑ̃virɔnmɑ̃] *nm (nature)* medio ambiente *m; (entourage)* entorno *m*

environs [ɑ̃virɔ̃] *nmpl* alrededores *mpl;* **aux e. de** *(lieu)* en los alrededores de; *(époque)* alrededor de, por; *(heure)* a eso de; **il y a un hôpital dans les e.?** ¿hay un hospital por aquí?

envisager [45] [ɑ̃vizaʒe] *vt (considérer)* considerar; *(projeter)* proyectar; **e. de faire qch** tener previsto hacer algo

envoi [ɑ̃vwa] *nm* envío *m*

envoler [ɑ̃vɔle] **s'envoler** *vpr (oiseau)* echar a volar, levantar el vuelo; *(avion)* despegar; *(chapeau, ballon)* volarse; *(disparaître)* esfumarse

envoûter [ɑ̃vute] *vt* embrujar, hechizar

envoyé, -e [ɑ̃vwaje] *nm,f* enviado(a) *m,f*

envoyer [33] [ɑ̃vwaje] *vt (lettre)* enviar; *(lancer)* lanzar; **e. qn faire qch** mandar a alguien a hacer algo; *Fam* **e. balader** *ou* **promener qch/qn** mandar algo/a alguien a paseo

épais, -aisse [epɛ, -ɛs] *adj (chose, personne, plaisanterie)* grueso(a); *(brouillard, sauce)* espeso(a)

épaisseur [epesœr] *nf (largeur)* grosor *m; (densité)* espesura *f; Fig (consistance)* profundidad *f*

épaissir [epesir] **1** *vt* espesar **2 s'épaissir** *vpr (liquide, brouillard)* espesarse; *(taille)* engordar; *(mystère)* oscurecerse

épanoui, -e [epanwi] *adj (personne)* realizado(a); *(visage)* risueño(a), alegre

épanouir [epanwir] **s'épanouir** *vpr (fleur)* abrirse; *(visage)* iluminarse; *(corps)* desarrollarse; *(personnalité)* realizarse

épargnant, -e [eparɲɑ̃, -ɑ̃t] *nm,f* ahorrador(ora) *m,f*

épargne [eparɲ] *nf* ahorro *m*

épargner [eparɲe] *vt (argent)* ahorrar; *(personne)* perdonar la vida a; *(ne pas détruire)* respetar; **é. qch à qn** ahorrar algo a alguien

éparpiller [eparpije] **1** *vt* dispersar **2 s'éparpiller** *vpr* dispersarse

épaule [epol] *nf* hombro *m; Culin* paletilla *f*

épauler [epole] *vt (fusil)* encararse; *(aider)* respaldar

épaulette [epolɛt] *nf Mil* charretera *f; (rembourrage)* hombrera *f*

épave [epav] *nf (de navire)* restos *mpl; (voiture)* chatarra *f; Fig (personne)* ruina *f*

épée [epe] *nf* espada *f*

épeler [9] [eple] *vt* deletrear

éperon [eprɔ̃] *nm (de cavalier)* espuela *f; (rocheux, de navire)* espolón *m*

épi [epi] *nm (de blé)* espiga *f; (de cheveux)* remolino *m*

épice [epis] *nf* especia *f*

épicé, -e [epise] *adj (plat)* sazonado(a)

épicerie [episri] *nf (magasin) Esp* tienda *f* de comestibles, *Méx* abarrotería *f, RP* almacén *m; (denrées)* comestibles *mpl* ∎ **é. fine** tienda de ultramarinos selectos

épicier, -ère [episje, -er] *nm,f* tendero(a) *m,f (en tienda de comestibles);* **aller chez l'é.** ir a la tienda

épidémie [epidemi] *nf* epidemia *f*

épier [66] [epje] *vt (espionner)* espiar; *(observer)* atisbar

épiler [epile] **1** *vt* depilar **2 s'épiler** *vpr* depilarse

épilogue [epilɔg] *nm* epílogo *m*

épinard [epinar] *nm* espinaca *f*

épine [epin] *nf (piquant)* espina *f* ∎ **é. dorsale** espina dorsal

épineux, -euse [epinø, -øz] *adj aussi Fig* espinoso(a)

épingle [epɛ̃gl] *nf* alfiler *m* ∎ **é. à cheveux** horquilla *f;* **é. de nourrice** *ou* **de sûreté** imperdible *m*

épingler [epɛ̃gle] *vt (fixer)* prender con alfileres; *Fam (arrêter)* pescar

Épiphanie [epifani] *nf* **l'É.** la Epifanía

épique [epik] *adj* épico(a)

épiscopal, -e, -aux, -ales [episkɔpal, -o] *adj* episcopal

épisode [epizod] *nm (d'un feuilleton)* capítulo *m; (événement)* episodio *m*

épisodique [epizodik] *adj* episódico(a)

épitaphe [epitaf] *nf* epitafio *m*

éplucher [eplyʃe] *vt (légumes)* pelar; *Fig (comptes)* espulgar

épluchure [eplyʃyr] *nf* mondadura *f*

éponge [epɔ̃ʒ] *nf* esponja *f; Fig* **passer l'é. (sur qch)** hacer borrón y cuenta nueva (respecto a algo)

éponger [45] [epɔ̃ʒe] **1** *vt (liquide)* enjugar; *(surface)* secar con una esponja **2 s'éponger** *vpr* **s'é. le front** enjugarse la frente

époque [epɔk] *nf* época *f;* **à l'é.** en aquella época; **meuble d'é.** mueble *m* de época

épouse [epuz] *nf* esposa *f*

épouser [epuze] *vt* casarse con; *(suivre) (forme)* adaptarse a; *(idées)* abrazar

épousseter [42] [epuste] *vt* quitar el polvo de

épouvantable [epuvɑ̃tabl] *adj* espantoso(a)

épouvantail [epuvɑ̃taj] *nm* espantajo *m,* espantapájaros *m inv*

épouvante [epuvɑ̃t] *nf* terror *m*

épouvanter [epuvɑ̃te] *vt* aterrorizar

époux [epu] *nm* esposo *m*

éprendre [58] [eprɑ̃dr] **s'éprendre** *vpr* **s'é. de qn** prendarse de alguien

épreuve [eprœv] *nf* prueba *f;* **à l'é. de** prueba de; **à toute é.** a prueba de bombas; **notre patience a été mise à rude é.** puso/pusieron/*etc* a prueba nuestra paciencia ▪ *Fig* **é. de force** prueba de fuerza

éprouver [epruve] *vt (tester)* probar; *(faire souffrir)* afectar; *(ressentir)* sentir; *(difficulté)* sufrir; **être éprouvé par** estar afectado(a) por

éprouvette [epruvet] *nf* probeta *f*

EPS [əpeɛs] *nf (abrév* **éducation physique et sportive)** = educación física

épuisé, -e [epɥize] *adj* agotado(a)

épuiser [epɥize] *vt* agotar

épuisette [epɥizet] *nf* salabre *m*, sacadera *f*

épuration [epyrasjɔ̃] *nf (des eaux usées)* depuración *f*; *(politique)* purga *f*

équateur [ekwatœr] *nm* ecuador *m*

équation [ekwasjɔ̃] *nf* ecuación *f*

équerre [eker] *nf* escuadra *f*

équestre [ekɛstr] *adj* ecuestre

équilibre [ekilibr] *nm* equilibrio *m*; *(d'une situation)* balance *m*; **perdre l'é.** perder el equilibrio

équilibrer [ekilibre] **1** *vt* equilibrar **2 s'équilibrer** *upr* equilibrarse

équinoxe [ekinɔks] *nm* equinoccio *m*

équipage [ekipaʒ] *nm* tripulación *f*

équipe [ekip] *nf* equipo *m*

équipement [ekipmɑ̃] *nm (matériel)* equipo *m*; *(aménagement)* equipamiento *m* ▪ **équipements sportifs** equipamiento deportivo

équiper [ekipe] **1** *vt* equipar (**de** con) **2 s'équiper** *upr* equiparse (**de** con)

équipier, -ère [ekipje, -ɛr] *nm,f Sp* compañero(a) *m,f* de equipo

équitable [ekitabl] *adj* equitativo(a)

équitation [ekitasjɔ̃] *nf* equitación *f*; **faire de l'é.** practicar la equitación

équivalent, -e [ekivalɑ̃, -ɑ̃t] **1** *adj* equivalente **2** *nm* equivalente *m*

équivaloir [69a] [ekivalwar] *vi* **é. à** equivaler a

équivoque [ekivɔk] **1** *adj* equívoco(a) **2** *nf (ambiguïté)* equívoco *m*; **sans é.** *(réponse)* inequívoco(a)

érable [erabl] *nm* arce *m*

érafler [erafle] **1** *vt* arañar **2 s'érafler** *upr* **s'é. le coude** arañarse el codo

éraflure [eraflyr] *nf* arañazo *m*

ère [ɛr] *nf* era *f*

éreinter [erɛ̃te] **1** *vt (fatiguer)* extenuar; *(critiquer)* vapulear **2 s'éreinter** *upr* **s'é. à faire qch** extenuarse haciendo algo

ériger [45] [eriʒe] **1** *vt (monument)* erigir **2 s'ériger** *upr* **s'é. en** erigirse en

érosion [erozjɔ̃] *nf* erosión *f*

errer [ɛre] *vi* errar, vagar

erreur [erœr] *nf* error *m*, equivocación *f*; *Ordinat* error *m*; **par e.** por error; **l'e. est humaine** errar es humano ▪ *Ordinat* **message d'e.** mensaje *m* de error

érudit, -e [erydi, -it] *adj & nm,f* erudito(a) *m,f*

éruption [erypsjɔ̃] *nf* erupción *f*

es *voir* **être**

ès [ɛs] *prép* en

escabeau, -x [ɛskabo] *nm (échelle)* escalerilla *f*

escadrille [ɛskadrij] *nf* escuadrilla *f*

escadron [ɛskadrɔ̃] *nm* escuadrón *m*

escalade [ɛskalad] *nf* escalada *f*

escalader [ɛskalade] *vt* escalar

escale [ɛskal] *nf* escala *f*; **faire e. à** hacer escala en

escalier [ɛskalje] *nm* escalera *f* ▪ **e. mécanique** escalera mecánica; *Can* **e. mobile** escaleras mecánicas; **e. roulant** escalera mecánica

escalope [ɛskalɔp] *nf* filete *m*, bistec *m*

escamoter [ɛskamɔte] *vt* escamotear

escapade [ɛskapad] *nf* escapada *f*

escargot [ɛskargo] *nm* caracol *m*

escarpé, -e [ɛskarpe] *adj* escarpado(a)

escarpin [ɛskarpɛ̃] *nm* zapato *m* de tacón

esclavage [ɛsklavaʒ] *nm* esclavitud *f*

esclave [ɛsklav] *adj & nmf* esclavo(a) *m,f*

escompte [ɛskɔ̃t] *nm* descuento *m*

escompter [ɛskɔ̃te] *vt (prévoir)* contar con; *Fin* descontar

escorte [ɛskɔrt] *nf* escolta *f*

escorter [ɛskɔrte] *vt* escoltar

escrime [ɛskrim] *nf* esgrima *f*

escrimer [ɛskrime] **s'escrimer** *vpr* **s'e. à faire qch** empeñarse en hacer algo

escroc [ɛskro] *nm* estafador *m*

escroquer [ɛskrɔke] *vt (tromper)* estafar; **e. qch à qn** sacar algo a alguien

escroquerie [ɛskrɔkri] *nf* estafa *f*

espace [ɛspas] *nm* espacio *m* ■ **e. aérien** espacio aéreo; **e. vert** zona *f* verde

espacer [16] [ɛspase] *vt* espaciar

espadrille [ɛspadrij] *nf* alpargata *f*

Espagne [ɛspaɲ] *nf* l'E. España

espagnol, -e [ɛspaɲɔl] **1** *adj* español(ola) **2** *nm,f* **E.** español(ola) *m,f* **3** *nm (langue)* español *m*

espèce [ɛspɛs] **1** *nf (minérale, animale, végétale)* especie *f; (sorte)* clase *f;* **une e. de** una especie de; *Fam* **e. d'idiot!** ¡so imbécil!, ¡pedazo de imbécil! **2** *nfpl* **espèces** efectivo *m;* **payer en espèces** pagar en efectivo o en metálico

espérance [ɛsperɑ̃s] *nf* esperanza *f* ■ **e. de vie** esperanza de vida

espérer [34] [ɛspere] **1** *vt* esperar; **e. faire qch** esperar hacer algo; **e. que** esperar que **2** *vi* tener confianza; **j'espère (bien)!** ¡espero que sí!

espiègle [ɛspjɛgl] *adj* travieso(a)

espion, -onne [ɛspjɔ̃, -ɔn] *nm,f* espía *mf*

espionnage [ɛspjɔnaʒ] *nm* espionaje *m*

espionner [ɛspjɔne] *vt* espiar

espoir [ɛspwar] *nm* esperanza *f;* **un jeune e.** *(personne)* una joven promesa; **dans l'e. que...** con la esperanza de que...

esprit [ɛspri] *nm (entendement)* mente *f; (attitude, fantôme)* espíritu *m; (humour)* ingenio *m;* **venir à l'e.** venir a la mente; **reprendre ses esprits** volver en sí ■ **e. de compétition** espíritu de competición; **e. critique** espíritu crítico

Esquimau® [ɛskimo] *nm (glace)* bombón *m* helado

esquimau, -aude, -x, -audes [ɛskimo, -od] **1** *adj* esquimal **2** *nm,f* **E.** esquimal *mf* **3** *nm (langue)* esquimal *m*

esquisse [ɛskis] *nf (croquis)* apunte *m,* bosquejo *m; (projet)* esbozo *m; Fig (de sourire)* esbozo *m,* amago *m*

esquisser [ɛskise] *vt aussi Fig* esbozar

esquiver [ɛskive] **1** *vt* esquivar **2 s'esquiver** *vpr* escabullirse

essai [ɛsɛ] *nm (test)* prueba *f; (tentative)* intento *m; (étude, au rugby)* ensayo *m;* **à l'e.** a prueba

essaim [ɛsɛ̃] *nm* enjambre *m*

essayage [ɛsɛjaʒ] *nm* prueba *f*

essayer [53] [ɛsɛje] *vt (tester)* probar; *(vêtement)* probarse; *(tenter)* probar (con); **e. de faire qch** intentar hacer algo, tratar de hacer algo

essence [ɛsɑ̃s] *nf (carburant)* gasolina *f, Chile* bencina *f, RP* nafta *f; (nature, concentré)* esencia *f;* **par e.** por definición

essentiel, -elle [ɛsɑ̃sjɛl] **1** *adj* esencial **2** *nm* **l'e.** lo esencial

essor [ɛsɔr] *nm (envol)* vuelo *m; (développement)* desarrollo *m;* **prendre son e.** levantar el vuelo

essorer [ɛsɔre] *vt (manuellement)* escurrir; *(à la machine)* centrifugar

essouffler [ɛsufle] **1** *vt* dejar sin aliento **2 s'essouffler** *vpr* perder el aliento; *Fig (artiste)* perder la inspiración; *(économie)* debilitarse

essuie-glace [ɛsɥiglas] *(pl* **essuie-glaces)** *nm* limpiaparabrisas *m inv*

essuyer [32] [ɛsɥije] *vt (vaisselle, mains)* secar; *(poussière)* limpiar; *(échec)* sufrir **2 s'essuyer** *vpr* secarse

est¹ [ɛst] **1** *adj inv* este **2** *nm* este *m;* **à l'e. de** al este de; *Géog & Pol* **l'E.** el Este

est² *voir* **être**

estampe [ɛstɑ̃p] *nf* estampa *f*

est-ce que [ɛskə] *adv interrogatif* **e. tu viens?** ¿vienes?; **où e. tu es?** ¿dónde estás?

esthéticienne [ɛstetisjɛn] *nf* esteticista *f*

estimation [ɛstimasjɔ̃] *nf* estimación *f*

estime [ɛstim] *nf* estima *f*; **avoir de l'e. pour qn** tener a alguien en gran estima; **baisser dans l'e. de qn** ser menos apreciado(a) por alguien

estimer [ɛstime] **1** *vt (objet d'art)* valorar; *(résultat, somme)* calcular; *(respecter)* apreciar; **e. que** considerar que **2 s'estimer** *vpr* **s'e. satisfait** considerarse satisfecho

estival, -e, -aux, -ales [ɛstival, -o] *adj* estival

estivant, -e [ɛstivɑ̃, -ɑ̃t] *nm,f* veraneante *mf*

estomac [ɛstɔma] *nm* estómago *m*

estomper [ɛstɔpe] **1** *vt (contour)* difuminar; *(douleur, souvenir)* atenuar **2 s'estomper** *vpr (contour)* difuminarse; *(douleur, souvenir)* atenuarse

Estonie [ɛstɔni] *nf* **l'E.** Estonia

estonien, -enne [ɛstɔnjɛ̃, -ɛn] **1** *adj* estonio(a) **2** *nm,f* **E.** estonio(a) *m,f* **3** *nm (langue)* estonio *m*

estrade [ɛstrad] *nf* estrado *m*; *(à l'école)* tarima *f*

estragon [ɛstragɔ̃] *nm* estragón *m*

esturgeon [ɛstyrʒɔ̃] *nm* esturión *m*

et [e] *conj* y; **Juan et María** Juan y María; **Juan et Isabel** Juan e Isabel

établi [etabli] *nm* banco *m*

établir [etablir] **1** *vt (installer, fonder)* establecer; *(rédiger)* fijar; *(démontrer)* asentar **2 s'établir** *vpr* establecerse

établissement [etablismã] *nm* establecimiento *m* ■ **é. hospitalier** establecimiento hospitalario; **é. scolaire** establecimiento escolar

étage [etaʒ] *nm (de bâtiment)* piso *m*; *(de fusée)* cuerpo *m*; **au premier é.** en el primer piso

étagère [etaʒɛr] *nf (meuble)* estantería *f*; *(rayon)* estante *m*

étain [etɛ̃] *nm (métal)* estaño *m*; *(objet)* objeto *m* de estaño

étais, était *etc voir* **être**

étal *(pl* **étals)** [etal] *nm (éventaire)* puesto *m*; *(de boucher)* tabla *f* de carnicero

étalage [etalaʒ] *nm (marchandises)* muestrario *m*; *(devanture)* escaparate *m*; **faire é. de qch** hacer alarde de algo

étaler [etale] **1** *vt (marchandises)* exponer; *(papiers, journal)* desplegar; *(peinture)* extender; *(beurre, confiture)* untar; *(échelonner)* escalonar; *Péj (exhiber)* ostentar **2 s'étaler** *vpr (peinture, beurre)* extenderse; *(dans le temps)* escalonarse; *Fam (tomber)* caerse al suelo

étanche [etɑ̃ʃ] *adj (cloison)* estanco(a); *(toiture)* impermeable; *(montre)* sumergible

étancher [etɑ̃ʃe] *vt (larmes)* secar; **é. sa soif** saciar la sed

étang [etɑ̃] *nm* estanque *m*

étant *voir* **être**

étape [etap] *nf (distance, phase)* etapa *f*; *(halte)* parada *f*; **faire é. à** parar en; **brûler les étapes** quemar etapas

état [eta] *nm* estado *m*; **à l'é. neuf** nuevo(a); **à l'é. pur** en estado puro; **en bon/mauvais é.** en buen/mal estado; *(appartement)* en buenas/malas condiciones; **remettre qch en é.** arreglar algo; **être en é. de faire qch** estar en condiciones de hacer algo; **être dans tous ses états** estar histérico(a); **en tout é. de cause** en todo caso ■ **é. civil** estado civil; **é. d'esprit** estado de ánimo; **é. des lieux** = descripción del estado en que se encuentran los locales en el momento de arrendarlos; **é. de santé** estado de salud; **é. d'urgence** estado de emergencia

état-major *(pl* **états-majors)** [etamaʒɔr] *nm* estado *m* mayor

États-Unis [etazyni] *nmpl* **les É. (d'Amérique)** los Estados Unidos (de América)

étau, -x [eto] *nm* torno *m*

et cætera, et cetera [etsetera] *adv* etcétera

été¹ [ete] *pp voir* **être**

été² *nm* verano *m*

éteindre [54] [etɛ̃dr] **1** *vt* apagar **2** *s'éteindre upr* apagarse

étendre [etɑ̃dr] **1** *vt (bras, aile, enduit)* extender; *(linge, blessé)* tender; *(vocabulaire, pouvoir)* ampliar **2** *s'étendre upr (personne)* tenderse; *(plaine, paysage, épidémie)* extenderse; **s'é. sur qch** *(s'attarder)* extenderse sobre algo *(hablando)*

étendu, -e [etɑ̃dy] **1** *pp voir* **étendre 2** *adj (plaine, pouvoirs)* extenso(a) **3** *nf* **étendue** extensión *f*

éternel, -elle [etɛʀnɛl] *adj* eterno(a)

éterniser [etɛʀnize] **s'éterniser** *upr* eternizarse

éternité [etɛʀnite] *nf* eternidad *f*

éternuer [etɛʀnɥe] *vi* estornudar

êtes *voir* **être**

Éthiopie [etjɔpi] *nf* l'É. Etiopía

éthiopien, -enne [etjɔpjɛ̃, -ɛn] **1** *adj* etíope **2** *nm,f* É. etíope *mf*

ethnie [etni] *nf* etnia *f*

ethnique [etnik] *adj* étnico(a)

étinceler [9] [etɛ̃sle] *vi (étoile)* relumbrar; *(yeux)* brillar

étincelle [etɛ̃sɛl] *nf* chispa *f; Fig (d'intelligence)* destello *m*

étiqueter [42] [etikte] *vt* etiquetar; *Fig* **é. qn comme** tildar a alguien de

étiquette [etikɛt] *nf* etiqueta *f*

étirer [etire] **1** *vt* estirar **2** *s'étirer upr* estirarse

étoffe [etɔf] *nf (tissu)* tela *f;* **avoir l'é. de** *(l'envergure de)* tener madera de

étoffer [etɔfe] *vt* dar cuerpo a

étoile [etwal] *nf* estrella *f;* **à la belle é.** al raso *m;* **é. filante** estrella fugaz; **é. de mer** estrella de mar

étonnant, -e [etɔnɑ̃, -ɑ̃t] *adj* asombroso(a)

étonnement [etɔnmɑ̃] *nm* asombro *m*

étonner [etɔne] **1** *vt* asombrar; **ça m'étonne qu'elle soit venue** me extraña que haya venido; *Fam* **alors ça, ça m'étonnerait!** ¡me extraña mucho!; **plus rien ne m'étonne** ya

nada me sorprende **2** **s'étonner** *upr* **s'é. de qch/que** extrañarse de algo/ de que

étouffant, -e [etufɑ̃, -ɑ̃t] *adj* sofocante

étouffée [etufe] **à l'étouffée 1** *adj* estofado(a) **2** *adv* **cuire qch à l'é.** estofar algo

étouffer [etufe] **1** *vt (asphyxier)* ahogar; *(feu, révolte)* sofocar; *(bruit)* amortiguar; *(sentiment)* disimular; *Fig (affaire)* acallar **2** *vi (suffoquer)* sofocar; *Fig (être mal à l'aise)* ahogarse; **on étouffe ici** el ambiente es sofocante **3** **s'étouffer** *upr (s'étrangler)* atragantarse

étourderie [eturdəri] *nf* despiste *m*

étourdi, -e [eturdi] *adj & nm,f* despistado(a) *m,f*

étourdissement [eturdismɑ̃] *nm* mareo *m*

étrange [etrɑ̃ʒ] *adj* extraño(a)

étranger, -ère [etrɑ̃ʒe, -ɛr] **1** *adj (personne, langue)* extranjero(a); *(affaires, politique)* exterior; *(à part)* extraño(a); **être é. à qn** ser desconocido(a) para alguien; **être é. à qch** *(insensible à)* ser insensible a algo; *(extérieur à)* ser ajeno(a) a algo **2** *nm,f (d'un autre pays)* extranjero(a) *m,f; (inconnu)* desconocido(a) *m,f* **3** *nm* **à l'é.** en el extranjero

étranglé, -e [etrɑ̃gle] *adj (voix)* sofocado(a)

étrangler [etrɑ̃gle] **1** *vt* estrangular; *Fig (ruiner)* ahogar **2** **s'étrangler** *upr* atragantarse; *(voix)* quebrarse

être [2] [ɛtr] **1** *nm* ser *m* ■ **ê. humain** ser humano; **ê. vivant** ser vivo

2 *v aux* (**a**) *(forme les temps composés)* haber; **il est arrivé tard** ha llegado tarde; **il est né en 1952** nació en 1952 (**b**) *(forme le passif)* ser; **il a été vu par un témoin** fue visto por un testigo

3 *vi* (**a**) *(indique l'état, la matière)* ser; **il est grand** es alto; **il est médecin** es médico; **ma montre est en argent** mi reloj es de plata

(**b**) *(indique l'appartenance)* **ce livre**

est à mon frère este libro es de mi hermano; **c'est à vous, cette moto?** ¿es vuestra esta moto?

(**c**) *(indique une situation)* estar; **il est à Paris** está en París; **nous sommes en été** estamos en verano; **je suis bien ici** estoy bien aquí; **où en es-tu?** *(dans un travail, un livre)* ¿por dónde vas?; **je ne sais plus où j'en suis** estoy aturdido(a)

(**d**) *(indique l'origine)* ser; **il est de Paris** es de París

(**e**) *(exister)* ser; *Litt* **il n'est plus** dejó de existir

(**f**) *(aller)* estar; **as-tu déjà été à Salamanque?** ¿has estado en Salamanca?

(**g**) *(indique l'obligation)* **c'est à vérifier** hay que comprobarlo; **cette chemise est à laver** esta camisa es para lavar

(**h**) *(indique la continuité)* **il est toujours à ne rien faire** está todo el día sin hacer nada

4 *v impersonnel* (**a**) *(dans l'expression du temps)* **quelle heure est-il?** ¿qué hora es?; **il est dix heures dix** son las diez y diez (**b**) *(suivi d'un adjectif)* **il est inutile de… es** inútil…; **il serait bon de lui écrire** sería conveniente escribirle

étreindre [54] [etrɛ̃dr] **1** *vt (serrer, embrasser)* abrazar; *Fig (tenailler)* oprimir, atenazar **2 s'étreindre** *vpr* abrazarse

étrennes [etren] *nfpl* = regalo o aguinaldo que se ofrece el primer día del año

étrier [etrije] *nm* estribo *m*; *Fig* **avoir le pied à l'é.** empezar a abrirse camino

étroit, -e [etrwa, -at] *adj* estrecho(a); *Péj (esprit)* limitado(a); **être à l'é.** estar apretado(a)

étude [etyd] *nf* estudio *m*; *(salle de travail)* sala *f* de estudios; *(de notaire)* notaría *f*; **à l'é.** *(proposition)* en estudio; **études** *(éducation)* estudios; **faire des études (de journalisme)** estudiar (periodismo) ■ **é. de marché** estudio de mercado

étudiant, -e [etydjɑ̃, -ɑ̃t] **1** *adj* estudiantil **2** *nm,f* estudiante *mf*

étudier [66] [etydje] *vt* estudiar

étui [etɥi] *nm* estuche *m* ■ **é. à cigarettes** pitillera *f*; **é. à lunettes** estuche de gafas

étuvée [etyve] **à l'étuvée 1** *adj* estofado(a) **2** *adv* **cuire qch à l'é.** estofar algo

eu, -e *pp voir* **avoir**

euro [øro] *nm* euro *m*

Europe [ørɔp] *nf* l'E. Europa; l'E. centrale Europa central; l'E. de l'Est Europa del Este, *Am* Europa oriental; l'E. du Nord *Esp* el Norte de Europa, *Am* Europa del Norte; l'E. occidentale *ou* de l'Ouest Europa occidental

européen, -enne [ørɔpeɛ̃, -ɛn] **1** *adj* europeo(a) **2** *nm,f* **E.** europeo(a) *m,f*

euthanasie [øtanazi] *nf* eutanasia *f*

eux [ø] *pron personnel* ellos *mpl*; **les Espagnols, e., se couchent tard** pues los españoles se acuestan tarde; **c'est à e.** es de ellos; **ils l'ont emmenée avec e.** se la llevaron

eux-mêmes [ømɛm] *pron personnel* ellos (mismos) *mpl*

évacuation [evakɥasjɔ̃] *nf* evacuación *f*

évacuer [evakɥe] *vt (lieu, personnes)* evacuar; *(eau)* verter

évadé, -e [evade] *nm,f* evadido(a) *m,f*

évader [evade] **s'évader** *vpr* evadirse (**de** de)

évaluation [evalɥasjɔ̃] *nf* evaluación *f*

évaluer [evalɥe] *vt (distance, risque)* evaluar; *(objet d'art)* valorar, evaluar

évangile [evɑ̃ʒil] *nm* evangelio *m*

évanouir [evanwir] **s'évanouir** *vpr (personne)* desmayarse; *Fig (espoirs)* desvanecerse

évanouissement [evanwismɑ̃] *nm* desmayo *m*, desvanecimiento *m*

évaporer [evapore] **s'évaporer** *vpr (liquide)* evaporarse; *(disparaître)* evaporarse, esfumarse

évasé, -e [evaze] *adj (vase)* de boca ancha; *(vêtement)* acampanado(a)

évasif, -ive [evazif, -iv] *adj* evasivo(a)

évasion [evazjɔ̃] *nf* evasión *f*

éveil [evεj] *nm* despertar *m*; **en é.** *(esprit)* en vilo

éveillé, -e [eveje] *adj (qui ne dort pas)* desvelado(a); *(vif)* despierto(a)

éveiller [eveje] **1** *vt* despertar **2** *s'éveiller* *upr* despertarse; *Litt* **s'é. à qch** *(s'ouvrir à)* despertar a algo

événement [evenmã] *nm* acontecimiento *m*; **la suite des événements** el desarrollo de los acontecimientos

éventail [evãtaj] *nm aussi Fig* abanico *m*

éventualité [evãtɥalite] *nf* eventualidad *f*; **dans l'é. de...** en la eventualidad de...

éventuel, -elle [evãtɥεl] *adj* eventual

éventuellement [evãtɥεlmã] *adv* eventualmente

évêque [evεk] *nm* obispo *m*

évertuer [evertɥe] *upr* **s'é. à faire qch** esforzarse en hacer algo

évidemment [evidamã] *adv* evidentemente

évidence [evidãs] *nf* evidencia *f*; **mettre qch en é.** poner algo en evidencia, evidenciar algo

évident, -e [evidã, -ãt] *adj* evidente

évier [evje] *nm* fregadero *m*

évincer [16] [evɛ̃se] *vt* excluir (**de** de)

éviter [evite] **1** *vt* evitar; **é. de faire qch** evitar hacer algo; **il faut é. qu'il le voie** hay que impedir que lo vea; **é. qch à qn** ahorrarle algo a alguien **2** *s'éviter* *upr (personnes)* evitarse; **s'é. qch** ahorrarse algo

évolué, -e [evɔlɥe] *adj (société, pays)* evolucionado(a); *(personne, idées)* moderno(a)

évoluer [evɔlɥe] *vi* evolucionar

évolution [evɔlysjɔ̃] *nf* evolución *f*

évoquer [evɔke] *vt* evocar

exact, -e [εgzakt] *adj* exacto(a); *(ponctuel)* puntual; **oui, c'est e.** sí, exacto

exactement [εgzaktəmã] *adv* exactamente

exactitude [εgzaktityd] *nf (justesse)* exactitud *f*; *(ponctualité)* puntualidad *f*

exagération [εgzaʒerasjɔ̃] *nf* exageración *f*

exagérer [34] [εgzaʒere] *vt & vi* exagerar

exalté, -e [εgzalte] *adj & nm,f* exaltado(a) *m,f*

exalter [εgzalte] **1** *vt* exaltar **2** *s'exalter* *upr* exaltarse

examen [εgzamɛ̃] *nm* examen *m* ■ **e. blanc** examen de prueba; **e. d'entrée (à)** examen de ingreso (a); **e. médical** examen o reconocimiento *m* médico

examinateur, -trice [εgzaminatœr, -tris] *nm,f* examinador(ora) *m,f*

examiner [εgzamine] *vt* examinar

exaspérer [34] [εgzaspere] *vt* exasperar

exaucer [16] [εgzose] *vt (vœu)* atender

excédent [ε ksedã] *nm* exceso *m*; *Écon* excedente *m* ■ **e. de bagages** exceso de equipaje

excéder [34] [εksede] *vt (dépasser)* exceder a; *(exaspérer)* exasperar

excellence [εkselãs] *nf* excelencia *f*; **par e.** por excelencia

excellent, -e [εkselã, -ãt] *adj* excelente

exceller [εksele] *vi* **e. en qch** destacar en algo

excentrique [ε ksãtrik] **1** *adj* excéntrico(a); *(quartier)* periférico(a) **2** *nmf* excéntrico(a) *m,f*

excepté, -e [εksepte] **1** *adj* exceptuado(a) **2** *prép* excepto

exception [εksεpsjɔ̃] *nf* excepción *f*; **faire e.** ser una excepción; **à l'e. de** con o a excepción de; **sans e.** sin excepción

exceptionnel, -elle [εksεpsjɔnεl] *adj* excepcional

excès [ε ksε] *nm* exceso *m* ■ **e. de vitesse** exceso de velocidad

excessif, -ive [εksesif, -iv] *adj (prix, rigueur)* excesivo(a); *(personne, caractère)* exagerado(a)

excitant, -e [εksitã, -ãt] **1** *adj* excitante **2** *nm* excitante *m*

excitation [εksitasjɔ̃] *nf* excitación *f*

excité, -e [ɛksite] **1** adj excitado(a)
2 nm,f exaltado(a) m,f
exciter [ɛksite] **1** vt excitar; (chien)
azuzar **2 s'exciter** upr excitarse
exclamation [ɛksklamɑsjɔ̃] nf exclamación f
exclamer [ɛksklame] s'exclamer upr
exclamar
exclu, -e [ɛkskly] **1** adj excluido(a);
c'est e.! ¡ni hablar!; il n'est pas e.
que... es posible que... **2** nm,f
marginado(a) m,f
exclure [17a] [ɛksklyr] vt excluir
exclusif, -ive [ɛksklyzif, -iv] adj
(droit) exclusivo(a); (personne)
posesivo(a)
exclusion [ɛksklyzjɔ̃] nf exclusión f; à
l'e. de con exclusión de
exclusivité [ɛksklyzivite] nf exclusiva
f; (des sentiments) exclusividad f; en e.
en exclusiva
excursion [ɛkskyrsjɔ̃] nf excursión f
excuse [ɛkskyz] nf excusa f; faire ses
excuses à qn presentar disculpas a
alguien
excuser [ɛkskyze] **1** vt disculpar,
excusar; (dispenser) excusar; excusez-moi disculpe, perdone; excusez-
moi de t'avoir dérangée perdona
por haberte molestado **2 s'excuser**
upr disculparse, excusarse; s'e. de
qch/de faire qch disculparse o
excusarse por algo/por hacer algo
exécrable [ɛgzekrabl] adj terrible
exécuter [ɛgzekyte] **1** vt (projet) llevar
a cabo; (tableau) pintar; (mettre à
mort), Mus & Ordinat ejecutar **2 s'exécuter** upr obedecer
exécutif, -ive [ɛgzekytif, -iv] **1** adj
ejecutivo(a) **2** nm l'e. el ejecutivo
exécution [ɛgzekysjɔ̃] nf ejecución f;
(d'une promesse) cumplimiento m;
mettre qch à e. (projet) realizar algo;
(promesse) cumplir algo
exemplaire [ɛgzɑ̃plɛr] **1** adj ejemplar
2 nm ejemplar m; en trois exemplaires
por triplicado
exemple [ɛgzɑ̃pl] nm ejemplo m; par
e. por ejemplo; donner l'e. dar

ejemplo; prendre e. sur qn tomar
ejemplo de alguien
exempt, -e [ɛgzɑ̃, -ɑ̃t] adj être e. de
qch estar exento(a) de algo
exempter [ɛgzɑ̃te] vt e. qn de eximir a
alguien de; être exempté du service
militaire estar exento del servicio
militar
exercer [16] [ɛgzɛrse] **1** vt (métier,
activité) ejercer; (droit) ejercitar **2 s'exercer** upr (s'entraîner) ejercitarse; (se
manifester) ejercerse; s'e. à qch
ejercitarse en algo; s'e. à faire qch
entrenarse para hacer algo
exercice [ɛgzɛrsis] nm ejercicio m
exhiber [ɛgzibe] **1** vt exhibir **2 s'exhiber** upr exhibirse
exigeant, -e [ɛgziʒɑ̃, -ɑ̃t] adj exigente
exigence [ɛgziʒɑ̃s] nf exigencia f
exiger [45] [ɛgziʒe] vt exigir; j'exige
que tu rentres tôt exijo que vuelvas
temprano; e. qch de qn exigir algo
de alguien
exigu, -uë [ɛgzigy] adj exiguo(a)
exil [ɛgzil] nm exilio m; en e. en el
exilio
exilé, -e [ɛgzile] nm,f exiliado(a) m,f
exiler [ɛgzile] **1** vt exiliar **2 s'exiler** upr
exiliarse
existence [ɛgzistɑ̃s] nf existencia f
exister [ɛgziste] vi existir
exode [ɛgzɔd] nm éxodo m
exonération [ɛgzɔnerɑsjɔ̃] nf e.
fiscale exención f tributaria
exorbitant, -e [ɛgzɔrbitɑ̃, -ɑ̃t] adj
desorbitante
exotique [ɛgzɔtik] adj exótico(a)
expansif, -ive [ɛkspɑ̃sif, -iv] adj
expansivo(a)
expansion [ɛkspɑ̃sjɔ̃] nf expansión f
expatrier [66] [ɛkspatrije] s'expatrier
upr expatriarse
expédier [66] [ɛkspedje] vt (envoyer)
expedir; (se débarrasser de) (personne) librarse de; (travail) despachar
expéditeur, -trice [ɛkspeditœr, -tris]
nm,f remitente mf
expéditif, -ive [ɛkspeditif, -iv] adj
expeditivo(a)

expédition [ɛkspedisjɔ̃] *nf* expedición *f*; **partir en e.** salir de expedición

expérience [ɛksperjɑ̃s] *nf (habitude)* experiencia *f*; *(essai)* experimento *m*; **avoir de l'e.** tener experiencia

expérimental, -e, -aux, -ales [ɛksperimɑ̃tal, -o] *adj* experimental

expérimenté, -e [ɛksperimɑ̃te] *adj* experimentado(a)

expérimenter [ɛksperimɑ̃te] *vt* experimentar

expert, -e [ɛksper, -ɛrt] **1** *adj* experto(a) **2** *nm* perito *m*

expert-comptable *(pl* **experts-comptables)** [ɛksperkɔ̃tabl] *nm* censor *m* jurado de cuentas

expertise [ɛkspertiz] *nf* peritaje *m*

expier [66] [ɛkspje] *vt* expiar

expiration [ɛkspirasjɔ̃] *nf (d'air)* espiración *f*; *(d'un contrat)* expiración *f*

expirer [ɛkspire] *vi (respirer)* espirar; *(finir, mourir)* expirar

explicatif, -ive [ɛksplikatif, -iv] *adj* explicativo(a)

explication [ɛksplikasjɔ̃] *nf* explicación *f* ■ **e. de texte** comentario *m* de texto

explicite [ɛksplisit] *adj* explícito(a)

expliquer [ɛksplike] **1** *vt* explicar; *(texte)* comentar **2 s'expliquer** *upr* explicarse; *(discuter)* hablar; *(devenir compréhensible)* explicarse, aclararse

exploit [ɛksplwa] *nm* hazaña *f*

exploitant, -e [ɛksplwatɑ̃, -ãt] *nm,f (de cinéma)* explotador(ora) *m,f* ■ **e. agricole** agricultor(ora) *m,f*

exploitation [ɛksplwatasjɔ̃] *nf* explotación *f* ■ **e. agricole** explotación agrícola

exploiter [ɛksplwate] *vt* explotar

explorateur, -trice [ɛksplɔratœr, -tris] *nm,f* explorador(ora) *m,f*

explorer [ɛksplɔre] *vt* explorar

exploser [ɛksploze] *vi (bombe, personne)* explotar; *(colère, joie)* estallar

explosif, -ive [ɛksplozif, -iv] **1** *adj* explosivo(a) **2** *nm* explosivo *m*

explosion [ɛksplozjɔ̃] *nf* explosión *f* ■ **e. démographique** explosión demográfica

exportateur, -trice [ɛkspɔrtatœr, -tris] *adj & nm,f* exportador(ora) *m,f*

exportation [ɛkspɔrtasjɔ̃] *nf* exportación *f*

exporter [ɛkspɔrte] *vt* exportar

exposé [ɛkspoze] *nm (compte-rendu)* informe *m*; *(à l'école)* exposición *f*

exposer [ɛkspoze] **1** *vt* exponer; *(orienter)* orientar **2 s'exposer** *upr* **s'e. (au soleil)** exponerse al sol; **s'e. à un danger/aux critiques** exponerse a un peligro/a las críticas

exposition [ɛkspozisjɔ̃] *nf* exposición *f*; *(orientation)* orientación *f*

exprès¹, -esse [ɛksprɛs] *adj (ordre, défense)* expreso(a)

exprès² *adj inv (lettre, colis)* urgente

exprès³ [ɛkspre] *adv* a propósito, adrede; *(spécialement)* expresamente; **faire qch e.** hacer algo a propósito; **sans le faire e.** sin querer

express [ɛkspres] **1** *adj inv (train, voie)* exprés **2** *nm inv (train, café)* expreso *m*

expressément [ɛkspresemɑ̃] *adv* expresamente

expressif, -ive [ɛkspresif, -iv] *adj* expresivo(a)

expression [ɛkspresjɔ̃] *nf* expresión *f* ■ **e. corporelle** expresión corporal; **e. toute faite** frase *f* hecha

exprimer [ɛksprime] **1** *vt (dire)* expresar **2 s'exprimer** *upr* expresarse

expulser [ɛkspylse] *vt* expulsar; *(locataire)* desahuciar

expulsion [ɛkspylsjɔ̃] *nf* expulsión *f*; *(d'un locataire)* desahucio *m*

exquis, -e [ɛkski, -iz] *adj* exquisito(a)

extase [ɛkstaz] *nf* éxtasis *m inv*; **être en e.** extasiarse ante

extasier [ɛkstazje] **s'extasier** *upr* **s'e. sur/devant** extasiarse ante

extensible [ɛkstɑ̃sibl] *adj* extensible

extension [ɛkstɑ̃sjɔ̃] *nf* extensión *f*; **par e.** por extensión ■ *Ordinat* **e. mémoire** ampliación *f* de memoria

extérieur, -e [ɛksterjœr] **1** *adj*

exterior; *(apparent)* aparente **2** *nm* *(dehors)* exterior *m*; **à l'e.** *(dehors)* en el exterior, fuera; *(à l'étranger)* en el extranjero, fuera del país; *Sp* fuera de casa; **à l'e. de qch** por fuera de algo

extérieurement [ɛksterjœrmã] *adv* *(dehors)* exteriormente; *(en apparence)* en apariencia

extérioriser [ɛksterjɔrize] **1** *vt* exteriorizar **2** **s'extérioriser** *upr* exteriorizarse

exterminer [ɛkstɛrmine] *vt* exterminar

externat [ɛkstɛrna] *nm* *(lycée)* externado *m*

externe [ɛkstɛrn] **1** *adj* externo(a) **2** *nmf (élève)* externo(a) *m,f*

extincteur [ɛkstɛ̃ktœr] *nm* extintor *m*

extinction [ɛkstɛ̃ksjɔ̃] *nf* extinción *f* ▪ **e. de voix** afonía *f*

extorquer [ɛkstɔrke] *vt* **e. qch à qn** sacar algo a alguien

extrader [ɛkstrade] *vt* extraditar

extradition [ɛkstradisjɔ̃] *nf* extradición *f*

extraire [28] [ɛkstrɛr] **1** *vt* extraer **2** **s'extraire** *upr* **s'e. de qch** salir de algo

extrait [ɛkstrɛ] *nm* extracto *m* ▪ **e. de naissance** partida *f* de nacimiento

extraordinaire [ɛkstraɔrdinɛr] *adj* extraordinario

extraterrestre [ɛkstraterɛstr] *adj & nmf* extraterrestre *mf*

extravagant, -e [ɛkstravagã, -ãt] *adj* *(idée, propos)* extravagante; *(prix)* desorbitado(a)

extraverti, -e [ɛkstravɛrti] *adj & nm,f* extrovertido(a) *m,f*, extravertido(a) *m,f*

extrême [ɛkstrɛm] **1** *adj* extremo(a); *(solution, opinion)* extremado(a) **2** *nm* extremo *m*; **d'un e. à l'autre** de un extremo al otro

Extrême-Orient [ɛkstrɛmɔrjã] *nm* l'E. el Extremo Oriente

extrémiste [ɛkstremist] *adj & nmf* extremista *mf*

extrémité [ɛkstremite] *nf (bout)* extremidad *f*; *(situation critique)* extremo *m*

exulter [ɛgzylte] *vi* exultar

Ff

F, f [ɛf] *nm inv (lettre)* F *f*, f *f*; **un F2/F3** un piso de un dormitorio/dos dormitorios *(más el salón)*

fabricant, -e [fabrikã, -ãt] *nm,f* fabricante *mf*

fabrication [fabrikasjɔ̃] *nf* fabricación *f*

fabrique [fabrik] *nf* fábrica *f*

fabriquer [fabrike] *vt (confectionner)* fabricar; *(inventer)* inventar; *Fam* **mais qu'est-ce que tu fabriques?** pero, ¿qué haces?

fabuleux, -euse [fabylø, -øz] *adj* fabuloso(a)

façade [fasad] *nf* fachada *f*

face [fas] *nf (d'une personne, d'un objet)* cara *f*; *(aspect)* aspecto *m*; **de f.** de frente; **d'en f.** de enfrente; **en f.** de frente a; **f. à f.** cara a cara; **faire f. à qch** *(être devant)* dar a algo; *(affronter)* hacer frente a algo

facette [faset] *nf* faceta *f*

fâché, -e [faʃe] *adj* enfadado(a); **être f. avec qn** estar enfadado(a) con alguien

fâcher [faʃe] **se fâcher** *upr (se mettre en colère) Esp* enfadarse, *Am* enojarse (**contre** con); *(se brouiller)* enemistarse (**avec** con)

facile [fasil] *adj* fácil; **f. à faire** fácil de hacer

facilité [fasilite] *nf* facilidad *f*; **avoir de la f. pour qch** tener facilidad para algo ▪ **facilités de paiement** facilidades de pago

faciliter [fasilite] *vt* facilitar

façon [fasɔ̃] *nf (manière)* manera *f*; **façons** *(comportement)* modales *mpl*; **faire des façons** *(minauder)* ser finústico(a); *(se faire prier)* hacerse de rogar; **sans façons** *(simple)* campechano(a); **non merci, sans façons!** ¡no gracias, de verdad!; **de f. à faire qch** con el fin de hacer algo; **de f. (à ce) que** con el fin de que; **de toute f.** de todos modos

façonner [fasɔne] *vt (travailler)* trabajar; *(fabriquer)* fabricar; *Fig (caractère)* modelar

facteur [faktœr] *nm* factor *m*; *(des postes)* cartero(a) *m,f*; **le f. temps** el factor tiempo

facture¹ [faktyr] *nf (note)* factura *f*

facture² *nf (style)* estilo *m*

facturer [faktyre] *vt* facturar

facultatif, -ive [fakyltatif, -iv] *adj* facultativo(a)

faculté [fakylte] *nf* facultad *f*; **f. de médecine** facultad de medicina

fade [fad] *adj* soso(a)

faible [fɛbl] **1** *adj* débil; *(élève)* flojo(a); *(quantité)* pequeño(a) **2** *nmf* **f. d'esprit** simple *mf* **3** *nm* debilidad *f*; **avoir un f. pour** tener debilidad por

faiblesse [fɛbles] *nf* debilidad *f*

faiblir [feblir] *vi* debilitarse; *(vent)* amainar

faïence [fajɑ̃s] *nf* loza *f*

faille [faj] *nf Géol* falla *f*; *(défaut)* fallo *m*

faillir [35] [fajir] *vi* **f. à qch** *(manquer)* faltar a algo; **f. faire qch** *(être sur le point de)* estar a punto de hacer algo; **j'ai failli tomber** casi me caigo

faillite [fajit] *nf (financière)* quiebra *f*; *(échec)* fracaso *m*; **faire f.** quebrar

faim [fɛ̃] *nf* hambre *f*; **avoir f.** tener hambre; **avoir une f. de loup** tener un hambre canina; **rester sur sa f.** quedarse con hambre; *Fig* quedarse con las ganas

fainéant, -e [feneɑ̃, -ɑ̃t] *adj & nm,f* holgazán(ana) *m,f*

faire [36] [fɛr] **1** *vt* (a) *(fabriquer, s'occuper à, étudier)* hacer; **f. un gâteau/le ménage** hacer un pastel/la limpieza; **f. de l'anglais** hacer inglés; **qu'est-ce qu'il fait dans la vie?** ¿a qué se dedica?; **qu'est-ce que tu as fait de mon CD?** ¿qué has hecho con mi compacto?; **ne f. que** *(faire sans cesse)* no parar de; *(faire juste)* no hacer más que; **je ne faisais que jeter un coup d'œil** sólo estaba echando un vistazo

(b) *(pratiquer) (tennis, basket)* jugar a; *(natation, équitation)* hacer; *(musique)* tocar; **f. de la moto** montar en moto

(c) *(occasionner)* **f. du mal à qn** hacer daño a alguien; **f. mal** *(sujet: blessure)* doler; **f. du bruit** hacer ruido; **f. de la peine à qn** dar pena a alguien; **f. plaisir à qn** complacer a alguien; **ça ne fait rien** no importa

(d) *(imiter)* hacerse; **f. le sourd** hacerse el sordo

(e) *(dans les calculs, les mesures)* **un et un font deux** uno y uno son dos; **ça fait combien de kilomètres jusqu'à la mer?** ¿cuántos kilómetros hay hasta el mar?; **la table fait 2 mètres de long** la mesa tiene 2 metros de largo

(f) *(dire)* **certainement pas!, fit-elle** desde luego que no, dijo

(g) *(sembler)* **il fait jeune** parece joven

(h) *(suivi d'un infinitif)* hacer; **f. démarrer un camion** arrancar un camión; **f. tomber qch** hacer caer algo; **f. travailler qn** hacer trabajar a alguien; **f. réparer sa télé** llevar la tele a arreglar

2 *vi (agir)* **est-ce que j'ai bien fait?** ¿he hecho bien?; **tu ferais bien d'aller voir ce qui se passe** más vale que vayas a ver qué pasa; **il ferait mieux de travailler** sería mejor que trabajara, más le valdría trabajar

3 *v impersonnel* (**a**) *(indique un état)* **il fait beau/froid** hace buen tiempo/frío; **il fait jour/nuit** es de día/de noche; **il fait 20 degrés** estamos a 20 grados (**b**) *(indique la durée)* **ça fait six mois que…** hace seis meses que…

4 se faire *vpr* (**a**) *(avoir lieu)* hacerse; **finalement ça ne s'est pas fait** al final no se hizo; **ça se fait beaucoup cette année** *(c'est à la mode)* se lleva mucho este año; **ça ne se fait pas** *(ce n'est pas poli)* eso no se hace; **comment se fait-il que…?** ¿cómo es que…?

(**b**) *(se confectionner, acquérir)* hacerse; **se f. des amis** hacerse amigos; **se f. une idée sur qch** hacerse una idea de algo; **se f. mal** hacerse daño; **se f. du souci** preocuparse; **ne t'en fais pas** no te preocupes

(**c**) *(devenir)* **se f. vieux** hacerse viejo

(**d**) *(avec un infinitif)* **se f. couper les cheveux** cortarse el pelo; **il s'est fait écraser** lo han atropellado; **elle s'est fait opérer** la han operado

(**e**) **se f. à** *(s'habituer)* acostumbrarse a

(**f**) *(réciproque)* **se f. des cadeaux** hacerse regalos

faire-part [fɛrpar] *nm inv* *(de naissance, de mariage)* participación *f* ▪ **f. de décès** esquela *f*

fais *etc voir* **faire**

faisable [fəzabl] *adj* factible

faisan [fəzɑ̃] *nm* faisán *m*

faisceau, -x [fɛso] *nm* *(rayon)* haz *m*; *(fagot)* manojo *m*

fait, -e [fɛ, fɛt] **1** *pp voir* **faire**

2 *adj* hecho(a); **bien f.** bien hecho; **être f. pour** estar hecho para; *Litt* **c'en est f. de lui** está perdido

3 *nm* hecho *m*; **le f. de faire qch** el hecho de hacer algo; **à propósito**; **être au f. de qch** estar al corriente de algo; **en f.** de hecho;

prendre qn sur le f. pillar a alguien in fraganti, pillar a alguien con las manos en la masa; **mettre qn devant le f. accompli** presentar a alguien el hecho consumado ▪ **f. divers** suceso *m*

faîte [fɛt] *nm* *(d'un toit)* techumbre *f*; *(d'un arbre)* copa *f*; *Fig (de la gloire)* cima *f*

falaise [falɛz] *nf* acantilado *m*

falloir [37] [falwar] **1** *v impersonnel* *(exprime une nécessité, une obligation)* hacer falta; **il me faut du temps** necesito tiempo, me hace falta tiempo; **il faut regarder avant de traverser** hay que mirar antes de cruzar; **il faudrait te dépêcher** deberías darte prisa; **il vous faudra réunir les fonds nécessaires** tendréis que reunir el dinero necesario; **il faut que tu partes** tienes que irte; **s'il le faut** si no queda más remedio; *Fam* **faut le faire!** ¡es increíble!

2 s'en falloir *v impersonnel* **il s'en faut de peu pour qu'il puisse acheter cette maison** no puede comprarse la casa por poco; **il s'en faut de beaucoup pour qu'il puisse réussir son examen** le falta mucho para poder aprobar este examen; **peu s'en est fallu qu'il démissionne** ha estado a punto de dimitir

famé, -e [fame] *adj* **mal f.** de mala fama

fameux, -euse [famø, -øz] *adj* *(célèbre)* famoso(a); *Fam (délicieux)* *Esp* estupendo(a), *Am* delicioso(a)

familial, -e, -aux, -ales [familjal, -o] *adj* familiar

familiariser [familjarize] **1** *vt* **f. qn avec qch** familiarizar a alguien con algo **2 se familiariser** *vpr* **se f. avec qch** familiarizarse con algo

familier, -ère [familje, -ɛr] **1** *adj* familiar **2** *nm (d'une personne, d'un lieu)* parroquiano *m*

famille [famij] *nf* familia *f*; **une f. nombreuse** una familia numerosa

famine [famin] *nf* hambruna *f*

fanatique [fanatik] *adj & nmf* fanático(a) *m,f*

faner [fane] **1** *vi* marchitarse, ajarse **2 se faner** *vpr* marchitarse, ajarse

fanfare [fɑ̃far] *nf* fanfarria *f*; **en f.** *(réveil)* con gran estruendo

fantaisie [fɑ̃tezi] *nf* fantasía *f*; *(extravagance)* extravagancia *f*

fantastique [fɑ̃tastik] *adj* fantástico(a)

fantôme [fɑ̃tom] **1** *nm* fantasma *m* **2** *adj* fantasma

faon [fɑ̃] *nm* cervatillo *m*

farce[1] [fars] *nf (garniture)* relleno *m*

farce[2] *nf (blague)* broma *f*; *(genre littéraire)* farsa *f*

farceur, -euse [farsœr, -øz] *adj & nm,f* bromista *m*

farcir [farsir] **1** *vt (volaille)* rellenar; *Fam Fig* **f. qch de** *(remplir)* atiborrar algo de **2 se farcir** *vpr Fam* **je vais encore devoir me f. les courses!** ¡otra vez me toca hacer la compra!; **se f. qn** *(supporter)* aguantar a alguien

fardeau, -x [fardo] *nm* carga *f*

farder [farde] **1** *vt* maquillar **2 se farder** *vpr* maquillarse

farine [farin] *nf* harina *f*

farouche [faruʃ] *adj (animal)* salvaje; *(personne)* arisco(a)

fascicule [fasikyl] *nm* fascículo *m*

fasciner [fasine] *vt* fascinar

fascisme [faʃism] *nm* fascismo *m*

fasciste [faʃist] *adj & nmf* fascista *mf*

fasse *etc voir* **faire**

faste [fast] **1** *adj (jour)* de suerte **2** *nm* fasto *m*, fastuosidad *f*

fastidieux, -euse [fastidjø, -øz] *adj* fastidioso(a)

fatal, -e, -als, -ales [fatal] *adj (coup, erreur)* fatal; *(inévitable)* inevitable

fataliste [fatalist] *adj & nmf* fatalista *mf*

fatalité [fatalite] *nf* fatalidad *f*

fatidique [fatidik] *adj* fatídico(a)

fatigant, -e [fatigɑ̃, -ɑ̃t] *adj (activité)* cansado(a); *(personne)* cansino(a)

fatigue [fatig] *nf* cansancio *m*, fatiga *f*

fatigué, -e [fatige] *adj* cansado(a); **être f. de qch** estar cansado de algo

fatiguer [fatige] **1** *vt* cansar **2** *vi (personne)* cansarse; *(moteur)* resentirse **3 se fatiguer** *vpr* cansarse **(de** de**); se f. à faire qch** cansarse haciendo algo

faucher [foʃe] *vt (couper)* segar; *(renverser)* arrollar; *Fam (voler)* birlar

faucon [fokɔ̃] *nm* halcón *m*

faudra *voir* **falloir**

faufiler [fofile] **1** *vt* hilvanar **2 se faufiler** *vpr* colarse

faune [fon] *nf* fauna *f*

faussaire [foser] *nmf* falsificador(ora) *m,f*

fausse [fos] *voir* **faux**

fausser [fose] *vt (clef)* torcer; *(résultat)* falsear; **f. compagnie à qn** plantar a alguien

fausseté [foste] *nf* falsedad *f*

faut *voir* **falloir**

faute [fot] *nf (erreur)* falta *f*, error *m*; *(méfait, infraction)* falta *f*; *(responsabilité)* culpa *f*; **c'est de sa f.** es culpa suya; **prendre qn en f.** pillar a alguien en fraganti; **par la f. de qn** por culpa de alguien; **f. de** por falta de; **f. de mieux** a falta de algo mejor; **sans f.** sin falta ▪ **f. d'étourderie** despiste *m*; **f. de frappe** error de máquina; **f. d'orthographe** falta de ortografía; **f. professionnelle** falta profesional

fauteuil [fotœj] *nm* sillón *m*, butaca *f*; *(de théâtre)* butaca *f*; *(d'académicien)* silla *f* ▪ **f. roulant** silla de ruedas

fautif, -ive [fotif, -iv] **1** *adj (coupable)* culpable; *(erroné)* erróneo(a), equivocado(a) **2** *nm,f* culpable *mf*

fauve [fov] **1** *nm (animal)* fiera *f*; *(peintre)* fauvista *m* **2** *adj (couleur)* leonado(a); *(en peinture)* fauvista

faux[1]**, fausse** [fo, fos] **1** *adj* falso(a); *(barbe, dent)* postizo(a) ▪ **f. ami** *(mot)* falso amigo *m*; *Fam* **f. jeton** falso(a) *m,f*; **faire un f. mouvement** hacer un movimiento en falso; **fausse note** nota *f* discordante

2 *adv* **chanter f.** desafinar; **sonner f.** sonar desafinado(a); *Fig* sonar a falso

3 *nm* *(contrefaçon)* falsificación *f*; **distinguer le vrai du f.** distinguir lo verdadero de lo falso

faux² *nf* guadaña *f*

faux-filet *(pl* **faux-filets)** [fofile] *nm* solomillo *m* bajo

faux-monnayeur *(pl* **faux-monnayeurs)** [fomɔnɛjœr] *nm* falsificador *m* (de dinero)

faveur [favœr] *nf* favor *m*; **avoir la f. du public** gozar del favor del público; **à la f. de la nuit** aprovechando la oscuridad; **être en f. de** estar a favor de

favorable [favɔrabl] *adj* favorable; **être f. à** *(partisan de)* estar a favor de

favori, -ite [favɔri, -it] *adj* & *nm,f* favorito(a) *m,f*

favoriser [favɔrize] *vt* favorecer

fax [faks] *nm* fax *m* ■ **f. modem** fax módem

faxer [fakse] *vt* enviar por fax

fécond, -e [fekɔ̃, -ɔ̃d] *adj* fecundo(a)

fédéral, -e, -aux, -ales [federal, -o] *adj* federal

fédération [federasjɔ̃] *nf* federación *f*

fée [fe] *nf* hada *f*

féerique [fe(e)rik] *adj* mágico(a)

feindre [54] [fɛ̃dr] *vt* fingir; **f. de faire qch** fingir hacer algo

feinte [fɛ̃t] *nf* finta *f*

fêler [fele] **1** *vt* resquebrajar **2 se fêler** *vpr* resquebrajarse

félicitations [felisitasjɔ̃] *nfpl* felicidades *fpl*; **toutes mes f.!** ¡muchas felicidades!

féliciter [felisite] **1** *vt* felicitar; **f. qn de qch/d'avoir fait qch** felicitar a alguien por algo/por haber hecho algo **2 se féliciter** *vpr* **se f. de qch/d'avoir fait qch** alegrarse de algo/de haber hecho algo

félin, -e [felɛ̃, -in] **1** *adj* felino(a) **2** *nm* felino *m*

fêlure [felyr] *nf* grieta *f*

femelle [fəmɛl] **1** *adj (animal)* & *Tech*

hembra *inv*; *Bot* femenina **2** *nf* hembra *f*

féminin, -e [feminɛ̃, -in] *adj* femenino(a)

féministe [feminist] *adj* & *nmf* feminista *mf*

femme [fam] *nf* mujer *f*; **elle est très f.** es muy femenina ■ **f. d'affaires** mujer de negocios; **f. de chambre** ayuda *f* de cámara; *(d'hôtel)* camarera *f*; **f. au foyer** ama *f* de casa; **f. de ménage** asistenta *f*

fendre [fɑ̃dr] **1** *vt (bois)* partir; *(crevasser)* agrietar; *Fig (foule)* abrirse paso entre; *(flots, air)* surcar **2 se fendre** *vpr (se fêler)* agrietarse; *Fam* **se f. la pipe** *ou* **la poire** desternillarse (de risa)

fenêtre [fənɛtr] *nf* ventana *f*

fenouil [fənuj] *nm* hinojo *m*

fente [fɑ̃t] *nf (fissure)* grieta *f*; *(interstice)* ranura *f*; *(d'une jupe)* abertura *f*

féodal, -e, -aux, -ales [feɔdal, -o] *adj* feudal

fer [fɛr] *nm* hierro *m*; **croire qch dur comme f.** creerse algo a pies juntillas; **tomber les quatre fers en l'air** caer de espaldas ■ **f. à cheval** herradura *f*; **f. forgé** hierro forjado; **f. à repasser** plancha *f (para la ropa)*; **f. à souder** soldador *m*

férié, -e [ferje] *adj voir* **jour**

ferme¹ [fɛrm] **1** *adj (consistant)* duro(a); *(autoritaire)* firme; *(achat)* en firme **2** *adv (s'ennuyer)* mucho; *(discuter)* enardecidamente

ferme² *nf* *Esp* granja *f, Andes, RP* chacra *f*

fermenter [fɛrmɑ̃te] *vi* fermentar

fermer [fɛrme] **1** *vt* cerrar; *(rideau)* correr; *(vêtement)* abrocharse; *Fig* **f. les yeux sur qch** cerrar los ojos ante algo; *Fam* **je n'ai pas fermé l'œil de la nuit** no he pegado ojo en toda la noche; *Fam* **ferme-la!** ¡cállate! **2** *vi* cerrar; *(vêtement)* abrocharse **3 se fermer** *vpr* cerrarse; *(vêtement)* abrocharse

fermeté [fɛrmǝte] *nf (dureté)*
consistencia *f*, dureza *f*; *(autorité)*
firmeza *f*

fermeture [fɛrmǝtyr] *nf* cierre *m* ■ **f.
annuelle** *(sur une vitrine)* cerrado por
vacaciones; **f. Éclair®** cremallera *f*; **f.
hebdomadaire** cierre semanal

fermier, -ère [fɛrmje, -ɛr] **1** *nm,f Esp*
granjero(a) *m,f, Andes, RP* chaca-
rero(a) *m,f* **2** *adj* de granja

fermoir [fɛrmwar] *nm* cierre *m*

féroce [feros] *adj (animal)* feroz,
fiero(a); *(appétit, désir)* feroz

ferraille [fɛraj] *nf (morceaux de fer)*
chatarra *f, Méx* grisalla *f, Fam (petite
monnaie) Esp* calderilla *f, Méx*
sencillo *m, RP* cambio *m* chico

ferronnerie [fɛronri] *nf (métier)* =
fabricación de objetos de hierro;
(atelier) fragua *f*

ferroviaire [fɛrovjer] *adj* ferro-
viario(a)

ferry [fɛri] *nm* transbordador *m*, ferry
m

fertile [fɛrtil] *adj* fértil; *Fig (esprit,
imagination)* fecundo(a), fértil; **f. en
rebondissements** lleno(a) de acontecimientos

fertiliser [fɛrtilize] *vt* fertilizar

fertilité [fɛrtilite] *nf* fertilidad *f*

ferveur [fɛrvœr] *nf* fervor *m*

fesse [fɛs] *nf* nalga *f*; **les fesses** el
culo

fessée [fese] *nf* zurra *f*

festin [fɛstɛ̃] *nm* festín *m*

festival, -als [fɛstival] *nm* festival
m

festivités [fɛstivite] *nfpl* fiestas *fpl*

fête [fɛt] *nf* fiesta *f*; *(jour du saint)*
santo *m*; *(kermesse)* verbena *f*, fiesta *f*
popular; **les fêtes (de fin d'année)** las
vacaciones de Navidad; **faire f. à qn**
hacerle fiestas a alguien; **faire la f.**
estar de juerga ■ **f. foraine** feria *f*; **la
f. des Mères** el día de la madre; **f.
nationale** fiesta nacional; **la f. des
Pères** el día del padre; **la f. des Rois**
el día de Reyes; **la f. du Travail** el día
del trabajo

fêter [fete] *vt (événement)* celebrar

feu¹, -e [fø] *adj* **f. M. Bordier** el difunto
señor Bordier

feu², -x *nm* fuego *m*, candela *f*; *(signal
lumineux)* semáforo *m*; *(de circulation)*
luz *f*; **mettre le f. à qch** prender fuego
a algo; **prendre f.** prenderse; **à f.
doux/vif** a fuego lento/vivo; **au f.!**
¡fuego!; **avez-vous du f.?** ¿tiene
fuego?; **être en f.** estar en llamas;
faire f. abrir fuego; **ne pas faire long
f.** no durar mucho ■ **f. d'artifice**
fuegos artificiales; **f. de camp** fuego
de campamento; **f. de cheminée**
lumbre *f*; **feux de croisement** luces
de cruce; **feux de détresse** luces de
emergencia; **feux de position** luces
de posición; **f. rouge** semáforo en
rojo; **feux de route** luces de
carretera; **f. vert** semáforo en verde;
Fig **donner le f. vert à** dar (la) luz
verde a

feuillage [fœjaʒ] *nm* follaje *m*

feuille [fœj] *nf* hoja *f* ■ **f. morte** hoja
seca; **f. de paie** nómina *f*; **f. de soins** =
impreso para solicitar a la Seguridad
Social el reembolso de gastos
médicos; **f. de vigne** hoja de parra; **f.
volante** hoja suelta

feuilleté, -e [fœjte] **1** *adj (pâte)* de
hojaldre **2** *nm* hojaldre *m* relleno

feuilleter [42] [fœjte] *vt* hojear

feuilleton [fœjtɔ̃] *nm (à la télévision)*
serial *m*, culebrón *m*; *(dans un
journal)* folletín *m*

feutre [føtr] *nm (crayon)* rotulador *m*;
(étoffe) fieltro *m*

fève [fɛv] *nf (légume)* haba *f*; *(de la
galette des Rois)* sorpresa *f*; *Can
(haricot) Esp* judía *f, Am* haba *f, RP*
chaucha *f*

février [fevrije] *nm* febrero *m*; *voir
aussi* **septembre**

fiable [fjabl] *adj* fiable

fiançailles [fjɑ̃saj] *nfpl (cérémonie)*
pedida *f*; *(période)* noviazgo *m*

fiancé, -e [fjɑ̃se] **1** *adj* **être f. (à qn)**
estar prometido(a) (con alguien) **2** *nm,f*
novio(a) *m,f*

fiancer [16] [fjɑ̃se] **se fiancer** *vpr* prometerse

fibre [fibʀ] *nf* fibra *f*; **avoir la f. maternelle** ser muy maternal ■ **f. de verre** fibra de vidrio

ficeler [9] [fisle] *vt* atar; **bien/mal ficelé** *(conçu)* bien/mal estructurado(a)

ficelle [fisɛl] *nf* cordel *m*; *(pain)* = barra de pan muy delgada de 125 gramos; *Fig* **les ficelles du métier** los gajes del oficio; *Fig* **tirer les ficelles** mover los hilos

fiche¹ [fiʃ] *nf (carte)* ficha *f*; *(électrique)* enchufe *m* ■ **f. de paie** nómina *f (documento)*

fiche² *voir* **ficher²**

ficher¹ [fiʃe] *vt (enfoncer)* clavar; *(inscrire)* fichar

ficher² *Fam* **1** *vt (faire)* hacer; *(mettre, donner)* meter; **ne rien f.** no dar golpe; **f. qn à la porte** poner a alguien de patitas en la calle; **le camp** largarse; **ça la fiche mal** queda fatal **2 se ficher** *vpr* **se f. un coup** pegarse un golpe; **se f. de qn** *(se moquer)* tomar el pelo a alguien; **se f. de** *(ignorer)* pasar de; **je m'en fiche** me importa un pito

fichier [fiʃje] *nm* fichero *m*; *Ordinat* archivo *m*

fictif, -ive [fiktif, -iv] *adj* ficticio(a)

fiction [fiksjɔ̃] *nf* ficción *f*

fidèle [fidɛl] **1** *adj* fiel (**à a**); *(client)* asiduo(a) **2** *nmf Rel* fiel *mf*

fidélité [fidelite] *nf* fidelidad *f*

fier¹, fière [fjɛʀ] *adj* orgulloso(a) (**de** de); *(allure)* noble

fier² [fje] **se fier** *vpr* **se f. à** fiarse de

fierté [fjɛʀte] *nf (satisfaction)* orgullo *m*; *(amour-propre)* dignidad *f*

fièvre [fjɛvʀ] *nf* fiebre *f*; **avoir 40 de f.** tener 40 de fiebre

fiévreux, -euse [fjevʀø, -øz] *adj* febril

figer [45] [fiʒe] **1** *vt (pétrifier)* paralizar; *(solidifier)* solidificar **2 se figer** *vpr (s'immobiliser)* helarse; *(se solidifier)* solidificarse

figue [fig] *nf* higo *m*

figurant, -e [figyʀɑ̃, -ɑ̃t] *nm,f (de cinéma)* extra *mf*; *(de théâtre)* figurante *mf*, comparsa *mf*

figure [figyʀ] *nf (visage)* cara *f*; **faire f. de** pasar por; *Fam* **se casser la f.** caerse ■ **f. de proue** mascarón *m* de proa; *Fig* líder *m*; **f. de style** figura retórica

figurer [figyʀe] **1** *vt* representar **2** *vi* **f. dans/parmi** figurar en/entre **3 se figurer** *vpr (croire)* figurarse; **il est parti, figure-toi!** ¡se ha ido, fíjate!

fil [fil] *nm* hilo *m*; *(électrique)* cable *m*; *(tranchant)* filo *m*; **perdre le f. (de qch)** perder el hilo (de algo); **au f. de** a lo largo de; **de f. en aiguille** poco a poco; **au bout du f.** al teléfono ■ **f. à coudre** hilo (de coser); **f. de fer** alambre *m*; **f. de fer barbelé** alambre de espino

file [fil] *nf* fila *f*, hilera *f*; **en f. (indienne)** en fila (india); **se garer en double f.** aparcar en doble fila ■ **f. d'attente** cola *f*

filer [file] **1** *vt (textile)* hilar; *(suivre)* seguir la pista a; *Fam (donner)* pasar **2** *vi (aller vite)* volar; *(temps)* pasar volando; *Fam (partir)* salir pitando; **mon collant a filé** se me ha hecho una carrera en las medias; **f. doux** estar suavísimo(a)

filet [file] *nm (d'eau)* chorrito *m*; *(de pêche, au tennis)* red *f*; *(de viande)* filete *m* ■ **f. de bœuf** solomillo *m*; **f. de porc** solomillo, filete de lomo

filial, -e, -aux, -ales [filjal, -o] **1** *adj* filial **2** *nf* **filiale** filial *f*

filière [filjɛʀ] *nf (procédure)* trámites *mpl*; *(de trafiquants)* red *f*; *Scol* carrera *f*

fille [fij] *nf (enfant)* hija *f*; *(femme)* chica *f* ■ **jeune f.** chica (joven), muchacha *f*; **petite f.** niña *f*; *Vieilli* **vieille f.** solterona *f*

fillette [fijɛt] *nf* niña *f*, *Esp* chiquilla *f*, *Méx* chamaca *f*

film [film] *nm* película *f* ■ **f. alimentaire** plástico *m* transparente *(para envolver alimentos)*; **f. catastrophe** película de catástrofes; **f. culte** película de culto; **f. d'horreur** película de terror

filmer [filme] *vt* filmar

fils [fis] *nm* hijo *m*

filtre [filtʁ] *nm* filtro ■ **f. à air** filtro del aire; **f. à café** filtro para el café

filtrer [filtʁe] **1** *vt* filtrar **2** *vi* filtrarse

fin¹, -e [fɛ̃, fin] **1** *adj* fino(a); *(mets)* selecto(a); *(intelligent)* agudo(a); **un f. gourmet** un gran gourmet; **au f. fond de** en lo más recóndito de **2** *adv (couper)* finamente; **être f. prêt** estar listo

fin² *nf (terme)* fin *m*, final *m*; *(but)* fin *m*; **mettre f. à qch** poner fin a algo; **prendre f.** acabar; **tirer** *ou* **toucher à sa f.** tocar a su fin; **arriver** *ou* **parvenir à ses fins** cumplir sus propósitos; **à la f.** *(finalement)* al fin, por fin; **tu m'embêtes, à la f.!** ¡ya me estás empezando a molestar!; **f. mars** a finales de marzo; **à la f. de al** final de; *(mois, année)* a finales de ■ **f. de série** restos *mpl* de serie

final, -e, -als *ou* **-aux, -ales** [final, -o] **1** *adj* final **2** *nf* **finale** final *f* ■ **huitièmes de finale** octavos *mpl* de final; **quarts de finale** cuartos *mpl* de final

finaliste [finalist] *nmf* finalista *mf*

finance [finɑ̃s] *nf* finanzas *fpl*; **finances** *(d'une entreprise, d'un État)* fondos *mpl*; *Fam (personnelles)* finanzas

financer [16] [finɑ̃se] *vt* financiar

financier, -ère [finɑ̃sje, -ɛʁ] **1** *adj* financiero(a) **2** *nm Esp* financiero *m*, *Am* financista *m*

finesse [fines] *nf (délicatesse, minceur)* finura *f*; *(perspicacité)* agudeza *f*; **les finesses d'une langue** las sutilezas de un idioma

fini, -e [fini] *adj* acabado(a); *Péj (fieffé)* rematado(a), redomado(a); *Math* finito(a) *m*

finir [finiʁ] **1** *vt* acabar **2** *vi* acabarse, acabar; **mal f.** acabar mal; **en f. (avec**

qch) acabar de una vez (con algo); **f. de faire qch** terminar de hacer algo; **f. par faire qch** acabar *o* terminar por hacer algo

finlandais, -e [fɛ̃lɑ̃dɛ, -ɛz] **1** *adj* finlandés(esa) **2** *nm,f* **F.** finlandés(esa) *m,f*

Finlande [fɛ̃lɑ̃d] *nf* **la F.** Finlandia

firme [firm] *nf* firma *f (empresa)*

fisc [fisk] *nm* fisco *m*

fiscal, -e, -aux, -ales [fiskal, -o] *adj* fiscal

fiscalité [fiskalite] *nf* fiscalidad *f*

fissure [fisyr] *nf* fisura *f*

fissurer [fisyre] **1** *vt* agrietar; *Fig (groupe)* dividir **2** **se fissurer** *upr* agrietarse

fixation [fiksasjɔ̃] *nf* fijación *f*; **faire une f. sur** tener una fijación con

fixe [fiks] *adj* fijo(a)

fixer [fikse] **1** *vt* fijar; *(tableau)* colgar *(à en)*; *(regarder)* mirar fijamente; **être fixé sur qch** *(informé)* tener las ideas claras sobre algo **2 se fixer** *upr (s'installer)* establecerse; **se f. un objectif** fijarse un objetivo; **se f. sur** *(regard)* detenerse en; **son choix s'est fixé sur...** eligió...

flacon [flakɔ̃] *nm* frasco *m*

flageolet [flaʒɔlɛ] *nm (haricot)* judía *f* blanca

flagrant, -e [flagʁɑ̃, -ɑ̃t] *adj* flagrante

flair [flɛʁ] *nm* olfato *m*

flairer [flere] *vt (odeur)* oler; *Fig (danger)* olerse

flamand, -e [flamɑ̃, -ɑ̃d] **1** *adj* flamenco(a) **2** *nm,f* **F.** flamenco(a) *m,f* **3** *nm (langue)* flamenco *m*

flamant [flamɑ̃] *nm* flamenco *m* ■ **f. rose** flamenco rosa

flambant [flɑ̃bɑ̃] *adj* **f. neuf** flamante

flambeau, -x [flɑ̃bo] *nm* antorcha *f*; *Fig* **passer le f.** entregar el testigo

flamber [flɑ̃be] **1** *vi (brûler)* arder; *Fam (dépenser)* jugarse una fortuna **2** *vt (crêpe)* flamear

flamboyer [32] [flɑ̃bwaje] *vi (incendie)* arder; *(regard)* brillar

flamme [flam] *nf (de bougie)* llama *f*;

Fig (ardeur) ardor *m*; *Litt ou Hum* **déclarer sa f. à qn** declarar su pasión a alguien

flan [flɑ̃] *nm* flan *m*

flanc [flɑ̃] *nm (d'une personne, d'un animal)* costado *m*; *(d'un navire)* flanco *m*; *(d'une montagne)* ladera *f*, falda *f*

Flandre [flɑ̃dr] *nf* **la F., les Flandres** Flandes

flâner [flɑne] *vi (se promener)* pasear

flanquer¹ [flɑ̃ke] *vt Fam (jeter)* tirar, *Am* botar; *(donner) (gifle, coup)* soltar, arrear; *(peur)* meter; **f. qn dehors** largar a alguien

flanquer² *vt (accompagner)* flanquear; **être flanqué de qn** ir flanqueado(a) por alguien; **être flanqué de qch** estar flanqueado(a) por algo

flaque [flak] *nf* charco *m*

flash [flaʃ] *nm (d'appareil photo)* flash *m* ▪ **f. d'information** flash informativo; **f. publicitaire** cuña *f*

flatter [flate] **1** *vt (complimenter)* halagar; *(avantager)* favorecer **2 se flatter** *vpr* vanagloriarse; **se f. de faire qch** vanagloriarse de hacer algo

flatterie [flatri] *nf (compliment)* halago *m*; *(action de flatter)* adulación *f*

flatteur, -euse [flatœr, -øz] **1** *adj (comparaison)* halagüeño(a); *(portrait)* favorecedor(ora) **2** *nm,f* adulador(ora) *m,f*

fléau, -x [fleo] *nm (calamité, personne)* plaga *f*

flèche [flɛʃ] *nf* flecha *f*; *Fig (critique)* dardo *m*; *(d'église)* aguja *f*

fléchette [fleʃɛt] *nf* dardo *m*; **fléchettes** *(jeu)* dardos

fléchir [fleʃir] **1** *vt (membre)* doblar **2** *vi (branche, membre)* doblarse; *Fig (faiblir)* flaquear, aflojar; *(baisser)* bajar

flétrir [fletrir] **1** *vt (fleur)* marchitar **2 se flétrir** *vpr (fleur)* marchitarse; *(visage, beauté)* ajarse

fleur [flœr] *nf* flor *f*; **à fleurs** de flores; **en f.** *ou* **fleurs** en flor; *Fam* **faire une f.**

à qn hacerle un favor a alguien; **avoir les nerfs à f. de peau** tener los nervios a flor de piel

fleuri, -e [flœri] *adj (jardin, style)* florido(a); *(tissu)* floreado(a), de flores; *(table)* adornado(a) con flores

fleurir [flœrir] **1** *vi (plante)* florecer **2** *vt (se multiplier)* proliferar **2** *vt* adornar con flores

fleuriste [flœrist] *nmf* florista *mf*

fleuve [flœv] *nm* río *m*

flexible [fleksibl] *adj* flexible

flocon [flɔkɔ̃] *nm* copo *m* ▪ **flocons d'avoine** copos de avena; **f. de neige** copo de nieve

floraison [flɔrezɔ̃] *nf* floración *f*; *Fig (prolifération)* proliferación *f*

floral, -e, -aux, -ales [flɔral, -o] *adj* floral

flore [flɔr] *nf* flora *f*

florissant, -e [flɔrisɑ̃, -ɑ̃t] *adj (santé)* espléndido(a); *(économie)* floreciente

flot [flo] *nm (afflux)* raudal *m*; **les flots** *(mer)* la mar; **être à f.** *(flotter)* estar a flote; *Fig* **remettre une entreprise à f.** sacar a flote una empresa; **couler à flots** *(argent)* correr a raudales

flotte [flɔt] *nf Naut & Av* flota *f*; *Fam (eau)* agua *f*; *Fam (pluie)* lluvia *f*

flotter [flɔte] **1** *vi (sur l'eau)* flotar (**sur** en); *(drapeau)* ondear; *(dans un vêtement)* bailar **2** *v impersonnel Fam (pleuvoir)* llover

flotteur [flɔtœr] *nm (de canne à pêche)* corcho *m*; *(d'hydravion)* flotador *m*

flou, -e [flu] *adj (photo)* borroso(a), desenfocado(a); *(pensée)* confuso(a), impreciso(a)

fluet, -ette [flyɛ, -ɛt] *adj (personne)* endeble; *(voix)* débil

fluide [flɥid] **1** *adj (liquide)* fluido(a); *(matière)* terso(a) **2** *nm* fluido *m*

fluorescent, -e [flyɔresɑ̃, -ɑ̃t] *adj* fluorescente

flûte [flyt] **1** *nf (instrument)* flauta *f* ▪ **f. à bec** flauta dulce; **f. (à champagne)** flauta *f* alta; **f. de Pan** flauta de pan; **f. traversière** flauta travesera **2** *exclam Fam* ¡jolín!

flûtiste [flytist] *nmf* flautista *mf*

flux [fly] *nm* flujo *m*

focaliser [fɔkalize] **1** *vt* concentrar **2 se focaliser** *vpr* **se f. sur** centrarse en, concentrarse en

foi [fwa] *nf* fe *f*; **avoir f. en** tener fe en; **être de mauvaise f.** ser de mala fe; **ma f., oui** pues sí

foie [fwa] *nm* hígado *m*

foin [fwɛ̃] *nm* heno *m*; **faire les foins** hacer el heno

foire [fwar] *nf* feria *f*; *Fam (agitation)* guirigay *m*

fois [fwa] *nf (marque la répétition)* vez *f*; *(marque la multiplication)* por; **deux f. trois** dos por tres; **neuf f. sur dix** el noventa por ciento de las veces; **à la f.** a la vez; **cette f.** esta vez; **une autre f.** otra vez; **une f. que...** una vez que...; **une bonne f. pour toutes** de una vez por todas; **il était une f....** érase una vez...

foison [fwazɔ̃] **à foison** *adv* en abundancia

foisonner [fwazɔne] *vi* abundar; **f. en** *ou* **de** rebosar de

folie [fɔli] *nf* locura *f*; **faire une f.** *(achat inconsidéré)* hacer una extravagancia; **aimer qn à la f.** querer a alguien con locura; **c'est de la f.!** ¡es una locura!

folklore [fɔlklɔr] *nm* folclor *m*

folklorique [fɔlklɔrik] *adj* folclórico(a)

folle [fɔl] *voir* **fou**

foncé, -e [fɔ̃se] *adj* oscuro(a)

foncer [16] [fɔ̃se] **1** *vt* oscurecer **2** *vi (teinte)* oscurecerse; *Fam (se dépêcher)* darle caña; **f. sur** *(se ruer)* arremeter contra; **f. dans un mur** chocar contra una pared

foncier, -ère [fɔ̃sje, -ɛr] *adj (impôt)* territorial; *(crédit)* hipotecario(a); *(fondamental)* innato(a)

fonction [fɔ̃ksjɔ̃] *nf (rôle)* función *f*; *(profession)* cargo *m*; **faire f. de** hacer las veces de; **entrer en f.** tomar posesión de un cargo; **en f. de** con arreglo a ■ **la f. publique** la función pública

fonctionnaire [fɔ̃ksjɔnɛr] *nmf* funcionario(a) *m,f*

fonctionnel, -elle [fɔ̃ksjɔnɛl] *adj* funcional

fonctionnement [fɔ̃ksjɔnmɑ̃] *nm* funcionamiento *m*

fonctionner [fɔ̃ksjɔne] *vi* funcionar

fond [fɔ̃] *nm* fondo *m*; **à f.** a fondo; **dans le f.** en el fondo; **au f. de** en el fondo de; **de f. en comble** de arriba a abajo ■ **f. de teint** maquillaje *m*, crema *f* de base

fondamental, -e, -aux, -ales [fɔ̃damɑ̃tal, -o] *adj* fundamental

fondant, -e [fɔ̃dɑ̃, -ɑ̃t] *adj (aliment)* que se deshace en la boca

fondateur, -trice [fɔ̃datœr, -tris] *nm,f* fundador(ora) *m,f*

fondation [fɔ̃dasjɔ̃] *nf* fundación *f*; **fondations** *(d'un bâtiment)* cimientos *mpl*

fondement [fɔ̃dmɑ̃] *nm (base)* cimientos *mpl*; **sans f.** *(sans motif)* sin fundamento

fonder [fɔ̃de] **1** *vt (créer)* fundar; *(baser)* basar, cimentar (**sur** en); **f. ses espoirs sur qn** fundar esperanzas en alguien **2 se fonder** *vpr* **se f. sur qch** basarse en algo

fondre [fɔ̃dr] **1** *vt (métaux)* fundir; **faire f. qch** *(neige, beurre)* derretir algo; *(sucre)* disolver algo **2** *vi (neige, beurre)* derretirse; *(sucre)* disolverse; *Fig (s'attendrir)* derretirse; **f. sur** *(se ruer)* abatirse sobre; **f. en larmes** deshacerse en lágrimas **3 se fondre** *vpr* **se f. dans** *(se mélanger)* confundirse con

fonds¹ [fɔ̃] *voir* **fondre**

fonds² [fɔ̃] **1** *nm (bien immobilier)* finca *f*; *(capital)* fondo *m* ■ **f. de commerce** comercio *m* **2** *nmpl (capitaux)* fondos *mpl*

font *voir* **faire**

fontaine [fɔ̃tɛn] *nf* fuente *f*

fonte [fɔ̃t] *nf (des neiges)* deshielo *m*; *(du métal)* fundición *f*; *(alliage)* hierro *m* colado, fundición *f*

football [futbol] *nm* fútbol *m*

footballeur, -euse [futbolœr, -øz] *nm,f* futbolista *mf*

forage [fɔraʒ] *nm* perforación *f*

forain, -e [fɔrɛ̃, -ɛn] **1** *adj voir* **fête 2** *nm* feriante *m*

force [fɔrs] *nf* fuerza *f*; **à f. de faire qch** a fuerza de hacer algo; **je suis à bout de forces** estoy al límite de mis fuerzas; **de f. a** la fuerza; **de toutes mes/ses/etc forces** con todas mis/sus/etc fuerzas; **en f.** *(arriver)* en masa ∎ **les forces armées** las fuerzas armadas; **les forces de l'ordre** las fuerzas del orden público; **f. de vente** fuerza de venta

forcément [fɔrsemã] *adv* seguro; **pas f.** no necesariamente

forcer [16] [fɔrse] **1** *vt* forzar; **f. qn à faire qch** forzar a alguien a hacer algo; **f. le respect** inspirar respeto **2** *vi (appuyer, tirer)* forzar; *(se surmener)* esforzarse; *Fam* **f. sur qch** *(abuser)* pasarse con algo **3 se forcer** *vpr* hacer un esfuerzo; **se f. à faire qch** forzarse a hacer algo

forer [fɔre] *vt* perforar

forêt [fɔrɛ] *nf* bosque *m* ∎ **f. vierge** selva *f* virgen

forfait¹ [fɔrfɛ] *nm (prix fixe)* tanto *m* alzado; *(de ski)* forfait *m*

forfait² *nm* **déclarer f.** *(dans un match)* abandonar

forfait³ *nm Litt (crime)* crimen *m*

forge [fɔrʒ] *nf* fragua *f*

forger [45] [fɔrʒe] **1** *vt (métal, caractère)* forjar; *(excuse)* inventar **2 se forger** *vpr (réputation, idéal)* forjarse

forgeron [fɔrʒərɔ̃] *nm* herrero *m*

formaliser [fɔrmalize] **se formaliser** *vpr* molestarse **(de** por)

formalité [fɔrmalite] *nf* trámite *m*, formalidad *f*

format [fɔrma] *nm* formato *m*

formater [fɔrmate] *vt Ordinat* formatear

formateur, -trice [fɔrmatœr, -tris] **1** *adj* formativo(a) **2** *nm,f* instructor(ora) *m,f*

formation [fɔrmasjɔ̃] *nf* formación *f*

∎ **f. continue** formación en la empresa; **f. professionnelle** formación profesional de adultos

forme [fɔrm] *nf* forma *f*; **formes** *(silhouette)* formas; *(manières)* modales *mpl*; **en (pleine) f.** en (plena) forma; **en f. de** en forma de; **sous f. de** en forma de

formel, -elle [fɔrmɛl] *adj (refus)* categórico(a); *(politesse)* formal

former [fɔrme] **1** *vt (constituer, instruire)* formar; *(projet)* concebir; *(goût)* cultivar **2 se former** *vpr* formarse

formidable [fɔrmidabl] *adj (admirable)* formidable, estupendo(a), *Carib, Col, Méx, Perú* chévere, *RP* genial, bárbaro; *(invraisemblable)* increíble

formulaire [fɔrmyler] *nm* formulario *m*, *Am* planilla *f*

formule [fɔrmyl] *nf* fórmula *f* ∎ **f. de politesse** fórmula de cortesía

formuler [fɔrmyle] *vt* formular

fort, -e [fɔr, fɔrt] **1** *adj* fuerte; *(corpulent)* grueso(a); *(quantité)* importante; **être f. en qch** ser bueno(a) en algo; **il y a de fortes chances que...** es muy posible que... **2** *nm (château)* fuerte *m*; **les maths ce n'est pas mon f.** las matemáticas no son mi fuerte

3 *adv (avec force)* fuerte; *Litt (conseiller)* vivamente; **il aura f. à faire pour se mettre à jour** le va a costar mucho trabajo ponerse al día

forteresse [fɔrtərɛs] *nf* fortaleza *f*

fortifiant, -e [fɔrtifjã, -ãt] *adj* reconstituyente

fortifications [fɔrtifikasjɔ̃] *nfpl* fortificación *f*

fortifier [66] [fɔrtifje] *vt (physiquement)* fortalecer; *(ville)* fortificar; **f. qn dans qch** *(confirmer)* reafirmar a alguien en algo

fortune [fɔrtyn] *nf* fortuna *f*

fosse [fos] *nf* fosa *f*

fossé [fose] *nm* cuneta *f*; *Fig (écart)* abismo *m*

fossette [fosɛt] *nf* hoyuelo *m*

fossoyeur [foswajœr] *nm* sepulturero *m*

fou, folle [fu, fɔl] **1** *adj* loco(a); *(succès, charme)* tremendo(a) **2** *nm,f* loco(a) *m,f* **3** *nm (aux échecs)* alfil *m*

foudre [fudr] *nf* rayo *m*

foudroyant, -e [fudrwajɑ̃, -ɑ̃t] *adj* fulminante

foudroyer [32] [fudrwaje] *vt* fulminar

fouet [fwɛ] *nm (en cuir)* látigo *m*; *(de cuisine)* batidor *m*

fouetter [fwete] *vt* azotar; *(cheval)* fustigar; *Fig (stimuler)* estimular

fougère [fuʒɛr] *nf* helecho *m*

fougue [fug] *nf* fogosidad *f*

fougueux, -euse [fugø, -øz] *adj* fogoso(a)

fouille [fuj] *nf (corporelle)* cacheo *m*, registro *m*; *(d'une maison)* registro *m*; **fouilles** *(archéologiques)* excavación *f*

fouiller [fuje] **1** *vt (personne)* cachear, registrar; *(maison)* registrar; *(sol)* excavar **2** *vi* **f. dans qch** hurgar en algo

fouillis [fuji] *nm* batiborrillo *m*

foulard [fular] *nm* pañuelo *m*, fular *m*

foule [ful] *nf (de gens)* muchedumbre *f*, multitud *f*; **une f. de** *(beaucoup de)* multitud de

foulée [fule] *nf (d'un coureur)* zancada *f*; *Fig* **dans la f.** de paso

fouler [fule] **1** *vt (sol)* pisar **2 se fouler** *vpr* **se f. la cheville** torcerse el tobillo; *Fam* **ne pas se f.** no herniarse

foulure [fulyr] *nf* esguince *m*

four [fur] *nm* horno *m* ■ **f. crématoire** horno crematorio; **f. à micro-ondes** horno microondas

fourche [furʃ] *nf (outil)* horquilla *f*; *(d'une route)* bifurcación *f*; *(de cheveux)* punta *f* abierta; *Belg Scol (temps libre)* hora *f* libre

fourchette [furʃɛt] *nf (couvert)* tenedor *m*; *Fig (écart)* horquilla *f*; *(de prix)* gama *f*

fourchu, -e [furʃy] *adj (branche)* bifurcado(a); **avoir les cheveux fourchus** tener las puntas del pelo abiertas

fourgon [furgɔ̃] *nm* furgón *m*

fourgonnette [furgɔnɛt] *nf* furgoneta *f*

fourmi [furmi] *nf* hormiga *f*; **j'ai des fourmis dans les jambes** se me han dormido las piernas

fourmiller [furmije] *vi (pulluler)* pulular; *Fig (être nombreux)* abundar; **f. de qch** *(être plein)* estar plagado(a) de algo

fourneau, -x [furno] *nm* horno *m*; *(de pipe)* cazoleta *f*

fourni, -e [furni] *adj (barbe)* poblado(a); *(sourcils)* tupido(a)

fournir [furnir] **1** *vt (effort)* realizar; **f. qch à qn** proporcionar o suministrar algo a alguien **2 se fournir** *vpr* **se f. chez qn** comprar en la tienda de alguien

fournisseur [furnisœr] *nm* proveedor *m* ■ *Ordinat* **f. d'accès** proveedor de acceso a Internet

fournitures [furnityr] *nfpl* material *m* ■ **f. de bureau** material de oficina

fourrage [furaʒ] *nm* forraje *m*

fourré[1], -e [fure] *adj (gâteau)* relleno(a); *(vêtement)* forrado(a); **bonbon f. à la menthe** caramelo relleno de menta

fourré[2] *nm* espesura *f (de arbustos)*

fourreau, -x [furo] *nm (de parapluie)* funda *f*; *(d'épée)* vaina *f*; *(robe)* vestido *m* tubo

fourrer [fure] **1** *vt (gâteau)* rellenar; *Fam (mettre)* meter **2 se fourrer** *vpr Fam* meterse

fourre-tout [furtu] *nm inv (pièce)* trastero *m*; *(sac)* bolso *m*; *Fig & Péj (d'idées)* cajón *m* de sastre

fourrière [furjɛr] *nf (pour chiens)* perrera *f*; *(pour voitures)* depósito *m*

fourrure [furyr] *nf* piel *f*

fourvoyer [32] [furvwaje] **se fourvoyer** *vpr (se tromper)* equivocarse; **se f. dans qch** extraviarse en algo

foutre [futr] *très Fam* **1** *vt (faire)* hacer; *(mettre, donner)* meter; **ne rien f.** no pegar golpe; **f. qn à la porte** poner a alguien de patitas en la calle; **f. le camp** largarse; **je n'en ai rien à f. (de...)!** ¡me importa un carajo (...)!;

Vulg **va te faire f.!** ¡vete a la mierda!; **ça la fout mal** queda fatal

2 se foutre *upr* **se f. un coup** pegarse un tortazo; **se f. de qn** *(se moquer)* tomar el pelo a alguien; **se f. de** *(ignorer)* pasar de; **je m'en fous** me importa un carajo

foyer [fwaje] *nm (âtre, maison)* hogar *m*; *(d'étudiants, de travailleurs)* residencia *f*; *(point central)* foco *m*

fracas [fraka] *nm* estrépito *m*

fracasser [frakase] **1** *vt* estrellar **2 se fracasser** *upr* estrellarse

fraction [fraksjɔ̃] *nf* fracción *f*

fractionner [fraksjɔne] *vt* fraccionar

fracture [fraktyr] *nf* fractura *f*

fracturer [fraktyre] **1** *vt (os)* fracturar; *(serrure)* forzar **2 se fracturer** *upr* **se f. le tibia** fracturarse la tibia

fragile [fraʒil] *adj* frágil

fragilité [fraʒilite] *nf* fragilidad *f*

fragment [fragmɑ̃] *nm* fragmento *m*

fraîche [frɛʃ] *adj voir* **frais¹**

fraîcheur [frɛʃœr] *nf (de l'air)* frescor *m*; *(d'un aliment)* frescura *f*

frais¹, fraîche [frɛ, frɛʃ] **1** *adj* fresco(a); *(teint)* vivo(a); **servir f.** *(sur bouteille)* servir frío **2** *nm* **mettre qch au f.** poner algo al fresco; **prendre le f.** tomar el fresco

frais² *nmpl (dépenses)* gastos *mpl*; **faire de f.** tener muchos gastos; **aux f. de** a expensas de; **faire les f. de qch** pagar los platos rotos de algo; **rentrer dans ses f.** cubrir gastos; **tous f. payés** con todos los gastos pagados ▪ **f. de port** gastos de envío

fraise [frɛz] *nf (fruit)* fresa *f*, *Bol, CSur* frutilla *f*; *(de dentiste)* fresa *f*; *(de menuisier)* lengüeta *f*

fraisier [frɛzje] *nm* fresa *f*

framboise [frɑ̃bwaz] *nf* frambuesa *f*

framboisier [frɑ̃bwazje] *nm* frambueso *m*

franc¹, franche [frɑ̃, frɑ̃ʃ] *adj* franco(a); *(coupure)* limpio(a); *(couleur)* puro(a)

franc² *nm* franco *m* ▪ **f. CFA** = moneda utilizada en las antiguas

colonias francesas en África; **f. suisse** franco suizo

français, -e [frɑ̃sɛ, -ez] **1** *adj* francés(esa) **2** *nm, f* **F.** francés(esa) *m, f* **3** *nm (langue)* francés *m*

France [frɑ̃s] *nf* **la F.** Francia

franche [frɑ̃ʃ] *voir* **franc**

franchement [frɑ̃ʃmɑ̃] *adv* francamente; *(carrément)* con decisión; **f.!** *(exprime l'indignation)* ¡no veas!

franchir [frɑ̃ʃir] *vt* salvar; *(porte)* franquear, cruzar

franchise [frɑ̃ʃiz] *nf (sincérité)* franqueza *f*; *(douanière, commerciale)* franquicia *f*

franc-maçon, -onne *(mpl* **francs-maçons,** *fpl* **franc-maçonnes)** [frɑ̃masɔ̃, -ɔn] *nm, f* masón(ona) *m, f*

francophone [frɑ̃kɔfɔn] *adj & nmf* francófono(a) *m, f*

franc-parler *(pl* **francs-parlers)** [frɑ̃parle] *nm* **avoir son f.** hablar sin rodeos

frange [frɑ̃ʒ] *nf (de cheveux) Esp* flequillo *m*, *Am* cerquillo *m*; *(de vêtement)* fleco *m*; *(bordure)* franja *f*

franquette [frɑ̃kɛt] **à la bonne franquette** *adv* sin ceremonia

frappant, -e [frapɑ̃, -ɑ̃t] *adj* impresionante

frappe [frap] *nf (de monnaie)* acuñación *f*; *(à la machine)* tecleo *m*; *(d'un boxeur)* pegada *f*

frappé, -e [frape] *adj (boisson)* frío(a), helado(a)

frapper [frape] **1** *vt (cogner)* golpear; *(impressionner)* impresionar; *(concerner)* afectar; *(monnaie)* acuñar **2** *vi (à la porte)* llamar; **f. dans ses mains** dar palmadas

fraternel, -elle [fratɛrnɛl] *adj* fraternal

fraternité [fratɛrnite] *nf* fraternidad *f*

fraude [frod] *nf* fraude *m*; **passer qch en f.** pasar algo ilegalmente ▪ **f. fiscale** fraude fiscal

frauder [frode] **1** *vt* defraudar **2** *vi* cometer fraude

frauduleux, -euse [frodylø, -øz] *adj* fraudulento(a)

frayer [53] [freje] **se frayer** *vpr* **se f. un chemin à travers** abrirse camino a través

frayeur [frejœr] *nf* pavor *m*

fredonner [frədɔne] **1** *vt* tararear **2** *vi* canturrear

frein [frɛ̃] *nm* freno *m*

freiner [frene] *vt & vi* frenar

frelaté, -e [frəlate] *adj* (*vin*) adulterado(a); *Fig* (*corrompu*) corrompido(a)

frêle [frɛl] *adj* (*construction*) frágil; (*personne*) endeble; (*voix*) débil

frémir [fremir] *vi* (*personne*) estremecerse; (*feuilles*) temblar; (*eau chaude*) romper a hervir

frémissement [fremismɑ̃] *nm* estremecimiento *m*; (*des lèvres, des feuilles*) temblor *m*; (*de l'eau chaude*) borboteo *m*

frénétique [frenetik] *adj* frenético(a)

fréquence [frekɑ̃s] *nf* frecuencia *f*

fréquent, -e [frekɑ̃, -ɑ̃t] *adj* frecuente

fréquentation [frekɑ̃tasjɔ̃] *nf* (*d'un endroit*) frecuentación *f*; (*d'une personne*) trato *m*; **fréquentations** (*relations*) compañías *fpl*

fréquenté, -e [frekɑ̃te] *adj* **mal f.** de mala fama; **très f.** muy concurrido(a)

fréquenter [frekɑ̃te] **1** *vt* (*endroit*) frecuentar; (*personne*) tratar **2 se fréquenter** *vpr* verse

frère [frer] *nm* hermano *m*

friable [frijabl] *adj* desmenuzable

friand¹, -e [frijɑ̃, -ɑ̃d] *adj* **être f. de qch** ser un(a) apasionado(a) de algo

friand² *nm* = empanada hecha con masa de hojaldre

friandise [frijɑ̃diz] *nf* golosina *f*

friction [friksjɔ̃] *nf* (*massage*) friega *f*; *Phys* fricción *f*; *Fig* (*désaccord*) roce *m*, fricción *f*

frictionner [friksjɔne] *vt* friccionar

Frigidaire® [friʒider] *nm* nevera *f*

frigo [frigo] *nm Fam* nevera *f*

frileux, -euse [frilø, -øz] *adj Esp* friolero(a), *Am* friolento(a); *Fig* (*prudent*) timorato(a)

fripé, -e [fripe] *adj* arrugado(a)

frire [frir] **1** *vt* freír **2** *vi* freírse

frisé, -e [frize] *adj* (*cheveux*) rizado(a); (*personne*) de pelo rizado

friser [frize] **1** *vt* (*cheveux*) rizar, *Méx* enchinar, *RP* enrular; (*frôler*) rozar **2** *vi* rizarse

frisson [frisɔ̃] *nm* estremecimiento *m*; (*de fièvre*) escalofrío *m*

frissonner [frisɔne] *vi* estremecerse; (*de fièvre*) tener escalofríos; (*feuillage*) agitarse

frite [frit] *nf* patata *f* frita

friture [frityr] *nf* (*à l'huile*) fritura *f*; (*poisson*) pescado *m* frito; (*interférences*) interferencia *f*; *Belg* (*vendeur de frites*) = puesto de patatas fritas

frivole [frivɔl] *adj* frívolo(a)

froid, -e [frwa, frwad] **1** *adj* frío(a) **2** *nm* frío *m*; (*dans les relations*) distanciamiento *m*; **avoir f.** tener frío; **j'ai f. aux mains** tengo frío en las manos; **il fait f.** hace frío; **prendre f.** enfriarse, *Esp* coger frío; **être en f. avec qn** estar distanciado(a) de alguien **3** *adv* frío

froisser [frwase] **1** *vt* (*tissu*) arrugar; *Fig* (*personne*) ofender, herir **2 se froisser** *vpr* (*tissu*) arrugarse; *Fig* (*personne*) ofenderse; **se f. un muscle** lesionarse un músculo

frôler [frole] *vt* rozar

fromage [frɔmaʒ] *nm* queso *m* ■ **f. blanc** queso blanco; **f. frais** queso fresco

fromager, -ère [frɔmaʒe, -er] *adj & nm,f* quesero(a) *m,f*

fromagerie [frɔmaʒri] *nf* (*magasin*) quesería *f*; (*industrie*) industria *f* quesera

froment [frɔmɑ̃] *nm* trigo *m* candeal

froncer [16] [frɔ̃se] *vt* fruncir; **f. les sourcils** fruncir el ceño

front [frɔ̃] *nm* (*du visage*) frente *f*; *Mil & Pol* frente *m*

frontal, -e, -aux, -ales [frɔ̃tal, -o] *adj* frontal

frontalier, -ère [frɔ̃talje, -er] **1** *adj*

(zone) fronterizo(a); *(travailleur)* = que trabaja del otro lado de la frontera **2** *nm,f* = persona que trabaja del otro lado de la frontera

frontière [frɔ̃tjɛr] **1** *nf* frontera *f* **2** *adj* fronterizo(a)

frotter [frɔte] **1** *vt (mettre en contact)* frotar; *(astiquer)* restregar **2** *vi* rozar **3 se frotter** *vpr* se f. les mains frotarse las manos

fructifier [66] [fryktifje] *vi* fructificar

fructueux, -euse [fryktɥø, -øz] *adj* fructífero(a)

frugal, -e, -aux, -ales [frygal, -o] *adj* frugal

fruit [frɥi] *nm* fruta *f*; *Fig (résultat, profit)* fruto *m* ▪ **fruits confits** frutas confitadas; **fruits de mer** marisco *m*

fruité, -e [frɥite] *adj* afrutado(a)

fruitier, -ère [frɥitje, -ɛr] *adj voir* **arbre**

frustration [frystrasjɔ̃] *nf* frustración *f*

frustrer [frystre] *vt (décevoir)* frustrar; **f. qn de qch** *(priver)* privar a alguien de algo

fugace [fygas] *adj* fugaz

fugitif, -ive [fyʒitif, -iv] **1** *adj (fugace)* fugaz **2** *nm,f* fugitivo(a) *m,f*

fugue [fyg] *nf* fuga *f*; **faire une f.** fugarse de casa

fuir [38] [fɥir] *vi (personne)* huir; *(gaz, eau)* escaparse

fuite [fɥit] *nf (d'une personne)* huida *f*; *(de gaz, d'eau)* escape *m*; *Fig (indiscrétion)* filtración *f*

fulgurant, -e [fylgyrɑ̃, -ɑ̃t] *adj* fulgurante

fumé, -e [fyme] *adj* ahumado(a)

fumée [fyme] *nf* humo *m*

fumer [fyme] **1** *vt (cigarette)* fumar; *(saumon)* ahumar; *(terre)* abonar **2** *vi (cheminée)* humear

fumeur, -euse [fymœr, -øz] *nm,f* fumador(ora) *m,f*

fumier [fymje] *nm* estiércol *m*; *très Fam (personne)* despreciable *mf*

funambule [fynãbyl] *nmf* funámbulo(a) *m,f*

funèbre [fynɛbr] *adj* fúnebre

funérailles [fyneraj] *nfpl* funerales *mpl*

funéraire [fynerɛr] *adj* funerario(a)

funiculaire [fynikyler] *nm* funicular *m*

fur [fyr] **au fur et à mesure** *adv* poco a poco; **au f. et à mesure que** a medida que, conforme

furie [fyri] *nf* furia *f*; *(femme)* harpía *f*; **en f.** enfurecido(a)

furieux, -euse [fyrjø, -øz] *adj* furioso(a)

fuseau, -x [fyzo] *nm (pour filer)* huso *m*; *(vêtement)* pitillo *m*; *(de ski)* fuseau *m* ▪ **f. horaire** huso horario

fusée [fyze] *nf* cohete *m*

fuselage [fyzlaʒ] *nm* fuselaje *m*

fusible [fyzibl] *nm* fusible *m*

fusil [fyzi] *nm (arme)* fusil *m*; *(de chasse)* escopeta *f*

fusillade [fyzijad] *nf Esp* tiroteo *m*, *Am* balacera *f*

fusiller [fyzije] *vt (exécuter)* fusilar; **f. qn du regard** fulminar a alguien con la mirada

fusion [fyzjɔ̃] *nf* fusión *f*

fusionner [fyzjɔne] **1** *vt* fusionar **2** *vi* fusionarse

futile [fytil] *adj (insignifiant)* fútil; *(frivole)* frívolo(a)

futur, -e [fytyr] **1** *adj* futuro(a) **2** *nm* futuro *m* ▪ **f. antérieur** futuro perfecto

fuyant, -e [fɥijã, -ãt] *adj (front)* deprimido(a); *(regard)* huidizo(a)

fuyard, -e [fɥijar, -ard] *nm,f* fugitivo(a) *m,f*

Gg

G, g [ʒe] *nm inv (lettre)* G f, g f

gabarit [gabari] *nm (modèle)* gálibo m; *(carrure)* cuerpo m

gâcher [gaʃe] *vt (argent, talent)* malgastar; *(vie)* arruinar; *(occasion)* perder; *(nourriture)* echar a perder

gâchette [gaʃɛt] *nf* gatillo m

gâchis [gaʃi] *nm (gaspillage)* derroche m

gadget [gadʒɛt] *nm* chisme m

gadoue [gadu] *nf* barro m

gag [gag] *nm (au théâtre)* gag m; *(plaisanterie)* broma f

gage [gaʒ] *nm (dépôt, au jeu)* prenda f; *(preuve)* testimonio m, prueba f; **mettre qch en g.** empeñar algo

gagnant, -e [gaɲɑ̃, -ɑ̃t] *adj & nm,f* ganador(ora) m,f

gagne-pain [gaɲpɛ̃] *nm inv* sustento m

gagner [gaɲe] **1** *vt (argent, estime)* ganar; *(se)* ganarse; *(sujet: épidémie, feu)* alcanzar **2** *vi* ganar; *(se propager)* extenderse; **ce vin gagne à vieillir** este vino gana al envejecer

gai, -e [gɛ] *adj* alegre

gaieté [gete] *nf* alegría f

gaillard, -e [gajar, -ard] *nm,f* buen(a) mozo(a) m,f

gain [gɛ̃] *nm* ganancia f; *(économie)* ahorro m; **il a obtenu g. de cause** le han dado la razón

gaine [gɛn] *nf (étui)* funda f; *(sous-vêtement)* faja f

gala [gala] *nm* gala f

galant, -e [galɑ̃, -ɑ̃t] *adj* galante

galanterie [galɑ̃tri] *nf* galantería f

galaxie [galaksi] *nf* galaxia f

galerie [galri] *nf* galería f; *(porte-bagages)* baca f

galet [galɛ] *nm (caillou)* canto m rodado, guijarro m

galette [galɛt] *nf (gâteau)* torta f; *(crêpe)* crepe f salada

galon [galɔ̃] *nm (bordure)* pasamano m; *(militaire)* galón m

galop [galo] *nm* galope m; **au g.** *(cheval)* al galope; *Fig (partir)* rápido

galoper [galɔpe] *vi* galopar; *(personne)* trotar

gambader [gɑ̃bade] *vi* saltar

gamelle [gamɛl] *nf (plat)* escudilla f

gamin, -e [gamɛ̃, -in] *nm,f Fam (enfant)* crío(a) m,f

gamme [gam] *nf (musicale)* escala f, gama f; *(série)* gama f

gang [gɑ̃g] *nm* banda f

gant [gɑ̃] *nm* guante m; **ça lui va comme un g.** eso le viene perfectamente ■ **g. de toilette** manopla f de ducha

garage [garaʒ] *nm (abri)* garage m; *(atelier)* taller m, *Méx* refaccionaria f

garagiste [garaʒist] *nmf* mecánico m; **emmener sa voiture chez le g.** llevar el *Esp* coche o *Am* carro o *RP* auto al taller

garant, -e [garɑ̃, -ɑ̃t] *nm,f Jur (responsable)* garante mf; *(d'une dette)* avalador(ora) m,f; **se porter g. de** responder de; **se porter g. de qn** *(financièrement)* avalar a alguien

garantie [garɑ̃ti] *nf* garantía f

garantir [garɑ̃tir] *vt* garantizar

garçon [garsɔ̃] *nm (jeune homme)* chico m, muchacho m; *(serveur) Esp* camarero m, *Chile, Ven* mesonero m, *Col, Méx* mesero m, *CRica* salonero m, *Perú, RP* mozo m ■ **g. de café**

camarero; **g. manqué** marimacho *m*;
petit g. niño *m*; *Vieilli* **vieux g.**
solterón *m*

garde [gard] **1** *nf* guardia *f*; *Jur*
(d'enfants) custodia *f*; **médecin de**
garde médico(a) de guardia; **monter la g.**
montar guardia; **être** *ou* **se tenir sur**
ses gardes estar sobre aviso; **mettre**
qn en g. contre poner a alguien en
guardia contra; **prendre g. à** tener
cuidado con **2** *nm (gardien)* guarda
mf ▪ **g. du corps** guardaespaldas *mf*
inv; **g. forestier** guarda forestal

garde-à-vous [gardavu] *nm inv*
posición *f* de firmes; **se mettre au g.**
ponerse firme

garde-chasse *(pl* **gardes-chasse** *ou*
gardes-chasses) [gardǝʃas] *nm* guarda
m de caza

garde-manger [gardmãʒe] *nm inv*
despensa *f*

garder [garde] **1** *vt (secret, silence,*
place) guardar; *(enfant, porte,*
prisonnier) vigilar; *(conserver) (den-*
rées) conservar; *(vêtement) (sur soi)*
quedarse con; **g. le lit** guardar cama
2 se garder *upr (se conserver)*
conservarse; **se g. de faire qch**
guardarse de hacer algo

garderie [gardǝri] *nf* guardería *f*

garde-robe *(pl* **garde-robes)** [gardǝ-
rɔb] *nf (armoire)* ropero *m*; *(vêtements)*
guardarropa *m*, vestuario *m*

gardien, -enne [gardjɛ̃, -ɛn] *nm,f*
guarda *mf*, vigilante *mf*; *(d'immeuble)*
portero(a) *m,f* ▪ **g. de nuit** vigilante
nocturno(a)

gare¹ [gar] *nf* estación *f* ▪ **g. routière**
estación de autobuses

gare² ** *exclam* **g. à...! ¡cuidado con...!;
g. à toi! *(exprime la menace)* ¡ya verás!

garer [gare] **1** *vt Esp* aparcar, *Am*
parquear, *RP* estacionar **2 se garer**
upr (automobiliste) aparcar; *(se ranger*
de côté) apartarse

gargariser [gargarize] **se gargariser**
upr (se rincer) hacer gárgaras

gargouiller [garguje] *vi (eau)*
gorgotear; *(ventre)* hacer ruido

garnir [garnir] *vt (équiper)* equipar;
(approvisionner, remplir) llenar; **g. qch**
de *(couvrir)* cubrir algo de; *(orner)*
guarnecer algo con; **plat garni** plato
m con guarnición

garnison [garnizɔ̃] *nf* guarnición *f*

garniture [garnityr] *nf (de lit)* juego *m*;
(d'un plat) guarnición *f*

gasoil [gazwal] *nm* gasoil *m*

gaspillage [gaspijaʒ] *nm* despilfarro
m

gaspiller [gaspije] *vt* despilfarrar

gâteau, -x [gato] *nm* pastel *m*

gâter [gate] **1** *vt (avarier, gâcher)*
estropear; *(affaire)* arruinar; *(enfant)*
mimar, *Méx* apapachar; **elle gâte**
trop ses enfants malcría a sus hijos
2 se gâter *upr (aliment)* estropearse;
(dent) picarse; *(situation, temps)*
ponerse feo(a)

gâteux, -euse [gatø, -øz] *adj*
chocho(a)

gauche [goʃ] **1** *adj (situé à gauche)*
izquierdo(a); *(maladroit)* torpe **2** *nf*
izquierda *f*; **à g. (de)** a la izquierda
(de); **de g.** de la izquierda; *Pol* de
izquierdas

gaucher, -ère [goʃe, -ɛr] *adj & nm,f*
zurdo(a) *m,f*

gauchiste [goʃist] *adj & nmf*
izquierdista *mf*

gaufre [gofr] *nf* gofre *m*

gaufrette [gofret] *nf* barquillo *m*

gaver [gave] **1** *vt* cebar (**de** con) **2 se**
gaver *upr* **se g. de qch** hincharse de
algo

gaz [gaz] *nm inv* gas *m* ▪ **g.**
carbonique anhídrido *m* carbónico

gazeux, -euse [gazø, -øz] *adj Chim*
gaseoso(a); *(boisson)* con gas

gazole [gazɔl] = **gasoil**

gazon [gazɔ̃] *nm* césped *m*; *Sp* **sur g.**
sobre hierba

gazouiller [gazuje] *vi (oiseau)* trinar,
gorjear; *(bébé)* balbucear

géant, -e [ʒeã, -ãt] *adj* gigante,
gigantesco(a)

geindre [54] [ʒɛ̃dr] *vi* gemir

gel [ʒel] *nm (verglas)* helada *f*;

(cosmétique) gel *m*; *Fig (des salaires)* congélation *f*

gelée [ʒəle] *nf (verglas)* helada *f*; *(de viandes, de fruits)* gelatina *f*

geler [39] [ʒəle] **1** *vt* helar; *(salaires)* congelar **2** *vi* helarse **3** *v impersonnel* **il gèle** hiela

Gémeaux [ʒemo] *nmpl Astrol* Géminis *m inv*

gémir [ʒemir] *vi* gemir

gémissement [ʒemismã] *nm* gemido *m*

gênant, -e [ʒenã, -ãt] *adj* molesto(a)

gencive [ʒãsiv] *nf* encía *f*

gendarme [ʒãdarm] *nm* gendarme *m*, guardia *m* civil

gendarmerie [ʒãdarmeri] *nf* gendarmería *f*, Guardia *f* Civil

gendre [ʒãdr] *nm* yerno *m*

gène [ʒɛn] *nm* gen *m*

gêne [ʒɛn] *nf (physique, psychologique)* molestia *f*; **éprouver de la g. à faire qch** costarle a uno hacer algo

généalogie [ʒenealɔʒi] *nf* genealogía *f*

généalogique [ʒenealɔʒik] *adj* genealógico(a)

gêner [ʒene] **1** *vt (embarrasser, incommoder)* molestar; *(encombrer, entraver)* estorbar; *(serrer)* **2 se gêner** *vpr* ne pas se g. pour faire qch no cortarse a la hora de hacer algo; *Iron* **ne vous gênez pas (pour moi)!** ¡tú/vosotros/*etc* a lo tuyo/vuestro/*etc*!

général, -e, -aux, -ales [ʒeneral, -o] **1** *adj* general; **en g.** en general **2** *nm (militaire)* general *m*

généraliser [ʒeneralize] **1** *vt* generalizar **2 se généraliser** *vpr* generalizarse

généraliste [ʒeneralist] *nmf* médico(a) *m,f* de medicina general

généralité [ʒeneralite] *nf* generalidad *f*

générateur, -trice [ʒeneratœr, -tris] **1** *adj* generador(ora) **2** *nm* generador *m*

génération [ʒenerasjɔ̃] *nf* generación *f*

générer [34] [ʒenere] *vt* generar

généreux, -euse [ʒenerø, -øz] *adj* generoso(a)

générique¹ [ʒenerik] *adj (terme)* genérico(a)

générique² *nm (d'un film)* títulos *mpl* de crédito

générosité [ʒenerozite] *nf* generosidad *f*

génétique [ʒenetik] **1** *adj* genético(a) **2** *nf* genética *f*

Genève [ʒənɛv] *n* Ginebra

génial, -e, -aux, -ales [ʒenjal, -o] *adj* genial

génie [ʒeni] *nm* genio *m*; *Tech* ingeniería *f*

genou, -x [ʒənu] *nm* rodilla *f*; **se mettre à genoux** arrodillarse

genre [ʒãr] *nm* género *m*, tipo *m*; **avoir bon/mauvais g.** ser distinguido(a)/vulgar

gens [ʒã] *nmpl* gente *f* ▪ **jeunes g.** jóvenes *mpl*

gentil, -ille [ʒãti, -ij] *adj (aimable)* amable; *(sage)* bueno(a)

gentillesse [ʒãtijɛs] *nf (qualité)* amabilidad *f*; *(geste)* atención *f*

gentiment [ʒãtimã] *adv (aimablement)* amablemente; *Suisse (tranquillement)* tranquilamente

géographie [ʒeɔgrafi] *nf* geografía *f*

géographique [ʒeɔgrafik] *adj* geográfico(a)

géologie [ʒeɔlɔʒi] *nf* geología *f*

géomètre [ʒeɔmɛtr] *nmf (technicien)* topógrafo(a) *m,f*

géométrie [ʒeɔmetri] *nf* geometría *f*

gérant, -e [ʒerã, -ãt] *nm,f* gerente *m,f*

gerbe [ʒɛrb] *nf (de fleurs)* ramo *m*; *(de blé)* gavilla *f*, haz *m*; *(d'eau)* chorro *m*

gerçure [ʒɛrsyr] *nf* grieta *f*

gérer [34] [ʒere] *vt* administrar

germe [ʒɛrm] *nm* germen *m*

germer [ʒɛrme] *vi* germinar

gésir [40] [ʒezir] *vi Litt* yacer; **ci-gît...** *(sur une tombe)* aquí yace...

geste [ʒɛst] *nm* gesto *m*; **faire un g.** *(bonne action)* hacer una buena acción

gestion [ʒɛstjɔ̃] *nf* administración *f*, gestión *f*

gestionnaire [ʒɛstjɔner] *nmf* administrador(ora) *m,f*, gestor(ora) *m,f*

gibier [ʒibje] *nm* caza *f* ■ **gros g.** caza mayor

giboulée [ʒibule] *nf* chaparrón *m*; **les giboulées de mars** los chaparrones primaverales

gicler [ʒikle] *vi* salpicar con fuerza

gifle [ʒifl] *nf* bofetada *f*; *Fig* humillación *f*

gifler [ʒifle] *vt* dar una bofetada a

gigantesque [ʒigɑ̃tɛsk] *adj* gigantesco(a)

gigot [ʒigo] *nm* pierna *f*

gilet [ʒile] *nm* chaqueta *f* de punto; *(sans manches)* chaleco *m* ■ **g. de sauvetage** chaleco salvavidas

gingembre [ʒɛ̃ʒɑ̃br] *nm* jengibre *m*

girafe [ʒiraf] *nf* jirafa *f*

giratoire [ʒiratwar] *adj* giratorio(a)

girofle [ʒirɔfl] *nm voir* **clou**

gisement [ʒizmɑ̃] *nm* yacimiento *m*

Gitan, -e [ʒitɑ̃, -an] *nm,f* gitano(a) *m,f*

gîte [ʒit] *nm (logement)* alojamiento *m* ■ **g. rural** casa *f* de turismo rural

givre [ʒivr] *nm* escarcha *f*

glace [glas] *nf (eau congelée)* hielo *m*; *(crème glacée)* helado *m*; *(plaque de verre)* luna *f*; *(de voiture)* ventanilla *f*; *(miroir)* espejo *m*

glacé, -e [glase] *adj* helado(a); *(au sucre)* glaseado(a)

glacer [16] [glase] *vt* helar; *(au sucre)* glasear

glacial, -e, -aux, -ales [glasjal, -o] *adj aussi Fig* glacial

glacier[1] [glasje] *nm (en montagne)* glaciar *m*

glacier[2] [glasje] *nm (marchand de glaces)* vendedor *m* de helados

glacière [glasjer] *nf (pour pique-nique)* nevera *f*

glaçon [glasɔ̃] *nm (glace naturelle)* témpano *m* (de hielo); *(cube de glace)* cubito *m* de hielo

glande [glɑ̃d] *nf* glándula *f*

glaner [glane] *vt aussi Fig* espigar

glissade [glisad] *nf* deslizamiento *m*

glissant, -e [glisɑ̃, -ɑ̃t] *adj* resbaladizo(a)

glissement [glismɑ̃] *nm* deslizamiento *m*; *Fig (déplacement)* desplazamiento *m* ■ **g. de terrain** corrimiento *m* de tierras

glisser [glise] **1** *vi* resbalar; *(patineur, skieur)* deslizarse **2** *vt (introduire)* deslizar; *(donner)* pasar; *(regard)* lanzar; *(mots)* susurrar **3 se glisser** *vpr (se faufiler)* colarse

glissière [glisjer] *nf* corredera *f*

global, -e, -aux, -ales [glɔbal, -o] *adj* global

globalement [glɔbalmɑ̃] *adv* globalmente

globe [glɔb] *nm* globo *m*

globuleux, -euse [glɔbylø, -øz] *adj (yeux)* saltón(ona)

gloire [glwar] *nf (renommée)* gloria *f*; *(mérite)* mérito *m*

glorieux, -euse [glɔrjø, -øz] *adj* glorioso(a)

glousser [gluse] *vi (poule)* cloquear; *Péj (rire)* reír ahogadamente

glouton, -onne [glutɔ̃, -ɔn] *adj & nm,f* glotón(ona) *m,f*

gluant, -e [glyɑ̃, -ɑ̃t] *adj* pegajoso(a)

goal [gol] *nm* portero *m* (en fútbol)

gobelet [gɔble] *nm (en métal, pour les dés)* cubilete *m*; **g. en plastique/carton** vaso *m* de plástico/papel

goéland [gɔelɑ̃] *nm* gaviota *f*

golf [gɔlf] *nm* golf *m*

golfe [gɔlf] *nm* golfo *m* ■ **le g. de Gascogne** el golfo de Vizcaya; **le g. Persique** el golfo Pérsico

gomme [gɔm] *nf (pour effacer)* goma *f*

gommer [gɔme] *vt (effacer)* borrar

gond [gɔ̃] *nm* gozne *m*

gondoler [gɔ̃dɔle] **1** *vi* combarse **2 se gondoler** *vpr* combarse

gonflable [gɔ̃flabl] *adj* hinchable

gonflé, -e [gɔ̃fle] *adj* hinchado(a); *Fam* **être g.** *(culotté)* tener morro

gonfler [gɔ̃fle] **1** *vt* hinchar, inflar **2** *vi* hincharse

gorge [gɔrʒ] *nf (gosier, vallée)* garganta *f; (cou)* cuello *m*

gorgé, -e [gɔrʒe] *adj* g. de qch *(saturé)* saturado(a) de algo

gorgée [gɔrʒe] *nf* trago *m*

gorger [45] [gɔrʒe] **se gorger** *upr* se g. de qch *(se gaver)* hincharse de algo

gorille [gɔrij] *nm* gorila *m*

gothique [gɔtik] *adj* gótico(a)

goudron [gudrɔ̃] *nm* alquitrán *m*

gouffre [gufr] *nm* abismo *m; (chose ruineuse)* pozo *m* sin fondo

goulot [gulo] *nm* gollete *m;* **boire au g.** beber a morro

goulu, -e [guly] *adj* tragón(ona)

gourde [gurd] *nf (bouteille)* cantimplora *f; Fam (personne)* zoquete *mf*

gourer [gure] **se gourer** *upr Fam* confundirse (**de** de)

gourmand, -e [gurmɑ̃, -ɑ̃d] *adj & nm,f* goloso(a) *m,f*

gourmandise [gurmɑ̃diz] *nf (goût pour la nourriture)* glotonería *f; (sucrerie)* golosina *f*

gourmet [gurmε] *nm* gourmet *m*

gousse [gus] *nf (de petit pois, de haricot)* vaina *f; (d'ail)* diente *m*

goût [gu] *nm (sens, jugement esthétique)* gusto *m; (saveur)* gusto *m,* sabor *m; (penchant)* afición *f,* inclinación *f;* **prendre g. à qch** tomarle gusto a algo

goûter [gute] **1** *vt (aliment)* probar; *Litt (auteur, plaisanterie)* apreciar **2** *vi (prendre une collation)* merendar **3** *nm* merienda *f*

goutte [gut] *nf* gota *f; Fam (alcool)* chupito *m;* **gouttes** *(médicament)* gotas; **g. à g.** gota a gota

goutte-à-goutte [gutagut] *nm inv* gota a gota *m*

gouttelette [gutlεt] *nf* gotita *f*

goutter [gute] *vi* gotear

gouttière [gutjεr] *nf (sous un toit)* canalón *m*

gouvernail [guvεrnaj] *nm* timón *m*

gouvernante [guvεrnɑ̃t] *nf (d'enfants)* aya *f; (dame de compagnie)* ama *f* de llaves, gobernanta *f*

gouvernement [guvεrnəmɑ̃] *nm* gobierno *m*

gouverner [guvεrne] *vt* gobernar

gouverneur [guvεrnœr] *nm* gobernador *m*

grâce [grɑs] *nf* gracia *f; (amnistie)* indulto *m;* **de bonne/mauvaise g.** de buena/mala gana; **g. à** gracias a

gracier [66] [grasje] *vt* indultar

gracieusement [grasjøzmɑ̃] *adv (avec grâce)* con gracia; *(gratuitement)* graciosamente

gracieux, -euse [grasjø, -øz] *adj (charmant)* lleno(a) de gracia, grácil; **à titre g.** gratuitamente

grade [grad] *nm* grado *m*

gradé, -e [grade] *adj & nm,f* suboficial *mf*

gradins [gradɛ̃] *nmpl (de stade)* gradas *fpl*

graduel, -elle [graduεl] *adj* gradual

graffiti(s) [grafiti] *nmpl* pintadas *fpl,* graffitis *mpl*

grain [grɛ̃] *nm* grano *m; (de poussière)* mota *f; Fam* **avoir un g.** estar chalado(a), estar ido(a) ■ **g. de beauté** lunar *m*

graine [grεn] *nf* semilla *f,* simiente *f*

graisse [grεs] *nf* grasa *f*

graisser [grεse] *vt (machine)* engrasar; *(salir)* manchar de grasa

grammaire [gramεr] *nf* gramática *f*

grammatical, -e, -aux, -ales [gramatikal, -o] *adj* gramatical

gramme [gram] *nm* gramo *m*

grand, -e [grɑ̃, grɑ̃d] **1** *adj* grande, gran; *(en hauteur)* alto(a); *(en âge)* mayor; **un g. volume** un volumen grande, un gran volumen; **g. âge** edad avanzada **2** *nm,f (adulte)* persona *f* mayor

grand-chose [grɑ̃ʃoz] *pron indéfini* ce n'est pas g. no es gran cosa, es poca cosa

Grande-Bretagne [grɑ̃dbrətaɲ] *nf* la G. Gran Bretaña

grandeur [grɑ̃dœr] *nf (dimension)* tamaño *m; (splendeur)* grandeza *f*

grandiose [grɑ̃djoz] *adj* grandioso(a)

grandir [grɑ̃dir] **1** *vi* crecer **2** *vt (faire paraître plus grand)* hacer (parecer) más alto(a)

grand-mère (*pl* grands-mères) [grɑ̃-mɛr] *nf* abuela *f, Andes, Méx* mamá *f* grande

grand-père (*pl* grands-pères) [grɑ̃-pɛr] *nm* abuelo *m, Andes, Méx* papá *m* grande

grands-parents [grɑ̃parɑ̃] *nmpl* abuelos *mpl*

grange [grɑ̃ʒ] *nf* granero *m*

granit(e) [granit] *nm* granito *m*

graphique [grafik] **1** *adj* gráfico(a) **2** *nm* gráfico *m*, gráfica *f*

grappe [grap] *nf* racimo *m*

gras, grasse [grɑ, grɑs] **1** *adj* graso(a); *(personne, animal)* gordo(a); *(plaisanterie)* grosero(a); *(rire)* cazalloso(a); *(crayon, toux)* blando(a); *(plante)* carnoso(a); **faire la grasse matinée** levantarse muy tarde **2** *nm (de viande)* tocino *m*; *(en typographie)* negrita *f*, negrilla *f*

grassement [grɑsmɑ̃] *adv (largement)* generosamente

gratifier [66] [gratifje] *vt* gratificar; **g. qn de qch** gratificar a alguien con algo; *Iron* obsequiar a alguien con algo

gratin [gratɛ̃] *nm (plat)* gratén *m*, gratinado *m*; *Fam (haute société)* flor y nata *f*

gratis [gratis] *adv* gratis

gratitude [gratityd] *nf* gratitud *f*, agradecimiento *m*

gratte-ciel [gratsjɛl] *nm inv* rascacielos *m inv*

gratter [grate] **1** *vt (surface, peinture)* rascar; *(sujet: vêtement)* picar **2** *vi (démanger)* picar; *Fam (écrire)* garrapatear **3 se gratter** *vpr* rascarse

gratuit, -e [gratɥi, -it] *adj* gratuito(a)

gratuitement [gratɥitmɑ̃] *adv (sans payer)* gratis, gratuitamente; *(sans raison)* gratuitamente

gravats [grava] *nmpl* escombros *mpl*, cascotes *mpl*

grave [grav] *adj* grave; **ce n'est pas g.** *(ça n'a pas d'importance)* no importa

gravement [gravmɑ̃] *adv (parler)* con gravedad; *(blesser)* de gravedad, gravemente

graver [grave] *vt* grabar; **son visage est gravé dans ma mémoire** tengo su cara grabada en la memoria

gravier [gravje] *nm Esp* grava *f, Am* pedregullo *m*

gravillon [gravijɔ̃] *nm* gravilla *f*

gravir [gravir] *vt* subir dificultosamente

gravité [gravite] *nf* gravedad *f*

graviter [gravite] *vi* **g. autour de** *(astre)* gravitar alrededor de; *Fig* girar alrededor de

gravure [gravyr] *nf* grabado *m*

gré [gre] *nm* **contre mon/son/etc g.** en contra de mi/su/etc voluntad; **de g. ou de force** por las buenas o por las malas

grec, grecque [grɛk] **1** *adj* griego(a) **2** *nm,f* **G.** griego(a) *m,f* **3** *nm (langue)* griego *m*

Grèce [grɛs] *nf* **la G.** Grecia

grecque [grɛk] *voir* **grec**

greffe¹ [grɛf] *nf Méd* trasplante *m*; *Bot* injerto *m*

greffe² [grɛf] *nm Jur* secretaría *f* del juzgado

greffer [grefe] *vt (organe)* trasplantar; *(peau, branche)* injertar

greffier [grefje] *nm Jur* secretario(a) *m,f* judicial

grêle¹ [grɛl] *adj (jambe)* delgaducho(a); *(voix)* agudo(a)

grêle² *nf (précipitation)* granizo *m*

grêler [grele] *v impersonnel* **il grêle** está granizando

grêlon [grɛlɔ̃] *nm* granizo *m*

grelot [grəlo] *nm* cascabel *m*

grelotter [grəlɔte] *vi* tiritar

grenade [grənad] *nf* granada *f* ■ **g. lacrymogène** (bomba *f* de) gases *mpl* lacrimógenos

grenier [grənje] *nm (d'une maison)* desván *m*; *(à grain)* granero *m*

grenouille [grənuj] *nf* rana *f*

grès [grɛ] *nm (roche)* arenisca *f*; *(poterie)* gres *m*

grésiller [grezije] *vi* chisporrotear

grève[1] [grɛv] *nf (protestation)* huelga *f*; **faire (la) g.** hacer huelga; **en g.** en huelga ■ **g. de la faim** huelga de hambre; **g. du zèle** huelga de celo

grève[2] *nf (rivage)* arenal *m*

gréviste [grevist] *adj & nmf* huelguista *mf*

gribouiller [gribuje] *vt* garabatear

grief [grijef] *nm* queja *f*; **faire** *ou* **tenir g. de qch à qn** echar en cara algo a alguien

grièvement [grijɛvmã] *adv* gravemente

griffe [grif] *nf (d'un animal)* garra *f*, zarpa *f*; *(d'un chat)* uña *f*; *(nom)* nombre *m*; *Belg (éraflure)* arañazo *m*

griffer [grife] *vt (blesser)* arañar

griffonner [grifɔne] **1** *vt* garabatear **2** *vi* hacer garabatos

grignoter [griɲɔte] **1** *vt (du bout des dents)* mordisquear; *(en dehors des repas)* picar; *(capital)* pulirse **2** *vi* picar

gril [gril] *nm* parrilla *f*

grillade [grijad] *nf* = ración de carne o pescado a la parrilla

grillage [grijaʒ] *nm (clôture)* alambrada *f*; *(de fenêtre)* rejilla *f*

grille [grij] *nf (portail)* cancela *f*; *(de ventilation)* reja *f*; *(de guichet)* rejilla *f*; *(de mots croisés, de loto)* encasillado *m*; *(tableau)* cuadro *m*

grille-pain [grijpɛ̃] *nm inv* tostadora *f*, tostador *m*

griller [grije] **1** *vt (viande)* asar; *(pain)* tostar; *(végétation, moteur)* quemar; *(ampoule)* fundir; *Fam (cigarette)* fumarse; *Fam (feu rouge, étape)* saltarse **2** *vi (viande)* asarse

grillon [grijɔ̃] *nm* grillo *m*

grimace [grimas] *nf* mueca *f*; **faire la g.** poner cara de disgusto

grimper [grɛ̃pe] **1** *vt* trepar a **2** *vi* trepar; *(route)* estar en cuesta; *Fig (prix)* subir; **g. à qch** *(arbre, échelle)* subirse a algo

grincement [grɛ̃smã] *nm* chirrido *m*

grincer [16] [grɛ̃se] *vi* rechinar, chirriar; **g. des dents** hacer rechinar los dientes

grincheux, -euse [grɛ̃ʃø, -øz] *adj* gruñón(ona)

grippe [grip] *nf* gripe *f*, *Col, Méx* gripa *f*

grippé, -e [gripe] *adj* griposo(a)

gris, -e [gri, griz] **1** *adj* gris; *(saoul)* achispado(a); **il fait g.** está nublado **2** *nm (couleur)* gris *m*

grisaille [grizaj] *nf (du ciel)* tono *m* gris; *Fig (de la vie)* monotonía *f*

grisonner [grizɔne] *vi* encanecerse

grivois, -e [grivwa, -az] *adj* verde *(picante)*

Groenland [grɔenlãd] *nm* **le G.** Groenlandia

grog [grɔg] *nm* grog *m*

grognement [grɔɲmã] *nm* gruñido *m*

grogner [grɔɲe] *vi* gruñir

grommeler [9] [grɔmle] *vt & vi* mascullar

gronder [grɔ̃de] **1** *vi (tonnerre)* rugir; *(animal)* gruñir **2** *vt* regañar

gros, grosse [gro, gros] **1** *adj (corpulent)* gordo(a); *(volumineux, important)* grande; *(grossier)* grueso(a); *(fort, sonore)* fuerte; **une grosse somme** una gran suma

2 *nm,f (personne corpulente)* gordo(a) *m,f*

3 *adv (beaucoup)* mucho

4 *nm Com* **le g.** los negocios al por mayor, *Am* el mayoreo; **le g. de** *(la majeure partie)* la mayor parte de

groseille [grozɛj] *nf* grosella *f*

grosse [gros] *voir* **gros**

grossesse [groses] *nf* embarazo *m*

grosseur [grosœr] *nf (grandeur, corpulence)* tamaño *m*; *(épaisseur)* grosor *m*; *Méd* bulto *m*

grossier, -ère [grosje, -er] *adj* grosero(a); *(estimation)* aproximado(a); *(erreur)* burdo(a)

grossièrement [grosjermã] *adv* groseramente; *(dessiner, décrire)* a grandes rasgos

grossièreté [grosjerte] *nf (incorrec-*

tion, mot) grosería f; *(d'un dessin)* tosquedad f

grossir [grosir] **1** *vi (prendre du poids)* engordar; *(augmenter)* crecer **2** *vt (sujet: microscope, verre)* agrandar; *(sujet: vêtement)* hacer parecer más gordo(a); *(importance)* exagerar

grossiste [grosist] *nmf* mayorista *mf*

grotesque [grɔtesk] *adj* grotesco(a)

grotte [grɔt] *nf* gruta f

grouiller [gruje] **1** *vi* hormiguear; **g. de** hervir de **2 se grouiller** *upr Fam* espabilarse

groupe [grup] *nm* grupo *m* ■ **g. sanguin** grupo sanguíneo

groupement [grupmã] *nm* agrupación f, agrupamiento *m*

grouper [grupe] **1** *ut* agrupar **2 se grouper** *upr* agruparse

grue [gry] *nf (appareil de levage)* grúa f; *(oiseau)* grulla f

grumeau, -x [grymo] *nm* grumo *m*

Guadeloupe [gwadlup] *nf* la G. Guadalupe

Guatemala [gwatemala] *nm* le G. Guatemala

gué [ge] *nm* vado *m*; **passer à g.** vadear

guenon [gənɔ̃] *nf* mona f

guépard [gepar] *nm* guepardo *m*

guêpe [gɛp] *nf* avispa f

guère [gɛr] *adv* **ne… g.** *(avec un verbe)* no… mucho; *(avec un adjectif)* no… muy; **elle ne l'aime g.** no le gusta mucho; **elle n'est g. anxieuse** no está muy preocupada

guérilla [gerija] *nf* guerrilla f

guérir [gerir] **1** *ut* curar **2** *vi* curarse

guérison [gerizɔ̃] *nf* curación f

guerre [gɛr] *nf* guerra f; **la g. d'Espagne** la Guerra Civil española; **la g. du Golfe** la guerra del Golfo; **la Première/Seconde G. mondiale** la Primera/Segunda Guerra Mundial

guerrier, -ère [gɛrje, -ɛr] **1** *adj* guerrero(a) **2** *nm* guerrero *m*

guet [gɛ] *nm* **faire le g.** estar de vigilancia

guet-apens *(pl* guets-apens) [gɛtapã] *nm (embuscade)* emboscada f

guetter [gete] *ut* acechar, *Andes, Ven* aguaitar; *(signe, réaction)* esperar

gueule [gœl] *nf (d'un animal)* boca f; *très Fam (bouche)* pico *m*; *très Fam (visage)* careto *m*; *très Fam* **faire la g.** estar de morros; *Vulg* **ta g.!** ¡cierra el pico!, ¡cállate!; *Fam* **avoir la g. de bois** tener resaca

gui [gi] *nm* muérdago *m*

guichet [giʃɛ] *nm Esp* taquilla f, *Am* boletería f ■ **g. automatique** cajero *m* automático

guichetier, -ère [giʃtje, -er] *nm,f Esp* taquillero(a) *m,f*, *Am* boletero(a) *m,f*

guide [gid] **1** *nmf (personne)* guía *mf* **2** *nm (livre)* guía f

guider [gide] *ut* guiar

guidon [gidɔ̃] *nm* manillar *m*

guignol [giɲɔl] *nm (marionnette)* títere *m*; *(théâtre)* guiñol *m*; *Péj (personne ridicule)* mamarracho *m*

guillemet [gijmɛ] *nm* comilla f

guillotine [gijɔtin] *nf* guillotina f

guimauve [gimov] *nf (confiserie)* nube f

guindé, -e [gɛ̃de] *adj* estirado(a)

guirlande [girlɑ̃d] *nf* guirnalda f

guise [giz] *nf* **à ma/sa/etc g.** a mi/su/ *etc* manera

guitare [gitar] *nf* guitarra f

guitariste [gitarist] *nmf* guitarrista *mf*

Guyane [gɥijan] *nf* **la G. (la)** Guayana

gymnase [ʒimnɑz] *nm* gimnasio *m*

gymnastique [ʒimnastik] *nf* gimnasia f

gynécologue [ʒinekɔlɔg] *nmf* gine-cólogo(a) *m,f*

Hh

H, h [aʃ] *nm inv (lettre)* H *f*, h *f*

habile [abil] *adj* hábil

habileté [abilte] *nf* habilidad *f*

habiller [abije] **1** *vt* vestir (**de** de)
2 s'habiller *upr* vestirse

habit [abi] *nm (costume)* traje *m*; *Rel* hábito *m*; **habits** ropa *f*

habitant, -e [abitã, -ãt] *nm,f* habitante *mf*

habitat [abita] *nm (d'une espèce)* hábitat *m*; *(conditions de logement)* vivienda *f*

habitation [abitasjɔ̃] *nf* vivienda *f*

habité, -e [abite] *adj* habitado(a)

habiter [abite] **1** *vt* vivir en **2** *vi* vivir

habitude [abityd] *nf* costumbre *f*;
avoir l'h. de qch/de faire qch tener la costumbre de algo/de hacer algo

habituel, -elle [abituɛl] *adj* habitual

habituer [abitɥe] **1** *vt* **h. qn à qch/à faire qch** acostumbrar a alguien a algo/a hacer algo **2 s'habituer** *upr* **s'h. à qch/à faire qch** acostumbrarse a algo/a hacer algo

*hache [aʃ] *nf* hacha *f*

*hacher [aʃe] *vt (viande)* picar; *Fig (style, discours)* entrecortar

*hachis [aʃi] *nm* picadillo *m* ■ **h. Parmentier** = pastel de carne picada y puré de patatas

*haie [ɛ] *nf (d'arbustes)* seto *m*; *Sp (obstacle)* obstáculo *m*; **400 mètres haies** 400 metros vallas

*haine [ɛn] *nf* odio *m*

*hâle [ɑl] *nm* tostado *m*

*hâlé, -e [ɑle] *adj* tostado(a)

haleine [alɛn] *nf (souffle)* aliento *m*;
hors d'h. sin aliento

*haleter [6] [alte] *vi* jadear

*hall [ol] *nm* vestíbulo *m*, hall *m*

*halle [al] *nf* mercado *m*

hallucination [alysinasjɔ̃] *nf* alucinación *f*

halogène [alɔʒɛn] *nm* halógeno *m*

*halte [alt] **1** *nf (pause)* alto *m*; **faire h.** parar, detenerse **2** *exclam* ¡alto!

haltère [altɛr] *nm* pesa *f*

haltérophile [alterɔfil] *nmf* halterófilo(a) *m,f*

*hamac [amak] *nm* hamaca *f*

*hamburger [ãbœrgœr] *nm* hamburguesa *f*

*hameau, -x [amo] *nm* aldea *f*

hameçon [amsɔ̃] *nm* anzuelo *m*; *Fig* **mordre à l'h.** picar

*hamster [amster] *nm* hámster *m*

*hanche [ãʃ] *nf* cadera *f*

*handball [ãdbal] *nm* balonmano *m*

*handicap [ãdikap] *nm (infirmité)* discapacidad *f*; *(désavantage)* & *Sp* handicap *m*

*handicapé, -e [ãdikape] **1** *adj* discapacitado(a) **2** *nm,f* discapacitado(a) *m,f*, persona *f* con discapacidad ■ **h. mental** discapacitado psíquico; **h. moteur** discapacitado físico

*hangar [ãgar] *nm* hangar *m*

*hanter [ãte] *vt (sujet: fantôme)* aparecerse en; *Fig (obséder)* acosar

*harceler [39] [arsəle] *vt* acosar; *Fig* **h. qn de questions** acribillar a alguien a preguntas

*hardi, -e [ardi] *adj* audaz

*hargneux, -euse [arɲø, -øz] *adj (personne, ton)* colérico(a)

*haricot [ariko] *nm Esp* judía *f*, alubia

f, *Andes, CAm, Méx* frijol *m*, *RP* poroto *m* ■ **h. blanc** alubia, judía blanca, *RP* poroto de manteca; **h. rouge** judía roja; **h. vert** judía verde, *RP* chaucha *f*

*harmonica [armɔnika] *nm* armónica *f*

*harmonie [armɔni] *nf* armonía *f*

harmonieux, -euse [armɔnjø, -øz] *adj* armonioso(a)

*harmoniser [armɔnize] *vt* armonizar

*harnais [arnɛ] *nm* (*d'un cheval*) arneses *mpl*, arreos *mpl*; (*d'un alpiniste*) arnés *m*

*harpe [arp] *nf* arpa *f*

*harpon [arpɔ̃] *nm* arpón *m*

*hasard [azar] *nm* (*événement imprévu*) casualidad *f*; (*cause imprévisible*) azar *m*; **au h.** al azar; **à tout h.** por si acaso; **par h.** por casualidad

*hasarder [azarde] **1** *vt* (*conseil*) aventurar **2 se hasarder** *vpr* **se h. à faire qch** aventurarse a hacer algo

*hâte [ɑt] *nf* prisa *f*; **avoir h. de faire qch** (*avoir envie*) tener ganas de hacer algo

*hâter [ɑte] **1** *vt* (*départ, mariage*) adelantar; **h. le pas** apretar el paso **2 se hâter** *vpr* darse prisa; **se h. de faire qch** darse prisa en hacer algo

*hausse [os] *nf* alza *f*; (*des températures*) subida *f*; **en h.** en aumento

*hausser [ose] *vt* alzar; **h. les épaules** encogerse de hombros

*haut, -e [o, ot] **1** *adj* alto(a) ■ **haute couture** alta costura *f* **2** *nm* (*partie supérieure*) parte *f* de arriba, parte *f* superior; (*vêtement*) top *m*; **cette pièce fait deux mètres de h.** esta habitación tiene dos metros de alto; **de h. en bas** de arriba abajo; **du h. de** desde lo alto de **3** *adv* alto; **parler h.** hablar alto; **en h.** arriba

*hautain, -e [otɛ̃, -ɛn] *adj* altivo(a), altanero(a)

*hautbois [obwa] *nm* oboe *m*

*hauteur [otœr] *nf* altura *f*; (*colline*) alto *m*

*haut-parleur (*pl* **haut-parleurs**) [oparlœr] *nm* *Esp* altavoz *m*, *Am* altoparlante *m*

hebdomadaire [ɛbdɔmadɛr] **1** *adj* semanal **2** *nm* semanario *m*, revista *f* semanal

héberger [45] [ebɛrʒe] *vt* alojar, hospedar

hectare [ɛktar] *nm* hectárea *f*

*hélas [elas] *exclam* desgraciadamente

*héler [34] [ele] *vt* llamar

hélice [elis] *nf* hélice *f*

hélicoptère [elikɔptɛr] *nm* helicóptero *m*

helvétique [ɛlvetik] *adj* helvético(a), suizo(a)

hémisphère [emisfɛr] *nm* hemisferio *m*

hémorragie [emɔraʒi] *nf* *Méd* hemorragia *f* ■ **h. cérébrale** derrame *m* cerebral; **h. interne** hemorragia interna

hémorroïdes [emɔrɔid] *nfpl* hemorroides *fpl*

*hennir [enir] *vi* relinchar

herbe [ɛrb] *nf* hierba *f* ■ **fines herbes** finas hierbas; **mauvaises herbes** malas hierbas

herbivore [ɛrbivɔr] *adj* herbívoro(a)

héréditaire [ereditɛr] *adj* hereditario(a)

hérédité [eredite] *nf* herencia *f*

hérésie [erezi] *nf* herejía *f*

*hérisser [erise] **1** *vt* (*poil*) erizar; *Fig* (*personne*) indignar **2 se hérisser** *vpr* (*animal, poils*) erizarse

*hérisson [erisɔ̃] *nm* erizo *m*

héritage [eritaʒ] *nm* herencia *f*; **faire un h.** recibir una herencia

hériter [erite] **1** *vi* heredar; **h. de qch** heredar algo **2** *vt* **h. qch de qn** heredar algo de alguien

héritier, -ère [eritje, -er] *nm,f* heredero(a) *m,f*

hermétique [ermetik] *adj* hermético(a); (*style*) complejo(a)

héroïne [erɔin] *nf* heroína *f*

héroïque [erɔik] *adj* heroico(a)

héroïsme [eroism] *nm* heroísmo *m*

***héros** [ero] *nm* héroe *m*

hésitant, -e [ezitɑ̃, -ɑ̃t] *adj* indeciso(a)

hésitation [ezitasjɔ̃] *nf* indecisión *f*; **sans h.** sin vacilar

hésiter [ezite] *vi* vacilar, dudar (**entre/sur** entre/sobre); **h. à faire qch** dudar si hacer algo

hétérogène [eterɔʒɛn] *adj* heterogéneo(a)

***hêtre** [ɛtr] *nm* haya *f*

heure [œr] *nf* hora *f*; **il est une h.** es la una; **il est deux heures** son las dos; **quelle h. est-il?** ¿qué hora es?; **être à l'h.** llegar a la hora o puntual; **à l'h. actuelle** en estos momentos; **de bonne h.** temprano; **tout à l'h.** *(avant)* hace un rato; *(après)* luego ■ **h. d'été** horario de verano; **heures de pointe** hora punta; **heures supplémentaires** horas extraordinarias

heureusement [œrøzmɑ̃] *adv (par chance)* afortunadamente

heureux, -euse [œrø, -øz] *adj* feliz; **être h. de faire qch** estar contento(a) de hacer algo; **h. de faire votre connaissance** encantado(a) de conocerle; *Fam* **encore h. (que)** menos mal (que)

***heurter** [œrte] **1** *vt (rentrer dans)* tropezar con; *(sentiments, personne)* herir **2** *vi* **h. contre qch** chocar contra algo **3 se heurter** *vpr* **se h. à qch** *(se cogner)* chocar contra algo; *Fig (difficulté)* enfrentarse a algo

hexagone [ɛgzagɔn] *nm* hexágono *m*; **l'H. (la France)** Francia

hiberner [ibɛrne] *vi* hibernar

***hibou, -x** [ibu] *nm* búho *m*, *CAm, Méx* tecolote *m*

hier [jɛr] *adv* ayer

hiérarchie [jerarʃi] *nf* jerarquía *f*

***hi-fi** [ifi] *nf inv* alta fidelidad *f*

hilarant, -e [ilarɑ̃, -ɑ̃t] *adj* graciosísimo(a), divertidísimo(a)

hindou, -e [ɛ̃du] *adj & nm,f* hindú *m,f*

***hippie** [ipi] *adj & nmf* hippy *mf*

hippique [ipik] *adj* hípico(a)

hippodrome [ipɔdrom] *nm* hipódromo *m*

hippopotame [ipɔpɔtam] *nm* hipopótamo *m*

hirondelle [irɔ̃dɛl] *nf* golondrina *f*

***hisser** [ise] **1** *vt (drapeau, voile)* izar; *(charge)* subir **2 se hisser** *vpr (grimper)* subirse (**sur** a); *Fig* **se h. au pouvoir** ascender al poder

histoire [istwar] *nf* historia *f*; *(mensonge)* cuento *m*; **raconter des histoires** *(mensonges)* contar historias inventadas o mentiras; *Fam* **histoires** *(ennuis)* historias *fpl*, malos rollos *mpl*; *Fam* **faire des histoires** montar el número ■ **h. drôle** chiste *m*

historien, -enne [istɔrjɛ̃, -ɛn] *nm,f* historiador(ora) *m,f*

historique [istɔrik] *adj* histórico(a)

hiver [ivɛr] *nm* invierno *m*

hivernal, -e, -aux, -ales [ivɛrnal, -o] *adj* invernal

HLM [aʃɛlɛm] *nm ou nf (abrév habitation à loyer modéré)* vivienda *f* de protección oficial, VPO *f*

***hocher** [ɔʃe] *vt* **h. la tête** *(pour dire oui)* afirmar con la cabeza; *(pour dire non)* negar con la cabeza

***hockey** [ɔkɛ] *nm* hockey *m* ■ **h. sur gazon** hockey sobre hierba; **h. sur glace** hockey sobre hielo

***hold-up** [ɔldœp] *nm inv* atraco *m* a mano armada

***hollandais, -e** [ɔlɑ̃dɛ, -ɛz] **1** *adj* holandés(esa) **2** *nm,f* **H.** holandés(esa) *m,f* **3** *nm (langue)* holandés *m*

***Hollande** [ɔlɑ̃d] *nf* **la H.** Holanda

***homard** [ɔmar] *nm* bogavante *m*

homéopathie [ɔmeɔpati] *nf* homeopatía *f*

homicide [ɔmisid] *nm* homicidio *m* ■ **h. involontaire** homicidio involuntario

hommage [ɔmaʒ] *nm* homenaje *m*; **rendre h. à** rendir homenaje a

homme [ɔm] *nm* hombre *m* ■ **h. d'affaires** hombre de negocios; **h. d'État** estadista *m*; **jeune h.** joven *m*

homme-grenouille (pl **hommes-grenouilles**) [ɔmgrənuj] nm hombre m rana

homogène [ɔmɔʒɛn] adj homogéneo(a)

homologue [ɔmɔlɔg] nmf homólogo(a) m,f

homonyme [ɔmɔnim] nm homónimo m

homosexuel, -elle [ɔmɔsɛksɥɛl] adj & nm,f homosexual mf

*__Hongrie__ [ɔ̃gri] nf la H. Hungría

*__hongrois, -e__ [ɔ̃grwa, -az] **1** adj húngaro(a) **2** nm,f **H.** húngaro(a) m,f **3** nm (langue) húngaro m

honnête [ɔnɛt] adj (loyal) honesto(a); (franc) sincero(a); (satisfaisant) satisfactorio(a)

honnêtement [ɔnɛtmɑ̃] adv (franchement) sinceramente; (loyalement) honestamente; (de façon satisfaisante) satisfactoriamente

honnêteté [ɔnɛtte] nf honestidad f

honneur [ɔnœr] nm honor m; **en l'h. de qn** en honor a alguien; **faire h. à un repas** hacer los honores a una comida

honorable [ɔnɔrabl] adj honorable; (somme) razonable

honoraire [ɔnɔrɛr] **1** adj (titre) honorario(a) **2** nmpl **honoraires** honorarios mpl

honorer [ɔnɔre] vt honrar; (dette) liquidar; (chèque) hacer efectivo(a)

*__honte__ [ɔ̃t] nf vergüenza f; **avoir h. de qch/de faire qch** tener vergüenza o avergonzarse de algo/de hacer algo; **avoir h. de qn** avergonzarse de alguien

*__honteux, -euse__ [ɔ̃tø, -øz] adj (personne) avergonzado(a) (**de** de); (acte, situation) vergonzoso(a)

hôpital, -aux [ɔpital, -o] nm hospital m

*__hoquet__ [ɔkɛ] nm hipo m; **avoir le h.** tener hipo

horaire [ɔrɛr] **1** adj (tarif) por horas **2** nm horario m

horizon [ɔrizɔ̃] nm horizonte m

horizontal, -e, -aux, -ales [ɔrizɔ̃tal,

-o] **1** adj horizontal **2** nf **à l'horizontale** en horizontal

horloge [ɔrlɔʒ] nf reloj m ■ **l'h. parlante** información f horaria

hormone [ɔrmɔn] nf hormona f

horoscope [ɔrɔskɔp] nm horóscopo m

horreur [ɔrœr] nf horror m; **j'ai h. du thé/de me lever tôt** odio el té/levantarme temprano

horrible [ɔribl] adj (laid) horrible; Fig (terrible) terrible

*__hors__ [ɔr] prép **h. de** fuera de; **être h. de soi** estar fuera de sí; **h. pair** incomparable, sin par; **h. de prix** muy caro(a); **c'est h. de question** de eso ni hablar; **tu es h. sujet** te has apartado del tema; **h. taxe** (prix) sin IVA; (boutique) libre de impuestos

*__hors-bord__ [ɔrbɔr] nm inv fueraborda m

*__hors-d'œuvre__ [ɔrdœvr] nm inv entremés m

*__hors-jeu__ [ɔrʒø] nm inv fuera de juego m

*__hors-piste__ [ɔrpist] nm inv esquí m fuera de pista

horticulture [ɔrtikyltyr] nf horticultura f

hospice [ɔspis] nm hospicio m

hospitalier, -ère [ɔspitalje, -ɛr] adj hospitalario(a)

hospitaliser [ɔspitalize] vt hospitalizar

hospitalité [ɔspitalite] nf hospitalidad f

hostile [ɔstil] adj hostil (**à** a)

hostilité [ɔstilite] nf hostilidad f; **hostilités** (combats) hostilidades

hôte [ot] **1** nm (qui invite) anfitrión m **2** nmf (invité) huésped m

hôtel, -aux [otɛl] nm hotel m ■ **h. particulier** palacete m; **h. de ville** ayuntamiento m

hôtelier, -ère [otəlje, -ɛr] adj & nm,f hotelero(a) m,f

hôtellerie [otɛlri] nf (hôtel) hostal m; **l'h.** (secteur) el sector hotelero, la hostelería

hôtesse [otɛs] nf (qui invite) anfitriona f ■ h. (de l'air) azafata f; h. d'accueil azafata

*hotte [ɔt] nf (panier) cuévano m; (d'aération) campana f ■ h. aspirante campana extractora (de humos)

*houille [uj] nf hulla f

*housse [us] nf funda f ■ h. de couette funda de edredón

*houx [u] nm acebo m

*hublot [yblo] nm (de bateau) ojo m de buey; (d'avion) ventanilla f

*huées [ɥe] nfpl abucheo m

*huer [ɥe] vt abuchear

huile [ɥil] nf aceite m; (peinture) óleo m; à l'h. (sardines) en aceite ■ h. d'arachide aceite de cacahuete; h. d'olive aceite de oliva; h. solaire aceite bronceador; h. de tournesol aceite de girasol

huileux, -euse [ɥilø, -øz] adj grasiento(a); (cheveux) graso(a)

huis [ɥi] nm à h. clos a puerta cerrada

huissier [ɥisje] nm Jur alguacil m judicial; (appariteur) bedel m

*huit [ɥit] 1 adj inv ocho 2 nm inv ocho m; voir aussi six

huitième [ɥitjɛm] 1 adj & nmf octavo(a) m,f 2 nm octavo m, octava parte f; voir aussi sixième

huître [ɥitr] nf ostra f

humain, -e [ymɛ̃, -ɛn] 1 adj humano(a) 2 nm humano m

humanitaire [ymaniter] adj humanitario(a)

humanité [ymanite] nf humanidad f

humble [œbl] adj humilde

humecter [ymɛkte] 1 vt humedecer 2 s'humecter vpr s'h. les lèvres humedecerse los labios

*humer [yme] vt aspirar (oler)

humeur [ymœr] nf (disposition) humor m; être de bonne/mauvaise h. estar

de buen/mal humor; ne pas être d'h. à faire qch no estar de humor para hacer algo

humide [ymid] adj húmedo(a)

humidité [ymidite] nf humedad f

humiliation [ymiljasjɔ̃] nf humillación f

humilier [66] [ymilje] vt humillar

humilité [ymilite] nf humildad f

humoristique [ymɔristik] adj humorístico(a)

humour [ymur] nm humor m; avoir (le sens) de l'h. tener sentido del humor

*hurlement [yrləmã] nm alarido m, aullido m

*hurler [yrle] vi aullar

*hutte [yt] nf choza f, Andes mediagua f

hybride [ibrid] 1 adj híbrido(a) 2 nm híbrido m

hydrater [idrate] 1 vt hidratar 2 s'hydrater vpr (boire) beber

hydraulique [idrolik] adj hidráulico(a)

hydravion [idravjɔ̃] nm hidroavión m

hydrocarbure [idrokarbyr] nm hidrocarburo m

hydrophile [idrɔfil] adj voir coton

hyène [jɛn] nf hiena f

hygiène [iʒjɛn] nf higiene f

hygiénique [iʒjenik] adj higiénico(a)

hymne [imn] nm himno m ■ h. national himno nacional

hypermarché [ipermarʃe] nm hipermercado m

hypermétrope [ipermetrɔp] adj & nmf hipermétrope mf

hypnotiser [ipnɔtize] vt hipnotizar

hypocrisie [ipɔkrizi] nf hipocresía f

hypocrite [ipɔkrit] adj & nmf hipócrita mf

hypothèque [ipɔtɛk] nf hipoteca f

hypothèse [ipɔtɛz] nf hipótesis f inv

Ii

I, i [i] *nm inv (lettre)* I *f*, i *f*; *Fig* **mettre les points sur les i à qn** decirle tres o cuatro cosas a alguien

iceberg [isbɛrg, ajsbɛrg] *nm* iceberg *m*

ici [isi] *adv (lieu, temps)* aquí; **d'i. là** *(avant cette date)* para entonces; **par i.** por aquí; **i. Charles** *(au téléphone)* soy Charles

icône [ikon] *nf* icono *m*

idée [ide] *nf* idea *f*; **tu te fais des idées!** ¡eso son imaginaciones tuyas!; **ça ne m'était jamais venu à l'i.** nunca se me había ocurrido ■ **i. fixe** idea fija

identifier [66] [idɑ̃tifje] **1** *vt* identificar (**à** con) **2 s'identifier** *vpr* s'i. à identificarse con

identique [idɑ̃tik] *adj* idéntico(a) (**à** a)

identité [idɑ̃tite] *nf* identidad *f*

idéologie [ideɔlɔʒi] *nf* ideología *f*

idiot, -e [idjo, -ɔt] **1** *adj (idée)* tonto(a); *(personne)* idiota, tonto(a), *Am* zonzo(a) **2** *nm,f* idiota *mf*, *Esp* tonto(a) *m,f*, *Am* zonzo(a) *m,f*

idole [idɔl] *nf* ídolo *m*

idyllique [idilik] *adj* idílico(a)

igloo, iglou [iglu] *nm* iglú *m*

ignare [iɲar] *adj & nmf* ignorante *mf*

ignoble [iɲɔbl] *adj (abject)* innoble; *(hideux)* inmundo(a)

ignorance [iɲɔrɑ̃s] *nf* ignorancia *f*

ignorant, -e [iɲɔrɑ̃, -ɑ̃t] *adj & nm,f* ignorante *mf*

ignorer [iɲɔre] *vt* ignorar

il [il] *pron personnel* él; **il n'est jamais chez lui** nunca está en casa; **pourquoi a-t-il dit ça?** ¿por qué dijo eso?; **il est sympa, Laurent** es

simpático, Laurent; **il pleut** llueve; **il est six heures** son las seis

île [il] *nf* isla *f*

illégal, -e, -aux, -ales [ilegal, -o] *adj* ilegal

illégitime [ileʒitim] *adj (union, enfant)* ilegítimo(a); *(crainte, prétention)* infundado(a)

illettré, -e [iletre] *adj & nm,f* iletrado(a) *m,f*

illicite [ilisit] *adj* ilícito(a)

illimité, -e [ilimite] *adj (sans limite)* ilimitado(a); *(indéterminé)* indeterminado(a)

illisible [ilizibl] *adj* ilegible

illogique [ilɔʒik] *adj* ilógico(a)

illumination [ilyminasjɔ̃] *nf (idée)* inspiración *f*; **illuminations** *(lumières)* iluminación *f*, luces *fpl*

illuminer [ilymine] **1** *vt* iluminar **2 s'illuminer** *vpr* iluminarse

illusion [ilyzjɔ̃] *nf* ilusión *f* ■ **i. d'optique** ilusión óptica

illusionniste [ilyzjɔnist] *nmf* ilusionista *mf*

illusoire [ilyzwar] *adj* ilusorio(a)

illustration [ilystrasjɔ̃] *nf* ilustración *f*

illustre [ilystr] *adj* ilustre

illustré, -e [ilystre] *adj* ilustrado(a)

illustrer [ilystre] **1** *vt* ilustrar **2 s'illustrer** *vpr* destacar

îlot [ilo] *nm (petite île)* islote *m*; *(de maisons)* manzana *f*; *Fig (groupe isolé)* foco *m*

ils [il] *pron personnel* ellos; **i. vont réfléchir** van a pensárselo; *voir aussi* **il**

image [imaʒ] *nf* imagen *f* ■ **i. de marque** imagen de marca; *Fig (d'une* *personne, d'une entreprise)* imagen; **i. de synthèse** imagen generada por ordenador *o Am* computadora

imagé, -e [imaʒe] *adj* metafórico(a)

imaginaire [imaʒinɛr] *adj* imaginario(a)

imaginatif, -ive [imaʒinatif, -iv] *adj* imaginativo(a)

imagination [imaʒinɑsjɔ̃] *nf* imaginación *f*

imaginer [imaʒine] **1** *vt (penser)* imaginar; *(trouver)* idear **2 s'imaginer** *vpr* imaginarse

imbattable [ɛ̃batabl] *adj (champion)* invencible; *(record, prix)* insuperable

imbécile [ɛ̃besil] *adj & nmf* imbécil *mf*

imberbe [ɛ̃bɛrb] *adj* barbilampiño(a), imberbe

imbiber [ɛ̃bibe] *vt* **i. qch de qch** empapar algo en algo

imbu, -e [ɛ̃by] *adj* **être i. de soi-même** tenérselo muy creído

imbuvable [ɛ̃byvabl] *adj (boisson)* imbebible; **c'est i.** no hay quien se lo beba

imitateur, -trice [imitatœr, -tris] *nm,f* imitador(ora) *m,f*

imitation [imitasjɔ̃] *nf* imitación *f*; **i. cuir** polipiel *f*

imiter [imite] *vt* imitar; *(signature)* falsificar

immaculé, -e [imakyle] *adj* inmaculado(a)

immangeable [ɛ̃mɑ̃ʒabl] *adj* incomible

immatriculation [imatrikylɑsjɔ̃] *nf (de véhicule)* matrícula *f*

immédiat, -e [imedja, -at] *adj (dans le temps)* inmediato(a); *(dans l'espace)* más cercano(a)

immédiatement [imedjatmɑ̃] *adv* inmediatamente

immense [imɑ̃s] *adj* inmenso(a)

immerger [45] [imɛrʒe] **1** *vt* sumergir **2 s'immerger** *vpr* sumergirse

immeuble [imœbl] **1** *nm* inmueble *m* **2** *adj* inmueble

immigration [imigrɑsjɔ̃] *nf* inmigración *f*

immigré, -e [imigre] *adj & nm,f* inmigrado(a) *m,f*

imminent, -e [iminɑ̃, -ɑ̃t] *adj* inminente

immiscer [16] [imise] **s'immiscer** *vpr* **s'i. dans qch** inmiscuirse en algo

immobile [imɔbil] *adj* inmóvil; *(visage)* imperturbable

immobilier, -ère [imɔbilje, -ɛr] *adj Jur (bien)* inmueble; *(transaction, agent)* inmobiliario(a)

immobiliser [imɔbilize] **1** *vt* inmovilizar **2 s'immobiliser** *vpr (personne)* quedarse inmóvil; *(véhicule)* detenerse

immonde [imɔ̃d] *adj* inmundo(a)

immoral, -e, -aux, -ales [imɔral, -o] *adj* inmoral

immortaliser [imɔrtalize] *vt* inmortalizar

immortel, -elle [imɔrtɛl] *adj* inmortal

immuable [imɥabl] *adj (loi)* inmutable; *(attitude)* inflexible

immuniser [imynize] *vt* inmunizar

immunité [imynite] *nf* inmunidad *f*

impact [ɛ̃pakt] *nm* impacto *m*

impair, -e [ɛ̃pɛr] **1** *adj* impar **2** *nm (faux pas)* **commettre un i.** cometer una torpeza

imparable [ɛ̃parabl] *adj (coup)* imparable; *(argument)* irrefutable

impardonnable [ɛ̃pardɔnabl] *adj* imperdonable

imparfait, -e [ɛ̃parfɛ, -ɛt] **1** *adj* imperfecto(a) **2** *nm Gram* pretérito *m* imperfecto

impartial, -e, -aux, -ales [ɛ̃parsjal, -o] *adj* imparcial

impasse [ɛ̃pas] *nf (rue, difficulté)* callejón *m* sin salida; *(à un examen)* = temas que un alumno no ha estudiado de un temario

impassible [ɛ̃pasibl] *adj* impasible

impatience [ɛ̃pasjɑ̃s] *nf* impaciencia *f*

impatient, -e [ɛ̃pasjɑ̃, -ɑ̃t] *adj* impaciente

impatienter [ɛ̃pasjɑ̃te] **s'impatienter** *vpr* impacientarse

impeccable [ɛpekabl] *adj* impecable

impénétrable [ɛpenetrabl] *adj* impenetrable

impensable [ɛpãsabl] *adj* impensable

impératif, -ive [ɛperatif, -iv] **1** *adj* imperativo(a) **2** *nm Gram* imperativo *m*

impératrice [ɛperatris] *nf* emperatriz *f*

imperceptible [ɛpersɛptibl] *adj* imperceptible

imperfection [ɛpɛrfɛksjõ] *nf* imperfección *f*

impérial, -e, -aux, -ales [ɛperjal, -o] *adj* imperial

impérialisme [ɛperjalism] *nm* imperialismo *m*

impérieux, -euse [ɛperjø, -øz] *adj* imperioso(a)

imperméable [ɛpermeabl] **1** *adj* impermeable; *Fig* **être i. à qch** *(insensible)* ser insensible a algo **2** *nm* impermeable *m*

impersonnel, -elle [ɛpɛrsɔnɛl] *adj* impersonal

impertinence [ɛpertinãs] *nf* impertinencia *f*

impertinent, -e [ɛpertinã, -ãt] *adj & nm,f* impertinente *mf*

imperturbable [ɛpertyrbabl] *adj* imperturbable

impitoyable [ɛpitwajabl] *adj* despiadado(a)

implacable [ɛplakabl] *adj* implacable

implanter [ɛplãte] **1** *vt* implantar **2** **s'implanter** *vpr (personne)* establecerse; *(entreprise)* implantarse

implication [ɛplikasjõ] *nf* implicación *f*

implicite [ɛplisit] *adj* implícito(a)

impliquer [ɛplike] **1** *vt* implicar; **i. qn dans qch** implicar a alguien en algo **2** **s'impliquer** *vpr* **s'i. dans qch** implicarse en algo

implorer [ɛplɔre] *vt* implorar

impoli, -e [ɛpɔli] *adj (personne)* maleducado(a); *(remarque)* descortés

impopulaire [ɛpɔpylɛr] *adj* impopular

importance [ɛpɔrtãs] *nf* importancia *f*

important, -e [ɛpɔrtã, -ãt] *adj* importante

importateur, -trice [ɛpɔrtatœr, -tris] *adj* importador(ora)

importation [ɛpɔrtasjõ] *nf* importación *f*

importer [ɛpɔrte] **1** *vt* importar **2** *vi* importar; **il importe de faire qch** es importante hacer algo; **il importe que...** es importante que...; **i. à qn** importar a alguien; **n'importe lequel** cualquiera; **tu peux venir n'importe quand** puedes venir cuando quieras; **n'importe qui** cualquiera, quien sea; **n'importe quoi** cualquier cosa, lo que sea; **peu importe (que...)!** ¡no importa (que...)!, ¡da igual (que...)!; **qu'importe!** ¡qué importa!, ¡qué más da!

importun, -e [ɛpɔrtœ, -yn] *adj & nm,f* inoportuno(a) *m,f*

imposant, -e [ɛpozã, -ãt] *adj* imponente

imposer [ɛpoze] **1** *vt* imponer; *(taxer)* gravar; **i. qch à qn** imponer algo a alguien **2** *vi* **en i. à qn** *(l'impressionner)* imponer a alguien **3** **s'imposer** *vpr* imponerse; **s'i. de faire qch** obligarse a hacer algo

impossibilité [ɛposibilite] *nf (incapacité)* imposibilidad *f*; *(chose impossible)* imposible *m*; **être dans l'i. de faire qch** encontrarse en la imposibilidad de hacer algo

impossible [ɛposibl] **1** *adj* imposible **2** *nm* **tenter l'i.** intentar lo imposible

imposteur [ɛpostœr] *nm* impostor(ora) *m,f*

impôt [ɛpo] *nm* impuesto *m*; **les impôts** *(le fisc)* hacienda *f* ▪ **impôts locaux** impuestos municipales; **i. sur le revenu** impuesto sobre la renta

impraticable [ɛpratikabl] *adj* impracticable

imprécis, -e [ɛ̃presi, -iz] *adj* impreciso(a)

imprégner [34] [ɛ̃preɲe] **1** *vt* impregnar (**de** de) **2 s'imprégner** *vpr* **s'i. de qch** impregnarse de algo

imprenable [ɛ̃prənabl] *adj (forteresse, vue)* inexpugnable

impression [ɛ̃presjɔ̃] *nf* impresión *f*; **avoir l'i. que** tener la impresión de que; **faire i.** causar impresión

impressionnant, -e [ɛ̃presjɔnɑ̃, -ɑ̃t] *adj* impresionante

impressionner [ɛ̃presjɔne] *vt* impresionar

imprévisible [ɛ̃previzibl] *adj* imprevisible

imprévu, -e [ɛ̃prevy] **1** *adj* imprevisto(a) **2** *nm* imprevisto *m*

imprimante [ɛ̃primɑ̃t] *nf* impresora *f* ■ **i. feuille à feuille** impresora de hojas sueltas; **i. à jet d'encre** impresora de chorro de tinta; **i. laser** impresora láser

imprimé [ɛ̃prime] *nm (publicitaire)* folleto *m*; *(à remplir)* impreso *m*; *(motif)* estampado *m*

imprimer [ɛ̃prime] *vt* imprimir; *(tissu)* estampar

imprimerie [ɛ̃primri] *nf* imprenta *f*

imprimeur [ɛ̃primœr] *nm (propriétaire)* propietario(a) *m,f* de una imprenta; *(ouvrier)* técnico(a) *m,f* de artes gráficas

improbable [ɛ̃prɔbabl] *adj* improbable

impropre [ɛ̃prɔpr] *adj (mot, tournure)* impropio(a); **i. à qch** *(inadapté)* no apto(a) para algo

improviser [ɛ̃prɔvize] *vt* improvisar

improviste [ɛ̃prɔvist] **à l'improviste** *adv* de improviso

imprudence [ɛ̃prydɑ̃s] *nf* imprudencia *f*

imprudent, -e [ɛ̃prydɑ̃, -ɑ̃t] *adj & nm,f* imprudente *mf*

impudique [ɛ̃pydik] *adj* impúdico(a)

impuissant, -e [ɛ̃pɥisɑ̃, -ɑ̃t] *adj* impotente; **i. à faire qch** incapaz de hacer algo

impulsif, -ive [ɛ̃pylsif, -iv] *adj & nm,f* impulsivo(a) *m,f*

impulsion [ɛ̃pylsjɔ̃] *nf* impulso *m*; **sous l'i. de** bajo el impulso de

impunément [ɛ̃pynemɑ̃] *adv* impunemente

impur, -e [ɛ̃pyr] *adj* impuro(a)

impureté [ɛ̃pyrte] *nf* impureza *f*

imputer [ɛ̃pyte] *vt* **i. qch à** imputar algo a

inabordable [inabɔrdabl] *adj (prix)* prohibitivo(a); *(lieu, personne)* inaccesible, inabordable

inacceptable [inaksɛptabl] *adj* inaceptable

inaccessible [inaksesibl] *adj* inaccesible

inachevé, -e [inaʃve] *adj* inacabado(a), inconcluso(a)

inaction [inaksjɔ̃] *nf* inacción *f*

inadapté, -e [inadapte] *adj (personne)* inadaptado(a); **i. à qch** inadecuado(a) para algo

inadmissible [inadmisibl] *adj* inadmisible

inadvertance [inadvertɑ̃s] **par inadvertance** *adv* por inadvertencia

inanimé, -e [inanime] *adj (objet)* inanimado(a); *(sans vie)* inánime

inaperçu, -e [inapersy] *adj* inadvertido(a)

inappréciable [inapresjabl] *adj* inapreciable

inapte [inapt] *adj Mil* no apto, inútil; **i. à qch/à faire qch** inepto(a) para algo/ para hacer algo

inattendu, -e [inatɑ̃dy] *adj* inesperado(a)

inattention [inatɑ̃sjɔ̃] *nf* falta *f* de atención, desatención *f*

inaudible [inodibl] *adj* inaudible

inaugurer [inogyre] *vt* inaugurar

inavouable [inavwabl] *adj* inconfesable

incalculable [ɛ̃kalkylabl] *adj* incalculable

incapable [ɛ̃kapabl] *adj* incapaz; **i. de faire qch** incapaz de hacer algo

incapacité [ɛkapasite] *nf* incapacidad *f* (**à faire qch** para hacer algo)

incarcérer [34] [ɛkarsere] *vt* encarcelar

incarner [ɛkarne] *vt* encarnar

incassable [ɛkasabl] *adj* irrompible

incendie [ɛsãdi] *nm* incendio *m* ■ **i. criminel** incendio provocado; **i. de forêt** incendio forestal

incendier [66] [ɛsãdje] *vt (mettre le feu à)* incendiar; *Fam (réprimander)* echar una bronca a

incertain, -e [ɛsɛrtɛ̃, -ɛn] *adj (résultat, durée)* incierto(a); *(personne)* inseguro(a); *(temps)* inestable; *(contour)* borroso(a)

incertitude [ɛsɛrtityd] *nf* incertidumbre *f*; *Math & Phys* indeterminación *f*

incessamment [ɛsesamɑ̃] *adv* en breve

incessant, -e [ɛsesɑ̃, -ɑ̃t] *adj* incesante

inchangé, -e [ɛ̃ʃɑ̃ʒe] *adj* igual *(sin cambiar)*

incidence [ɛsidɑ̃s] *nf* incidencia *f*

incident [ɛsidɑ̃] *nm* incidente *m*

incinérer [34] [ɛsinere] *vt* incinerar

inciser [ɛsize] *vt* hacer una incisión en

incisif, -ive [ɛsizif, -iv] **1** *adj* incisivo(a) **2** *nf* **incisive** incisivo *m*

inciter [ɛsite] *vt* **i. qn à qch/à faire qch** incitar a alguien a algo/a hacer algo

inclinaison [ɛklinɛzɔ̃] *nf* inclinación *f*

inclination [ɛklinasjɔ̃] *nf* inclinación *f*

incliner [ɛkline] **1** *vt (pencher)* inclinar **2 s'incliner** *vpr (se pencher)* inclinarse; **s'i. devant qn** *(se soumettre)* inclinarse ante alguien

inclure [17b] [ɛklyr] *vt* incluir

incognito [ɛkɔnito] *adv* de incógnito

incohérence [ɛkɔerɑ̃s] *nf* incoherencia *f*

incohérent, -e [ɛkɔerɑ̃, -ɑ̃t] *adj* incoherente

incolore [ɛkɔlɔr] *adj* incoloro(a)

incomber [ɛkɔ̃be] **1** *v impersonnel* **il**
lui incombe de dire la vérité le corresponde decir la verdad **2** *vi* **i. à qn** corresponder a alguien; **les devoirs qui lui incombent** las responsabilidades que le corresponden

incommoder [ɛkɔmɔde] *vt* incomodar

incomparable [ɛkɔ̃parabl] *adj (sans pareil)* incomparable; *(différent)* distinto(a)

incompatible [ɛkɔ̃patibl] *adj* incompatible

incompétent, -e [ɛkɔ̃petɑ̃, -ɑ̃t] *adj* incompetente

incomplet, -ète [ɛkɔ̃plɛ, -ɛt] *adj* incompleto(a)

incompréhensible [ɛkɔ̃preɑ̃sibl] *adj* incomprensible

incompris, -e [ɛkɔ̃pri, -iz] *adj & nm,f* incomprendido(a)

inconcevable [ɛkɔ̃svabl] *adj* inconcebible

inconciliable [ɛkɔ̃siljabl] *adj* irreconciliable

inconditionnel, -elle [ɛkɔ̃disjɔnɛl] *adj & nm,f* incondicional *mf*

inconnu, -e [ɛkɔny] **1** *adj & nm,f* desconocido(a) *m,f* **2** *nf* **inconnue** *Math & Fig* incógnita *f*

inconsciemment [ɛkɔ̃sjamɑ̃] *adv* inconscientemente

inconscient, -e [ɛkɔ̃sjɑ̃, -ɑ̃t] **1** *adj & nm,f* inconsciente *mf* **2** *nm* **l'i.** el inconsciente

inconsidéré, -e [ɛkɔ̃sidere] *adj* desconsiderado(a)

inconsolable [ɛkɔ̃sɔlabl] *adj* inconsolable

incontestable [ɛkɔ̃tɛstabl] *adj* incontestable, indiscutible

incontournable [ɛkɔ̃turnabl] *adj* ineludible; *(livre)* imprescindible

incontrôlable [ɛkɔ̃trolabl] *adj* incontrolable

inconvenant, -e [ɛkɔ̃vnɑ̃, -ɑ̃t] *adj* inconveniente

inconvénient [ɛkɔ̃venjɑ̃] *nm* inconveniente *m*

incorporer [ɛ̃kɔrpɔre] *vt* **i.** qch à/dans qch incorporar algo a algo

incorrect, -e [ɛ̃kɔrɛkt] *adj* incorrecto(a)

incorrection [ɛ̃kɔrɛksjɔ̃] *nf* incorrección *f*

incorrigible [ɛ̃kɔriʒibl] *adj* incorregible

incorruptible [ɛ̃kɔryptibl] *adj* incorruptible

incrédule [ɛ̃kredyl] *adj* incrédulo(a)

incriminer [ɛ̃krimine] *vt* incriminar

incroyable [ɛ̃krwajabl] *adj* increíble

incubation [ɛ̃kybasjɔ̃] *nf* incubación *f*

inculpation [ɛ̃kylpasjɔ̃] *nf* inculpación *f*; **sous l'i.** de qch bajo acusación de algo

inculpé, -e [ɛ̃kylpe] *nm,f* inculpado(a) *m,f*

inculper [ɛ̃kylpe] *vt* inculpar (**de** de)

inculquer [ɛ̃kylke] *vt* **i.** qch à qn inculcar algo a alguien

inculte [ɛ̃kylt] *adj (terre, personne)* inculto(a)

incurable [ɛ̃kyrabl] *adj* incurable; *Fig* irremediable

incursion [ɛ̃kyrsjɔ̃] *nf* incursión *f*

Inde [ɛ̃d] *nf* **l'I.** (la) India

indécent, -e [ɛ̃desã, -ãt] *adj* indecente

indéchiffrable [ɛ̃deʃifrabl] *adj* indescifrable

indécis, -e [ɛ̃desi, -iz] *adj & nm,f* indeciso(a) *m,f*

indécision [ɛ̃desizjɔ̃] *nf* indecisión *f*

indéfendable [ɛ̃defãdabl] *adj* indefendible

indéfini, -e [ɛ̃defini] *adj* indefinido(a)

indéfinissable [ɛ̃definisabl] *adj* indefinible

indélébile [ɛ̃delebil] *adj* indeleble

indélicat, -e [ɛ̃delika, -at] *adj* poco delicado(a)

indemne [ɛ̃dɛmn] *adj* indemne

indemniser [ɛ̃dɛmnize] *vt* **i.** qn de qch indemnizar a alguien por algo

indemnité [ɛ̃dɛmnite] *nf* indemni-zación *f* ■ **i.** de licenciement indem-nización por despido

indéniable [ɛ̃denjabl] *adj* innegable

indépendamment [ɛ̃depãdamã] *adv* independientemente (**de** de)

indépendance [ɛ̃depãdãs] *nf* inde-pendencia *f*

indépendant, -e [ɛ̃depãdã, -ãt] *adj* independiente (**de** de); *(travailleur)* autónomo(a)

indescriptible [ɛ̃dɛskriptibl] *adj* indescriptible

indésirable [ɛ̃dezirabl] *adj & nmf* indeseable *mf*

indestructible [ɛ̃dɛstryktibl] *adj* indestructible

indéterminé, -e [ɛ̃detɛrmine] *adj* indeterminado(a)

index [ɛ̃dɛks] *nm* índice *m*

indicateur, -trice [ɛ̃dikatœr, -tris] **1** *adj voir* **panneau, poteau**
2 *nm (économique)* indicador *m*; *(informateur)* informador(ora) *m,f* de la policía

indicatif, -ive [ɛ̃dikatif, -iv] **1** *adj* indicativo(a) **2** *nm Rad & TV* sintonía *f*; *(code)* prefijo *m*

indication [ɛ̃dikasjɔ̃] *nf* indicación *f*

indice [ɛ̃dis] *nm (taux)* índice *m*; *(signe)* indicio *m* ■ *Rad & TV* **i. d'écoute** índice de audiencia

indien, -enne [ɛ̃djɛ̃, -ɛn] **1** *adj (d'Inde, d'Amérique)* indio(a) **2** *nm,f* **I.** *(d'Inde, d'Amérique)* indio(a) *m,f*

indifférent, -e [ɛ̃diferã, -ãt] *adj* **i. à** qch indiferente a algo; **ça m'est i.** me es indiferente

indigence [ɛ̃diʒãs] *nf (pauvreté)* indigencia *f*; *(intellectuelle)* pobreza *f*

indigène [ɛ̃diʒɛn] *adj & nmf* indígena *mf*

indigent, -e [ɛ̃diʒã, -ãt] **1** *adj (pauvre)* indigente; *(intellectuellement)* pobre **2** *nm,f* indigente *mf*

indigeste [ɛ̃diʒɛst] *adj* indigesto(a)

indigestion [ɛ̃diʒɛstjɔ̃] *nf* indigestión *f*

indignation [ɛ̃diɲasjɔ̃] *nf* indigna-ción *f*

indigne [ɛ̃diɲ] *adj* indigno(a)
indigné, -e [ɛ̃diɲe] *adj* indignado(a)
indigner [ɛ̃diɲe] 1 *vt* indignar 2 s'indigner *vpr* s'i. de *ou* contre qch indignarse por algo
indiquer [ɛ̃dike] *vt* indicar, señalar
indirect, -e [ɛ̃direkt] *adj* indirecto(a)
indiscipliné, -e [ɛ̃disipline] *adj* indisciplinado(a); *(cheveux)* rebelde
indiscret, -ète [ɛ̃diskrɛ, -ɛt] *adj* indiscreto(a)
indiscrétion [ɛ̃diskresjɔ̃] *nf* indiscreción *f*; sans i., ils te payent combien? si no es indiscreción, ¿cuánto te pagan?
indiscutable [ɛ̃diskytabl] *adj* indiscutible
indispensable [ɛ̃dispɑ̃sabl] *adj* indispensable, imprescindible (à para); il est i. de faire qch es indispensable *o* imprescindible hacer algo
indisposé, -e [ɛ̃dispoze] *adj* indispuesto(a)
indistinct, -e [ɛ̃distɛ̃, -ɛkt] *adj* confuso(a)
individu [ɛ̃dividy] *nm* individuo *m*
individuel, -elle [ɛ̃dividɥel] *adj* individual
indivisible [ɛ̃divizibl] *adj* indivisible
Indochine [ɛ̃dɔʃin] *nf* l'I. Indochina
indolent, -e [ɛ̃dɔlɑ̃, -ɑ̃t] *adj* indolente
indolore [ɛ̃dɔlɔr] *adj* indoloro(a)
indomptable [ɛ̃dɔ̃tabl] *adj* indomable
Indonésie [ɛ̃dɔnezi] *nf* l'I. Indonesia
indu, -e [ɛ̃dy] *adj* indebido(a); à des heures indues a horas intempestivas
induire [18] [ɛ̃dɥir] *vt* inducir; i. de qch que... inducir de algo que...; i. qn en erreur inducir a alguien a error
indulgence [ɛ̃dylʒɑ̃s] *nf* indulgencia *f*
indulgent, -e [ɛ̃dylʒɑ̃, -ɑ̃t] *adj* indulgente (pour *ou* envers con)
industrie [ɛ̃dystri] *nf* industria *f*
industriel, -elle [ɛ̃dystrijel] 1 *adj* industrial 2 *nm* industrial *m*
inébranlable [inebrɑ̃labl] *adj* inquebrantable

inédit, -e [inedi, -it] *adj* inédito(a)
inefficace [inefikas] *adj* ineficaz
inégal, -e, -aux, -ales [inegal, -o] *adj* desigual; *(terrain)* irregular
inégalé, -e [inegale] *adj* inigualado(a)
inégalité [inegalite] *nf (différence)* desigualdad *f*; *(d'un terrain)* irregularidad *f*
inéluctable [inelyktabl] *adj* ineluctable
inepte [inɛpt] *adj (personne)* inepto(a); *(théorie)* estúpido(a)
ineptie [inɛpsi] *nf* sandez *f*
inépuisable [inepɥizabl] *adj (ressources)* inagotable; *(curiosité)* insaciable; *(personne)* infatigable
inespéré, -e [inɛspere] *adj* inesperado(a), sorpresivo(a)
inestimable [inɛstimabl] *adj (valeur)* incalculable; *(aide)* inestimable
inévitable [inevitabl] *adj* inevitable
inexact, -e [inegza(kt), -akt] *adj* inexacto(a)
inexactitude [inegzaktityd] *nf (imprécision)* inexactitud *f*
inexcusable [inɛkskyzabl] *adj* inexcusable
inexistant, -e [inegzistɑ̃, -ɑ̃t] *adj* inexistente
inexpérience [inɛksperjɑ̃s] *nf* inexperiencia *f*
inexplicable [inɛksplikabl] *adj* inexplicable
inexpliqué, -e [inɛksplike] *adj* inexplicado(a)
inexprimable [inɛksprimabl] *adj* inexpresable
inextricable [inɛkstrikabl] *adj* inextricable
infaillible [ɛ̃fajibl] *adj* infalible
infaisable [ɛ̃fəzabl] *adj* imposible
infâme [ɛ̃fam] *adj* infame
infantile [ɛ̃fɑ̃til] *adj* infantil
infarctus [ɛ̃farktys] *nm* infarto *m*
infatigable [ɛ̃fatigabl] *adj* infatigable, incansable
infect, -e [ɛ̃fɛkt] *adj* infecto(a)
infecter [ɛ̃fɛkte] 1 *vt* infectar 2 s'infecter *vpr* infectarse

infection [ɛ̃fɛksjɔ̃] *nf* infección *f*; *Péj (puanteur)* peste *f*

inférieur, -e [ɛ̃ferjœr] *adj & nm,f* inferior *mf*

infériorité [ɛ̃ferjɔrite] *nf* inferioridad *f*

infernal, -e, -aux, -ales [ɛ̃fɛrnal, -o] *adj* infernal

infidèle [ɛ̃fidɛl] *adj & nmf* infiel *mf*

infidélité [ɛ̃fidelite] *nf* infidelidad *f*

infiltration [ɛ̃filtrasjɔ̃] *nf* infiltración *f*

infiltrer [ɛ̃filtre] **1** *vt* infiltrar **2** **s'infiltrer** *vpr* **s'i. par/dans qch** infiltrarse por/en algo

infime [ɛ̃fim] *adj* ínfimo(a)

infini, -e [ɛ̃fini] **1** *adj* infinito(a) **2** *nm* **l'i.** el infinito; **à l'i.** Math al infinito; *(indéfiniment, à perte de vue)* hasta el infinito

infiniment [ɛ̃finimã] *adv* infinitamente

infinité [ɛ̃finite] *nf* **une i. de** una infinidad de

infirme [ɛ̃firm] *adj & nmf* impedido(a) *m,f*

infirmerie [ɛ̃firməri] *nf* enfermería *f*

infirmier, -ère [ɛ̃firmje, -ɛr] *nm,f* enfermero(a) *m,f*

infirmité [ɛ̃firmite] *nf* invalidez *f*

inflammable [ɛ̃flamabl] *adj* inflamable

inflammation [ɛ̃flamasjɔ̃] *nf* inflamación *f*

inflation [ɛ̃flasjɔ̃] *nf* inflación *f*

infléchir [ɛ̃fleʃir] *vt (courber)* desviar; *(politique)* modificar

inflexible [ɛ̃flɛksibl] *adj* inflexible

inflexion [ɛ̃flɛksjɔ̃] *nf* inflexión *f*

infliger [45] [ɛ̃fliʒe] *vt* **i. qch à qn** *(défaite, punition)* infligir algo a alguien; *(présence)* imponer algo a alguien

influençable [ɛ̃flyãsabl] *adj* influenciable

influence [ɛ̃flyãs] *nf* influencia *f*

influencer [16] [ɛ̃flyãse] *vt* influir en, influenciar

influer [ɛ̃flye] *vi* **i. sur qch** influir en algo

informaticien, -enne [ɛ̃fɔrmatisjɛ̃, -ɛn] *nm,f* informático(a) *m,f*

information [ɛ̃fɔrmasjɔ̃] *nf* información *f*; **les informations** *(à la radio, à la télévision)* las noticias, el informativo

informatique [ɛ̃fɔrmatik] **1** *adj* informático(a) **2** *nf* informática *f*

informatiser [ɛ̃fɔrmatize] *vt* informatizar

informe [ɛ̃fɔrm] *adj* informe

informer [ɛ̃fɔrme] **1** *vt* informar (**de** de); **i. qn que** informar a alguien de que **2** **s'informer** *vpr* informarse (**de/ sur** de/sobre)

infraction [ɛ̃fraksjɔ̃] *nf* infracción *f*; **être en i.** cometer una infracción

infranchissable [ɛ̃frɑ̃ʃisabl] *adj* infranqueable

infrarouge [ɛ̃fraruʒ] *adj* infrarrojo(a)

infrastructure [ɛ̃frastryktyr] *nf* infraestructura *f*

infructueux, -euse [ɛ̃fryktɥø, -øz] *adj* infructuoso(a)

infuser [ɛ̃fyze] **1** *vi* reposar **2** *vt* hacer una infusión de

infusion [ɛ̃fyzjɔ̃] *nf* infusión *f*

ingénier [ɛ̃ʒenje] **s'ingénier** *vpr* **s'i. à faire qch** ingeniárselas para hacer algo

ingénieur [ɛ̃ʒenjœr] *nm* ingeniero(a) *m,f*

ingénieux, -euse [ɛ̃ʒenjø, -øz] *adj* ingenioso(a)

ingéniosité [ɛ̃ʒenjozite] *nf* ingeniosidad *f*

ingénu, -e [ɛ̃ʒeny] *adj & nm,f* ingenuo(a) *m,f*

ingrat, -e [ɛ̃gra, -at] *adj (personne)* ingrato(a), desagradecido(a); *(métier)* ingrato(a); *(physique)* ingrato(a), poco agraciado(a)

ingrédient [ɛ̃gredjã] *nm* ingrediente *m*

inhabitable [inabitabl] *adj* inhabitable

inhabité, -e [inabite] *adj* deshabitado(a), inhabitado(a)

inhabituel, -elle [inabitɥɛl] *adj* inusual

inhérent, -e [inerɑ̃, -ɑ̃t] *adj* **i. à** inherente a

inhibition [inibisjɔ̃] *nf* inhibición *f*

inhospitalier, -ère [inɔspitalje, -ɛr] *adj (personne)* poco hospitalario(a); *(lieu)* inhóspito(a)

inhumain, -e [inymɛ̃, -ɛn] *adj* inhumano(a)

inhumer [inyme] *vt* inhumar

inimaginable [inimaʒinabl] *adj* inimaginable

inimitable [inimitabl] *adj* inimitable

ininflammable [inɛ̃flamabl] *adj* ininflamable

inintelligible [inɛ̃teliʒibl] *adj* ininteligible

ininterrompu, -e [inɛ̃terɔ̃py] *adj* ininterrumpido(a)

initial, -e, -aux, -ales [inisjal, -o] **1** *adj* inicial **2** *nf* **initiale** inicial *f*

initialiser [inisjalize] *vt Ordinat* inicializar

initiation [inisjasjɔ̃] *nf* iniciación *f* (**à** a)

initiative [inisjativ] *nf* iniciativa *f*; **prendre l'i. de qch/de faire qch** tomar la iniciativa de algo/de hacer algo

initier [66] [inisje] **1** *vt* **i. qn à qch** iniciar a alguien en algo **2** s'**initier** *vpr* s'**i. à qch** iniciarse en algo

injecter [ɛ̃ʒekte] *vt* inyectar

injection [ɛ̃ʒeksjɔ̃] *nf* inyección *f*

injure [ɛ̃ʒyr] *nf (mot)* insulto *m*; *(affront)* afrenta *f*

injurier [66] [ɛ̃ʒyrje] *vt* insultar

injurieux, -euse [ɛ̃ʒyrjø, -øz] *adj* insultante

injuste [ɛ̃ʒyst] *adj* injusto(a) (**envers** con)

injustice [ɛ̃ʒystis] *nf* injusticia *f*

inné, -e [ine] *adj* innato(a)

innocence [inɔsɑ̃s] *nf* inocencia *f*

innocent, -e [inɔsɑ̃, -ɑ̃t] **1** *adj* inocente **2** *nm,f* inocente *mf*; *Vieilli (simple d'esprit) Esp* tonto(a) *m,f*, *Am* zonzo(a) *m,f*

innocenter [inɔsɑ̃te] *vt* declarar inocente

innombrable [inɔ̃brabl] *adj* innumerable

innovation [inɔvasjɔ̃] *nf* innovación *f*

innover [inɔve] *vi* innovar

inoccupé, -e [inɔkype] *adj* desocupado(a)

inoculer [inɔkyle] *vt* inocular

inodore [inɔdɔr] *adj* inodoro(a)

inoffensif, -ive [inɔfɑ̃sif, -iv] *adj* inofensivo(a)

inondation [inɔ̃dasjɔ̃] *nf* inundación *f*

inonder [inɔ̃de] *vt* inundar (**de** de)

inopérable [inɔperabl] *adj* inoperable

inopiné, -e [inɔpine] *adj* inopinado(a)

inopportun, -e [inɔpɔrtœ̃, -yn] *adj* inoportuno(a)

inoubliable [inublijabl] *adj* inolvidable

inouï, -e [inwi] *adj* increíble

Inox® [inɔks] *nm* acero *m* inoxidable

inoxydable [inɔksidabl] *adj* inoxidable

inquiet, -ète [ɛ̃kjɛ, -ɛt] *adj (préoccupé)* preocupado(a) (**pour** por); *(anxieux de nature)* inquieto(a)

inquiéter [34] [ɛ̃kjete] **1** *vt* inquietar, preocupar **2** s'**inquiéter** *vpr* preocuparse (**pour** por); s'**i. de** *(s'intéresser à)* preocuparse *f*

inquiétude [ɛ̃kjetyd] *nf* inquietud *f*, preocupación *f*

insaisissable [ɛ̃sezisabl] *adj (nuance)* imperceptible; *(caractère)* huidizo(a)

insalubre [ɛ̃salybr] *adj* insalubre

insatiable [ɛ̃sasjabl] *adj* insaciable

insatisfait, -e [ɛ̃satisfɛ, -ɛt] *adj & nm,f* insatisfecho(a) *m,f*

inscription [ɛ̃skripsjɔ̃] *nf* inscripción *f* (**à** en); *(à un cours)* matriculación *f* (**à** en)

inscrire [30] [ɛ̃skrir] **1** *vt* inscribir (**à** en); *(à un cours)* matricular (**à** en); *(renseignements)* apuntar; *(dépenses)* asentar **2** s'**inscrire** *vpr* inscribirse (**à** en); *(à un cours)* matricularse (**à** en)

insecte [ɛ̃sekt] *nm* insecto *m*

insécurité [ɛ̃sekyrite] *nf* inseguridad *f*

insensé, -e [ɛ̃sɑ̃se] *adj (personne, propos)* insensato(a); *(rêve, désir)* imposible; *(nombre)* increíble

insensible [ɛ̃sɑ̃sibl] *adj* insensible (**à** a); *(imperceptible)* imperceptible

inséparable [ɛ̃separabl] *adj* inseparable (**de** de)

insérer [34] [ɛ̃sere] **1** *vt* **i. qch dans qch** insertar algo en algo **2 s'insérer** *vpr* **s'i. dans qch** *(se situer dans)* inscribirse dentro de algo

insertion [ɛ̃sɛrsjɔ̃] *nf* inserción *f;* **i. professionnelle** reinserción *f* laboral; **i. (sociale)** reinserción *f* (social); *Ordinat* **mode d'i.** modo *m* de inserción

insidieux, -euse [ɛ̃sidjø, -øz] *adj* insidioso(a)

insigne [ɛ̃siɲ] *nm* insignia *f*

insignifiant, -e [ɛ̃siɲifjɑ̃, -ɑ̃t] *adj* insignificante

insinuer [ɛ̃sinɥe] *vt* insinuar **2 s'insinuer** *vpr* **s'i. dans qch** *(sujet: eau, humidité)* penetrar en algo; *Fig (sujet: personne)* insinuarse con algo

insipide [ɛ̃sipid] *adj* insípido(a); *Fig* soso(a)

insistance [ɛ̃sistɑ̃s] *nf* insistencia *f;* **avec i.** insistentemente

insister [ɛ̃siste] *vi* insistir (**sur** en o sobre); **i. pour faire qch** insistir en hacer algo

insolation [ɛ̃sɔlasjɔ̃] *nf* insolación *f*

insolence [ɛ̃sɔlɑ̃s] *nf* insolencia *f*

insolent, -e [ɛ̃sɔlɑ̃, -ɑ̃t] *adj & nm,f* insolente *mf*

insolite [ɛ̃sɔlit] *adj* insólito(a)

insoluble [ɛ̃sɔlybl] *adj* insoluble

insomnie [ɛ̃sɔmni] *nf* insomnio *m*

insonoriser [ɛ̃sɔnɔrize] *vt* insonorizar

insouciance [ɛ̃susjɑ̃s] *nf* despreocupación *f*

insouciant, -e [ɛ̃susjɑ̃, -ɑ̃t] *adj* despreocupado(a)

insoumis, -e [ɛ̃sumi, -iz] *adj* insumiso(a)

insoutenable [ɛ̃sutnabl] *adj (indéfendable)* insostenible; *(insupportable)* insufrible

inspecter [ɛ̃spɛkte] *vt* inspeccionar

inspecteur, -trice [ɛ̃spɛktœr, -tris] *nm,f* inspector(ora) *m,f* ▪ **i. d'académie** inspector(ora) de enseñanza

inspection [ɛ̃spɛksjɔ̃] *nf* inspección *f*

inspiration [ɛ̃spirasjɔ̃] *nf* inspiración *f;* **trouver l'i.** encontrar inspiración

inspirer [ɛ̃spire] **1** *vt* inspirar; **i. qch à qn** inspirar algo a alguien **2** *vi (respirer)* inspirar **3 s'inspirer** *vpr* **s'i.** **de** inspirarse en

instable [ɛ̃stabl] *adj & nmf* inestable *mf*

installation [ɛ̃stalɑsjɔ̃] *nf* instalación *f;* *(dans une fonction)* toma *f* de posesión

installer [ɛ̃stale] **1** *vt* instalar; *(fonctionnaire)* nombrar **2 s'installer** *vpr* instalarse; *(médecin, commerçant)* establecerse

instant [ɛ̃stɑ̃] *nm* instante *m;* **à l'i.** *(il y a peu de temps)* hace un momento; *(tout de suite)* al instante: **à tout i.** *(en permanence)* en todo momento; *(d'un moment à l'autre)* en cualquier momento; **pour l'i.** por el momento, de momento

instantané, -e [ɛ̃stɑ̃tane] **1** *adj* instantáneo(a) **2** *nm (photo)* instantánea *f*

instar [ɛ̃star] **à l'instar de** *prép* a semejanza de

instaurer [ɛ̃stɔre] *vt* instaurar

instigateur, -trice [ɛ̃stigatœr, -tris] *nm,f* instigador(ora) *m,f*

instinct [ɛ̃stɛ̃] *nm* instinto *m;* **faire qch d'i.** hacer algo por instinto

instinctif, -ive [ɛ̃stɛ̃ktif, -iv] *adj & nm,f* instintivo(a) *m,f*

instituer [ɛ̃stitɥe] *vt* instituir

institut [ɛ̃stity] *nm* instituto *m* ▪ **i. de beauté** instituto *o* salón *m* de belleza

instituteur, -trice [ɛ̃stitytœr, -tris] *nm,f* profesor(ora) *m,f* de primaria

institution [ɛ̃stitysjɔ̃] *nf* institución *f*

instructif, -ive [ɛ̃stryktif, -iv] *adj* instructivo(a)

instruction [ɛ̃stryksjɔ̃] *nf* instrucción *f*; *(enseignement)* enseñanza *f*; *(culture)* cultura; **donner des instructions à qn** dar instrucciones a alguien

instruire [18] [ɛ̃strɥir] **1** *vt (enseigner à)* formar; *Jur* instruir; **i. qn de qch** poner a alguien al corriente de algo **2 s'instruire** *vpr* instruirse

instruit, -e [ɛ̃strɥi, -it] *adj* instruido(a)

instrument [ɛ̃strymɑ̃] *nm* instrumento *m* ▪ **i. à cordes** instrumento de cuerda; **i. de musique** instrumento musical; **i. à vent** instrumento de viento

insu [ɛ̃sy] **à l'insu de** *prép* a espaldas de; **à mon/son/etc i.** a mis/sus/etc espaldas

insuffisance [ɛ̃syfizɑ̃s] *nf* insuficiencia *f*

insuffisant, -e [ɛ̃syfizɑ̃, -ɑ̃t] *adj* insuficiente

insulaire [ɛ̃syler] *adj* insular, isleño(a)

insulte [ɛ̃sylt] *nf* insulto *m*

insulter [ɛ̃sylte] *vt* insultar

insupportable [ɛ̃syportabl] *adj* insoportable, inaguantable

insurger [45] [ɛ̃syrʒe] **s'insurger** *vpr* sublevarse (**contre** contra)

insurmontable [ɛ̃syrmɔ̃tabl] *adj* *(obstacle)* insalvable; *(peur)* invencible

insurrection [ɛ̃syreksjɔ̃] *nf* insurrección *f*

intact, -e [ɛ̃takt] *adj (objet, réputation)* intacto(a)

intarissable [ɛ̃tarisabl] *adj* inagotable; *(bavard)* incansable; **il est i. sur...** es incansable cuando habla de...

intégral, -e, -aux, -ales [ɛ̃tegral, -o] *adj (paiement, texte)* íntegro(a); *(calcul, bronzage)* integral

intégralement [ɛ̃tegralmɑ̃] *adv* íntegramente

intégralité [ɛ̃tegralite] *nf* **l'i. de qch** la integridad de algo

intégration [ɛ̃tegrasjɔ̃] *nf* integración *f*

intègre [ɛ̃tegr] *adj (personne)* íntegro(a); *(vie)* recto(a)

intégrer [34] [ɛ̃tegre] **1** *vt* integrar (**à** ou **dans** en); *(grande école)* ingresar en **2 s'intégrer** *vpr* integrarse (**à** ou **dans** en)

intégrisme [ɛ̃tegrism] *nm* integrismo *m*

intégrité [ɛ̃tegrite] *nf (honnêteté)* integridad *f*; *(totalité)* totalidad *f*

intellectuel, -elle [ɛ̃telektɥel] *adj & nm,f* intelectual *mf*

intelligence [ɛ̃teliʒɑ̃s] *nf (entendement)* inteligencia *f*; **un regard d'i.** una mirada de complicidad; **vivre en bonne/mauvaise i.** vivir en armonía/ mala armonía ▪ **i. artificielle** inteligencia artificial

intelligent, -e [ɛ̃teliʒɑ̃, -ɑ̃t] *adj* inteligente

intelligible [ɛ̃teliʒibl] *adj* inteligible

intempéries [ɛ̃tɑ̃peri] *nfpl* inclemencias *fpl* climáticas

intempestif, -ive [ɛ̃tɑ̃pestif, -iv] *adj* intempestivo(a)

intenable [ɛ̃tnabl] *adj (chaleur)* insoportable; *(enfant)* imposible; *(position)* insostenible

intendant, -e [ɛ̃tɑ̃dɑ̃, -ɑ̃t] **1** *nm,f* administrador(ora) *m,f* **2** *nm Mil* intendente *m*

intense [ɛ̃tɑ̃s] *adj* intenso(a)

intensif, -ive [ɛ̃tɑ̃sif, -iv] *adj* intensivo(a)

intensité [ɛ̃tɑ̃site] *nf* intensidad *f*

intenter [ɛ̃tɑ̃te] *vt* **i. un procès contre** ou **à qn** entablar un juicio contra alguien

intention [ɛ̃tɑ̃sjɔ̃] *nf* intención *f*; **avoir l'i. de faire qch** tener la intención de hacer algo; **dans l'i. de** con la intención de; **à l'i. de** dirigido(a) a; **c'est l'i. qui compte** la intención es lo que cuenta

intentionné, -e [ɛ̃tɑ̃sjɔne] *adj* **être bien/mal i.** tener buena/mala intención

intentionnel, -elle [ɛtɑ̃sjɔnɛl] *adj* intencionado(a)

interactif, -ive [ɛteraktif, -iv] *adj* interactivo(a)

intercaler [ɛterkale] *vt* **i. qch dans qch** intercalar algo en algo

intercéder [34] [ɛtersede] *vi* **i. en faveur de qn** interceder por o en favor de alguien

intercepter [ɛtersepte] *vt* interceptar

interchangeable [ɛterʃɑ̃ʒabl] *adj* intercambiable

interdiction [ɛterdiksjɔ̃] *nf* prohibición *f*; **i. de fumer** *(sur écriteau)* prohibido fumar ■ **i. de séjour** destierro *m*

interdire [27b] [ɛterdir] *vt* prohibir; *(prêtre)* suspender; **i. à qn de faire qch** prohibir a alguien hacer algo

interdit, -e [ɛterdi, -it] **1** *adj* prohibido(a); *(surpris)* desconcertado(a); **i. aux moins de dix-huit ans** no autorizado(a) a menores de dieciocho años **2** *nm* tabú *m*

intéressant, -e [ɛteresɑ̃, -ɑ̃t] *adj* interesante

intéressé, -e [ɛterese] *adj (égoïste)* interesado(a)

intéresser [ɛterese] **1** *vt* interesar; **i. qn à qch** interesar a alguien en o por algo; **i. les employés (aux bénéfices)** repartir (beneficios) entre los empleados **2 s'intéresser** *vpr* **s'i. à** interesarse por

intérêt [ɛterɛ] *nm* interés *m*; *Fin* **intérêts** intereses; **i. de** *(avantage, originalité)* lo interesante de; **c'est dans ton/son/***etc* **i. de faire qch** te/le/*etc* interesa hacer algo; **nous avons i. à réserver à l'avance** nos conviene reservar con antelación; **tu n'as pas i. à recommencer!** ¡más vale que no empieces otra vez!

intérieur, -e [ɛterjœr] **1** *adj* interior **2** *nm (dedans)* interior *m*; *(foyer)* hogar *m*; **à l'i.** *(dedans)* dentro; *(dans le pays)* en el interior; **à l'i. de qch** dentro de algo, en el interior de algo; **d'i.** *(veste)* de estar por casa

intérim [ɛterim] *nm (travail temporaire)* trabajo *m* temporal, trabajo *m* eventual; **société d'i.** empresa *f* de subcontratación

intérimaire [ɛterimɛr] **1** *adj (employé)* temporal; *(fonction)* interino(a) **2** *nmf (employé)* substituto(a) *m,f*

interlocuteur, -trice [ɛterlɔkytœr, -tris] *nm,f* interlocutor(ora) *m,f*

intermède [ɛtermɛd] *nm (au théâtre)* entremés *m*; *(interruption)* intermedio *m*

intermédiaire [ɛtermedjɛr] **1** *adj* intermedio(a) **2** *nmf (personne)* intermediario(a) *m,f* **3** *nm* **par l'i. de qch** a través de algo; **par l'i. de qn** por alguien, por mediación de alguien

interminable [ɛterminabl] *adj* interminable

intermittence [ɛtermitɑ̃s] *nf* **par i.** con intermitencias

intermittent, -e [ɛtermitɑ̃, -ɑ̃t] *adj* intermitente

internat [ɛterna] *nm (école, fonction de médecin)* internado *m*; *(concours de médecine)* ≃ MIR *m*

international, -e, -aux, -ales [ɛternasjɔnal, -o] *adj* internacional

internaute [ɛternot] *nmf* internauta *mf*

interne [ɛtern] *adj & nmf* interno(a) *m,f*

interner [ɛterne] *vt (prisonnier)* recluir; *(aliéné)* internar

Internet [ɛternet] *nm* **(l')I.** Internet *f*

interpeller [ɛterpəle] *vt (appeler, interroger)* interpelar; *(intéresser)* reclamar

interposer [ɛterpoze] **s'interposer** *vpr* interponerse

interprétation [ɛterpretasjɔ̃] *nf* interpretación *f*

interprète [ɛterprɛt] *nmf* intérprete *mf*; *(porte-parole)* portavoz *mf*

interpréter [34] [ɛterprete] *vt* interpretar

interrogation [ɛterɔgasjɔ̃] *nf (question)* interrogación *f*; *Scol*

examen *m*; *Gram* oración *f*
interrogativa ∎ **i. écrite** examen
escrito
interrogatoire [ɛ̃terɔgatwar] *nm*
interrogatorio *m*
interroger [45] [ɛ̃terɔʒe] **1** *vt*
interrogar (**sur** sobre); *Ordinat (base
de données)* consultar; *(conscience,
faits)* examinar **2 s'interroger** *vpr* **je
m'interroge sur ses vraies motiva-
tions** me pregunto cuáles son sus
motivos verdaderos
interrompre [ɛ̃terɔ̃pr] **1** *vt* interrumpir **2 s'interrompre** *vpr* interrumpirse
interrupteur [ɛ̃teryptœr] *nm* interruptor *m*
interruption [ɛ̃terypsjɔ̃] *nf* interrupción *f* ∎ **i. volontaire de grossesse**
interrupción voluntaria del embarazo
intersection [ɛ̃terseksjɔ̃] *nf* intersec-
ción *f*
intervalle [ɛ̃terval] *nm* intervalo *m*; **à
deux jours d'i.** con dos días de
intervalo
intervenir [70] [ɛ̃tervənir] *vi*
intervenir; *(se produire)* ocurrir; **i. en
faveur de qn (auprès de qn)**
intervenir a favor de alguien (ante
alguien)
intervention [ɛ̃tervɑ̃sjɔ̃] *nf* intervención *f* ∎ **i. chirurgicale** intervención quirúrgica
intervertir [ɛ̃tervertir] *vt* invertir
interview [ɛ̃tervju] *nf* entrevista *f*
interviewer [ɛ̃tervjuve] *vt* entrevistar
intestin [ɛ̃testɛ̃] *nm* intestino *m* ∎ **i.
grêle** intestino delgado; **gros i.**
intestino grueso
intime [ɛ̃tim] *adj & nmf* íntimo(a)
m,f
intimider [ɛ̃timide] *vt* intimidar
intimité [ɛ̃timite] *nf* intimidad *f*
intituler [ɛ̃tityle] **1** *vt* titular **2 s'intituler** *vpr* titularse
intolérable [ɛ̃tɔlerabl] *adj* intolerable
intolérant, -e [ɛ̃tɔlerɑ̃, -ɑ̃t] *adj*
intolerante
intoxication [ɛ̃tɔksikasjɔ̃] *nf* intoxi-

cación *f*; *Fig (propagande)* propaganda *f* engañosa ∎ **i. alimentaire**
intoxicación alimentaria
intoxiquer [ɛ̃tɔkside] **1** *vt* intoxicar;
Fig (influencer) engañar **2 s'intoxiquer** *vpr* intoxicarse
intraitable [ɛ̃tretabl] *adj* inflexible
(**sur** en)
intransigeant, -e [ɛ̃trɑ̃ziʒɑ̃, -ɑ̃t] *adj*
intransigente
intrépide [ɛ̃trepid] *adj* intrépido(a)
intrigue [ɛ̃trig] *nf* intriga *f*; *(liaison
amoureuse)* aventura *f*
intriguer [ɛ̃trige] *vt & vi* intrigar
introduction [ɛ̃trɔdyksjɔ̃] *nf* introducción *f*
introduire [18] [ɛ̃trɔdɥir] **1** *vt*
introducir **2 s'introduire** *vpr*
introducirse
introuvable [ɛ̃truvabl] *adj (rare)*
imposible de encontrar; **il est i.**
(personne) no hay quien le encuentre
introverti, -e [ɛ̃troverti] *adj & nm,f*
introvertido(a) *m,f*
intrus, -e [ɛ̃try, -yz] *nm,f* intruso(a)
m,f
intrusion [ɛ̃tryzjɔ̃] *nf* intrusión *f*
intuitif, -ive [ɛ̃tɥitif, -iv] *adj & nm,f*
intuitivo(a) *m,f*
intuition [ɛ̃tɥisjɔ̃] *nf* intuición *f*; **avoir
l'i. de qch** presentir algo
inusable [inyzabl] *adj (chaussures)*
resistente; *(pneus)* duradero(a)
inutile [inytil] *adj* inútil; **i. de dire
que...** no hace falta decir que...; **i.
d'insister, je n'irai pas** no insistas, no
voy a ir; **je vous raccompagne – non,
c'est i.** le acompaño – no, no hace
falta
inutilisable [inytilizabl] *adj* inservible
invaincu, -e [ɛ̃vɛ̃ky] *adj (équipe)*
invicto(a); *(peuple)* imbatido(a)
invalide [ɛ̃valid] *adj & nmf* inválido(a)
m,f ∎ **i. de guerre** lisiado(a) *m,f* de
guerra
invariable [ɛ̃varjabl] *adj* invariable
invasion [ɛ̃vazjɔ̃] *nf* invasión *f*
invendable [ɛ̃vɑ̃dabl] *adj* invendible

invendu, -e [ɛ̃vɑ̃dy] **1** adj sin vender **2** artículo m sin vender

inventaire [ɛ̃vɑ̃tɛr] nm inventario m

inventer [ɛ̃vɑ̃te] vt (histoire) inventarse; (machine) inventar

inventeur, -trice [ɛ̃vɑ̃tœr, -tris] nm,f inventor(ora) m,f

invention [ɛ̃vɑ̃sjɔ̃] nf (découverte, mensonge) invención f; (imagination) inventiva f

inverse [ɛ̃vɛrs] **1** adj inverso(a) **2** nm l'i. lo contrario; à l'i. al contrario; en sens i. en el sentido contrario; dans le sens i. des aiguilles d'une montre en sentido contrario a las agujas del reloj

inversement [ɛ̃vɛrsəmɑ̃] adv a la inversa

inverser [ɛ̃vɛrse] vt invertir (el orden)

investigation [ɛ̃vɛstigasjɔ̃] nf investigación f

investir [ɛ̃vɛstir] vt (argent, efforts) invertir; Mil sitiar; (fonctionnaire) investir

investissement [ɛ̃vɛstismɑ̃] nm (financier) inversión f

invincible [ɛ̃vɛ̃sibl] adj invencible

invisible [ɛ̃vizibl] adj invisible; (caché) oculto(a)

invitation [ɛ̃vitasjɔ̃] nf invitación f

invité, -e [ɛ̃vite] nm,f invitado(a) m,f

inviter [ɛ̃vite] vt invitar; i. qn à qch/à faire qch invitar a alguien a algo/a hacer algo

involontaire [ɛ̃vɔlɔ̃tɛr] adj involuntario(a)

invoquer [ɛ̃vɔke] vt invocar; (prétexte) alegar

invraisemblable [ɛ̃vrɛsɑ̃blabl] adj (non plausible) inverosímil; (extraordinaire) increíble

invulnérable [ɛ̃vylnerabl] adj invulnerable

Irak [irak] nm l'I. Irak, Iraq

irakien, -enne [irakjɛ̃, -ɛn] **1** adj iraquí, irakí **2** nm,f I. iraquí mf, irakí mf

Iran [irɑ̃] nm l'I. Irán

iranien, -enne [iranjɛ̃, -ɛn] **1** adj iraní **2** nm,f I. iraní mf

iris [iris] nm (fleur) lirio m; (de l'œil) iris m inv

irlandais, -e [irlɑ̃dɛ, -ɛz] **1** adj irlandés(esa) **2** nm,f I. irlandés(esa) m,f

Irlande [irlɑ̃d] nf l'I. Irlanda; l'I. du Nord Irlanda del Norte

ironie [irɔni] nf ironía f

ironique [irɔnik] adj irónico(a)

irrationnel, -elle [irasjɔnɛl] adj irracional

irréductible [iredyktibl] adj & nmf irreductible f

irréel, -elle [ireɛl] adj irreal

irréfléchi, -e [irefleʃi] adj irreflexivo(a)

irréfutable [irefytabl] adj irrefutable

irrégularité [iregylarite] nf irregularidad f

irrégulier, -ère [iregylje, -ɛr] adj irregular

irrémédiable [iremedjabl] adj irremediable

irremplaçable [irɑ̃plasabl] adj irremplazable, insustituible

irréparable [ireparabl] adj irreparable

irrépressible [irepresibl] adj irreprimible

irréprochable [ireprɔʃabl] adj intachable, irreprochable

irrésistible [irezistibl] adj irresistible; (amusant) desternillante

irrespirable [irespirabl] adj irrespirable

irresponsable [irespɔ̃sabl] **1** adj irresponsable; Jur no responsable ante la ley **2** nmf irresponsable mf

irréversible [ireversibl] adj irreversible

irrévocable [irevɔkabl] adj irrevocable

irrigation [irigasjɔ̃] nf irrigación f

irritation [iritasjɔ̃] nf irritación f

irriter [irite] **1** vt irritar **2** s'irriter vpr irritarse (de qch por algo); s'i. contre qn enfadarse con alguien

irruption [irypsjɔ̃] nf irrupción f; faire i. dans irrumpir en

islam [islam] *nm* l'**i.** el Islam
islamique [islamik] *adj* islámico(a)
islandais, -e [islɑ̃dɛ, -ez] **1** *adj* islandés(esa) **2** *nm,f* **I.** islandés(esa) *m,f* **3** *nm (langue)* islandés *m*
Islande [islɑ̃d] *nf* l'**I.** Islandia
isolant, -e [izolɑ̃, -ɑ̃t] *adj* aislante
isolation [izolasjɔ̃] *nf* aislamiento *m* ■ **i. acoustique** aislamiento sonoro; **i. thermique** aislamiento térmico
isolé, -e [izole] *adj* aislado(a)
isoler [izole] **1** *vt* aislar **2 s'isoler** *vpr* aislarse
isoloir [izolwar] *nm* cabina *f* electoral
Israël [israɛl] *n* Israel
israélien, -enne [israeljɛ̃, -ɛn] **1** *adj* israelí **2** *nm,f* **I.** israelí *mf*
israélite [israelit] *adj & nmf* israelita *mf*
issu, -e [isy] **1** *adj* **i. de** *(résultat)* resultante de; *(descendant)* descendiente de **2** *nf* **issue** *(sortie)* salida *f*; *(dénouement)* desenlace *m*; *(terme)*

final *m*; **à l'issue de** al cabo de ■ **issue de secours** salida de emergencia
isthme [ism] *nm* istmo *m*
Italie [itali] *nf* l'**I.** Italia
italien, -enne [italjɛ̃, -ɛn] **1** *adj* italiano(a) **2** *nm,f* **I.** italiano(a) *m,f* **3** *nm (langue)* italiano *m*
italique [italik] *nm* cursiva *f*
itinéraire [itinerɛr] *nm* itinerario *m* ■ **i. bis** itinerario alternativo
IUT [iyte] *nm (abrév* **institut universitaire de technologie)** = escuela técnica universitaria
IVG [iveʒe] *nf (abrév* **interruption volontaire de grossesse)** interrupción *f* voluntaria del embarazo
ivoire [ivwar] *nm* marfil *m*
ivre [ivr] *adj* borracho(a)
ivresse [ivrɛs] *nf* embriaguez *f*
ivrogne [ivrɔɲ] *adj & nmf* borracho(a) *m,f*

Jj

J, j [ʒi] *nm inv (lettre)* J *f*, j *f*
jadis [ʒadis] *adv Litt* antaño
jaillir [ʒajir] *vi* **j. de** *(surgir)* surgir de; *(liquide)* brotar de
jalonner [ʒalɔne] *vt* jalonar
jalousie [ʒaluzi] *nf (envie)* envidia *f*; *(en amour)* celos *mpl*
jaloux, -ouse [ʒalu, -uz] *adj (envieux)* envidioso(a) **(de** de); *(en amour)* celoso(a) **(de** de)
jamais [ʒamɛ] *adv (sens négatif)* nunca; *(sens positif)* alguna vez; **ne... j. no...** nunca; **je ne reviendrai j. no** volveré nunca; **ne... plus j. no...** nunca más; **je ne reviendrai plus j.** no volveré nunca más; **il travaille sans j. s'arrêter** trabaja sin parar; **je**

doute de j. y parvenir dudo que lo consiga alguna vez; **le film le plus idiot que j'aie j. vu** la película más tonta que he visto en mi vida; **à j.** para siempre; **si j.** si alguna vez; **si j. tu le vois** si llegas a verlo
jambe [ʒɑ̃b] *nf* pierna *f*
jambon [ʒɑ̃bɔ̃] *nm* jamón *m* ■ **j. blanc** jamón de york; **j. cru** *ou* **de Bayonne** jamón serrano
janvier [ʒɑ̃vje] *nm* enero *m; voir aussi* **septembre**
Japon [ʒapɔ̃] *nm* le **J.** (el) Japón
japonais, -e [ʒaponɛ, -ɛz] **1** *adj* japonés(esa) **2** *nm,f* **J.** japonés(esa) *m,f* **3** *nm (langue)* japonés *m*
jardin [ʒardɛ̃] *nm* jardín *m* ■ **j.**

d'enfants guardería f, jardín de infancia; **j. potager** huerto m; **j. public** parque m público

jardinage [ʒardinaʒ] nm jardinería f

jardinier, -ère [ʒardinje, -ɛr] **1** nm,f jardinero(a) m,f **2** nf **jardinière** (bac à fleurs) jardinera f ■ **jardinière de légumes** menestra f de verduras

jargon [ʒargɔ̃] nm jerga f

jasmin [ʒasmɛ̃] nm jazmín m

jaune [ʒon] **1** adj amarillo(a); **j. citron** amarillo limón **2** nm (couleur) amarillo m; Can (poltron) cobarde m ■ **j. d'œuf** yema f de huevo

Javel [ʒavɛl] nf **(eau de) J.** lejía f

javelot [ʒavlo] nm jabalina f

jazz [dʒaz] nm jazz m

je [ʒə]

Antes de vocal o h muda se usa j'.

pron personnel yo; **je viendrai demain** vendré mañana; **que dois-je faire?** ¿qué debo hacer?

jean [dʒin] nm vaqueros mpl, tejanos mpl

jet¹ [ʒɛ] nm (jaillissement) chorro m; (de pierres) lanzamiento m; Fig **premier j.** primer bosquejo m

jet² [dʒɛt] nm jet m

jetable [ʒətabl] adj desechable, de usar y tirar

jetée [ʒəte] nf espigón m

jeter [42] [ʒəte] **1** vt tirar; **j. qch à qn** tirar algo a alguien; Fam **il s'est fait j. (de la boîte de nuit)** lo echaron (de la discoteca); **ça a jeté un froid** cayó como una bomba **2** se jeter vpr **se j. dans** (sujet: rivière) desembocar en; (sujet: personne) echarse en; **se j. à l'eau** tirarse al agua; **se j. la manta a la cabeza; se j. sur** lanzarse sobre

jeton [ʒətɔ̃] nm (de jeu, de téléphone) ficha f; Fam **avoir les jetons** estar cagado(a)

jeu, -x [ʒø] nm juego m; (d'un musicien) ejecución f; (d'un acteur) actuación f, interpretación f; (entre deux pièces) holgura f; **par j.** para divertirse; Fig **c'est un j. d'enfant** es un juego de

niños; **jouer le j.** seguir el juego ■ **j. de cartes** (divertissement) juego de cartas o de naipes; (paquet) baraja f; **j. d'échecs** ajedrez m; **j. électronique** videojuego m; **j. de hasard** juego de azar; **j. de mots** juego de palabras; **j. de l'oie** juego de la oca; **les jeux Olympiques** los Juegos Olímpicos; **j. de société** juego de sociedad; **j. vidéo** videojuego

jeudi [ʒødi] nm jueves m inv ■ **le j. saint** el Jueves Santo; voir aussi **samedi**

jeun [ʒœ̃] **à jeun** adv en ayunas

jeune [ʒœn] **1** adj joven **2** nmf joven mf; **les jeunes** la juventud

jeûner [ʒøne] vi ayunar

jeunesse [ʒœnɛs] nf juventud f

joaillier, -ère [ʒɔaje, -ɛr] nm,f joyero(a) m,f

jockey [ʒɔkɛ] nm jockey m

jogging [dʒɔgiŋ] nm (activité) jogging m, footing m; (vêtement) Esp chándal m, Arg, Chile, Perú buzo m, Col sudadera f, Urug jogging m

joie [ʒwa] nf alegría f ■ **j. de vivre** alegría de vivir

joindre [43] [ʒwɛ̃dr] **1** vt (rapprocher) juntar; (adjoindre) adjuntar; (par téléphone) localizar; Fig **j. les deux bouts** llegar a fin de mes **2** se joindre vpr **se j. à qn** unirse a alguien

joint [ʒwɛ̃] nm (d'étanchéité) junta f; (articulation) articulación f; Fam (de haschich) porro m

joker [ʒɔker] nm (aux cartes) comodín m, jóker m; Ordinat comodín m

joli, -e [ʒɔli] adj Esp bonito(a), Am lindo(a); (somme) Iron & bueno(a)

jonction [ʒɔ̃ksjɔ̃] nf (de routes) confluencia f

jongler [ʒɔ̃gle] vi hacer malabarismos; Fig **j. avec qch** hacer malabarismos con algo

jonquille [ʒɔ̃kij] nf junquillo m

joue [ʒu] nf mejilla f, Am cachete m; **mettre qch/qn en j.** apuntar hacia algo/alguien

jouer [ʒwe] **1** vt (carte) jugar; (rôle)

representar; *(film)* dar, poner; **j. sa vie** jugarse la vida **2** *vi (s'amuser)* jugar (**à** a); *(acteur)* actuar; *(musicien)* tocar; **j. du piano** tocar el piano; **j. au dur** dárselas de valiente; *Fig* **à toi de j.** te toca a ti **3 se jouer** *vpr (pièce)* representarse; *(film)* tener lugar; *Fig (drame)* tener lugar; *Litt* **se j. de qn** reírse de alguien

jouet [ʒwɛ] *nm* juguete *m*

joueur, -euse [ʒwœr, -øz] *nm,f* jugador(ora) *m,f;* **être beau/mauvais j.** ser buen/mal perdedor; **j. de tennis** tenista *mf*

jouir [ʒwir] *vi* gozar; **j. de qch** *(apprécier, bénéficier)* disfrutar de algo

jour [ʒur] *nm* día *m;* **au petit j.** al amanecer; **de j. en j.** de día en día; **de nos jours** hoy en día; **d'un j. à l'autre** de un día para otro; **en plein j.** a plena luz del día; **j. après j.** día tras día; **j. et nuit** día y noche; **mettre qch à j.** poner algo al día; **donner le j. à** dar a luz a; **voir qch sous un j. nouveau** ver algo desde una óptica nueva ▪ **le j. de l'An** el día de Año Nuevo; **j. de congé** día de descanso o libre; **j. férié** día festivo; **j. ouvrable** día laborable

journal, -aux [ʒurnal, -o] *nm (publication)* periódico *m; (carnet)* diario *m* ▪ **j. intime** diario íntimo; **j. (télévisé)** telediario *m*

journalier, -ère [ʒurnalje, -ɛr] **1** *adj* diario(a) **2** *nm,f* jornalero(a) *m,f*

journalisme [ʒurnalism] *nm* periodismo *m*

journaliste [ʒurnalist] *nmf* periodista *mf*

journée [ʒurne] *nf* día *m; (de travail)* jornada *f;* **dans la j.** durante el día; **faire la j. continue** hacer jornada continua

jovial, -e, -aux, -ales [ʒɔvjal, -o] *adj* jovial

joyau, -x [ʒwajo] *nm* joya *f*

joyeux, -euse [ʒwajø, -øz] *adj* alegre

jubiler [ʒybile] *vi* regocijarse

jucher [ʒyʃe] **1** *vt* **j. qn sur qch** encaramar a alguien a o sobre algo **2 se jucher** *vpr* **se j. sur qch** encaramarse a o sobre algo

judicieux, -euse [ʒydisjø, -øz] *adj* juicioso(a)

judo [ʒydo] *nm* judo *m*

juge [ʒyʒ] *nm* juez *mf, (femme)* juez(eza) *m,f* ▪ **j. d'instruction** juez de instrucción; **j. de ligne** juez de línea; **j. de paix** juez de paz; **j. de touche** juez de línea

jugé [ʒyʒe] **au jugé** *adv* a ojo de buen cubero

jugement [ʒyʒmɑ̃] *nm* juicio *m*

juger [45] [ʒyʒe] *vt* juzgar; **j. que** estimar o considerar que; **j. qch inutile** juzgar algo inútil; **à toi de j.** tú decides

juif, -ive [ʒɥif, -iv] **1** *adj* judío(a) **2** *nm,f* **J.** judío(a) *m,f*

juillet [ʒɥijɛ] *nm* julio *m;* **le 14 J.** = fiestas del 14 de julio, día de la República que celebra la Toma de la Bastilla; *voir aussi* **septembre**

juin [ʒɥɛ̃] *nm* junio *m; voir aussi* **septembre**

jumeau, -elle, -x, -elles [ʒymo, -ɛl] *adj & nm,f* gemelo(a) *m,f*

jumeler [9] [ʒymle] *vt* hermanar

jumelle [ʒymɛl] **1** *adj & nf voir* **jumeau**
2 *nfpl* **jumelles** *(en optique)* gemelos *mpl*

jument [ʒymɑ̃] *nf* yegua *f*

jungle [ʒœ̃gl] *nf* jungla *f*

junior [ʒynjɔr] *nmf Sp* júnior *mf*

jupe [ʒyp] *nf* falda *f, CSur* pollera *f*

juré, -e [ʒyre] **1** *adj (ennemi)* jurado(a) **2** *nmf* miembro *m* del jurado

jurer [ʒyre] **1** *vt* jurar; **j. de faire qch** jurar hacer algo; **je (vous) le jure!** ¡(se) lo juro!; *Fam* **quel idiot, je te jure!** ¡qué tonto, de verdad!; **elle ne jure que par l'homéopathie** sólo cree en la homeopatía **2** *vi (blasphémer)* jurar; *(couleurs)* no pegar (**avec** con) **3 se jurer** *vpr* **se j.** *(mutuellement)* jurarse algo; **se j. de faire qch** *(à soi-même)* jurarse hacer algo

juriste [ʒyrist] *nmf* jurista *mf*
juron [ʒyrɔ̃] *nm* juramento *m*
jury [ʒyri] *nm (d'un tribunal)* jurado *m*; *(d'examen)* tribunal *m*
jus [ʒy] *nm (de fruits)* Esp zumo *m*, Am jugo *m*; *(de légumes)* caldo *m*; *(de viande)* salsa *f* ■ **j. de raisin** mosto *m*
jusque [ʒysk(ə)]

Antes de vocal o h muda se usa **jusqu'**.

prép **jusqu'à** *(dans le temps, dans l'espace)* hasta; *(même)* hasta, incluso; **jusqu'à présent** hasta ahora; **jusqu'au bout** hasta el final; **jusqu'à ce que** hasta que; **jusqu'en** hasta; **jusqu'ici** *(dans l'espace)* hasta aquí; *(dans le temps)* hasta ahora
juste [ʒyst] **1** *adj* justo(a); *(exact)* exacto(a) **2** *adv (viser, deviner)*

correctamente; *(chanter)* afinado(a); *(à peine)* apenas; **à dix heures j.** a las diez en punto; **il y en a j. assez** hay lo justo; **au j.** exactamente
justement [ʒystəmã] *adv* precisamente, justo; **j'allais j. t'appeler** precisamente iba a llamarte ahora
justesse [ʒystɛs] *nf* precisión *f*; **de j.** por los pelos
justice [ʒystis] *nf* justicia *f*; **poursuivre qn en j.** llevar a alguien ante la justicia o a los tribunales; **passer en j.** ir a juicio
justification [ʒystifikɑsjɔ̃] *nf* justificación *f*
justifier [66] [ʒystifje] **1** *vt* justificar **2 se justifier** *vpr* justificarse
juteux, -euse [ʒytø, -øz] *adj* jugoso(a)

Kk

K, k [ka] *nm inv (lettre)* K *f*, k *f*
kangourou [kãguru] *nm* canguro *m*
karaté [karate] *nm* kárate *m*
karting [kartiŋ] *nm* karting *m*
kasher [kaʃer] *adj inv* kosher
kayak [kajak] *nm* kayac *m*
Kenya [kenja] *nm* **le K.** Kenia
kermesse [kermɛs] *nf (fête de bienfaisance)* feria *f* con fines benéficos; *(fête du patron)* fiestas *fpl* del pueblo
kérosène [kerozɛn] *nm* keroseno *m*
kidnapper [kidnape] *vt* Esp, RP, Ven secuestrar, Andes, Méx plagiar
kilo [kilo] *nm* kilo *m*
kilogramme [kilɔgram] *nm* kilogramo *m*
kilométrage [kilɔmetraʒ] *nm* kilometraje *m*

kilomètre [kilɔmetr] *nm* kilómetro *m*
kilo-octet *(pl* kilo-octets*)* [kilɔɔkte] *nm* Ordinat kilobyte *m*
kilowatt [kilɔwat] *nm* kilovatio *m*
kinésithérapeute [kineziterapøt] *nmf* fisioterapeuta *mf*
kiosque [kjɔsk] *nm (pavillon, à journaux)* quiosco *m*, kiosko *m*
kit [kit] *nm* **meuble en k.** kit *m* para hacerse un mueble, mueble *m* para montar en casa
kiwi [kiwi] *nm* kiwi *m*
Klaxon® [klaksɔn] *nm* claxon *m*, bocina *f*
klaxonner [klaksɔne] *vi* pitar, tocar el claxon
Koweït [kɔwejt] *nm* **le K.** Kuwait
koweïtien, enne [kɔwetjɛ̃, -ɛn] **1** *adj* kuwaití **2** *nm,f* **K.** kuwaití *mf*

Ll

L, l [εl] *nm inv (lettre)* L *f*, l *f*
la¹ [la] *art défini voir* **le**
la²

pron personnel la; **je la connais bien** la conozco bien; **il te la rendra demain** te la devolverá mañana; **donne-la-moi** dámela; **la voilà** ahí está

là [la] *adv (indique le lieu)* ahí; *(plus près)* aquí; *(dans le temps)* entonces; **est-ce que Marie est là?** ¿está Marie?; **c'est là que je travaille** trabajo ahí; **passe par là** pasa por ahí; **là est le problème** ahí está el problema; **ce vin-là** ese vino

là-bas [laba] *adv* allí

laboratoire [laboratwar] *nm* laboratorio *m*

labourer [labure] *vt (terre)* labrar, trabajar

lac [lak] *nm* lago *m*

lacet [lase] *nm (cordon)* cordón *m*; *(d'une route)* zigzag *m*; *(piège)* lazo *m*

lâche [laʃ] **1** *adj (nœud)* flojo(a); *(personne)* cobarde; *(action)* vil **2** *nmf* cobarde *mf*

lâcher [laʃe] **1** *vt* soltar; *(desserrer)* aflojar; *Fam (abandonner)* plantar **2** *vi* aflojarse

lâcheté [laʃte] *nf (couardise)* cobardía *f*; *(acte indigne)* vileza *f*

là-dedans [laddã] *adv* ahí dentro; **quel est son rôle l.?** ¿qué hace en todo esto?

là-dessous [ladsu] *adv* ahí abajo; *Fig* **il y a quelque chose l.** algo se esconde detrás de todo esto

là-dessus [ladsy] *adv* ahí arriba; *(sur ce)* en eso, después de eso; *(à ce sujet)* sobre esto; **l., il est parti** después de eso, se fue; **je n'ai rien à dire l.** no tengo nada que decir al respecto

là-haut [lao] *adv* allí arriba

laid, -e [lε, lεd] *adj* feo(a)

laideur [lεdœr] *nf* fealdad *f*

lainage [lεnaʒ] *nm (étoffe)* lana *f*; *(vêtement)* prenda *f* de lana

laine [lεn] *nf* lana *f* ■ **l. de verre** lana de vidrio

laisse [lεs] *nf* correa *f*; **tenir un chien en l.** llevar un perro con correa

laisser [lese] **1** *vt* dejar; **l. qch à qn** dejar algo a alguien; **l. qn faire qch** dejar a alguien hacer algo; **laisse-le faire!** ¡déjalo!; **l. tomber qch** dejar caer algo **2 se laisser** *vpr* **se l. aller** *(se relâcher)* dejarse ir; **se l. faire** *(ne pas protester)* dejarse avasallar; *(se laisser tenter)* no resistirse

lait [lε] *nm* leche *f* ■ **l. écrémé** leche desnatada; **l. entier** leche entera; **l. maternel** leche materna; **l. en poudre** leche en polvo; **l. de toilette** crema *f* limpiadora

laitier, -ère [letje, letjεr] **1** *adj (produit, industrie)* lácteo(a); *(vache)* leche-ro(a) **2** *nm,f* lechero(a) *m,f*

laitue [lety] *nf* lechuga *f*

lame [lam] *nf (de couteau)* hoja *f*; *(de parquet)* tabla *f*; *(vague)* ola *f* ■ **l. de fond** maremoto *m*; **l. de rasoir** hoja o cuchilla *f* de afeitar

La Mecque [lamεk] *n* La Meca

lamelle [lamεl] *nf (de métal)* lámina *f*; *(de microscope)* cubreobjetos *m inv*; **en lamelles** *(aliment)* en lonchas

lamentable [lamɑ̃tabl] *adj* lamentable

lamenter [lamɑ̃te] **se lamenter** *vpr* lamentarse

lampadaire [lɑ̃padɛʀ] *nm (d'intérieur)* lámpara *f* de pie; *(dans la rue)* Esp farola *f*, *Am* farol *m*, *Méx* foco *m*

lampe [lɑ̃p] *nf* lámpara *f* ■ **l. de chevet** lámpara de mesa; **l. halogène** lámpara halógena; **l. de poche** linterna *f*

lance [lɑ̃s] *nf (arme)* lanza *f* ■ **l. d'incendie** manga *f* de incendio

lancement [lɑ̃smɑ̃] *nm* lanzamiento *m*; *(d'un navire)* botadura *f*

lancer [16] [lɑ̃se] **1** *vt* lanzar; *(plaisanterie, cri)* soltar; *(moteur)* poner en marcha; *Ordinat (programme)* arrancar; *(navire)* botar; **l. qch à qn** lanzar o tirar algo a alguien **2** *nm Sp* lanzamiento *m*; **au l.** *(pêche)* al lanzado **3 se lancer** *vpr (se précipiter)* lanzarse; *Fig (s'engager)* meterse

landau [lɑ̃do] *nm* cochecito *m (de bebé)*

langage [lɑ̃gaʒ] *nm* lenguaje *m* ■ *Ordinat* **l. machine** lenguaje máquina; **l. de programmation** lenguaje de programación

langer [45] [lɑ̃ʒe] *vt* envolver en una mantilla

langouste [lɑ̃gust] *nf* langosta *f*

langoustine [lɑ̃gustin] *nf* cigala *f*

langue [lɑ̃g] *nf* lengua *f*; *(style)* lenguaje *m*; **tirer la l. à qn** sacar la lengua a alguien ■ **l. étrangère** lengua extranjera; **l. maternelle** lengua materna; **l. morte** lengua muerta; **l. vivante** lengua viva

languette [lɑ̃gɛt] *nf* lengüeta *f*

lanière [lanjɛʀ] *nf* correa *f*

lapin, -e [lapɛ̃, -in] *nm,f (animal)* conejo(a) *m,f*

laque [lak] *nf* laca *f*

laquelle [lakɛl] *voir* **lequel**

lard [laʀ] *nm (graisse de porc)* tocino *m*; *(viande)* panceta *f*

lardon [laʀdɔ̃] *nm Culin* taquito *m* de tocino

large [laʀʒ] **1** *adj* ancho(a); *(vêtement)* holgado(a); *(étendu, important)* amplio(a); **avoir l'esprit l.** ser tolerante **2** *nm (largeur)* ancho *m*; **le l.** *(mer)* alta mar *f*; **au l. de** a la altura de **3** *adv (compter)* de sobra; **il vaut mieux prévoir l.** *(nourriture)* más vale comprar comida de más

largement [laʀʒəmɑ̃] *adv (répandu)* ampliamente; *(ouvrir)* de par en par; *(généreusement)* generosamente; *(au moins)* por lo menos; *(amplement)* de sobra; **on en a l. assez** tenemos de sobra

largeur [laʀʒœʀ] *nf (dimension)* anchura *f*

larguer [laʀge] *vt (amarres)* largar; *(bombe)* tirar; *Fam Fig (personne)* plantar

larme [laʀm] *nf (pleur)* lágrima *f*; **être en larmes** llorar; **elle a eu les larmes aux yeux** se le humedecieron los ojos; *Fig* **une l. de** *(très peu)* una gota de

las, lasse [lɑ, lɑs] *adj Litt (fatigué)* fatigado(a); **l. de qch/de faire qch** harto(a) de algo/de hacer algo

laser [lazɛʀ] *nm* láser *m*

lasse [lɑs] *voir* **las**

lasser [lɑse] *Litt* **1** *vt (personne)* fatigar **2 se lasser** *vpr* fatigarse

latéral, -e, -aux, -ales [lateʀal, -o] *adj* lateral

latin, -e [latɛ̃, -in] **1** *adj* latino(a) **2** *nm,f* **L.** latino(a) *m,f* **3** *nm (langue)* latín *m*

lavable [lavabl] *adj* lavable

lavabo [lavabo] *nm* lavabo *m*; **les lavabos** *(toilettes)* los servicios

lavage [lavaʒ] *nm (nettoyage)* lavado *m*; *(des vitres)* limpieza *f*

lavande [lavɑ̃d] *nf* lavanda *f*

lave [lav] *nf* lava *f*

lave-autos [lavoto] *nm inv Can* túnel *m* de lavado

lave-linge [lavlɛ̃ʒ] *nm inv* lavadora *f*

laver [lave] **1** *vt (personne, linge)* lavar; *(vaisselle)* fregar; *(vitres)* limpiar **2 se laver** *vpr* lavarse; **se l. les mains** lavarse las manos

laverie [lavri] *nf* lavandería *f* ■ **l. automatique** lavandería automática
laveur, -euse [lavœr, -øz] *nm,f* **l. de carreaux** limpiacristales *m inv*; **l. de voitures** limpiacoches *m inv*
lave-vaisselle [lavvesel] *nm inv* lavavajillas *m inv*, lavaplatos *m inv*
le¹, la [lə, la] (*pl* **les** [le])

Antes de vocal o h muda en lugar de **le** y de **la** se usa **l'**.

art défini (**a**) *(singulier)* el (la); *(pluriel)* los (las); **le lac** el lago; **la fenêtre** la ventana; **l'amour** el amor; **les enfants** los niños; **la Seine** el Sena; **la France** Francia; **les États-Unis** los Estados Unidos
(**b**) *(dans l'expression du temps)* **le 15 janvier 1993** el 15 de enero de 1993; *(dans une lettre)* a 15 de enero de 1993; **tout est fermé le dimanche** los domingos todo está cerrado
(**c**) *(avec les parties du corps)* *(singulier)* el (la); *(pluriel)* los (las); **avoir les cheveux blonds** tener el pelo rubio; **se laver les dents** lavarse los dientes
(**d**) *(distributif)* *(singulier)* el (la); *(pluriel)* los (las); **10 euros le mètre** 10 euros el metro; **25 euros les deux** 25 euros los dos
le²

Antes de vocal o h muda se usa **l'**.

pron personnel lo; **je le connais bien** lo conozco bien; **elle me l'a prêté** me lo prestó ella; **rends-le-moi!** ¡devuélvemelo!; **le voilà** aquí está; **je te l'avais bien dit!** ¡te lo había dicho!
Le Caire [ləkɛr] *n* El Cairo
lécher [34] [leʃe] **1** *vt* lamer **2 se lécher** *vpr* **se l. les doigts** chuparse los dedos
leçon [ləsɔ̃] *nf* lección *f*; *(cours)* clase *f*; *Fig* **faire la l. à qn** sermonear a alguien ■ **l. particulière** clase particular
lecteur, -trice [lɛktœr, -tris] **1** *nm,f (de livres, à l'université)* lector(ora) *m,f* **2** *nm* **l. de cassettes** lector *m* de casetes; **l. de CD** lector de CD; *Ordinat* **l. de CD-ROM** lector de CD-ROM; *Ordinat* **l. de**

disquettes disquetera *f*; **l. laser** lector láser
lecture [lɛktyr] *nf* lectura *f*; **faire la l. à qn** leerle a alguien ■ *Ordinat* **l. optique** lectura óptica
légal, -e, -aux, -ales [legal, -o] *adj* legal; *(monnaie)* de curso legal
légaliser [legalize] *vt* legalizar
légalité [legalite] *nf* legalidad *f*; **agir en toute l.** actuar dentro de la legalidad
légende [leʒɑ̃d] *nf* leyenda *f*
léger, -ère [leʒe, -er] *adj* ligero(a); *(alcool)* suave; *(blessure, faute)* leve; *(grivois)* picante; **à la légère** a la ligera
légèrement [leʒɛrmɑ̃] *adv (peu, délicatement)* ligeramente; *(avec agilité)* con ligereza; *(inconsidérément)* a la ligera; *(sans gravité)* levemente
légèreté [leʒɛrte] *nf* ligereza *f*
légion [leʒjɔ̃] *nf Mil* legión *f*
légionnaire [leʒjɔner] *nm* legionario *m*
législatif, -ive [leʒislatif, -iv] **1** *adj* legislativo(a) **2** *nfpl* **les législatives** las legislativas
légitime [leʒitim] *adj* legítimo(a) ■ **l. défense** legítima defensa *f*
léguer [34] [lege] *vt* **l. qch à qn** legar algo a alguien
légume [legym] *nm* verdura *f* ■ **légumes secs** legumbres *fpl* (secas); **légumes verts** verduras
lendemain [lɑ̃dmɛ̃] *nm* día *m* siguiente (**de** a); **le l. matin** al día siguiente por la mañana; **sans l.** *(succès, aventure)* efímero(a)
lent, -e [lɑ̃, lɑ̃t] *adj* lento(a)
lentille [lɑ̃tij] *nf (plante, légume)* lenteja *f*; *(d'optique)* lentilla *f* ■ **lentilles de contact** lentes *fpl* de contacto
lequel, laquelle [ləkɛl, lakɛl] (*mpl* **lesquels** [lekɛl], *fpl* **lesquelles** [lekɛl])

lequel y **lesquel(le)s** se unen a la preposición **a** para formar las contracciones **auquel** y **auxquel(le)s** , y a **de** para formar **duquel** y **desquel(le)s** .

1 *pron interrogatif* cuál **2** *pron relatif* el (la) cual

les¹ [le] *art défini voir* **le¹**

les² *pron personnel* los (las); **je l. connais** los (las) conozco bien; **je te l. ai déjà rendus** ya te los devolví; **donne-l.-moi** dámelos(las); **l. voilà** aquí están

lessive [lesiv] *nf (produit)* detergente *m*; *(nettoyage)* limpieza *f*; *(linge)* colada *f*; **faire la l.** hacer la colada

letton, -onne [letɔ̃, -ɔn] **1** *adj* letón(ona) **2** *nm,f* L. letón(ona) *m,f* **3** *nm (langue)* letón *m*

Lettonie [letɔni] *nf* la L. Letonia

lettre [letr] *nf (caractère)* letra *f*; *(courrier)* carta *f*; **en toutes lettres** con todas las o sus letras; **à la l., au pied de la l.** al pie de la letra; *Univ* **lettres** letras ■ **l. de change** letra de cambio; **lettres classiques** letras clásicas; **lettres modernes** letras modernas

leur¹ [lœr] *pron personnel* les; **je l. ai donné la lettre** les he dado la carta; **je voudrais l. parler** desearía hablar con ellos; **raconte-l. tes vacances** cuéntales tus vacaciones; **je le l. montrerai plus tard** se lo enseñaré luego

leur² *(pl* leurs) **1** *adj possessif* su; **ils ont oublié l. parapluie** se han olvidado el paraguas; **ce sont leurs enfants** son sus hijos **2** **le leur, la leur** *(pl* **les leurs)** *pron possessif* el (la) suyo(a); **c'est notre problème, pas le l.** es nuestro problema, no el suyo; **il faudra qu'ils y mettent du l.** tendrán que poner algo de su parte; **c'est un des leurs** es uno de los suyos

leurrer [lœre] **1** *vt* engañar, embaucar **2 se leurrer** *vpr* engañarse

lever [46] [ləve] **1** *vt* levantar; *(tirer vers le haut)* subir; *(ancre)* levar; *(armée)* reclutar; *(impôts)* recaudar
2 *vi (fermenter)* subir
3 *nm (d'un astre)* salida *f*; **au l. du soleil** al amanecer; **au l.** *(d'une personne)* al levantarse ■ **l. de**

rideau *(au théâtre)* subida *f* del telón **4 se lever** *vpr Esp* levantarse, *Am* pararse; *(astre)* salir

levier [ləvje] *nm* palanca *f* ■ **l. de vitesses** palanca de cambios

lèvre [levr] *nf* labio *m*; **du bout des lèvres** *(accepter)* con la boca pequeña; *(rire)* apenas; **manger du bout des lèvres** comer como un pajarito

lévrier [levrije] *nm* galgo *m*

levure [ləvyr] *nf* levadura *f* ■ **l. chimique** levadura química

lézard [lezar] *nm* lagarto *m*

lézarder [lezarde] **se lézarder** *vpr* agrietarse

liaison [ljezɔ̃] *nf (jonction)* conexión *f*; *Ling* = acción de pronunciar la consonante final de una palabra unida a la vocal inicial de la palabra siguiente; *(communication)* contacto *m*; *(amoureuse)* relación *f*; *(transport)* enlace *m*

Liban [libɑ̃] *nm* le L. (el) Líbano

libanais, -e [libane, -ez] **1** *adj* libanés(esa) **2** *nm,f* L. libanés(esa) *m,f*

libeller [libele] *vt (chèque)* extender; *(lettre)* redactar; *Jur* redactar, formular

libéral, -e, -aux, -ales [liberal, -o] *adj & nm,f* liberal *mf*

libération [liberasjɔ̃] *nf* liberación *f*; *(d'un engagement)* exención *f*; *(des prix)* liberalización *f*

libérer [34] [libere] **1** *vt* liberar, libertar; *(passage)* dejar libre **2 se libérer** *vpr (prisonnier)* liberarse; *(se rendre disponible)* escaparse; **se l. d'une obligation** librarse de una obligación

liberté [liberte] *nf* libertad *f*; **en l.** en libertad; **prendre** *ou* **se permettre des libertés avec qn** tomarse libertades con alguien ■ **l. d'expression** libertad de expresión; **l. d'opinion** libertad de opinión; **l. provisoire** libertad provisional

libraire [librer] *nmf* librero(a) *m,f*

librairie [libreri] *nf* librería *f*

libre [libr] *adj* libre; *(école)* privado(a); **être l. de faire qch** ser libre de hacer algo

libre-échange [libreʃɑʒ] *nm* librecambio *m*, libre cambio *m*

libre-service *(pl* **libres-services)** [librəsɛrvis] *nm* autoservicio *m*

Libye [libi] *nf* **la L.** Libia

libyen, -enne [libjɛ̃, -ɛn] **1** *adj* libio(a) **2** *nm,f* **L.** libio(a) *m,f*

licence [lisɑ̃s] *nf* licencia *f*; *Univ* = diploma universitario que se concede a los alumnos que han aprobado los tres primeros cursos de una carrera universitaria; *Sp* ficha *f*

licenciement [lisɑ̃simɑ̃] *nm* despido *m*

licencier [66] [lisɑ̃sje] *vt* despedir, *Chile, RP* cesantear

lien [ljɛ̃] *nm (sangle)* atadura *f*; *(entre des personnes)* lazo *m*, vínculo *m*; *(entre des situations)* relación *f* ■ **l. de parenté** lazo de parentesco

lier [66] [lje] **1** *vt (attacher)* atar; *(joindre, unir)* unir; *Culin (sauce)* ligar; *Fig (relier)* relacionar (**à** con); *(sujet: contrat)* vincular; *(sujet: mariage)* unir; **l. conversation (avec qn)** entablar conversación (con alguien) **2 se lier** *upr* **se l. (d'amitié) avec qn** hacerse amigo(a) de alguien

lierre [ljɛr] *nm* hiedra *f*, yedra *f*

lieu, -x [ljø] *nm (endroit)* lugar *m*, sitio *m*; **lieux** *(local, emplacement)* lugar; **sur les lieux de qch** en el lugar de algo; **au l. de qch/de faire qch** en lugar de algo/de hacer algo; **en l. sûr** en lugar o sitio seguro; **en premier/second/dernier l.** en primer/segundo/último lugar; **avoir l.** tener lugar ■ **l. de naissance** lugar de nacimiento

lieutenant [ljøtnɑ̃] *nm* teniente *m*

lièvre [ljɛvr] *nm* liebre *f*

ligne [liɲ] *nf* línea *f*; *(file)* fila *f*, hilera *f*; *(de pêche)* caña *f*; **à la l.** punto y aparte; **dans les grandes lignes** a grandes rasgos; **en l.** *(personnes)* en

fila; *Ordinat* en línea; **en l. droite** en línea recta; **garder la l.** guardar la línea; **pêcher à la l.** pescar con caña ■ **l. aérienne** línea aérea; **l. d'arrivée** línea de llegada; *Rail* **lignes de banlieue** líneas de cercanías; **l. blanche** *(sur la route)* línea continua; **l. de conduite** línea de conducta; **l. de départ** línea de salida; **l. de mire** punto *m* de mira; *Rail* **grandes lignes** líneas de largo recorrido

ligoter [ligɔte] *vt* atar

lilas [lila] *nm* lila *f*

limace [limas] *nf* babosa *f*

limande [limɑ̃d] *nf* gallo *m (pez)*

lime [lim] *nf* lima *f* ■ **l. à ongles** lima de uñas

limitation [limitasjɔ̃] *nf* limitación *f*, límite *m* ■ **l. de vitesse** limitación *o* límite de velocidad

limite [limit] **1** *nf* límite *m*; *(échéance)* fecha *f* límite; **à la l.** *(au pire)* en última instancia, en el peor de los casos ■ **l. d'âge** límite de edad **2** *adj* límite *inv*

limiter [limite] **1** *vt* limitar **2 se limiter** *upr* **se l. à qch/à faire qch** limitarse a algo/a hacer algo

limoger [45] [limɔʒe] *vt* destituir

limonade [limɔnad] *nf* gaseosa *f*

limpide [lɛ̃pid] *adj (eau, regard)* límpido(a); *(explication, style)* nítido(a)

lin [lɛ̃] *nm* lino *m*

linge [lɛ̃ʒ] *nm (de maison)* ropa *f* blanca; *(lessive)* colada *f*; *(morceau de tissu)* trapo *m* ■ **l. (de corps)** ropa interior; **l. sale** ropa sucia

lingerie [lɛ̃ʒri] *nf (local)* lavandería *f*; *(sous-vêtements)* lencería *f*

lingot [lɛ̃go] *nm* lingote *m*

lion, lionne [ljɔ̃, ljɔn] **1** *nm,f* león(ona) *m,f* **2** *nm Astrol* **L.** Leo *m*

liquéfier [66] [likefje] **1** *vt* licuar, licuefacer **2 se liquéfier** *upr* licuarse

liqueur [likœr] *nf* licor *m* ■ *Can* **l. douce** bebida *f* sin alcohol, refresco *m*

liquidation [likidasjɔ̃] *nf* liquidación *f* ■ **l. judiciaire** = liquidación de

bienes por orden judicial para pagar
a los acreedores en un caso de
suspensión de pagos

liquide [likid] **1** *adj* líquido(a) **2** *nm*
(substance) líquido *m; (argent)* dinero
m en efectivo, efectivo *m*; **en l.** en
efectivo; **retirer du l.** sacar dinero

liquider [likide] *vt* liquidar; *Fam (tuer)*
deshacerse de

lire¹ [44] [lir] *vt* leer; **lu et approuvé**
(sur un document) visto bueno (y
conforme)

lire² *nf Anciennement* l. **(italienne)** lira *f*

lis [lis] *nm* lirio *m* blanco, azucena *f*

lisible [lizibl] *adj* legible

lisière [lizjɛr] *nf (limite)* linde *m*,
lindero *m; Cout* orilla *f*, orillo *m*

lisse [lis] *adj* liso(a)

liste [list] *nf* lista *f* ■ **l. d'attente** lista
de espera; **l. électorale** lista electoral;
l. de mariage lista de boda; **l. rouge**
lista secreta

lit [li] *nm* cama *f; (de feuilles, d'un cours
d'eau)* lecho *m*; **faire son l.** hacerse la
cama; **se mettre au l.** meterse en la
cama ■ **l. de camp** catre *m*, cama de
tijera; **l. d'enfant** cuna *f*; **lits jumeaux**
camas gemelas; **lits superposés**
literas *fpl*

litière [litjɛr] *nf (paille)* jergón *m; (pour
chat)* lecho *m*

litige [litiʒ] *nm* litigio *m*

litre [litr] *nm* litro *m*

littéraire [literɛr] *adj* literario(a)

littérature [literatyr] *nf* literatura *f*

littoral, -e, -aux, -ales [litɔral, -o]
1 *adj* litoral **2** *nm* litoral *m*

Lituanie [lituani] *nf* la L. Lituania

lituanien, -enne [lituanjɛ̃, -ɛn] **1** *adj*
lituano(a) **2** *nm,f* **L.** lituano(a) *m,f*
3 *nm (langue)* lituano *m*

livraison [livrɛzɔ̃] *nf* entrega *f*, reparto
m

livre¹ [livr] *nm* libro *m* ■ **l. de bord**
libro a bordo; **l. de cuisine** libro de
cocina; **l. d'or** libro de oro; **l. de poche**
libro de bolsillo

livre² *nf (demi-kilo)* medio kilo *m; Can*
libra *f (0,453 kg)* ■ **l. irlandaise** libra

irlandesa; **l. (sterling)** libra esterlina

livrer [livre] **1** *vt (marchandise,
complice)* entregar; *(secret)* confiar;
être livré à soi-même verse
abandonado(a) a su suerte **2 se
livrer** *vpr (se rendre)* entregarse (à a);
(se confier) confiarse (à a); **se l. à qch**
(se consacrer) entregarse a algo

livret [livrɛ] *nm (carnet)* libreta *f*,
cartilla *f; Mus* libreto *m* ■ **l. de
caisse d'épargne** libreta o cartilla de
ahorros; **l. de famille** libro *m* de
familia; **l. scolaire** libro de escolaridad

livreur, -euse [livrœr, -øz] *nm,f*
repartidor(ora) *m,f*

local, -e, -aux, -ales [lɔkal, -o] **1** *adj*
local **2** *nm* local *m*; **locaux** *(bureaux)*
locales

localité [lɔkalite] *nf* localidad *f*

locataire [lɔkatɛr] *nmf* inquilino(a)
m,f

location [lɔkasjɔ̃] *nf (d'un logement,
d'un véhicule)* alquiler *m; (maison)*
casa *f* de alquiler; *(appartement)* piso
m de alquiler; *(réservation)* reserva *f*

locomotive [lɔkɔmɔtiv] *nf* locomotora *f*

loge [lɔʒ] *nf (de concierge)* portería *f*,
recepción *f; (d'acteur)* camerino *m*;
(au spectacle) palco *m; Fig* **être aux
premières loges** estar en primera
línea

logement [lɔʒmɑ̃] *nm* vivienda *f*

loger [45] [lɔʒe] **1** *vt (héberger) (sujet:
personne)* alojar; *(sujet: salle, hôtel)*
albergar; *(introduire)* meter **2** *vi*
alojarse **3 se loger** *vpr (s'enfoncer)* ir a
parar; **trouver à se l.** *(trouver un
logement)* encontrar vivienda

logiciel [lɔʒisjɛl] *nm Ordinat* software
m ■ **l. intégré** paquete *m* integrado

logique [lɔʒik] **1** *adj* lógico(a) **2** *nf*
lógica *f*

loi [lwa] *nf* ley *f*; **faire la l.** gobernar,
mandar ■ **l. martiale** ley marcial

loin [lwɛ̃] *adv (dans le temps, dans
l'espace)* lejos; **aller trop l.** *(exagérer)*
ir demasiado lejos; **au l.** a lo lejos; **de**

l. *(à distance)* de lejos; *(de beaucoup)* con mucho; **l. de** lejos de; **elle est l. d'être bête** no tiene un pelo de tonta; **être l. du compte** estar muy lejos de la realidad; **pas l. de** *(presque)* cerca de; *Prov* **l. des yeux, l. du cœur** ojos que no ven, corazón que no siente

lointain, -e [lwɛ̃tɛ̃, -ɛn] **1** *adj* lejano(a) **2** *nm* **dans le l.** a lo lejos

loisir [lwazir] *nm (temps libre)* ocio *m*; **loisirs** *(temps libre)* ocio *m*; *(activités)* distracciones *fpl*; *Litt* **avoir le l. de faire qch** *(avoir le temps)* tener tiempo para hacer algo; *Litt* **à l.** a mi/tu/*etc* gusto

Londres [lɔ̃dr] *n* Londres

long, longue [lɔ̃, lɔ̃g] **1** *adj* largo(a); *(lent)* lento(a); **être l. à faire qch** tardar en hacer algo; **il est l. à se décider** tarda en decidirse

 2 *nm* **20 cm de l.** 20 cm de largo; **(tout) le l. de qch** a lo largo de algo; **tout au l. de l'année** durante todo el año; **de l. en large** de un lado a otro

 3 *adv* **en dire/en savoir l. sur qch** decir/saber mucho de algo

 4 *nf* **longue: à la longue** a la larga

longer [45] [lɔ̃ʒe] *vt* bordear

longtemps [lɔ̃tɑ̃] *adv* mucho tiempo; **avant l.** pronto; **depuis l.** desde hace mucho (tiempo); **il y a l. que** hace mucho (tiempo); **je n'en ai pas pour l.** no tardaré mucho

longue [lɔ̃g] *voir* **long**

longueur [lɔ̃gœr] *nf (dimension)* longitud *f*, largo *m*; *(à la piscine)* largo *m*; *(durée)* duración *f*; *Péj* **longueurs** *(dans un film)* pasajes *mpl* lentos; **en l.** de largo; **à l. de journée** durante todo el día; **à l. de temps** continuamente ■ *Rad* **l. d'ondes** longitud de onda

longue-vue *(pl* **longues-vues)** [lɔ̃gvy] *nf* catalejo *m*

lopin [lɔpɛ̃] *nm* **l. de terre** parcela *f*

loquet [lɔkɛ] *nm* pestillo *m*

lorgner [lɔrɲe] *vt Fam (observer)* mirar insistentemente; *(convoiter)* tenerle echado el ojo a

lors [lɔr] *adv* **l. de** durante; *Litt* **depuis l.** desde entonces

lorsque [lɔrsk]

Antes de vocal o h muda se usa **lorsqu'**.

conj cuando

losange [lɔzɑ̃ʒ] *nm* rombo *m*

lot [lo] *nm (part, stock)* lote *m*; *(prix)* premio *m* ■ **l. de consolation** premio de consolación; **gros l.** premio gordo

loterie [lɔtri] *nf* lotería *f*

lotion [losjɔ̃] *nf* loción *f*

lotissement [lɔtismɑ̃] *nm (habitations)* urbanización *f*

loto [lɔto] *nm (jeu de société)* bingo *m* casero; *(loterie)* lotería *f* primitiva *f*

louange [lwɑ̃ʒ] *nf* alabanza *f*; **chanter les louanges de qn** deshacerse en elogios por alguien

louche[1] [luʃ] *adj (acte)* turbio(a); *(individu)* sospechoso(a)

louche[2] *nf* cazo *m*

loucher [luʃe] *vi* bizquear; *Fig* **l. sur** *(observer)* mirar insistentemente; *(convoiter)* tenerle echado el ojo a

louer[1] [lwe] *vt (logement)* alquilar, *Am* rentar; *(place)* reservar; **à l.** *(sur écriteau)* se alquila

louer[2] *vt Litt (glorifier)* alabar; **se l. de qch/d'avoir fait qch** congratularse de algo/de haber hecho algo

loup [lu] *nm (mammifère)* lobo *m*; *(poisson)* lubina *f*, róbalo *m*

loupe [lup] *nf (pour grossir)* lupa *f*

lourd, -e [lur, lurd] **1** *adj (pesant, maladroit)* pesado(a); *(faute)* grave; *(temps)* bochornoso(a); *Fig* **l. de** *(sous-entendus)* preñado(a) de **2** *adv* **peser l.** pesar mucho

lourdeur [lurdœr] *nf (poids)* pesadez *f*; *(maladresse)* torpeza *f*; *(d'une faute)* gravedad *f*; *(du temps)* bochorno *m* ■ **lourdeurs d'estomac** pesadez de estómago

loyal, -e, -aux, -ales [lwajal, -o] *adj* leal

loyauté [lwajote] *nf* lealtad *f*

loyer [lwaje] *nm* alquiler *m*

lu, -e *pp voir* **lire**[1]

lubrifier [66] [lybrifje] *vt* lubrificar, lubricar

lucarne [lykarn] *nf (fenêtre)* tragaluz *m*; *(au football)* escuadra *f*

lucide [lysid] *adj* lúcido(a)

lucidité [lysidite] *nf* lucidez *f*

lucratif, -ive [lykratif, -iv] *adj* lucrativo(a)

lueur [lɥœr] *nf (lumière)* luz *f*, resplandor *m*; *Fig (éclat)* chispa *f*; **à la l. de** a la luz de; **une l. d'espoir** un rayo de esperanza

luge [lyʒ] *nf* trineo *m*; **faire de la l.** montar en trineo

lui [lɥi] *pron personnel (objet indirect)* le; *(sujet, objet direct, après préposition)* él; *(réfléchi)* sí mismo; **je l. ai parlé** le he hablado; **qui le l. a dit?** ¿quién se lo ha dicho?; **rends-le-l.** devuélveselo; **Marc, l., n'a pas aimé le film** pues a Marc no le ha gustado la película; **c'est à l.** es suyo(a); **elle est plus jeune que l.** ella es más joven que él; **sans/avec l.** sin/con él; **il est content de l.** está contento de sí mismo

lui-même [lɥimɛm] *pron personnel* él mismo

luire [18] [lɥir] *vi (soleil)* brillar; *(objet)* relucir

luisant, -e [lɥizɑ̃, -ɑ̃t] *adj* brillante

lumière [lymjɛr] *nf* luz *f*; *Fam Fig (personne)* lumbrera *f*

lumineux, -euse [lyminø, -øz] *adj* luminoso(a); *(visage, regard)* resplandeciente

lunaire [lynɛr] *adj* lunar

lundi [lœdi] *nm* lunes *m inv*; **le l. de Pâques** el lunes de Pascua; **le l. de**

Pentecôte el lunes de Pentecostés; *voir aussi* **samedi**

lune [lyn] *nf* luna *f*; **la Lune** la Luna; *Fig* **être dans la l.** estar en la luna, estar en las nubes ■ **l. de miel** luna de miel; **pleine l.** luna llena

lunette [lynɛt] *nf (fenêtre)* luneta *f*, ventanilla *f*; *Astron* anteojo *m*; *(des toilettes)* agujero *m*; **lunettes** *(pour la vue)* gafas *fpl* ■ **lunettes de soleil** gafas de sol; **lunettes de vue** gafas graduadas

lustre¹ [lystr] *nm (luminaire)* araña *f*, *Méx* candil *m*; *(éclat)* lustre *m*

lustre² [lystr] *nm* **ça fait des lustres que...** hace siglos que...; **depuis des lustres** desde hace siglos

lutte [lyt] *nf* lucha *f*; **la l. des classes** la lucha de clases

lutter [lyte] *vi* luchar (**contre/pour** contra/por)

luxe [lyks] *nm* lujo *m*; **de l.** de lujo; **s'offrir** *ou* **se payer le l. de** permitirse el lujo de

Luxembourg [lyksɑ̃bur] **1** *n (ville)* Luxemburgo **2** *nm* **le L.** *(pays)* Luxemburgo

luxer [lykse] **se luxer** *vpr* **se l. l'épaule** hacerse una luxación en el hombro

luxueux, -euse [lyksɥø, -øz] *adj* lujoso(a)

lycée [lise] *nm* instituto *m* ■ **l. agricole** = instituto de especialización agrícola; **l. professionnel** = instituto de formación profesional; **l. technique** = instituto de formación técnica

lycéen, -enne [liseɛ̃, -ɛn] *nm,f* alumno(a) *m,f (de instituto)*

Mm

M, m [ɛm] *nm inv (lettre)* M *f*, m *f*
M *(abrév* **monsieur)** Sr.
ma [ma] *voir* **mon**
macérer [34] [masere] *vt & vi* macerar
mâcher [maʃe] *vt* masticar, mascar;
elle n'a pas mâché ses mots no midió
sus palabras
machine [maʃin] *nf* máquina *f* ▪ **m. à
coudre** máquina de coser; **m. à écrire**
máquina de escribir; **m. à laver**
lavadora *f*; **m. à sous** máquina
tragaperras
mâchoire [maʃwar] *nf* mandíbula *f*
mâchonner [maʃɔne] *vt (mâcher)*
mascar; *(mordiller)* mordisquear
maçon [masɔ̃] *nm (artisan)* albañil *m*
maçonnerie [masɔnri] *nf (activité)*
albañilería *f*; *(construction)* obra *f*
madame [madam] *(pl* **mesdames**
[medam]) *nf* señora *f*; **bonjour m.**
buenos días señora; **Chère M.** *(dans
une lettre)* Estimada señora, Muy
señora mía; **m. Dupuy** *(apostrophe)*
señora Dupuy; *(en parlant d'elle)* la
señora Dupuy; **mesdames, mesdemoiselles, messieurs!** ¡señoras y señores!
madeleine [madlɛn] *nf* magdalena *f*
mademoiselle [madmwazɛl] *(pl* **mesdemoiselles** [medmwazɛl]) *nf* señorita
f; *voir aussi* **madame**
magasin [magazɛ̃] *nm (boutique)*
tienda *f*; *(entrepôt)* almacén *m*; **faire
les magasins** ir de tiendas ▪ **grand
m.** gran almacén
magazine [magazin] *nm (revue)*
revista *f*; *(émission)* magazine *m*
magicien, -enne [maʒisjɛ̃, -ɛn] *nm,f*
mago(a) *m,f*

magie [maʒi] *nf* magia *f*
magique [maʒik] *adj* mágico(a)
magistrat [maʒistra] *nm* magistrado
m
magnanime [maɲanim] *adj* magná-
nimo(a)
magnat [maɲa] *nm* magnate *m*
magner [maɲe] **se magner** *vpr Fam*
moverse, espabilarse
magnésium [maɲezjɔm] *nm* magne-
sio *m*
magnétique [maɲetik] *adj* magné-
tico(a)
magnétophone [maɲetɔfɔn] *nm* magnetófono *m*
magnétoscope [maɲetɔskɔp] *nm* vídeo *m*
magnifique [maɲifik] *adj* magní-
fico(a)
mai [mɛ] *nm* mayo *m*; *voir aussi*
septembre
maigre [mɛgr] *adj (personne)* flaco(a);
(laitage) sin grasa; *(viande)* magro(a);
(repas) escaso(a); *(salaire, consolation)* pobre
maigrir [megrir] *vi* adelgazar
maillot [majo] *nm (de sport)* maillot *m*
▪ **m. de bain** bañador *m*, traje *m* de
baño; **m. de corps** camiseta *f (prenda
interior)*
main [mɛ̃] *nf* mano *f*; **à la m.
(manuellement)** a mano; **haut les
mains!** ¡manos arriba!; **donner la m.
à qn** dar la mano a alguien; **faire m.
basse sur qch** apoderarse de algo;
prendre qch/qn en m. ocuparse de
algo/alguien; **ne pas y aller de m.
morte** no andarse con chiquitas
▪ **m. courante** pasamanos *m inv*

main-d'œuvre (*pl* **mains-d'œuvre**) [mɛ̃dœvr] *nf* mano *f* de obra

maintenant [mɛ̃tnɑ̃] *adv* ahora

maintenir [70] [mɛ̃tnir] **1** *vt* mantener **2 se maintenir** *vpr* mantenerse

maintien [mɛ̃tjɛ̃] *nm* (*conservation*) mantenimiento *m*; (*tenue*) porte *m*

maire [mɛr] *nm* alcalde(esa) *m,f*, *Méx* regente *mf*, *RP* intendente *mf*

mairie [meri] *nf* (*bâtiment*, *administration*) ayuntamiento *m*; (*poste*) alcaldía *f*

mais [me] *conj* pero; (*introduit une opposition*) sino; **non seulement… m. en plus** no sólo… sino también; **m. non!** ¡pues claro que no!; **non m.!** ¡pero bueno!; **il a pleuré, m. pleuré!** lloró, ¡y de qué manera!

maïs [mais] *nm* maíz *m*

maison [mezɔ̃] **1** *nf* casa *f*; **être à la m.** estar en casa; **rentrer à la m.** volver a casa ■ **m. d'édition** (casa) editorial *f*; **m. de retraite** residencia *f* de ancianos **2** *adj inv* (*de restaurant*) de la casa; (*fabriqué chez soi*) casero(a)

maître [metr] *nm* (*instituteur*) maestro *m*, profesor *m*; (*chef, propriétaire d'un animal*) dueño *m*; **m. Richard** (*titre*) el Sr. Richard; **être m. de** (*destin, décision*) ser dueño de; (*émotions, véhicule*) controlar, dominar; **être m. de soi** ser dueño de sí mismo ■ **m. auxiliaire** profesor(ora) *m,f* interino(a); **m. chanteur** chantajista *mf*; **m. de conférences** profesor(ora) universitario(a); **m. d'école** maestro de escuela, profesor de magisterio; **m. d'hôtel** maître *m*, jefe *m* de comedor; **le m. de maison** el señor de la casa; **m. nageur** profesor(ora) de natación; **m. d'œuvre** (*en bâtiment*) capataz *m*

maîtresse [metres] **1** *nf* (*institutrice*) maestra *f*, profesora *f*; (*chef, propriétaire d'un animal*) dueña *f*; (*amie*) amante *f*; **être m. de** (*destin, décision*) ser dueña de; (*émotions, véhicule*) controlar, dominar; **être m. de soi** ser dueña de sí misma ■

d'école maestra de escuela, profesora de magisterio; **la m. de maison** el ama de casa **2** *adj* (*idée, poutre*) principal; **œuvre m.** obra *f* maestra

maîtrise [metriz] *nf* (*contrôle, connaissance*) dominio *m*, control *m*; *Univ* = diploma obtenido al final del segundo ciclo universitario, después de cuatro años de estudio ■ **m. de soi** control de sí mismo

maîtriser [metrize] **1** *vt* dominar **2 se maîtriser** *vpr* dominarse

majesté [maʒɛste] *nf* (*splendeur*) majestuosidad *f*; **Sa/Votre M.** Su/Vuestra Majestad

majeur, -e [maʒœr] **1** *adj* (*personne*) mayor de edad; (*principal*) & *Mus* mayor; (*important*) importante **2** *nm* (*doigt*) dedo *m* medio, dedo *m* corazón

majorer [maʒɔre] *vt* aumentar

majorette [maʒɔret] *nf* majorette *f*

majoritaire [maʒɔriter] *adj* mayoritario(a); **être m.** estar en mayoría, ser mayoría

majorité [maʒɔrite] *nf* (*âge*) mayoría *f* de edad; (*majeure partie*) & *Pol* mayoría *f*; **en (grande) m.** mayoritariamente

Majorque [maʒɔrk] *n* Mallorca

majuscule [maʒyskyl] **1** *adj* mayúsculo(a) **2** *nf* mayúscula *f*

mal, maux [mal, mo] **1** *nm* (*physique*) dolor *m*; (*moral*) mal *m*; **avoir m. à la tête** tener dolor de cabeza; **j'ai m. aux pieds** me duelen los pies; **j'ai du m. à me lever** me cuesta trabajo levantarme; **dire du m. de qn** hablar mal de alguien; **se donner du m. pour faire qch** esforzarse por hacer algo; **être en m. de qch** faltarle a uno algo; **faire m. à qn** hacerle daño a alguien; **se faire m.** hacerse daño; **faire du m. à qn** hacer daño a alguien; **avoir le m. de mer** estar mareado(a); **il a le m. du pays** echa de menos su tierra ■ **maux de tête** dolor de cabeza

2 *adv* mal; **aller/se sentir m.** ir/encontrarse mal; *Fam* **pas m. de** bastante; *Fam* **pas m. de choses** bastantes cosas

3 *adj inv* **c'est m. de faire ça** está mal hacer eso; **ça n'est pas m. (du tout)** no está (nada) mal

malade [malad] **1** *adj* enfermo(a); **être m. du cœur** estar enfermo(a) del corazón; **être m. de jalousie** estar loco(a) de celos; **tomber m.** ponerse enfermo(a) **2** *nmf* enfermo(a) *m,f*

maladie [maladi] *nf* enfermedad *f*; *(passion, manie)* obsesión *f*

maladresse [maladres] *nf* torpeza *f*

maladroit, -e [maladrwa, -at] *adj & nm,f* torpe *mf*

malaise [malez] *nm* malestar *m*

malchance [malʃɑ̃s] *nf* mala suerte *f*

malchanceux, -euse [malʃɑ̃søِ, -øz] *adj* desafortunado(a)

mâle [mɑl] **1** *adj (enfant)* varón; *(animal, fleur, prise)* macho; *(hormone)* masculino(a); *(voix, assurance)* varonil, viril **2** *nm (homme, enfant)* varón *m; (animal, végétal)* macho *m*

malédiction [malediksjɔ̃] *nf* maldición *f*

maléfique [malefik] *adj* maléfico(a)

malencontreux, -euse [malɑ̃kɔ̃trø, -øz] *adj* poco afortunado(a), desafortunado(a)

malentendant, -e [malɑ̃tɑ̃dɑ̃, -ɑ̃t] *adj & nm,f* sordo(a) *m,f*

malentendu [malɑ̃tɑ̃dy] *nm* malentendido *m*

malfaçon [malfasɔ̃] *nf* tara *f*

malfaisant, -e [malfəzɑ̃, -ɑ̃t] *adj* malo(a)

malfaiteur [malfetœr] *nm* malhechor(ora) *m,f*

malgré [malgre] *prép* a pesar de; **m. moi/toi/***etc* a pesar mío/tuyo/*etc*; **m. tout** a pesar de todo

malhabile [malabil] *adj* inhábil

malheur [malœr] *nm (événement, adversité)* desgracia *f*; **faire un m.** *(remporter un grand succès)* ser un gran éxito; **par m.** por desgracia;

porter m. à qn traer mala suerte a alguien

malheureusement [malœrøzmɑ̃] *adv* desgraciadamente

malheureux, -euse [malœrø, -øz] **1** *adj (vie, amour, victime)* desgraciado(a); *(air, mine)* desdichado(a); *(rencontre, mot)* desafortunado(a); *(sans valeur)* mísero(a) **2** *nm,f* desgraciado(a) *m,f*

malhonnête [malɔnɛt] *adj* deshonesto(a)

malhonnêteté [malɔnɛtte] *nf* deshonestidad *f*

malice [malis] *nf* malicia *f*; *(méchanceté)* maldad *f*

malicieux, -euse [malisjø, -øz] *adj* malicioso(a)

malin, -igne [malɛ̃, -iɲ] *adj (personne)* astuto(a), *Méx* abusado(a); *(regard, sourire)* malicioso(a); *(plaisir)* malévolo(a); *Méd (tumeur)* maligno(a)

malle [mal] *nf (caisse)* baúl *m*

mallette [malɛt] *nf* maletín *m*

malmener [46] [malmɔne] *vt* maltratar; *Fig (adversaire)* poner en apuros

malnutrition [malnytrisjɔ̃] *nf* desnutrición *f*

malpoli, -e [malpɔli] *adj & nm,f* maleducado(a) *m,f*

malsain, -e [malsɛ̃, -ɛn] *adj* malsano(a)

maltais, -e [maltɛ, -ɛz] **1** *adj* maltés(esa) **2** *nm,f* **M.** maltés(esa) *m,f* **3** *nm (langue)* maltés *m*

Malte [malt] *n* Malta

maltraiter [maltrete] *vt* maltratar

malveillant, -e [malvejɑ̃, -ɑ̃t] *adj* malévolo(a)

maman [mamɑ̃] *nf* mamá *f*

mamie [mami] *nf Esp* abuelita *f, Andes, Méx* mamá grande *f*

mammifère [mamifɛr] *nm* mamífero *m*

Manche [mɑ̃ʃ] *nf* **la M.** *(mer)* el canal de la Mancha

manche¹ [mɑ̃ʃ] *nf* manga *f*; **chemise à**

manches courtes/longues camisa *f* de manga corta/larga

manche² *nm (d'outil)* mango *m*; *(d'instrument de musique)* mástil *m* ■ **m. à balai** palo *m* de escoba; *Av* timón *m*

manchette [mãʃɛt] *nf (de chemise)* puño *m*; *(de journal)* titular *m*

manchot, -e [mãʃo, -ɔt] **1** *adj & nm,f* manco(a) *m,f*, **2** *nm (oiseau)* pájaro *m* bobo

mandarine [mãdarin] *nf* mandarina *f*

mandat [mãda] *nm (procuration)* poder *m*, procuración *f*; *(titre de paiement)* giro *m*; *Pol* mandato *m*; *Jur* orden *f* ■ **m. d'amener** orden de comparecencia; **m. d'arrêt** orden de arresto; **m. de perquisition** orden de registro; **m. postal** giro postal

manège [manɛʒ] *nm (attraction) Esp* tiovivo *m*, caballitos *mpl*, *Am* carrusel *m*, *RP* calesita *f*; *(école d'équitation)* picadero *m*; *Fig (manœuvre)* tejemaneje *m*

manette [manɛt] *nf* manecilla *f*

mangeable [mãʒabl] *adj* comestible

manger [45] [mãʒe] **1** *vt* comer; *(sujet: mites, rouille)* carcomer, comer; *(fortune)* dilapidar; **m. ses mots** farfullar, mascullar; **2** *vi* comer

mangue [mãg] *nf* mango *m*

maniable [manjabl] *adj* manejable

maniaque [manjak] *adj & nmf (méticuleux)* maniático(a) *m,f*; *(fou)* maníaco(a) *m,f*

manie [mani] *nf* manía *f*

manier [66] [manje] *vt* manejar

maniéré, -e [manjere] *adj* amanerado(a)

manière [manjɛr] *nf* manera *f*; **adverbe de m.** adverbio *m* de modo; **manières** *(attitude)* modales *mpl*; **faire des manières** *(être pompeux)* ser finústico(a); *(se faire prier)* hacerse de rogar; **de toute m.** de todas maneras; **d'une m. générale** en general; **de m. à faire qch** para hacer algo; **de m. à ce que** de modo que; **de telle m. que** de tal modo que, de modo que

manifestant, -e [manifestã, -ãt] *nm,f* manifestante *mf*

manifestation [manifɛstasjɔ̃] *nf* manifestación *f*

manifeste [manifɛst] **1** *adj* manifiesto(a) **2** *nm* manifiesto *m*

manifester [manifɛste] **1** *vt* manifestar **2** *vi* manifestarse **3 se manifester** *vpr (phénomène)* manifestarse; *(personne)* presentarse

manipuler [manipyle] *vt* manipular

manivelle [manivɛl] *nf* manivela *f*

mannequin [mankɛ̃] *nm (personne)* modelo *mf*; *(de vitrine)* maniquí *m*

manœuvre¹ [manœvr] *nf (de véhicule, machination) & Mil* maniobra *f*; *(d'appareil)* manejo *m*; **fausse m.** *(de véhicule)* mala maniobra; *Fig* paso *m* en falso

manœuvre² *nm* peón *m*

manœuvrer [manœvre] **1** *vi* maniobrar; *Fig (manigancer)* maquinar **2** *vt* manejar

manoir [manwar] *nm* casa *f* solariega

manquant, -e [mãkã, -ãt] *adj* que falta

manque [mãk] *nm (absence)* falta *f*; *(insuffisance)* carencia *f*; *(lacune)* laguna *f*; **être en m.** *(toxicomane)* tener el síndrome de abstinencia

manquer [mãke] **1** *vi* faltar; *(rater)* fallar; **m. à qch** *(ne pas respecter)* faltar a algo; **je n'y manquerai pas** no me olvidaré; **elle me manque** la echo de menos; **m. de qch** carecer de algo, faltarle a uno algo; **m. de faire qch** faltarle (a) poco para hacer algo **2** *vt (rater)* fallar; *(personne)* no encontrar; *(avion)* perder; *(occasion)* perderse; *(école)* faltar a **3** *v impersonnel* **il manque un bouton** falta un botón; **il me manque 2 euros** me faltan 2 euros

mansarde [mãsard] *nf* buhardilla *f*

manteau, -x [mãto] *nm* abrigo *m*, *RP* tapado *m*

manucure [manykyr] *nmf* manicuro(a) *m,f*

manuel¹, -elle [manɥɛl] *adj* manual

manuel² *nm (livre)* manual *m* ■ **m. scolaire** libro *m* de texto

manufacture [manyfaktyr] *nf* manufactura *f*

manufacturé, -e [manyfaktyre] *adj* manufacturado(a)

manuscrit, -e [manyskri, -it] **1** *adj* manuscrito(a) **2** *nm* manuscrito *m*

maquereau, -x [makro] *nm (poisson)* caballa *f*

maquillage [makijaʒ] *nm* maquillaje *m*

maquiller [makije] **1** *vt (personne)* maquillar; *(voiture volée)* maquillar, camuflar; *(passeport)* falsificar; *(chiffres)* falsear; *(vérité)* disfrazar **2 se maquiller** *vpr* maquillarse

maraîcher, -ère [mareʃe, mareʃεr] **1** *adj* de la huerta **2** *nm,f* horticultor(ora) *m,f*

marais [mare] *nm* pantano *m*

marathon [maratɔ̃] *nm* maratón *m* o *f*

marbre [marbr] *nm* mármol *m*

marbré, -e [marbre] *adj (surface)* jaspeado(a)

marc [mar] *nm (eau-de-vie)* orujo *m* ■ **m. de café** poso *m* de café

marchand, -e [marʃɑ̃, -ɑ̃d] **1** *adj* mercantil; *(marine)* mercante; *(galerie, valeur)* comercial **2** *nm,f* vendedor(ora) *m,f*

marchander [marʃɑ̃de] *vt & vi* regatear

marchandise [marʃɑ̃diz] *nf* mercancía *f*

marche [marʃ] *nf (action d'avancer, musique)* marcha *f*; *(d'escalier)* peldaño *m*, escalón *m*; **à deux heures de m.** a dos horas a pie; **en m.** *(en mouvement)* en marcha; *(en fonctionnement)* encendido(a); **se mettre en m.** ponerse en marcha; *Fig* **c'est la m. à suivre** éstos son los pasos que hay que seguir ■ *Aut* **m. arrière** marcha atrás; **faire m. arrière** *(voiture)* dar marcha atrás; *(changer d'avis)* echarse (para) atrás

marché [marʃe] *nm* mercado *m*; *(contrat)* trato *m*; **faire son m.** ir a la compra; **le m. du travail** el mercado de trabajo ■ **m. noir** mercado negro; **m. aux puces** rastro *m*, mercadillo *m*; **le M. unique** el Mercado Único

marcher [marʃe] *vi (aller à pied)* andar; *(fonctionner, réussir)* funcionar; *Fam (croire)* picar; **m. sur qch** *(écraser)* pisar algo; *Fam* **faire m. qn** tomar el pelo a alguien; *Fam* **ça marche!** *(d'accord)* ¡vale!

marcheur, -euse [marʃœr, -øz] *nm,f (randonneur)* senderista *mf*

mardi [mardi] *nm* martes *m inv* ■ **m. gras** martes de carnaval; *voir aussi* **samedi**

mare [mar] *nf* charco *m*

marécage [marekaʒ] *nm* pantano *m*

maréchal, -aux [mareʃal, -o] *nm* mariscal *m*

marée [mare] *nf* marea *f*; *(produits de la mer)* = pescado y marisco fresco; **(à) m. basse/haute** (con) marea baja/alta ■ **m. noire** marea negra

margarine [margarin] *nf* margarina *f*

marge [marʒ] *nf* margen *m*; **m. d'erreur** margen de error; **vivre en m. de la société** vivir al margen de la sociedad ■ *Com* **m. bénéficiaire** margen de beneficios

marginal, -e, -aux, -ales [marʒinal, -o] **1** *adj* marginal **2** *nm,f* marginado(a) *m,f*

marguerite [margərit] *nf* margarita *f*

mari [mari] *nm* marido *m*

mariage [marjaʒ] *nm (union, institution)* matrimonio *m*; *(cérémonie)* boda *f*; *Fig (association de choses)* combinación *f* ■ **m. blanc** matrimonio blanco

marié, -e [marje] **1** *adj* casado(a) **2** *nm,f* novio(a) *m,f*; **les jeunes mariés** los novios, los recién casados

marier [marje] **1** *vt* casar **2 se marier** *vpr (personnes)* casarse; *Fig (couleurs)* casar

marin, -e [marɛ̃, -in] **1** *adj* marino(a); *(carte)* de navegación **2** *nm* marino *m* ■ **m. pêcheur** pescador *m*

marine [marin] **1** *nf* marina *f*, náutica *f*;

(ensemble de navires, peinture) marina *f* ■ **m. marchande** marina mercante **2** *nm Mil* marine *m*; *(couleur)* azul *m* marino **3** *adj inv (bleu)* marino(a)

mariner [marine] *vt & vi Culin* adobar

marionnette [marjɔnet] *nf* marioneta *f*, títere *m*; *Fig* títere *m*

maritime [maritim] *adj* marítimo(a)

marmelade [marmɔlad] *nf* mermelada *f*

marmite [marmit] *nf* olla *f*

Maroc [marɔk] *nm* le M. Marruecos

marocain, -e [marɔkɛ̃, -ɛn] **1** *adj* marroquí **2** *nm,f* M. marroquí *mf*

maroquinerie [marɔkinri] *nf* marroquinería *f*

marquant, -e [markɑ̃, -ɑ̃t] *adj* notable

marque [mark] *nf* marca *f*; *(témoignage)* señal *f*; **à vos marques, prêts, partez!** ¡preparados, listos, ya!; **de m.** *(vêtement)* de marca; *(invité)* ilustre, de postín ■ **m. déposée** marca registrada; **m. de fabrique** marca de fábrica

marqué, -e [marke] *adj* marcado(a)

marquer [marke] **1** *vt (indiquer)* marcar, señalar; *(noter)* apuntar; **m. un point/un but** marcar un punto/un gol **2** *vi* marcar

marqueur [markœr] *nm (stylo)* rotulador *m* (de punta gruesa)

marquis, -e [marki, -iz] **1** *nm,f* marqués(esa) *m,f* **2** *nf* **marquise** *(auvent)* marquesina *f*

marraine [marɛn] *nf* madrina *f*

marre [mar] *adv Fam* **en avoir m. (de)** estar harto(a) (de)

marrer [mare] **se marrer** *vpr Fam (rire)* desternillarse de risa; *(s'amuser)* pasárselo bomba

marron [marɔ̃] **1** *adj inv (couleur)* marrón; *(yeux)* castaño(a) **2** *nm (fruit)* castaña *f*; *(couleur)* marrón *m*; *Fam (coup de poing)* castaña *f*

marronnier [marɔnje] *nm* castaño *m* de Indias

mars [mars] *nm* marzo *m*; *voir aussi* **septembre**

marteau, -x [marto] **1** *nm (outil) & Sp* martillo *m* ■ **m. piqueur** martillo neumático **2** *adj inv Fam* chiflado(a)

marteler [39] [martɔle] *vt (avec un marteau)* martillear, martillar; *(frapper)* golpear; *(articuler)* recalcar

martial, -e, -aux, -ales [marsjal, -o] *adj* marcial

martiniquais, -e [martinikɛ, -ɛz] **1** *adj* de la Martinica **2** *nm,f* M. = nativo o habitante de la Martinica

Martinique [martinik] *nf* la M. la Martinica

martyriser [martirize] *vt* martirizar

masculin, -e [maskylɛ̃, -in] *adj* masculino(a)

masochiste [mazɔʃist] *adj & nmf* masoquista *mf*

masque [mask] *nm* máscara *f*; *(de déguisement)* careta *f*; *(crème)* mascarilla *f* ■ **m. à gaz** máscara antigás; **m. à oxygène** mascarilla de oxígeno; **m. de plongée** gafas *fpl* submarinas

masquer [maske] *vt (dissimuler)* disfrazar; *(cacher à la vue)* esconder, tapar

massacre [masakr] *nm (tuerie)* masacre *f*

massacrer [masakre] *vt (tuer)* masacrar; *Fig (abîmer, mal interpréter)* destrozar

massage [masaʒ] *nm* masaje *m*

masse [mas] *nf (amas, foule) & Phys* masa *f*; **une m. de** *(quantité)* un montón de; *Fam* **pas des masses** *(pas beaucoup)* no mucho; *(pas nombreux)* no muchos(as); **en m.** *(en bloc)* en masa; *(en grande quantité)* a lo grande ■ **m. monétaire** masa monetaria; **m. salariale** masa salarial

masser [mase] **1** *vt (assembler)* concentrar; *(frotter)* masajear **2 se masser** *vpr (s'assembler)* concentrarse; *(se frotter)* masajearse

masseur, -euse [masœr, -øz] *nm,f* masajista *mf*

massif, -ive [masif, -iv] **1** *adj* macizo(a); *(important)* masivo(a) **2** *nm* macizo *m*; **le M. central** el Macizo Central

mastic [mastik] *nm* masilla *f*

mastiquer [mastike] *vt (mâcher)* masticar

mat¹, -e [mat] *adj (couleur)* mate *inv*

mat² *adj inv (aux échecs)* en posición de (jaque) mate

mât [ma] *nm (d'un bateau)* mástil *m*, palo *m*; *(poteau)* poste *m*

match *(pl* **matches** *ou* **matchs)** [matʃ] *nm* partido *m* ▪ **m. aller** partido de ida; **m. nul** empate *m*; **faire m. nul** empatar; **m. retour** partido de vuelta

matelas [matla] *nm* colchón *m*

matelot [matlo] *nm* marinero *m*

mater [mate] *vt (dompter)* domar; *(réprimer)* reprimir; *Fam (regarder)* echar el ojo a

matérialiser [materjalize] **se matérialiser** *vpr* materializarse

matérialiste [materjalist] *adj & nmf* materialista

matériau, -x [materjo] *nm* material *m*; **matériaux de construction** materiales de construcción

matériel, -elle [materjel] **1** *adj* material; *(prosaïque)* materialista **2** *nm (équipement)* material *m*, equipamiento *m*; *Ordinat* hardware *m*

maternel, -elle [maternel] **1** *adj (lait, grand-mère, langue)* materno(a); *(amour, instinct)* maternal **2** *nf* **maternelle** *(école)* parvulario *m*

maternité [maternite] *nf* maternidad *f*

mathématique [matematik] **1** *adj* matemático(a) **2** *nfpl* **mathématiques** matemáticas *fpl*

maths [mat] *nfpl Fam* mates *fpl*

matière [matjɛr] *nf (substance)* materia *f*; *(discipline)* asignatura *f*; **en m. de** en materia de; **donner m. à réflexion** dar pie a la reflexión ▪ **m. grasse** materia grasa; **m. grise** materia gris; **m. plastique** materia plástica; **matières premières** materias primas

matin [matɛ̃] *nm* mañana *f*; **le m. por**

la mañana; **ce m.** esta mañana; **lundi m.** el lunes por la mañana; **à trois heures du m.** a las tres de la mañana; **au petit m.** de madrugada

matinal, -e, -aux, -ales [matinal, -o] *adj (du matin)* matinal, matutino(a); *(personne)* madrugador(ora)

matinée [matine] *nf (partie de la journée)* mañana *f*; *(spectacle)* matiné *f*

matraque [matrak] *nf* porra *f* .

matrimonial, -e, -aux, -ales [matrimɔnjal, -o] *adj* matrimonial

maturité [matyrite] *nf* madurez *f*

maudire [modir] *vt* maldecir

maudit, -e [modi, -it] *adj & nm,f* maldito(a) *m,f*

maussade [mosad] *adj (personne)* alicaído(a); *(temps)* desapacible

mauvais, -e [mɔve, -ɛz] **1** *adj* malo(a) **2** *adv* **il fait m.** hace mal tiempo; **sentir m.** oler mal

mauve [mov] **1** *adj* malva *inv* **2** *nm* malva *m*

maux [mo] *voir* **mal**

maximum [maksimɔm] **1** *adj* máximo(a) **2** *nm* **faire le m.** hacer todo lo posible; **le m. de** el máximo de; **au m.** como máximo

mayonnaise [majɔnɛz] *nf* mayonesa *f*

mazout [mazut] *nm* fuel-oil *m*

me [mə]

Antes de vocal o h muda se usa **m'**.

pron personnel me; **me voilà** aquí estoy

mécanicien, -enne [mekanisjɛ̃, -ɛn] *nm,f (de garage)* mecánico *mf*; *(de train)* maquinista *mf*

mécanique [mekanik] **1** *adj* mecánico(a) **2** *nf* mecánica *f*; *(mécanisme)* maquinaria *f*

mécanisme [mekanism] *nm* mecanismo *m*

mécène [mesɛn] *nm* mecenas *m inv*

méchanceté [meʃɑ̃ste] *nf* maldad *f*

méchant, -e [meʃɑ̃, -ɑ̃t] *adj (personne)* malo(a); *(animal)* peligroso(a); *(attitude)* malévolo(a)

mèche [mɛʃ] *nf (de cheveux)* mechón

m; *(de bougie)* mecha *f*, pábilo *m*; *(de pétard)* mecha *f*; *(de perceuse)* broca *f*
méconnaissable [mekɔnɛsabl] *adj* irreconocible
méconnu, -e [mekɔny] *adj* desconocido(a)
mécontent, -e [mekɔ̃tɑ̃, -ɑ̃t] *adj & nm,f* descontento(a) *m,f*
mécontenter [mekɔ̃tɑ̃te] *vt* disgustar
Mecque [mɛk] *voir* **La Mecque**
médaille [medaj] *nf* medalla *f*
médaillon [medajɔ̃] *nm (bijou) & Culin* medallón *m*
médecin [medsɛ̃] *nm* médico(a) *m,f*
■ **m. légiste** médico forense; **m. traitant** médico de cabecera
médecine [medsin] *nf* medicina *f*
■ **m. générale** medicina general; **médecines douces** medicinas alternativas
média [medja] *nm* medio *m* de comunicación
médiateur, -trice [medjatœr, -tris] **1** *nm,f* mediador(ora) *m,f* **2** *nf* **médiatrice** *(droite)* mediatriz *f*
médiatique [medjatik] *adj (personnalité)* muy presente en los medios de comunicación; *(événement)* muy esperado(a) por los medios de comunicación
médical, -e, -aux, -ales [medikal, -o] *adj* médico(a)
médicament [medikamɑ̃] *nm* medicamento *m*
médicinal, -e, -aux, -ales [medisinal, -o] *adj* medicinal
médiéval, -e, -aux, -ales [medjeval, -o] *adj* medieval
médiocre [medjɔkr] *adj* mediocre
médiocrité [medjɔkrite] *nf* mediocridad *f*
médire [27b] [medir] *vi* hablar mal (**de** de)
méditation [meditasjɔ̃] *nf* meditación *f*
méditer [medite] *vt & vi* meditar (**sur** sur)
Méditerranée [mediterane] *nf* la **M.** el Mediterráneo

méditerranéen, -enne [mediteraneɛ̃, -ɛn] *adj* mediterráneo(a)
médium [medjɔm] *nmf (voyant)* médium *mf*
méduse [medyz] *nf* medusa *f*
méfiance [mefjɑ̃s] *nf* recelo *m*
méfiant, -e [mefjɑ̃, -ɑ̃t] *adj* receloso(a)
méfier [mefje] **se méfier** *vpr* desconfiar (**de** de); **méfie-toi!** *(fais attention)* ¡ten cuidado!
méga-octet (*pl* **méga-octets**) [megaɔktɛ] *nm Ordinat* megabyte *m*
mégarde [megard] **par mégarde** *adv* por descuido
mégot [mego] *nm Fam* colilla *f*, *CSur* pucho *m*
meilleur, -e [mɛjœr] **1** *adj* mejor **2** *nm,f* **le m., la meilleure** el mejor, la mejor **3** *nm* **le m.** lo mejor; **pour le m. et pour le pire** para lo bueno y para lo malo **4** *adv* **il fait m.** hace mejor tiempo
mélancolie [melɑ̃kɔli] *nf* melancolía *f*
mélancolique [melɑ̃kɔlik] *adj* melancólico(a)
mélange [melɑ̃ʒ] *nm* mezcla *f*
mélanger [45] [melɑ̃ʒe] **1** *vt Esp* mezclar, *CSur* entreverar **2** **se mélanger** *vpr Esp* mezclarse, *CSur* entreverarse
mêlée [mele] *nf (combat)* pelea *f*; *(au rugby)* melé *f*
mêler [mele] **1** *vt (mélanger) Esp* mezclar, *CSur* entreverar; *(emmêler)* enredar; **m. qn à qch** *(impliquer)* meter a alguien en algo **2** **se mêler** *vpr* **se m. à** *(groupe)* unirse a; *(foule)* confundirse con; **se m. de qch** meterse en algo; **mêle-toi de tes affaires!** ¡ocúpate de tus asuntos!
mélodie [melɔdi] *nf* melodía *f*
melon [məlɔ̃] *nm (fruit)* melón *m*; *(chapeau)* sombrero *m* hongo, bombín *m*
membre [mɑ̃br] *nm (partie du corps, adhérent)* miembro *m*
même [mɛm] **1** *adj indéfini* mismo(a); **j'ai la m. jupe que toi** tengo la misma

falda que tú; **ce sont ses paroles mêmes** son sus propias palabras; **elle est la bonté m.** es la bondad personificada

2 *pron indéfini* **le m., la m.** el (la) mismo(a)

3 *adv (aussi)* incluso; *(pour insister)* mismo; **elle est m. riche!** ¡incluso es rica!; **aujourd'hui m.** hoy mismo; **ici m.** aquí mismo; **m. pas** ni siquiera; **m. si** aunque + *subjonctif*; **être à m. de faire qch** estar en condiciones de hacer algo; **de m.** *(de la même façon)* del mismo modo; **il en va de m. pour lui** lo mismo le ocurre a él; **de m. que** igual que

mémoire [memwar] **1** *nf* memoria *f*; **avoir de la m.** tener memoria; **avoir une bonne/mauvaise m.** tener buena/mala memoria; **si j'ai bonne m.** si mal no recuerdo; **avoir la m. courte** no tener muy buena memoria; **à la m. de** en memoria de; **de m.** de memoria ∎ *Ordinat* **m. morte** memoria ROM; **m. tampon** búfer *m*; **m. vive** memoria RAM

2 *nm (rapport)* memoria *f*; *Univ* tesina *f*; **Mémoires** *(livre de souvenirs)* memorias

mémorable [memɔrabl] *adj* memorable

menaçant, -e [mənasã, -ãt] *adj* amenazador(ora)

menace [mənas] *nf* amenaza *f*

menacer [16] [mənase] *vt* amenazar; **m. qn de qch/de faire qch** amenazar a alguien con algo/con hacer algo

ménage [menaʒ] *nm (nettoyage)* limpieza *f (de la casa)*; *(couple)* pareja *f*; *Écon* unidad *f* familiar; **faire le m.** hacer la limpieza; **faire bon m.** llevarse bien; **se mettre en m.** irse a vivir juntos

ménager¹, -ère [menaʒe, -ɛr] **1** *adj* doméstico(a) **2** *nf* **ménagère** *(femme)* ama *f* de casa; *(couverts)* cubertería *f* de plata

ménager² [45] **1** *vt (bien traiter) (personne)* tratar con consideración;

(susceptibilité) no herir; *(utiliser avec modération)* emplear bien; *(santé)* cuidar de; **m. une surprise à qn** prepararle una sorpresa a alguien **2 se ménager** *vpr* cuidarse

ménagerie [menaʒri] *nf* casa *f* de fieras

mendiant, -e [mãdjã, -ãt] *nm,f* mendigo(a) *m,f*

mendier [66] [mãdje] *vt & vi* mendigar

mener [46] [məne] **1** *vt (emmener, conduire)* llevar; *(diriger)* dirigir; **m. qn par le bout du nez** tener dominado(a) a alguien; **m. qch à bien** llevar algo a buen término **2** *vi Sp* ir ganando

meneur, -euse [mənœr, -øz] *nm,f* cabecilla *m* ∎ **m. d'hommes** líder *mf*; *Sp* **m. de jeu** director(ora) *m,f* de juego

méningite [menẽʒit] *nf* meningitis *f inv*

menottes [mənɔt] *nfpl* esposas *fpl*

mensonge [mãsɔ̃ʒ] *nm* mentira *f*

mensualité [mãsɥalite] *nf* mensualidad *f*

mensuel, -elle [mãsɥɛl] **1** *adj* mensual **2** *nm* publicación *f* mensual

mensurations [mãsyrasjɔ̃] *nfpl* medidas *fpl*

mental, -e, -aux, -ales [mãtal, -o] *adj* mental

mentalité [mãtalite] *nf* mentalidad *f*

menteur, -euse [mãtœr, -øz] *adj & nm,f* mentiroso(a) *m,f*

menthe [mãt] *nf* menta *f* ∎ **m. à l'eau** refresco *m* de menta

mention [mãsjɔ̃] *nf (citation)* mención *f*; **faire m. de qch** hacer mención de algo; **rayer la m. inutile** *(sur un formulaire)* tachar lo que no proceda; *Scol & Univ* **avec m.** con nota; **m. très bien/bien/assez bien/passable** = calificaciones: 8, 9 y 10/7/6/5

mentionner [mãsjɔne] *vt* mencionar

mentir [64b] [mãtir] *vi* mentir

menton [mãtɔ̃] *nm* barbilla *f*, mentón *m*

menu¹, -e [məny] *adj* menudo(a)

menu² *nm* menú *m* ■ **Ordinat m. déroulant** menú desplegable

menuiserie [mənɥizri] *nf* carpintería *f*

menuisier [mənɥizje] *nm* carpintero *m*

méprendre [58] [meprɑ̃dr] **se méprendre** *vpr Litt* confundirse, equivocarse; **se m. sur** confundirse respecto a

mépris *nm* (*dédain*) desprecio *m*, menosprecio *m* (**pour** por); **au m. de** sin tener en cuenta

méprisable [meprizabl] *adj* despreciable

méprisant, -e [meprizɑ̃, -ɑ̃t] *adj* despectivo(a)

mépriser [meprize] *vt* despreciar

mer [mɛr] *nf* mar *m o f*; **partir en m.** hacerse a la mar; *Fam* **ce n'est pas la m. à boire** no es tan difícil ■ **haute ou pleine m.** alta mar *f*; **la m. Méditerranée** el mar Mediterráneo

mercenaire [mɛrsənɛr] *nm* mercenario *m*

mercerie [mɛrsəri] *nf* mercería *f*

merci [mɛrsi] **1** *exclam* gracias; **m. beaucoup** muchas gracias; **non m.** no, gracias **2** *nm* gracias *fpl*; **dire m. à qn** darle las gracias a alguien **3** *nf* **être à la m. de** estar a merced de; **une lutte sans m.** una lucha sin cuartel

mercredi [mɛrkrədi] *nm* miércoles *m inv*; *voir aussi* **samedi**

mercure [mɛrkyr] *nm* mercurio *m*

mère [mɛr] *nf* madre *f*

méridional, -e, -aux, -ales [meridjɔnal, -o] *adj* (*du sud*) meridional; (*du sud de la France*) del sur de Francia

mérite [merit] *nm* mérito *m*; **avoir du m. à faire qch** tener mérito por hacer algo

mériter [merite] *vt* merecer

merle [mɛrl] *nm* mirlo *m*

merlu [mɛrly] *nm* merluza *f*

merveille [mɛrvɛj] *nf* maravilla *f*; **à m. de maravilla**

merveilleux, -euse [mɛrvɛjø, -øz] *adj* maravilloso(a)

mes [me] *voir* **mon**

mésaventure [mezavɑ̃tyr] *nf* desventura *f*

mesdames [medam] *nfpl voir* **madame**

mesdemoiselles [medmwazɛl] *nfpl voir* **mademoiselle**

mesquin, -e [mɛskɛ̃, -in] *adj* mezquino(a)

mesquinerie [mɛskinri] *nf* mezquindad *f*

mess [mɛs] *nm* comedor *m* (de oficiales y suboficiales)

message [mesaʒ] *nm* mensaje *m*; **laisser un m. à qn** dejarle un mensaje *o* un recado a alguien ■ *Ordinat* **m. d'erreur** mensaje de error; **m. publicitaire** anuncio *m*, mensaje publicitario

messager, -ère [mesaʒe, -ɛr] *nm,f* mensajero(a) *m,f*

messagerie [mesaʒri] *nf* (*transport de marchandises*) mensajería *f* ■ *Ordinat* **m. électronique** mensajería electrónica

messe [mɛs] *nf* misa *f*; **aller à la m.** ir a misa ■ **m. de minuit** misa del gallo

messieurs [mesjø] *nmpl voir* **monsieur**

mesure [məzyr] *nf* medida *f*; (*modération*) mesura *f*, medida *f*; *Mus* compás *m*; **prendre des mesures** tomar medidas; **à m. que** a medida que; **dans la m. du possible** en la medida de lo posible; *Mus* **être en m.** ir al tempo; **être en m. de faire qch** estar en condiciones de hacer algo; **sur m.** a medida

mesurer [məzyre] *vt* medir; (*limiter*) escatimar **2 se mesurer** *vpr* **se m. à qn** medirse con alguien

métal, -aux [metal, -o] *nm* metal *m*

métallique [metalik] *adj* metálico(a)

métallisé, -e [metalize] *adj* metalizado(a)

métallurgie [metalyrʒi] *nf* metalurgia *f*

météo [meteo] *Fam* **1** *adj* meteorológico(a), del tiempo **2** *nf* **la m.** el tiempo

météorologie [meteɔrɔlɔʒi] *nf* meteorología *f*

météorologique [meteɔrɔlɔʒik] *adj* meteorológico(a)

méthode [metɔd] *nf* método *m*

méticuleux, -euse [metikylø, -øz] *adj* meticuloso(a)

métier [metje] *nm (profession)* oficio *m*; **être du m.** ser del oficio ■ **m. à tisser** telar *m*

métrage [metraʒ] *nm (longueur de tissu)* metros *mpl* ■ *Cin* **court m.** cortometraje *m*; **long m.** largometraje *m*; **moyen m.** mediometraje *m*

mètre [mɛtr] *nm* metro *m* ■ **m. carré** metro cuadrado; **m. cube** metro cúbico

métro [metro] *nm* metro *m*

métropole [metrɔpɔl] *nf* metrópoli *f*

mets [mɛ] *nm Litt* manjar *m*

metteur [metœr] **metteur en scène** *nm* director(ora) *m,f*

mettre [47] [mɛtr] **1** *vt* poner; *(vêtement, lunettes)* ponerse; *(temps, argent)* emplear; **faire m. l'électricité** hacer instalar la electricidad **2** **se mettre** *vpr (se placer)* ponerse; **se m. à faire qch** *(commencer à)* ponerse a hacer algo; **se m. d'accord** ponerse de acuerdo; **s'y m.** ponerse a ello

meuble [mœbl] **1** *nm* mueble *m* **2** *adj (terre)* blando(a); *Jur* mueble

meublé, -e [mœble] **1** *adj* amueblado(a) **2** *nm* piso *m* amueblado

meubler [mœble] **1** *vt* amueblar; *Fig (loisirs)* llenar; *(conversation)* entretener **2** *vi* adornar, ser decorativo(a) **3** **se meubler** *vpr* amueblar la casa

meule [mœl] *nf (à moudre, à aiguiser)* muela *f*; *(de fromage)* rueda *f*; *(de foin)* almiar *m*

meunier, -ère [mønje, -ɛr] *nm,f* molinero(a) *m,f*

meurtre [mœrtr] *nm* asesinato *m*

meurtrier, -ère [mœrtrije, -ɛr] **1** *adj* mortal **2** *nm,f* asesino(a) *m,f*

meurtrir [mœrtrir] *vt (physiquement)* magullar; *(moralement)* herir

meute [møt] *nf* jauría *f*

mexicain, -e [mɛksikɛ̃, -ɛn] **1** *adj* mejicano(a) **2** *nm,f* **M.** mejicano(a) *m,f*

Mexique [mɛksik] *nm* **le M.** México, Méjico

mi- [mi] *préf inv* medio(a); **à la mi-janvier** a mediados de enero; **à mi-hauteur** a media altura

miauler [mjole] *vi* maullar

mi-chemin [miʃmɛ̃] **à mi-chemin** *adv* a medio camino, a mitad de camino

mi-clos, -e *(mpl* **mi-clos,** *fpl* **mi-closes)** [miklo, mikloz] *adj* entornado(a)

micro [mikro] *nm (microphone)* micro *m*

microbe [mikrɔb] *nm* microbio *m*

micro-informatique [mikroɛ̃fɔrmatik] *nf* microinformática *f*

micro-ondes [mikrɔ̃d] *nm inv* microondas *m inv*

micro-ordinateur *(pl* **micro-ordinateurs)** [mikroɔrdinatœr] *nm* microordenador *m*

microphone [mikrɔfɔn] *nm* micrófono *m*

microprocesseur [mikroprɔsɛsœr] *nm Ordinat* microprocesador *m*

microscope [mikrɔskɔp] *nm* microscopio *m*

microscopique [mikrɔskɔpik] *adj* microscópico(a)

midi [midi] *nm (période du déjeuner)* mediodía *m*; **il est m.** son las doce *(de la mañana)*

mie [mi] *nf* miga *f*

miel [mjɛl] *nm* miel *f*

mien, mienne [mjɛ̃, mjɛn] **le mien, la mienne** *(mpl* **les miens,** *fpl* **les miennes)** *pron possessif* el (la) mío(a); **c'est ton problème, pas le m.** es tu problema, no el mío; **les miens** *(famille)* los míos

miette [mjɛt] *nf* migaja *f*; *Fig* **mettre qch en miettes** hacer migas algo

mieux [mjø] **1** *adv* mejor; **elle pourrait**

m. **faire** podría hacerlo mejor; **c'est elle qui parle le m. espagnol** ella es la que habla mejor (el) español; **l'employé le m. payé du service** el empleado mejor pagado del departamento; **le m. serait de tout lui dire** lo mejor sería decirle todo; **fais pour le m.** haz lo que te parezca mejor; **au m.** en el mejor de los casos; **de m. en m.** cada vez mejor
2 *adj* mejor
3 *nm* **j'attendais m.** esperaba algo mejor; **il y a du m.** va mejor; **il fait de son m.** hace (todo) lo mejor que puede

mignon, -onne [miɲɔ̃, -ɔn] *adj (joli)* mono(a); *(gentil)* bueno(a), amable

migraine [migʀɛn] *nf* jaqueca *f*, migraña *f*

migration [migʀasjɔ̃] *nf* migración *f*

mijoter [miʒɔte] **1** *vt (plat)* guisar; *Fig (tramer)* tramar **2** *vi* cocer a fuego lento

mil [mil] *adj inv* **l'an m.** el año mil

milieu, -x [miljø] *nm (centre)* medio *m*, centro *m*; *(dans le temps)* mitad *f*; *(intermédiaire)* término *m* medio; *(cadre, groupe social)* medio *m*; **au m. de** *(dans l'espace)* en medio de; *(dans le temps)* en mitad de; *(parmi)* entre; **en plein m. de** *(dans l'espace)* justo en medio de; **en plein m. de la réunion** en plena reunión; **trouver le juste m.** encontrar un término medio

militaire [militeʀ] **1** *adj* militar **2** *nm* militar *m*

militer [milite] *vi* militar **(pour/contre)** a favor de/en contra de)

mille[1] [mil] **1** *adj inv* mil **2** *nm inv* mil *m*; *(de cible)* blanco *m*; *aussi Fig* **taper dans le m.** dar en el blanco; *voir aussi* **six**

mille[2] *nm Naut* milla *f* ■ **m. marin** milla marina

mille-feuille *(pl* **mille-feuilles)** [milfœj] *nm (gâteau)* milhojas *m inv*

millénaire [mileneʀ] **1** *adj* milenario(a) **2** *nm* milenario *m*

milliard [miljaʀ] *nm* **un m. de** mil millones de

milliardaire [miljaʀdɛʀ] *adj & nmf* multimillonario(a) *m,f*

millier [milje] *nm* millar *m*; **un m. de** un millar de

millimètre [milimɛtʀ] *nm* milímetro *m*

million [miljɔ̃] *nm* millón *m*; **un m. de** un millón de

millionnaire [miljɔnɛʀ] *adj & nmf* millonario(a) *m,f*

mime [mim] **1** *nm (spectacle)* mimo *m* **2** *nmf (acteur)* mimo *mf*

mimer [mime] *vt (exprimer sans parler)* expresar con mímica; *(imiter)* imitar

minable [minabl] *adj* miserable, lamentable

mince [mɛ̃s] **1** *adj* delgado(a); *Fig (preuve, revenu)* insuficiente **2** *exclam* **m. (alors)!** *(exprime l'agacement)* ¡vaya!; *(exprime l'étonnement)* ¡caramba!

minceur [mɛ̃sœʀ] *nf* delgadez *f*; *Fig (insuffisance)* insuficiencia *f*

mincir [mɛ̃siʀ] *vi* adelgazar

mine[1] [min] *nf (physionomie)* cara *f*; *(apparence)* aspecto *m*; **avoir bonne/ mauvaise m.** tener buena/mala cara; **faire m. de faire qch** hacer como si se fuera a hacer algo

mine[2] *nf (de crayon, gisement, explosif)* mina *f*; *Fig* **être une m. de** ser una mina de

miner [mine] *vt* minar; *Fig* carcomer

minerai [minʀɛ] *nm* mineral *m*

minéral, -e, -aux, -ales [mineʀal, -o] **1** *adj* mineral **2** *nm* mineral *m*

minéralogique [mineʀalɔʒik] *adj voir* **plaque**

mineur[1], -e [minœʀ] **1** *adj* menor **2** *nm,f (jeune)* menor *mf*

mineur[2] *nm (ouvrier)* minero *m* ■ **m. de fond** minero de extracción

miniature [minjatyʀ] **1** *nf* miniatura *f* **2** *adj* miniatura *inv*

minigolf [minigɔlf] *nm* minigolf *m*

minijupe [miniʒyp] *nf* minifalda *f*

minimum [minimɔm] **1** *adj* mínimo(a)

2 *nm* mínimo *m*; **au m.** como mínimo; **le strict m.** lo mínimo
ministère [minister] *nm* ministerio *m*
ministériel, -elle [ministerjel] *adj* ministerial
ministre [ministr] *nmf* ministro(a) *m,f* ■ **m. d'État** ministro(a) sin cartera; **Premier m.** Primer(era) ministro(a)
Minitel® [minitel] *nm* = terminal conectado a la línea telefónica con el que se pueden hacer reservas de viajes y espectáculos, consultar el servicio meteorológico, etc desde casa
minoritaire [minoriter] *adj* minoritario(a); **être m.** estar en minoría, ser minoría
minorité [minorite] *nf* minoría *f*; **être en m.** estar en minoría
minuit [minųi] *nm* medianoche *f*
minuscule [minyskyl] **1** *adj* minúsculo(a) **2** *nf* minúscula *f*
minute [minyt] **1** *nf* minuto *m*; **à la dernière m.** en el último minuto; **d'une m. à l'autre** de un momento a otro **2** *exclam Fam* ¡un minuto!
minuterie [minytri] *nf* (*d'un four, d'éclairage*) temporizador *m*
minutie [minysi] *nf* minuciosidad *f*; **avec m.** minuciosamente
minutieux, -euse [minysjø, -øz] *adj* minucioso(a)
mirabelle [mirabel] *nf* (*fruit*) ciruela *f* mirabel; (*alcool*) aguardiente *m* de ciruela mirabel
miracle [mirakl] *nm* milagro *m*; **par m.** de milagro
miraculeux, -euse [mirakylø, -øz] *adj* milagroso(a)
mirage [miraʒ] *nm* espejismo *m*
miroir [mirwar] *nm* espejo *m*
mis, -e *pp voir* **mettre**
mise [miz] *nf* (*action de mettre*) puesta *f*; (*argent parié*) apuesta *f*; **être de m.** ser de recibo ■ **m. à jour** puesta al día; **m. en page** compaginación *f*; **m. en plis** toga *f*; **m. au point** *Phot* enfoque *m*; *Tech* puesta a punto; *Fig* (*explication*) aclaración *f*; **m. en scène**

Cin & Th dirección *f*; *Fig* (*d'un événement*) escenificación *f*
miser [mize] *vt* (*parier*) apostar (**sur** por); **m. sur** (*compter*) contar con
misérable [mizerabl] *adj & nmf* miserable *mf*
misère [mizer] *nf* miseria *f*; **ça coûte une m.** cuesta una miseria; **un salaire de m.** un salario mísero; **faire des misères à qn** chinchar a alguien
missile [misil] *nm* misil *m*
mission [misjɔ̃] *nf* misión *f*
missionnaire [misjɔner] *nmf* misionero(a) *m,f*
mistral [mistral] *nm* mistral *m*
mite [mit] *nf* polilla *f*
mi-temps [mitɑ̃] **1** *nf inv Sp* (*moitié*) tiempo *m*; (*pause*) descanso *m* **2** *nm* (*travail*) trabajo *m* a media jornada; **travailler à m.** trabajar a media jornada
mitigé, -e [mitiʒe] *adj* moderado(a)
mitoyen, -enne [mitwajɛ̃, -ɛn] *adj* medianero(a); (*maisons*) adosado(a)
mitraillette [mitrajet] *nf* metralleta *f*
mitrailleuse [mitrajøz] *nf* ametralladora *f*
mi-voix [mivwa] **à mi-voix** *adv* a media voz
mixer¹ [mikse] *vt* (*ingrédients*) triturar; (*film, sons*) mezclar
mixer², mixeur [miksœr] *nm* batidora *f*
mixte [mikst] *adj* mixto(a)
mixture [mikstyr] *nf* mixtura *f*
Mlle (*abrév* **mademoiselle**) Srta.
MM (*abrév* **messieurs**) Sres., Srs.
Mme (*abrév* **madame**) Sra.
mobile [mɔbil] **1** *adj* móvil; (*visage*) vivaz **2** *nm* móvil *m*
mobilier, -ère [mɔbilje, -er] **1** *adj* mobiliario(a) **2** *nm* mobiliario *m*
mobiliser [mɔbilize] **1** *vt* movilizar **2 se mobiliser** *vpr* movilizarse
Mobylette® [mɔbilet] *nf* mobylette *f*
mode¹ [mɔd] *nf* moda *f*; **à la m.** de moda; **à la m. de** (*à la manière de*) a la manera de
mode² *nm* modo *m*; *Mus* **m. majeur/**

mineur modo mayor/menor ■ m. **d'emploi** modo de empleo; **m. de paiement** modalidad f de pago; **m. de vie** modo de vida

modèle [mɔdɛl] nm modelo m; **sur le m. de** según el modelo de ■ **m. déposé** modelo registrado; **m. réduit** maqueta f

modeler [39] [mɔdle] vt modelar; Fig **m.** qch **sur** qch amoldar algo a algo

modem [mɔdɛm] nm modem m

modération [mɔderɑsjɔ̃] nf moderación f

modéré, -e [mɔdere] adj & nm,f moderado(a) m,f

modérer [34] [mɔdere] **1** vt moderar **2 se modérer** vpr moderarse

moderne [mɔdɛrn] adj moderno(a)

moderniser [mɔdɛrnize] **1** vt modernizar **2 se moderniser** vpr modernizarse

modeste [mɔdɛst] adj modesto(a); (simple) sencillo(a)

modestie [mɔdɛsti] nf modestia f ■ **fausse m.** falsa modestia

modification [mɔdifikɑsjɔ̃] nf modificación f

modifier [66] [mɔdifje] **1** vt modificar **2 se modifier** vpr modificarse

modulation [mɔdylɑsjɔ̃] nf modulación f ■ **m. de fréquence** frecuencia f modulada

moelle [mwal] nf médula f ■ **m. épinière** médula espinal; **m. osseuse** médula ósea

moelleux, -euse [mwalø, -øz] adj (lit) blando(a), mullido(a); (fromage) blando(a)

mœurs [mœr(s)] nfpl (habitudes) costumbres fpl, (morale) moralidad f; Zool comportamiento m; **entrer dans les m.** entrar a formar parte de la vida diaria; **de m. légères** de costumbres ligeras

moi [mwa] **1** pron personnel (complément d'objet) me; (après une préposition) mí; (sujet, dans une comparaison) yo; **aide-m.** ayúdame; **donne-le-m.** dámelo; **c'est m.!** ¡soy yo!; **m. aussi/non plus** yo también/tampoco; **plus âgé que m.** mayor que yo; **c'est à m.** es mío(a); **avec m.** conmigo; **après m.** después de mí; **je suis content de m.** estoy satisfecho conmigo mismo; **ils nous ont invités, Agnès et m.** nos invitaron a Agnès y a mí

2 nm (en philosophie) **le m.** el yo

moi-même [mwamɛm] pron personnel yo mismo(a)

moindre [mwɛ̃dr] adj (comparatif) menor; **les moindres détails** los más mínimos detalles; **c'est la m. des choses!** ¡qué menos!

moineau, -x [mwano] nm gorrión m

moins [mwɛ̃] **1** adv (quantité) menos; **m. dix (degrés)** diez grados bajo cero; **m. de 300 calories** menos de 300 calorías; **de travail** menos trabajo; **m. que** menos que; **m. tu feras d'exercice, plus tu grossiras** cuanto menos ejercicio hagas, más engordarás; **c'est elle qui parle le m.** ella es la que menos habla; **le restaurant le m. cher** el restaurante menos caro; **le m. possible** lo menos posible; **à m. de faire un gros effort,...** a no ser o a menos que haga/hagamos/etc un gran esfuerzo,...; **à m. que** a no ser que, a menos que; **au m.** por lo menos; **de m. en m.** cada vez menos; **du m.** por lo menos, al menos; **en m. (de)** menos

2 prép menos

3 nm (signe) signo m menos

mois [mwa] nm mes m; (salaire) mensualidad f; **au m. de septembre** en (el mes de) septiembre ■ **treizième m.** paga f extraordinaria

moisi, -e [mwazi] **1** adj mohoso(a), enmohecido(a) **2** nm moho m

moisir [mwazir] vi enmohecerse; Fam (en prison) pudrirse; (argent) cubrirse de moho

moisissure [mwazisyr] nf moho m

moisson [mwasɔ̃] nf siega f; **faire la m.** segar

moissonner [mwasɔne] vt segar

moissonneuse-batteuse (*pl* **moissonneuses-batteuses**) [mwasɔnøzbatøz] *nf* cosechadora *f*

moite [mwat] *adj* húmedo(a)

moitié [mwatje] *nf* mitad *f*; *Fam* **ma/sa/etc m.** (*époux, épouse*) mi/su/etc media naranja; **à m. fou** medio loco; **faire qch à m.** hacer algo a medias; **m.-m.** mitad y mitad

moka [mɔka] *nm* (*café*) moka *m*, moca *m*; (*gâteau*) pastel *m* de moka

molaire [mɔlɛr] *nf* molar *m*

molécule [mɔlekyl] *nf* molécula *f*

molester [mɔlɛste] *vt* maltratar

molle [mɔl] *voir* **mou**

mollesse [mɔlɛs] *nf* (*d'une chose*) blandura *f*; *Fig* (*d'une personne*) apatía *f*

mollet [mɔlɛ] **1** *nm* pantorrilla *f* **2** *adj voir* **œuf**

mollusque [mɔlysk] *nm* molusco *m*

moment [mɔmɑ̃] *nm* (*instant précis*) momento *m*; (*période*) rato *m*; **passer un mauvais m.** pasar un mal rato; **à tout m.** en cualquier momento; **au m. de/où** en el momento de/en que; **dans un m.** dentro de un momento; **du m. que** (*puisque*) dado que; (*à condition que*) siempre y cuando + *subjonctif*; **d'un m. à l'autre** de un momento a otro; **en ce m.** ahora mismo, en este momento; **par moments** de vez en cuando, a ratos; **pour le m.** de momento, por el momento

momentané, -e [mɔmɑ̃tane] *adj* momentáneo(a)

momentanément [mɔmɑ̃tanemɑ̃] *adv* momentáneamente

mon, ma [mɔ̃, ma] (*pl* **mes** [me])

Antes de vocal o h muda se emplea **mon** en lugar de **ma**.

adj possessif mi; **j'ai enlevé ma veste** me quité la chaqueta; **mes amis** mis amigos

Monaco [mɔnako] *n* (**la principauté de**) **M.** (el principado de) Mónaco

monarchie [mɔnarʃi] *nf* monarquía *f* ■ **m. absolue** monarquía absoluta; **m. constitutionnelle** monarquía constitucional

monarque [mɔnark] *nm* monarca *m*

monastère [mɔnastɛr] *nm* monasterio *m*

mondain, -e [mɔ̃dɛ̃, -ɛn] *adj* mundano(a)

mondanités [mɔ̃danite] *nfpl* (*événements*) ecos *mpl* de sociedad; (*politesses*) convencionalismos *mpl*

monde [mɔ̃d] *nm* mundo *m*; (*gens*) gente *f*; (*milieu social*) mundillo *m*; **beaucoup/peu de m.** mucha/poca gente; **tout le m.** todo el mundo, todos; **le mieux du m.** a las mil maravillas; **pas le moins du m.** en lo más mínimo; **pour rien au m.** por nada del mundo; **mettre un enfant au m.** traer al mundo un niño; **c'est un m.!** ¡es el colmo!

mondial, -e, -aux, -ales [mɔ̃djal, -o] *adj* mundial

mondialisation [mɔ̃djalizasjɔ̃] *nf* globalización *f*

monégasque [mɔnegask] **1** *adj* monegasco(a) **2** *nmf* **M.** monegasco(a) *m,f*

monétaire [mɔnetɛr] *adj* monetario(a)

mongolien, -enne [mɔ̃gɔljɛ̃, -ɛn] *adj & nm,f Vieilli* mongólico(a) *m,f*

moniteur, -trice [mɔnitœr, -tris] **1** *nm,f* monitor(ora) *m,f*; **m. d'auto-école** profesor(ora) *m,f* de autoescuela **2** *nm Ordinat* monitor *m*

monnaie [mɔnɛ] *nf* (*argent*) moneda *f*; (*pièces*) *Esp* suelto *m*, *Méx* morralla *f*; (*appoint*) cambio *m*; **fausse m.** moneda falsa; **avoir la m.** tener cambio; **faire (de) la m.** cambiar; **faire la m. de 20 euros** cambiar 20 euros; **rendre la m. à qn** dar el cambio a alguien

monoplace [mɔnoplas] **1** *adj* monoplaza **2** *nm* monoplaza *m*

monopole [mɔnopɔl] *nm* monopolio *m*, monopolización *f*; **avoir le m. de qch** tener el monopolio de algo ■ **m. d'État** monopolio del Estado

monopoliser [mɔnɔpɔlize] vt mono-
polizar

monoski [mɔnɔski] nm monoesquí
m

monotone [mɔnɔtɔn] adj monó-
tono(a)

monotonie [mɔnɔtɔni] nf monotonía
f

monseigneur [mɔ̃sɛɲœʀ] (pl **messei-
gneurs** [mesɛɲœʀ]) nm monseñor m

monsieur [məsjø] (pl **messieurs**
[mesjø]) nm señor m; **bonjour M.**
buenos días; **Cher M.** (dans une lettre)
Muy señor mío, Estimado señor; **m.
Gallois** (apostrophe) Señor Gallois;
(en parlant de lui) el Señor Gallois; **m.
Tout-le-Monde** el ciudadano de a pie;
asseyez-vous, messieurs señores,
siéntense

monstre [mɔ̃stʀ] nm monstruo m

monstrueux, -euse [mɔ̃stʀyø, -øz]
adj monstruoso(a)

mont [mɔ̃] nm monte m; **promettre à
qn monts et merveilles** prometerle a
alguien la luna

montage [mɔ̃taʒ] nm montaje m

montagnard, -e [mɔ̃taɲaʀ, -aʀd] adj &
nm,f montañés(esa) m,f

montagne [mɔ̃taɲ] nf montaña f;
faire de la haute m. hacer alta
montaña

montagneux, -euse [mɔ̃taɲø, -øz]
adj montañoso(a)

montant, -e [mɔ̃tɑ̃, -ɑ̃t] **1** adj (marée)
creciente; (col) cerrado(a); Fig
(phase) creciente, ascendente **2** nm
(de porte) montante m; (somme)
importe m

monte-charge (pl **monte-charges**)
[mɔ̃tʃaʀʒ] nm montacargas m inv

montée [mɔ̃te] nf subida f; (augmentation) aumento m

monter [mɔ̃te] **1** vi (aux **être**) subir;
(augmenter) crecer; **ça monte!** (route)
¡vaya cuesta!; **m. à qch** (arbre) subir a
algo; **m. dans qch** (voiture, train)
montar en algo; Fam **m. à Paris** subir
a París; **m. sur qch** subirse a algo; **m.
(à cheval)** montar (a caballo)

2 vt (aux **avoir**) subir; (pièce de
théâtre, entreprise) montar; (meuble)
armar

3 se monter vpr **se m. à** (atteindre)
ascender a

monteur, -euse [mɔ̃tœʀ, -øz] nm,f
montador(ora) m,f

montre [mɔ̃tʀ] nf reloj m; **m. en main**
reloj en mano ■ **m. à quartz** reloj de
cuarzo

Montréal [mɔ̃ʀeal] n Montreal

montrer [mɔ̃tʀe] **1** vt (exhiber,
expliquer) enseñar; (démontrer,
désigner) mostrar; (témoigner de)
demostrar; **m. qch à qn** enseñar algo
a alguien; **m. qch/qn du doigt** señalar
algo/a alguien con el dedo **2 se
montrer** vpr (se faire voir) dejarse ver;
(se révéler) mostrarse

monture [mɔ̃tyʀ] nf montura f; (de
bijou) engaste m

monument [mɔnymɑ̃] nm monumento m ■ **m. aux morts** = monumento a los soldados muertos
durante la Primera y Segunda
Guerra Mundial

monumental, -e, -aux, -ales
[mɔnymɑ̃tal, -o] adj monumental; Fig
(impressionnant) impresionante

moquer [mɔke] **se moquer** vpr
burlarse; **se m. de** (plaisanter)
burlarse de; (dédaigner) pasar de; **je
m'en moque** me da igual

moquerie [mɔkʀi] nf (ironie) guasa f;
(paroles) broma f, mofa f

moquette [mɔkɛt] nf moqueta f

moqueur, -euse [mɔkœʀ, -øz] adj
burlón(ona)

moral, -e, -aux, -ales [mɔʀal, -o]
1 adj moral; (honnête) ético(a) **2** nm
moral f; **ne pas avoir le m.** no tener
ánimos; **remonter le m. à qn** levantar
la moral o el ánimo a alguien **3** nf
morale (éthique) moral f; (leçon)
moraleja f; **faire la morale à qn** echar
un sermón a alguien

moralité [mɔʀalite] nf (sens moral)
moralidad f; (leçon) moraleja f

morceau, -x [mɔʀso] nm trozo m; (de

musique) fragmento *m*; *Fam* **manger un m.** hacer una comida ligera

morceler [9] [mɔʁsəle] *vt* parcelar

mordiller [mɔʁdije] *vt* mordisquear

mordre [mɔʁdʁ] **1** *vt* morder; *Fig (empiéter sur)* invadir **2** *vi (poisson)* picar; **m. dans qch** dar un mordisco a algo; *aussi Fig* **m. à l'hameçon** morder el anzuelo, picar; *Sp* **m. sur la ligne** pisar la línea **3** **se mordre** *vpr* **se m. la langue** morderse la lengua; *Fig* **tu t'en mordras les doigts** te arrepentirás

mordu, -e [mɔʁdy] *Fam* **1** *adj (amoureux)* prendado(a) **2** *nm,f (passionné)* forofo(a) *m,f*

morfondre [mɔʁfɔdʁ] **se morfondre** *vpr* languidecer en la espera

morgue *nf (lieu)* morgue *f*, depósito *m* de cadáveres

moribond, -e [mɔʁibɔ̃, -ɔ̃d] *adj & nm,f* moribundo(a) *m,f*

morne [mɔʁn] *adj (personne)* taciturno(a); *(style, ville)* apagado(a)

morose [mɔʁoz] *adj (personne)* taciturno(a); *(temps)* triste

mors [mɔʁ] *nm* bocado *m*

morse [mɔʁs] *nm (animal)* morsa *f*; *(code)* morse *m*

morsure [mɔʁsyʁ] *nf* mordedura *f*

mort, -e [mɔʁ, mɔʁt] **1** *pp voir* **mourir** **2** *adj* muerto(a); *Fam (détruit)* hecho(a) polvo; **m. de fatigue** muerto(a) de cansancio; *Fam* **m. de rire** muerto(a) de risa **3** *nm,f* muerto(a) *m,f* **4** *nf* **mort** muerte *f*; **condamner qn à m.** condenar a alguien a muerte; **elle s'est donné la m.** acabó con su vida

mortalité [mɔʁtalite] *nf* mortalidad *f*

mortel, -elle [mɔʁtel] *adj & nm,f* mortal *mf*

morte-saison *(pl* **mortes-saisons)** [mɔʁtsezɔ̃] *nf* temporada *f* baja

morue [mɔʁy] *nf (poisson)* bacalao *m*

mosaïque [mozaik] *nf* mosaico *m*

Moscou [mɔsku] *n* Moscú

mot [mo] *nm* palabra *f*; *(court énoncé)* palabras *fpl*; *(message écrit)* nota *f*;

avoir le dernier m. tener la última palabra; **dire un m. à qn** decirle dos palabras a alguien; **faire du m. à m.** traducir literalmente; **au bas m.** como mínimo; **en un m.** en una palabra ◼ **mots croisés** crucigrama *m*; **m. d'excuse** *(à l'école)* justificante *m*; **m. de passe** contraseña *f*, santo y seña *m*; *Ordinat* clave *f* o código *m* de acceso; **gros m.** palabrota *f*

moteur, -trice [mɔtœʁ, -tʁis] **1** *adj* motor(triz) **2** *nm* motor *m*

motif [mɔtif] *nm* motivo *m*

motivation [mɔtivasjɔ̃] *nf* motivación *f*

motiver [mɔtive] *vt* motivar

moto [mɔto] *nf* moto *f*

motocycliste [mɔtosiklist] *nmf* motociclista *mf*

motte [mɔt] *nf (de terre)* terrón *m*; *(de beurre)* porción *f*

mou, molle [mu, mɔl] *adj* blando(a); *(chapeau)* flexible; *(jambes)* flojo(a); *(sans caractère)* blandengue

mouche [muʃ] *nf (insecte)* mosca *f*; **faire m.** dar en el blanco

moucher [muʃe] **1** *vt (nez, enfant)* sonar; *(chandelle)* despabilar, espabilar **2** **se moucher** *vpr* sonarse

moucheron [muʃʁɔ̃] *nm* mosquilla *f*

moucheté, -e [muʃte] *adj* moteado(a)

mouchoir [muʃwaʁ] *nm* pañuelo *m* ◼ **m. en papier** kleenex® *m*, pañuelo de papel

moudre [48] [mudʁ] *vt* moler

mouette [mwet] *nf* gaviota *f*

moufle [mufl] *nf* manopla *f*

mouiller [muje] **1** *vt (humidifier)* mojar; *(vin)* aguar; *Naut (ancre)* echar; **se faire m.** mojarse **2** *vi Naut* fondear **3** **se mouiller** *vpr* mojarse

moulage [mulaʒ] *nm (action)* moldeado *m*; *(objet)* molde *m*

moule[1] [mul] *nm* molde *m* ◼ **m. à gâteaux** molde para pastel; **m. à gaufres** molde para gofre; **m. à tarte** molde para tartas

moule[2] *nf* mejillón *m*

mouler [mule] *vt* moldear

moulin [mulɛ̃] *nm (appareil)* molinillo *m; (bâtiment)* molino *m* ■ **m. à café** molinillo de café; **m. à poivre** molinillo de pimienta; *Can* **m. à scie** serrería *f*

moulinet [mulinɛ] *nm (de canne à pêche)* carrete *m;* **faire des moulinets** *(mouvements)* hacer molinetes

moulu, -e [muly] **1** *pp voir* **moudre** **2** *adj* molido(a)

mourant, -e [murɑ̃, -ɑ̃t] **1** *adj (personne)* moribundo(a); *Fig (voix)* languideciente **2** *nm,f* moribundo(a) *m,f*

mourir [49] [murir] *vi* morir, morirse

mousse¹ [mus] *nf Bot* musgo *m; (de bière, de matelas)* espuma *f; Culin* mousse *f inv* ■ **m. à raser** espuma de afeitar

mousse² *nm* grumete *m*

mousser [muse] *vi* hacer espuma

mousseux, -euse [musø, -øz] **1** *adj (vin)* espumoso(a) **2** *nm (vino)* espumoso *m*

moustache [mustaʃ] *nf* bigote *m*

moustachu, -e [mustaʃy] *adj* bigotudo(a)

moustiquaire [mustiker] *nf* mosquitera *f*

moustique [mustik] *nm Esp, RP* mosquito *m, Am* zancudo *m*

moutarde [mutard] *nf* mostaza *f*

mouton [mutɔ̃] *nm (animal)* carnero *m; (viande)* cordero *m; Fam (personne)* corderito *m;* **moutons** *(de poussière)* pelusas *fpl; (vagues)* cabrilla *f*

mouvement [muvmɑ̃] *nm* movimiento *m; (de colère)* arrebato *m; (d'horloge)* mecanismo *m;* **en m.** en movimiento

mouvementé, -e [muvmɑ̃te] *adj* agitado(a)

mouvoir [31b] [muvwar] **1** *vt* mover **2** **se mouvoir** *upr* moverse

moyen¹, -enne [mwajɛ̃, -ɛn] *adj* medio(a); *(médiocre)* mediano(a)

moyen² *nm* medio *m;* **moyens**

(ressources) medios; *(capacités)* fuerzas *fpl;* **au m. de** por medio de, mediante; **employer les grands moyens** tomar medidas drásticas ■ **m. de communication** medio de comunicación; **m. de locomotion** medio de locomoción; **m. de transport** medio de transporte

MST [ɛmɛste] *nf (abrév* **maladie sexuellement transmissible)** ETS *f*

muer [mɥe] **1** *vi* mudar **2 se muer** *upr* **se m. en** transformarse en

muet, -ette [mɥɛ, -ɛt] **1** *adj* mudo(a); *(sentiment)* silencioso(a); **m. d'admiration** mudo de admiración **2** *nm,f* mudo(a) *m,f*

muguet [mygɛ] *nm* muguete *m*

mule [myl] *nf (animal)* mula *f; (pantoufle)* chinela *f*

mulet [mylɛ] *nm (âne)* mulo *m*

multicolore [myltikɔlɔr] *adj* multicolor

multinationale [myltinasjɔnal] *nf* multinacional *f*

multiple [myltipl] **1** *adj* múltiple **2** *nm* múltiplo *m*

multiplication [myltiplikasjɔ̃] *nf* multiplicación *f*

multiplier [66] [myltiplije] **1** *vt* multiplicar; **X multiplié par Y égale Z** X multiplicado por Y igual a Z **2 se multiplier** *upr* multiplicarse

multitude [myltityd] *nf* multitud *f;* **une m. de** una multitud de

municipal, -e, -aux, -ales [mynisipal, -o] **1** *adj* municipal **2** *nfpl* **les municipales** = las elecciones municipales francesas

municipalité [mynisipalite] *nf* municipio *m*

munir [mynir] **1** *vt* **m. qch de qch** equipar algo con algo; **m. qn de qch** proveer a alguien de algo **2 se munir** *upr* **se m. de qch** proveerse de algo

munitions [mynisjɔ̃] *nfpl* municiones *fpl*

mur [myr] *nm (cloison)* pared *f; Fig (obstacle)* muro *m; Fig* **faire le m.** escaparse ■ **m. du son** barrera *f* del sonido; **m. de soutènement** muro de contención

mûr, -e [myr] *adj* maduro(a)

muraille [myrɑj] *nf* muralla *f*

mural, -e, -aux, -ales [myral, -o] *adj* mural

mûre [myr] *nf* mora *f*

murer [myre] **1** *vt (fenêtre)* tapiar; *(personne)* encerrar entre cuatro paredes **2 se murer** *vpr (s'enfermer)* encerrarse; **se m. dans le silence** encerrarse en el silencio

muret [myre] *nm* muro *m* bajo

mûrir [myrir] *vi* madurar

murmure [myrmyr] *nm* murmullo *m*, susurro *m*

murmurer [myrmyre] *vt & vi* murmurar, susurrar

muscle [myskl] *nm* músculo *m*

musclé, -e [myskle] *adj (personne)* musculoso(a); *Fig (intervention)* enérgico(a)

muscler [myskle] **1** *vt* desarrollar los músculos de **2 se muscler** *vpr* desarrollar los músculos; **se m. les bras** desarrollar los músculos de los brazos

musculaire [myskyler] *adj* muscular

museau, -x [myzo] *nm* morro *m*, hocico *m*

musée [myze] *nm* museo *m*

museler [9] [myzle] *vt (animal)* poner un bozal a; *Fig (presse, personne)* amordazar

musical, -e, -aux, -ales [myzikal, -o] *adj* musical

music-hall (*pl* **music-halls**) [myzikol] *nm* music-hall *m*

musicien, -enne [myzisjɛ̃, -en] *adj & nm,f* músico(a) *m,f*

musique [myzik] *nf* música *f*; *Fig (d'un vers)* musicalidad *f*; *Fam* **connaître la m.** saberse la canción ■ **m. de chambre** música de cámara; **m. classique** música clásica; **m. de film** música de película

musulman, -e [myzylmɑ̃, -an] *adj & nm,f* musulmán(ana) *m,f*

mutant, -e [mytɑ̃, -ɑ̃t] *adj & nm,f* mutante *mf*

mutation [mytɑsjɔ̃] *nf Biol* mutación *f*; *Fig (changement)* transformación *f*; *(d'un employé)* traslado *m*

muter [myte] *vt* trasladar

mutiler [mytile] *vt (membre, organe)* amputar; *(texte)* mutilar

mutiner [mytine] **se mutiner** *vpr* amotinarse

mutinerie [mytinri] *nf* motín *m*

mutisme [mytism] *nm* mutismo *m*

mutuel, -elle [mytɥel] **1** *adj* mutuo(a) **2** *nf* **mutuelle** mutua *f*

myope [mjɔp] *adj & nmf* miope *mf*

myrtille [mirtij] *nf* arándano *m*

mystère [mister] *nm* misterio *m*

mystérieux, -euse [misterjø, -øz] *adj* misterioso(a)

mystique [mistik] *adj* místico(a)

mythe [mit] *nm* mito *m*

mythique [mitik] *adj* mítico(a)

mythologie [mitɔlɔʒi] *nf* mitología *f*

Nn

N, n [ɛn] *nm inv (lettre)* N *f*, n *f*
N [ɛn] *(abrév route nationale)* N
nacre [nakr] *nf* nácar *m*
nage [naʒ] *nf (natation) (action)* natación *f*; *(façon)* estilo *m* (de natación); **à la n.** a nado; **être en n.** estar empapado(a) en sudor
nageoire [naʒwar] *nf* aleta *f*
nager [45] [naʒe] **1** *vi* nadar; *Fig* **n. dans le bonheur** rebosar de felicidad; *Fam* **n. dans qch** *(vêtement)* nadar en algo; *Fam* **je nage** *(je ne comprends rien)* no me entero de nada **2** *vt* nadar
naïf, -ïve [naif, -iv] *adj* ingenuo(a)
nain, naine [nɛ̃, nɛn] *adj & nm,f* enano(a) *m,f*
naissance [nɛsɑ̃s] *nf* nacimiento *m*; **donner n.** à dar a luz; *Fig* dar origen a
naître [50a] [nɛtr] *vi (enfant)* nacer (**de** de); **faire n. qch** *(doute)* engendrar algo
naïveté [naivte] *nf* ingenuidad *f*
nanti, -e [nɑ̃ti] *adj & nm,f* pudiente *mf*
nappe [nap] *nf (pour la table)* mantel *m*; *(étendue, couche)* capa *f*, napa *f* ■ **n. phréatique** capa freática
napper [nape] *vt Culin* cubrir (**de** de)
narguer [narge] *vt* burlarse de
narine [narin] *nf* ventana *f* nasal
narquois, -e [narkwa, -az] *adj* socarrón(ona)
nasal, -e, -aux, -ales [nazal, -o] *adj* nasal
natal, -e, -als, -ales [natal] *adj* natal
natalité [natalite] *nf* natalidad *f*
natation [natasjɔ̃] *nf* natación *f*
natif, -ive [natif, -iv] **1** *adj (originaire)* nativo(a), natural; **n. de** natural de **2** *nm,f* nativo(a) *m,f* (**de** de)
nation [nasjɔ̃] *nf* nación *f*
national, -e, aux, -ales [nasjonal, -o] **1** *adj* nacional **2** *nf* **nationale** *(route)* carretera *f* nacional
nationaliser [nasjonalize] *vt* nacionalizar
nationalité [nasjonalite] *nf* nacionalidad *f*; **de n. française** de nacionalidad francesa
natte [nat] *nf (tresse)* trenza *f*; *(tapis)* estera *f*
naturaliser [natyralize] *vt* naturalizar; *(animal)* disecar
nature [natyr] **1** *nf* naturaleza *f*; **de n.** *(de naissance)* por naturaleza; **être de n. à faire qch** *(susceptible de)* ser susceptible de hacer algo **2** *adj inv* natural; *(café)* solo(a)
naturel, -elle [natyrɛl] **1** *adj* natural **2** *nm (tempérament)* naturaleza *f*, natural *m*; *(aisance, simplicité)* naturalidad *f*; **être d'un n. optimiste** ser de naturaleza optimista
naturellement [natyrɛlmɑ̃] *adv* naturalmente; *(de façon innée)* por naturaleza
naufrage [nofraʒ] *nm* naufragio *m*; *Fig (d'une entreprise)* hundimiento *m*; **faire n.** naufragar
nausée [noze] *nf* náusea *f*; **avoir la n.** tener náuseas
nautique [notik] *adj* náutico(a); *(sport)* acuático(a)
naval, -e, -als, -ales [naval] *adj* naval
navet [navɛ] *nm (légume)* nabo *m*; *Péj (film)* birria *f*, churro *m*

navette [navεt] *nf (car)* autobús *m*; **le car fait la n. entre le centre et l'aéroport** el autocar va y viene al aeropuerto desde el centro ■ **n. spatiale** lanzadera espacial

navigable [navigabl] *adj* navegable

navigateur, -trice [navigatœr, -tris] **1** *nm,f* navegante *mf* **2** *nm Ordinat* navegador *m*

navigation [navigɑsjɔ̃] *nf (transport)* navegación *f*; *(pilotage)* náutica *f*, navegación *f*

naviguer [navige] *vi (en bateau)* navegar; *(en avion)* volar; **n. sur Internet** navegar por Internet

navire [navir] *nm* buque *m*, navío *m* ■ **n. de guerre** buque de guerra

navrant, -e [navrɑ̃, -ɑ̃t] *adj* lamentable

navrer [navre] *vt* afligir; **être navré de qch/de faire qch** sentir mucho algo/hacer algo

ne [nə]

Antes de vocal o h muda se usa **n'**.

adv **ne... pas** no; **il ne veut pas** no quiere; **ne... que** *(seulement)* sólo, solamente; **je n'ai que 10 euros sur moi** sólo llevo 10 euros encima; **il se porte mieux que je ne (le) croyais** se porta mejor de lo que (yo) creía; **je crains qu'il n'oublie** temo que se olvide; *voir aussi* **aucun, guère, jamais, pas, personne, plus, rien**

né, -e [ne] **1** *pp voir* **naître**
2 *adj (de naissance)* nato(a); **né le 6 février** nacido el 6 de febrero; **Mme X, née Y** la señora X, de soltera Y; **un artiste né** un artista nato

néanmoins [neɑ̃mwɛ̃] *adv* sin embargo

néant [neɑ̃] *nm* nada *f*; *(sur un formulaire)* ninguno(a) *m,f*; **réduire qch à n.** reducir algo a la nada

nécessaire [nesesεr] **1** *adj* necesario(a) **(à para)**; **il est n. de faire qch** es necesario hacer algo **2** *nm* **le strict n.** *(bien indispensables)* lo estrictamente necesario; **faire le n.** hacer lo necesario ■ **n. de toilette** bolsa *f* de aseo, neceser *m*

nécessité [nesesite] *nf* necesidad *f*; **être dans la n. de faire qch** verse en la necesidad de hacer algo; **produits de première n.** productos *mpl* de primera necesidad

nécessiter [nesesite] *vt* exigir

nectarine [nεktarin] *nf* nectarina *f*

néerlandais, -e [neεrlɑ̃de, -ez] **1** *adj* neerlandés(esa) **2** *nm,f* **N.** neerlandés(esa) *m,f* **3** *nm (langue)* neerlandés *m*

nef [nεf] *nf (d'église)* nave *f*

néfaste [nefast] *adj* nefasto(a)

négatif, -ive [negatif, -iv] **1** *adj* negativo(a) **2** *nm Phot* negativo *m* **3** *nf* **négative: répondre par la négative** responder negativamente

négligé, -e [negliʒe] **1** *adj (tenue, personne, jardin)* descuidado(a), dejado(a) **2** *nm (manque de soin)* dejadez *f*

négligeable [negliʒabl] *adj* despreciable; **non n.** nada despreciable

négligence [negliʒɑ̃s] *nf* negligencia *f*

négligent, -e [negliʒɑ̃, -ɑ̃t] *adj* negligente

négliger [45] [negliʒe] **1** *vt (ignorer, délaisser)* desatender; *(jardin, tenue)* descuidar; **n. de faire qch** *(oublier)* olvidar hacer algo **2 se négliger** *vpr* descuidarse, abandonarse

négociant, -e [negɔsjɑ̃, -ɑ̃t] *nm,f* negociante *mf*

négociation [negɔsjasjɔ̃] *nf* negociación *f*

négocier [66] [negɔsje] **1** *vt* negociar; *(virage)* tomar bien **2** *vi (discuter)* negociar

neige [nεʒ] *nf* nieve *f*; *Fig* **blanc comme n.** *(innocent)* cándido(a) ■ **n. carbonique** nieve carbónica

neiger [45] [neʒe] *v impersonnel* **il neige** nieva

néon [neɔ̃] *nm (lumière)* & *Chim* neón *m*; *(tube)* fluorescente *m*

néo-zélandais, -e *(mpl* néo-zélandais, *fpl* néo-zélandaises) [neɔzelɑ̃de, -ez] **1** *adj* neozelandés(esa), neocelandés(esa) **2** *nm,f* **N. neozelandés(esa)** *m,f,* neocelandés(esa) *m,f*

nerf [nɛr] *nm* nervio *m*; **avoir les nerfs solides** tener nervios de acero; **être à bout de nerfs** tener los nervios de punta; **être sur les nerfs** estar estresado(a)

nerveux, -euse [nɛrvø, -øz] *adj* nervioso(a); *(voiture)* con nervio

nervosité [nɛrvozite] *nf* nerviosismo *m*

net, nette [nɛt] **1** *adj (propre)* limpio(a); *(image)* nítido(a); *(différence)* claro(a); *Com & Fin* neto(a); **n. d'impôt** libre de impuestos **2** *adv* **s'arrêter n.** parar en seco; **casser n.** romper de un golpe; **refuser n.** negarse tajantemente

nettement [nɛtmã] *adv (clairement)* netamente; *(incontestablement)* mucho; **n. plus/moins** mucho más/menos

netteté [nɛtte] *nf (propreté)* limpieza *f*; *(précision)* nitidez *f*

nettoyage [nɛtwajaʒ] *nm Esp* limpieza *f, CAm, Méx* limpia *f* ▪ **n. à sec** limpieza en seco

nettoyer [32] [nɛtwaje] *vt* limpiar

neuf¹, neuve [nœf, nœv] **1** *adj* nuevo(a); **quoi de n.?** ¿qué hay de nuevo?; **rien de n.** nada nuevo **2** *nm* **remettre qch à n.** renovar algo

neuf² **1** *adj inv* nueve **2** *nm inv* nueve *m*; *voir aussi* **six**

neutraliser [nøtralize] *vt* neutralizar

neutralité [nøtralite] *nf* neutralidad *f*

neutre [nøtr] *adj* neutro(a); *(pays)* neutral

neuve [nœv] *voir* **neuf**

neuvième [nœvjɛm] **1** *adj & nmf* noveno(a) *m,f* **2** *nm* noveno *m*, novena parte *f*; *voir aussi* **sixième**

neveu, -x [nəvø] *nm* sobrino *m*

nez [ne] *nm* nariz *m*; *(odorat)* olfato *m*; *(d'avion)* morro *m*; *Fig* **avoir du n.** tener buen olfato; **n. à n. (avec)** cara a cara (con); **faire qch au n. et à la**

barbe de qn hacer algo en las barbas de alguien

ni [ni] *conj* ni; **ni l'un ni l'autre** ni el uno ni el otro; **ni plus ni moins** ni más ni menos

Nicaragua [nikaragwa] *nm* **le N.** Nicaragua

niche [niʃ] *nf (pour chien)* caseta *f*; *(pour statue)* hornacina *f*, nicho *m*

nicher [niʃe] **1** *vi (oiseau)* anidar; *Fam (personne)* vivir **2 se nicher** *vpr (se cacher)* meterse

nickel [nikɛl] **1** *nm* níquel *m* **2** *adj inv Fam* impecable

nicotine [nikɔtin] *nf* nicotina *f*

nid [ni] *nm* nido *m*

nièce [njɛs] *nf* sobrina *f*

nier [66] [nje] *vt* negar

Nil [nil] *nm* **le N.** el Nilo

n'importe [nɛ̃pɔrt] *voir* **importer**

niveau, -x [nivo] *nm* nivel *m*; *(étage)* piso *m*; **le n. de la mer** el nivel del mar; **au n. de qch** al nivel de algo; *(à côté de)* a la altura de; *Fam* **au n. sentimental** a nivel sentimental; **n. (scolaire)** nivel académico ▪ **n. de vie** nivel de vida

niveler [9] [nivle] *vt* nivelar

noble [nɔbl] *adj & nmf* noble *mf*

noblesse [nɔbles] *nf* nobleza *f*

noce [nɔs] *nf* boda *f* ▪ **noces d'argent** bodas de plata; **noces d'or** bodas de oro

nocif, -ive [nɔsif, -iv] *adj* nocivo(a)

nocturne [nɔktyrn] **1** *adj* nocturno(a) **2** *nm Mus* nocturno *m* **3** *nf* **n. le jeudi** *(sur une vitrine)* abierto los jueves hasta tarde

Noël [nɔɛl] *nm* Navidad *f*; **joyeux N.!** ¡feliz Navidad!

nœud [nø] *nm* nudo *m*; *(ornement)* lazo *m*; **double n.** doble nudo; **n. de cravate** nudo de corbata; **n. papillon** pajarita *f*

noir, -e [nwar] **1** *adj* negro(a); *(regard)* pérfido(a); **n. de monde** abarrotado(a) **2** *nm,f* **N.** negro(a) *m,f* **3** *nm* negro *m*; *(obscurité)* oscuridad *f*; **travailler au n.** trabajar de ilegal; **en**

n. et blanc en blanco y negro; **n. sur blanc** por escrito **4** *nf* **noire** *Mus* negra *f*

noircir [nwarsir] **1** *vi* ennegrecerse **2** *vt (foncer)* ennegrecer; *(réputation)* manchar

noisette [nwazɛt] **1** *nf (fruit)* avellana *f; (petite quantité)* nuez *f* **2** *adj inv* avellana *inv*

noix [nwa] *nf (fruit)* nuez *f*; *Fam* **à la n.** de tres al cuarto ▪ **n. de cajou** anacardo *m*; **n. de coco** nuez de coco; **n. (de) muscade** nuez moscada

nom [nɔ̃] *nm* nombre *m; (patronyme)* apellido *m* ▪ **n. commun** nombre común; **n. de famille** apellido; **n. de jeune fille** apellido de soltera; **n. propre** nombre propio

nomade [nɔmad] *adj & nmf* nómada *mf*

nombre [nɔ̃br] *nm* número *m*; **un grand n. de** un gran número de; **bon n. de** un buen número de; **nous étions au n. de cinq** éramos cinco

nombreux, -euse [nɔ̃brø, -øz] *adj* numeroso(a); **de nombreuses occasions** numerosas ocasiones; **ils étaient peu n.** eran pocos

nombril [nɔ̃bril, nɔ̃bri] *nm* ombligo *m*

nominal, -e, -aux, -ales [nɔminal, -o] *adj* nominal

nomination [nɔminasjɔ̃] *nf* nombramiento *m*

nommer [nɔme] **1** *vt (appeler)* llamar; *(désigner, promouvoir)* nombrar; *(dénoncer)* dar el nombre de, decir el nombre de **2 se nommer** *vpr (s'appeler)* llamarse; *(se désigner)* decir su nombre

non [nɔ̃] **1** *adv* no; **il est pas mal, n.?** no está mal, ¿no?; **n. loin** cerca; **n. plus** tampoco; **n. (pas) que… mais** no es que… sino que; **n. sans mal** no sin dificultad **2** *nm inv* no *m*

nonante [nɔnɑ̃t] *adj inv Belg & Suisse* noventa *m; voir aussi* **six**

nonchalant, -e [nɔ̃ʃalɑ̃, -ɑ̃t] *adj* indolente

non-fumeur, -euse [nɔ̃fymœr,-øz] *nm,f* no fumador(ora) *m,f*

non-violence [nɔ̃vjɔlɑ̃s] *nf* no violencia *f*

non-voyant, -e [nɔ̃vwajɑ̃, ɑ̃t] *nm,f* invidente *mf*

nord [nɔr] **1** *adj inv* norte *inv* **2** *nm* norte *m*; **au n. de** al norte de; **le grand N.** el polo Norte

nord-africain, -e *(mpl* **nord-africains,** *fpl* **nord-africaines)** [nɔrafrikɛ̃, -ɛn] **1** *adj* norteafricano(a) **2** *nm,f* **N.** norteafricano(a) *m,f*

nord-est [nɔrɛst] **1** *adj inv* nordeste, noreste **2** *nm* nordeste *m*, noreste *m*

nordique [nɔrdik] **1** *adj* nórdico(a) **2** *nmf* **N.** nórdico(a) *m,f*

nord-ouest [nɔrwɛst] **1** *adj inv* noroeste **2** *nm* noroeste *m*

normal, -e, -aux, -ales [nɔrmal, -o] **1** *adj* normal **2** *nf* **la normale** lo normal

normalement [nɔrmalmɑ̃] *adv (habituellement)* normalmente; *(selon les prévisions)* en circunstancias normales

normaliser [nɔrmalize] *vt* normalizar

normand, -e [nɔrmɑ̃, -ɑ̃d] *adj* normando(a)

Normandie [nɔrmɑ̃di] *nf* **la N.** Normandía

norme [nɔrm] *nf* norma *f*

Norvège [nɔrvɛʒ] *nf* **la N.** Noruega

norvégien, -enne [nɔrveʒjɛ̃, -ɛn] **1** *adj* noruego(a) **2** *nm,f* **N.** noruego(a) *m,f* **3** *nm (langue)* noruego *m*

nos [no] *voir* **notre**

nostalgie [nɔstalʒi] *nf (mélancolie)* nostalgia *f*; **avoir la n. du pays** tener morriña

notable [nɔtabl] **1** *adj* notable **2** *nm* notable *m*

notaire [nɔtɛr] *nm* notario(a) *m,f*

notamment [nɔtamɑ̃] *adv* especialmente, particularmente

note [nɔt] *nf* nota *f; (facture)* cuenta *f*, nota *f*; **prendre des notes** tomar apuntes ▪ **n. de frais** factura *f* de gastos

noter [nɔte] *vt (écrire)* anotar, apuntar; *(constater)* notar; *Scol & Univ* calificar

notice [nɔtis] *nf* reseña *f*

notifier [66] [nɔtifje] *vt* n. qch à qn notificar algo a alguien

notion [nosjɔ̃] *nf* noción f

notoriété [nɔtɔrjete] *nf* notoriedad f

notre [nɔtr] *(pl* nos [no]) *adj possessif* nuestro(a); **nos petits-enfants** nuestros nietos; **nous avons oublié nos parapluies** nos olvidamos los paraguas

nôtre [notr] **le nôtre, la nôtre** *(pl* **les nôtres)** *pron possessif* el (la) nuestro(a); **c'est leur problème, pas le n.** es su problema, no el nuestro; **nous y avons mis du n.** hemos puesto de nuestra parte; **les nôtres** *(famille)* los nuestros; **serez-vous des nôtres demain?** ¿podemos contar con vosotros para mañana?

nouer [nwe] **1** *vt (lacets)* anudar; *(cheveux)* atar; *(amitié, liens)* trabar, entablar; *(intrigue)* tramar, urdir; **avoir la gorge nouée** tener un nudo en la garganta **2 se nouer** *upr (amitié)* entablarse; *(intrigue)* tramarse; **ma gorge se noua** se me hizo un nudo en la garganta

nougat [nuga] *nm* turrón m

nouille [nuj] *nf (pâte)* pasta f; *Fam (imbécile)* lelo(a) m,f

nourrice [nuris] *nf (qui allaite)* nodriza f, ama f de cría; *(garde d'enfant)* niñera f

nourrir [nurir] **1** *vt (personne, espoir)* alimentar **2 se nourrir** *upr* alimentarse **(de** de)

nourrisson [nurisɔ̃] *nm* niño m de pecho

nourriture [nurityr] *nf* alimento m; *(régime alimentaire)* alimentación f

nous [nu] *pron personnel* nosotros(as); *(complément d'objet, de verbe pronominal)* nos; **n. sommes rentrés tard** volvimos tarde; **avons-n. assez de temps?** ¿tenemos tiempo suficiente?; **il n. l'a donné** nos lo ha dado; **montre-la-n.** enséñanosla; **n. devons n. occuper de lui** tenemos que ocuparnos de él; **c'est à n.** es nuestro(a); **n. sommes fiers de n.**

estamos orgullosos de nosotros mismos

nous-mêmes [numɛm] *pron personnel* nosotros(as) mismos(as)

nouveau, -elle, -x, -elles [nuvo, -ɛl, -o]

Antes de nombres masculinos que empiezan por vocal o h muda se utiliza **nouvel** en lugar de **nouveau.**

1 *adj* nuevo(a); **le nouvel an** el año nuevo; **le n. venu** el recién llegado; **à ou de n.** de nuevo **2** *nm,f* nuevo(a) m,f **3** *nm* **y a-t-il du n.?** ¿hay alguna novedad?

nouveau-né, -e *(mpl* nouveau-nés, *fpl* nouveau-nées) [nuvone] *adj & nm,f* recién nacido(a) m,f

nouveauté [nuvote] *nf* novedad f

nouvel [nuvɛl] *voir* **nouveau**

nouvelle [nuvɛl] *nf* noticia f; **donner de ses nouvelles** dar noticias; **les nouvelles** *(à la télévision, à la radio)* las noticias

Nouvelle-Calédonie [nuvɛlkaledɔni] *nf* **la N.** Nueva Caledonia

Nouvelle-Zélande [nuvɛlzelɑ̃d] *nf* **la N.** Nueva Zelanda

novateur, -trice [nɔvatœr, -tris] *adj & nm,f* innovador(a)

novembre [nɔvɑ̃br] *nm* noviembre m; *voir aussi* **septembre**

noyade [nwajad] *nf* ahogamiento m

noyau, -x [nwajo] *nm* núcleo m; *(d'un fruit) Esp* hueso m, *Am* carozo m; **le n. dur** los duros *(dentro de un grupo)*

noyauter [nwajote] *vt* infiltrar

noyé, -e [nwaje] *nm,f* ahogado(a) m,f

noyer¹ [nwaje] *nm* nogal m

noyer² [32] **1** *vt (personne, moteur)* ahogar; *(terrain)* anegar; *(diluer)* difuminar **2 se noyer** *upr (personne)* ahogarse; *Fig (se perdre)* perderse

nu, -e [ny] **1** *adj* desnudo(a); *(arbre, paysage)* yermo(a); **tout nu** desnudo; **à mains nues** *(lutter)* a cuerpo descubierto; **pieds nus** descalzo(a) **2** *nm Art* desnudo m; **mettre qch à nu** dejar algo al descubierto; *Fig* **se mettre à nu** mostrarse al desnudo

nuage [nɥaʒ] *nm* nube *f*
nuageux, -euse [nɥaʒø, -øz] *adj* nublado(a)
nuance [nɥãs] *nf* matiz *m*
nuancé, -e [nɥãse] *adj* matizado(a)
nucléaire [nykleɛr] **1** *adj* nuclear **2** *nm* **le n.** la energía nuclear
nudité [nydite] *nf* desnudez *f*
nuée [nɥe] *nf* **une n. de** *(multitude)* una nube de
nuire [18] [nɥir] *vi* **n. à** perjudicar
nuisible [nɥizibl] *adj (animal)* dañino(a); **n. à** perjudicial para
nuit [nɥi] *nf* noche *f*; **de n.** de noche; **passer une n. blanche** pasar una noche en blanco ■ **n. de noces** noche de bodas
nul, nulle [nyl] **1** *adj indéfini Litt* ninguno(a) **2** *adj* nulo(a); *Fam* **être n.**

en qch ser negado(a) para algo **3** *pron indéfini Litt* nadie
numérique [nymerik] *adj* numérico(a); *Ordinat* digital, numérico(a)
numéro [nymero] *nm* número *m*; **faux n.** número equivocado; *Fam* **c'est un sacré n.!** *(personne)* ¡es una buena pieza! ■ **n. de compte** *(bancaire)* número de cuenta; **n. d'immatriculation** *(d'une voiture)* número de matrícula; **n. de téléphone** (número de) teléfono *m*; **n. vert** = número de teléfono gratuito, en Francia
numéroter [nymerɔte] *vt* numerar
nuptial, -e, -aux, -ales [nypsjal, -o] *adj* nupcial
nuque [nyk] *nf* nuca *f*
Nylon® [nilɔ̃] *nm* nylon *m*, nailon *m*

Oo

O, o [o] *nm inv (lettre)* O *f*, o *f*
obéir [ɔbeir] *vi* obedecer (**à** a)
obéissance [ɔbeisãs] *nf* obediencia *f*
obéissant, -e [ɔbeisã, -ãt] *adj* obediente
obèse [ɔbez] *adj & nmf* obeso(a) *m,f*
objecter [ɔbʒɛkte] *vt* **il m'objecta que…** objetó que…
objecteur [ɔbʒɛktœr] *nm* objetor *m* ■ **o. de conscience** objetor de conciencia
objectif, -ive [ɔbʒɛktif, -iv] **1** *adj* objetivo(a) **2** *nm* objetivo *m*
objection [ɔbʒɛksjɔ̃] *nf* objeción *f*
objet [ɔbʒɛ] *nm* objeto *m* ■ **o. d'art** objeto de arte
obligation [ɔbligasjɔ̃] *nf* obligación *f*; **être dans l'o. de faire qch** estar en la obligación de hacer algo; **avoir des obligations** tener obligaciones

obligatoire [ɔbligatwar] *adj (imposé)* obligatorio(a); *(inéluctable)* inevitable
obligé, -e [ɔbliʒe] *adj* **être o. de faire qch** tener que hacer algo; *Fam* **c'était o.** era inevitable, tenía que pasar
obliger [45] [ɔbliʒe] *vt (contraindre)* obligar; **o. qn à faire qch** obligar a alguien a hacer algo
oblique [ɔblik] *adj* oblicuo(a); *(regard)* de soslayo
obscène [ɔpsɛn] *adj* obsceno(a)
obscénité [ɔpsenite] *nf* obscenidad *f*
obscur, -e [ɔpskyr] *adj* oscuro(a), obscuro(a)
obscurcir [ɔpskyrsir] **1** *vt* oscurecer, obscurecer **2 s'obscurcir** *vpr* oscurecerse, obscurecerse
obscurité [ɔpskyrite] *nf* oscuridad *f*, obscuridad *f*
obséder [34] [ɔpsede] *vt* obsesionar

obsèques [ɔpsɛk] *nfpl* funerales *mpl*, exequias *fpl*

observateur, -trice [ɔpsɛrvatœr, -tris] *adj & nm,f* observador(ora) *m,f*

observation [ɔpsɛrvasjɔ̃] *nf* observación *f; (d'un règlement)* observancia *f*; **être en o.** *(à l'hôpital)* estar en observación

observatoire [ɔpsɛrvatwar] *nm* observatorio *m*

observer [ɔpsɛrve] *vt* observar; *(adopter)* guardar; **faire o. qch à qn** advertir algo a alguien

obsession [ɔpsɛsjɔ̃] *nf* obsesión *f*

obstacle [ɔpstakl] *nm* obstáculo *m*; **faire o. à qch** obstaculizar algo

obstination [ɔpstinasjɔ̃] *nf* obstinación *f*

obstiné, -e [ɔpstine] *adj* obstinado(a)

obstiner [ɔpstine] **s'obstiner** *vpr* obstinarse; **s'o. à faire qch** obstinarse en hacer algo

obstruction [ɔpstryksjɔ̃] *nf* obstrucción *f*

obstruer [ɔpstrye] **1** *vt* obstruir **2 s'obstruer** *vpr* obstruirse

obtempérer [34] [ɔptɑ̃pere] *vi* obedecer; **o. à qch** acatar algo

obtenir [70] [ɔptənir] *vt* obtener, conseguir; **o. qch de qn** obtener o conseguir algo de alguien; **il a obtenu qu'on lui rembourse ses frais** ha conseguido que le devuelvan los gastos

obtention [ɔptɑ̃sjɔ̃] *nf* obtención *f*, consecución *f*

obus [ɔby] *nm* obús *m*

occasion [ɔkazjɔ̃] *nf (chance)* ocasión *f*, oportunidad *f; (circonstance)* ocasión *f; (bonne affaire)* ganga *f*; **à l'o.** si llega el caso; *(un jour)* un día de estos; **rater une o. de faire qch** perder la ocasión de hacer algo; **saisir l'o.** aprovechar la ocasión; **à l'o. de qch** con ocasión de algo; **d'o.** de segunda mano, de ocasión

occasionner [ɔkazjɔne] *vt* ocasionar

occident [ɔksidɑ̃] *nm* occidente *m*; **l'O.** (el) Occidente

occidental, -e, -aux, -ales [ɔksidɑ̃tal, -o] **1** *adj* occidental **2** *nm,f* **O.** occidental *mf*

occulte [ɔkylt] *adj* oculto(a)

occupation [ɔkypasjɔ̃] *nf* ocupación *f*

occupé, -e [ɔkype] *adj* ocupado(a); **être o. à qch** estar ocupado en algo; **c'est o.** *(au téléphone)* está comunicando, comunica

occuper [ɔkype] **1** *vt* ocupar **2 s'occuper** *vpr* ocuparse; **s'o. à faire qch** ocuparse de hacer algo; **s'o. de** encargarse de; *Fam* **occupe-toi de tes affaires** *ou* **de ce qui te regarde** *ou* **de tes oignons!** ¡ocúpate de tus asuntos!

océan [ɔseɑ̃] *nm* océano *m*; *Fig* **un o. de** un mar de; **l'o. Atlantique** el océano Atlántico; **l'o. Indien** el océano Índico; **l'o. Pacifique** el océano Pacífico

octante [ɔktɑ̃t] *adj inv Belg & Suisse* ochenta *m; voir aussi* **six**

octet [ɔktɛ] *nm Ordinat* byte *m*, octeto *m*

octobre [ɔktɔbr] *nm* octubre *m; voir aussi* **septembre**

oculaire [ɔkylɛr] *adj* ocular

oculiste [ɔkylist] *nmf* oculista *mf*

odeur [ɔdœr] *nf* olor *m*

odieux, -euse [ɔdjø, -øz] *adj* odioso(a)

odorat [ɔdɔra] *nm* olfato *m*

œil [œj] *(pl* **yeux** [jø]) *nm* ojo *m*; **avoir un œ. au beurre noir** tener un ojo a la funeral; **baisser/lever les yeux** bajar/alzar la vista; *Fam* **à l'œ.** *(gratuitement)* de gorra, gratis; **à l'œ. nu** a simple vista; *Fam* **avoir qn à l'œ.** no perder de vista a alguien; **aux yeux de qn** *(pour qn)* a los ojos de alguien; **n'avoir pas froid aux yeux** tener más valor que un torero; **faire les gros yeux à qn** lanzar una mirada fulminante a alguien; *Fam* **faire de l'œ. à qn** guiñar el ojo a alguien; **sauter aux yeux** saltar a la vista; *Fam* **mon œ.!** ¡y una porra!

œillère [œjɛr] *nf (de cheval)* anteojera

f; Fig **avoir des œillères** ser estrecho(a) de miras
œillet [œjɛ] nm (fleur) clavel m; (de métal) ojete m
œuf [œf] nm huevo m ■ **œufs brouillés** = huevos revueltos cocinados con mantequilla; **œ. à la coque** huevo pasado por agua (bastante crudo); **œ. dur** huevo duro; **œ. mollet** huevo pasado por agua (bastante hecho); **œ. de Pâques** huevo de Pascua; **œ. sur le plat** huevo frito; **œ. poché** huevo escalfado
œuvre [œvr] nf obra f; **mettre tout en œ. pour faire qch** poner todos los medios para hacer algo ■ **bonnes œuvres** obras de caridad; **œ. d'art** obra de arte
offense [ɔfɑ̃s] nf ofensa f
offenser [ɔfɑ̃se] 1 vt ofender 2 **s'offenser** vpr **s'o. de qch** ofenderse por algo
offensif, -ive [ɔfɑ̃sif, -iv] 1 adj ofensivo(a) 2 nf **offensive** ofensiva f; **passer à l'offensive** pasar a la ofensiva
offert, -e pp voir **offrir**
office [ɔfis] nm (bureau) oficina f; Rel oficio m; **d'o.** por real decreto; **avocat commis d'o.** abogado m de oficio ■ **o. du tourisme** oficina de turismo
officiel, -elle [ɔfisjɛl] 1 adj oficial 2 nm **les officiels** las autoridades
officier[1] [66] [ɔfisje] vi oficiar
officier[2] nm oficial m
officieux, -euse [ɔfisjø, -øz] adj oficioso(a)
offrande [ɔfrɑ̃d] nf ofrenda f
offre [ɔfr] nf oferta f ■ **o. d'emploi** oferta de empleo; Fin **o. publique d'achat** oferta pública de adquisición
offrir [52] [ɔfrir] 1 vt **o. qch à qn** (donner) regalar algo a alguien; **o. à qn de faire qch** ofrecer a alguien hacer algo 2 **s'offrir** vpr (se proposer) ofrecerse; (se faire cadeau de) regalarse
OGM [ɔʒeɛm] nm (abrév **organisme génétiquement modifié**) transgénico m, OGM m

oie [wa] nf oca f ■ **o. sauvage** ganso m salvaje
oignon [ɔɲɔ̃] nm (plante, bulbe) cebolla f; (au pied) juanete m ■ **petits oignons** cebolletas fpl (en vinagre)
oiseau, -x [wazo] nm ave f, pájaro m; **dénicher l'o. rare** dar con alguien extraordinario ■ **o. marin** ave marina; **o. de proie** ave rapaz o de rapiña
oisif, -ive [wazif, -iv] adj & nm,f ocioso(a) m,f
oisiveté [wazivte] nf ociosidad f
oléoduc [ɔleɔdyk] nm oleoducto m
olive [ɔliv] 1 nf aceituna f, oliva f 2 adj inv de color verde oliva
olivier [ɔlivje] nm olivo m
olympique [ɔlɛ̃pik] adj olímpico(a)
ombilical, -e, -aux, -ales [ɔ̃bilikal, -o] adj voir **cordon**
ombrage [ɔ̃braʒ] nm (feuillage) enramada f
ombre [ɔ̃br] nf sombra f; **à l'o. de** (arbre) a la sombra de; (aussi Fig **faire de l'o. à qn** hacer sombra a alguien; **il n'y a pas l'o. d'un doute** no cabe la menor duda ■ **ombres chinoises** sombras chinescas; **o. à paupières** sombra de ojos
ombrelle [ɔ̃brɛl] nf sombrilla f
omelette [ɔmlɛt] nf tortilla f; **o. au fromage** tortilla de queso ■ **o. norvégienne** = postre a base de helado y merengue, frío por dentro y caliente por fuera
omettre [47] [ɔmɛtr] vt omitir; **o. de faire qch** olvidarse de hacer algo
omission [ɔmisjɔ̃] nf (action) omisión f; (oubli) olvido m
omnibus [ɔmnibys] nm ómnibus m inv
omniprésent, -e [ɔmniprezɑ̃, -ɑ̃t] adj omnipresente
omnivore [ɔmnivɔr] adj omnívoro(a)
on [ɔ̃] pron personnel (a) (sujet indéterminé) se; **on n'a pas le droit de fumer ici** aquí no se puede fumar; **on ne sait jamais** nunca se sabe

(b) *(les gens)* en Espagne, on se couche tard en España, la gente se acuesta tarde; **on raconte** *ou* **dit que...** dicen que...

(c) *(quelqu'un)* **est-ce qu'on t'a vu?** ¿te han visto?

(d) *Fam (nous)* nosotros(as); **on est arrivés hier** llegamos ayer; **on se voit demain!** ¡nos vemos mañana!

oncle [ɔ̃kl] *nm* tío *m*

onctueux, -euse [ɔ̃ktɥø, -øz] *adj* untuoso(a)

onde [ɔ̃d] *nf Phys* onda *f*; **les ondes** *(la radio)* las ondas ◼ **grandes ondes** onda larga; **petites ondes** onda corta; **ondes courtes** onda corta; **ondes moyennes** onda media

ondée [ɔ̃de] *nf* chaparrón *m*, aguacero *m*

onduler [ɔ̃dyle] *vi* ondear

onéreux, -euse [ɔnerø, -øz] *adj (cher)* oneroso(a)

ongle [ɔ̃gl] *nm (d'une personne)* uña *f*; *(d'un animal)* garra *f*; **se faire les ongles** *(les vernir)* pintarse las uñas

ont *voir* **avoir**

ONU [ɔny, ɔeny] *nf (abrév* **Organisation des Nations unies)** ONU *f*

onze [ɔ̃z] **1** *adj inv* once **2** *nm inv* once *m*; *voir aussi* **six**

onzième [ɔ̃zjɛm] **1** *adj & nmf* undécimo(a) *m,f* **2** *nm* onceavo *m*, onceava *f* parte; *voir aussi* **sixième**

OPA [ɔpea] *nf (abrév* **offre publique d'achat)** OPA *f*

opaque [ɔpak] *adj* opaco(a); *(brouillard)* denso(a)

opéra [ɔpera] *nm* ópera *f*

opérateur, -trice [ɔperatœr, -tris] *nm,f* operador(ora) *m,f*

opération [ɔperasjɔ̃] *nf* operación *f*

opérationnel, -elle [ɔperasjɔnɛl] *adj* operativo(a); *Mil (base)* operacional

opérer [34] [ɔpere] **1** *vt* operar; *(choix)* efectuar; **se faire o. (de qch)** operarse (de algo) **2** **s'opérer** *vpr* operarse

ophtalmologue [ɔftalmɔlɔg] *nm,f* oftalmólogo(a) *m,f*

opiniâtre [ɔpinjɑtr] *adj* pertinaz

opinion [ɔpinjɔ̃] *nf* opinión *f*; **avoir une bonne/mauvaise o. de** tener (una) buena/mala opinión de; **se faire une o. de** hacerse una idea de ◼ **l'o. publique** la opinión pública

opportun, -e [ɔpɔrtœ̃, -yn] *adj* oportuno(a)

opposant, -e [ɔpozɑ̃, -ɑ̃t] *nm,f* opositor(ora) *m,f*

opposé, -e [ɔpoze] **1** *adj* opuesto(a); **o. à** *(hostile)* contrario(a) a **2** *nm* **l'o.** *(le contraire)* lo opuesto; **à l'o. de** *(du côté opposé à)* en el lado opuesto a; *(contrairement à)* al contrario de

opposer [ɔpoze] **1** *vt (objecter)* objetar; *(diviser)* separar; *(résistance)* oponer; *(confronter, comparer)* contraponer; *(faire s'affronter)* enfrentar **2** **s'opposer** *vpr (contraster)* contrastar; *(s'affronter)* enfrentarse; **s'o. à** *(être en désaccord, être contraire)* oponerse a; *(affronter)* enfrentarse a

opposition [ɔpozisjɔ̃] *nf* oposición *f*; *(contraste)* contraste *m*; **être en o. avec** oponerse a; **faire o. à un chèque** suspender el pago de un talón; **par o. à qch** en contraste con algo

oppresser [ɔprese] *vt (sujet: angoisse, remords)* oprimir; *(sujet: chaleur)* asfixiar

oppresseur [ɔpresœr] *nm* opresor *m*

oppression [ɔpresjɔ̃] *nf (asservissement)* opresión *f*; *(malaise)* ahogo *m*

opprimé, -e [ɔprime] *adj & nm,f* oprimido(a) *m,f*

opprimer [ɔprime] *vt (asservir)* oprimir; *(censurer)* reprimir

opter [ɔpte] *vi* **o. pour** optar por

opticien, -enne [ɔptisjɛ̃, -ɛn] *nm,f* óptico(a) *m,f*

optimal, -e, -aux, -ales [ɔptimal, -o] *adj* óptimo(a)

optimisme [ɔptimism] *nm* optimismo *m*

optimiste [ɔptimist] *adj & nmf* optimista *mf*

option [ɔpsjɔ̃] *nf* opción *f*; *Univ*

optativa *f (asignatura)*; **être en o.** *(accessoire)* ser opcional

optique [ɔptik] **1** *adj* óptico(a) **2** *nf* óptica *f*

opulence [ɔpylɑ̃s] *nf* opulencia *f*

opulent, -e [ɔpylɑ̃, -ɑ̃t] *adj* opulento(a)

or¹ [ɔr] *nm* oro *m; (dorure)* dorado *m* ■ **o. blanc** oro blanco; **o. fin** oro fino; **o. massif** oro macizo

or² *conj* ahora bien

orage [ɔraʒ] *nm* tormenta *f*; **il y a de l'o. dans l'air** se está preparando una tormenta, *Fig* hay tensión en el ambiente

orageux, -euse [ɔraʒø, -øz] *adj (discussion)* tormentoso(a), tempestuoso(a); *(chaleur)* bochornoso(a)

oral, -e, -aux, -ales [ɔral, -o] **1** *adj* oral **2** *nm* oral *m (examen)*; **par o.** oralmente ■ **o. de rattrapage** oral de repesca

orange [ɔrɑ̃ʒ] **1** *nf* naranja *f* ■ **o. pressée** zumo *f o Am* jugo *m* de naranja natural **2** *adj inv* naranja *inv* **3** *nm (couleur)* naranja *m*

oranger [ɔrɑ̃ʒe] *nm* naranjo *m*

orateur, -trice [ɔratœr, -tris] *nm,f* orador(ora) *m,f*

orbite [ɔrbit] *nf* órbita *f*; **mettre qch sur o.** poner algo en órbita

orchestre [ɔrkɛstr] *nm* orquesta *f*; *(fauteuils)* patio *m* de butacas ■ **o. de chambre** orquesta de cámara

orchestrer [ɔrkɛstre] *vt* orquestar

ordinaire [ɔrdinɛr] **1** *adj* ordinario(a); *(habituel)* habitual **2** *nm* **d'o.** generalmente, habitualmente; **sortir de l'o.** ser excepcional

ordinateur [ɔrdinatœr] *nm* ordenador *m, Am* computadora *f*, computador *m* ■ **o. central** ordenador *o* computadora central; **o. portable** ordenador *o* computadora portátil

ordonnance [ɔrdɔnɑ̃s] *nf (médicale)* receta *f*; *(du gouvernement)* ordenanza *f*; *(d'un juge)* mandato *m*, mandamiento *m*

ordonné, -e [ɔrdɔne] *adj* ordenado(a)

ordonner [ɔrdɔne] *vt* ordenar; **o. à qn de faire qch** ordenar a alguien que haga algo

ordre [ɔrdr] *nm (agencement, discipline)* orden *m; (commandement) & Rel* orden *f; (corporation)* colegio *m*; **faire un chèque à l'o. de...** extender un cheque a nombre de...; **à l'o. du jour** *(d'une assemblée)* en el orden del día; *(d'actualité)* al orden del día; **de premier o.** de primera clase; **des problèmes d'o. général** problemas de orden general; **en o.** en orden; **par o. alphabétique** por orden alfabético; **donner un o. à qn** dar una orden a alguien; **être aux ordres de qn** estar a las órdenes de alguien; **rentrer dans l'o.** volver a la normalidad

ordures [ɔrdyr] *nfpl (déchets)* basura *f*

oreille [ɔrɛj] *nf* oreja *f; (ouïe)* oído *m; (d'une marmite)* oreja *f*; **se boucher les oreilles** taparse los oídos; **dire qch à l'o. à qn** decir algo al oído a alguien

oreiller [ɔreje] *nm* almohada *f*

oreillons [ɔrejɔ̃] *nmpl* paperas *fpl*

ores [ɔr] **d'ores et déjà** *adv* de aquí en adelante

orfèvrerie [ɔrfɛvrəri] *nf* orfebrería *f*

organe [ɔrgan] *nm* órgano *m* ■ **organes génitaux** órganos genitales

organisateur, -trice [ɔrganizatœr, -tris] *adj & nm,f* organizador(ora) *m,f*

organisation [ɔrganizasjɔ̃] *nf* organización *f*

organisé, -e [ɔrganize] *adj* organizado(a)

organiser [ɔrganize] **1** *vt* organizar **2 s'organiser** *upr (personne, résistance)* organizarse

organisme [ɔrganism] *nm* organismo *m*

orge [ɔrʒ] *nf* cebada *f*

orgue [ɔrg] *nm* órgano *m* ■ **o. de Barbarie** organillo *m*

orgueil [ɔrgœj] *nm* orgullo *m*

orgueilleux, -euse [ɔrgœjø, -øz] *adj & nm,f* orgulloso(a) *m,f*

orient [ɔrjã] nm oriente m; l'O. (el) Oriente

oriental, -e, -aux, -ales [ɔrjãtal, -o] 1 adj oriental 2 nm,f O. oriental m

orientation [ɔrjãtasjɔ̃] nf orientación f

orienté, -e [ɔrjãte] adj (exposé) orientado(a); (tendancieux) tendencioso(a)

orienter [ɔrjãte] 1 vt orientar 2 s'orienter vpr orientarse (vers hacia)

orifice [ɔrifis] nm orificio m

originaire [ɔriʒiner] adj être o. de ser originario(a) de, ser natural de

original, -e, -aux, -ales [ɔriʒinal, -o] 1 adj & nm,f original mf 2 nm (d'un document) original m

originalité [ɔriʒinalite] nf originalidad f

origine [ɔriʒin] nf origen m; à l'o. al principio; être à l'o. de qch originar algo; d'o. de origen; être d'o. italienne ser de origen italiano

ornement [ɔrnəmã] nm ornamento m

orner [ɔrne] vt adornar (de con o de)

orphelin, -e [ɔrfəlɛ̃, -in] adj & nm,f huérfano(a) m,f

orphelinat [ɔrfəlina] nm orfanato m

orteil [ɔrtɛj] nm dedo m del pie; le gros o. el dedo gordo del pie

orthodoxe [ɔrtɔdɔks] adj & nmf ortodoxo(a) m,f

orthographe [ɔrtɔgraf] nf ortografía f

ortie [ɔrti] nf ortiga f

os [ɔs, pl o] nm hueso m; Fam Fig tomber sur un os dar con un hueso

osciller [ɔsile] vi oscilar

osé, -e [oze] adj atrevido(a)

oser [oze] vt o. faire qch atreverse a hacer algo

osier [ozje] nm mimbre m

ossements [ɔsmã] nmpl osamenta f

osseux, -euse [ɔsø, -øz] adj Anat & Méd óseo(a); (maigre) huesudo(a)

otage [ɔtaʒ] nm rehén mf; prendre qn en o. tomar a alguien como rehén

OTAN [ɔtã] nf (abrév Organisation du traité de l'Atlantique Nord) OTAN f

ôter [ote] vt (enlever) quitar; (vêtement) quitarse; ô. qch à qn quitar algo a alguien; 6 ôté de 10 égale 4 10 menos 6 igual a 4

otite [ɔtit] nf otitis f inv

ou [u] conj o; c'est l'un ou l'autre o uno u otro; ou (bien)... ou (bien) o (bien)... o (bien)

où [u] 1 pron relatif (a) (dans l'espace) (sans mouvement) donde; (avec mouvement) adonde; là où j'habite donde vivo; où que vous soyez allí donde estéis; là où il allait allí adonde iba; où que vous alliez vaya adonde vaya (b) (dans le temps) (en) que; le jour où je suis venue el día (en) que vine

2 adv (a) (dans l'espace) (sans mouvement) donde; (avec mouvement) adonde; d'où j'étais desde donde estaba; je vais où je veux voy adonde quiero; d'où on conclut que... de lo que o de donde se deduce que...; d'où ma surprise de ahí mi sorpresa (b) (dans le temps) cuando

3 adv interrogatif (sans mouvement) dónde; (avec mouvement) adónde; où étais-tu? ¿dónde estabas?; où vas-tu? ¿adónde vas?

ouate [wat] nf guata f

oubli [ubli] nm (perte de mémoire, étourderie) olvido m; (négligence) descuido m; tomber dans l'o. caer en el olvido

oublier [66] [ublije] vt olvidar

oubliettes [ublijet] nfpl mazmorra f; Fig mettre qch aux o. relegar algo al olvido

ouest [west] 1 adj inv oeste m nm oeste m; à l'o. de al oeste de; Géog & Pol l'O. el Oeste

oui [wi] adv & nm inv sí

ouï-dire [widir] par ouï-dire adv de oídas

ouïe [wi] nf (sens) oído m; avoir l'o. fine tener el oído fino; ouïes (de poisson) agallas fpl

ouïr [51] [wir] vt Litt oir

ouragan [uragɑ̃] *nm* huracán *m*; *Fig (tumulte)* tormenta *f*; **arriver comme un o.** llegar en tromba

ourlet [urlɛ] *nm (d'un vêtement)* dobladillo *m*; *(de l'oreille)* hélice *f*

ours [urs] *nm* oso *m* ■ **o. blanc** oso blanco; **o. brun** oso pardo; **o. en peluche** oso de peluche

ourse [urs] *nf* osa *f*; **la Grande O.** la Osa Mayor; **la Petite O.** la Osa Menor

oursin [ursɛ̃] *nm* erizo *m* de mar

outil [uti] *nm (instrument)* herramienta *f*, útil *m*; *Fig (aide)* instrumento *m*

outillage [utijaʒ] *nm* utillaje *m*

outrage [utraʒ] *nm* ultraje *m* ■ **o. à magistrat** desacato *m* a un magistrado

outrance [utrɑ̃s] *nf* exageración *f*; **à o.** a ultranza

outrancier, -ère [utrɑ̃sje, -ɛr] *adj* excesivo(a)

outre[1] [utr] *nf* odre *m*, pellejo *m*

outre[2] **1** *prép* además de; **o. mesure** desmesuradamente **2** *adv* **passer o.** *(aller plus loin)* ir más allá; *Fig* pasar por alto; **en o.** además

outré, -e [utre] *adj (offusqué)* indignado(a); *(exagéré)* exagerado(a)

outre-mer [utrəmer] *adv (position)* en ultramar; *(mouvement)* a ultramar

outrepasser [utrəpase] *vt* extralimitarse en

ouvert, -e [uver, -ert] **1** *pp voir* **ouvrir** **2** *adj* abierto(a); **grand o.** abierto de par en par

ouverture [uvertyr] *nf (action) & Phot* abertura *f*; *(d'un local, d'un débat)* apertura *f*; *(des hostilités)* comienzo *m*; *(entrée)* boca *f*; *Mus* obertura *f*; **ouvertures** *(avances)* propuestas *fpl* ■ **o. d'esprit** amplitud *f* de miras

ouvrable [uvrabl] *adj voir* **jour**

ouvrage [uvraʒ] *nm (livre)* obra *f*; *(travail)* trabajo *m*; *(tricot)* labor *f*; **se mettre à l'o.** ponerse manos a la obra

ouvre-boîtes [uvrəbwat] *nm inv* abrelatas *m inv*

ouvre-bouteilles [uvrəbutɛj] *nm inv* abrebotellas *m inv*

ouvreuse [uvrøz] *nf* acomodadora *f*

ouvrier, -ère [uvrije, -ɛr] **1** *adj* obrero(a) **2** *nm,f* obrero(a) *m,f*, *Chile* roto(a) *m,f* ■ **o. qualifié** obrero cualificado; **o. spécialisé** obrero especializado

ouvrir [52] [uvrir] **1** *vt* abrir; **o. qch à qn** abrir algo a alguien **2** *vi (magasin, porte)* abrir; *(commencer)* empezar; **o. sur qch** *(donner accès)* abrirse a algo; **o. à trèfle** *(aux cartes)* abrir con tréboles **3** *s'ouvrir vpr* abrirse; **s'o. à qn** *(se confier)* abrirse a con alguien; *(perspective)* presentársele a alguien

ovale [ɔval] **1** *adj* oval, ovalado(a) **2** *nm* óvalo *m*

ovation [ɔvasjɔ̃] *nf* ovación *f*; **faire une o. à qn** ovacionar a alguien

ovni [ɔvni] *nm (abrév objet volant non identifié)* OVNI *m*

oxygéné, -e [ɔksiʒene] *adj* oxigenado(a)

oxygène [ɔksiʒɛn] *nm* oxígeno *m*

ozone [ozon] *nm* ozono *m*

Pp

P, p [pe] *nm inv (lettre)* P *f*, p *f*
pacifique [pasifik] **1** *adj* pacífico(a) **2** *nm* **le P.** el Pacífico
pacifiste [pasifist] *adj & nmf* pacifista *mf*
Pacs [paks] *nm inv (abrév* **Pacte civil de solidarité)** = en Francia, documento que reconoce legalmente a las parejas de hecho
pacte [pakt] *nm* pacto *m*
pagaie [pagɛ] *nf* zagual *m*
pagaille, pagaïe [pagaj] *nf* Fam follón *m*; **être en p.** *(en désordre)* estar manga por hombro
pagayer [53] [pageje] *vi* remar con zagual
page [paʒ] *nf* **1** *voir* **payer 2** *nf* paga *f*
paiement [pemɑ̃] *nm* pago *m*
païen, -enne [pajɛ̃, -ɛn] *adj & nm,f* pagano(a) *m,f*
paillasson [pajasɔ̃] *nm (tapis)* felpudo *m*
paille [paj] *nf* paja *f*; **tirer à la courte p.** = sortear algo con palitos de diferentes tamaños de modo que al que saque el más corto pierde
paillette [pajɛt] *nf (sur un vêtement)* lentejuela *f*; *(d'or)* chispa *f*
pain [pɛ̃] *nm* pan *m*; *(de poisson)* pastel *m*; *(de cire)* librillo *m*; *(de savon)* pastilla *f*; *Fam (coup)* puñetazo *m*; *Fig* **avoir du p. sur la planche** tener mucho que hacer ■ **p. au chocolat** napolitana *f* de chocolate; **p. d'épices**

alajú *m*, = pan rallado y tostado mezclado con nueces, almendras, miel cocida y especias; **p. au lait** bollo *m* de leche; **p. de mie** pan de molde; **p. perdu** torrijas *fpl*; **p. aux raisins** = bollo en forma de espiral con pasas; **petit p.** bollo de pan; **se vendre comme des petits pains** venderse como churros
pair, -e [pɛr] **1** *adj* par **2** *nm* igual *m*; **il a été jugé par ses pairs** fue juzgado por sus semejantes; **au p.** *Fin* a la par; *(travailler)* de au pair *f*; **jeune fille au p.** au pair *f*; **aller de p. avec** ir parejo(a) con **3** *nf* **paire** par *m*; *(d'animaux)* pareja *f*; *(de bœufs)* yunta *f*
paisible [pezibl] *adj* apacible
paître [50b] [pɛtr] *vi* pacer; *Fam Fig* **envoyer p. qn** mandar a alguien a freír espárragos
paix [pɛ] *nf* paz *f*; **en p.** en paz; **avoir la p.** estar tranquilo(a); **faire la p. avec qn** hacer las paces con alguien; *Fam* **fiche-moi la p.!** ¡déjame en paz!
Pakistan [pakistɑ̃] *nm* **le P.** (el) Pakistán
pakistanais, -e [pakistanɛ, -ɛz] **1** *adj* paquistaní **2** *nm,f* **P.** paquistaní *mf*
palace [palas] *nm* hotel *m* de lujo
palais¹ [palɛ] *nm (château)* palacio *m* ■ **p. des congrès** palacio de congresos; **P. (de justice)** Palacio de Justicia
palais² *nm Anat* paladar *m*
pâle [pal] *adj* pálido(a)
Palestine [palɛstin] *nf* **la P.** Palestina
palestinien, -enne [palɛstinjɛ̃, -ɛn] **1** *adj* palestino(a) **2** *nm,f* **P.** palestino(a) *m,f*

palette [palɛt] nf (de peintre, de chargement) paleta f

pâleur [pɑlœr] nf palidez f

palier [palje] nm (d'escalier) rellano m; Fig (étape) escalón m; Tech palier m

pâlir [pɑlir] vi palidecer

palissade [palisad] nf empalizada f

pallier [66] [palje] **1** vt paliar **2** vi p. à paliar

palmarès [palmarɛs] nm palmarés m inv

palme [palm] nf (feuille, insigne) palma f; (de nageur) aleta f

palmier [palmje] nm palmera f

palourde [palurd] nf almeja f

palper [palpe] vt palpar

palpiter [palpite] vi (cœur) palpitar

pâmer [pɑme] **se pâmer** vpr Litt (s'évanouir) desfallecer; Fig & Hum **se p. devant** extasiarse ante

pamplemousse [pɑpləmus] nm pomelo m

panaché, -e [panaʃe] **1** adj (de couleurs différentes) abigarrado(a) **2** nm (bière) clara f

Panama [panama] nm **le P.** Panamá

pancarte [pɑkart] nf (de manifestant) pancarta f; (de signalisation) letrero m

pané, -e [pane] adj empanado(a)

panier [panje] nm cesta f; **marquer un p.** (au basket) encestar, meter una canasta; **mettre au p.** (à la poubelle) tirar a la basura ■ **p. à provisions** cesta de la compra

panique [panik] **1** adj **être pris d'une peur p.** ser presa del pánico **2** nf pánico m

panne [pan] nf Esp avería f, Am descompostura f; **tomber en p.** Esp tener una avería, Am descomponerse ■ **p. de courant ou d'électricité** apagón m; **tomber en p. d'essence** quedarse sin gasolina

panneau, -x [pano] nm (pancarte) cartel m; (surface plane) tablero m; Fam **tomber dans le p.** caer en la trampa ■ **p. d'affichage** tablón m de anuncios; **p. indicateur** señal f indicadora; **p. publicitaire** valla f publicitaria

panoplie [panɔpli] nf (jouet) disfraz m (de niño); (d'armes, de mesures) panoplia f

panorama [panɔrama] nm (vue) panorama m; Fig (rétrospective) panorámica f

panoramique [panɔramik] adj panorámico(a)

pansement [pɑsmɑ] nm (compresse) venda f; (dentaire) Esp empaste m, Am emplomadura f ■ **p. (adhésif)** tirita f

panser [pɑse] vt (plaie) vendar; (cheval) almohazar

pantalon [pɑtalɔ] nm pantalón m, pantalones mpl

panthère [pɑter] nf pantera f ■ **p. noire** pantera negra

pantoufle [pɑtufl] nf zapatilla f, pantufla f

paon [pɑ] nm pavo m real

papa [papa] nm papá m

pape [pap] nm papa m

papeterie [papetri] nf (magasin) papelería f; (fabrique) papelera f; (articles) artículos mpl de papelería

papi [papi] nm abuelito m

papier [papje] nm papel m; Fam (article de journal) artículo m; **papiers (d'identité)** carné m de identidad ■ **p. aluminium** papel de plata o aluminio; **p. cadeau** papel de regalo; **p. calque** papel de calco; **p. glacé** papel glaseado; **p. à lettres** papel de cartas; **p. peint** papel pintado; **p. toilette ou hygiénique** papel higiénico; **p. de verre** papel de lija

papillon [papijɔ] nm (insecte) mariposa f ■ **p. de nuit** mariposa nocturna

Pâque [pɑk] nf **la P.** (fête juive) la Pascua judía

paquebot [pakbo] nm paquebote m

pâquerette [pɑkrɛt] nf margarita f

Pâques [pɑk] **1** nm (fête chrétienne) Pascua f; (période) Semana f Santa; **les vacances de P.** las vacaciones de Semana Santa **2** nfpl Pascuas fpl

paquet [pakɛ] *nm* paquete *m*

par [par] *prép* (**a**) *(à travers)* por; **passe p. ici** pasa por aquí

(**b**) *(indique la position)* **p. ici** *(dans les environs)* por aquí; **p.-ci p.-là** por aquí por allá

(**c**) *(introduit le complément d'agent)* por; **faire faire qch à qn** hacer hacer algo por alguien

(**d**) *(indique le moyen)* con; *(indique le moyen de transport)* en; **p. la douceur** con dulzura; **p. avion** en avión

(**e**) *(indique la cause)* por; **p. accident** por accidente; **p. pitié** por piedad

(**f**) *(sens distributif)* **deux p. deux** de dos en dos; **une heure p. jour** una hora al día; **p. milliers** a millares

(**g**) *(dans le temps)* **p. un beau jour d'été** en un bonito día de verano

parachute [paraʃyt] *nm* paracaídas *m inv*

parachutiste [paraʃytist] *nmf* paracaidista *mf*

parade [parad] *nf* *(défense)* gesto *m* de defensa; *(spectacle)* desfile *m*; *(étalage)* ostentación *f*

paradis [paradi] *nm* paraíso *m*

paradoxe [paradɔks] *nm* paradoja *f*

paraffine [parafin] *nf* parafina *f*

parages [paraʒ] *nmpl Naut* aguas *fpl*; **dans les p.** *(près d'ici)* por aquí

paragraphe [paragraf] *nm* párrafo *m*, *Am* acápite *m*

Paraguay [paragwɛ] *nm* **le P.** Paraguay *m*

paraître [20] [parɛtr] **1** *vi (sembler)* parecer; *(apparaître, être publié)* aparecer; *(se faire remarquer)* aparentar; *(sentiment)* manifestarse; **il paraît fatigué** parece cansado **2** *vi impersonnel* **il paraît que** parece ser que

parallèle [paralɛl] **1** *adj* paralelo(a) **2** *nm* paralelo *m*; **mettre qch en p. avec qch** *(choses opposées)* comparar algo con algo **3** *nf Math* paralela *f*

paralyser [paralize] *vt* paralizar

paralysie [paralizi] *nf* parálisis *f inv*

parapente [parapãt] *nm* parapente *m*

parapet [parapɛ] *nm* parapeto *m*

parapher [parafe] *vt* rubricar

parapluie [paraplµi] *nm* paraguas *m inv*

parasite [parazit] **1** *adj* parásito(a) **2** *nm* parásito *m*; **parasites** *(à la radio)* interferencias *fpl*

parasol [parasɔl] *nm* sombrilla *f*, parasol *m*

paratonnerre [paratɔnɛr] *nm* pararrayos *m inv*

paravent [paravã] *nm* biombo *m*

parc [park] *nm* parque *m*; *(enclos)* redil *m*; **p. automobile** *(national)* parque automovilístico; *(privé)* parque móvil ■ **p. d'attractions** parque de atracciones; **p. national** parque nacional; **p. de stationnement** *Esp* aparcamiento *m*, *Am* parqueadero *m*, *RP* estacionamiento *m*

parcelle [parsɛl] *nf* *(terrain)* parcela *f*; *(petite partie)* ápice *f*

parce que [parsk(ə)] *conj* porque

parchemin [parʃəmɛ̃] *nm* pergamino *m*

parcmètre [parkmɛtr] *nm* parquímetro *m*

parcourir [22] [parkurir] *vt (ville)* recorrer; *(journal)* hojear; **p. qch des yeux** *ou* **du regard** recorrer algo con la mirada

parcours [parkur] *nm (itinéraire)* & *Sp* recorrido *m*; *Fig (trajectoire individuelle)* trayectoria *f*

par-delà [pardəla] **1** *prép* allende **2** *adv* más allá

par-derrière [pardɛrjɛr] *adv* por detrás; *Fig* **il la critique p.** la critica a sus espaldas

par-dessous [pardəsu] **1** *adv* por debajo **2** *prép* por debajo de

par-dessus [pardəsy] **1** *adv* por encima **2** *prép* por encima de

pardessus [pardəsy] *nm* sobretodo *m*

par-devant [pardəvã] *adv* por delante

pardon [pardɔ̃] **1** *nm* perdón *m*; **demander p. à qn** pedir perdón a alguien **2** *exclam* ¡perdón!

pardonner [pardɔne] **1** *vt* perdonar; **p.**

(qch) à qn perdonar (algo) a alguien **2 se pardonner** *vpr* **je ne me le pardonnerai jamais** nunca me lo perdonaré

pare-balles [parbal] *adj inv* antibalas

pare-brise [parbriz] *nm inv* parabrisas *m inv*

pare-chocs [parʃɔk] *nm inv* parachoques *m inv*

pare-feu [parfø] *nm inv (de cheminée)* pantalla *f* (de chimenea); *Ordinat* cortafuegos *m inv*

pareil, -eille [parɛj] **1** *adj (semblable)* igual (**à/que** a/que); *(tel)* semejante; **je n'ai jamais vu une insolence pareille** nunca he visto semejante insolencia *o* insolencia semejante **2** *nm,f* **ne pas avoir son p.** no tener igual **3** *nf* **pareille: rendre la pareille à qn** vengarse de alguien **4** *adv Fam* igual

parent, -e [parɑ̃, -ɑ̃t] **1** *adj* **être parents** ser parientes **2** *nm,f* pariente *mf*; **parents** *(père et mère)* padres *mpl*

parenté [parɑ̃te] *nf (lien familial, ressemblance)* parentesco *m*

parenthèse [parɑ̃tɛz] *nf* paréntesis *m inv*; **entre parenthèses** entre paréntesis; *Fig* dicho sea de paso

parer¹ [pare] **1** *vt (coup)* parar **2** *vi* **p. à qch** *(accident, problème)* precaverse contra algo; **p. au plus pressé** solucionar lo más urgente

parer² *vt Litt* **p. qn de qch** *(vêtements)* ataviar a alguien con algo; *Fig (qualité, vertu)* atribuir a alguien algo

paresseux, -euse [parɛsø, -øz] *adj & nm,f* perezoso(a) *m,f*

parfaire [36] [parfɛr] *vt* perfeccionar

parfait, -e [parfɛ, -ɛt] **1** *adj* perfecto(a); *(bonheur)* absoluto(a) **2** *nm* *Culin* helado *m*; *Gram* pretérito *m* perfecto

parfaitement [parfɛtmɑ̃] *adv (admirablement)* perfectamente; *(totalement)* completamente; **vous avez p. le droit de...** tiene todo el derecho de...; **p.!** *(absolument)* ¡completamente!

parfois [parfwa] *adv* a veces

parfum [parfœ̃] *nm* perfume *m*; *(goût)* sabor *m*

parfumer [parfyme] **1** *vt* perfumar; *(aromatiser)* dar sabor a (**à** a) **2 se parfumer** *vpr* perfumarse

parfumerie [parfymri] *nf* perfumería *f*

pari [pari] *nm* apuesta *f*

parier [66] [parje] *vt* apostar; **je l'aurais parié!** ¡lo habría jurado!; **je te parie qu'il va refuser** apuesto a que dice que no

Paris [pari] *n* París

parisien, -enne [parizjɛ̃, -ɛn] **1** *adj* parisino(a) **2** *nm,f* **P.** parisino(a) *m,f*

parking [parkiŋ] *nm* aparcamiento *m*

parlement [parləmɑ̃] *nm* parlamento *m*

parlementaire [parləmɑ̃tɛr] *adj & nmf* parlamentario(a) *m,f*

parlementer [parləmɑ̃te] *vi* parlamentar

parler [parle] **1** *vi* hablar (**à** *ou* **avec** con); **p. de faire qch** hablar de hacer algo; **p. de qch à qn** hablar de algo a alguien; **sans p. de** sin hablar de, amén de; **n'en parlons plus!** ¡no se hable más!; **p. pour ne rien dire** hablar por hablar, hablar por no estar callado(a); *Fam* **tu parles!** ¡qué va! **2** *vt (langue)* hablar; **p. affaires** hablar de negocios **3** *nm (manière de parler)* manera *f* de hablar; *(patois)* habla *m* **4 se parler** *vpr* hablarse

parloir [parlwar] *nm* locutorio *m*

parmi [parmi] *prép* entre

paroi [parwa] *nf* pared *f*; **p. rocheuse** pared rocosa

paroisse [parwas] *nf* parroquia *f*

parole [parɔl] *nf (faculté de parler)* habla *m*; *(mot)* palabra *f*; **paroles** *(d'une chanson)* letra *f*; **adresser la p. à qn** dirigir la palabra a alguien; **couper la p. à qn** cortar a alguien; **prendre la p.** tomar la palabra; **tenir p.** mantener su palabra

parquet [parkɛ] *nm (plancher)*
parquet *m*, parqué *m*; Jur ministerio
m fiscal
parrain [parɛ̃] *nm* padrino *m*
parrainer [parene] *vt (personne)*
apadrinar; *(projet)* patrocinar
pars *voir* **partir**
parsemer [46] [parsəme] *vt* p. qch de
sembrar algo de; **un ciel parsemé
d'étoiles** un cielo constelado de
estrellas
part¹ *voir* **partir**
part² [par] *nf* parte *f*; **à p.** aparte; **à p.
entière** *(membre)* de pleno derecho;
c'est de la p. de qui? *(au téléphone)*
¿de parte de quién?; **de toutes parts**
por todas partes; **faire p. à qn de qch**
hacer partícipe a alguien de algo;
pour ma p. por mi parte; **prendre p. à
qch** tomar parte en algo; **autre p.** en
otra parte; *(avec mouvement)* a otra
parte; **de p. et d'autre** de una y otra
parte; **d'autre p.** por otra parte;
d'une p...., d'autre p. por una
parte..., por otra; **nulle p.** en
ninguna parte; *(avec mouvement)* a
ninguna parte; **quelque p.** en alguna
parte; *(avec mouvement)* a alguna
parte
partage [partaʒ] *nm* reparto *m*,
repartición *f*; Jur partición *f*
partagé, -e [partaʒe] *adj (opinions,
torts)* compartido(a); *(tendresse)*
correspondido(a); *(ambivalent)* dividido(a) (**sur** acerca de)
partager [45] [partaʒe] **1** *vt* compartir;
(héritage) partir; **p. son temps entre**
repartir su tiempo entre **2 se
partager** *upr* se p. qch repartirse
algo
partance [partɑ̃s] *nf* **en p. pour** con
destino a
partenaire [partənɛr] *nmf* pareja *f*;
Com *(entreprise)* empresa *f* asociada
■ **les partenaires sociaux** los
agentes sociales
partenariat [partənarja] *nm* cooperación *f*
parterre [parter] *nm (de fleurs)*

parterre *m*; *(au théâtre)* patio *m* de
butacas
parti *nm* partido *m*; **p. (politique)**
partido (político); **prendre p.** tomar
partido; **prendre le p. de qn** ponerse
a favor de alguien; **prendre le p. de
faire qch** decidir hacer algo; **tirer p.
de qch** sacar partido de algo ■ **p.
pris** prejuicio *m*
partial, -e, -aux, -ales [parsjal, -o]
adj parcial
participant, -e [partisipɑ̃, -ãt] *adj &
nm,f* participante *mf*
participation [partisipasjɔ̃] *nf*
participación *f* ■ **p. aux bénéfices**
participación en los beneficios
participer [partisipe] *vi* **p. à** *(réunion,
fête)* asistir a; *(bénéfices)* participar
en; *(frais)* compartir
particularité [partikylarite] *nf*
particularidad *f*
particule [partikyl] *nf* partícula *f*; **un
nom à p.** un apellido noble
particulier, -ère [partikyljɛ, -ɛr] **1** *adj*
particular; *(remarquable)* excepcional; *(soin)* especial; **p. à qn**
característico(a) de alguien; **en p.**
(notamment) en particular; *(seul à
seul)* a solas **2** *nm (individu)*
particular *m*
particulièrement [partikyljɛrmɑ̃]
adv (surtout) en particular; *(très)*
particularmente; **tout p.** muy
particularmente
partie [parti] *nf* parte *f*; *(match)*
partido *m*; *(au jeu)* partida *f*; *(domaine
d'activité)* especialidad *f*; **en p.** en
parte; **en grande p.** en gran
parte; **faire p. de qch** formar parte
de algo; **prendre qn à p.** tomarla
con alguien ■ Jur **la p. civile** la
acusación
partiel, -elle [parsjɛl] **1** *adj* parcial
2 *nm* Univ parcial *m*
partir [64a] [partir] *vi (personne,
tache)* marcharse; *(voiture)* arrancar;
(train) salir; *(commencer)* partir;
(bouchon) saltar; *(coup de feu)*
estallar; **faire p. qch** *(tache)* quitar

algo; **p. de** *(prendre son point de départ)* partir de; **à p. de** a partir de

partisan, -e [partizã, an] **1** *adj (querelle)* partidista ; **être p. de ser** partidario(a) de **2** *nm* partidario(a) *m,f; (combattant)* guerrillero *m*

partition [partisjõ] *nf (séparation)* división *f; (musicale)* partitura *f*

partout [partu] *adv* en todas partes; **p. où il allait** por dondequiera que iba; *Sp* **trois buts p.** empate a tres goles; **trente p.** *(au tennis)* treinta iguales

paru, -e *pp voir* **paraître**

parure [paryr] *nf (de bijoux)* juego *m; (de lit)* juego *m* de cama

parution [parysjõ] *nf* publicación *f*

parvenir [70] [parvənir] *vi (aux être)* **p. à** *(atteindre)* llegar; **p. à faire qch** *(réussir)* conseguir hacer algo

pas¹ [pɑ] *nm* paso *m;* **au p. cadencé** marcando el paso; **à p. de loup** *ou* **feutrés** con paso sigiloso; **c'est à deux p. (d'ici)** está a dos pasos (de aquí); **faire le premier p.** dar el primer paso; **faire les cent p.** pasear arriba y abajo; **faire un faux p.** dar un paso en falso; **p. à p.** paso a paso; **rouler au p.** circular lentamente; **tirer qn d'un mauvais p.** sacar a alguien de un apuro ■ **p. de la porte** el umbral; **p. de vis** paso de rosca

pas² *adv* no; **ne... p.** no; **il ne mange p.** no come; **je regrette de ne p. l'avoir fait plus tôt** siento no haberlo hecho antes; **tu viens ou p. ?** ¿vienes o no?; **p. moi/toi/etc** yo/tú/etc no; **Simon a aimé le film, mais p. moi** a Simon le gustó la película, pero a mí no; **p. assez grand** no lo suficientemente grande; **p. du tout** en absoluto; **je n'ai p. du tout peur** no tengo ningún miedo; **il ne fait p. du tout froid** no hace nada de frío; **p. un** ninguno

passable [pɑsabl] *adj* pasable, aceptable; *Scol* suficiente

passage [pɑsaʒ] *nm* paso *m; (de texte, de musique)* pasaje *m;* **attraper qch au p.** atrapar algo al vuelo; **être de p.** estar de paso ■ **p. clouté** *ou* **pour**

piétons paso de cebra *o* de peatones; **p. à niveau** paso a nivel; **p. souterrain** paso subterráneo

passager, -ère [pɑsaʒe, -ɛr] *adj & nm,f* pasajero(a) *m,f*

passant, -e [pɑsã, -ãt] **1** *adj* concurrido(a) **2** *nm,f* transeúnte *mf* **3** *nm (de ceinture)* presilla *f*

passe [pɑs] *nf (du ballon)* pase *m; (d'escrime)* pase *m,* finta *f;* **être dans une mauvaise p.** pasar por una mala racha; **être en p. de faire qch** estar a punto de hacer algo

passé, -e [pɑse] **1** *adj* pasado(a) **2** *nm* pasado *m;* **p. antérieur** pretérito anterior; **p. composé** pretérito perfecto; **p. simple** pretérito indefinido

passe-montagne *(pl* **passe-montagnes)** [pɑsmõtaɲ] *nm* pasamontañas *m inv*

passe-partout [pɑspartu] **1** *nm inv (clé)* llave *f* maestra **2** *adj inv (mot, réponse)* comodín *inv*

passeport [pɑspɔr] *nm* pasaporte *m*

passer [pɑse] **1** *vi (aux être)* pasar; *(perdre son éclat)* irse; *(à la télévision) (personne)* salir; **qu'est-ce qui passe, ce soir, à la télé?** ¿qué dan o ponen esta noche en la tele?; **mais où est-il passé?** pero, ¿dónde se ha metido?; **ça m'a passé** *(douleur, chagrin)* ya se me ha pasado; **je dois p. chez moi** tengo que pasar por mi casa; **p. de qch à qch** *(changer d'activité)* cambiar de algo a algo; *(changer d'état)* pasar de algo a algo; **p. pour** pasar por; **se faire p. pour qn** hacerse pasar por alguien; **p. sur qch** *(se taire)* pasar algo por alto; **en passant** *(sur son chemin)* al pasar; *Fig (par la même occasion)* de paso; **passons...** dejémoslo...

2 *vt (aux* **avoir)** *(obstacle, moment, objet)* pasar; *(couche de peinture, crème, coup de balai)* dar; *(film, CD)* poner; *(vêtement)* ponerse; *(vitesses)* poner, meter; *(accord)* aprobar; *(examen)* hacer; **p. son temps à faire qch** pasarse la vida haciendo algo; **p.**

qch à qn *(donner)* pasar algo a
alguien; **p. tous ses caprices à qn**
consentir a alguien todos sus
caprichos; **tu me passes ton père?**
(au téléphone) ¿me pasas a tu padre?
3 se passer *upr (se produire)* pasar;
(scène) transcurrir; **se p. de qch** pasar
sin algo
passerelle [pɑsrɛl] *nf* pasarela *f*; *(d'un
bateau)* puente *m* de mando
passe-temps [pɑstɑ̃] *nm inv*
pasatiempo *m*
passif, -ive [pasif, -iv] **1** *adj* pasivo(a)
2 *nm Gram* pasiva *f*, voz *f* pasiva; *Fin*
pasivo *m*
passion [pasjɔ̃] *nf* pasión *f*; **avoir la p.
de qch** tener pasión por algo
passionnant, -e [pasjonɑ̃, -ɑ̃t] *adj*
apasionante
passionné, -e [pasjone] *adj & nm,f*
apasionado(a)
passionner [pasjone] **1** *vt (personne)*
apasionar; *(débat)* animar, dar un
tono apasionado a **2 se passionner**
upr **se p. pour qch** apasionarse por
algo
passoire [pɑswar] *nf* colador *m*
pastel [pastel] **1** *nm (crayon)* pastel *m*
2 *adj inv* pastel *inv*
pastèque [pastek] *nf* sandía *f*
pastille [pastij] *nf (médicament)*
pastilla *f*; *(confiserie)* caramelo *m*
patauger [45] [patoʒe] *vi (barboter)*
chapotear; *Fam Fig (s'embrouiller)*
hacerse un lío, liarse
pâte [pɑt] *nf* pasta *f*; *Culin* masa *f*;
pâtes *(nouilles)* pasta ■ **p.
d'amandes** mazapán *m*; **p. brisée**
masa quebrada; **p. à crêpes** pasta
para crepes; **p. feuilletée** masa de
hojaldre; **p. de fruits** dulce *m* de
frutas; **p. à modeler** plastilina *f*; **p. à
pain** masa de pan; **p. à tarte** masa de
tarta
pâté [pɑte] *nm Culin* paté *m*; *(tache)*
borrón *m* ■ **p. en croûte** = paté
envuelto en hojaldre; **p. de foie** paté
de foie-gras; **p. de maisons** manzana
f

paternel, -elle [patɛrnɛl] *adj*
paternal; *(autorité)* paterno(a)
paternité [patɛrnite] *nf* paternidad *f*
pathétique [patetik] *adj* patético(a)
patience [pasjɑ̃s] *nf* paciencia *f*; *(jeu
de cartes)* solitario *m*
patient, -e [pasjɑ̃, -ɑ̃t] *adj & nm,f*
paciente *mf*
patienter [pasjɑ̃te] *vi* esperar
patin [patɛ̃] *nm* patín *m* ■ **faire du p.
à glace** patinar sobre hielo; **faire du p.
à roulettes** patinar sobre ruedas
patinage [patinaʒ] *nm Sp* patinaje *m*
■ **p. artistique** patinaje artístico; **p.
de vitesse** patinaje de velocidad
patiner [patine] **1** *vi* patinar **2 se
patiner** *upr* cubrirse de pátina
patinoire [patinwar] *nf* pista *f* de
patinaje
pâtir [pɑtir] *vi* **p. de** resentirse
pâtisserie [pɑtisri] *nf (gâteau)* pastel
m; *(métier)* pastelería *f*, repostería *f*;
(magasin) pastelería *f*
pâtissier, -ère [pɑtisje, -ɛr] *adj & nm,f*
pastelero(a) *m,f*
patrie [patri] *nf* patria *f*
patrimoine [patrimwan] *nm* patri-
monio *m*
patriote [patrijɔt] *adj & nmf* patriota
mf
patriotique [patrijɔtik] *adj* patrió-
tico(a)
patron¹, -onne [patrɔ̃, -ɔn] *nm,f (chef
d'entreprise)* patrón(ona) *m,f*; *(chef)*
jefe *m*; *Rel* **(saint) p.** patrón(ona)
patron² *nm (en couture)* patrón *m*
patronal, -e, -aux, -ales [patrɔnal,
-o] *adj* patronal
patronat [patrɔna] *nm* patronal *f*
patrouille [patruj] *nf* patrulla *f*
patte [pat] *nf (d'animal)* pata *f*; *Fam
(jambe, pied)* pata *f*; *Fam (main)* mano
f; *(languette, attache)* lengüeta *f*;
(favori) patilla *f*; **à quatre pattes** a
cuatro patas
pâturage [pɑtyraʒ] *nm* pasto *m*
paume [pom] *nf Anat* palma *f*
paumer [pome] *Fam* **1** *vt* perder **2 se
paumer** *upr* perderse

paupière [popjɛr] nf párpado m
paupiette [popjɛt] nf = rollo de carne relleno de picadillo
pause [poz] nf pausa f
pauvre [povr] adj & nmf pobre mf
pauvreté [povrəte] nf pobreza f
pavaner (se) [pavane] **se pavaner** vpr pavonearse
pavé, -e [pave] **1** adj pavimentado(a) **2** nm (bloc de pierre) adoquín m; Fam (gros livre) tocho m; Fig **jeter un p. dans la mare** meter el lobo en el redil ■ Ordinat **p. numérique** teclado m numérico
pavillon [pavijɔ̃] nm pabellón m; (drapeau) bandera f
payant, -e [pɛjɑ̃, -ɑ̃t] adj de pago; Fam (effort) provechoso(a)
paye [pɛj] = **paie**
payer [53] [peje] **1** vt pagar; **faire p. qn** hacer pagar a alguien; **p. par chèque** pagar con cheque; **tu me le paieras!** ¡me las pagarás! **2** vi (efforts) compensar; (métier) estar bien pagado(a) **3 se payer** vpr **se p. qch** (se l'acheter) comprarse; Fam (rentrer dans) tragarse; Fam **se p. la tête de qn** tomarle el pelo a alguien
pays [pei] nm país m; (région, province) región f; (terre natale) tierra f; **rentrer au p.** volver a su tierra; **le P. basque** el País Vasco
paysage [peizaʒ] nm paisaje m ■ Ordinat **mode p.** orientación f horizontal
paysan, -anne [peizɑ̃, -an] adj & nm,f campesino(a) m,f
Pays-Bas [peiba] nmpl **les P.** los Países Bajos
P-DG [pedeʒe] nm (abrév **président-directeur général**) presidente m ejecutivo
péage [peaʒ] nm peaje m
peau, -x [po] nf piel f; (du lait) nata f; Fam **être mal dans sa p.** sentirse mal consigo mismo ■ **p. de chamois** gamuza f
péché [peʃe] nm pecado m
pêche¹ [pɛʃ] nf (fruit) Esp melocotón m, Am durazno m

pêche² nf (activité, poissons pêchés) pesca f ■ **p. à la ligne** pesca con caña; **p. sous-marine** pesca submarina
pécher [34] [peʃe] vi pecar
pêcher¹ [peʃe] vt pescar
pêcher² nm melocotonero m
pêcheur, -euse [peʃœr, -øz] nm,f pescador(ora) m,f
pédagogie [pedagɔʒi] nf pedagogía f
pédagogue [pedagɔg] adj & nmf pedagogo(a) m,f
pédale [pedal] nf pedal m; Fam **perdre les pédales** perder la cabeza
Pédalo® [pedalo] nm patín m (de pedales)
pédestre [pedɛstr] adj pedestre; **une randonnée p.** una marcha
pédiatre [pedjatr] nmf pediatra mf
pédicure [pedikyr] nmf pedicuro(a) m,f, callista m
pègre [pɛgr] nf hampa f
peigne [pɛɲ] nm (pour démêler) peine m; (barrette) peineta f; (pour tisser) carda f, rastrillo m
peigner [peɲe] vt (cheveux) peinar
peignoir [peɲwar] nm (déshabillé) bata f; **p. (de bain)** albornoz m (de baño)
peindre [54] [pɛ̃dr] vt pintar
peine [pɛn] nf (châtiment, tristesse) pena f; (difficulté) trabajo m; **avoir de la p.** estar triste; **faire de la p. à qn** entristecer a alguien; **se donner de la p.** esforzarse; **prendre la p. de faire qch** tomarse la molestia de hacer algo; **ce n'est pas la p. de faire qch** no merece la pena hacer algo; **ça vaut la p.** vale la pena; **à p.** apenas; **sans p.** sin esfuerzo; **sous p. de qch** bajo pena de algo ■ **p. capitale ou de mort** pena capital o de muerte
peiner [pene] **1** vt apenar, entristecer **2** vi **j'ai peiné à terminer ma traduction** me costó (trabajo) terminar la traducción
peintre [pɛ̃tr] nm pintor(ora) m,f ■ **p. en bâtiment** pintor(ora) de brocha gorda

peinture [pɛ̃tyr] *nf* pintura *f*; *Fig (description)* retrato *m*; **faire de la p. à l'huile** pintar al óleo

Pékin [pekɛ̃] *n* Pekín

pelage [pəlaʒ] *nm* pelaje *m*

peler [39] [pəle] *vt & vi* pelar

pelle [pɛl] *nf* pala *f* ▪ **p. mécanique** excavadora *f*; **p. à tarte** paleta *f* de servir *(para pasteles)*

pellicule [pelikyl] *nf* película *f*; **pellicules** *(dans les cheveux)* caspa *f*

pelote [pəlɔt] *nf (de laine)* ovillo *m* ▪ **p. basque** pelota *f* vasca

peloton [pəlɔtɔ̃] *nm (de soldats, de cyclistes)* pelotón *m* ▪ **p. d'exécution** pelotón de ejecución

pelotonner [pəlɔtɔne] **se pelotonner** *vpr* acurrucarse

pelouse [pəluz] *nf* césped *m*

peluche [pəlyʃ] *nf* peluche *m*; *(sur une étoffe)* bola *f*

pelure [pəlyr] *nf (de fruit, de légume)* monda *f*, peladura *f*; *(d'oignon)* capa *f*

pénal, -e, -aux, -ales [penal, -o] *adj* penal

pénaliser [penalize] *vt* penalizar

penalty [penalti] *nm* penalty *m*

penchant [pɑ̃ʃɑ̃] *nm* inclinación *f*; **avoir un p. pour** tener inclinación por

penché, -e [pɑ̃ʃe] *adj* inclinado(a)

pencher [pɑ̃ʃe] **1** *vt* inclinar **2** *vi (être incliné)* estar inclinado(a); **p. pour** *(préférer)* inclinarse por **3 se pencher** *vpr* inclinarse (**sur/vers** sobre/hacia)

pendaison [pɑ̃dɛzɔ̃] *nf* ahorcamiento *m*

pendant¹, -e [pɑ̃dɑ̃, -ɑ̃t] **1** *adj (bras)* colgando; *(langue)* fuera **2** *nm (bijou)* pendiente *m*; *(équivalent)* equivalente *m*

pendant² *prép* durante; **p. que** mientras que

pendentif [pɑ̃dɑ̃tif] *nm* colgante *m*

penderie [pɑ̃dri] *nf* ropero *m*

pendre [pɑ̃dr] **1** *vt (rideau)* colgar; *(personne)* ahorcar, colgar **2** *vi* colgar **3 se pendre** *vpr (se suicider)* ahorcarse, colgarse; **se p. à qch** *(s'accrocher)* colgarse de algo

pendule [pɑ̃dyl] **1** *nm* péndulo *m* **2** *nf* reloj *m* de péndulo

pénétrer [34] [penetre] **1** *vi (chose)* penetrar; *(personne)* entrar **2** *vt (sujet: pluie)* calar; *(sujet: vent)* penetrar; *(mystère, intentions)* descubrir; *(cœur, âme)* llegar a

pénible [penibl] *adj* penoso(a); *Fam (personne)* pesado(a)

péniblement [penibləmɑ̃] *adv* a duras penas

péniche [peniʃ] *nf* chalana *f*

pénicilline [penisilin] *nf* penicilina *f*

péninsule [penɛ̃syl] *nf* península *f* ▪ **la p. Ibérique** la península Ibérica

pénitencier [penitɑ̃sje] *nm* penitenciaría *f*

pensée [pɑ̃se] *nf* pensamiento *m*; *(opinion)* parecer *m*; *(idée)* idea *f*; **par la p.** con el pensamiento

penser [pɑ̃se] **1** *vi* pensar; **elle me fait p. à ma sœur** me recuerda a mi hermana; **p. à qch/à qn/à faire qch** pensar en algo/en alguien/en hacer algo; **n'y pensez plus!** ¡olvídense eso! **2** *vt* pensar; **qu'est-ce que tu en penses?** ¿qué te parece?; **p. faire qch** pensar hacer algo

pensif, -ive [pɑ̃sif, -iv] *adj* pensativo(a)

pension [pɑ̃sjɔ̃] *nf (allocation, hébergement)* pensión *f*; *(internat)* internado *m* ▪ **p. alimentaire** pensión alimenticia; **p. complète** pensión completa; **p. de famille** casa *f* de huéspedes

pensionnaire [pɑ̃sjɔner] *nmf (dans une pension de famille)* huésped(eda) *m,f*; *(dans un pensionnat)* interno(a) *m,f*

pensionnat [pɑ̃sjɔna] *nm* internado *m*

pente [pɑ̃t] *nf* pendiente *f*; **en p.** en pendiente

Pentecôte [pɑ̃tkot] *nf* Pentecostés *m*

pénurie [penyri] *nf* penuria *f*

pépé [pepe] *nm* abuelo *m*

pépin [pepɛ̃] *nm (graine)* pepita *f*; *Fam*

(ennui) contratiempo *m; Fam*
(parapluie) paraguas *m inv*
pépinière [pepinjɛr] *nf* vivero *m; Fig*
cantera *f*
pépite [pepit] *nf* pepita *f*
perçant, -e [pɛrsɑ̃, -ɑ̃t] *adj (regard,*
froid) penetrante; *(son)* taladrante
perception [pɛrsɛpsjɔ̃] *nf Fin (collecte)*
recaudación *f* de impuestos; *(bureau)*
hacienda *f; (sensation)* percepción *f*
percer [16] [pɛrse] **1** *vt (planche)*
taladrar; *(trou)* hacer; *(fenêtre,*
tunnel) abrir; *(lignes ennemies)*
atravesar; *(mystère)* descubrir **2** *vi*
(soleil, abcès) aparecer; *(dent)* salir;
(devenir célèbre) calar
perceuse [pɛrsøz] *nf* taladradora *f*
percevoir [60] [pɛrsəvwar] *vt (nuance,*
argent) percibir; *(impôts)* recaudar
perche¹ [pɛrʃ] *nf (poisson)* perca *f*
perche² *nf (bâton)* pértiga *f*
percher [pɛrʃe] **1** *vt (mettre)*
encaramar **2** *vi (oiseau)* posarse **3** *se*
percher *upr* posarse
percuter [pɛrkyte] **1** *vt* chocar contra
2 *vi* **p. contre qch** chocar contra algo
perdant, -e [pɛrdɑ̃, -ɑ̃t] *adj & nm,f*
perdedor(ora) *m,f*
perdre [pɛrdr] **1** *vt* perder **2** *vi* perder;
y p. *(dans une vente)* salir perdiendo
3 *se* **perdre** *upr* perderse; *(pourrir)*
echarse a perder
perdu, -e [pɛrdy] *adj* perdido(a);
(malade) desahuciado(a); **à mes**
moments perdus en mis ratos libres
père [pɛr] *nm* padre *m;* **de p. en fils** de
padre a hijo ▪ **le p. Noël** Papá Noel *m*
perfection [pɛrfɛksjɔ̃] *nf* perfección *f*
perfectionné, -e [pɛrfɛksjɔne] *adj*
perfeccionado(a)
perfectionner [pɛrfɛksjɔne] **1** *vt*
perfeccionar **2** *se* **perfectionner** *upr*
perfeccionarse; **pour se p. en**
français para perfeccionar su francés
perforer [pɛrfɔre] *vt* perforar
performance [pɛrfɔrmɑ̃s] *nf (résultat)*
resultado *m; (exploit)* hazaña *f;*
performances *(d'une voiture, d'un*
ordinateur) prestaciones *fpl*

performant, -e [pɛrfɔrmɑ̃, -ɑ̃t] *adj*
(personne) competitivo(a); *(machine)*
con buenas prestaciones
perfusion [pɛrfyzjɔ̃] *nf* perfusión *f;*
être sous p. tener puesto el gotero
péril [peril] *nm* peligro *m*
périlleux, -euse [perijø, -øz] *adj*
peligroso(a)
périmé, -e [perime] *adj (passeport,*
aliment) caducado(a); *Fig (idée)*
caduco(a)
période [perjɔd] *nf* período *m,*
periodo *m* ▪ **p. blanche** días *mpl*
blancos; **p. bleue** días azules; **p.**
rouge días rojos
périodique [perjɔdik] **1** *adj*
periódico(a) **2** *nm* periódico *m*
périphérie [periferi] *nf* periferia *f*
périphérique [periferik] **1** *adj*
periférico(a) ▪ **boulevard p.**
carretera *f* de circunvalación **2** *nm*
(route circulaire) carretera *f* de
circunvalación; *Ordinat* periférico *m*
périr [perir] *vi (mourir)* perecer
périssable [perisabl] *adj* perece-
dero(a)
perle [pɛrl] *nf (bijou)* perla *f; (de bois,*
de verre) cuenta *f; Fig (personne*
parfaite) perla *f,* joya *f; Hum (erreur)*
gazapo *m*
permanence [pɛrmanɑ̃s] *nf* permanencia *f;* **en p.** permanentemente;
assurer la p. estar de guardia
permanent, -e [pɛrmanɑ̃, -ɑ̃t] **1** *adj*
permanente **2** *nm,f* miembro *m*
permanente **3** *nf* **permanente**
(coiffure) permanente *f*
perméable [pɛrmeabl] *adj* permeable
(à a)
permettre [47] [pɛrmɛtr] **1** *vt* permitir;
p. à qn de faire qch permitir a alguien
que haga algo o hacer algo **2** *se*
permettre *upr* permitirse; **se p. de**
faire qch permitirse hacer algo
permis [pɛrmi] *nm* permiso *m* ▪ **p. de**
chasse licencia *f* de caza; **p. de**
conduire carné *o* permiso de
conducir; **p. de construire** licencia
de obras; **p. de pêche** licencia de

pesca; **p. à points** carné o permiso de conducir con puntos; **p. de séjour** permiso de residencia; **p. de travail** permiso de trabajo

permission [pɛrmisjɔ̃] *nf* permiso *m*; **demander la p. de faire qch** pedir permiso para hacer algo

Pérou [peru] *nm* **le P.** (el) Perú; *Fam* **c'est pas le P.** no es nada del otro jueves

perpendiculaire [pɛrpɑ̃dikyler] **1** *adj* perpendicular **(à** a**) 2** *nf* perpendicular *f*

perpète [pɛrpɛt] **à perpète** *adv Fam (loin)* en el quinto pino; *(pour toujours)* de por vida; *(condamner)* a cadena perpetua

perpétrer [34] [pɛrpetre] *vt* perpetrar

perpétuel, -elle [pɛrpetyɛl] *adj* perpetuo(a)

perpétuer [pɛrpetɥe] **1** *vt* perpetuar **2 se perpétuer** *vpr* perpetuarse

perpétuité [pɛrpetɥite] **à perpétuité** *adv (pour toujours)* a perpetuidad; *(condamner)* a cadena perpetua

perplexe [pɛrplɛks] *adj* perplejo(a)

perquisition [pɛrkizisjɔ̃] *nf* registro *m*

perron [pɛrɔ̃] *nm* escalinata *f*

perroquet [pɛrɔke] *nm* loro *m*, papagayo *m*

perruche [pery̆ʃ] *nf* cotorra *f*

perruque [peryk] *nf* peluca *f*

persécuter [pɛrsekyte] *vt* perseguir *(maltratar)*

persécution [pɛrsekysjɔ̃] *nf* persecución *f*

persévérant, -e [pɛrseverɑ̃, -ɑ̃t] *adj* perseverante

persévérer [34] [pɛrsevere] *vi* perseverar

persil [pɛrsi] *nm* perejil *m*

persister [pɛrsiste] *vi* persistir; **p. à faire qch** persistir en hacer algo

personnage [pɛrsɔnaʒ] *nm* personaje *m*; *(personnalité)* figura *f*

personnaliser [pɛrsɔnalize] *vt* personalizar

personnalité [pɛrsɔnalite] *nf* personalidad *f*

personne¹ [pɛrsɔn] *nf* persona *f*; **en p.** en persona ∎ **p. âgée** persona mayor; *Jur* **p. morale** persona jurídica; *Jur* **p. physique** persona física

personne² *pron indéfini* nadie; **ne... p.** nadie; **je n'ai vu p.** no vi a nadie

personnel, -elle [pɛrsɔnɛl] **1** *adj* personal; *Péj (égoïste)* suyo(a) **2** *nm* personal *m*; *(domestiques)* servidumbre *f* ∎ **p. navigant** tripulación *f*

personnifier [66] [pɛrsɔnifje] *vt* personificar

perspective [pɛrspɛktiv] *nf* perspectiva *f*

perspicace [pɛrspikas] *adj* perspicaz

persuader [pɛrsɥade] *vt* **p. qn de faire qch** persuadir a alguien de que haga algo; **je suis persuadé que...** estoy convencido o persuadido de que...

persuasif, -ive [pɛrsɥazif, -iv] *adj* persuasivo(a)

perte [pɛrt] *nf* pérdida *f*; *(ruine, déchéance)* ruina *f*; *Mil* **pertes** bajas *fpl*; **à p.** con pérdidas; **à p. de vue** hasta el horizonte, hasta donde alcanza la vista

pertinent, -e [pɛrtinɑ̃, -ɑ̃t] *adj* pertinente

perturber [pɛrtyrbe] *vt* perturbar

péruvien, -enne [peryvjɛ̃, -ɛn] **1** *adj* peruano(a) **2** *nm,f* **P.** peruano(a) *m,f*

pervers, -e [pɛrver, -ɛrs] **1** *adj (acte, goût)* perverso(a); *(effet)* negativo(a) **2** *nm,f* perverso(a) *m,f*

perversion [pɛrversjɔ̃] *nf* perversión *f*

pervertir [pɛrvertir] *vt* pervertir

pesant, -e [pəzɑ̃, -ɑ̃t] **1** *adj* pesado(a) **2** *nm* **valoir son p. d'or** valer su peso en oro

pesanteur [pəzɑ̃tœr] *nf Phys* gravedad *f*; *(lenteur, lourdeur)* lentitud *f*

pèse-personne *(pl* pèse-personnes*)* [pɛzpɛrsɔn] *nm* báscula *f* de baño

peser [46] [pəze] **1** *vt* pesar; *(considérer)* sopesar; **il a pesé ses mots** midió sus palabras **2** *vi* pesar; **p. sur qch** *(appuyer)* hacer fuerza sobre algo; **la solitude me pèse** me cuesta soportar la soledad **3 se peser** *vpr* pesarse

pessimiste [pesimist] *adj & nmf* pesimista *mf*

pester [peste] *vi* **p. contre** echar pestes contra

pétale [petal] *nm* pétalo *m*

pétanque [petɑ̃k] *nf* petanca *f*

pétard [petar] *nm (explosif)* petardo *m*

pétillant, -e [petijɑ̃, -ɑ̃t] *adj (eau)* con burbujas

pétiller [petije] *vi (liquide)* burbujear; *(yeux)* chispear, brillar

petit, -e [p(ə)ti, -it] **1** *adj* pequeño(a); **une petite maison** una casita, una casa pequeña ■ **p. déjeuner** desayuno *m*; **p. four** *(salé)* canapé *m*; *(sucré)* pastelito *m* **2** *nm,f* pequeño(a) *m,f* **3** *nm (jeune animal)* cachorro *m* **4** *adv* **écrire p.** escribir con letra pequeña

petite-fille *(pl* **petites-filles)** [ptitfij] *nf* nieta *f*

petit-fils *(pl* **petits-fils)** [ptifis] *nm* nieto *m*

pétition [petisjɔ̃] *nf* petición *f*

petits-enfants [ptizɑ̃fɑ̃] *nmpl* nietos *mpl*

pétrifier [66] [petrifje] *vt (changer en pierre)* petrificar; *Fig (de peur)* dejar petrificado(a)

pétrir [petrir] *vt (pâte)* amasar

pétrole [petrɔl] *nm* petróleo *m*

pétrolier, -ère [petrɔlje, -εr] **1** *adj* petrolero(a) **2** *nm* petrolero *m*

peu [pø] **1** *adv* poco; **p. de** poco(a); **p. d'élèves** pocos alumnos; **p. à p.** poco a poco; **p. avant** poco antes; **p. souvent** de tarde en tarde; **avant p.** dentro de poco; **de p.** por poco; **depuis p.** desde hace poco; **pour p. qu'il le veuille, il réussira** por poco que quiera, lo conseguirá; **sous p.** dentro de poco **2** *nm* **le p. de** el (la) poco(a); **le p. de connaissances que j'ai** los pocos conocimientos que tengo; **le p. que** lo poco que; **un p. (de)** un poco (de);

un (tout) petit p. un poquito; **pour un p.** casi

peuplade [pœplad] *nf* comunidad *f*

peuple [pœpl] *nm* pueblo *m*

peuplé, -e [pœple] *adj* poblado(a)

peuplier [pøplije] *nm* álamo *m*

peur [pœr] *nf* miedo *m*; *Fam* **j'ai eu une p. bleue** me di un susto tremendo; **avoir p. de faire qch/de qch** tener miedo de hacer algo/de algo; **avoir p. que** tener miedo de que; **j'ai p. qu'il (ne) pleuve** tengo miedo de que llueva; **faire p. à qn** darle miedo a alguien; **par p. de qch** por miedo a o de algo; **de p. que** por miedo a que; **de p. qu'on (ne) le punisse** por miedo a que le castiguen

peureux, -euse [pœrø, -øz] *adj & nm,f* miedoso(a) *m,f*

peut *voir* **pouvoir**

peut-être [pøtεtr] *adv* quizás, quizá; *(pour renforcer)* acaso; **p. que** quizás, quizá; **p. qu'elle ne viendra pas, elle ne viendra p. pas** quizás no venga

phare [far] **1** *nm* faro *m* ■ **p. antibrouillard** faro antiniebla **2** *adj* emblemático(a)

pharmaceutique [farmasøtik] *adj* farmacéutico(a)

pharmacie [farmasi] *nf (science, magasin)* farmacia *f*; *(armoire, trousse)* botiquín *m*

pharmacien, -enne [farmasjɛ̃, -εn] *nm,f* farmacéutico(a) *m,f*

phase [faz] *nf* fase *f*

phénomène [fenɔmεn] *nm* fenómeno *m*

philharmonique [filarmɔnik] *adj* filarmónico(a)

Philippines [filipin] *nfpl* **les P.** las Filipinas

philosophe [filɔzɔf] *adj & nmf* filósofo(a) *m,f*

philosophie [filɔzɔfi] *nf* filosofía *f*

philosophique [filɔzɔfik] *adj* filosófico(a)

photo [fɔto] **1** *nf (technique)* fotografía *f*; *(image)* foto *f*; **prendre une p. (de)** sacar o hacer una foto (de); **prendre**

qch en **p.** sacarle o hacerle una foto a algo ■ **p. d'identité** foto (de tamaño) carné **2** *adj inv* fotográfico(a)

photocopie [fɔtɔkɔpi] *nf* fotocopia *f*

photocopier [66] [fɔtɔkɔpje] *vt* fotocopiar

photocopieuse [fɔtɔkɔpjøz] *nf* fotocopiadora *f*

photogénique [fɔtɔʒenik] *adj* fotogénico(a)

photographe [fɔtɔgraf] *nmf* fotógrafo(a) *m,f*

photographie [fɔtɔgrafi] *nf* fotografía *f*

photographier [66] [fɔtɔgrafje] *vt* fotografiar

Photomaton® [fɔtɔmatɔ̃] *nm* fotomatón® *m*

phrase [fraz] *nf* frase *f*

physicien, -enne [fizisjɛ̃, -ɛn] *nm,f* físico(a) *m,f*

physique [fizik] **1** *adj* físico(a) **2** *nf* física *f* **3** *nm* físico *m*

pianiste [pjanist] *nmf* pianista *mf*

piano [pjano] *nm* piano *m* ■ **p. à queue** piano de cola

pianoter [pjanɔte] *vi (jouer du piano)* aporrear el piano; *(tapoter)* tamborilear

pic [pik] *nm (outil, montagne)* pico *m*; **à p.** *(verticalement)* en picado; **couler à p.** irse a pique; *Fam* **arriver à p.** llegar en el momento justo; *Fam* **tomber à p.** venir de perilla

pichet [piʃɛ] *nm* jarra *f*

picorer [pikɔre] *vt & vi* picotear, picar

pièce [pjɛs] *nf (élément)* pieza *f*; *(unité)* unidad *f*; *(document)* documento *m*; *(œuvre)* obra *f*; *(argent)* moneda *f*; *(d'une maison)* habitación *f*; *(sur un vêtement)* remiendo m, pieza *f*; **travailler à la p.** cobrar por pieza; **7 euros p.** 7 euros la pieza; **juger sur pièces** juzgar prueba en mano ■ **p. de collection** pieza de coleccionista; **p. à conviction** prueba *f*; **p. détachée** pieza de recambio; **en pièces détachées** desarmado(a); **p. d'identité** documento de identidad;

p. de monnaie moneda *f*; **p. montée =** tarta de varios pisos; **p. de théâtre** obra de teatro

pied [pje] *nm* pie *m*; *(de mouton, de veau)* pata *f*; **avoir le p. marin** no marearse en los barcos; **avoir p.** hacer pie; **faire du p. à qn** hacer piececitos con alguien; *Fam* **ça lui fera les pieds!** ¡eso le servirá de lección!; **mettre qn au p. du mur** poner a alguien entre la espada y la pared; **à p.** a pie; *Fam* **comme un p.** *(très mal)* fatal; **mettre qch sur p.** poner algo en marcha ■ **avoir un p. bot** tener una deformación en el pie

piédestal, -aux [pjedɛstal, -o] *nm* pedestal *m*; *Fig* **mettre qn sur un p.** poner a alguien en un pedestal

piège [pjɛʒ] *nm* trampa *f*

piéger [59] [pjeʒe] *vt (animal, personne)* pillar o *Esp* coger en la trampa; *(voiture, valise)* poner un explosivo en; **se trouver piégé** estar metido(a) en un atolladero

pierre [pjɛr] *nf* piedra *f*; **faire d'une p. deux coups** matar dos pájaros de un tiro ■ **p. ponce** piedra pómez; **p. précieuse** piedra preciosa; **p. tombale** lápida *f*

pierreries [pjɛrri] *nfpl* pedrería *f*

piétiner [pjetine] **1** *vt* pisotear **2** *vi (ne pas avancer)* estancarse

piéton, -onne [pjetɔ̃, -ɔn] **1** *adj* peatonal **2** *nm,f* peatón(ona) *m,f*

pigeon [piʒɔ̃] *nm (oiseau)* paloma *f* ■ **p. voyageur** paloma mensajera

pile¹ [pil] *nf (tas)* montón *m*, *Andes, Carib* ruma *f*; *(électrique)* pila *f*

pile² **1** *nf (côté d'une pièce)* cruz *f*; **p. ou face** cara o cruz **2** *adv Fam (heure)* en punto; **il est sept heures p.** son las siete en punto

piler¹ [pile] *vt (amandes)* machacar

piler² *vi Fam (freiner)* frenar en seco

pilier [pilje] *nm* pilar *m*; **un p. de bar** un(a) tipo(a) que se pasa la vida en el bar

piller [pije] *vt (ville, magasin)* saquear

pilon [pilɔ̃] *nm (de mortier)* maja *f; (de poulet)* pata *f*

pilonner [pilɔne] *vt Mil* bombardear

pilotage [pilɔtaʒ] *nm* pilotaje *m* ■ **p. automatique** piloto *m* automático

pilote [pilɔt] **1** *nm (conducteur)* piloto *m*; **p. de chasse** piloto de caza; **p. de course** piloto de carreras; **p. d'essai** piloto de pruebas; **p. de ligne** piloto civil **2** *adj* piloto *inv*

piloter [pilɔte] *vt (véhicule, avion)* pilotar

pilule [pilyl] *nf* píldora *f;* **prendre la p.** tomar la píldora

piment [pimã] *nm (plante) Esp* guindilla *f, Am* ají *m; Fig (piquant)* sabor *m* ■ **p. rouge** *Esp* guindilla *f, RP* putaparió *f*

pin [pɛ̃] *nm* pino *m*

pince [pɛ̃s] *nf (outil)* pinzas *fpl; (de crabe) & Cout* pinza *f* ■ **p. à cheveux** horquilla *f;* **p. à épiler** pinzas de depilar; **p. à linge** pinza (de la ropa)

pinceau, -x [pɛ̃so] *nm* pincel *m*

pincée [pɛ̃se] *nf* pellizco *m;* **une p. de sel** un pellizco de sal

pincer [16] [pɛ̃se] **1** *vt (entre les doigts)* pellizcar; *(cordes d'instrument)* puntear; *(lèvres)* fruncir; *(sujet: froid)* azotar; *Fam (voleur)* pillar **2** **se pincer** *vpr* **se p. le doigt** pillarse el dedo; **se p. le nez** taparse la nariz

ping-pong [piŋpɔ̃g] *nm* ping pong *m*

pintade [pɛ̃tad] *nf* pintada *f*

pioche [pjɔʃ] *nf (outil)* pico *m; (aux cartes)* mazo *m*

piocher [pjɔʃe] **1** *vt (terre)* cavar; *(au jeu)* robar; *(prendre au hasard)* tomar al azar **2** *vi (creuser)* cavar; *(au jeu)* robar

pion¹ [pjɔ̃] *nm (dans les jeux)* ficha *f; (aux échecs) & Fig* peón *m*

pion², pionne [pjɔ̃, pjɔn] *nm,f Fam* = joven, generalmente estudiante, encargado de la disciplina en un colegio

pionnier, -ère [pjɔnje, -ɛr] *nm,f* pionero(a) *m,f*

pipe [pip] *nf* pipa *f (para fumar)*

piquant, -e [pikã, -ãt] **1** *adj (sauce)* picante; *(barbe)* raposo(a); *(froid)* penetrante; *Fig (détail)* gracioso(a) **2** *nm (d'un animal)* pincho *m; (d'un végétal)* pincho *m,* espina *f; Fig (d'une histoire)* gracia *f*

pique [pik] **1** *nf (arme)* pica *f; (mot blessant)* puya *f;* **lancer des piques à qn** soltar puyas a alguien **2** *nm (aux cartes)* picas *fpl*

pique-nique *(pl* **pique-niques)** [piknik] *nm* picnic *m*

piquer [pike] **1** *vt (sujet: insecte, froid, fumée)* picar; *(sujet: barbe, tissu)* rascar, picar; *(sujet: épine)* pinchar; *(épingler)* prender; *(coudre)* coser; *Fam (voler)* birlar, levantar **2** *vi (plante)* pinchar; *(insecte, aliment)* picar; *(avion)* bajar en picado;* **p. du nez** *(s'endormir)* dar cabezadas **3** **se piquer** *vpr (accidentellement)* pincharse; *Fam (se droguer)* picarse, pincharse; *Litt* **se p. de qch** jactarse de algo

piquet [pikɛ] *nm (petit pieu)* estaca *f* ■ **p. de grève** piquete *m* de huelga

piqûre [pikyr] *nf (d'insecte, de plante)* picadura *f; Méd* inyección *f; Cout* pespunte *m;* **faire une p. à qn** poner una inyección a alguien

pirate [pirat] **1** *nm* pirata *m* ■ **p. de l'air** pirata del aire **2** *adj* pirata

pire [pir] **1** *adj* peor; **le p., la p.** el peor, la peor; **de p. en p.** cada vez peor **2** *nm* **le p.** lo peor

pirogue [pirɔg] *nf* piragua *f*

pis¹ [pi] *adv Litt* peor; **de mal en p.** de mal en peor

pis² *nm (de vache)* ubre *f*

piscine [pisin] *nf* piscina *f, Méx* alberca *f, CSur* pileta *f* ■ **p. couverte** piscina cubierta; **p. en plein air** piscina descubierta

pistache [pistaʃ] *nf (fruit)* pistacho *m*

piste [pist] *nf* pista *f* ■ **p. d'atterrissage** pista de aterrizaje; **p. cyclable** carril *m* para bicicletas; *(en ville)* carril-bici *m*

pistolet [pistɔlɛ] *nm* pistola *f*

piteux, -euse [pitø, -øz] *adj* penoso(a)

pitié [pitje] *nf* lástima *f*, piedad *f*; **avoir p. de qn** sentir lástima por alguien; **faire p. à qn** dar pena a alguien

piton [pitɔ̃] *nm (de montagne)* pico *m*; *(clou) (à anneau)* cáncamo *m*; *(à crochet)* alcayata *f*

pitoyable [pitwajabl] *adj (triste)* penoso(a); *(mauvais)* lamentable

pittoresque [pitɔrɛsk] *adj* pintoresco(a)

pivoter [pivɔte] *vi* girar; *Tech* pivotar

pizza [pidza] *nf* pizza *f*

pizzeria [pidzerja] *nf* pizzería *f*

placard [plakar] *nm (armoire)* armario *m* empotrado; *(affiche)* cartel *m*

place [plas] *nf (espace)* sitio *m*; *(emplacement, position)* lugar *m*, sitio *m*; *(dans un classement)* lugar *m*, posición *f*; *(siège)* asiento *m*; *(au théâtre)* localidad *f*; *(au cinéma)* entrada *f*; *(dans les transports)* billete *m*; *(de ville) & Mil* plaza *f*; *(emploi)* empleo *m*, plaza *f*; **faire p. à qch** dar paso a algo; **prendre de la p.** ocupar sitio; **prendre la p. de qn** tomar o *Esp* coger el sitio de alguien; **à la p. de** *(au lieu de)* en lugar de; **à la p.** en tu lugar; **sur p.** *(là-bas)* allí; *(ici)* aquí ▪ **p. assise** plaza sentada; **p. financière** plaza financiera; **p. forte** plaza fuerte

placé, -e [plase] *adj* situado(a); **il est mal p. pour critiquer** es el menos indicado para criticar

placement [plasmɑ̃] *nm (d'argent)* inversión *f*; *(d'un employé)* colocación *f*

placer [16] [plase] **1** *vt* colocar, poner; *(mot, plaisanterie)* soltar; *(argent)* invertir; **p. qn comme secrétaire** colocar a alguien de secretario(a); **p. qn sous la protection de** poner a alguien bajo la protección de; *Fam* **je ne peux pas en p. une** no puedo abrir la boca **2 se placer** *upr* colocarse

plafond [plafɔ̃] *nm* techo *m*

plafonner [plafɔne] *vi (prix, salaire)* tocar techo

plage [plaʒ] *nf (de sable)* playa *f*; *(de disque)* surco *m* ▪ **p. arrière** *(d'une voiture)* bandeja *f*; **p. horaire** intervalo *m* horario

plaider [plede] **1** *vt Jur (affaire)* pleitear; **p. non coupable** declararse inocente; *Fig* **p. la cause de qn** defender a alguien **2** *vi* pleitear, litigar; **p. contre qn** pleitear o litigar contra alguien; **p. pour qn** defender a alguien; *Fig* disculpar a alguien

plaidoyer [pledwaje] *nm Jur* informe *m*; *Fig* alegato *m*

plaie [plɛ] *nf (blessure)* herida *f*; *Fig (morale)* llaga *f*

plaindre [23] [plɛ̃dr] **1** *vt* compadecer **2 se plaindre** *upr* quejarse (**de** de)

plaine [plɛn] *nf* planicie *f*, llanura *f*

plainte [plɛ̃t] *nf (gémissement)* quejido *m*; *(grief)* queja *f*; **porter p. (contre qn)** poner una denuncia (contra alguien)

plaintif, -ive [plɛ̃tif, -iv] *adj* quejumbroso(a)

plaire [55a] [plɛr] **1** *vi* **p. à qn** gustarle a alguien; **ça te plairait d'y aller?** ¿te gustaría ir?; **s'il vous plaît, s'il te plaît** por favor **2 se plaire** *upr* **est-ce que tu t'es plu à Burgos?** ¿te lo pasaste bien en Burgos?

plaisance [plɛzɑ̃s] **de plaisance** *adj (bateau, navigation, port)* deportivo(a)

plaisant, -e [plɛzɑ̃, -ɑ̃t] *adj* agradable

plaisanter [plɛzɑ̃te] *vi* bromear; **tu plaisantes?** ¿estás de broma?, ¿bromeas?

plaisanterie [plɛzɑ̃tri] *nf* broma *f*

plaisantin [plɛzɑ̃tɛ̃] *nm* bromista *m*

plaisir [plezir] *nm (joie)* placer *m*, gusto *m*; *(de la chair)* placer *m*; **les plaisirs de la vie** los placeres de la vida; **prendre p. à faire qch** hacer algo con gusto; **j'ai le p. de vous annoncer…** tengo el placer de anunciaros…; **faire p. à qn** *(cadeau, lettre)* gustar a alguien; **avec p.** con (mucho) gusto

plan, -e [plɑ̃, plan] **1** adj plano(a)
2 nm (dessin) & Cin plano m; (projet,
combine) plan m; **au premier p.** en
primer plano o término; **sur le p.** de
desde el punto de vista de; **sur le p.**
professionnel en el terreno
profesional; **sur tous les plans** en
todos los aspectos; **sur le même p.**
(au même niveau) al mismo nivel
■ **gros p.** primer plano; **p. d'eau**
estanque m; **p. de travail** encimera f

planche [plɑ̃ʃ] nf (en bois) tabla f;
(d'illustration) lámina f; **faire la p.**
hacer el muerto (en el agua); **les**
planches (le théâtre) las tablas ■ **p. à**
découper tabla de cocina; **p. à dessin**
tablero m de dibujo; **p. à neige**
snowboard m; **p. à repasser** tabla de
planchar; **p. à roulettes** monopatín
m; **p. à voile** (objet) (tabla de)
windsurf m; (sport) windsurfing m

plancher [plɑ̃ʃe] nm suelo m; Fig
(limite) nivel m mínimo

planer [plane] vi (avion, oiseau)
planear; (feuille) volar; (fumée,
vapeur) flotar; Fig (danger, mystère)
rondar; Fam (être dans la lune) estar
en las nubes

planète [planɛt] nf planeta m

planeur [planœr] nm planeador m

planifier [66] [planifje] vt planificar

planquer [plɑ̃ke] vt Fam esconder

plant [plɑ̃] nm (jeune plante) plantón
m; (culture) plantación f, plantío m

plantation [plɑ̃tɑsjɔ̃] nf plantación f

plante [plɑ̃t] nf planta f

planter [plɑ̃te] **1** vt (arbre, tente)
plantar; (clou, couteau, regard) clavar
2 se planter vpr (s'immobiliser)
plantarse; Fam (tomber) darse una
torta; Fam (se tromper) meter la pata

plaque [plak] nf placa f ■ **p.**
chauffante placa eléctrica; **p.**
d'immatriculation ou **minéralogique**
matrícula f

plaquer [plake] vt (bijou) chapar;
(meuble) contrachapar; (cheveux)
alisar; (au rugby) hacer un placaje a;
Fam (abandonner) dejar colgado(a);

p. qn contre un mur aplastar a
alguien contra una pared

plasma [plasma] nm plasma m

plastic [plastik] nm plástico m

plastique [plastik] **1** adj plástico(a)
2 nm plástico m

plat, -e [pla, plat] **1** adj (relief, terrain,
toit) plano(a); (assiette) llano(a); Fig
(style) soso(a); **à p.** (pneu) desin-
flado(a); (batterie) descargado(a); **à**
p. ventre boca abajo
2 nm (de la main) palma f; (récipient)
fuente f; (mets) plato m; **faire un p.**
(plongeon) darse un panzazo ■ **p.**
cuisiné plato preparado; **p. de**
résistance plato fuerte

plateau, -x [plato] nm (de cuisine) Esp,
RP bandeja f, Andes charol f, CAm,
Méx charola f; (de balance) platillo m;
(de théâtre) escenario m; Géog meseta f;
(de télévision) plató m ■ **p. de**
fromages tabla f de quesos

plate-bande (pl **plates-bandes**)
[platbɑ̃d] nf arriate m; Fig **marcher sur**
les plates-bandes de qn meterse en el
terreno de alguien

plate-forme (pl **plates-formes**)
[platfɔrm] nf plataforma f ■ **p.**
pétrolière plataforma petrolífera

platine¹ [platin] nm (métal) platino m
2 adj inv (couleur) platino inv

platine² nf (électrophone) platina f
■ **p. disque** plato m; **p. laser**
reproductor m de disco compacto,
platina láser

plâtre [plɑtr] nm (de construction) yeso
m; (de sculpture, de chirurgie) escayola
f

plâtrer [plɑtre] vt (mur) enyesar;
(membre) escayolar

plausible [plozibl] adj plausible

play-back [plɛbak] nm inv play-back
m

plein, -e [plɛ̃, plɛn] **1** adj (rempli)
lleno(a) (**de** de); (journée)
apretado(a); (non creux) macizo(a),
relleno(a); **en p. jour** en pleno día;
en p. soleil a pleno sol; **en pleine rue**
en medio de la calle; **en p. milieu** en

medio; **en pleine mer** en altamar
  2 *nm (d'essence)* lleno *m*; **le p., s'il
vous plaît** lleno, por favor
  3 *adv* **elle a de l'encre p. les doigts**
tiene los dedos llenos de tinta; **p. de**
(beaucoup de) un montón de

pleurer [plœre] *vt & vi* llorar

pleurs [plœr] *nmpl* llanto *m*; **être en p.**
estar llorando

pleuvoir [56] [pløvwar] **1** *v
impersonnel* **il pleut** llueve **2** *vi (coups,
insultes)* llover

pli [pli] *nm (de tissu)* pliegue *m*; *(d'une
jupe)* tabla *f*, pliegue *m*; *(d'un
pantalon)* raya *f*; *(marque, ride)*
arruga *f*; *(lettre)* carta *f*; *(aux cartes)*
baza *f* ■ **faux p.** arruga

pliant, -e [plijã, -ãt] *adj* plegable

plier [66] [plije] **1** *vt (papier, vêtement)*
doblar; *(lit, tente)* plegar **2** *vi (se
courber)* doblarse; *Fig (se soumettre)*
doblegarse, someterse **3** **se plier** *vpr
(lit, table)* plegarse; **se p. à qch** *(se
soumettre)* doblegarse a algo

plissé, -e [plise] *adj (jupe)* plisado(a),
de tablas; *(peau)* arrugado(a)

plisser [plise] *vt (jupe)* plisar, tablear;
(front, yeux, lèvres) fruncir

plomb [plɔ̃] *nm (métal)* plomo *m*; *(de
chasse)* perdigón *m*; *Él* **les plombs** los
plomos

plombage [plɔ̃baʒ] *nm (d'une dent)*
empaste *m*

plomber [plɔ̃be] *vt (ligne)* emplomar;
(dent) Esp empastar, *Am* emplomar

plombier [plɔ̃bje] *nm Esp* fontanero
m, *Am* plomero *m*, *Chile, Ecuad, Perú*
gasfitero *m*

plongée [plɔ̃ʒe] *nf (immersion)*
zambullida *f*; *(sans bouteilles)* buceo
m ■ **p. sous-marine** submarinismo *m*

plongeoir [plɔ̃ʒwar] *nm* trampolín *m*
(de piscina)

plongeon [plɔ̃ʒɔ̃] *nm (dans l'eau)*
zambullida *f*; *(au football)* palomita *f*

plonger [45] [plɔ̃ʒe] **1** *vt (immerger)*
sumergir; *(enfoncer)* hundir **2** *vi (dans
l'eau)* zambullirse; *(faire de la plongée
sous-marine)* hacer submarinismo; *Sp*

(gardien de but) lanzarse **3** **se plonger**
vpr (s'immerger) sumergirse; *Fig* **se p.
dans qch** *(s'adonner à)* sumirse en
algo

plongeur, -euse [plɔ̃ʒœr, -øz] *nm,f
(dans un restaurant)* lavaplatos *mf*;
(sous-marin) submarinista *mf*

plu *pp voir* **plaire, pleuvoir**

pluie [plɥi] *nf* lluvia *f*

plume [plym] *nf* pluma *f*

plumer [plyme] *vt* desplumar

plupart [plypar] *nf* **pour la p.** en su
mayoría; **la p. des gens** la mayoría
de la gente; **la p. du temps** la
mayoría de las veces

plus 1 *adv* [ply]

Se pronuncia [plyz] delante de vocal
y, en las acepciones (a) y (b), [plys]
cuando va al final de la frase.

  (a) *(comparatif)* más: **beaucoup/un
peu p.** mucho/un poco más; **viens p.
souvent** ven más a menudo; **il y a p.
de quinze ans** hace más de quince
años; **il est p. jeune que moi** es más
joven que yo; **c'est p. simple qu'on
(ne) le croit** es más sencillo de lo
que se piensa; **au p.** como mucho;
tout au p. como máximo; **de p.** *(en
supplément, en trop)* de más; *(en outre)*
además; **elle a cinq ans de p. que moi**
tiene cinco años más que yo; **de p. en
p.** cada vez más; **en p. de** además de;
ni p. ni moins ni más ni menos; **p. j'y
pense, p. je me dis que...** cuanto más
lo pienso, más creo que...
  (b) *(superlatif)* **le p. rapide** el más rápido; **c'est lui qui travaille le p.** el que
más trabaja es él; **un de ses tableaux
les p. connus** uno de sus cuadros más
conocidos; **le p. loin possible** lo más
lejos posible
  (c) *(négation)* (no) más; **p. un mot!** ¡ni
una palabra más!; **ne... p.** ya no; **il n'y
a p. personne** ya no hay nadie; **il n'a p.
d'amis** ya no tiene amigos
  2 *nm* [plys] *(signe)* más *m*; *Fig (atout)*
punto *m* (a favor)
  3 *conj* [plys] más; **trois p. trois font
six** tres más tres igual a seis

plusieurs [plyzjœr] *adj indéfini & pron indéfini* varios(as)

plutôt [plyto] *adv (de préférence, plus exactement)* más bien; *(assez)* bastante; **ou p.** o mejor dicho; **p. que de faire qch** en vez de hacer algo; **p. mourir que (de) céder** antes morir que ceder

pluvieux, -euse [plyvjø, -øz] *adj* lluvioso(a)

pneu [pnø] *nm (de véhicule)* neumático *m*; **p. avant/arrière** rueda *f* delantera/trasera

pneumatique [pnømatik] **1** *adj* neumático(a) **2** *nm (de véhicule)* neumático *m*

poche [pɔʃ] *nf (de vêtement, de sac)* bolsillo *m*; *(sac, cavité, déformation)* bolsa *f*; **de p.** de bolsillo

pochette [pɔʃɛt] *nf (d'allumettes)* caja *f*; *(de disque)* funda *f*; *(sac à main)* bolso *m (de mano)*; *(mouchoir)* pañuelo *m (para adornar un traje)*

poêle¹ [pwal] *nf* **p. (à frire)** sartén *f*, *Am* paila *f*

poêle² *nm (chauffage)* estufa *f*

poème [pɔɛm] *nm* poema *m*

poésie [pɔezi] *nf* poesía *f*

poète [pɔɛt] *nm* poeta(isa) *m,f*

poids [pwa] *nm* peso *m*; *(en sport, de balance)* pesa *f*; **perdre/gagner du p.** perder/ganar peso ▪ **p. lourd** *(boxeur)* peso pesado; *(camion)* vehículo *m* pesado

poignant, -e [pwaɲɑ̃, -ɑ̃t] *adj* desgarrador(ora)

poignard [pwaɲar] *nm* puñal *m*

poignarder [pwaɲarde] *vt* apuñalar

poignée [pwaɲe] *nf (contenu de la main, petit nombre)* puñado *m*; *(d'une épée, d'un sabre)* puño *m*; *(d'une valise, d'un couvercle, d'un tiroir)* asa *f*; *(d'une porte, d'une fenêtre)* picaporte *m* ▪ **p. de main** apretón *m* de manos

poignet [pwaɲɛ] *nm* puño *m*

poil [pwal] *nm* pelo *m*; *Fam* **à p.** *(tout nu)* en pelotas; *Fam* **être de mauvais p.** estar de malas ▪ **p. à gratter** polvos *mpl* pica-pica

poilu, -e [pwaly] *adj* peludo(a)

poinçonner [pwɛ̃sɔne] *vt (bijou)* contrastar; *(billet)* picar

poing [pwɛ̃] *nm* puño *m*; **dormir à poings fermés** dormir profundamente

point [pwɛ̃] **1** *nm* punto *m*; *Sp* punto *m*, tanto *m*; **à tel p. que, au p. que** hasta el punto de que; **au p. de faire qch** hasta el punto de hacer algo; **à p.** *(cuit)* a punto; *Aut* **au p. mort** en punto muerto; **avoir un p. commun avec qn** tener algo en común con alguien; **être sur le p. de faire qch** estar a punto de hacer algo; **mettre qch au p.** poner algo a punto; *(appareil photo)* enfocar algo; *Fam* **un p. c'est tout!** ¡y punto! ▪ **p. de côté** punzada *f* (en el costado); **p. de départ** punto de partida; **p. d'exclamation** signo *m* de exclamación; **p. faible** punto débil; **p. final** punto final; **p. d'interrogation** signo *m* de interrogación; **p. de repère** punto de referencia; **points de suspension** puntos suspensivos; **points de suture** puntos de sutura; **p. de vue** punto de vista; **du p. de vue économique** desde el punto de vista económico; **deux points** *(signe de ponctuation)* dos puntos

2 *adv* **ne... p.** no; **ne vous en faites p.** no se preocupe

pointe [pwɛ̃t] *nf* punta *f*; **en p.** en punta; **sur la p. des pieds** de puntillas; **une p. d'ironie** un punto de ironía; **à la p. de** *(technique, recherche)* a la vanguardia de; **de p.** punta *inv*

pointer [pwɛ̃te] **1** *vt* apuntar; **p. qch vers ou sur** *(arme)* apuntar algo a o hacia; **p. le doigt vers** señalar a o hacia **2** *vi (employé)* fichar; *(jour)* despuntar **3 se pointer** *vpr Fam* presentarse, aparecer

pointillé [pwɛ̃tije] *nm (trait discontinu)* punteado *m*; *(perforations)* línea *f* de puntos

pointu, -e [pwɛ̃ty] *adj* puntiagudo(a); *(nez)* afilado(a); *(voix)* agudo(a);

(analyse) detallado(a); *(formation)* muy especializado(a)

pointure [pwɛ̃tyr] *nf* número *m*

poire [pwar] *nf (fruit)* pera *f*

poireau, -x [pwaro] *nm* puerro *m*

poirier [pwarje] *nm (arbre)* peral *m*

pois [pwa] *nm (motif)* lunar *m*; **à p.** de lunares; **petit p.** *Esp* guisante, *Andes, RP* arveja, *CAm, Méx* chícharo ■ **p. chiche** garbanzo *m*

poison [pwazɔ̃] *nm* veneno *m*

poisson [pwasɔ̃] *nm (animal)* pez *m*; *Culin* pescado *m* ■ **p. d'avril** *(poisson en papier)* = figura de papel que representa un pez, ≃ monigote *m*; *(calembour)* = broma tradicional francesa que se hace el 1 de abril, ≃ inocentada *f*; **p. d'avril!** ≃ ¡inocente!; **p. rouge** ciprino *m* **2** *nmpl Astrol* **Poissons** Piscis *m inv*

poissonnerie [pwasɔnri] *nf (boutique)* pescadería *f*

poissonnier, -ère [pwasɔnje, -ɛr] *nm,f* pescadero(a) *m,f*

poitrine [pwatrin] *nf* pecho *m*; *(viande)* panceta *f (de cerdo)*

poivre [pwavr] *nm* pimienta *f*

poivron [pwavrɔ̃] *nm* pimiento *m* (morrón), *RP* morrón *m*

polaire [polɛr] *adj* polar

pôle [pol] *nm* polo *m*; **le p. Nord/Sud** el polo Norte/Sur

polémique [polemik] **1** *adj* polémico(a) **2** *nf* polémica *f*

poli, -e [poli] *adj (personne)* educado(a); *(surface)* pulido(a)

police [polis] *nf (force publique)* policía *f* ■ **p. d'assurance** póliza *f* de seguros; **p. de caractères** fuente *f* de caracteres; **p. secours** = policía que atiende casos de emergencia

policier, -ère [polisje, -ɛr] **1** *adj (régime, mesure)* policial; *(roman, film)* policíaco(a), policiaco(a) **2** *nm,f* policía *mf*

polir [polir] *vt* pulir

politesse [polites] *nf (qualité)* cortesía *f*; **se faire des politesses** intercambiar cumplidos

politicien, -enne [politisjɛ̃, -ɛn] *nm,f* político(a) *m,f*

politique [politik] **1** *adj* político(a) **2** *nf* política *f* ■ **p. agricole commune** política agrícola común

pollen [polɛn] *nm* polen *m*

polluer [polɥe] *vt* contaminar

pollution [polysjɔ̃] *nf* contaminación *f*, polución *f*

Pologne [polɔɲ] *nf* la P. Polonia

polonais, -e [polonɛ, -ɛz] **1** *adj* polaco(a) **2** *nm,f* **P.** polaco(a) *m,f* **3** *nm (langue)* polaco *m*

polyester [poliɛstɛr] *nm* poliéster *m*

Polynésie [polinezi] *nf* la P. Polinesia; **la P. française** la Polinesia francesa

polyvalent, -e [polivalɑ̃, -ɑ̃t] *adj* polivalente

pommade [pomad] *nf* pomada *f*

pomme [pom] *nf (fruit)* manzana *f*; *Fam* **tomber dans les pommes** desmayarse ■ **p. d'Adam** nuez *f* de Adán; **p. d'arrosoir** alcachofa *f*; **pommes dauphine** = bolitas de patata rebozadas y fritas; **p. de douche** alcachofa de ducha; **pommes frites** patatas *fpl* fritas; **p. de pin** piña *f* (piñonera); **pommes vapeur** patatas al vapor

pomme de terre [pomdətɛr] *nf Esp* patata *f*, *Am* papa *f*

pommier [pomje] *nm* manzano *m*

pompe¹ [pɔ̃p] *nf (appareil)* bomba *f*; *Fam (chaussure)* zapato *m*; **faire des pompes** *(gymnastique)* hacer flexiones (de brazo) ■ **p. à essence** surtidor *m* de gasolina; **p. à vélo** bomba (para la bicicleta)

pompe² [pɔ̃p] *nf (magnificence)* pompa *f*; **en grande p.** con gran pompa ■ **pompes funèbres** pompas fúnebres

pomper [pɔ̃pe] *vt (air, eau)* bombear; *(sujet: éponge, buvard)* chupar

pompeux, -euse [pɔ̃pø, -øz] *adj* pomposo(a)

pompier [pɔ̃pje] *nm* bombero *m*

pompiste [pɔ̃pist] *nmf* dependiente *mf* de una gasolinera

ponce [pɔ̃s] *adj voir* **pierre**

ponctualité [pɔ̃ktɥalite] *nf* puntualidad *f*

ponctuel, -elle [pɔ̃ktɥɛl] *adj* puntual

pondre [pɔ̃dr] *vt (œuf)* poner

poney [pɔnɛ] *nm* poney *m*

pont [pɔ̃] *nm* puente *m*; **faire le p.** *(vacances)* hacer puente ▪ **p. aérien** puente aéreo; **les ponts et chaussées** ≃ fomento *m*

pont-levis *(pl* **ponts-levis)** [pɔ̃ləvi] *nm* puente *m* levadizo

populaire [pɔpylɛr] *adj* popular

popularité [pɔpylarite] *nf* popularidad *f*

population [pɔpylasjɔ̃] *nf* población *f*

porc [pɔr] *nm (animal)* cerdo *m*, *Am* chancho *m*; *(viande)* cerdo *m*

porcelaine [pɔrsəlɛn] *nf* porcelana *f*

porche [pɔrʃ] *nm* porche *m*

port [pɔr] *nm (pour bateaux)* & *Ordinat* puerto *m*; *(transport, allure)* porte *m* ▪ **p. d'armes** tenencia *f* de armas; **p. de pêche** puerto pesquero

portable [pɔrtabl] **1** *adj (vêtement)* llevable; *(ordinateur)* portátil; *(téléphone)* móvil **2** *nm (ordinateur)* portátil *m*; *(téléphone)* móvil *m*

portail [pɔrtaj] *nm aussi Ordinat* portal *m*

portant, -e [pɔrtɑ̃, -ɑ̃t] *adj* **être bien p.** estar en buen estado de salud

portatif, -ive [pɔrtatif, -iv] *adj* portátil

porte [pɔrt] *nf (distance, importance)* alcance *m*; *(d'animaux)* camada *f*; *Mus* pentagrama *m*; **à la p. main** al alcance de la mano; **à la p. de qn** al alcance de alguien; *(intellectuellement)* por encima de las posibilidades de alguien; **hors de p.** fuera de mi/tu/*etc* alcance

portefeuille [pɔrtəfœj] *nm (étui)* cartera *f*; *Fin* cartera *f* de valores

portemanteau, -x [pɔrtmɑ̃to] *nm* perchero *m*

porte-monnaie [pɔrtmɔnɛ] *nm inv* monedero *m*

porte-parole [pɔrtparɔl] *nmf inv* portavoz *mf*

porter [pɔrte] **1** *vt* llevar; *(soutenir)* sostener; *(inscrire)* asentar; **porté disparu** dado(a) por desaparecido(a); *Fig* **p. ses fruits** dar sus frutos **2** *vi (voix, tir)* alcanzar; **p. sur qch** *(traiter de)* tratar sobre; **tout porte à croire que...** todo indica que...
3 *se* **porter** *vpr* **se p. bien** encontrarse bien; **se p. volontaire** presentarse voluntario(a); **ça se porte court** *(vêtement)* queda corto

porteur, -euse [pɔrtœr, -øz] **1** *nm,f (d'une maladie)* portador(ora) *m,f*; *Fin (d'actions)* tenedor(ora) *m,f* **2** *nm (de bagages)* mozo *m* de equipajes

porte-voix [pɔrtəvwa] *nm inv* megáfono *m*

portier, -ère [pɔrtje, -ɛr] *nm,f* portero(a) *m,f*

portière [pɔrtjɛr] *nf (de voiture)* puerta *f*

portion [pɔrsjɔ̃] *nf (partie)* porción *f*; *(ration)* ración *f*

Porto Rico [pɔrtoriko] *n* Puerto Rico

portrait [pɔrtrɛ] *nm* retrato *m* ▪ *Ordinat* **mode p.** orientación *f* vertical

portrait-robot *(pl* **portraits-robots)** [pɔrtrɛrɔbo] *nm* retrato robot *m*

portugais, -e [pɔrtygɛ, -ɛz] **1** *adj* portugués(esa) **2** *nm,f* **P.** portugués(esa) *m,f* **3** *nm (langue)* portugués *m*

Portugal [pɔrtygal] *nm* **le P.** Portugal

pose [poz] *nf (mise en place)* colocación *f*; *(attitude)* pose *f*; *Phot* exposición *f*; **prendre la p.** posar

posé, -e [poze] *adj (réfléchi)* pausado(a)

poser [poze] **1** vt (objet, tapisserie, moquette) poner; (question) hacer, plantear; (principe, problème) plantear **2** vi (modèle) posar **3 se poser** vpr (oiseau, avion, regard) posarse; (objet, main) colocarse; (problème) plantearse; (question) hacerse

positif, -ive [pozitif, -iv] adj positivo(a)

position [pozisjɔ̃] nf posición f; (du corps) postura f; **prendre p.** tomar partido

positiver [pozitive] vi ser optimista, ver las cosas con optimismo

posséder [34] [posede] vt poseer; (langue, art) dominar

possession [posesjɔ̃] nf posesión f

possibilité [posibilite] nf posibilidad f

possible [posibl] **1** adj posible; **c'est/ ce n'est pas p.** (réalisable) es/no es posible; (probable) puede/no puede ser; **vous serait-il p. de...?** ¿podría...?; **le moins/plus p.** lo menos/más posible; **le moins/plus d'exercice p.** el mínimo/máximo de ejercicio (posible); **le plus souvent p.** lo más a menudo que sea posible **2** nm faire tout son p. pour faire qch hacer todo lo posible por hacer algo

postal, -e, -aux, -ales [postal, -o] adj postal

poste¹ [post] nf correos m inv; **par la p.** por correo ■ **p. restante** lista f de correos

poste² nm (emplacement, emploi) puesto m; (appareil) aparato m; (d'un standard téléphonique) extensión f ■ **p. d'essence** gasolinera f; **p. (de police)** puesto de policía; **p. de radio** aparato de radio; **p. de télévision** aparato de televisión; Ordinat **p. de travail** estación f de trabajo

poster¹ [poste] vt (lettre) echar al correo

poster² **1** vt (sentinelle) apostar **2 se poster** vpr apostarse

poster³ [poster] nm póster m

postérieur, -e [posterjœr] **1** adj posterior (à a) **2** nm Fam trasero m

postérité [posterite] nf posteridad f

postier, -ère [postje, -er] nm,f empleado(a) m,f de correos

postillonner [postijone] vi echar perdigones

postuler [postyle] vi p. à ou pour qch solicitar algo

posture [postyr] nf postura f

pot [po] nm (récipient) bote m; Fam avoir du p. tener potra; Fam prendre un p. tomar una copa ■ p. catalytique catalizador m; p. de chambre orinal m; p. d'échappement tubo m de escape; p. de fleurs maceta f; **petit p.** (pour bébé) potito m, tarrito m

potable [potabl] adj potable; Fam (correct) pasable

potage [potaʒ] nm sopa f

potager, -ère [potaʒe, -er] adj voir jardin

pot-au-feu [potofø] nm inv Esp cocido m, Andes, Méx ajiaco m, RP, Ven guiso m

pot-de-vin (pl pots-de-vin) [podvɛ̃] nm soborno m, Andes, RP coima f, CAm, Méx mordida f

poteau, -x [poto] nm poste m ■ p. indicateur poste indicador; p. télégraphique poste telegráfico

potelé, -e [potle] adj regordete(a)

potentiel, -elle [potɑ̃sjel] adj potencial

poterie [potri] nf (art) alfarería f, cerámica f; (objet) cerámica f, objeto m de alfarería

potier, -ère [potje, -er] nm,f alfarero(a) m,f

potion [posjɔ̃] nf poción f, pócima f

potiron [potirɔ̃] nm Esp calabaza f, Chile, Méx guacal m, Col, Ven auyama f, Bol, Perú, RP zapallo m

pot-pourri (pl pots-pourris) [popuri] nm (de chansons) popurrí m; (mélange odorant) saquito m de olor

pou, -x [pu] nm piojo m

poubelle [pubel] nf cubo m de la

basura; **mettre qch à la p.** tirar algo a la basura

pouce [pus] *nm (doigt)* pulgar; *(mesure)* pulgada *f; Can* **faire du p.** *(de l'auto-stop)* hacer dedo; *Fam* **se tourner les pouces** tocarse la barriga

poudre [pudr] *nf (substance)* polvo *m; (explosif)* pólvora *f; (fard)* polvos *mpl;* **en p.** *(lait, café)* en polvo

poudreux, -euse [pudrø, -øz] **1** *adj* en polvo **2** *nf* **poudreuse** nieve *f* en polvo

poulain [pulɛ̃] *nm (animal)* potro *m*

poule [pul] *nf (oiseau)* gallina *f; Sp* liga *f* ■ **p. d'eau** polla *f* de agua; **p. mouillée** gallina *mf*

poulet [pulɛ] *nm (animal, viande)* pollo *m; Fam (policier)* madero *m*

poulie [puli] *nf* polea *f*

pouls [pu] *nm* pulso *m;* **prendre le p. à qn** tomar el pulso a alguien

poumon [pumɔ̃] *nm* pulmón *m;* **respirer à pleins poumons** respirar a pleno pulmón

poupée [pupe] *nf (jouet)* muñeca *f* ■ **poupées russes** matrioskas *fpl,* muñecas rusas

pour [pur] **1** *prép* **(a)** *(indique le but, la durée, un rapport)* para; **le train à Nice** el tren de o para Niza; **j'ai pris le métro p. aller plus vite** tomé el metro para ir más deprisa; **p. que** para que; **acheter un cadeau p. qn** comprar un regalo para alguien; **partir p. dix jours** irse para diez días; **il faudra finir ce travail p. lundi** habrá que terminar este trabajo para el lunes; **p. ce qui est de** en lo que se refiere a; **p. moi** *(à mon avis)* para mí

(b) *(indique la cause)* por; **il est tombé malade p. avoir mangé trop d'huîtres** se puso enfermo por haber comido demasiadas ostras; **voyager p. son plaisir** viajar por placer

(c) *(à l'égard de)* por, hacia; **son amour p. lui** su amor hacia él

(d) *(à la place de)* por; **signe p. moi** firma por mí

2 *adv* a favor; **je suis p.** estoy a favor

3 *nm* **le p. et le contre** los pros y los contras

pourboire [purbwar] *nm* propina *f*

pourcentage [pursɑ̃taʒ] *nm* porcentaje *m*

pourchasser [purʃase] *vt* perseguir

pourparlers [purparle] *nmpl* conversaciones *fpl,* negociaciones *fpl;* **être en p.** *(avec)* estar en conversaciones (con)

pourquoi [purkwa] **1** *adv & conj* por qué; **p. es-tu venu?** ¿por qué has venido?; **p. pas?** ¿por qué no?; **je ne comprends pas p. il est venu** no entiendo por qué ha venido; **c'est p....** por eso... **2** *nm inv* **le p. (de)** *(raison)* el porqué de

pourri, -e [puri] *adj (fruit, personne, milieu)* podrido(a); *(enfant)* mimado(a)

pourrir [purir] **1** *vt (matière, aliment)* pudrir; *(enfant)* mimar **2** *vi* pudrirse

pourriture [purityr] *nf* podredumbre *f*

poursuite [pursɥit] *nf (d'une personne)* persecución *f; (de la vérité)* afán *m;* **être/se lancer à la p. de qn** andar/lanzarse tras alguien; **poursuites (judiciaires)** diligencias *fpl* (judiciales)

poursuivre [65] [pursɥivr] *vt* perseguir; *(enquête, travail)* proseguir; **p. qn en justice** llevar a alguien a juicio; **poursuivez, je vous écoute** prosiga, le escucho

pourtant [purtɑ̃] *adv* sin embargo

pourtour [purtur] *nm* perímetro *m*

pourvoir [73b] [purvwar] **1** *vt* **p. qch/ qn de qch** dotar algo/a alguien de algo **2** *vi* **p. aux besoins de qn** satisfacer las necesidades de alguien **3** **se pourvoir** *vpr Jur* **se p. en cassation** hacer un recurso de casación

pourvu [purvy] **pourvu que** *conj (à condition que)* siempre que, con tal que; *(espérons que)* ojalá

pousse [pus] *nf (croissance)* crecimiento *m; (bourgeon)* brote *m*

poussée [puse] *nf (pression)* empuje *m*; *(de fièvre)* acceso *m*

pousser [puse] **1** *vt (personne, objet)* empujar; *(moteur, voiture)* forzar; *(recherche, étude)* proseguir; *(cri, soupir)* dar, lanzar; **p. qn à faire qch/ à qch** empujar a alguien a hacer algo/ a algo **2** *vi (cheveux, plante, enfant)* crecer **3 se pousser** *vpr (laisser la place)* echarse a un lado, apartarse; *(se donner des coups)* empujarse

poussette [puset] *nf* cochecito *m* de niño

poussière [pusjɛr] *nf* polvo *m*; **avoir une p. dans l'œil** tener una mota en el ojo; **faire la p.** limpiar el polvo

poussiéreux, -euse [pusjɛrø, -øz] *adj* polvoriento(a)

poussin [pusɛ̃] *nm* polluelo *m*

poutre [putr] *nf* viga *f*; *(de gymnastique)* potro *m*

pouvoir [57] [puvwar] **1** *nm* poder *m* ■ **p. d'achat** poder adquisitivo **2** *vt* poder; **pouvez-vous/peux-tu faire ça pour moi?** ¿me lo puede/puedes hacer?; **où peut-il bien être?** ¿dónde estará?; **je n'en peux plus** no puedo más **3 se pouvoir** *v impersonnel* **il se peut qu'il arrive en retard** puede que llegue tarde

prairie [preri] *nf* prado *m*, pradera *f*

praline [pralin] *nf (amande au sucre)* garrapiñada *f*; **Belg** *(chocolat)* bombón *m*

pratiquant, -e [pratikɑ̃, -ɑ̃t] *adj & nm,f* practicante *mf*

pratique [pratik] **1** *adj* práctico(a) **2** *nf* práctica *f*; **mettre qch en p.** poner algo en práctica

pratiquement [pratikmɑ̃] *adv (en fait)* en la práctica; *(quasiment)* prácticamente

pratiquer [pratike] *vt* practicar

pré [pre] *nm* prado *m*

préalable [prealabl] **1** *adj* previo(a) (**à** a) **2** *nm* condición *f* previa; **au p.** previamente

préavis [preavi] *nm* preaviso *m* ■ **p. de grève** notificación *f* de huelga; **p.**

de **licenciement** notificación de despido

précaire [prekɛr] *adj* precario(a)

précaution [prekosjɔ̃] *nf* precaución *f*

précédent, -e [presedɑ̃, -ɑ̃t] **1** *adj* precedente, anterior **2** *nm* precedente *m*; **sans p.** sin precedentes

précéder [34] [presede] *vt* preceder; *(arriver avant)* adelantar a

prêcher [preʃe] *vt & vi* predicar

précieux, -euse [presjø, -øz] *adj (objet, pierre)* precioso(a); *(collaborateur)* preciado(a); *(style)* afectado(a)

précipice [presipis] *nm* precipicio *m*

précipitamment [presipitamɑ̃] *adv* precipitadamente

précipitation [presipitɑsjɔ̃] *nf* precipitación *f*; **précipitations** *(pluie)* precipitaciones

précipiter [presipite] **1** *vt* precipitar; **p. qch/qn du haut de** precipitar algo/a alguien desde lo alto de **2 se précipiter** *vpr* precipitarse

précis, -e [presi, -iz] **1** *adj (rapport, mesure)* preciso(a); *(heure)* fijo(a); **à six heures précises** a las seis en punto **2** *nm* compendio *m*

préciser [presize] **1** *vt* precisar **2 se préciser** *vpr* precisarse, concretarse

précision [presizjɔ̃] *nf (exactitude)* precisión *f*; *(détail)* detalle *m*

précoce [prekɔs] *adj (plante, fruit)* precoz, temprano(a); *(enfant)* precoz

préconiser [prekɔnize] *vt* preconizar

précurseur [prekyrsœr] **1** *adj m* precursor(ora) **2** *nm* precursor *m*

prédécesseur [predesesœr] *nm* predecesor(ora) *m,f*, antecesor(ora) *m,f*

prédiction [prediksjɔ̃] *nf* predicción *f*

prédilection [predileksjɔ̃] *nf* predilección *f*; **avoir une p. pour** tener predilección por; **de p.** preferido(a), favorito(a)

prédire [27b] [predir] *vt* predecir

prédisposition [predispozisjɔ̃] *nf* predisposición *f*

préfabriqué, -e [prefabrike] **1** *adj*

prefabricado(a) 2 *nm* construcción *f* prefabricada

préface [prefas] *nf* prólogo *m*, prefacio *m*

préfecture [prefεktyr] *nf* prefectura *f*, gobierno *m* civil ▪ **p. de police** jefatura *f* de policía

préférable [preferabl] *adj* preferible (**à** a)

préféré, -e [prefere] *adj & nm,f* preferido(a) *m,f*

préférence [preferɑ̃s] *nf* preferencia *f*; **avoir une p. pour** tener preferencia por; **de p.** preferentemente, de preferencia

préférentiel, -elle [preferɑ̃sjεl] *adj* preferente

préférer [34] [prefere] *vt* preferir (**à** a)

préfet [prefe] *nm* prefecto *m*

préhistorique [preistɔrik] *adj* prehistórico(a)

préjudice [preʒydis] *nm* perjuicio *m*; **porter p. à qn** perjudicar a alguien

préjugé [preʒyʒe] *nm* prejuicio *m*

prélasser [prelase] **se prélasser** *upr* repantigarse

prélèvement [prelɛvmɑ̃] *nm Méd* extracción *f*; *Fin* retención *f* ▪ **payer qch par p. automatique** domiciliar algo; **prélèvements obligatoires** = retención obligatoria de impuestos y cotizaciones sociales; **p. à la source** retención a cuenta

prélever [46] [prelve] *vt Méd* extraer; *Fin* retener (**sur** de)

préliminaire [preliminer] **1** *adj* preliminar **2** *nmpl* **préliminaires** preliminares *mpl*

prélude [prelyd] *nm* preludio *m* (**à** a)

prématuré, -e [prematyre] *adj & nm,f* prematuro(a) *m,f*

préméditer [premedite] *vt* premeditar

premier, -ère [prəmje, -εr] **1** *adj* primero(a), primer; **les premiers arrivés** los primeros en llegar; **le p. venu** el primero que pasa; **en p.** en primer lugar

2 *nm,f* **le p., la première** el (la) primero(a)

3 *nm* **le p. mars** el uno o primero de marzo; **le p. de l'an** el uno o primero de enero

4 *nf* **première** *Th & Cin* estreno *m*; *(exploit)* innovación *f*; *(vitesse, dans les transports)* primera *f*; *Scol* = curso de secundaria que va de los dieciséis años, *Esp* ≃ primero *m* de Bachillerato

prémonition [premɔnisjɔ̃] *nf* premonición *f*

prémunir [premynir] **se prémunir** *upr* **se p. contre qch** prevenirse contra algo

prendre [58] [prɑ̃dr] **1** *vt Esp* coger, *Am* agarrar; *(repas, bain, décision)* tomar; *(temps)* llevar; *(aller chercher)* recoger; *(responsabilité)* asumir; **il s'est fait p.** lo han *Esp* cogido o *Am* atrapado; **vous prendrez quelque chose?** ¿tomará algo?; **ce travail nous a pris une semaine** este trabajo nos ha llevado una semana; **p. qn par les sentiments** apelar a los sentimientos de alguien; **mal p. qch** *(interpréter)* tomarse algo mal; **p. qn pour** *(considérer)* tomar a alguien por; **qu'est-ce qui te prend?** ¿qué te pasa?

2 *vi (sauce, gelée)* espesarse; *(colle)* pegar; *(feu)* prender; **p. à gauche** *(se diriger)* tomar a la izquierda

3 se prendre *upr* **se p. les doigts dans la porte** pillarse los dedos con la puerta; **se p. pour un héros** creerse un héroe; **pour qui tu te prends?** ¿quién te crees que eres?; **s'en p. à** tomarla con; **il s'y prend bien avec les enfants** se le dan bien los niños

prénom [prenɔ̃] *nm* nombre *m*

préoccupation [preɔkypasjɔ̃] *nf* preocupación *f*

préoccuper [preɔkype] **1** *vt* preocupar **2 se préoccuper** *upr* **se p. de** preocuparse por

préparatifs [preparatif] *nmpl* preparativos *mpl*

préparation [preparɑsjɔ̃] *nf* preparación *f*

préparatoire [preparatwar] *adj* prepa-ratorio(a)

préparer [prepare] **1** *vt* preparar; **p. qn à qch** preparar a alguien para algo **2 se préparer** *vpr* prepararse; **se p. à** prepararse para

préposé, -e [prepoze] *nm,f* encargado(a) *m,f* **(à de)**

préretraite [preratret] *nf* jubilación *f* anticipada

près [pre] *adv* cerca; **tout p.** al lado; **regarder qch de p.** mirar algo de cerca; *(avec attention)* mirar algo detenidamente; **p. de** cerca de; *(presque)* casi; **être p. de qn** estar junto a alguien; **à peu p.** aproximadamente, poco más o menos; **à peu de chose(s) p.** aproximadamente, poco más o menos; **à cela p. que** excepto por el hecho que; **à deux minutes p.** por dos minutos

présage [prezaʒ] *nm* presagio *m*

présager [45] [prezaʒe] *vt* presagiar

presbyte [presbit] *adj & nmf* présbita *mf*, présbite *mf*

presbytère [presbiter] *nm* casa *f* parroquial, rectoral *m*

prescrire [30] [preskrir] *vt (mesures, conditions)* prescribir; *Méd* recetar, prescribir

présence [prezãs] *nf* presencia *f*; *(à un cours)* asistencia *f*; **se trouver en p. de qch** encontrarse ante o con algo ■ **p. d'esprit** presencia de ánimo

présent, -e [prezã, -ãt] **1** *adj* presente **2** *nm* presente *m*; **à p. (que)** ahora (que); **dès à p.** desde ahora; **jusqu'à p.** hasta ahora, hasta el momento

présentable [prezãtabl] *adj* presentable

présentateur, -trice [prezãtatœr, -tris] *nm,f* presentador(ora) *m,f*

présentation [prezãtasjõ] *nf* presentación *f*; *(aspect extérieur)* presencia *f*; **sur p. de qch** *(document)* al presentar algo

présenter [prezãte] **1** *vt* presentar; **p. qch à qn** presentar algo a alguien;

(félicitations, condoléances) dar algo a alguien **2 se présenter** *vpr* presentarse

préserver [prezɛrve] *vt* preservar (**de** de)

présidence [prezidãs] *nf* presidencia *f*

président [prezidã] *nm* presidente(a) *m,f*, ■ **p.-directeur général** director *m* general

présider [prezide] *vt* presidir

presqu'île [preskil] *nf* península *f*

presque [presk] *adv* casi; **p. pas de** casi nada de; **p. plus de** ya casi nada de

pressant, -e [presã, -ãt] *adj* apremiante

presse [pres] *nf* prensa *f*

pressé, -e [prese] *adj (travail)* urgente; **être p. (de faire qch)** *(personne)* tener prisa (por hacer algo)

pressentiment [presãtimã] *nm* presentimiento *m*, corazonada *f*

pressentir [64a] [presãtir] *vt (événement)* presentir; *(personne)* sondear

presser [prese] **1** *vt (agrumes)* exprimir; *(olives, raisin)* prensar; *(dans ses bras)* apretar; *(bouton)* apretar, pulsar; **p. le pas** apretar el paso **2** *vi* **rien ne presse** no hay prisa; **pressons!** ¡deprisa! **3 se presser** *vpr (se dépêcher)* darse prisa, apresurarse; *(s'agglutiner)* apretujarse

pressing [presiŋ] *nm* tintorería *f*

pression [presjõ] *nf* presión *f*; *(bouton)* automático *m*; *(bière)* cerveza *f* de barril, cerveza *f* a presión; **faire p. sur qn** hacer o ejercer presión sobre; **sous p.** bajo presión

prestataire [prestater] **1** *nmf* suministrador(ora) *m,f* ■ **p. de services** suministrador *m* de servicios **2** *nm* Ordinat **p. d'accès** proveedor *m* de acceso

prestation [prestasjõ] *nf* prestación *f*; *(d'un artiste)* actuación *f* ■ **p. de service** prestación de servicios;

prestations sociales prestaciones sociales

prestidigitateur, -trice [prestidiʒitatœr, -tris] *nm,f* prestidigitador(ora) *m,f*

prestige [prestiʒ] *nm* prestigio *m*

prestigieux, -euse [prestiʒjø, -øz] *adj* prestigioso(a)

présumer [prezyme] **1** *vt* suponer; **être présumé coupable/innocent** ser un(a) presunto(a) culpable/inocente **2** *vi* **p. de qch** presumir de algo

prêt¹, -e [pre, pret] *adj* listo(a), preparado(a); **être p. à faire qch** estar dispuesto(a) a hacer algo, estar preparado(a) para hacer algo; **prêts? partez!** ¿listos? ¡ya!

prêt² *nm* préstamo *m*

prêt-à-porter (*pl* **prêts-à-porter**) [pretaporte] *nm* prêt-à-porter *m inv*

prétendre [pretɑ̃dr] **1** *vt* **p. que** (*affirmer*) asegurar que; **il prétend tout savoir** pretende saberlo todo; **p. faire qch** (*vouloir*) querer hacer algo **2** *vi* **p. à** (*aspirer à*) pretender **3** *se* **prétendre** *vpr* **elle se prétend harcelée** dice que la acosan

prétendu, -e [pretɑ̃dy] *adj* (*soi-disant*) supuesto(a)

prétentieux, -euse [pretɑ̃sjø, -øz] *adj* & *nm,f* pretencioso(a) *m,f*

prétention [pretɑ̃sjɔ̃] *nf* pretensión *f*; **sans p.** sin pretensiones

prêter [prete] **1** *vt* **p. qch à qn** prestar algo a alguien; (*attribuer*) atribuir algo a alguien; **p. attention à qch** prestar atención a algo **2** *vi* **p. à confusion** prestarse a confusión **3** *se* **prêter** *vpr* **se p. à qch** prestarse a algo

prétexte [pretekst] *nm* pretexto *m*; **sous p. de faire qch/que** con el *o* so pretexto de hacer algo/de que; **sous aucun p.** bajo ningún pretexto

prétexter [pretekste] *vt* pretextar

prêtre [pretr] *nm* sacerdote *m*

preuve [prœv] *nf* prueba *f*; **faire p. de qch** dar prueba de algo; **faire ses preuves** demostrar su eficacia

prévaloir [69b] [prevalwar] *vi* prevalecer (**sur** sobre)

prévenant, -e [prevnɑ̃, -ɑ̃t] *adj* atento(a)

prévenir [70] [prevnir] *vt* (*personne*) prevenir, advertir (**de** de); (*police*) avisar; (*danger, maladie*) prevenir

préventif, -ive [prevɑ̃tif, -iv] *adj* preventivo(a)

prévention [prevɑ̃sjɔ̃] *nf* (*protection*) prevención *f*; *Jur* (*emprisonnement*) prisión *f* preventiva ■ **p. routière** seguridad *f* vial

prévision [previzjɔ̃] *nf* previsión *f*; **les prévisions météorologiques** las previsiones meteorológicas; **en p. de** en previsión de

prévoir [73c] [prevwar] *vt* prever; **comme prévu** (tal) como estaba previsto

prévoyant, -e [prevwajɑ̃, -ɑ̃t] *adj* previsor(ora)

prier [66] [prije] **1** *vt* (*Dieu*) rezar a; (*le ciel*) rogar a; (*implorer, demander à*) rogar; **les passagers sont priés de…** se ruega a los Sres. pasajeros que… + *subjonctif*; **je vous en prie** (*s'il vous plaît*) se lo ruego; (*de rien*) no hay de qué; **se faire p.** hacerse de rogar **2** *vi* rezar, orar

prière [prijer] *nf* (*recueillement, formule*) oración *f*; (*demande*) ruego *m*; **il dit** *ou* **fait sa p.** reza sus oraciones; **p. de ne pas fumer** (*sur écriteau*) se ruega no fumar

primaire [primer] *adj* primario(a)

prime [prim] **1** *nf* prima *f*; **en p.** de regalo; *Fig* encima ■ **p. d'intéressement** prima de participación en los beneficios **2** *adj Math* primo(a); **de p. abord** a primera vista

primer [prime] **1** *vi* primar (**sur** sobre) **2** *vt* (*récompenser*) premiar

primitif, -ive [primitif, -iv] *adj* primitivo(a)

primordial, -e, -aux, -ales [primɔrdjal, -o] *adj* primordial

prince [prɛ̃s] *nm* príncipe *m* ■ **le p. charmant** el príncipe azul

princesse [prɛ̃ses] *nf* princesa *f*

princier, -ère [prɛ̃sje, -er] *adj* principesco(a)

principal, -e, -aux, -ales [pʀɛ̃sipal, -o] **1** *adj* principal **2** *nm,f (d'un lycée)* director(ora) *m,f* **3** *nm* **le p.** *(l'important)* lo principal

principauté [pʀɛ̃sipote] *nf* principado *m*

principe [pʀɛ̃sip] *nm* principio *m*; **en p.** en principio; **par p.** por principio

printemps [pʀɛ̃tɑ̃] *nm* primavera *f*

prioritaire [pʀijɔʀitɛʀ] *adj* prioritario(a)

priorité [pʀijɔʀite] *nf* prioridad *f*, preferencia *f*; **avoir la p.** tener prioridad; **en p.** en primer lugar; **p. à droite** prioridad a la derecha

pris, -e [pʀi, pʀiz] **1** *pp voir* **prendre 2** *adj (personne, place)* ocupado(a); *(nez)* tapado(a); **p. de qch** *(doute, pitié)* preso(a) de algo

prise [pʀiz] *nf (saisie)* agarre *m*; *(d'un médicament, d'une ville)* toma *f*; *Sp* llave *f*; *(ce qui permet de saisir)* asidero *m*; **être aux prises avec** estar enfrentado(a) a o con; **lâcher p.** soltarse; *Fig* ceder ■ **p. de conscience** toma de conciencia; **p. (de courant ou électrique)** enchufe *m*; **p. multiple** ladrón *m*; **p. d'otages** toma de rehenes; **p. de sang** extracción *f* de sangre; **p. de son** toma de sonido; **p. de terre** toma de tierra; **p. de vues** toma de vistas

prison [pʀizɔ̃] *nf* cárcel *f*, prisión *f*; **être en p.** estar en la cárcel

prisonnier, -ère [pʀizɔnje, -ɛʀ] **1** *adj* prisionero(a); **être p. de** *(voiture accidentée, glaces)* estar aprisionado(a) por; *Fig (habitudes, succès)* ser esclavo(a) de **2** *nm,f (détenu)* prisionero(a) *m,f*; **faire qn p.** detener a alguien ■ **p. de guerre** prisionero(a) de guerra; **p. politique** preso(a) *m,f* político(a)

privatisation [pʀivatizasjɔ̃] *nf* privatización *f*

privatiser [pʀivatize] *vt* privatizar

privé, -e [pʀive] **1** *adj* privado(a) **2** *nm Écon* **le p.** el sector privado; **dans le p.**

en el sector privado, en la privada; **en p.** en privado

priver [pʀive] **1** *vt* **p. qn de qch** *(déposséder de)* privar a alguien de algo; *(interdire de)* castigar a alguien sin algo **2 se priver** *vpr* privarse **(de)**

privilège [pʀivilɛʒ] *nm* privilegio *m*

privilégié, -e [pʀivileʒje] *adj & nm,f* privilegiado(a) *m,f*

prix [pʀi] *nm (coût)* precio *m*; *(importance)* valor *m*; *(récompense)* premio *m*; **faire un p. à qn** hacerle una rebaja a alguien; **à moitié p.** a mitad de precio; **au p. fort** al precio normal; **à tout p.** a cualquier precio ■ **p. de consolation** premio de consolación; **p. coûtant** precio de coste; **p. de gros** precio al por mayor; **p. de revient** precio de coste; **p. de vente** precio de venta al público

probabilité [pʀɔbabilite] *nf* probabilidad *f*

probable [pʀɔbabl] *adj* probable

probant, -e [pʀɔbɑ̃, -ɑ̃t] *adj* concluyente, convincente

problème [pʀɔblɛm] *nm* problema *m*

procédé [pʀɔsede] *nm (méthode)* proceso *m*; *(agissement)* modo *m* de actuar

procéder [34] [pʀɔsede] *vi* proceder; **p. à** proceder a

procédure [pʀɔsedyʀ] *nf* procedimiento *m*

procès [pʀɔsɛ] *nm* proceso *m*

procession [pʀɔsesjɔ̃] *nf* procesión *f*

processus [pʀɔsesys] *nm* proceso *m*

procès-verbal [pʀɔsevɛʀbal] *(pl* **procès-verbaux** [pʀɔsevɛʀbo]) *nm (contravention)* multa *f*; *(compte rendu)* acta *f*

prochain, -e [pʀɔʃɛ̃, -ɛn] **1** *adj (imminent)* próximo(a), cercano(a); *(suivant)* próximo(a), que viene **2** *nm* prójimo *m* **3** *nf* **prochaine** *Fam* **à la prochaine!** ¡hasta otra!, ¡hasta la próxima!

prochainement [pʀɔʃɛnmɑ̃] *adv* próximamente

proche [prɔʃ] **1** adj próximo(a), cercano(a) (**de** a); (intime) unido(a) (**de** a); (semblable) parecido(a); **dans un avenir p.** en un futuro próximo **2** nmpl **les proches** (famille) los familiares

proclamer [prɔklame] vt proclamar

procréer [24] [prɔkree] vi procrear

procuration [prɔkyrasjɔ̃] nf procuración f, poder m; **par p.** por poderes o procuración

procurer [prɔkyre] **1** vt **p. qch à qn** proporcionar algo a alguien **2 se procurer** upr procurarse

prodige [prɔdiʒ] nm prodigio m

prodigieux, -euse [prɔdiʒjø, -øz] adj prodigioso(a)

prodiguer [prɔdige] vt prodigar

producteur, -trice [prɔdyktœr, -tris] adj & nm,f productor(ora) m,f

productif, -ive [prɔdyktif, -iv] adj productivo(a)

production [prɔdyksjɔ̃] nf producción f; (d'un document) presentación f

productivité [prɔdyktivite] nf productividad f

produire [18] [prɔdɥir] **1** vt producir **2 se produire** upr (événement) producirse; (artiste) actuar

produit [prɔdɥi] nm producto m ■ **p. de beauté** producto de belleza; **p. chimique** producto químico; **p. de consommation** producto de consumo; **p. d'entretien** producto de limpieza; **p. fini** producto manufacturado; **p. intérieur brut** producto interior bruto; **p. national brut** producto nacional bruto

profane [prɔfan] adj profano(a)

profaner [prɔfane] vt profanar

proférer [34] [prɔfere] vt proferir

professeur [prɔfesœr] nm profesor(ora) m,f ■ **p. principal** tutor(ora) m,f

profession [prɔfesjɔ̃] nf profesión f

professionnel, -elle [prɔfesjɔnel] **1** adj profesional; (lycée) de formación profesional **2** nm,f profesional mf, Méx profesionista mf

profil [prɔfil] nm perfil m; **de p.** de perfil

profit [prɔfi] nm (avantage) provecho m; Écon beneficio m; **au p. de** en beneficio de; **tirer p. de qch** sacar provecho de algo

profitable [prɔfitabl] adj provechoso(a) (**à** para)

profiter [prɔfite] vi **p. à qn** venir bien a alguien; **p. de qch** aprovechar algo; **p. de qn** aprovecharse de alguien; **en p. pour faire qch** aprovechar para hacer algo

profond, -e [prɔfɔ̃, -ɔ̃d] **1** adj profundo(a), hondo(a) **2** adv hondo

profondeur [prɔfɔ̃dœr] nf profundidad f

profusion [prɔfyzjɔ̃] nf **une p. de qch** una gran profusión de algo; **avoir qch à p.** tener (gran) profusión de algo

programmable [prɔgramabl] adj programable

programmation [prɔgramɑsjɔ̃] nf TV & Ordinat programación f

programme [prɔgram] nm TV & Ordinat programa m

programmer [prɔgrame] vt TV & Ordinat programar

programmeur, -euse [prɔgramœr, -øz] nm,f Ordinat programador(ora) m,f

progrès [prɔgrɛ] nm progreso m; **faire des p.** hacer progresos, progresar

progresser [prɔgrese] vi (avancer) avanzar; (se développer, s'améliorer) progresar

progressif, -ive [prɔgresif, -iv] adj progresivo(a)

progression [prɔgresjɔ̃] nf (avancée) avance m; (développement, amélioration) progreso m

prohibitif, -ive [prɔibitif, -iv] adj (prix) prohibitivo(a)

proie [prwa] nf presa f; **être la p. des flammes** ser pasto de las llamas; **être en p. à qch** ser presa de algo

projecteur [prɔʒɛktœr] nm proyector m

projectile [prɔʒɛktil] nm proyectil m

projection [prɔʒɛksjɔ̃] *nf* proyección *f*

projet [prɔʒɛ] *nm* proyecto *m* ■ **p. de loi** proyecto de ley

projeter [42] [prɔʒte] *vt* proyectar, planear; **p. de faire qch** proyectar o planear hacer algo

proliférer [34] [prɔlifere] *vi* proliferar

prolongation [prɔlɔ̃gasjɔ̃] *nf (continuation)* prolongación *f*; *Sp* **jouer les prolongations** jugar la prórroga

prolongement [prɔlɔ̃ʒmɑ̃] *nm (allongement)* prolongación *f*; **prolongements** *(conséquences)* repercusiones *fpl*

prolonger [45] [prɔlɔ̃ʒe] **1** *vt* prolongar; **p. ses vacances d'une semaine** prolongar sus vacaciones una semana **2 se prolonger** *vpr* prolongarse

promenade [prɔmnad] *nf* paseo *m*; **faire une p.** dar un paseo

promener [46] [prɔmne] **1** *vt* pasear; *(passer)* pasar **2 se promener** *vpr* pasear, pasearse

promesse [prɔmɛs] *nf* promesa *f*; *(engagement)* compromiso *m*; **tenir sa p.** cumplir su promesa ■ **p. d'achat** compromiso de compra; **p. de vente** compromiso de venta

prometteur, -euse [prɔmɛtœr, -øz] *adj* prometedor(ora)

promettre [47] [prɔmɛtr] **1** *vt* prometer; **p. à qn de faire qch** prometer a alguien hacer algo **2 se promettre** *vpr* **se p. de faire qch** prometerse hacer algo

promoteur [prɔmɔtœr] *nm* **p. immobilier** promotor(ora) *m,f* inmobiliario(a)

promotion [prɔmɔsjɔ̃] *nf* promoción *f*; *(dans une carrière)* ascenso *m*; **en p.** en oferta

promouvoir [31a] [prɔmuvwar] *vt* promover

prompt, -e [prɔ̃, prɔ̃t] *adj* rápido(a); **p. à faire qch** rápido en hacer algo

prononcé, -e [prɔnɔ̃se] *adj (net)* marcado(a)

prononcer [16] [prɔnɔ̃se] **1** *vt* pronunciar **2 se prononcer** *vpr* pronunciarse

prononciation [prɔnɔ̃sjasjɔ̃] *nf* pronunciación *f*

pronostic [prɔnɔstik] *nm* pronóstico *m*

propagande [prɔpagɑ̃d] *nf* propaganda *f*

prophète [prɔfɛt] *nm* profeta *m*

prophétie [prɔfesi] *nf* profecía *f*

propice [prɔpis] *adj* propicio(a) (à para)

proportion [prɔpɔrsjɔ̃] *nf* proporción *f*

proportionné, -e [prɔpɔrsjɔne] *adj* **bien p.** bien proporcionado(a)

proportionnel, -elle [prɔpɔrsjɔnɛl] **1** *adj* proporcional (à a) **2** *nf* **proportionnelle** *Pol* **la proportionnelle** el sistema de representación proporcional

propos [prɔpo] **1** *nm (but)* propósito *m*; **c'est à quel p.?** ¿de qué se trata?; **à p.** *(opportunément)* oportunamente; *(au fait)* por cierto; **à p. de** a propósito de, con respecto a **2** *nmpl (paroles)* palabras *fpl*

proposer [prɔpoze] **1** *vt* proponer; *(offrir)* ofrecer; **p. à qn de faire qch** proponer a alguien hacer algo **2 se proposer** *vpr* **se p. pour faire qch** ofrecerse a hacer algo; **se p. de faire qch** proponerse hacer algo

proposition [prɔpozisjɔ̃] *nf (offre, suggestion)* propuesta *f*, proposición *f*; *Gram* proposición *f*

propre [prɔpr] **1** *adj* limpio(a); *(personnel)* propio(a) (à de) **2** *nm* **le p. de** *(la caractéristique de)* la característica de; **au p.** *(recopier)* a limpio; **au p. comme au figuré** en sentido literal y figurado

proprement [prɔprəmɑ̃] *adv (soigneusement)* limpiamente; *(véritablement)* verdaderamente; *(spécifiquement)* propiamente; **à p. parler**

propiamente dicho(a); **p. dit** propiamente dicho(a)

propreté [prɔprəte] nf limpieza f

propriétaire [prɔprijetɛr] nmf propietario(a) m,f, dueño(a) m,f ■ **p. foncier** terrateniente m

propriété [prɔprijete] nf propiedad f; (domaine, exploitation) finca f, CSur chacra f, campo m

propulser [prɔpylse] vt propulsar; (jeter) lanzar

prospecter [prɔspɛkte] vt prospectar

prospectus [prɔspɛktys] nm prospecto m, folleto m

prospère [prɔspɛr] adj próspero(a)

prospérité [prɔsperite] nf prosperidad f

prosterner [prɔstɛrne] **se prosterner** vpr prosternarse (**devant** ante)

prostitué, -e [prɔstitɥe] nm,f (homme) = hombre que se prostituye; (femme) prostituta f

prostituer [prɔstitɥe] **se prostituer** vpr prostituirse

prostitution [prɔstitysjɔ̃] nf prostitución f

protecteur, -trice [prɔtɛktœr, -tris] adj & nm,f protector(ora) m,f

protection [prɔtɛksjɔ̃] nf protección f; **de p.** (écran, vernis) protector(ora); **prendre qn sous sa p.** tomar a alguien bajo su protección ■ **p. sociale** subsidios mpl sociales

protectionnisme [prɔtɛksjɔnism] nm Écon proteccionismo m

protégé, -e [prɔteʒe] adj & nm,f protegido(a) m,f

protéger [59] [prɔteʒe] **1** vt proteger (**de/contre** de/contra) **2 se protéger** vpr protegerse (**de/contre** de/contra)

protestant, -e [prɔtɛstɑ̃, -ɑ̃t] adj & nm,f protestante mf

protestation [prɔtɛstasjɔ̃] nf protesta f

protester [prɔtɛste] vi protestar (**contre** contra)

prothèse [prɔtɛz] nf prótesis f inv

protocole [prɔtɔkɔl] nm aussi Ordinat protocolo m

prototype [prɔtɔtip] nm prototipo m

prouesse [pruɛs] nf proeza f

prouver [pruve] vt (établir) demostrar, probar; (témoigner de) demostrar

provenance [prɔvnɑ̃s] nf procedencia f; **en p. de** procedente de

Provence [prɔvɑ̃s] nf **la P.** la Provenza

provenir [70] [prɔvnir] vi **p. de** proceder de

proverbe [prɔvɛrb] nm proverbio m, refrán m

providence [prɔvidɑ̃s] nf providencia f

providentiel, -elle [prɔvidɑ̃sjɛl] adj providencial

province [prɔvɛ̃s] nf provincia f, región f; (campagne) provincias fpl; Can = Estado federado dotado de un gobierno propio; Belg = unidad territorial dirigida por un gobernador nombrado por el rey

provincial, -e, -aux, -ales [prɔvɛ̃sjal, -o] **1** adj (de province) (personne, vie) de provincias; (administration) provincial; Péj (de la campagne) provinciano(a) **2** nm,f provinciano(a) m,f

proviseur [prɔvizœr] nm director(ora) m,f (de un instituto)

provision [prɔvizjɔ̃] nf (réserve) provisión f; **provisions** (nourriture) provisiones fpl; **faire ses provisions** (achats) hacer la compra

provisoire [prɔvizwar] adj provisional

provocant, -e [prɔvɔkɑ̃, -ɑ̃t] adj provocador(ora)

provocation [prɔvɔkasjɔ̃] nf provocación f

provoquer [prɔvɔke] vt provocar

proximité [prɔksimite] nf proximidad f; **à p. de** cerca de

prude [pryd] adj mojigato(a)

prudence [prydɑ̃s] nf prudencia f

prudent, -e [prydɑ̃, -ɑ̃t] adj prudente; **ce n'est pas p.** no es sensato

prune [pryn] nf ciruela f

pruneau, -x [pryno] nm ciruela f pasa

prunier [prynje] *nm* ciruelo *m*
pseudonyme [psødɔnim] *nm* seudónimo *m*, pseudónimo *m*
psychanalyse [psikanaliz] *nf* psicoanálisis *m inv*
psychanalyste [psikanalist] *nmf* psicoanalista *mf*
psychiatre [psikjatr] *nmf* psiquiatra *mf*
psychiatrie [psikjatri] *nf* psiquiatría *f*
psychique [psiʃik] *adj* psíquico(a)
psychologie [psikɔlɔʒi] *nf* psicología *f*
psychologique [psikɔlɔʒik] *adj* psicológico(a)
psychologue [psikɔlɔg] *adj & nmf* psicólogo(a) *m,f*
psychose [psikoz] *nf* psicosis *f inv*
pu *pp voir* **pouvoir**
puant, -e [pɥɑ̃, -ɑ̃t] *adj* fétido(a)
puanteur [pɥɑ̃tœr] *nf* peste *f*
public, -ique [pyblik] **1** *adj* público(a) **2** *nm* público *m*; **en p.** en público
publication [pyblikasjɔ̃] *nf* publicación *f*
publicitaire [pyblisiter] *adj & nmf* publicitario(a) *m,f*
publicité [pyblisite] *nf* (*activité*) publicidad *f*; (*annonce*) anuncio *m*; **faire de la p. pour qch** hacerle publicidad a algo
publier [66] [pyblije] *vt* publicar
puce [pys] *nf* (*animal*) pulga *f*; *Ordinat* chip *m*; **les puces** (*marché*) el rastro; **ma p.** (*terme affectueux*) cariño; **mettre la p. à l'oreille à qn** poner la mosca detrás de la oreja de alguien
pudeur [pydœr] *nf* pudor *m*
pudique [pydik] *adj* púdico(a)
puer [pɥe] **1** *vi* apestar; *Fam* **ça pue!** ¡huele que apesta! **2** *vt* apestar a
puériculture [pɥerikyltyr] *nf* puericultura *f*
puéril, -e [pɥeril] *adj* pueril
puis¹ *voir* **pouvoir**
puis² [pɥi] *adv* después; **et p.** (*de plus*) y además
puiser [pɥize] *vt* sacar (**dans** de)

puisque [pɥisk(ə)] *conj*

Antes de vocal o h muda se usa **puisqu'**.

ya que; **mais p. je te dis que je ne veux pas!** ¡ya te he dicho que no quiero!
puissance [pɥisɑ̃s] *nf* potencia *f*; (*pouvoir*) poder *m*; **dix (à la) p. quatre** diez elevado a cuatro; **en p.** en potencia
puissant, -e [pɥisɑ̃, -ɑ̃t] *adj* poderoso(a); (*machine, ordinateur*) potente
puisse *etc voir* **pouvoir**
puits [pɥi] *nm* pozo *m* ▪ **p. de mine** pozo de mina; **p. de pétrole** pozo de petróleo
pull [pyl], **pull-over** (*pl* pull-overs) [pylɔver], *nm Esp* jersey *m*, *Andes* chompa *f*, *Arg, Ven* pulóver *m*, suéter *m*, *Urug* buzo *m*
pulluler [pylyle] *vi* (*fourmiller, abonder*) pulular
pulmonaire [pylmɔner] *adj* pulmonar
pulpe [pylp] *nf* pulpa *f*
pulvériser [pylverize] *vt* pulverizar
punaise [pynez] **1** *nf* (*insecte*) chinche *m*; (*clou*) chincheta *f* **2** *exclam Fam* ¡caramba!
punir [pynir] *vt* castigar; **il a été puni de son orgueil** ha sido castigado por orgulloso
punition [pynisjɔ̃] *nf* castigo *m*
pupille¹ [pypij] *nf* (*de l'œil*) pupila *f*
pupille² [pypij] *nmf* (*orphelin*) pupilo(a) *m,f* ▪ **p. de l'État** hospiciano(a) *m,f*; **p. de la nation** huérfano(a) *m,f* de guerra
pupitre [pypitr] *nm* (*d'un orateur, d'un musicien*) atril *m*; (*d'écolier*) pupitre *m*
pur, -e [pyr] *adj* puro(a); **p. coton** puro algodón; **p. et simple** puro(a) y simple
purée [pyre] *nf* puré *m*; **p. de pommes de terre** puré de patatas *o Am* papas
pureté [pyrte] *nf* pureza *f*
purge [pyrʒ] *nf* purga *f*
purger [45] [pyrʒe] *vt* purgar
purifier [66] [pyrifje] *vt* purificar

puriste [pyrist] *nmf* purista *mf*
puritain, -e [pyritɛ̃, -ɛn] *adj & nm,f* puritano(a) *m,f*
pur-sang [pyrsɑ̃] *nm inv* pura sangre *m inv*
pus [py] *nm* pus *m*
putréfier [pytrefje] **se putréfier** *vpr* pudrirse

puzzle [pœzl] *nm (jeu)* puzzle *m*; *Fig (problème)* rompecabezas *m inv*
pyjama [piʒama] *nm* pijama *m*
pyramide [piramid] *nf* pirámide *f*
Pyrénées [pirene] *nfpl* **les P.** los Pirineos
pyromane [pirɔman] *nmf* pirómano(a) *m,f*

Qq

Q, q [ky] *nm inv (lettre)* Q *f*, q *f*
quadriller [kadrije] *vt (papier)* cuadricular; *(ville)* peinar
quadrupède [k(w)adryped] *nm* cuadrúpedo *m*
quadruple [k(w)adrypl] *adj* cuádruple
quadrupler [k(w)adryple] *vt & vi* cuadruplicar
quadruplés, -ées [k(w)adryple] *nm,fpl* cuatrillizos(as) *m,fpl*
quai [ke] *nm (d'un port, d'une rivière)* muelle *m*; *(de gare)* andén *m*; **être à q.** estar atracado(a)
qualification [kalifikasjɔ̃] *nf (désignation) & Sp* calificación *f*; *(formation)* cualificación *f*
qualifier [66] [kalifje] **1** *vt (caractériser)* calificar; **q. qch/qn de qch** calificar algo/a alguien de algo; **être qualifié pour faire qch** estar cualificado(a) para hacer algo **2 se qualifier** *vpr Sp* calificarse
qualité [kalite] *nf (d'un produit, d'une œuvre)* calidad *f*; *(caractéristique, vertu)* cualidad *f*; **de bonne/ mauvaise q.** de buena/mala calidad
quand [kɑ̃] **1** *conj* cuando; **q. je serai à la retraite, je ferai le tour du monde** cuando me retire, daré la vuelta al mundo; **c'était q. même bien** a pesar

de todo estuvo bien; **q. bien même** aun cuando **2** *adv interrogatif* cuándo
quant [kɑ̃] **quant à** *prép* en cuanto a, por lo que se refiere a; **q. à moi** en cuanto a mí se refiere
quantité [kɑ̃tite] *nf* cantidad *f*; **(une) q. de** *(abondance)* (una) gran cantidad de; **en grande q.** en gran cantidad
quarantaine [karɑ̃tɛn] *nf (nombre)* unos(as) cuarenta; *(isolement)* cuarentena *f*; **une q. de personnes** unas cuarenta personas; **avoir la q.** estar en los cuarenta
quarante [karɑ̃t] **1** *adj inv* cuarenta **2** *nm inv* cuarenta *m*; *voir aussi* **six**
quarantième [karɑ̃tjɛm] **1** *adj & nmf* cuadragésimo(a) *m,f* **2** *nm* cuadragésimo *m*, cuadragésima parte *f*; *voir aussi* **sixième**
quart [kar] **1** *adj* **le q. monde** las clases menos favorecidas **2** *nm (fraction)* cuarto *m*, cuarta parte *f*; *Naut (veille)* cuarto *m*; *Naut* **être de q.** estar de guardia; **un q. de qch** un cuarto de algo; **un q. d'heure** un cuarto de hora; **deux heures moins le q./et q.** las dos menos/y cuarto
quartier [kartje] *nm (d'une ville)* barrio *m*, *Méx* colonia *f*; *(de viande)* trozo *m*; *(de fruit)* gajo *m*; *Astron*

cuarto *m*; *Mil* cuartel *m*; **avoir q. libre**
Mil tener un permiso; *Fig* tener
tiempo libre; **les beaux quartiers** los
barrios bien

quartz [kwarts] *nm* cuarzo *m*; **à q. de**
cuarzo

quasi [kazi] *adv* cuasi

quasiment [kazimɑ̃] *adv* casi

quatorze [katɔrz] **1** *adj inv* catorce
2 *nm inv* catorce *m*; *voir aussi* **six**

quatre [katr] **1** *adj inv* cuatro; **q. à q.** de
cuatro en cuatro; *Fig* **se mettre en q.**
pour qn desvivirse por alguien
2 *nm inv* cuatro *m*; *voir aussi* **six**

quatre-vingt [katrəvɛ̃] *voir* **quatre-**
vingts

quatre-vingt-dix [katrəvɛ̃dis] **1** *adj*
inv noventa **2** *nm inv* noventa *m*; *voir*
aussi **six**

quatre-vingts [katrəvɛ̃] **1** *adj*
ochenta; **quatre-vingt-deux** ochenta
y dos **2** *nm inv* ochenta *m*; *voir aussi* **six**

quatrième [katrijɛm] **1** *adj & nmf*
cuarto(a) *m,f* **2** *nf Scol* = curso de
secundaria que se realiza a los trece
años, *Esp* ≃ segundo *m* de ESO;
(vitesse) cuarta *f*; *voir aussi* **sixième**

que [kə]

Delante de vocal o h muda se utiliza
qu'.

1 *conj* (**a**) *(introduit une subordonnée)*
que; **je sais q....** sé que...; **je ne tiens**
pas à ce q. tout le monde le sache no
quiero que todo el mundo se entere
(**b**) *(introduit une hypothèse)* tanto si;
q. vous le vouliez ou non queráis o no
(**c**) *(dans les comparaisons)* que; **plus**
intelligent q. más inteligente que
(**d**) *(reprend une autre conjonction)* **s'il**
fait beau et q. nous ayons le temps si
hace bueno y tenemos tiempo
(**e**) *(indique un ordre, un souhait)* que;
qu'il entre! ¡que entre!
(**f**) *(avec un présentatif)* **voilà q. ça re-**
commence! ¡ya empieza otra vez!
(**g**) *(afin que)* (para) que; **approchez**
qu'on vous entende acérquese para
que le oigamos

2 *pron relatif* (**a**) *(chose, animal)* que;
(personne) (al) que, (a la) que; **la**
femme q. j'aime la mujer que quiero;
ce q. lo que (**b**) *(dans le temps)* que; **il y**
a trois ans q. nous habitons ici hace
tres años que vivimos aquí
3 *pron interrogatif* qué; **je ne sais q.**
dire no sé qué decir; **qu'est-ce q. tu**
veux? ¿qué quieres?; **qu'est-ce qui se**
passe? ¿qué pasa?
4 *adv exclamatif* qué; **q. c'est bizarre!**
¡qué raro!; **q. de** cuánto(a); **q. de**
monde! ¡cuánta gente!

Québec [kebɛk] **1** *n (ville)* Quebec **2** *nm*
le Q. *(province)* Quebec

quel, quelle [kɛl] **1** *adj interrogatif*
qué; **quelle heure est-il?** ¿qué hora
es?; **q. homme?** ¿qué hombre?; **q. est**
ton préféré? ¿cuál es tu preferido?
2 *adj exclamatif* qué; **q. dommage!**
¡qué pena!
3 *adj indéfini* **il se baigne q. que soit**
le temps se baña haga el tiempo que
haga; **il refuse de voir les nouveaux**
arrivants, quels qu'ils soient se
niega a ver a los recién llegados,
sean quienes sean
4 *pron interrogatif (chose)* cuál;
(personne) quién

quelconque [kɛlkɔ̃k] **1** *adj indéfini*
cualquiera; **sous un prétexte q.** con
un pretexto cualquiera **2** *adj*
(ordinaire) del montón

quelle [kɛl] *voir* **quel**

quelque [kɛlk(ə)] **1** *adj indéfini (un*
certain, un peu de) algún(una); **q. peu**
algo, un poco; **à q. distance de là** a
poca distancia de allí; **q. chemin que**
je prenne tome el camino que tome
2 quelques *adj indéfini pl* unos(as)
cuantos(as); **j'ai quelques lettres à**
écrire tengo que escribir unas
cuantas o algunas cartas; **tu n'as pas**
quelques photos à me montrer? ¿no
tienes fotos que enseñarme?, ¿no
tienes ninguna foto que enseñarme?; **les quelques fois que** las
pocas veces que; **il est midi et**
quelques son las doce y pico

3 *adv (environ)* unos(as); **q. 20 euros** unos 20 euros

quelque chose [kɛlkəʃoz] *pron indéfini* algo; **d'autre** otra cosa; **ça m'a fait q.** me emocionó

quelquefois [kɛlkəfwa] *adv* a veces

quelques-uns, quelques-unes [kɛlkəzœ̃, -yn] *pron indéfini* algunos(as); **q. de ces spectateurs** algunos de estos espectadores

quelqu'un [kɛlkœ̃] *pron indéfini m* alguien; **c'est q. d'intelligent** es una persona inteligente; **q. d'autre** otra persona, otro(a) *m,f*

querelle [kərɛl] *nf* pelea *f*; **chercher q. à qn** buscar pelea con alguien

quereller [kərele] **se quereller** *vpr* discutir

question [kɛstjɔ̃] *nf (interrogation)* pregunta *f*; *(sujet de discussion)* cuestión *f*; **poser une q. à qn** hacer una pregunta a alguien; **il est q. de faire qch** es cuestión de hacer algo; **il n'en est pas q.!** ¡ni hablar!; **le dossier en q.** el caso en cuestión; *Fam* **q. argent, ça va** en cuanto al dinero, la cosa va bien ▪ **q. piège** pregunta capciosa; **q. subsidiaire** pregunta de desempate

questionnaire [kɛstjɔnɛr] *nm* cuestionario *m*

questionner [kɛstjɔne] *vt* interrogar

quête [kɛt] *nf (collecte)* colecta *f*; *(recherche)* búsqueda *f*; **faire la q.** *(artiste)* pasar la gorra; **se mettre en q. de** ir en busca de

quêter [kete] **1** *vi* colectar **2** *vt (solliciter)* mendigar

queue [kø] *nf (d'un animal)* cola *f*, rabo *m*; *(d'un fruit)* rabillo *m*; *(d'un objet)* mango *m*; *(de billard)* taco *m*; *(d'un groupe)* cola *f*; **faire la q.** hacer cola; **à la q. leu leu** en fila india; **faire une q. de poisson à qn** = volver bruscamente a la fila tras haber adelantado a otro vehículo

qui [ki] **1** *pron relatif* **(a)** *(sujet)* que; **la maison q. est là** la casa que está allí; **je l'ai vu q. passait** lo vi pasar; **q. plus**

est lo que es más **(b)** *(complément d'objet direct)* quien; **invite q. tu veux** invita a quien quieras **(c)** *(après une préposition)* quien; **à q.** a quien; **avec q.** con quien **(d)** *(indéfini)* quienquiera; **q. que ce soit** quienquiera que sea

2 *pron interrogatif* **(a)** *(sujet)* quién; **q. es-tu?** ¿quién eres?; **je ne sais pas q. tu es** no sé quién eres; **q. est-ce q.** quién **(b)** *(complément d'objet direct)* a quien; **q. préfères-tu?** ¿a quién prefieres?; **q. est-ce que** a quién **(c)** *(après une préposition)* quien; **à q. est ce livre?** ¿de quién es ese libro?; **à q. le tour?** ¿a quién le toca?; **à q. parles-tu?** ¿con quién hablas?; **à q. penses-tu?** ¿en quién piensas?

quiconque [kikɔ̃k] *pron indéfini* **q. désobéira sera puni** quien desobedezca será castigado; **pour q. a l'habitude de lire** para cualquiera que tenga costumbre de leer; **sans en avertir q.** sin avisar a nadie

quille [kij] *nf (de bateau)* quilla *f*; *(de jeu)* bolo *m*

quincaillerie [kɛ̃kɑjri] *nf (ustensiles)* quincalla *f*; *(magasin)* ferretería *f*; *Fam (bijoux)* quincalla *f*

quinconce [kɛ̃kɔ̃s] **en quinconce** *adv* al trebolillo

quinquennal, -e, -aux, -ales [kɛ̃kenal, -o] *adj* quinquenal

quintuple [kɛ̃typl] *adj* quíntuple

quinzaine [kɛ̃zɛn] *nf* quincena *f*

quinze [kɛ̃z] **1** *adj inv* quince; **dans q. jours** dentro de quince días o dos semanas **2** *nm inv (chiffre)* quince *m*; *voir aussi* **six**

quittance [kitɑ̃s] *nf* recibo *m*; **q. de loyer** recibo del alquiler

quitte [kit] *adj* **être q. (envers qn)** estar en paz (con alguien); **il en a été q. pour une bonne peur** no ha sido más que el susto; **q. à dormir par terre je préfère rester** aunque tenga que dormir en el suelo prefiero quedarme; **q. ou double** doble o nada

quitter [kite] **1** *vt (abandonner)* dejar, abandonar; *(partir de)* irse de, marcharse de; *(vêtement)* quitarse; **ne quittez pas!** *(au téléphone)* no cuelgue **2 se quitter** *vpr* separarse
quoi [kwa] **1** *pron relatif* **ce à q. je me suis intéressée** aquello por lo que me interesé; **c'est en q. tu as tort** ahí es donde te equivocas; **après q.** después de lo cual; **avoir de q. vivre** tener de qué vivir; **avez-vous de q. écrire?** ¿tiene con qué escribir?; **il n'y a pas de q. s'énerver** no hay por qué enfadarse; **merci** – **il n'y a pas de q.** gracias – de nada
  2 *pron interrogatif* qué; **je ne sais pas**

q. dire no sé qué decir; **q. de neuf?** ¿qué hay de nuevo?; **à q. bon?** ¿para qué?; **à q. penses-tu?** ¿en qué piensas?; *Fam* **q.?** *(comment?)* ¿qué?; *Fam* **tu viens ou q.?** ¿vienes o no?
  3 quoi que *conj* **q. qu'il arrive** pase lo que pase; **q. qu'il dise** diga lo que diga; **q. qu'il en soit** sea como sea
quoique [kwak] *conj* aunque + *indicatif*
quota [kɔta] *nm* cuota *f*; *(d'importation)* cupo *m*
quotidien, -enne [kɔtidjɛ̃, -ɛn] **1** *adj* diario(a) **2** *nm (vie quotidienne)* cotidiano *m*; *(journal)* diario *m*

Rr

R, r [ɛr] *nm inv (lettre)* R *f*, r *f*
rabâcher [rabaʃe] *vt & vi Fam* machacar
rabais [rabɛ] *nm* descuento *m*, rebaja *f*; **au r.** *(avec une réduction)* con rebaja
rabaisser [rabese] **1** *vt (personne)* rebajar **2 se rabaisser** *vpr* rebajarse
rabattre [11] [rabatr] **1** *vt (col)* doblar; *(couvercle)* cerrar; *(gibier)* ojear **2 se rabattre** *vpr (siège)* abatirse; *(voiture)* cerrarse; **se r. sur** *(se contenter de)* conformarse con
rabbin [rabɛ̃] *nm* rabino *m*
rabougri, -e [rabugri] *adj (plante)* desmedrado(a); *(personne)* canijo(a)
raccommoder [rakɔmɔde] **1** *vt (vêtement)* zurcir **2 se raccommoder** *vpr Fam* hacer las paces (**avec** con)
raccompagner [rakɔ̃paɲe] *vt* acompañar
raccord [rakɔr] *nm (liaison)* retoque *m*; *(pièce)* empalme *m*
raccorder [rakɔrde] **1** *vt* conectar (**à**

con) **2 se raccorder** *vpr* se r. à qch conectar(se) con algo
raccourci [rakursi] *nm* atajo *m*
raccourcir [rakursir] **1** *vt* acortar; *(texte)* abreviar **2** *vi (jours)* menguar
raccrocher [rakrɔʃe] **1** *vt* volver a colgar **2** *vi (au téléphone)* colgar **3 se raccrocher** *vpr aussi Fig* se r. à aferrarse a
race [ras] *nf* raza *f*
rachat [raʃa] *nm (de biens)* nueva compra *f*
racheter [6] [raʃte] **1** *vt (acheter à nouveau)* volver a comprar; *(acheter d'occasion)* comprar; *(péché, faute)* redimir **2 se racheter** *vpr* hacer méritos
racial, -e, -aux, -ales [rasjal, -o] *adj* racial
racine [rasin] *nf* raíz *f*; **prendre r.** echar raíces ■ *Math* **r. carrée** raíz cuadrada
racisme [rasism] *nm* racismo *m*
raciste [rasist] *adj & nmf* racista *mf*

racler [rɑkle] **1** *vt* rascar **2 se racler** *vpr* **se r. la gorge** rascarse la garganta

racontars [rakɔ̃tar] *nmpl* chismes *mpl*, habladurías *fpl*

raconter [rakɔ̃te] *vt* contar

radar [radar] *nm* radar *m*

rade [rad] *nf* rada *f*

radeau, -x [rado] *nm* balsa *f*

radiateur [radjatœr] *nm* radiador *m*

radiation [radjasjɔ̃] *nf* (*rayonnement*) radiación *f*

radical, -e, -aux, -ales [radikal, -o] *adj* radical

radier [66] [radje] *vt* (*d'une profession*) expulsar

radieux, -euse [radjø, -øz] *adj* radiante

radio [radjo] *nf* (*diffusion, transistor, station*) radio *f*; **passer une r.** (*rayons X*) hacerse una radiografía

radioactif, -ive [radjoaktif, -iv] *adj* radiactivo(a), radioactivo(a)

radioactivité [radjoaktivite] *nf* radiactividad *f*, radioactividad *f*

radiographie [radjografi] *nf* radiografía *f*

radiologue [radjolog] *nmf* radiólogo(a) *m,f*

radio-réveil (*pl* **radios-réveils**) [radjorevɛj] *nm* radiodespertador *m*

radis [radi] *nm* rábano *m*

radoucir [radusir] **se radoucir** *vpr* (*personne, temps*) suavizarse

rafale [rafal] *nf* (*de vent*) ráfaga *f*, racha *f*; (*de coups de feu*) ráfaga *f*; *Fig* (*d'applaudissements*) salva *f*; **souffler en r.** rachear

raffiné, -e [rafine] *adj* refinado(a)

raffinement [rafinmɑ̃] *nm* refinamiento *m*

raffiner [rafine] *vt* refinar

raffinerie [rafinri] *nf* refinería *f*

rafle [rafl] *nf* redada *f*

rafraîchir [rafreʃir] **1** *vt* (*nourriture, vin*) enfriar; *Fig* **r. la mémoire à qn** refrescar la memoria a alguien **2** *vi* enfriar **3 se rafraîchir** *vpr* refrescarse

rafraîchissant, -e [rafreʃisɑ̃, -ɑ̃t] *adj* refrescante

rafraîchissement [rafreʃismɑ̃] *nm* (*du climat*) enfriamiento *m*; (*boisson*) refresco *m*

rage [raʒ] *nf* (*fureur, maladie*) rabia *f*; **faire r.** (*tempête, incendie*) causar estragos ▪ **r. de dents** dolor *m* de muelas

ragoût [ragu] *nm* ragú *m*, guiso *m*

raid [rɛd] *nm Mil & Sp* raid *m* ▪ **r. aérien** incursión aérea, raid aéreo

raide [rɛd] **1** *adj* (*cheveux*) lacio(a); (*membre*) rígido(a), tieso(a); (*pente, escalier*) empinado(a); (*attitude*) envarado(a); *Fam* **être r.** (*sans argent*) estar pelado(a) **2** *adv* **grimper r.** ser empinado(a); **tomber r. mort** caer fulminado(a)

raideur [rɛdœr] *nf* (*physique*) rigidez *f*; (*morale*) rigidez *f*, inflexibilidad *f*

raidir [rɛdir] **1** *vt* estibar **2 se raidir** *vpr* ponerse tenso(a)

raie [rɛ] *nf* (*trait, poisson*) raya *f*

rail [rɑj] *nm* (*de voie ferrée*) riel *m*, raíl *m*; **le r.** (*moyen de transport*) el ferrocarril

raisin [rezɛ̃] *nm* uva *f* ▪ **raisins secs** (uvas) pasas *fpl*

raison [rezɔ̃] *nf* (*faculté de raisonner, sagesse*) razón *f*; (*santé mentale*) juicio *m*; (*motif, excuse*) razón *f*, motivo *m*; **ramener qn à la r.** hacer entrar a alguien en razones; **avoir r.** tener razón; **avoir r. de faire qch** hacer bien en hacer algo; **donner r. à qn** dar la razón a alguien; **perdre la r.** perder la razón; **à plus forte r.** razón de más; **à r. de** a razón de; **en r. de qch** debido a algo; **r. de plus** razón de más ▪ **r. sociale** razón social

raisonnable [rezonabl] *adj* (*décision, prix*) razonable; (*rationnel*) racional

raisonnement [rezɔnmɑ̃] *nm* (*faculté*) raciocinio *m*; (*argumentation*) razonamiento *m*

raisonner [rezɔne] **1** *vi* (*penser*) pensar; (*discuter*) razonar **2** *vt* hacer entrar en razón a

rajeunir [raʒœnir] **1** *vt* (*sujet: couleur, vêtement, coiffure*) rejuvenecer, hacer más joven; *(décoration)* remozar; *(population, profession)* rebajar la media de edad de 2 *vi* rejuvenecer, rejuvenecerse

rajouter [raʒute] *vt* volver a añadir; *Fam* en r. *(exagérer)* cargar las tintas

rajuster [raʒyste] *vt (vêtement, cravate)* retocar

ralenti [ralɑ̃ti] *nm (en voiture)* ralentí *m; (scène de film)* escena *f* a cámara lenta; *Cin* au r. a cámara lenta

ralentir [ralɑ̃tir] **1** *vt (allure, rythme)* reducir; *(pas)* aminorar **2** *vi* reducir la velocidad

ralentissement [ralɑ̃tismɑ̃] *nm (embouteillage)* retención *f; (diminution)* disminución *f*

rallier [66] [ralje] **1** *vt (rassembler) (hommes)* concentrar; *(suffrages)* agrupar; *(se joindre à) (troupe)* incorporarse a; *(parti)* adscribirse a; *(majorité)* sumarse a **2 se rallier** *upr* **se r. à qch** *(parti)* adscribirse a algo; *(avis, cause)* sumarse a algo

rallonge [ralɔ̃ʒ] *nf (de table)* larguero *m; (électrique)* prolongación *m*, alargo *m*

rallonger [45] [ralɔ̃ʒe] **1** *vt* alargar **2** *vi* alargarse

rallumer [ralyme] *vt* volver a encender; *Fig (querelle, passion)* reavivar

ramassage [ramasaʒ] *nm* recogida *f* ■ **r. scolaire** transporte *m* escolar

ramasser [ramase] **1** *vt* recoger; *(champignons, fleurs)* recoger, *Esp* coger; *Fam (gifle)* llevarse **2 se ramasser** *upr (se replier)* encogerse

rame [ram] *nf (aviron)* remo *m; (de métro)* tren *m; (de papier)* resma *f*

ramener [24] [ramne] **1** *vt (personne) (reconduire)* acompañar; *(amener de nouveau)* volver a llevar; *(objet)* traer; *(paix, ordre)* restablecer; **r. qch à qch** *(réduire)* reducir algo a algo **2 se ramener** *upr Fam* venir

ramer [rame] *vi* remar

ramifier [ramifje] **se ramifier** *upr* ramificarse

ramollir [ramɔlir] **1** *vt (matière)* reblandecer, ablandar **2 se ramollir** *upr (matière)* reblandecerse, ablandarse; *Fam* **il s'est ramolli** se le ha secado el cerebro

ramoner [ramɔne] *vt* deshollinar

rampe [rɑ̃p] *nf (d'escalier)* baranda *f*, barandilla *f; (plan incliné)* rampa *f; Th* candilejas *fpl* ■ **r. d'accès** rampa de acceso; **r. de lancement** rampa *o* plataforma *f* de lanzamiento

ramper [rɑ̃pe] *vi (animal, personne)* reptar; *(plante)* trepar

rancœur [rɑ̃kœr] *nf* rencor *m*

rançon [rɑ̃sɔ̃] *nf (somme d'argent)* rescate *m; Fig* **la r. de la gloire** el precio de la gloria

rancune [rɑ̃kyn] *nf* rencor *m;* **tenir r. à qn de qch** guardar rencor a alguien por algo; **sans r.!** ¡sin rencores!

rancunier, -ère [rɑ̃kynje, -ɛr] *adj* rencoroso(a)

randonnée [rɑ̃dɔne] *nf* **faire de la r.** *(à pied)* hacer senderismo; **faire une r.** dar un paseo, hacer una excursión

rang [rɑ̃] *nm (d'objets, de personnes) & Mil* fila *f; (de perles, de tricot)* vuelta *f; (ordre)* puesto *m; (hiérarchie, classe sociale)* rango *m;* **se mettre en r. (par deux)** ponerse en fila (de a dos); *Fig* **se mettre sur les rangs** presentar su candidatura

rangé, -e [rɑ̃ʒe] *adj (personne)* formal; *(vie)* ordenado(a)

rangée [rɑ̃ʒe] *nf* hilera *f*

rangement [rɑ̃ʒmɑ̃] *nm* orden *m; (placard)* alacena *f;* **faire du r.** poner orden

ranger [45] [rɑ̃ʒe] **1** *vt (chambre, objets)* ordenar; *Fig* **r. qch/qn parmi** colocar algo/a alguien entre **2 se ranger** *upr (voiture)* echarse a un lado; *(piéton)* apartarse, dejar paso; *(devenir sage)* sentar la cabeza; **se r. par deux** ponerse en fila de a dos; *Fig* **se r. à** *(se rallier)* plegarse a

ranimer [ranime] *vt (personne)* reanimar; *(feu)* avivar; *Fig (sentiment)* despertar

rapace [rapas] **1** *nm* rapaz *m*, ave *f* rapaz **2** *adj (personne)* codicioso(a)

rapatrier [66] [rapatrije] *vt* repatriar

râpé, -e [rɑpe] *adj (fromage)* rallado(a); *(vêtement)* raído(a); *Fam* **c'est r.!** *(raté)* ¡se acabó!, ¡olvídate!

râper [rɑpe] *vt (fromage)* rallar; *(bois, métal)* limar

rapetisser [raptise] **1** *vt (faire paraître plus petit)* empequeñecer **2** *vi* empequeñecerse

rapide [rapid] **1** *adj* rápido(a) **2** *nm* rápido *m*

rapidité [rapidite] *nf (d'un processus)* rapidez *f*; *(d'un véhicule)* velocidad *f*

rappel [rapel] *nm (souvenir, vaccin)* recuerdo *m*; *(de paiement)* advertencia *f*; *(de salaire)* pago *m* de un atraso; *(au spectacle)* llamada *f* a escena; *(en alpinisme)* rápel *m*, rappel *m* ■ **r. à l'ordre** llamada al orden

rappeler [9] [raple] **1** *vt (appeler de nouveau)* volver a llamar; *(ressembler à)* recordar a; *(acteurs)* llamar a escena; **r. à qn que** recordar a alguien que; **il me rappelle un ami à moi** me recuerda a un amigo mío; **r. qn à l'ordre** llamar la atención a alguien **2 se rappeler** *vpr* recordar, acordarse de; **se r. que** recordar que, acordarse de que

rapport [rapɔr] *nm (corrélation)* relación *f*, *Am* atingencia *f*; *(compte rendu)* informe *m*; *(profit)* rendimiento *m*; *(ratio)* razón *f*; **rapports** *(relation)* relaciones; **ça n'a aucun r. (avec)** eso no tiene nada que ver (con); **se mettre en r. avec qn** ponerse en contacto con alguien; **par r. à** en relación a, con respecto a ■ **r. qualité-prix** relación calidad-precio; **rapports (sexuels)** relaciones (sexuales)

rapporter [rapɔrte] **1** *vt (apporter avec soi)* traer; *(apporter de nouveau)* volver a traer; *(rendre)* devolver; *(argent, profit)* reportar; *(fait)* relatar, contar **2** *vi (être rentable)* rendir; *(répéter)*

chivarse **3 se rapporter** *vpr* **se r. à** referirse a

rapprochement [raprɔʃmɑ̃] *nm* acercamiento *m*; *(comparaison)* relación *f*

rapprocher [raprɔʃe] **1** *vt (mettre plus près)* acercar (**de** a); *(réunir, unir)*; *(comparer)* cotejar **2 se rapprocher** *vpr* acercarse (**de** a); *(être semblable)* parecerse (**de** a)

raquette [raket] *nf* raqueta *f*

rare [rar] *adj (peu fréquent)* contado(a); *(peu nombreux)* contado(a), escaso(a); *(peu dense)* ralo(a); *(remarquable)* raro(a)

rarement [rarmɑ̃] *adv* raramente

ras, -e [rɑ, rɑz] *adj (herbe, poil, barbe)* corto(a); *(cheveux)* al rape; *(mesure)* raso(a); **à r. bord** hasta el borde **2** *adv* al rape; *Fam* **en avoir r. le bol** estar hasta las narices *o* hasta el moño; **à r. de, au r. de** a ras de

raser [rɑze] **1** *vt (barbe)* afeitar; *(cheveux)* rapar; *(mur, sol)* pasar rozando; *(bombarder)* arrasar; *Fam (ennuyer)* ser un rollo para **2 se raser** *vpr (se couper la barbe)* afeitarse; *Fam (s'ennuyer)* aburrirse

rasoir [rɑzwar] **1** *nm* navaja *f* de afeitar ■ **r. électrique** maquinilla *f* eléctrica; **r. mécanique** maquinilla mecánica **2** *adj inv Fam* **qu'est-ce qu'il est r., ce film!** ¡qué rollo de película!

rassasier [66] [rasazje] *vt* hartar, saciar

rassemblement [rasɑ̃bləmɑ̃] *nm (de personnes)* concentración *f*, aglomeración *f*; *(union, parti)* agrupación *f*

rassembler [rasɑ̃ble] **1** *vt* reunir; *(idées)* poner en orden; *(courage)* hacer acopio de **2 se rassembler** *vpr (manifestants)* concentrarse; *(famille)* reunirse

rasseoir [10] [raswar] **se rasseoir** *vpr* volver a sentarse

rassis, -e [rasi, -iz] *adj (pain)* duro(a)

rassurant, -e [rasyrɑ̃, -ɑ̃t] *adj* tranquilizador(ora)

rassurer [rasyre] **1** *vt* tranquilizar **2 se**

rassurer *vpr* tranquilizarse; **rassurez-vous,...** no se preocupe,..., *Esp* descuide,...

rat [ra] *nm* rata ∎ **petit r.** *(danseuse)* = joven bailarina de la escuela de danza de la Ópera de París

raté, -e [rate] **1** *adj (tentative)* malogrado(a); **ta photo/ta tarte est ratée** te ha salido mal la foto/la tarta; **c'est r.!** *(il n'y a plus d'espoir)* no hay nada que hacer **2** *nm,f* fracasado(a) *m,f* **3** *nm Aut* sacudida *f; (difficulté)* tropiezo *m*

râteau, -x [rato] *nm* rastrillo *m*

rater [rate] **1** *vt (train, occasion)* perder; *(personne)* no encontrar; *(cible)* errar; *(vie)* malograr; *(examen)* suspender; **j'ai raté le gâteau** me ha salido mal el pastel **2** *vi* fracasar

ratifier [66] [ratifje] *vt* ratificar

ration [rasjɔ̃] *nf* ración *f*

rationnel, -elle [rasjɔnɛl] *adj* racional

rationnement [rasjɔnmɑ̃] *nm* racionamiento *m*

ratisser [ratise] *vt (jardin)* rastrillar; *(zone, quartier)* peinar

rattacher [rataʃe] **1** *vt (attacher de nouveau)* volver a atar; **r. qch à qch** *(région)* incorporar algo a algo; *Fig (faire le lien entre)* relacionar algo con algo; **r. qn à qch** unir a alguien a algo **2 se rattacher** *vpr* se **r. à qch** relacionarse con algo

rattrapage [ratrapaʒ] *nm Scol* recuperación *f*

rattraper [ratrape] **1** *vt (animal, prisonnier)* atrapar, *Esp* coger, *Am* agarrar; *(temps perdu)* recuperar; *(bus)* alcanzar; *(personne qui tombe)* agarrar; *(erreur, malfaçon)* reparar **2 se rattraper** *vpr (se retenir)* agarrarse (**à** a)

raturer [ratyre] *vt* tachar

rauque [rok] *adj* ronco(a)

ravager [45] [ravaʒe] *vt* asolar

ravages [ravaʒ] *nmpl* estragos *mpl*

ravaler [ravale] *vt (façade, immeuble)* revocar; *(salive)* tragar; *Fig (larmes, colère)* tragarse

ravi, -e [ravi] *adj (personne)* encantado(a) (**de qch** con algo); *(air)* radiante; **r. de faire votre connaissance** encantado de conocerle

ravin [ravɛ̃] *nm* barranco *m*

ravir [ravir] *vt (charmer)* encantar; **à r.** *(admirablement)* a las mil maravillas; *Litt* **r. qch à qn** *(arracher)* arrebatar algo a alguien

raviser [ravize] **se raviser** *vpr* echarse atrás

ravisseur, -euse [ravisœr, -øz] *nm,f* secuestrador(ora) *m,f*

ravitaillement [ravitajmɑ̃] *nm* abastecimiento *m*

ravitailler [ravitaje] **1** *vt (en denrées)* abastecer; *(en carburant)* repostar **2 se ravitailler** *vpr (en denrées)* abastecerse; *(en carburant)* repostar

raviver [ravive] *vt* reavivar

rayé, -e [reje] *adj (tissu)* a rayas; *(disque, vitre)* rayado(a)

rayer [53] [reje] *vt (disque, vitre)* rayar; *(nom, mot)* tachar

rayon [rejɔ̃] *nm (de lumière, radiation)* rayo *m; Fig (d'espoir)* viso *m*, resquicio *m; (d'une roue, d'un cercle)* radio *m; (dans un magasin)* sección *f; (étagère)* estante *m; (d'une ruche)* panal *m;* **dans un r.** de en un radio de ∎ **r. d'action** radio de acción; **r. laser** rayo láser; **rayons X** rayos X

rayonnage [rejonaʒ] *nm* estantería *f*

rayonnant, -e [rejɔnɑ̃, -ɑ̃t] *adj* radiante

rayonnement [rejɔnmɑ̃] *nm* radiación *f; Fig (influence)* influencia *f*

rayonner [rejone] *vi (chaleur)* irradiar; *(soleil)* brillar; *(culture, visage)* resplandecer; *(avenues, rues)* tener una estructura radial; *(voyageur)* = viajar a diferentes lugares volviendo siempre a una base central

rayure [rejyr] *nf (sur une étoffe)* raya *f; (sur un disque, sur un meuble)* rayadura *f;* **à rayures** a rayas

raz de marée [radmare] *nm inv*

(vague) maremoto *m* ∎ *Fig* **r. électoral** vuelco *m* electoral

réacteur [reaktœr] *nm* reactor *m*

réaction [reaksjɔ̃] *nf* reacción *f*; **en r. contre** como reacción contra

réadapter [readapte] **1** *vt (rééduquer)* reeducar **2 se réadapter** *vpr* **se r. à qch** readaptarse a algo

réagir [reaʒir] *vi* reaccionar; **r. à qch** *(à un médicament)* reaccionar a algo; *(à la critique)* reaccionar en contra de algo; **r. sur qch** *(se répercuter)* repercutir en algo

réalisateur, -trice [realizatœr, -tris] *nm,f* realizador(ora) *m,f*

réalisation [realizɑsjɔ̃] *nf* realización *f*

réaliser [realize] **1** *vt (effectuer)*, *TV* & *Cin* realizar; *(rêve)* cumplir; *(se rendre compte de)* darse cuenta de; **r. que** darse cuenta de que **2 se réaliser** *vpr* realizarse

réalité [realite] *nf* realidad *f*; **en r.** en realidad

réanimation [reanimasjɔ̃] *nf* reanimación *f*; **être en r.** estar en cuidados intensivos

réanimer [reanime] *vt* reanimar

rebattu, -e [rəbaty] *adj* trillado(a)

rebelle [rəbɛl] *adj* & *nmf* rebelde *mf*

rebeller [rəbele] **se rebeller** *vpr* rebelarse (**contre** contra)

rébellion [rebeljɔ̃] *nf* rebelión *f*

rebiffer [rəbife] **se rebiffer** *vpr Fam* resistirse (**contre** a)

rebondir [rəbɔ̃dir] *vi (objet)* rebotar; *Fig (affaire)* volver a cobrar actualidad

rebondissement [rəbɔ̃dismɑ̃] *nm* resurgimiento *m*

rebord [rəbɔr] *nm* reborde *m*

reboucher [rəbuʃe] *vt* volver a tapar

rebours [rəbur] **à rebours** *adv* a contracorriente

rebrousse-poil [rəbruspwal] **à rebrousse-poil** *adv* a contrapelo

rébus [rebys] *nm* jeroglífico *m (juego)*

rebut [rəby] *nm* **mettre qch au r.** deshacerse de algo

rebuter [rəbyte] *vt* repeler

récapituler [rekapityle] *vt* recapitular

recel [rəsɛl] *nm (d'objets volés)* receptación *f*

recensement [rəsɑ̃smɑ̃] *nm (de population)* censo *m*; *(de biens)* inventario *m*

recenser [rəsɑ̃se] *vt (population)* censar; *(biens)* inventariar

récent, -e [resɑ̃, -ɑ̃t] *adj* reciente

récepteur, -trice [reseptœr, -tris] **1** *adj* receptor(ora) *m,f* **2** *nm* receptor *m*; *(du téléphone)* auricular *m*

réception [resɛpsjɔ̃] *nf* recepción *f*

réceptionniste [resɛpsjɔnist] *nmf* recepcionista *mf*

récession [resɛsjɔ̃] *nf* recesión *f*

recette [rəsɛt] *nf (rentrée d'argent)* ingresos *mpl*; *(de cuisine)* & *Fig* receta *f*

receveur, -euse [rəsəvœr, -øz] *nm,f (des transports)* cobrador(ora) *m,f*; *Méd (d'une greffe, de sang)* receptor(ora) *m,f* ∎ **r. des impôts** inspector(ora) *m,f* de Hacienda; **r. des postes** jefe(a) *m,f* de correos

recevoir [60] [rəsəvwar] *vt* recibir; *(candidature, plainte)* admitir; **être reçu à un examen** aprobar un examen

rechange [rəʃɑ̃ʒ] **de rechange** *adj* de recambio, de repuesto

recharge [rəʃarʒ] *nf* recarga *f*

rechargeable [rəʃarʒabl] *adj* recargable

réchaud [reʃo] *nm* hornillo *m*, infiernillo *m*

réchauffement [reʃofmɑ̃] *nm* recalentamiento *m*; **le r. de la planète** el cambio climático, el calentamiento global

réchauffer [reʃofe] **1** *vt (nourriture)* recalentar; *(personne)* hacer entrar en calor **2 se réchauffer** *vpr (personne)* entrar en calor; *(climat, terre)* recalentarse; **se r. les mains** calentarse las manos

rêche [rɛʃ] *adj* áspero(a)

recherche [rəʃɛrʃ] *nf (quête)* & *Ordinat* búsqueda *f*; *(scientifique)* investigación *f*; *(raffinement)* refinamiento

m; **être à la r. de qch/de qn** estar
buscando algo/a alguien; **partir à la
r. de qch/de qn** ir en busca de algo/
de alguien; **recherches** *(policières)*
investigaciones; **faire de la r.**
dedicarse a la investigación
recherché, -e [rəʃɛrʃe] *adj (rare)*
codiciado(a); *(raffiné)* rebuscado(a)
rechercher [rəʃɛrʃe] *vt* buscar
rechute [rəʃyt] *nf* recaída *f*
récidiver [residive] *vi Jur* reincidir
récif [resif] *nm* arrecife *m*
récipient [resipjã] *nm* recipiente *m*
réciproque [resiprɔk] **1** *adj*
recíproco(a) **2** *nf* **la r.** lo contrario
récit [resi] *nm* relato *m*
récital, -als [resital] *nm* recital *m*
réciter [resite] *vt* recitar
réclamation [reklamasjɔ̃] *nf* reclamación *f*
réclame [reklam] *nf (publicité)*
propaganda *f*; *(annonce)* anuncio *m*;
faire de la r. pour qch hacer
propaganda de algo; **être en r.** estar
de oferta
réclamer [reklame] *vt* reclamar;
(nécessiter) exigir, requerir
réclusion [reklyzjɔ̃] *nf* reclusión *f* ■ **r.
à perpétuité** reclusión a perpetuidad
recoiffer [rəkwafe] **1** *vt* repinar **2 se
recoiffer** *vpr* repeinarse
recoin [rəkwɛ̃] *nm* rincón *m*
recoller [rəkɔle] *vt* volver a pegar
récolte [rekɔlt] *nf* cosecha *f*
récolter [rekɔlte] *vt* cosechar; *Fig
(renseignements, ennuis)* cosechar;
Fam (punition, gifle) ganarse
recommandable [rəkɔmãdabl] *adj*
recomendable; **peu r.** poco recomendable
recommandation [rəkɔmãdasjɔ̃] *nf*
recomendación *f*
recommandé, -e [rəkɔmãde] **1** *adj
(envoi)* certificado(a); *(conseillé)*
aconsejado(a) **2** *nm* **envoyer qch en
r.** enviar algo por correo certificado
recommander [rəkɔmãde] *vt* recomendar; **r. à qn de faire qch** recomendar a alguien que haga algo

recommencer [16] [rəkɔmãse] **1** *vt
(refaire)* volver a empezar; *(reprendre)*
retomar, reemprender; *(répéter)*
repetir **2** *vi (récidiver)* volver a
hacerlo; *(se produire de nouveau)*
empezar de nuevo; **r. à faire qch**
volver a hacer algo
récompense [rekɔ̃pãs] *nf* recompensa *f*
récompenser [rekɔ̃pãse] *vt* recompensar
réconciliation [rekɔ̃siljasjɔ̃] *nf* reconci-
liación *f*
réconcilier [66] [rekɔ̃silje] **1** *vt*
reconciliar **2 se réconcilier** *vpr*
reconciliarse
reconduire [18] [rəkɔ̃dɥir] *vt
(personne)* acompañar; *(budget,
politique)* seguir con; *Jur* reconducir
réconfort [rekɔ̃fɔr] *nm* consuelo *m*
réconfortant, -e [rekɔ̃fɔrtã, -ãt] *adj*
reconfortante, *Méx* apapacha-
dor(ora)
réconforter [rekɔ̃fɔrte] *vt* reconfortar
reconnaissance [rəkɔnesãs] *nf*
reconocimiento *m*; *(gratitude)* agradecimiento *m*; **aller** *ou* **partir en r.** ir
a reconocer el terreno
reconnaissant, -e [rəkɔnesã, -ãt] *adj*
agradecido(a); **je vous serais r. de
répondre rapidement** le agradecería
que me respondiese rápidamente
reconnaître [20] [rəkɔnɛtr] *vt*
reconocer; **r. qn à** *(identifier)*
reconocer *o* conocer a alguien por
reconsidérer [34] [rəkɔ̃sidere] *vt*
reconsiderar
reconstituer [rəkɔ̃stitɥe] *vt* recons-
tituir; *(crime, faits)* reconstruir
reconstitution [rəkɔ̃stitysjɔ̃] *nf*
reconstitución *f*; *(de crime, de faits)*
reconstrucción *f*
reconstruction [rəkɔ̃stryksjɔ̃] *nf*
reconstrucción *f*
reconstruire [18] [rəkɔ̃strɥir] *vt*
reconstruir; *(fortune)* rehacer
reconversion [rəkɔ̃versjɔ̃] *nf* recon-
versión *f*; *(professionnelle)* reciclaje
m

reconvertir [rəkɔ̃vertir] **se reconvertir** *vpr* reciclarse

recopier [66] [rəkɔpje] *vt (texte)* copiar; *(brouillon)* pasar a limpio

record [rəkɔr] **1** *nm* récord *m*; **battre/détenir un r.** batir/poseer un récord **2** *adj inv* récord *inv*

recoudre [21] [rəkudr] *vt* recoser

recoupement [rəkupmã] *nm* cotejo *m*; **par r.** atando cabos

recouper [rəkupe] **1** *vt (couper de nouveau)* volver a cortar; *(coïncider avec)* coincidir con **2 se recouper** *vpr (coïncider)* coincidir

recourir [22] [rəkurir] *vi* **r. à** recurrir a

recours [rəkur] *nm* recurso *m*; **avoir r. à** recurrir a; **en dernier r.** como último recurso

recouvrer [rəkuvre] *vt (santé, liberté)* recuperar; *(impôts)* recaudar

recouvrir [52] [rəkuvrir] *vt (couvrir à nouveau)* tapar; *(surface)* recubrir (**de** con), cubrir (**de** de); *(siège)* tapizar (**de** de); *(livre)* forrar (**de** con); *(englober)* abarcar

récréation [rekreasjɔ̃] *nf (à l'école)* recreo *m*; *(détente)* recreación *f*

recroqueviller [rəkrɔkvije] **se recroqueviller** *vpr (personne)* acurrucarse; *Fig* encerrarse en sí mismo; *(plante, papier)* retorcerse

recrue [rəkry] *nf (militaire)* recluta *mf*; *(d'un parti, d'un club)* nuevo miembro *m*

recrutement [rəkrytmã] *nm (de personnel)* contratación *f*; *Mil* reclutamiento *m*

recruter [rəkryte] *vt (personnel)* contratar; *Mil* reclutar

rectangle [rɛktãgl] *nm* rectángulo *m*

rectangulaire [rɛktãgyler] *adj* rectangular

rectification [rɛktifikasjɔ̃] *nf* rectificación *f*

rectifier [66] [rɛktifje] *vt* rectificar

recto [rɛkto] *nm* cara *f (de un folio)*, recto *m*; **r. verso** por las dos caras

reçu, -e [rəsy] **1** *pp voir* **recevoir 2** *nm* recibo *m*

recueil [rəkœj] *nm* selección *f*

recueillement [rəkœjmã] *nm* recogimiento *m*

recueillir [5] [rəkœjir] **1** *vt* recoger; *(suffrages)* obtener **2 se recueillir** *vpr* recogerse

recul [rəkyl] *nm* retroceso *m*; *Fig (pour juger)* distancia *f*; **prendre du r.** retroceder; *Fig* distanciarse

reculé, -e [rəkyle] *adj (endroit)* recóndito(a); *(époque, temps)* remoto(a)

reculer [rəkyle] **1** *vt (véhicule)* mover hacia atrás; *(date)* retrasar **2** *vi* retroceder

reculons [rəkylɔ̃] **à reculons** *adv* andando hacia atrás

récupération [rekyperasjɔ̃] *nf* recuperación *f*; *(politique)* reclamación *f*

récupérer [34] [rekypere] **1** *vt* recuperar **2** *vi* recuperarse

recyclage [rəsiklaʒ] *nm* reciclaje *m*

recycler [rəsikle] **1** *vt* reciclar **2 se recycler** *vpr* reciclarse

rédacteur, -trice [redaktœr, -tris] *nm,f* redactor(ora) *m,f* ■ **r. en chef** redactor(ora) jefe

rédaction [redaksjɔ̃] *nf* redacción *f*

redemander [rədəmãde, rdəmãde] *vt* volver a pedir; *Fig* **en r.** pedir más

redémarrer [rədemare] *vi* volver a arrancar

redescendre [rədesãdr] *vt & vi* volver a bajar

redevance [rdəvãs, rədvãs] *nf (taxe)* canon *m*; *(de la télévision)* = impuesto anual que se paga por tener una televisión

rediffusion [rədifyzjɔ̃] *nf (d'une émission)* reposición *f*

rédiger [45] [rediʒe] *vt* redactar

redire [27a] [rədir] *vt* repetir; **trouver à r. à qch** tener algo que objetar a algo; **il n'y a rien à r.** no hay nada que objetar

redoubler [rəduble] **1** *vt (classe)* repetir; *(efforts)* redoblar **2** *vi (tempête)* arreciar; **r. d'efforts/de prudence** redoblar los esfuerzos/la prudencia

redoutable [rədutabl] *adj* temible

redouter [rədute] *vt* temer

redressement [rədrɛsmɑ̃] *nm (reprise)* recuperación *f* ▪ **r. fiscal** rectificación *f* fiscal

redresser [rədrese] **1** *vt* enderezar; *(pays, économie)* recuperar, enderezar **2** **se redresser** *vpr (personne)* enderezarse; *(dans son lit)* incorporarse; *(pays, économie)* recuperarse

réduction [redyksjɔ̃] *nf (diminution) & Méd* reducción *f; (rabais)* reducción *f,* rebaja *f*

réduire [18] [redɥir] **1** *vt* reducir; **r. qn au désespoir** desesperar a alguien; **en être réduit à faire qch** verse obligado(a) a hacer algo **2** *vi Culin* reducirse **3** **se réduire** *vpr* **se r. à qch** reducirse a algo

réduit, -e [redɥi, -it] **1** *pp voir* **réduire 2** *adj* reducido(a) **3** *nm (local exigu)* cuchitril *m; (renfoncement)* rincón *m*

réécrire [30] [reekrir] *vt* reescribir

rééducation [reedykɑsjɔ̃] *nf* rehabilitación *f*

réel, -elle [reɛl] *adj* real

refaire [36] [rəfɛr] **1** *vt* rehacer **2** **se refaire** *vpr* **se r. une santé** recuperarse

réfectoire [refɛktwar] *nm* refectorio *m*

référence [referɑ̃s] *nf* referencia *f;* **faire r. à** hacer referencia a; **ouvrage de r.** obra *f* de referencia

référer [34] [refere] **1** *vi* **en r. à qn** consultarlo con alguien **2** **se référer** *vpr* **se r. à** *(prendre comme référence)* hacer referencia a

refermer [rəfɛrme] **1** *vt* cerrar **2** **se refermer** *vpr* cerrarse

réfléchi, -e [refleʃi] *adj (personne) & Gram* reflexivo(a); *(action)* pensado(a); **c'est tout r.** está decidido

réfléchir [refleʃir] **1** *vt* reflejar **2** *vi* reflexionar **(sur** sobre); **r. à qch** pensar en algo **3** **se réfléchir** *vpr* reflejarse

reflet [rəflɛ] *nm* reflejo *m*

refléter [34] [rəflete] **1** *vt* reflejar **2** **se refléter** *vpr* reflejarse

réflexe [reflɛks] *nm* reflejo *m*

réflexion [reflɛksjɔ̃] *nf* reflexión *f; (remarque)* observación *f;* **faire une r. à qn** hacer un comentario a alguien; **r. faite,...** pensándolo bien,...

reflux [rəfly] *nm* reflujo *m*

réforme [refɔrm] *nf* reforma *f*

réformer [refɔrme] *vt (améliorer, corriger)* reformar; *Mil* declarar exento(a)

refouler [rəfule] *vt (envahisseur)* rechazar; *(sentiment, larmes)* reprimir

refrain [rəfrɛ̃] *nm* estribillo *m; Fig (rengaine)* canción *f*

réfrigérateur [refriʒeratœr] *nm* frigorífico *m*

refroidir [rəfrwadir] **1** *vt (rendre froid, décourager)* enfriar **2** *vi* enfriarse **3** **se refroidir** *vpr (temps)* enfriarse

refroidissement [rəfrwadismɑ̃] *nm* enfriamiento *m*

refuge [rəfyʒ] *nm* refugio *m;* **chercher/trouver r.** *(auprès de qn)* buscar/encontrar refugio (en alguien)

réfugié, -e [refyʒje] *adj & nm,f* refugiado(a) *m,f*

réfugier [refyʒje] **se réfugier** *vpr* refugiarse; *Fig* **se r. dans qch** refugiarse en algo

refus [rəfy] *nm inv* rechazo *m*

refuser [rəfyze] **1** *vt (repousser)* rechazar; *(client, spectateur)* dejar fuera; **r. qch à qn** negar algo a alguien **r. de faire qch** negarse a hacer algo; **être recalé** *(candidat)* suspender; *Am* reprobar **2** *vi (chien non)* decir que no **3** **se refuser** *vpr* **se r. à faire qch** negarse a hacer algo

regagner [rəgaɲe] *vt (reprendre)* recuperar, recobrar; *(revenir à)* volver a, *Am* regresar a

régaler [regale] **1** *vt* obsequiar con *(una comida); Fam* **c'est moi qui régale!** ¡invito yo! **2** **se régaler** *vpr* **nous nous sommes régalés** nos ha encantado

regard [rəgar] *nm* mirada *f*; **interroger qn du r.** interrogar a alguien con la mirada

regarder [rəgarde] **1** *vt* mirar; *Fig* **r. les choses en face** enfrentarse a las cosas; **ça ne te regarde pas** eso no es cosa tuya **2 se regarder** *upr* mirarse

régie [reʒi] *nf (gestion)* concesión *f* administrativa; *(entreprise)* empresa *f* estatal; *(d'un spectacle, d'une émission)* servicio *m* de producción; *(local)* sala *f* de control

régime [reʒim] *nm* régimen *m*; *(alimentaire)* régimen *m*, dieta *f*; *(de bananes)* racimo *m*; **être/se mettre au r.** ponerse a régimen o dieta; **suivre un r.** seguir un régimen o una dieta ■ **r. amincissant** régimen adelgazante

régiment [reʒimɑ̃] *nm* regimiento *m*

région [reʒjɔ̃] *nf* región *f*

régional, -e, -aux, -ales [reʒjɔnal, -o] *adj* regional

registre [rəʒistr] *nm* registro *m*

réglable [reglabl] *adj (adaptable)* regulable; *(payable)* abonable

réglage [reglaʒ] *nm* regulación *f*

règle [regl] *nf* regla *f*; **c'est la r. du jeu** son las reglas del juego; **dans les règles de l'art** con todas las de la ley; **être en r.** estar en regla; **en r. générale** por regla general; **règles** *(menstruation)* regla; **avoir ses règles** tener la regla

règlement [regləmɑ̃] *nm (d'une affaire, d'un conflit)* arreglo *m*; *(paiement)* pago *m*; *(règle)* reglamento *m* ■ **r. de comptes** ajuste *m* de cuentas

réglementaire [regləmɑ̃ter] *adj* reglamentario(a)

réglementation [regləmɑ̃tasjɔ̃] *nf* reglamentación *f*

réglementer [regləmɑ̃te] *vt* regular

régler [34] [regle] *vt (détails, question, problème)* arreglar; *(mécanisme, machine)* regular; *(note, commerçant)* pagar

réglisse [reglis] *nf* regaliz *m*

règne [reɲ] *nm* reinado *m*; **sous le r. de** bajo el reinado de

régner [34] [reɲe] *vi* reinar

regorger [45] [rəgɔrʒe] *vi* **r. de qch** rebosar (de) algo

regret [rəgre] *nm (nostalgie)* añoranza *f*; *(repentir)* arrepentimiento *m*; **à r.** a disgusto; **à mon grand r.,...** muy a mi pesar,...; **sans regrets** sin (ningún) pesar; **j'ai le r. de vous annoncer...** tengo el triste deber de anunciarle...

regrettable [rəgretabl] *adj (incident)* lamentable; **c'est r. que...** es una pena que...

regretter [rəgrete] *vt (passé)* añorar; *(se repentir de)* arrepentirse de; *(déplorer)* sentir, lamentar; **il regrette que vous n'ayez pas pu vous rencontrer** siente mucho que no os hayáis podido conocer; **r. de faire qch** sentir o lamentar hacer algo; **non, je regrette** no, lo siento

regrouper [rəgrupe] **1** *vt* agrupar **2 se regrouper** *upr* agruparse

régulariser [regylarize] *vt (situation, documents)* regularizar

régularité [regylarite] *nf* regularidad *f*; *(harmonie)* proporción *f*

régulier, -ère [regylje, -er] *adj* regular; *(visage, traits)* bien proporcionado(a); *Fam (honnête)* decente

rein [rɛ̃] *nm* riñón *m*; **reins** *(dos)* riñones

reine [ren] *nf* reina *f*

réinsertion [reɛ̃sersjɔ̃] *nf* reinserción *f*

réintégrer [34] [reɛ̃tegre] *vt (rejoindre)* reincorporar, reintegrar; *Jur* reintegrar

rejaillir [rəʒajir] *vi* salpicar; *Fig* **r. sur** salpicar a

rejet [rəʒe] *nm (refus) & Méd* rechazo *m*

rejeter [42] [rəʒte] *vt (balle)* volver a lanzar; *(offre, personne, greffe)* rechazar; *Fig* **r. la responsabilité sur qn** hacer recaer la responsabilidad sobre alguien

rejoindre [43] [rəʒwɛdr] **1** *vt (retrouver)* reunirse con; *(rattraper)* *(personne)* alcanzar; *(route, sentier)* llegar a; *(s'unir à)* unirse a; *(concorder avec)* confirmar **2 se rejoindre** *upr (personnes)* reunirse, encontrarse; *(routes, chemins)* encontrarse; *(opinions)* coincidir

réjouir [reʒwir] **1** *vt* alegrar **2 se réjouir** *upr* alegrarse *(de* de)

relâche [rəlɑʃ] *nf* descanso *m;* **faire r.** descansar; **sans r.** sin descanso

relâcher [rəlɑʃe] **1** *vt (muscles)* aflojar; *(étreinte, attention, efforts)* relajar, descuidar; *(prisonnier, animal)* soltar **2 se relâcher** *upr (corde, muscle)* aflojarse; *(discipline, personne)* relajarse, descuidarse

relais [rəlɛ] *nm (auberge)* albergue *m;* *(course)* relevo *m;* *(de télévision)* repetidor *m;* **prendre le r. de qn** tomar el relevo de manos de alguien

relancer [16] [rəlɑ̃se] *vt (balle)* volver a lanzar; *(économie, projet)* reactivar; *(personne)* acosar

relatif, -ive [rəlatif, -iv] *adj* relativo(a) *(à* a)

relation [rəlasjɔ̃] *nf* relación *f;* **mettre qn en r. avec qn** poner en contacto a alguien con alguien; **avoir des relations (avec)** mantener relaciones (con) ▪ **relations publiques** relaciones públicas; **relations sexuelles** relaciones sexuales

relaxer [rəlakse] **1** *vt* relajar; *Jur* poner en libertad **2 se relaxer** *upr* relajarse

relayer [53] [rəleje] **1** *vt* relevar **2 se relayer** *upr* turnarse

relevé, -e [rəlve] **1** *adj (sauce, plat)* picante, *Méx* picoso(a) **2** *nm (de compteur)* lectura *f* ▪ **r. de compte** extracto *m* de cuenta; **r. d'identité bancaire** = certificado del banco donde se especifica el número de cuenta y código de sucursal del cliente

relève [rəlɛv] *nf* relevo *m;* **prendre la r.** tomar el relevo

relever [46] [rəlve] **1** *vt* levantar; *(remettre debout)* poner de pie; *(store, prix, salaire)* subir; *(copies)* recoger;

Culin (mettre en valeur) realzar; *(pimenter)* sazonar; *(adresse)* anotar, apuntar; *(erreur)* señalar; *(compteur)* leer; *(sentinelle, vigile)* relevar; **r. qn de ses fonctions** relevar a alguien de sus funciones

2 *vi* **r. de qch** *(être du domaine de)* atañer o concernir a algo

3 se relever *upr* levantarse; *(après une chute) Esp* ponerse de pie, *Am* pararse

relief [rəljɛf] *nm* relieve *m;* **mettre qch en r.** poner algo de relieve

relier [66] [rəlje]   *vt   (livre)* encuadernar; *(attacher, joindre)* unir *(à* a); *Fig (associer)* relacionar

religieux, -euse [rəliʒjø, -øz] *adj & nm,f* religioso(a) *m,f*

religion [rəliʒjɔ̃] *nf* religión *f*

relire [44] [rəlir] **1** *vt* releer **2 se relire** *upr* releer *(lo que uno ha escrito)*

reliure [rəljyr] *nf* encuadernación *f*

reluire [18] [rəlɥir] *vi* relucir; **faire r. qch** dar brillo a algo

remaniement   [rəmanimɑ̃]   *nm* remodelación *f* ▪ **r. ministériel** reajuste *m* ministerial

remanier [66] [rəmanje] *vt* remodelar

remarier: se remarier *upr* volver a casarse

remarquable [rəmarkabl] *adj* notable

remarque [rəmark] *nf* observación *f,* comentario *m;* **faire une r. à qn** hacer una observación a alguien

remarquer [rəmarke] **1** *vt (noter)* notar; **faire r. qch à qn** *(signaler)* señalar algo a alguien; **se faire r.** hacerse notar; **remarque,...** aunque por otra parte... **2 se remarquer** *upr (être visible)* notarse

rembobiner [rɑ̃bɔbine] *vt* rebobinar

remboursement [rɑ̃bursəmɑ̃] *nm* reembolso *m*

rembourser [rɑ̃burse] *vt (dette)* pagar; *(montant)* reembolsar; *(personne)* pagar, devolver el dinero a; **r. qn de qch** reembolsar algo a alguien

remède [rəmɛd] *nm* remedio *m*

remédier [66] [rəmedje] *vi* **r. à** remediar

remémorer [rəmemɔre] **se remémo-rer** *upr* recordar

remerciement [rəmɛrsimã] *nm* agradecimiento *m*; **avec tous mes remerciements** con todo mi agradecimiento

remercier [66] [rəmɛrsje] *vt (exprimer sa gratitude à)* dar las gracias a, agradecer; *(licencier) Esp* despedir, *CSur* cesantear; **r. qn de** *ou* **pour qch** agradecer a alguien algo, dar las gracias a alguien por algo; **non, je vous remercie** no, gracias

remettre [47] [rəmɛtr] **1** *vt (replacer)* volver a poner; *(vêtement)* volver a ponerse; *Fam (reconnaître)* situar; **r. de l'ordre dans qch** ordenar algo; **r. qch à qn** *(donner)* entregar algo a alguien; **r. qch (à plus tard)** aplazar algo (hasta más tarde) **2 se remettre** *upr (se rétablir)* reponerse (**de** de); **se r. à qch/à faire qch** volver a algo/a hacer algo; **je m'en remets à toi** cuento contigo

remise [rəmiz] *nf (réduction)* rebaja *f*; *(d'une lettre, d'un colis)* entrega *f*; *(hangar) Esp* cobertizo *m*, *Am* galpón *m* ■ **r. en état** revisión *f*; **r. en jeu** saque *m*; **r. de peine** remisión *f* de condena; **r. en question** *ou* **cause** replanteamiento *m*

remontée [rəmõte] *nf* **remontées mécaniques** remontes *mpl*

remonte-pente (*pl* **remonte-pentes**) [rəmõtpãt] *nm* telearrastre *m*

remonter [rəmõte] **1** *vt (escalier, étage, objet)* volver a subir; *(meuble, machine)* volver a montar; *(vitre, store)* subir; *(col, chaussettes)* subirse; *(horloge, montre)* dar cuerda a; *(personne déprimée)* reanimar **2** *vi (monter)* subir; *(monter à nouveau)* volver a subir; **r. à** *(dater de)* remontarse a

remords [rəmɔr] *nm inv* remordimiento *m*

remorque [rəmɔrk] *nf* remolque *m*

remorquer [rəmɔrke] *vt* remolcar

remorqueur [rəmɔrkœr] *nm* remolcador *m*

remparts [rãpar] *nmpl* murallas *fpl*

remplaçant, -e [rãplasã, -ãt] *nm,f* sustituto(a) *m,f*

remplacement [rãplasmã] *nm* sustitución *f*

remplacer [16] [rãplase] *vt (substituer)* sustituir (**par** por); *(renouveler)* reemplazar, remplazar

remplir [rãplir] **1** *vt* llenar (**de** de); *(questionnaire)* rellenar, completar; *(promesse, condition)* cumplir (con) **2 se remplir** *upr* llenarse (**de** de)

remporter [rãpɔrte] *vt (prix, coupe)* ganar, llevarse; *(victoire)* conseguir

remuer [rəmɥe] **1** *vt (bras)* mover; *(terre, salade)* remover; *(émouvoir)* afectar **2** *vi (gesticuler)* moverse; *(bouger)* mover **3 se remuer** *upr* moverse

rémunérer [34] [remynere] *vt* remunerar

renaissance [rənɛsãs] *nf* renacimiento *m*

renaître [50a] [rənɛtr] *vi* renacer

renard [rənar] *nm* zorro *m*

renchérir [rãʃerir] *vi* **..., renchérit-il ...**, replicó

rencontre [rãkõtr] *nf* encuentro *m*

rencontrer [rãkõtre] **1** *vt (par hasard)* encontrarse con, encontrar; *(avoir rendez-vous avec)* reunirse con; *(faire la connaissance de)* conocer; *Fig (obstacle)* tropezar con **2 se rencontrer** *upr (par hasard)* encontrarse; *(se réunir)* reunirse; *(faire connaissance)* conocerse

rendement [rãdmã] *nm* rendimiento *m*

rendez-vous [rãdevu] *nm inv* cita *f*; *(lieu)* lugar *m* de encuentro; **j'ai r. chez le dentiste** tengo hora con el dentista; **prendre r.** pedir hora

rendormir [29] [rãdɔrmir] **se rendormir** *upr* volver a dormirse

rendre [rãdr] **1** *vt (restituer)* devolver; *Jur* pronunciar; *(faire devenir)* volver; *(exprimer)* reflejar; *(produire)* aportar; *(vomir)* devolver; **r. qn heureux** hacer feliz a alguien; **il me rendra folle** va a

volverme loca; *Mil* **r. les armes** rendirse
2 *vi (produire)* rendir; *(vomir)* devolver
3 se rendre *upr (capituler)* rendirse; *(se faire devenir)* hacerse; **se r. à** *(aller)* acudir a; *(à l'étranger)* irse a; **se r. malade** ponerse enfermo(a); **se r. utile** hacer algo útil
renfermé, -e [rɑ̃fɛrme] **1** *adj* cerrado(a) **2** *nm* **ça sent le r.** huele a cerrado
renfermer [rɑ̃fɛrme] **1** *vt (contenir)* encerrar **2 se renfermer** *upr (s'isoler)* encerrarse
renforcer [16] [rɑ̃fɔrse] *vt (mur, armée)* reforzar; *(paix, soupçons)* fortalecer; *(politique)* intensificar
renfort [rɑ̃fɔr] *nm Mil* **renforts** refuerzos *mpl*; **en r.** de refuerzo
renfrogner [rɑ̃frɔɲe] **se renfrogner** *upr* enfurruñarse
rengorger [45] [rɑ̃gɔrʒe] **se rengorger** *upr* pavonearse
renier [66] [rənje] *vt* renegar de
renifler [rənifle] **1** *vi* sorberse los mocos **2** *vt* olfatear
renne [rɛn] *nm* reno *m*
renom [rənɔ̃] *nm* renombre *m*
renommé, -e [rənɔme] **1** *adj* reputado(a) **(pour** por) **2** *nf* **renommée** renombre *m*
renoncer [16] [rənɔ̃se] *vi* renunciar; **r. à faire qch** renunciar a hacer algo
renouer [rənwe] **1** *vt (cravate, lacet)* volver a anudar; *(conversation)* reanudar **2** *vi* **r. avec qch** restablecer algo; **r. avec qn** reconciliarse con alguien
renouveau, -x [rənuvo] *nm (regain)* rebrote *m*
renouvelable [rənuvlabl] *adj* renovable
renouveler [9] [rənuvle] **1** *vt* renovar; *(demande)* reiterar **2 se renouveler** *upr* renovarse; *(recommencer)* repetirse
renouvellement [rənuvɛlmɑ̃] *nm* renovación *f*
rénovation [renɔvasjɔ̃] *nf* reforma *f*

rénover [renɔve] *vt* reformar
renseignement [rɑ̃sɛɲmɑ̃] *nm* información *f*; **demander un r.** informarse; **renseignements** *(service d'information)* información *f*; *(espionnage)* servicios *mpl* secretos; **les renseignements (téléphoniques)** información telefónica
renseigner [rɑ̃sɛɲe] **1** *vt* informar **2 se renseigner** *upr* informarse
rentable [rɑ̃tabl] *adj* rentable
rente [rɑ̃t] *nf* renta *f*; **vivre de ses rentes** vivir de renta
rentrée [rɑ̃tre] *nf (reprise des activités)* reanudación *f*; *(retour à la scène)* reaparición *f*; **r. (d'argent)** entrada *f* (de dinero) ■ **la r. des classes** la vuelta al colegio; **la r. parlementaire** la reanudación de las tareas parlamentarias
rentrer [rɑ̃tre] **1** *vi (aux être) (entrer)* entrar; *(élèves)* reanudar las clases; *(revenir)* volver (**à/de** a/de); **r. dans qch** *(s'emboîter dans)* entrar dentro de algo; *(être compris dans)* entrar en algo; **r. dans** *(heurter)* estrellarse contra **2** *vt (aux avoir) (mettre à l'abri)* entrar; *(foins)* recoger; *(griffes)* meter; **r. le ventre** meter tripa
renverse [rɑ̃vɛrs] **à la renverse** *adv* de espaldas
renverser [rɑ̃vɛrse] **1** *vt (mettre à l'envers, inverser)* invertir; *(faire tomber) (objet)* tirar, *Esp* volcar, *Am* voltear; *(piéton)* atropellar; *(liquide)* derramar, volcar; *(chef d'État)* destituir; *(régime)* derrocar **2 se renverser** *upr (se pencher en arrière)* echarse hacia atrás; *(objet)* caerse, *Esp* volcarse, *Am* voltearse; *(liquide)* derramarse, volcarse
renvoi [rɑ̃vwa] *nm (licenciement)* despido *m*; *(d'un élève)* expulsión *f*; *(à l'expéditeur)* devolución *f*; *(référence)* llamada *f*; **il a eu des renvois** *(éructation)* se le ha repetido
renvoyer [33] [rɑ̃vwaje] *vt (faire retourner)* hacer volver; *(employé) Esp* despedir, *CSur* cesantear; *(paquet,*

balle) devolver; *(lumière)* reflejar; **r. qn à** *(référer)* remitir a alguien a

réorganiser [reɔrganize] *vt* reorganizar

répandre [repɑ̃dr] *vt (liquide, larmes)* derramar; *(graines, substance)* esparcir; *(odeur)* despedir; *(terreur)* sembrar; *(mode, nouvelle)* difundir

répandu, -e [repɑ̃dy] *adj (commun)* extendido(a)

réparable [reparabl] *adj* reparable

réparation [reparasjɔ̃] *nf* reparación *f*; **réparations** *(indemnisation)* indemnización *f*

réparer [repare] *vt* reparar, arreglar, *Am* refaccionar

repartir [64a] [rəpartir] *vi (voyageur)* marcharse, irse; *(train)* salir, irse; *(affaire)* reactivarse; **r. à zéro** empezar de cero

répartir [repartir] **1** *vt* repartir **2 se répartir** *vpr* repartirse

répartition [repartisjɔ̃] *nf (partage)* reparto *m* (**entre** entre)

repas [rəpa] *nm* comida *f* ■ **r. d'affaires** comida de negocios

repassage [rəpasaʒ] *nm* planchado *m*

repasser [rəpase] **1** *vi (passer à nouveau)* volver a pasar; *(film)* volver a emitirse **2** *vt (linge)* planchar; *(examen)* volver a pasar

repêcher [rəpeʃe] *vt (retirer de l'eau)* rescatar; *Fig (élève)* repescar

repeindre [54] [rəpɛ̃dr] *vt* repintar

repentir [64a] [rəpɑ̃tir] **1** *nm* arrepentimiento *m* **2 se repentir** *vpr* arrepentirse

répercuter [reperkyte] **1** *vt (son)* repercutir **2 se répercuter** *vpr* repercutir (**sur** en)

repère [rəpɛr] *nm* referencia *f*; *(marque)* marca *f*

repérer [34] [rəpere] **1** *vt (situer)* señalar; *(bateau)* localizar; *Fam (apercevoir)* localizar **2 se repérer** *vpr* orientarse

répertoire [repertwar] *nm* repertorio *m*; *(agenda)* agenda *f*; *Ordinat* directorio *m*

répéter [34] [repete] **1** *vt* repetir; *(rôle)* ensayar **2 se répéter** *vpr* repetirse

répétition [repetisjɔ̃] *nf* repetición *f*; *(d'un rôle)* ensayo *m* ■ **r. générale** ensayo general

répit [repi] *nm* respiro *m*; **sans r.** sin parar

repli [rəpli] *nm* repliegue *m*

replier [66] [rəplije] **1** *vt (chaise, ailes)* plegar **2 se replier** *vpr* replegarse

réplique [replik] *nf* réplica *f*; *(au théâtre)* entrada *f*

répliquer [replike] *vt & vi* replicar

replonger [45] [rəplɔ̃ʒe] **1** *vt* **r. qch/qn dans qch** volver a sumergir algo/a alguien en algo; *Fig* volver a sumir algo/a alguien en algo **2** *vi* volver a sumergirse **3 se replonger** *vpr Fig* **se r. dans qch** *(livre, tâche)* volver a sumirse en algo

répondeur [repɔ̃dœr] *nm* contestador *m* ■ **r. automatique** *ou* **téléphonique** contestador automático

répondre [repɔ̃dr] **1** *vi* contestar, responder (**par** con); **r. à qch** *(correspondre)* responder a algo; **r. de qn** responder de o por alguien **2** *vt* contestar, responder

réponse [repɔ̃s] *nf (action de répondre)* respuesta *f*, contestación *f*; *(solution, réaction)* respuesta *f*

reportage [rəpɔrtaʒ] *nm* reportaje *m*, *Méx* reporte *m*

reporter¹ [rəpɔrter] *nm* reportero(a) *m,f*

reporter² [rəpɔrte] **1** *vt (rapporter)* volver a llevar; *(réunion)* aplazar (**à** hasta); **r. qch sur** *(recopier, transférer)* trasladar algo a **2 se reporter** *vpr* **se r. à qch** remitirse a algo

repos [rəpo] *nm* descanso *m*; *(immobilité, sommeil)* reposo *m*

reposé, -e [rəpoze] *adj* descansado(a); **à tête reposée** con calma

reposer [rəpoze] **1** *vt (poser à nouveau)* volver a poner; *(remettre en place)* volver a colocar; *(question)* volver a plantear; *(délasser)* descansar; **r. qch**

sur qch *(appuyer)* apoyar algo sobre algo
2 *vi (être étendu)* descansar; *Culin* reposar; **r. sur qch** *(être appuyé sur)* descansar sobre algo; *Fig (être fondé sur)* apoyarse sobre algo
3 se reposer *upr (se délasser)* descansar; **se r. sur qn** *(compter)* contar con alguien

repousser [rəpuse] **1** *vi (barbe, poil)* volver a crecer; *(végétal)* volver a brotar **2** *vt (personne, offre, ennemi)* rechazar; *(date)* aplazar; *(déplacer)* empujar; *(dégoûter)* repeler

reprendre [58] [rəprɑ̃dr] **1** *vt (chose) Esp* volver a coger, *Am* agarrar o tomar otra vez; *(ce qu'on avait donné)* volver a llevarse; *(revenir chercher)* recoger; *(se resservir, répéter)* repetir; *(travail, route)* retomar; *(vêtement)* arreglar; *(corriger)* reprender; *(courage, souffle)* recobrar
2 *vi (retrouver la vie, la vigueur)* recuperarse; *(recommencer)* reanudarse
3 se reprendre *upr (se ressaisir)* calmarse; *(se corriger)* corregirse

représentant, -e [rəprezɑ̃tɑ̃, -ɑ̃t] *nm,f* representante *mf* ■ **r. de commerce** representante de comercio

représentatif, -ive [rəprezɑ̃tatif, -iv] *adj* representativo(a) **(de (de)**

représentation [rəprezɑ̃tɑsjɔ̃] *nf* representación *f*

représenter [rəprezɑ̃te] **1** *vt* representar **2 se représenter** *upr (s'imaginer)* imaginarse; *(occasion, candidat)* volver a presentarse **(à)**

répression [represjɔ̃] *nf* represión *f*

réprimander [reprimɑ̃de] *vt* reprender

réprimer [reprime] *vt* reprimir

reprise [rəpriz] *nf (recommencement)* reanudación *f*; *(de marchandises)* recogida *f*; *(d'une entreprise)* adquisición *f*; *(de l'économie)* recuperación *f*; *(accélération)* reprís *m*; *Cout* zurcido *m*; **à plusieurs reprises** repetidas veces

repriser [rəprize] *vt* zurcir

réprobateur, -trice [reprɔbatœr, -tris] *adj* reprobador(ora)

reproche [rəprɔʃ] *nm* reproche *m*

reprocher [rəprɔʃe] *vt* reprochar

reproduction [rəprɔdyksjɔ̃] *nf* reproducción *f*

reproduire [18] [rəprɔdɥir] **1** *vt* reproducir **2 se reproduire** *upr* reproducirse

reptile [reptil] *nm* reptil *m*

repu, -e [rəpy] *adj* harto(a)

républicain, -e [repyblikɛ̃, -ɛn] *adj & nm,f* republicano(a) *m,f*

république [repyblik] *nf* república *f*; *Anciennement* **la R. démocratique allemande** la República Democrática Alemana; *Anciennement* **la r. du Congo** la República Democrática del Congo; *Anciennement* **la R. fédérale d'Allemagne** la República Federal de Alemania; **la R. tchèque** la República Checa

répugnant, -e [repyɲɑ̃, -ɑ̃t] *adj* repugnante

répugner [repyɲe] *vi* **r. à qn** repugnarle a alguien; **je répugne à employer de telles méthodes** me repugna emplear esos métodos

réputation [repytɑsjɔ̃] *nf* reputación *f*; **avoir une r. de** tener reputación de

réputé, -e [repyte] *adj* reputado(a)

requête [rəkɛt] *nf (prière)* petición *f*; *Jur* requerimiento *m*

requin [rəkɛ̃] *nm* tiburón *m*

réquisitionner [rekizisjɔne] *vt (personnes)* movilizar; *(biens)* requisar

rescapé, -e [reskape] *adj & nm,f* superviviente *mf*

rescousse [reskus] **à la rescousse** *adv* al rescate; **appeler qn à la r.** pedir socorro a alguien

réseau, -x [rezo] *nm* red *f* ■ **r. ferroviaire** red ferroviaria; *Ordinat* **r. local** red local; **r. routier** red de carreteras

réservation [rezɛrvɑsjɔ̃] *nf* reserva *f*

réserve [rezɛrv] *nf* reserva *f*; *(local)*

depósito m; *(garde-manger)* despensa f; **en r.** en reserva; **sous r. de qch** reservándose el derecho de algo
■ **r. naturelle** reserva natural
réservé, -e [rezerve] *adj* reservado(a)
réserver [rezerve] **1** *vt* reservar; **r. qch à qn** *(surprise)* reservar algo a alguien; *(marchandise)* apartar algo para alguien **2 se réserver** *upr* reservarse; **se r. le droit de faire qch** reservarse el derecho a hacer algo
réservoir [rezervwar] *nm (d'eau)* reserva f; *(d'essence)* depósito m
résidence [rezidãs] *nf* residencia f
■ **r. principale** vivienda f habitual; **r. secondaire** segunda residencia; **r. universitaire** residencia universitaria
résidentiel, -elle [rezidãsjel] *adj* residencial
résider [rezide] *vi* residir
résidu [rezidy] *nm* residuo m
résignation [reziɲasjɔ̃] *nf* resignación f
résigner [reziɲe] **se résigner** *upr* resignarse; **se r. à qch/à faire qch** resignarse a algo/a hacer algo
résistance [rezistãs] *nf* resistencia f
résistant, -e [rezistã, -ãt] *adj & nm,f* resistente mf
résister [reziste] *vi (tenir le coup)* resistir; *(lutter)* resistirse; **r. à qch** *(supporter)* resistir algo; *(lutter contre)* resistirse a algo
résolu, -e [rezɔly] **1** *pp voir* **résoudre 2** *adj* resuelto(a); **être r. à faire qch** estar resuelto a hacer algo
résolution [rezɔlysjɔ̃] *nf* resolución f; **prendre de bonnes résolutions** tener buenos propósitos; **prendre la r. de faire qch** tomar la resolución de hacer algo
résonner [rezone] *vi* resonar
résorber [rezɔrbe] **1** *vt (déficit, chômage)* reabsorber **2 se résorber** *upr (déficit, chômage)* desaparecer
résoudre [3b] [rezudr] **1** *vt (solutionner)* resolver **2 se résoudre** *upr* **se r. à faire qch** decidirse a hacer algo

respect [respe] *nm* respeto m; **avoir du r. pour** tener respeto por
respectable [respektabl] *adj* respetable
respecter [respekte] *vt* respetar
respectueux, -euse [respektɥø, -øz] *adj* respetuoso(a) **(de con)**
respiration [respirasjɔ̃] *nf* respiración f
respirer [respire] *vt & vi* respirar
responsabilité [respɔ̃sabilite] *nf* responsabilidad f; **prendre ses responsabilités** asumir la responsabilidad
responsable [respɔ̃sabl] *adj & nmf* responsable mf
ressaisir [rəsezir] **se ressaisir** *upr (se maîtriser)* dominarse; *(élève, concurrent)* recuperarse
ressemblance [rəsãblãs] *nf* parecido m
ressembler [rəsãble] **1** *vi* **r. à** parecerse a; **cela ne lui ressemble pas** eso no es normal en él **2 se ressembler** *upr* parecerse
ressentir [64a] [rəsãtir] *vt* sentir, experimentar
resserrer [rəsere] **1** *vt (ceinture, nœud)* apretar; *Fig (liens)* estrechar **2 se resserrer** *upr (route, liens)* estrecharse; *(nœud, étreinte)* apretarse
resservir [63] [rəservir] **1** *vi* volver a servir **2 se resservir** *upr (remanger)* servirse más; **se r. des légumes** servirse más verdura
ressort [rəsɔr] *nm (mécanisme)* resorte m, muelle m; *(énergie)* energía f; **ce n'est pas de mon r.** no es de mi incumbencia; **en dernier r.** en última instancia
ressortir [rəsɔrtir] **1** *vi (aux être) (sortir à nouveau)* volver a salir; *(sortir)* salir; *Fig (se détacher)* resaltar, destacar **2** *vt (aux avoir)* volver a sacar; *Fig (histoire)* contar **3** *v impersonnel (aux être)* **il ressort de ceci que...** de esto se desprende que...
ressortissant, -e [rəsɔrtisã, -ãt] *nm,f (d'un pays étranger)* residente mf *(extranjero)*

ressource [rəsurs] *nf* recurso *m*
■ **ressources naturelles** recursos
naturales

ressusciter [resysite] *vt & vi* resucitar

restant, -e [rɛstã, -ãt] *adj* restante

restaurant [rɛstɔrã] *nm* restaurante
m ■ **r. universitaire** comedor
universitario

restauration [rɛstɔrasjõ] *nf* restaura-
ración *f*; *Suisse (restaurant)* restaurante *m*

restaurer [rɛstɔre] **1** *vt (œuvre d'art,
régime)* restaurar; *(bâtiment)* remodelar **2 se restaurer** *vpr* comer

reste [rɛst] *nm* resto *m*; *Math* resta *f*;
restes *(d'un repas)* sobras *fpl*; *(d'un
mort)* restos mortales; **au** *ou* **du r.** por
lo demás

rester [rɛste] *(aux* **être**) **1** *vi (dans un
lieu)* quedarse; *(dans un état)*
permanecer; *(durer, subsister)* quedar; **c'est tout ce qui me reste** es
todo lo que me queda; **en r. là**
dejarlo **2** *v impersonnel* **il me reste 5
euros** me quedan 5 euros; **il n'en
reste pas moins que…** eso no impide
que…; **reste à savoir si…** falta saber
si…

restituer [rɛstitɥe] *vt* restituir

restreindre [54] [rɛstrɛ̃dr] **1** *vt*
restringir **2 se restreindre** *vpr*
restringirse

restriction [rɛstriksjõ] *nf (limitation)*
restricción *f*; *(condition)* condición *f*;
sans r. sin condiciones

résultat [rezylta] *nm* resultado *m*

résulter [rezylte] *v impersonnel* **il en
résulte que…** se deduce que…

résumé [rezyme] *nm* resumen *m*; **en r.**
en resumen, resumiendo

résumer [rezyme] **1** *vt* resumir **2 se
résumer** *vpr (récapituler)* resumir; **se
r. à qch** *(se réduire)* reducirse a algo

rétablir [retablir] **1** *vt* restablecer **2 se
rétablir** *vpr* restablecerse

rétablissement [retablismã] *nm*
restablecimiento *m*

retard [rətar] *nm* retraso *m*; **avoir une
heure de r.** llevar una hora de retraso;

être en r. *(sur un horaire)* llegar tarde;
(sur une échéance) llevar retraso;
être en r. sur *(peloton)* ir detrás de;
(pays) ir retrasado(a) con respecto a;
prendre du r. atrasarse; **sans r.** sin
demora

retarder [rətarde] **1** *vt* retrasar;
(montre) atrasar; **r. qch de trois jours**
retrasar algo tres días **2** *vi (montre)*
atrasar, atrasarse; **r. de cinq minutes**
atrasar cinco minutos; **r. sur son
temps** *ou* **son époque** vivir en el
pasado

retenir [70] [rtənir, rətnir] **1** *vt
(personne, leçon)* retener; *(objet)*
sujetar; *(montant, impôt)* deducir,
retener; *(chambre, table)* reservar;
(projet, idée) aceptar; *Math* llevar,
llevarse; *(cri, souffle, larmes)* contener, reprimir; *(attention, chaleur)*
mantener; **r. qn de faire qch** impedir
a alguien que haga algo

2 se retenir *vpr (se contenir)*
aguantarse, contenerse; **se r. à**
(s'accrocher) agarrarse a; **se r. de
faire qch** contenerse de hacer algo

retenue [rətny, rətny] *nf (prélèvement)*
deducción *f*; *Math* cantidad *f* que se
lleva; *Scol (punition)* castigo *m (sin
salir)*; *Fig (réserve)* discreción *f*,
reserva *f*; **sans r.** sin reservas ■ **r. à
la source** retención *f* a cuenta

retirer [rətire] **1** *vt* sacar (**de** de);
(vêtement) quitarse; *(candidature,
plainte)* retirar; **r. qch à qn** *(permis)*
retirar algo a alguien **2 se retirer** *vpr*
retirarse (**de** de)

retomber [rətõbe] *vi (aux* **être**)
(tomber de nouveau) volver a caer;
(redescendre, pendre) caer; *Fig
(colère)* aplacarse; **r. malade** tener
una recaída; **r. sur** *(responsabilité)*
recaer sobre; **r. dans l'oubli** volver a
caer en el olvido

retouche [rətuʃ] *nf* retoque *m*

retoucher [rətuʃe] *vt* retocar

retour [rətur] *nm* vuelta *f*; *(trajet)* viaje
m de vuelta; *(réexpédition)* devolución *f*; **à mon r.** a mi regreso; **être de**

r. (de) estar de vuelta (de); **en r.** a cambio

retourner [rǝturne] **1** vt (aux avoir) (matelas, carte) dar la vuelta a; (terre) remover; (poche, pull) volver del revés; (compliment, objet prêté, lettre) devolver; Fig (émouvoir) trastornar **2** vi (aux être) volver (à à); **r. faire qch** volver para hacer algo **3** se retourner vpr (voiture) volcar; Am voltear; (personne) Esp volverse; Am voltearse; RP darse vuelta; **s'en r.** (rentrer) Esp volverse, Am devolverse; Fig **se r. contre** (s'opposer) volverse contra

rétracter [retrakte] **1** vt (contracter) retraer **2** se rétracter vpr (se contracter) retraerse; (se dédire) retractarse

retrait [rǝtrɛ] nm retirada f; (de bagages) recuperación f; **en r.** (en arrière) hacia atrás; Fig **rester en r.** quedarse en la retaguardia

retraite [rǝtrɛt] nf (cessation d'activité) jubilación f, retiro m; (revenu) pensión f; (fuite) retirada f; Rel retiro m; **être à la r.** estar jubilado(a) o retirado(a) ■ **r. anticipée** jubilación anticipada; **r. complémentaire** pensión complementaria

retraité, -e [rǝtrete] adj & nm,f jubilado(a) m,f, retirado(a) m,f

retraitement [rǝtrɛtmã] nm (de déchets nucléaires) recuperación f

retrancher [rǝtrãʃe] **1** vt (enlever) suprimir (**de** de); (d'un montant) restar (**de** de) **2** se retrancher vpr atrincherarse; Fig **se r. derrière** parapetarse tras

retransmission [rǝtrãsmisjõ] nf retransmisión f

rétrécir [retresir] **1** vt estrechar **2** vi encoger **3** se rétrécir vpr estrecharse

rétroactif, -ive [retrɔaktif, -iv] adj retroactivo(a)

rétrograder [retrɔgrade] **1** vt degradar **2** vi Aut reducir la marcha; **r. de troisième en seconde** reducir de tercera a segunda

retrouver [rǝtruve] **1** vt (récupérer) encontrar; (appétit) recobrar; (reconnaître) reconocer; (rencontrer) encontrarse con **2** se retrouver vpr (être) encontrarse; (se rejoindre) encontrarse; (s'orienter) orientarse

rétroviseur [retrɔvizœr] nm retrovisor m

Réunion [reynjõ] nf la R. (la isla de) la Reunión

réunion [reynjõ] nf reunión f; (jonction) unión f; **être en r.** estar reunido(a)

réunir [reynir] **1** vt reunir; (joindre) unir **2** se réunir vpr reunirse; (se joindre) juntarse

réussi, -e [reysi] adj Esp logrado(a), Am exitoso(a)

réussir [reysir] **1** vi (tentative, affaire) salir bien; (personne) salir adelante; **r. à faire qch** conseguir hacer algo; **r. à qch** (examen, test) aprobar algo; **r. à qn** (climat, aliment) sentar bien a alguien **2** vt (examen) aprobar; **j'ai enfin réussi mon soufflé** por fin me ha salido bien el soufflé

réussite [reysit] nf (succès) éxito m; (jeu de cartes) solitario m

revaloriser [rǝvalɔrize] vt (monnaie, salaires) revaluar; Fig (image, profession) revalorizar

revanche [rǝvãʃ] nf revancha f, venganza f; **prendre sa r.** tomarse la revancha; **en r.** en cambio

rêve [rɛv] nm sueño m; **faire un r.** tener un sueño; **de r.** de ensueño

réveil [revɛj] nm (pendule) despertador m; (d'une personne, d'un volcan) despertar m

réveille-matin [revɛjmatɛ̃] nm inv despertador m

réveiller [reveje] **1** vt despertar; Fig (sentiment) estimular **2** se réveiller vpr despertarse

réveillon [revɛjõ] nm (dîner) (de Noël) cena f de Nochebuena; (de la Saint-Sylvestre) cena f de Nochevieja; (fête) cotillón m, revellón m

réveillonner [revɛjɔne] vi = festejar

el día de Nochebuena o el de Nochevieja

révélateur, -trice [revelatœr, -tris] *adj* revelador(ora)

révélation [revelɑsjɔ̃] *nf* revelación *f*

révéler [34] [revele] **1** *vt* revelar; *(artiste)* dar a conocer **2 se révéler** *vpr (apparaître)* revelarse; *(s'avérer)* resultar

revendication [rəvɑ̃dikɑsjɔ̃] *nf* reivindicación *f*

revendiquer [rəvɑ̃dike] *vt* reivindicar; *(responsabilité)* asumir

revendre [rəvɑ̃dr] *vt* revender

revenir [70] [rəvnir] *vi (aux* **être)** volver; *(mot, sujet)* salir; **r. sur** *(sujet)* volver sobre; *(promesse)* volverse atrás en; **ça ne me revient pas** *(à l'esprit)* no me acuerdo; **r. à qn** *(honneur, tâche)* corresponder a alguien; **r. à** *(coûter)* salir por; **cela revient au même** eso viene a ser lo mismo; *Fam* **ne pas en r.** quedarse estupefacto; *Culin* **faire r. qch** rehogar algo

revenu [rəvny, rvəny] *nm* **r., revenus** ingresos *mpl*

rêver [reve] *vi* soñar (**de** con); *(rêvasser)* soñar despierto(a); **r. de faire qch** soñar con hacer algo

réverbère [reverber] *nm* farola *f*

révérence [reverɑ̃s] *nf* reverencia *f*

rêverie [revri] *nf* fantasía *f*, ensueño *m*

revers [rəver] *nm (de la main)* dorso *m*; *(d'une pièce)* reverso *m*; *(d'une veste)* solapa *f*; *(d'un pantalon)* vuelta *f*; *(au tennis)* revés *m*; *Fig* **le r. de la médaille** la otra cara de la moneda ■ **r. (de fortune)** revés

réversible [reversibl] *adj* reversible

revêtement [rəvɛtmɑ̃] *nm (de mur, de sol)* revestimiento *m*; *(de route)* firme *m*

revêtir [71] [rəvetir] *vt (vêtement)* vestir; *(mur, caractère)* revestir (**de** con)

rêveur, -euse [revœr, -øz] *adj & nm,f* soñador(ora) *m,f*

revient [rəvjɛ̃] *nm voir* **prix**

revirement [rəvirmɑ̃] *nm* viraje *m*

réviser [revize] *vt* revisar; *(leçon)* repasar

révision [revizjɔ̃] *nf* revisión *f*; *(d'une leçon)* repaso *m*

revivre [72] [rəvivr] **1** *vi* revivir **2** *vt* volver a vivir

revoici [rəvwasi] *prép* **me/la/etc r.!** ¡aquí estoy/está/etc otra vez!

revoilà [rəvwala] *prép* **me/la/etc r.!** ¡aquí estoy/está/etc otra vez!

revoir [73a] [rəvwar] **1** *vt (voir à nouveau)* volver a ver; *(réviser)* repasar; **au r.!** ¡adiós! **2 se revoir** *vpr* volver a verse

révolte [revɔlt] *nf* revuelta *f*

révolter [revɔlte] **1** *vt* sublevar **2 se révolter** *vpr (se soulever)* rebelarse, sublevarse (**contre** contra); *(s'indigner)* indignarse (**contre** contra)

révolu, -e [revɔly] *adj (époque)* pasado(a); *(ans)* cumplido(a)

révolution [revɔlysjɔ̃] *nf* revolución *f*

révolutionner [revɔlysjɔne] *vt* revolucionar

revolver [revɔlver] *nm* revólver *m*

revue [rəvy] *nf revista f; (défilé)* desfile *m*; **passer qch en r.** pasar revista a algo ■ **r. de presse** revista de prensa

rez-de-chaussée [redʃose] *nm inv* planta *f* baja

rhabiller [rabije] **1** *vt* vestir de nuevo **2 se rhabiller** *vpr* vestirse de nuevo

Rhin [rɛ̃] *nm* **le R.** el Rin

rhinocéros [rinɔserɔs] *nm* rinoceronte *m*

Rhône [ron] *nm* **le R.** el Ródano

rhumatisme [rymatism] *nm* reumatismo *m*

rhume [rym] *nm* resfriado *m*, *Esp* catarro *m*, resfriado *m*, *CSur* resfrío *m* ■ **r. des foins** fiebre *f* del heno

ricaner [rikane] *vi (avec méchanceté)* reír sarcásticamente; *(bêtement)* tener la risa tonta

riche [riʃ] *adj & nmf* rico(a) *m,f*

richesse [riʃes] *nf* riqueza *f*; **richesses**

(d'une personne) riquezas; *(d'un pays)* riqueza

ricochet [rikɔʃe] *nm* rebote *m*; **faire des ricochets** tirar piedras; *Fig* **par r. de carambola**

ride [rid] *nf (sur la peau)* arruga *f*; *(sur l'eau)* onda *f*

ridé, -e [ride] *adj* arrugado(a)

rideau, -x [rido] *nm* cortina *f*; *(de théâtre)* telón *m* ■ *Hist* **le r. de fer** el telón de acero

ridicule [ridikyl] **1** *adj* ridículo(a) **2** *nm* **se couvrir de r.** hacer el ridículo; **tourner qch/qn en r.** poner algo/a alguien en ridículo

ridiculiser [ridikylize] **1** *vt* ridiculizar **2 se ridiculiser** *upr* hacer el ridículo

rien [rjɛ̃] **1** *pron indéfini* nada; **ne... r.** no... nada; **il n'y a r.** no hay nada; **c'est ça ou r.!** ¡o eso o nada!; **de r.!** ¡de nada!; **plus r.** nada más; **pour r.** para nada; **pour r. au monde** por nada del mundo; **sans r. dire** sin decir nada; **r. d'autre** nada más; **r. de nouveau** nada nuevo, sin novedad; **r. du tout** nada en absoluto, nada de nada; **r. que** sólo; **r. que l'idée des vacances la rend heureux** sólo con pensar en las vacaciones ya es feliz **2** *nm* **pour un r.** *(se fâcher, pleurer)* por nada, por una tontería; **en un r. de temps** en un santiamén

rieur, -euse [rijœr, -øz] *adj* risueño(a)

rigide [riʒid] *adj* rígido(a)

rigole [rigɔl] *nf* acequia *f*

rigoureux, -euse [rigurø, -øz] *adj* riguroso(a)

rigueur [rigœr] *nf* rigor *m*; **à la r. en** última instancia; **être de r.** ser de rigor

rillettes [rijet] *nfpl* chicharrones *mpl*, = carne conservada en grasa

rimer [rime] *vi* rimar (**avec** con); **ça ne rime à rien** no tiene sentido

rincer [16] [rɛ̃se] *vt (vaisselle)* enjuagar; *(cheveux, linge)* aclarar

ring [riŋ] *nm (de boxe)* ring *m*

riposte [ripɔst] *nf (réponse)* réplica *f*; *(contre-attaque)* respuesta *f*

riposter [ripɔste] **1** *vt* replicar **2** *vi (répondre)* replicar (**à a**); *(contre-attaquer)* responder (**à a**)

rire [61] [rir] **1** *nm* risa *f*; **c'est à mourir de r.** es para morirse de risa; **avoir le fou r.** tener la risa tonta **2** *vi (s'esclaffer)* reír; **r. de** *(se moquer)* reírse de; *Fam* **pour r.** en broma

risible [rizibl] *adj* risible

risque [risk] *nm* riesgo *m*; **à tes risques et périls** por tu cuenta y riesgo; **au r. de faire qch** a riesgo de hacer algo; **prendre des risques** arriesgarse

risqué, -e [riske] *adj (entreprise, expédition)* arriesgado(a); *(plaisanterie)* atrevido(a)

risquer [riske] **1** *vt* arriesgar; *(tenter)* aventurar; **r. de faire qch** correr el riesgo de hacer algo; **ça risque de durer longtemps** podría durar mucho **2 se risquer** *upr* arriesgarse; **se r. à faire qch** arriesgarse a hacer algo

rivage [rivaʒ] *nm* orilla *f*, ribera *f*

rival, -e, -aux, -ales [rival, -o] *adj & nm,f* rival *mf*

rivaliser [rivalize] *vi* **r. avec** rivalizar o competir con; **r. d'audace avec qn** rivalizar en audacia con alguien

rivalité [rivalite] *nf* rivalidad *f*

rive [riv] *nf* orilla *f*, ribera *f*

riverain, -e [rivrɛ̃, -ɛn] *adj & nm,f (d'une rivière)* ribereño(a) *m,f*; *(d'une rue, d'une route)* vecino(a) *m,f*

rivière [rivjer] *nf* río *m* ■ **r. de diamants** collar *m* de diamantes

riz [ri] *nm* arroz *m* ■ **r. cantonais** arroz tres delicias; **r. au lait** arroz con leche

rizière [rizjer] *nf* arrozal *m*

RMI [ɛremi] *nm (abrév* **revenu minimum d'insertion)** = ayuda estatal para la inserción social de personas sin ingresos

RN [ɛrɛn] *nf (abrév* **route nationale)** N

robe [rɔb] *nf (de femme)* vestido *m*; *(de magistrat)* toga *f*; *(d'un cheval)* pelaje *m*; *(d'un vin)* color *m* ■ **r. de chambre**

bata f (de casa); **r. de soirée** traje m de noche

robinet [rɔbinɛ] nm (d'évier) Esp grifo m, Carib, Col, Méx pluma f, Perú caño m, RP canilla f, Ven chorro m; (vanne d'eau, de gaz) llave f

robot [rɔbo] nm robot m ▪ **r. ménager** robot de cocina

robuste [rɔbyst] adj robusto(a)

roc [rɔk] nm roca f

rocaille [rɔkaj] nf (cailloux) guijarros mpl; (dans un jardin) rocalla f

roche [rɔʃ] nf roca f

rocher [rɔʃe] nm peñasco m ▪ **r. au chocolat** = bombón con forma de roca

rocheux, -euse [rɔʃø, -øz] adj rocoso(a)

rock [rɔk] nm rock m

rôder [rode] vi merodear, rondar

rôdeur, -euse [rodœr, -øz] nm,f merodeador(ora) m,f

rognon [rɔɲɔ̃] nm riñón m

roi [rwa] nm rey m; **tirer les rois** = comer el roscón de reyes ▪ **les Rois mages** los Reyes Magos

rôle [rol] nm papel m (personaje, función); **tenir le r.** de desempeñar el papel de; Fig **jouer un r. dans qch** intervenir en algo, jugar un papel en algo

romain, -e [rɔmɛ̃, -ɛn] 1 adj romano(a) 2 nm,f **R.** romano(a) m,f

roman¹ [rɔmã, -an] adj románico(a)

roman² nm novela f ▪ **r. d'amour** novela romántica; **r. policier** novela policíaca

romancier, -ère [rɔmãsje, -ɛr] nm,f novelista mf

romanesque [rɔmanɛsk] adj novelesco(a)

romantique [rɔmãtik] adj & nmf romántico(a) m,f

romarin [rɔmarɛ̃] nm romero m

rompre [rɔ̃pr] 1 vt romper; (pain) partir 2 vi (casser) romperse; (se séparer) romper (avec con); Mil **r. les rangs** romper filas; **applaudir à tout**

r. aplaudir con ganas 3 **se rompre** vpr romperse; **se r. le cou** darse un buen golpe

ronce [rɔ̃s] nf (arbuste) zarza f

rond, -e [rɔ̃, rɔ̃d] 1 adj redondo(a) 2 nm (ligne, figure pleine) círculo m; (anneau) aro m; **en r.** (se placer, s'asseoir) formando un círculo; (courir) en redondo; Fam **ne pas avoir un r.** estar sin blanca ▪ **r. de serviette** servilletero m ▪ **r. de cuir** (dans bureaucratie) burócrata mf 3 adv **tout r.** exactamente

ronde [rɔ̃d] nf (de surveillance) ronda f; (danse) corro m; Mus (note) redonda f; **à 50 km à la r.** en 50 km. a la redonda

rondelle [rɔ̃dɛl] nf (tranche) rodaja f; (de métal) arandela f; Can **r. (de hockey)** disco m

rond-point (pl ronds-points) [rɔ̃pwɛ̃] nm glorieta f

ronfler [rɔ̃fle] vi (personne) roncar; (moteur) zumbar

ronger [45] [rɔ̃ʒe] 1 vt (os) roer; (bois) carcomer; Fig (miner) corroer 2 **se ronger** vpr **se r. les ongles** morderse las uñas; **se r. les sangs** atormentarse

rongeur [rɔ̃ʒœr] nm roedor m

ronronner [rɔ̃rɔne] vi (chat) ronronear; (moteur) zumbar

rosace [rozas] nf rosetón m

rose [roz] 1 adj rosa 2 nf (fleur) rosa f 3 nm (couleur) rosa m ▪ **r. bonbon** rosa fuerte

rosé, -e [roze] 1 adj rosado(a) 2 nm (vin) rosado m

roseau, -x [rozo] nm caña f (planta)

rosée [roze] nf rocío m

rossignol [rɔsiɲɔl] nm (oiseau) ruiseñor m; (passe-partout) ganzúa f

rôti, -e [roti] 1 adj asado(a) 2 nm asado m

rotin [rɔtɛ̃] nm mimbre m

rôtir [rotir] 1 vt asar 2 vi asarse

roue [ru] nf rueda f; **faire la r.** (paon) abrir la cola; (gymnaste) hacer la voltereta lateral ▪ **r. de secours** rueda de repuesto; **grande r.** noria f

rouge [ruʒ] 1 adj rojo(a) 2 nm (couleur) rojo m; (fard) colorete m; Fam (vin) tinto *m*; **le r. lui monta aux joues** se puso colorado(a) ■ **r. à lèvres** barra *f* o lápiz *m* de labios

rougeur [ruʒœr] *nf* rojez *f*; *(de honte)* rubor *m*; **rougeurs** *(sur la peau)* rojeces

rougir [ruʒir] **1** *vt* enrojecer **2** *vi (feuilles, ciel)* enrojecer; *(personne)* ruborizarse (**de** por); **r. de honte** ruborizarse

rouille [ruj] **1** *nf (oxyde)* herrumbre *f*, óxido *m* **2** *adj inv (couleur)* rojizo(a)

rouiller [ruje] **1** *vt* oxidar **2** *vi* oxidarse **3 se rouiller** *upr aussi Fig* oxidarse

rouleau, -x [rulo] *nm (cylindre)* rollo *m*; *(de peintre, de pâtissier)* rodillo *m*; *(bigoudi)* rulo *m*; *(vague)* rompiente *f* ■ **r. compresseur** apisonadora *f*

roulement [rulmɑ̃] *nm (du personnel, de hanches)* rotación *f*; *Fin (circulation)* circulación *f* ■ **r. à billes** rodamiento *m* de bolas; **r. de tambour** redoble *m* de tambor; **r. de tonnerre** trueno *m*

rouler [rule] **1** *vt (tonneau)* rodar; *(tapis)* enrollar; *(cigarette)* liar; *Ling* hacer vibrar; *Fam (duper)* timar **2** *vi (ballon)* rodar; *(véhicule)* circular; *(automobiliste) Esp* conducir, *Am* manejar; **r. sur** *(sujet: conversation)* girar sobre **3 se rouler** *upr* **se r. par terre** revolcarse por el suelo

roulette [rulɛt] *nf (petite roue)* ruedecilla *f*; *(de dentiste)* torno *m*; *(jeu)* ruleta *f*

roulotte [rulɔt] *nf* caravana *f*

roumain, -e [rumɛ̃, -ɛn] **1** *adj* rumano(a) **2** *nm,f* **R.** rumano(a) *m,f* **3** *nm (langue)* rumano *m*

Roumanie [rumani] *nf* **la R.** Rumanía

rousse [rus] *voir* **roux**

rousseur [rusœr] *nf voir* **tache**

route [rut] *nf* carretera, *RP* ruta *f*; *(des épices, de la soie)* ruta *f*; *(itinéraire)* camino *m*; *Naut* rumbo *m*; **deux heures de r.** dos horas de carretera; **en r.!** ¡en marcha!; **mettre qch en r.** poner algo en marcha

routier, -ère [rutje, -ɛr] **1** *adj (carte, relais)* de carreteras; *(circulation)* por carretera, viario(a) **2** *nm (chauffeur)* camionero *m*; *(restaurant)* restaurante *m* de camioneros

routine [rutin] *nf* rutina *f*

rouvrir [52] [ruvrir] **1** *vt (porte)* volver a abrir; *(débat)* reabrir **2 se rouvrir** *upr* volverse a abrir

roux, rousse [ru, rus] **1** *adj (cheveux, personne)* pelirrojo(a); *(feuille)* rojizo(a); *(sucre)* moreno(a) **2** *nm,f (personne)* pelirrojo(a) *m,f* **3** *nm (couleur)* rojizo *m*

royal, -e, -aux, -ales [rwajal, -o] *adj (de roi)* real; *(cadeau, pourboire)* regio(a)

royaume [rwajom] *nm* reino *m*; *Fig (domaine)* reino *m* personal

Royaume-Uni [rwajomyni] *nm* **le R.** el Reino Unido

royauté [rwajote] *nf (fonction)* realeza *f*; *(régime)* monarquía *f*

RTT [ertete] *nf (abrév* **réduction du temps de travail)** = reducción de la jornada laboral a 35 horas

ruban [rybɑ̃] *nm* cinta *f*; *(décoration)* condecoración *f*

rubis [rybi] *nm* rubí *m*; *Fig* **payer r. sur l'ongle** pagar a tocateja

rubrique [rybrik] *nf (chronique)* sección *f*; *(chapitre)* rúbrica *f*

ruche [ryʃ] *nf (d'abeilles)* colmena *f*; *Fig (endroit animé)* hormiguero *m*

rude [ryd] *adj (étoffe, surface)* rudo(a), basto(a); *(voix, son)* bronco(a); *(personne, manières)* brusco(a); *(épreuve)* duro(a); *(climat)* riguroso(a)

rue [ry] *nf* calle *f*; **être à la r.** estar en la calle ■ **r. principale** calle principal

ruée [rɥe] *nf* estampida *f (carrera)*; **la r. vers l'or** la fiebre del oro

ruelle [rɥel] *nf* callejón *m*, callejuela *f*

ruer [rɥe] **1** *vi* cocear **2 se ruer** *upr* **se r. sur** abalanzarse sobre

rugby [rygbi] *nm* rugby *m*

rugir [ryʒir] **1** *vi* rugir **2** *vt (menaces, injures)* proferir

rugissement [ryʒismɑ̃] *nm* rugido *m*

rugueux, -euse [rygø, -øz] *adj* rugoso(a)

ruine [rɥin] *nf* ruina *f*; **tomber en r.** quedarse en ruinas

ruiner [rɥine] **1** *vt* arruinar **2 se ruiner** *vpr* arruinarse

ruisseau, -x [rɥiso] *nm (cours d'eau)* arroyo *m*; *Litt (de larmes, de sang)* río *m*

ruisseler [9] [rɥislə] *vi* chorrear

rumeur [rymœr] *nf* rumor *m*; **la r. publique** el rumor general

ruminer [rymine] *vt (sujet: animal)* rumiar; *Fig (projet, souvenirs)* dar vueltas a

rupture [ryptyr] *nf* rotura *f*; *Fig*

(changement, annulation, brouille) ruptura *f*

rural, -e, -aux, -ales [ryral, -o] *adj* rural

ruse [ryz] *nf (habileté)* astucia *f*; *(subterfuge)* ardid *m*

rusé, -e [ryze] *adj* astuto(a), *Méx* abusado(a)

russe [rys] **1** *adj* ruso(a) **2** *nmf* **R.** ruso(a) *m,f* **3** *nm (langue)* ruso *m*

Russie [rysi] *nf* la R. Rusia

rythme [ritm] *nm* ritmo *m*; **au r. de 50 par heure** a un ritmo de 50 por hora; **en r.** con ritmo

Ss

S, s [es] *nm inv (lettre)* S *f*, s *f*

sa [sa] *voir* **son**[1]

sable [sɑbl] *nm* arena *f* ■ **sables mouvants** arenas movedizas

sablé, -e [sɑble] **1** *adj (route)* enarenado(a), arenado(a); *(biscuit, pâte)* = de harina y gran proporción de mantequilla **2** *nm (biscuit)* = galleta hecha con harina y una gran proporción de mantequilla

sablier [sablije] *nm* reloj *m* de arena

sabot [sabo] *nm (chaussure)* zueco *m*; *(d'animal)* pezuña *f*; *(de cheval)* casco *m*; **s. (de Denver)** cepo *m*

sabotage [sabɔtaʒ] *nm* sabotaje *m*

saboter [sabɔte] *vt (faire échouer)* sabotear; *(bâcler)* chapucear

sabre [sabr] *nm* sable *m*

sac[1] [sak] *nm (contenant)* saco *m*; *(en papier, en plastique)* bolsa *f* ■ **s. de couchage** *Esp* saco o *Am* bolsa de dormir; **s. à main** bolso *m* (de mano)

sac[2] *nm* **mettre une ville à s.** saquear una ciudad

saccade [sakad] *nf* tirón *m*; **par saccades** a tirones

saccadé, -e [sakade] *adj (respiration, bruit)* entrecortado(a); *(gestes)* brusco(a)

saccager [sakaʒe] *vt (piller)* saquear; *(abîmer)* destrozar

sachant, sache *etc voir* **savoir**

sachet [saʃɛ] *nm (de thé)* bolsita *f*; *(de lavande)* saquito *m*

sacre [sakr] *nm (d'un roi)* coronación *f*; *(d'un évêque)* consagración *f*

sacré, -e [sakre] *adj* sagrado(a); *(art, musique)* sacro(a); *Fam (maudit)* dichoso(a), maldito(a)

sacrement [sakrəmɑ̃] *nm* sacramento *m*

sacrer [sakre] **1** *vt (roi)* coronar; *(évêque)* consagrar **2** *vi Can* jurar, decir palabrotas

sacrifice [sakrifis] *nm* sacrificio *m*

sacrifier [66] [sakrifje] **1** *vt* sacrificar **2 se sacrifier** *vpr* sacrificarse (**à/pour** por)

sacrilège [sakrilɛʒ] **1** *adj* sacrílego(a) **2** *nm* sacrilegio *m*

sadique [sadik] *adj & nmf* sádico(a) *m,f*

safari [safari] *nm* safari *m*

safran [safrã] *nm* azafrán *m*

sage [saʒ] **1** *adj (avisé)* prudente, sensato(a); *(docile)* tranquilo(a); *(discret)* sensato(a); **sois s.!** ¡pórtate bien! **2** *nm* sabio(a), *m,f*

sage-femme *(pl* **sages-femmes**) [saʒfam] *nf* comadrona *f*

sagesse [saʒɛs] *nf (bon sens)* sensatez *f*; *(docilité)* tranquilidad *f*; *(connaissance)* sabiduría *f*

Sagittaire [saʒiter] *nm Astrol* Sagitario *m*

saignant, -e [sɛɲɑ̃, -ɑ̃t] *adj (blessure)* sanguinoliento(a); *Culin (viande)* poco hecho(a)

saigner [seɲe] *vi* sangrar; **s. du nez** sangrar por la nariz

saillant, -e [sajɑ̃, -ɑ̃t] *adj (pommettes, corniche)* saliente; *(muscle)* prominente; *(yeux)* saltón(ona)

saillie [saji] *nf (partie en avant)* saliente *m*; *(par un mâle)* acoplamiento *m*; **faire s.** sobresalir

sain, -e [sɛ̃, sɛn] *adj* sano(a); **s. et sauf** sano y salvo

saint, -e [sɛ̃, sɛ̃t] *adj & nm,f* santo(a) *m,f*

Saint-Esprit [sɛ̃tɛspri] *nm* **le S.** el Espíritu Santo

Saint-Sylvestre [sɛ̃silvɛstr] *nf* **la S.** (la noche de) Fin de Año *m*

saisie [sezi] *nf Jur* embargo *m*; *Ordinat* introducción *f* de datos, picado *m*; **erreur de s.** error *m* de picado

saisir [sezir] **1** *vt (attraper)* agarrar, *Esp* coger; *Fig (occasion)* agarrarse a; *Jur (biens)* embargar; *Jur* **s. un tribunal d'une affaire** encargar un caso a un tribunal; *Ordinat* picar, introducir; *(comprendre)* captar; *(surprendre)* sorprender; *Culin* cocinar a fuego vivo **2 se saisir** *upr* **se s. de** agarrarse de

saisissant, -e [sezisɑ̃, -ɑ̃t] *adj (spectacle, ressemblance)* sobrecogedor(ora); *(froid)* penetrante

saison [sɛzɔ̃] *nf (division de l'année)* estación *f*; *(époque)* temporada *f*; **hors s.** fuera de temporada; **la basse s.** la temporada baja; **la haute s.** la temporada alta

saisonnier, -ère [sɛzɔnje, -ɛr] **1** *adj* de temporada **2** *nm,f* temporero(a) *m,f*

salade [salad] *nf (plante)* lechuga *f*; *(plat)* ensalada *f*; **en s.** en ensalada; *Fam* **raconter des salades** contar trolas ■ **s. composée** ensalada mixta; **s. de fruits** macedonia *f* (de frutas); **s. niçoise** = ensalada de verduras con aceitunas, tomate y anchoas

salaire [saler] *nm* sueldo *m*, salario *m*; *(récompense)* recompensa *f*, premio *m* ■ **s. minimum** salario mínimo

salarié, -e [salarje] **1** *adj (personne)* asalariado(a); *(travail)* remunerado(a) **2** *nm,f* asalariado(a) *m,f*

sale [sal] *adj* sucio(a); *(maudit)* dichoso(a), maldito(a); *Méx* pinche

salé, -e [sale] *adj* salado(a); *(histoire)* picante; *Fam (addition)* hinchado(a)

saler [sale] *vt (aliment, plat)* salar; *(route)* echar sal a

saleté [salte] *nf (chose sale, sans valeur)* porquería *f*; *(malpropreté)* suciedad *f*; *(action vile)* perrería *f*; **faire des saletés** dejarlo todo hecho una porquería

salir [salir] **1** *vt* ensuciar, *CSur* enchastrar; *Fig (réputation)* ensuciar, manchar **2 se salir** *upr* ensuciarse

salissant, -e [salisɑ̃, -ɑ̃t] *adj* sucio(a)

salle [sal] *nf* sala *f* ■ **s. d'attente** sala de espera; **s. de bains** cuarto *m* de baño o de aseo; **s. d'embarquement** sala de embarque; **s. à manger** comedor *m*; **s. d'opération** quirófano *m*, sala de operaciones

salon [salɔ̃] *nm* salón *m* ■ **s. de coiffure** peluquería *f*; **s. de thé** salón de té

salopette [salɔpɛt] *nf (pantalón m de)* peto *m*; *(de travail)* mono *m*

salubre [salybr] *adj* salubre

saluer [salɥe] **1** *vt* saludar **2 se saluer** *vpr* saludarse

salut [saly] **1** *nm (geste, formule)* saludo *m; (sauvegarde)* & *Rel* salvación *f* **2** *exclam Fam (bonjour)* ¡hola!; *(au revoir)* ¡adiós!

salutaire [salyter] *adj* saludable

samedi [samdi] *nm* sábado *m;* **je suis arrivé s.** llegué el sábado; **nous sommes s.** estamos a sábado, hoy es sábado; **s. 6 septembre 2005** sábado 6 de septiembre de 2005; **s. matin/soir** el sábado por la mañana/por la tarde; **s. dernier** el sábado pasado; **s. prochain** el sábado que viene, el próximo sábado

SAMU [samy] *nm (abrév* **service d'aide médicale d'urgence)** = servicio móvil de urgencias médicas

sanction [sɑ̃ksjɔ̃] *nf* sanción *f;* **prendre des sanctions contre qn** sancionar a alguien

sanctionner [sɑ̃ksjɔne] *vt* sancionar

sanctuaire [sɑ̃ktɥer] *nm* santuario *m*

sandale [sɑ̃dal] *nf* sandalia *f*

sandwich (*pl* **sandwiches** *ou* **sandwichs**) [sɑ̃dwitʃ] *nm Esp* bocadillo *m, Am* sandwich *m; (de pain de mie)* sandwich *m*

sang [sɑ̃] *nm* sangre *f;* **être en s.** estar ensangrentado(a); *Fam* **se faire du mauvais s.** atormentarse, angustiarse

sang-froid [sɑ̃frwa] *nm inv* sangre *f* fría; **de s. a** sangre fría; **garder son s.** conservar la calma; **perdre son s.** perder los estribos o la calma

sanglant, -e [sɑ̃glɑ̃, -ɑ̃t] *adj (couvert de sang)* ensangrentado(a); *(meurtrier)* sangriento(a)

sangle [sɑ̃gl] *nf* correa *f; (d'une selle)* cincha *f*

sanglier [sɑ̃glije] *nm* jabalí *m*

sanglot [sɑ̃glo] *nm* sollozo *m*

sangloter [sɑ̃glɔte] *vi* sollozar

sanguin, -e [sɑ̃gɛ̃, -in] *adj (tempérament)* & *Anat* sanguíneo(a); *(visage)* colorado(a); *(orange)* sanguino(a)

sanguinaire [sɑ̃giner] *adj* sanguinario(a)

sanitaire [saniter] **1** *adj* sanitario(a) **2** *nmpl* **sanitaires** sanitarios *mpl*

sans [sɑ̃] **1** *prép* sin; **s. faire d'effort** sin hacer ningún esfuerzo; **elle est s. charme** no tiene ningún encanto; **s. plus** sin más; **s. quoi** si no; **s. que tu le saches** sin que lo sepas **2** *adv* sin él/ella/*etc*; **passe-moi mon manteau, je ne peux pas sortir s.** dame mi abrigo, no puedo salir sin él

sans-abri [sɑ̃zabri] *nmf inv* **les s.** los sin techo o sin hogar

sans-gêne [sɑ̃ʒɛn] **1** *adj inv & nmf inv* descarado(a) *m,f* **2** *nm inv* descaro *m;* **il est d'un s.!** ¡tiene una cara!

sans-papiers [sɑ̃papje] *nmf inv* inmigrante *mf* ilegal

santé [sɑ̃te] *nf* salud *f;* **à ta s.!** ¡a tu salud!; **être en bonne/mauvaise s.** estar bien/mal de salud

saoul [su] = **soûl**

saper [sape] **1** *vt* socavar; **s. le moral à qn** desmoralizar a alguien **2 se saper** *vpr Fam* vestirse

sapeur-pompier (*pl* **sapeurs-pompiers**) [sapœrpɔ̃pje] *nm* bombero *m*

saphir [safir] *nm* zafiro *m*

sapin [sapɛ̃] *nm (arbre)* abeto *m; (bois)* pino *m; Can* **elle s'est fait passer un s.** la timaron ■ **s. de Noël** árbol *m* de Navidad

Sardaigne [sardɛɲ] *nf* **la S.** Cerdeña *f*

sarde [sard] **1** *adj* sardo(a) **2** *nmf* **S.** sardo(a) *m,f*

sardine [sardin] *nf* sardina *f; Fam* **serrés comme des sardines** como sardinas en lata ■ **sardines à l'huile** sardinas en aceite

satellite [satelit] *nm* satélite *m;* **par s.** vía satélite

satiété [sasjete] *nf* **à s.** hasta la saciedad

satin [satɛ̃] *nm* satén *m*, raso *m*

satire [satir] *nf* sátira *f*

satirique [satirik] *adj* satírico(a)

satisfaction [satisfaksjɔ̃] *nf* satis-

facción *f*; **donner s. à qn** satisfacer a alguien
satisfaire [36] [satisfɛr] *vt* satisfacer
satisfaisant, -e [satisfəzã, -ãt] *adj* satisfactorio(a)
satisfait, -e [satisfɛ, -ɛt] *adj* satisfecho(a)
sauce [sos] *nf* salsa *f*; **en s.** con salsa, en salsa ■ **s. tomate** salsa de tomate
saucisse [sosis] *nf* salchicha *f* ■ **s. sèche** = tipo de salchichón
saucisson [sosisɔ̃] *nm* salchichón *m* ■ **s. à l'ail** chóped *m*
sauf¹, sauve [sof, sov] *adj (personne)* ileso(a); *Fig (honneur)* intacto(a)
sauf² *prép (à l'exclusion de)* salvo, excepto; *(sous réserve de)* salvo
saumon [somɔ̃] *nm* salmón *m*; **(rose) s.** color *m* salmón
sauna [sona] *nm* sauna *f*
saupoudrer [sopudre] *vt* **s. qch de qch** espolvorear algo con algo; *Fig (discours)* salpicar algo con algo
saurai *etc voir* **savoir**
saut [so] *nm* salto *m*; **faire un s.** dar un salto; *Fig* **faire un s. en ville** ir un momento al centro ■ **s. en hauteur** salto de altura; **s. en longueur** salto de longitud; *Ordinat* **s. de page** salto de página; **s. périlleux** salto mortal
sauter [sote] **1** *vi (personne, plombs, bouchon)* saltar; *(exploser)* saltar, estallar; *(chaîne de vélo)* salirse; **s. de joie** saltar de alegría; **s. à la corde** saltar a la comba; **s. à la perche** hacer salto de pértiga; **s. en parachute** saltar en paracaídas; **s. au cou à qn** lanzarse al cuello de alguien; **s. aux yeux** saltar a la vista; **s. sur l'occasion** no dejar pasar la ocasión; **faire s. qch** *(faire exploser)* volar algo; *Culin* saltear algo
2 *vt (fossé, obstacle)* saltar; *(page, repas, classe)* saltarse
sauterelle [sotrɛl] *nf (grande)* langosta *f*, *CAm, Méx* chapulín *m*; *(petite)* saltamontes *m inv*, *CAm, Méx* chapulín *m*
sauvage [sovaʒ] **1** *adj* salvaje; *(fleur,*

fruit) silvestre; *(personne)* huraño(a); *(concurrence)* bestial **2** *nmf* salvaje *mf*
sauve [sov] *voir* **sauf**
sauvegarde [sovgard] *nf (protection)* salvaguardia *f*, salvaguarda *f*; *Ordinat* copia *f* de seguridad
sauvegarder [sovgarde] *vt (protéger)* salvaguardar; *Ordinat* grabar, (salva)guardar
sauver [sove] **1** *vt* salvar *(de* de*)* **2 se sauver** *vpr (fuir)* escaparse *(de* de*)*; **il faut que je me sauve** tengo que me voy que ir
sauvetage [sovtaʒ] *nm* rescate *m*, salvamento *m*
sauveteur [sovtœr] *nm* salvador *m*
sauvette [sovɛt] **à la sauvette 1** *adv* deprisa y corriendo **2** *adj* **vente à la s.** venta callejera
savant, -e [savã, -ãt] **1** *adj (personne)* erudito(a), sabio(a); *(manœuvre)* hábil; *(animal)* amaestrado(a) **2** *nm* científico *m*
saveur [savœr] *nf* sabor *m*
Savoie [savwa] *nf* **la S.** Saboya
savoir [62] [savwar] **1** *vt* saber; *(avoir en mémoire)* saberse; **faire s. qch à qn** hacer saber algo a alguien; **faire qch** saber hacer algo; **si j'avais su** si lo hubiera sabido, de haberlo sabido; **je n'en sais rien** no lo sé; **en s. long sur** saber un rato de; **à s.** a saber; **on ne sait jamais** nunca se sabe; **pas que je sache** que yo sepa, no; *Fam* **va s.!** ¡vete a saber! **2** *nm* saber *m*
savoir-faire [savwarfɛr] *nm inv* destreza *f*, habilidad *f*, savoir-faire *m*
savon [savɔ̃] *nm (matière)* jabón *m*; *(pain)* pastilla *f* de jabón; *Fam* **passer un s. à qn** dar un rapapolvo a alguien
savonner [savone] **1** *vt* enjabonar **2 se savonner** *vpr* enjabonarse
savonnette [savonɛt] *nf* pastilla *f* de jabón
savourer [savure] *vt* saborear
savoureux, -euse [savurø, -øz] *adj* sabroso(a)
saxophone [saksofɔn] *nm* saxofón *m*
scalpel [skalpɛl] *nm* escalpelo *m*

scandale [skɑ̃dal] *nm* escándalo *m*; **faire du s.** armar (un) escándalo
scandaleux, -euse [skɑ̃dalø, -øz] *adj* escandaloso(a)
scandaliser [skɑ̃dalize] **1** *vt* escandalizar **2 se scandaliser** *vpr* escandalizarse (**de** por)
scandinave [skɑ̃dinav] **1** *adj* escandinavo(a) **2** *nmf* **S.** escandinavo(a) *m,f*
Scandinavie [skɑ̃dinavi] *nf* la **S.** Escandinavia
scanner¹ [skaner] *nm* Méd & Ordinat escáner *m*
scanner² [skane] *vt* Ordinat escanear
sceau, -x [so] *nm* sello *m*
sceller [sele] *vt* Constr empotrar; *(acte, promesse)* sellar; *(lettre)* lacrar
scénario [senarjo] *nm* Cin (script) Esp guión *m*, Am libreto *m*; Fig *(déroulement prévu)* plan *m*
scénariste [senarist] *nmf* guionista *mf*
scène [sen] *nf* escena *f*; *(estrade, décor de théâtre)* escenario *m*; Th **entrer en s.** entrar en escena; **faire une s. à qn** hacer una escena a alguien; Th **mettre qch en s.** poner algo en escena ■ **s. de ménage** riña *f* conyugal
sceptique [septik] *adj & nmf* escéptico(a) *m,f*
schéma [ʃema] *nm* esquema *m*
schématique [ʃematik] *adj* esquemático(a)
schizophrène [skizofren] *adj & nmf* esquizofrénico(a) *m,f*
scie [si] *nf (outil)* sierra *f*
sciemment [sjamɑ̃] *adv* a sabiendas, conscientemente
science [sjɑ̃s] *nf* ciencia *f* ■ **sciences humaines** ciencias humanas
science-fiction [sjɑ̃sfiksjɔ̃] *nf* ciencia *f* ficción
scientifique [sjɑ̃tifik] *adj & nmf* científico(a) *m,f*
scier [66] [sje] *vt (couper)* aserrar, serrar; Fam *(stupéfier)* dejar de una pieza
scintiller [sɛ̃tije] *vi* centellear

scission [sisjɔ̃] *nf* escisión *f*
sclérose [skleroz] *nf* esclerosis *f inv*; Fig anquilosamiento *m* ■ **s. en plaques** esclerosis múltiple o en placas
scolaire [skɔler] *adj* escolar
scolarité [skɔlarite] *nf* escolaridad *f*
scooter [skuter] *nm Esp* scooter *m*, Am motoneta *f*
score [skɔr] *nm* resultado *m*
scorpion [skɔrpjɔ̃] *nm* escorpión *m*, alacrán *m*; Astrol **S.** Escorpio *m*
Scotch® [skɔtʃ] *nm (ruban adhésif)* celo *m*
scotcher [skɔtʃe] *vt* pegar con celo
scout, e [skut] *nm,f* scout *mf*
script [skript] *nm* Cin *(scénario)* Esp guión *m*, Am libreto *m*; *(écriture)* letra *f* de imprenta
scrupule [skrypyl] *nm* escrúpulo *m*
scrupuleux, -euse [skrypylø, -øz] *adj* escrupuloso(a)
scruter [skryte] *vt (horizon, pénombre)* escrutar; *(intentions)* indagar
scrutin [skrytɛ̃] *nm (vote)* escrutinio *m*; *(opérations)* votación *f*; *(système)* sistema *m* de votación ■ **s. majoritaire** sistema mayoritario; **s. proportionnel** sistema (de representación) proporcional
sculpter [skylte] *vt* esculpir
sculpteur [skyltœr] *nm* escultor *m*
sculpture [skyltyr] *nf* escultura *f*
SDF [esdeef] *nmf (abrév sans domicile fixe)* sin techo *mf inv*
se [sə]

Delante de vocal o h muda se utiliza **s'**.

pron personnel se; **se couper** cortarse; **ils se téléphonent souvent** se llaman por teléfono a menudo
séance [seɑ̃s] *nf* sesión *f*; **s. tenante** inmediatamente
seau, -x [so] *nm* balde *m*, Esp cubo *m*
sec, sèche [sek, seʃ] **1** *adj* seco(a); *(raisin, figue)* paso(a) **2** *nm* **tenir au s.** guardar en un sitio seco; **être à s.** *(sans eau)* estar seco(a); Fam *(sans argent)* estar pelado(a) **3** *adv (boire)*

mucho; *Fam aussi* s. instantáneamente; **démarrer s.** acelerar ruidosamente

sécession [sesesjɔ̃] *nf* secesión *f*; **faire s.** separarse

sèche [sɛʃ] *voir* **sec**

sèche-cheveux [sɛʃʃəvø] *nm inv* secador *m* (de pelo)

sèche-linge [sɛʃlɛ̃ʒ] *nm inv* secadora *f*

sécher [34] [seʃe] **1** *vt* secar; *Fam (cours)* fumarse **2** *vi* secarse; *Fam (ne pas savoir répondre)* estar pez **3 se sécher** *upr* secarse; **se s. les cheveux** secarse el pelo

sécheresse [seʃrɛs, seʃrɛs] *nf (absence de pluie)* sequía *f*; *(du sol, du ton)* sequedad *f*

séchoir [seʃwar] *nm (local)* secadero *m*; *(appareil) (à tringles)* tendedero *m*; *(électrique)* secadora *f* ■ **s. à cheveux** secador *m* (de pelo)

second, -e [səgɔ̃, -ɔ̃d] **1** *adj & nm,f* segundo(a) *m,f* **2** *nm (aide)* segundo *m* de a bordo; *(étage)* segundo *m*

secondaire [səgɔ̃dɛr] *adj* secundario(a)

seconde [səgɔ̃d] *nf (unité de temps)* segundo *m*; *Scol* = curso de secundaria que se realiza a los quince años, *Esp* ≃ cuarto *m* de ESO; *(vitesse, dans les transports)* segunda *f*

seconder [səgɔ̃de] *vt* secundar

secouer [səkwe] **1** *vt* sacudir; *(bouteille)* agitar; *(sujet: malheur, nouvelle)* afectar **2 se secouer** *upr* sacudirse; *Fam* **secoue-toi!** ¡espabila!, ¡muévete!

secourir [22] [səkurir] *vt* socorrer

secouriste [səkurist] *nmf* socorrista *mf*

secours [səkur] **1** *voir* **secourir 2** *nm (aide)* socorro *m*, auxilio *m*; **appeler au s.** pedir socorro *o* auxilio; **au s.!** ¡socorro!, ¡auxilio!; **les premiers s.** los primeros auxilios

secousse [səkus] *nf* sacudida *f*

secret, -ète [səkrɛ, -ɛt] **1** *adj*

secreto(a) **2** *nm* secreto *m*; **dans le plus grand s.** con el más absoluto secreto; **en s.** en secreto

secrétaire [səkrɛtɛr] **1** *nmf* secretario(a) *m,f* ■ **s. d'État** secretario de Estado; **s. général** secretario general; **s. de mairie** secretario municipal **2** *nm (meuble)* escritorio *m*, secreter *m*

secrétariat [səkrɛtarja] *nm (fonction)* secretariado *m*, secretaría *f*; *(bureau, personnel)* secretaría *f*; *(métier)* secretariado *m*

sectaire [sɛktɛr] *adj* sectario(a)

secte [sɛkt] *nf* secta *f*

secteur [sɛktœr] *nm* sector *m*; *(électoral, fiscal)* distrito *m*; *Fam (endroit)* zona *f*; *Él* **sur s.** conectado(a) a la red; **s. public** sector público; **s. tertiaire** sector terciario

section [sɛksjɔ̃] *nf* sección *f*; *(électorale)* distrito *m*

sectionner [sɛksjɔne] *vt (trancher)* seccionar; *Fig (diviser)* dividir

séculaire [sekylɛr] *adj* secular

sécurité [sekyrite] *nf* seguridad *f*; **être en s.** estar seguro(a); **en toute s.** con toda tranquilidad ■ **la s. routière** la seguridad vial; **la S. sociale** la Seguridad Social

sédentariser [sedɑ̃tarize] **se sédentariser** *upr* volverse sedentario(a)

séduction [sedyksjɔ̃] *nf* seducción *f*

séduire [18] [sedɥir] *vt* seducir

séduisant, -e [sedɥizɑ̃, -ɑ̃t] *adj* seductor(ora)

ségrégation [segregasjɔ̃] *nf* segregación *f*

seigle [sɛgl] *nm* centeno *m*

seigneur [sɛɲœr] *nm Hist* señor *m*; **le S.** el Señor

sein [sɛ̃] *nm (mamelle)* seno *m*, pecho *m*; **donner le s. à un enfant** dar el pecho a un niño; **au s. de** en el seno de

Seine [sɛn] *nf* **la S.** el Sena

séisme [seism] *nm* seísmo *m*

seize [sɛz] **1** *adj inv* dieciséis **2** *nm inv* dieciséis *m inv*; *voir aussi* **six**

seizième [sɛzjɛm] *adj & nmf*
decimosexto(a) *m,f*; *voir aussi*
sixième

séjour [seʒur] *nm (durée)* estancia *f*;
(pièce) sala *f* de estar ■ **s.
linguistique** estancia lingüística

séjourner [seʒurne] *vi* pasar una
temporada

sel [sɛl] *nm* sal *f* ■ **gros s.** sal gorda;
sels de bain sales de baño

sélection [seleksjɔ̃] *nf* selección *f*

sélectionner [seleksjɔne] *vt* seleccionar

selle [sɛl] *nf (de cheval)* silla *f*; *(de vélo)*
sillín *m*; *Méd* **selles** heces *fpl* (fecales)

selon [səlɔ̃] *prép* según; **s. que...**
según..., depende de si...

semaine [səmɛn] *nf* semana *f*; **à la s.**
semanalmente; **en s.** durante la
semana

semblable [sɑ̃blabl] **1** *adj (analogue)*
semejante, parecido(a) *(à a)*; *(tel)*
semejante; **de semblables mensonges** semejantes mentiras **2** *nm
(prochain)* semejante *m*

semblant [sɑ̃blɑ̃] *nm* **faire s. de faire
qch** fingir o simular hacer algo; **un s.
de qch** una apariencia de algo

sembler [sɑ̃ble] **1** *vi* parecer; **elle me
semble plus en forme** me parece que
está mejor **2** *v impersonnel* **il (me/te)
semble que** (me/te) parece que; **il
me semblait avoir fermé la porte**
creí haber cerrado la puerta

semelle [səmɛl] *nf (sous la chaussure)*
suela *f*; *(à l'intérieur de la chaussure)*
plantilla *f*

semence [səmɑ̃s] *nf (graine)* semilla *f*;
(sperme) semen *m*

semer [46] [səme] *vt* sembrar;
(répandre) esparcir; *Fam (se
débarrasser)* dar esquinazo a

semestre [səmɛstr] *nm* semestre *m*

séminaire [seminɛr] *nm* seminario *m*

semi-remorque *(pl* **semi-
remorques)** [səmirəmɔrk] *nm* camión
m articulado

semoule [səmul] *nf* sémola *f*

sénat [sena] *nm* senado *m*

sénateur [senatœr] *nm* senador(ora)
m,f

sénile [senil] *adj* senil

sens¹ *voir* **sentir**

sens² [sɑ̃s] *nm* sentido *m*; **à mon s.** en
mi opinión; **dans le s. de la largeur** a
lo ancho; **s. dessus dessous** patas
arriba ■ **s. figuré** sentido figurado;
s. interdit dirección *f* prohibida; **s.
propre** sentido propio; **s. unique**
dirección única; **bon s.** sentido
común

sensation [sɑ̃sɑsjɔ̃] *nf* sensación *f*; **à
s.** *(film)* efectista; *(presse)* sensacionalista; **faire s.** causar sensación

sensé, -e [sɑ̃se] *adj* sensato(a)

sensibiliser [sɑ̃sibilize] *vt* **s. qn à qch**
sensibilizar a alguien a algo

sensibilité [sɑ̃sibilite] *nf* sensibilidad
f

sensible [sɑ̃sibl] *adj* sensible (**à** a);
(perceptible) perceptible

sensualité [sɑ̃sɥalite] *nf* sensualidad
f

sensuel, -elle [sɑ̃sɥɛl] *adj* sensual

sentence [sɑ̃tɑ̃s] *nf* sentencia *f*

sentier [sɑ̃tje] *nm* sendero *m*, senda *f*

sentiment [sɑ̃timɑ̃] *nm (affection,
penchant)* sentimiento *m*; *(opinion)*
sentir *m*; *(impression)* impresión *f*

sentimental, -e, -aux, -ales
[sɑ̃timɑ̃tal, -o] *adj & nm,f* sentimental
mf

sentinelle [sɑ̃tinɛl] *nf* centinela *m*

sentir [64a] [sɑ̃tir] **1** *vt (par l'odorat)*
oler; *(par le goût, par le toucher)*
notar; *(exhaler)* oler a; *(pressentir)*
sentir; **faire s. qch à qn** *(faire
comprendre)* dar a entender algo a
alguien; **se faire s.** notarse, hacerse
sentir; *Fam* **ne pas pouvoir s. qn** no
poder tragar a alguien
2 *vi* oler; **s. bon/mauvais** oler bien/
mal
3 se sentir *vpr (être perceptible)*
notarse; **se s. fatigué** sentirse
cansado; **se s. la force de** sentirse
con fuerzas para; *Fam* **ne pas
pouvoir se s.** no poder tragarse

séparation [separasjɔ̃] *nf* separación *f*

séparer [separe] **1** *vt* separar (**de** de); *(lieu)* dividir **2 se séparer** *vpr* separarse (**de** de); *(route, fleuve)* dividirse

sept [set] **1** *adj inv* siete **2** *nm inv* siete *m*; *voir aussi* **six**

septante [septɑ̃t] *adj inv* Belg & Suisse setenta *m*; *voir aussi* **six**

septembre [septɑ̃br] *nm* septiembre *m*, setiembre *m*; **au mois de** ou **en s.** en (el mes de) septiembre; **nous sommes le 17 s.** estamos a 17 de septiembre, hoy es 17 de septiembre; **j'y vais le 17 s.** voy el 17 de septiembre

septième [setjɛm] *adj & nmf* séptimo(a) *m,f*; *voir aussi* **sixième**

sépulture [sepyltyr] *nf* sepultura *f*

séquelles [sekel] *nfpl* secuelas *fpl*

séquence [sekɑ̃s] *nf* secuencia *f*; *(série de cartes)* escalera *f*

séquestrer [sekestre] *vt (personne)* secuestrar, *Am* plagiar; *Jur (bien)* depositar

sera, serais *etc voir* **être**

serbe [serb] **1** *adj* serbio(a) **2** *nmf* serbio(a) *m,f*

Serbie [serbi] *nf* **la S.** Serbia

serein, -e [sərɛ̃, -ɛn] *adj* sereno(a)

sérénade [serenad] *nf* serenata *f*

sérénité [serenite] *nf* serenidad *f*

sergent [serʒɑ̃] *nm* sargento *m*

série [seri] *nf* serie *f*; *Sp* categoría *f*; **numéro hors s.** número *m* extraordinario; *aussi Ordinat* **en s.** en serie ■ **s. noire** *(catastrophes)* mala racha *f*; *(en littérature)* serie negra

sérieux, -euse [serjø, -øz] **1** *adj* serio(a); *(progrès)* considerable **2** *nm* seriedad *f*; **garder son s.** mantener la seriedad; **prendre qch/qn au s.** tomarse algo/a alguien en serio

seringue [sərɛ̃g] *nf* jeringuilla *f*

serment [sermɑ̃] *nm* juramento *m*; **je fais le s. de ne jamais recommencer** juro que nunca lo volveré a hacer; **prêter s.** prestar juramento; **sous s.** bajo juramento

sermon [sermɔ̃] *nm* sermón *m*

séronégatif, -ive [seronegatif, -iv] *adj* seronegativo(a)

séropositif, -ive [seropozitif, -iv] *adj* seropositivo(a)

serpent [serpɑ̃] *nm* serpiente *f* ■ **s. à sonnette** serpiente de cascabel

serpenter [serpɑ̃te] *vi* serpentear

serre [ser] *nf* invernadero *m*; **serres** *(d'un oiseau)* garras *fpl*

serré, -e [sere] *adj (nœud, poing, personnes)* apretado(a); *(vêtement, chaussures)* ceñido(a); *(match)* reñido(a); *(café)* cargado(a)

serrer [sere] **1** *vt (poing, lèvres, vis)* apretar; *Fig (cœur)* encoger; *(sujet: vêtement)* apretar; *(personne, main, rangs)* estrechar; *(se tenir près de)* pegarse a **2** *vi Aut* **s. à droite** pegarse a la derecha **3 se serrer** *vpr (se rapprocher)* apretarse; *(cœur)* encogerse

serre-tête [sertet] *nm inv* diadema *f*

serrure [seryr] *nf* cerradura *f*, *Am* chapa *f*

serveur, -euse [servœr, -øz] **1** *nm,f Esp* camarero(a) *m,f*, *Chile, Ven* mesonero(a) *m,f*, *Col, Méx* mesero(a) *m,f*, *CRica* salonero(a) *m,f*, *Perú, RP* mozo(a) *m,f* **2** *nm Ordinat* servidor *m*

serviable [servjabl] *adj* servicial

service [servis] *nm* servicio *m*; *(département)* departamento *m*; *(aide)* favor *m*; *(à café)* juego *m*; *(religieux)* oficio *m*; **la nouvelle machine a été mise en s. lundi** instalaron la nueva máquina el lunes; **rendre s. à qn** hacer un favor a alguien ■ **s. après-vente** servicio posventa; **s. militaire** servicio militar; **s. public** servicio público

serviette [servjet] *nf (porte-documents)* cartera *f*; **s. (de table)** servilleta *f*; **s. (de toilette)** toalla *f* ■ **s. hygiénique** compresa *f*

servir [63] [servir] **1** *vt* servir; *(client)* atender; *(intérêts, cause)* servir a **2** *vi* servir; **s. à faire qch** servir para hacer algo; **s. de** servir de; **cela ne**

sert à rien no sirve de o para nada **3 se servir** *vpr* servirse; **se s. de qch** *(utiliser)* utilizar algo

serviteur [sɛʀvitœʀ] *nm* servidor(ora) *m,f*

session [sesjɔ̃] *nf (assemblée)* sesión *f*; *Univ (examen)* convocatoria *f*

set [sɛt] *nm (au tennis)* set *m*; **s. (de table)** mantel *m* individual

seuil [sœj] *nm* umbral *m*; *Fig* **au s. de** en los umbrales de

seul, -e [sœl] *adj (isolé, sans compagnie)* solo(a); **s. à s.** a solas; **le s., la seule** el (la) único(a); **un s., une seule** un(a) solo(a); **je le ferai tout s.** lo haré yo solo

seulement [sœlmɑ̃] *adv (pas davantage, exclusivement)* solamente, sólo; *(toutefois)* sólo que; **non s....** mais en plus no sólo… sino que

sève [sɛv] *nf* savia *f*

sévère [sevɛʀ] *adj* severo(a); *(décor, tenue)* austero(a)

sévérité [severite] *nf* severidad *f*

sévices [sevis] *nmpl* malos tratos *mpl*

sexe [sɛks] *nm* sexo *m*

sexiste [sɛksist] *adj & nmf* sexista *mf*

sexualité [sɛksɥalite] *nf* sexualidad *f*

sexuel, -elle [sɛksɥɛl] *adj* sexual

shampooing, shampoing [ʃɑ̃pwɛ̃] *nm* champú *m*; **faire un s. à qn** lavarle la cabeza a alguien ■ **s. anti-pelliculaire** champú anticaspa

short [ʃɔʀt] *nm* pantalón *m* corto, short *m*

si [si] **1** *adv (tellement)* tan; *(oui)* sí; **elle est si belle** es tan guapa; **il roulait si vite qu'il a eu un accident** conducía tan rápido que tuvo un accidente; **ce n'est pas si facile que ça** no es tan fácil (como parece); **mais si!** ¡que sí!; **si bien que** de modo que
2 *conj* si; **si tu veux, on y va si quieres, vamos; je ne sais pas s'il est parti** no sé si se ha ido; **si ce n'est** *(sinon)* sino; *(sauf)* excepto; **si ce n'est que** excepto que; **si seulement** si al menos, si por lo menos

siamois, -e [sjamwa, -az] *adj* siamés(esa)

Sicile [sisil] *nf* **la S.** Sicilia

sida [sida] *nm (abrév* **syndrome immu-nodéficitaire acquis)** sida *m*

sidérurgie [sideʀyʀʒi] *nf* siderurgia *f*

siècle [sjɛkl] *nm* siglo *m*

siège [sjɛʒ] *nm (meuble)* asiento *m*; *(d'élu)* escaño *m*; *Mil* sitio *m*; *(résidence)* sede *f*; *(centre)* foco *m*; **se présenter par le s.** *(bébé)* venir de nalgas ■ **s. social** domicilio *m* social

siéger [59] [sjeʒe] *vi (faire partie d'une assemblée)* ocupar un escaño; *(tenir séance)* reunirse; *(résider)* residir

sien, sienne [sjɛ̃, sjɛn] **le sien, la sienne** *(mpl* **les siens**, *fpl* **les siennes)** *pron possessif* el (la) suyo(a); **c'est ton problème, pas le s.** eso es problema tuyo, no suyo; **il faudrait qu'il y mette du s.** tendría que poner algo de su parte; **les siens** *(sa famille)* los suyos

sieste [sjɛst] *nf* siesta *f*; **faire la s.** dormir o echarse la siesta

sifflement [siflɑ̃mɑ̃] *nm* silbido *m*, *Am* chiflido *m*; *(d'oiseau)* canto *m*

siffler [sifle] **1** *vi* silbar, *Am* chiflar; *(avec un instrument)* pitar; *(oiseau)* cantar **2** *vt (chanson)* silbar, *Am* chiflar; *(chien)* llamar con un silbido; *(personne)* silbar, *Am* chiflar

sifflet [siflɛ] *nm (instrument)* silbato *m*; *(jouet)* pito *m*; *(son)* silbido *m*, *Esp* pitido *m*, *Am* chiflido *m*; **sifflets** *(de mécontentement)* *Esp* silbidos, *Am* chiflidos, abucheos *mpl*

siffloter [siflɔte] *vt & vi Esp* silbar, *Am* chiflar

sigle [sigl] *nm* sigla *f*

signal, -aux [siɲal, -o] *nm* señal *f*; *(geste)* seña *f* ■ **s. d'alarme** señal de alarma; **s. sonore** tono *m*

signalement [siɲalmɑ̃] *nm* descripción *f*

signaler [siɲale] *vt* señalar; **rien à s.** nada que señalar

signalisation [siɲalizasjɔ̃] *nf* señalización f ■ **s. routière** señalización viaria

signature [siɲatyr] nf firma f ■ **s. électronique** firma electrónica

signe [siɲ] nm *(indice)* señal f; *(geste, trait, signal)* seña f; *Astrol* signo m; **les signes avant-coureurs de…** los augurios de…; **donner s. de vie** dar signos de vida; **faire s. à qn (de faire qch)** hacer una señal a alguien (para que haga algo); **faire s. que oui/non** *(de la tête)* afirmar/negar con la cabeza; **faire la s. de croix** santiguarse ■ **s. de ponctuation** signo de puntuación

signer [siɲe] vt firmar 2 **se signer** vpr persignarse

significatif, -ive [siɲifikatif, -iv] adj significativo(a)

signification [siɲifikasjɔ̃] nf *(sens)* significado m

signifier [66] [siɲifje] vt *(avoir le sens de)* significar; *(faire connaître)* & *Jur* notificar

silence [silɑ̃s] nm silencio m

silencieux, -euse [silɑ̃sjø, -øz] 1 adj silencioso(a) 2 nm silenciador m

silhouette [silwɛt] nf silueta f

sillonner [sijɔne] vt surcar

similaire [similɛr] adj similar (à a)

similitude [similityd] nf similitud f

simple [sɛ̃pl] 1 adj sencillo(a), simple; **c'est une s. question de temps** es simplemente una cuestión de tiempo; **c'est s. comme bonjour** es coser y cantar 2 nm *(au tennis)* individuales mpl; **s. messieurs/ dames** individuales masculinos/ femeninos

simplicité [sɛ̃plisite] nf *(facilité)* sencillez f, simplicidad f; *Fig (modestie, sobriété)* sencillez f

simplifier [66] [sɛ̃plifje] vt simplificar

simpliste [sɛ̃plist] adj simplista

simuler [simyle] vt simular

simultané, -e [simyltane] adj simultáneo(a)

sincère [sɛ̃sɛr] adj sincero(a)

sincérité [sɛ̃serite] nf sinceridad f

Singapour [sɛ̃gapur] n Singapur

singe [sɛ̃ʒ] nm mono m

singulariser [sɛ̃gylarize] **se singulariser** vpr singularizarse

singulier, -ère [sɛ̃gylje, -ɛr] 1 adj singular 2 nm *Gram* singular m

sinistre [sinistr] 1 adj siniestro(a) 2 nm *(catastrophe)* siniestro m; *Jur* daño m

sinistré, -e [sinistre] adj & nm,f siniestrado(a) m,f

sinon [sinɔ̃] conj *(autrement)* si no; *(sauf)* sino; **obéis, s. je me fâche** obedece, si no me enfado; **je ne sens rien, s. une légère courbature** no siento sino unas ligeras agujetas

sinueux, -euse [sinɥø, -øz] adj sinuoso(a)

sinusite [sinyzit] nf sinusitis f inv

siphon [sifɔ̃] nm sifón m

sirène [siren] nf sirena f

sirop [siro] nm jarabe m; **au s.** en almíbar ■ **s. de grenadine** granadina f; **s. de menthe** jarabe de menta

sismique [sismik] adj sísmico(a)

site [sit] nm *(emplacement)* emplazamiento m; *(paysage pittoresque)* paraje m ■ **s. naturel** paraje natural; *Ordinat* **s. web** sitio m web

sitôt [sito] adv **s. levé,…** en cuanto se levantó/se levante/etc,…; **s. dit, s. fait** dicho y hecho; **s. que** tan pronto como, en cuanto + subjonctif; **je le lui dirai s. qu'il reviendra** se lo diré tan pronto como o en cuanto vuelva; **il ne reviendra pas de s.** no creo que vuelva

situation [sitɥasjɔ̃] nf situación f; *(emploi)* puesto m ■ **s. de famille** estado m civil

situé, -e [sitɥe] adj situado(a)

situer [sitɥe] 1 vt situar 2 **se situer** vpr situarse

six [sis] 1 adj inv seis; *(roi, pape)* sexto(a); **il a s. ans** tiene seis años; **il est s. heures** son las seis; **le s. janvier** el seis de enero; **page s.** página seis; **nous étions s.** éramos seis 2 nm inv seis *m*; **elle habite (au) s.** rue de Valois vive en la calle Valois número seis

sixième [sizjɛm] **1** *adj* sexto(a); **le s. siècle** el siglo sexto; **arriver s.** llegar en sexto lugar *o* el (la) sexto(a)
2 *nmf* sexto(a) *m,f*
3 *nm (arrondissement de Paris)* distrito *m* sexto, sexto distrito *m*; *(étage)* sexto *m*; **le s. de qch** *(fraction)* la sexta parte de algo, un sexto de algo
4 *nf Scol* = curso de secundaria que se realiza a los once años, *Esp* ≃ sexto *m* de primaria; **être en s.** estar en sexto de primaria

sketch (*pl* **sketchs** *ou* **sketches**) [skɛtʃ] *nm* esquech *m*, sketch *m*

ski [ski] *nm* esquí *m*; **faire du s.** esquiar ▪ **s. alpin** esquí alpino; **s. de fond** esquí de fondo; **s. nautique** esquí náutico

skier [66] [skje] *vi* esquiar

skieur, -euse [skjœr, -øz] *nm,f* esquiador(ora) *m,f*

slalom [slalɔm] *nm (de ski)* eslálom *m*; *Fig* **faire du s. entre** zigzaguear entre

slave [slav] *adj* eslavo(a)

slip [slip] *nm (d'homme)* eslip *m*; *(de femme)* *Esp* bragas *fpl*, *Am* calzones *mpl*, *Méx, Ven* pantaletas *fpl*, *RP* bombacha *f* ▪ **s. de bain** *Esp* bañador *m*, *Am* short *m* de baño

slogan [slɔgã] *nm* eslogan *m*

slovaque [slɔvak] **1** *adj* eslovaco(a)
2 *nm,f* **S.** eslovaco(a) *m,f* **3** *nm (langue)* eslovaco *m*

Slovaquie [slɔvaki] *nf* **la S.** Eslovaquia

slovène [slɔvɛn] **1** *adj* esloveno(a)
2 *nm,f* **S.** esloveno(a) *m,f* **3** *nm (langue)* esloveno *m*

Slovénie [slɔveni] *nf* **la S.** Eslovenia

SMIC [smik] *nm (abrév* **salaire minimum interprofessionnel de croissance)** = salario mínimo interprofesional en Francia, ≃ SMI *m*

smoking [smɔkiŋ] *nm* esmoquin *m*, smoking *m*

SMS [ɛsɛmɛs] *nm (abrév* **short message service)** SMS *m*

SNCF [ɛsɛnseef] *nf (abrév* **Société nationale des chemins de fer français)** = compañía nacional de ferrocarriles franceses

snob [snɔb] *adj & nmf* esnob *mf*

sobre [sɔbr] *adj* sobrio(a)

sobriété [sɔbrijete] *nf* sobriedad *f*

sociable [sɔsjabl] *adj* sociable

social, -e, -aux, -ales [sɔsjal, -o] *adj* social

socialisme [sɔsjalism] *nm* socialismo *m*

socialiste [sɔsjalist] *adj & nmf* socialista *mf*

société [sɔsjete] *nf* sociedad *f* ▪ **s. anonyme** sociedad anónima; **s. de consommation** sociedad de consumo; **s. à responsabilité limitée** sociedad (de responsabilidad) limitada

sociologie [sɔsjɔlɔʒi] *nf* sociología *f*

sociologue [sɔsjɔlɔg] *nmf* sociólogo(a) *m,f*

sœur [sœr] *nf* hermana *f*

sofa [sɔfa] *nm* sofá *m*

soi [swa] *pron personnel* sí mismo(a), uno(a) mismo(a); **parler de s.** hablar de sí mismo; **être content de s.** estar contento(a) con uno(a) mismo(a); **revenir à s.** volver en sí; **rentrer chez s.** volver a casa; **cela va de s. (que)** ni que decir tiene *(que)*

soi-disant [swadizã] **1** *adj inv* supuesto(a) **2** *adv* **il était s. malade** se supone que estaba enfermo

soie [swa] *nf (textile)* seda *f*

soif [swaf] *nf* sed *f*; **avoir s.** tener sed; *Fam* **jusqu'à plus s.** hasta más no poder

soigné, -e [swaɲe] *adj* cuidado(a)

soigner [swaɲe] **1** *vt (blessure, malade)* curar; *(travail)* cuidar **2 se soigner** *vpr (malade)* curarse

soigneux, -euse [swaɲø, -øz] *adj* cuidadoso(a)

soi-même [swamɛm] *pron personnel* uno(a) mismo(a)

soin [swɛ̃] *nm (application)* esmero *m*; *(sollicitude)* cuidado *m*; **faire qch avec s.** hacer algo con esmero *o* cuidadosamente; **prendre s. de faire qch** asegurarse de hacer algo; **prendre s. de qch/de qn** cuidar de algo/de alguien; **soins** *(médicaux)* asistencia *f* médica; **être aux petits soins pour qn** colmar de atenciones a alguien ▪ **premiers soins** primeros auxilios

soir [swar] *nm* tarde *f*; *(nuit)* noche *f*; **le s.** por la tarde/noche; **ce s.** esta tarde/noche; **hier s.** anoche; **lundi s.** el lunes por la tarde/noche; **à huit heures du s.** a las ocho de la tarde/noche

soirée [sware] *nf (soir)* noche *f*; *(réunion)* velada *f*; *(spectacle)* función *f* de noche; **dans la s.** por la tarde; **de s.** *(tenue, robe)* de noche; **en s.** por la noche ▪ **s. dansante** baile *m*

sois, soit[1] *etc voir* **être**

soit[2] [swa] *conj (c'est-à-dire)* o sea, es decir; *Math (étant donné)* dado(a); **s. une droite AB** dada una recta AB; **s. dit en passant** dicho sea de paso; **s...., s.** o.... o

soit[3] [swat] *adv* de acuerdo

soixantaine [swasɑ̃ten] *nf* sesentena *f*; **avoir la s.** estar en los sesenta

soixante [swasɑ̃t] **1** *adj inv* sesenta **2** *nm inv* sesenta *m*; *voir aussi* **six**

soixante-dix [swasɑ̃tdis] **1** *adj inv* setenta **2** *nm inv* setenta *m*; *voir aussi* **six**

soixante-dixième [swasɑ̃tdizjem] **1** *adj & nmf* septuagésimo(a) *m,f* **2** *nm* setentavo *m*, setentava parte *f*; *voir aussi* **sixième**

soixantième [swasɑ̃tjem] **1** *adj & nmf* sexagésimo(a) *m,f* **2** *nm* sesentavo *m*, sesentava parte *f*; *voir aussi* **sixième**

soja [sɔʒa] *nm* soja *f*

sol [sɔl] *nm* suelo *m*

solaire [sɔlɛr] *adj* solar

soldat [sɔlda] *nm (militaire)* soldado *m*; **le s. inconnu** el soldado desconocido; **simple s.** soldado raso ▪ **s. de plomb** soldadito *m* de plomo

solde[1] [sɔld] *nm (d'un compte, d'une facture)* saldo *m*; *Com* **être en s.** estar rebajado(a); *Com* **soldes** rebajas *fpl*

solde[2] *nf Mil* sueldo *m*

solder [sɔlde] **1** *vt (compte) (régler)* saldar; *(fermer)* liquidar; *(article)* rebajar, saldar **2 se solder** *vpr* **se s. par qch** *(aboutir à)* acabar en algo

sole [sɔl] *nf* lenguado *m*

soleil [sɔlɛj] *nm* sol *m*; **au s.** al sol

solennel, -elle [sɔlanɛl] *adj* solemne

solidaire [sɔlidɛr] *adj* solidario(a) *(avec con)*

solidarité [sɔlidarite] *nf* solidaridad *f*; **par s. avec** en solidaridad con

solide [sɔlid] **1** *adj* sólido(a); *(personne)* robusto(a); *(couple, relation)* estable, sólido(a) **2** *nm Phys* sólido *m*

solidifier [66] [sɔlidifje] **1** *vt* solidificar **2 se solidifier** *vpr* solidificarse

solidité [sɔlidite] *nf* solidez *f*

soliste [sɔlist] *nmf* solista *mf*

solitaire [sɔliter] *adj & nmf* solitario(a) *m,f*

solitude [sɔlityd] *nf* soledad *f*

solliciter [sɔlisite] *vt (réclamer)* solicitar; *(personne)* reclamar; **s. qch de qn** *(audience, entretien)* solicitar algo de alguien; **s. l'attention de qn** reclamar la atención de alguien

sollicitude [sɔlisityd] *nf* solicitud *f (atención, amabilidad)*

soluble [sɔlybl] *adj (matière)* soluble

solution [sɔlysjɔ̃] *nf* solución *f*

sombre [sɔ̃br] *adj* oscuro(a); *(avenir, air, pensées)* sombrío(a)

sombrer [sɔ̃bre] *vi (bateau)* zozobrar; *Fig* **s. dans qch** *(folie, oubli)* hundirse en algo; *(sommeil)* sumergirse en algo

sommaire [sɔmer] **1** *adj (explication)* somero(a); *(exécution)* sumario(a); *(installation)* muy simple **2** *nm* índice *m*

somme[1] [sɔm] *nf* suma *f*; **en s.** en suma; **s. toute** después de todo

somme[2] *nm* siesta *f*; **faire un petit s.** echar una cabezada

sommeil [sɔmɛj] *nm* sueño *m*; **avoir s.** tener sueño

sommeiller [sɔmeje] *vi (personne)* dormitar; *Fig (sentiment)* latir, estar latente

sommelier, -ère [sɔmǝlje, -ɛr] *nm,f* sumiller *mf*, sommelier *mf*

sommer [sɔme] *vt* **s. qn de faire qch** requerir a alguien que haga algo

sommes *voir* **être**

sommet [sɔme] *nm* cumbre *f*; *(d'une figure géométrique)* vértice *m*; *aussi Fig* **au s. de** en la cumbre de

sommier [sɔmje] *nm* somier *m*

somnambule [sɔmnɑ̃byl] *adj & nmf* sonámbulo(a) *m,f*

somnifère [sɔmnifɛr] *nm* somnífero *m*

somnoler [sɔmnɔle] *vi* dormitar

somptueux, -euse [sɔ̃ptɥø, -øz] *adj* suntuoso(a)

son¹, sa [sɔ̃, sa] *(pl* **ses** [se])

Antes de vocal o h muda se emplea **son** en lugar de **sa**.

adj possessif su; **il a enlevé sa veste** se quitó la chaqueta; **ses parents** sus padres

son² *nm (bruit)* sonido *m*; **au s. de** al son de

son³ *nm (des céréales)* salvado *m*

sondage [sɔ̃daʒ] *nm* sondeo *m*

sonder [sɔ̃de] *vt* sondear; *Méd* sondar

songe [sɔ̃ʒ] *nm* sueño *m*

songer [45] [sɔ̃ʒe] **1** *vt* **s. que** pensar que **2** *vi* **s. à** pensar en; **s. à faire qch** pensar en hacer algo

songeur, -euse [sɔ̃ʒœr, -øz] *adj* pensativo(a)

sonner [sɔne] **1** *vt (cloche, retraite)* tocar; *(alarme)* dar; *(domestique, infirmière)* llamar **2** *vi (cloche, réveil, téléphone)* sonar; *(à la porte)* llamar

sonnerie [sɔnri] *nf (du téléphone, d'un réveil)* timbre *m*; *(d'une cloche)* repique *m*; *(d'un clairon)* toque *m*

sonnette [sɔnɛt] *nf (électrique)* timbre *m*; **appuyer sur la s.** pulsar el timbre; **tirer la s. d'alarme** activar la alarma

sonore [sɔnɔr] *adj* sonoro(a)

sonorité [sɔnɔrite] *nf* sonoridad *f*

sont *voir* **être**

sophistiqué, -e [sɔfistike] *adj* sofisticado(a)

soporifique [sɔpɔrifik] *adj* soporífero(a), soporífico(a)

sorbet [sɔrbɛ] *nm* sorbete *m*; **s. au citron** sorbete de limón

sorcellerie [sɔrsɛlri] *nf* brujería *f*, hechicería *f*

sorcier, -ère [sɔrsje, -ɛr] *nm,f* brujo(a) *m,f*, hechicero(a) *m,f*

sordide [sɔrdid] *adj* sórdido(a)

sort [sɔr] *nm (maléfice)* maldición *f*; *(destinée)* destino *m*; *(hasard)* suerte *f*; **jeter un s. à qn** echar una maldición sobre alguien; **tirer au s.** echar a suertes

sorte [sɔrt] *nf* clase *f*; **toutes sortes de** toda clase de; **une s. de** una especie de; **de telle s. que** de manera que, de modo que; **en quelque s.** en cierto modo

sortie [sɔrti] *nf* salida *f*; *(d'un livre)* publicación *f*; *(d'un film)* estreno *m*; *Ordinat (impression)* impresión *f*; **à la s.** a la salida; **être de s.** salir ▪ *Ordinat* **s. papier** *ou* **imprimante** salida de papel o de impresora; **s. de secours** salida de emergencia

sortir [64a] [sɔrtir] **1** *vi (aux* **être)** salir *(* **de** de); *(livre)* publicarse; *(film)* estrenarse; *(disque)* aparecer; **sortez!** ¡salid!; **s. de table** levantarse de la mesa; **ça m'est sorti de la tête** se me ha ido de la cabeza

2 *vt (aux* **avoir)** sacar; *(livre)* publicar; *(film)* estrenar; *(disque)* editar; *Fam (dire)* soltar

3 se sortir *vpr* **se s. de** *(se tirer)* salir de; **s'en s.** salir del paso; **ne pas s'en s.** *(être débordé)* no dar abasto

SOS [ɛsoɛs] *nm* SOS *m*; **lancer un S.** lanzar un SOS

sosie [sɔzi] *nm* sosia *m*, doble *mf*

sottise [sɔtiz] *nf (acte, parole)* tontería *f*, *CAm, Méx* babosada *f*, *RP* bobada *f*

souche [suʃ] *nf (d'arbre)* tocón *m*; *(d'une famille, d'un mot)* tronco *m*;

(d'un carnet) matriz *f*; **dormir comme une s.** dormir como un tronco
souci [susi] *nm (tracas, préoccupation)* preocupación *f*; **se faire du s.** preocuparse
soucier [susje] **se soucier** *vpr* **se s. de** preocuparse por
soucieux, -euse [susjø, -øz] *adj* preocupado(a); **être s. de qch/de faire qch** preocuparse por algo/por hacer algo; **peu s. de** poco cuidadoso(a) de
soucoupe [sukup] *nf* platillo *m* ▪ **s. volante** platillo volante
soudain, -e [sudɛ̃, -ɛn] **1** *adj* repentino(a) **2** *adv* de repente
souder [sude] *vt* soldar; *Fig (personnes)* unir
soudure [sudyr] *nf* soldadura *f*
souffle [sufl] *nm (respiration)* respiración *f*; *(expiration)* soplido *m*, soplo *m*; *(de vent)* & *Méd* soplo *m*; *(d'une explosion)* onda *f* expansiva; **avoir du s.** tener fondo; **être à bout de souffle** estar sin aliento; **couper le s. à qn** dejar boquiabierto(a) a alguien
souffler [sufle] **1** *vt (bougie, verre)* soplar; *(fenêtre)* pulverizar; **s. qch à qn** *(chuchoter)* susurrar algo a alguien; *(à l'école)* soplar algo a alguien; *(au théâtre)* apuntar algo a alguien **2** *vi* soplar; *Fig* **laisser s. qn** dejar respirar a alguien
souffrance [sufrɑ̃s] *nf* sufrimiento *m*
souffrant, -e [sufrɑ̃, -ɑ̃t] *adj* indispuesto(a)
souffrir [52] [sufrir] **1** *vi* sufrir; **s. de qch** *(physiquement)* sufrir o padecer (de) algo; *(psychologiquement)* sufrir por algo **2** *vt* **s. le martyre** sufrir un martirio; **je ne peux pas le s.** no lo soporto **3** **se souffrir** *vpr* **ils ne peuvent pas se s.** no se soportan
souhait [swɛ] *nm* deseo *m*; **à tes/vos souhaits!** ¡Jesús!, ¡salud!
souhaiter [swete] *vt* desear; **s. faire qch** desear hacer algo; **s. qch à qn** desear algo a alguien; **s. un joyeux**

anniversaire/un joyeux Noël à qn felicitar el cumpleaños/las Navidades a alguien; **s. à qn de faire qch** desear a alguien que haga algo
soûl, -e [su, sul] **1** *adj* borracho(a) **2** *nm* **tout mon/son/etc s.** hasta más no poder
soulagement [sulaʒmɑ̃] *nm* alivio *m*
soulager [45] [sulaʒe] *vt* aliviar
soûler [sule] **1** *vt* emborrachar; *Fig (ennuyer)* tener harto(a) **2** **se soûler** *vpr* emborracharse
soulèvement [sulɛvmɑ̃] *nm* levantamiento *m*
soulever [sulve] **1** *vt* levantar; *(question)* plantear **2** **se soulever** *vpr* *(s'élever)* levantarse; *(se révolter)* sublevarse, levantarse *(contre* contra*)*
soulier [sulje] *nm* zapato *m*
souligner [suliɲe] *vt (par un trait)* subrayar; *(mettre l'accent sur)* subrayar, recalcar; *(mettre en valeur)* realzar
soumettre [47] [sumɛtr] **1** *vt* someter *(à a)* **2** **se soumettre** *vpr* someterse *(à a)*
soumis, -e [sumi, -iz] *adj (docile)* sumiso(a)
soumission [sumisjɔ̃] *nf* sumisión *f*
soupçon [supsɔ̃] *nm* sospecha *f*; **un s. de** *(un peu de)* una pizca de
soupçonner [supsɔne] *vt* sospechar; **il est soupçonné de trahison** es sospechoso de traición; **s. qn de faire qch** sospechar que alguien haga algo
soupçonneux, -euse [supsɔnø, -øz] *adj* suspicaz
soupe [sup] *nf* sopa *f* ▪ **s. populaire** comedor *m* de beneficencia
souper [supe] **1** *nm* cena *f* **2** *vi* cenar
soupière [supjɛr] *nf* sopera *f*
soupir [supir] *nm* suspiro *m*
soupirer [supire] *vi* suspirar
souple [supl] *adj* flexible; *(démarche)* ligero(a); *(consistance, emballage)* blando(a)

souplesse [suplɛs] *nf (agilité, flexibilité)* flexibilidad *f*

source [surs] *nf* fuente *f; (d'eau)* fuente *f*, manantial *m*, *Am* vertiente *f*; **prendre sa s. à** nacer en; **tenir qch de s. sûre** saber algo de buena tinta

sourcil [sursi] *nm* ceja *f*

sourciller [sursije] *vi* **sans s.** sin pestañear

sourd, -e [sur, surd] *adj & nm,f* sordo(a) *m,f*

sourd-muet, sourde-muette *(mpl* **sourds-muets,** *fpl* **sourdes-muettes)** [surmɥɛt, surdmɥɛt] *adj & nm,f* sordomudo(a) *m,f*

sourire [61] [surir] **1** *vi* sonreír **2** *nm* sonrisa *f*

souris [suri] *nf (animal) & Ordinat* ratón *m*

sournois, -e [surnwa, -az] *adj (personne)* solapado(a)

sous [su] *prép* bajo; *(position)* debajo de, bajo; *(dans un délai de)* dentro de; **s. la pluie** bajo la lluvia; **s. la responsabilité de** bajo la responsabilidad de; **s. Louis XV** bajo Luis XV; **s. peu** dentro de poco; **s. cet angle** desde este punto de vista

sous-bois [subwa] *nm* monte *m* bajo

sous-chef *(pl* **sous-chefs)** [suʃɛf] *nm* subjefe(a) *m,f*

souscription [suskripsjɔ̃] *nf* subscripción *f*, suscripción *f*

souscrire [30] [suskrir] **1** *vt* subscribir, suscribir **2** *vi* **s. à** subscribirse a, suscribirse a; *(opinion, théorie)* adscribirse a

sous-développé, -e *(mpl* **sous-développés,** *fpl* **sous-développées)** [sudevlɔpe] *adj* subdesarrollado(a)

sous-directeur, -trice *(mpl* **sous-directeurs,** *fpl* **sous-directrices)** [sudirɛktœr, -tris] *nm,f* subdirector(ora) *m,f*

sous-entendre [suzɑ̃tɑ̃dr] *vt* sobreentender

sous-entendu *(pl* **sous-entendus)** [suzɑ̃tɑ̃dy] *nm* sobreentendido *m*, sobrentendido *m*

sous-estimer [suzɛstime] **1** *vt* subestimar **2 se sous-estimer** *vpr* subestimarse

sous-jacent, -e *(mpl* **sous-jacents,** *fpl* **sous-jacentes)** [suʒasɑ̃, -ɑ̃t] *adj* subyacente

sous-louer [sulwe] *vt* realquilar, subarrendar

sous-marin, -e *(mpl* **sous-marins,** *fpl* **sous-marines)** [sumarɛ̃, -in] **1** *adj* submarino(a) **2** *nm* submarino *m*

sous-préfecture *(pl* **sous-préfectures)** [suprefɛktyr] *nf* subprefectura *f (subdivisión administrativa del gobierno civil francés)*

sous-préfet *(pl* **sous-préfets)** [suprefɛ] *nm* subprefecto(a) *m,f*

soussigné, -e [susiɲe] **1** *adj* **je s.** yo, el abajo firmante; **nous soussignés** nosotros, los abajo firmantes **2** *nm,f* **le s.** el abajo firmante

sous-sol *(pl* **sous-sols)** [susɔl] *nm (naturel)* subsuelo *m; (d'un bâtiment)* sótano *m*

sous-titre *(pl* **sous-titres)** [sutitr] *nm* subtítulo *m*

soustraction [sustraksjɔ̃] *nf* substracción *f*, sustracción *f*

soustraire [28] [sustrer] **1** *vt* substraer, sustraer (**à** de); *Math* restar **2 se soustraire** *vpr* **se s. à** substraerse o sustraerse de

sous-vêtement *(pl* **sous-vêtements)** [suvɛtmɑ̃] *nm* prenda *f* interior; **les sous-vêtements** la ropa interior

soutenir [70] [sutnir] *vt (poutre, infirme)* sostener; *Fig (personne)* apoyar; *(effort, opinion)* mantener; *Univ (thèse)* defender; *(regard)* aguantar; **s. que** *(affirmer que)* sostener que

soutenu, -e [sutny] *adj (langage)* culto(a); *(attention, rythme)* sostenido(a); *(couleur)* subido(a)

souterrain, -e [sutɛrɛ̃, -ɛn] **1** *adj* subterráneo(a); *Fig (organisation)* secreto(a) **2** *nm* subterráneo *m*

soutien [sutjɛ̃] *nm* apoyo *m*; **apporter son s. à** apoyar o dar apoyo a

soutien-gorge (pl **soutiens-gorge**) [sutjɛ̃gɔrʒ] nm sostén m, Esp sujetador m, Arg corpiño m, Col, Méx brasier m, Urug soutien m

soutirer [sutire] vt s. qch à qn sonsacar algo a alguien

souvenir [70] [suvnir] 1 nm recuerdo m; **en s. de** como recuerdo de 2 **se souvenir** upr **se s. de** acordarse de; **se s. que** acordarse que

souvent [suvã] adv a menudo, con frecuencia

souverain, -e [suvrɛ̃, -ɛn] adj & nm,f soberano(a) m,f

soviétique [sɔvjetik] 1 adj soviético(a) 2 nmf **S.** soviético(a) m,f

soyeux, -euse [swajø, -øz] adj sedoso(a)

soyons etc voir **être**

spacieux, -euse [spasjø, -øz] adj espacioso(a)

spaghetti [spageti] nm espagueti m

sparadrap [sparadra] nm esparadrapo m

spatial, -e, -aux, -ales [spasjal, -o] adj espacial

spécial, -e, -aux, -ales [spesjal, -o] adj especial

spécialiser [spesjalize] **se spécialiser** upr especializarse (**dans** en)

spécialiste [spesjalist] nmf especialista mf

spécialité [spesjalite] nf especialidad f

spécifier [66] [spesifje] vt especificar

spécifique [spesifik] adj específico(a)

spécimen [spesimɛn] nm espécimen m; (exemplaire gratuit) muestra f gratuita

spectacle [spɛktakl] nm espectáculo m; **film à grand s.** superproducción f

spectaculaire [spɛktakyler] adj espectacular

spectateur, -trice [spɛktatœr, -tris] nm,f espectador(ora) m,f

spéculation [spekylasjɔ̃] nf especulación f

spéculer [spekyle] vi especular; **s. sur qch** especular con algo; Fig (miser sur) especular sobre algo

spéléologie [speleɔlɔʒi] nf espeleología f

sphère [sfɛr] nf esfera f

spirituel, -elle [spiritɥel] adj (vie, pouvoir) espiritual; (personne) ingenioso(a)

splendeur [splɑ̃dœr] nf esplendor m; **c'est une s.** es una maravilla

splendide [splɑ̃did] adj espléndido(a)

spontané, -e [spɔ̃tane] adj espontáneo(a)

sport [spɔr] 1 nm deporte m ■ **sports d'hiver** deportes de invierno 2 adj inv (vêtement) de sport; (fair-play) deportivo(a)

sportif, -ive [spɔrtif, -iv] 1 adj (évènement, résultats, club) deportivo(a); (personne) deportista 2 nm,f deportista mf

spot [spɔt] nm (lampe) foco m ■ **s. publicitaire** spot m publicitario

square [skwar] nm parque m

squash [skwaʃ] nm squash m

squatter[1] [skwate] vt ocupar (un local vacío)

squatter[2] [skwatœr] nm okupa mf

squelette [skəlɛt] nm esqueleto m

stabiliser [stabilize] 1 vt estabilizar 2 **se stabiliser** upr estabilizarse

stabilité [stabilite] nf estabilidad f

stable [stabl] adj estable

stade [stad] nm (terrain) estadio m; (étape) fase f; **en être au s. où** haber llegado a un punto en el que

stage [staʒ] nm (en entreprise) período m de prácticas; (en formation intensive) cursillo m

stagiaire [staʒjer] nmf (en entreprise) estudiante mf en prácticas; (en formation intensive) cursillista mf

stagner [stagne] vi estancarse

stand [stɑ̃d] nm (d'exposition) estand m; (de foire) caseta f ■ **s. de tir** (à la foire) caseta de tiro

standard [stɑ̃dar] 1 adj inv estándar

2 *nm (téléphonique) Esp* centralita *f*, *Am* conmutador *m*

standardiste [stãdardist] *nmf* telefonista *mf*

standing [stãdiŋ] *nm* standing *m*; **de grand s.** *(immeuble, quartier)* de alto standing

station [stasjõ] *nf* estación *f*; *(d'autobus, de taxis) Esp, RP* parada *f*, *Am* paradero *m* ▪ **s. balnéaire** ciudad *f* costera; **s. d'épuration** estación de depuración; **s. d'essence** estación de servicio, gasolinera *f*; **s. de ski** *ou* **de sports d'hiver** estación de esquí o de deportes de invierno; **s. thermale** balneario *m*; *Ordinat* **s. de travail** estación de trabajo

stationnaire [stasjɔnɛr] *adj* estacionario(a)

stationnement [stasjɔnmã] *nm* estacionamiento *m*; **s. interdit** *(sur panneau)* prohibido aparcar

stationner [stasjɔne] *vi (voiture)* estacionar; *(troupe)* permanecer

station-service *(pl* **stations-service)** [stasjõsɛrvis] *nf* estación *f* de servicio

statistique [statistik] **1** *adj* estadístico(a) **2** *nf* estadística *f*

statue [staty] *nf* estatua *f*

statut [staty] *nm (position)* estatus *m inv*; **statuts** *(d'une société)* estatutos *mpl*

steak [stɛk] *nm* bistec *m*, filete *m* ▪ **s. frites** filete o bistec con patatas fritas; **s. haché** filete ruso

sténographie [stenɔgrafi] *nf* taquigrafía *f*, estenografía *f*

stéréo [stereo] *nf* estéreo *m*

stéréotypé, -e [stereotipe] *adj* estereotipado(a)

stérile [steril] *adj* estéril

stériliser [sterilize] *vt* esterilizar

stéthoscope [stetɔskɔp] *nm* estetoscopio *m*

steward [stiwart, stjuward] *nm (sur un avion)* auxiliar *m* de vuelo; *(sur un bateau)* camarero *m*

stimulation [stimylasjõ] *nf* estimulación *f*

stimuler [stimyle] *vt* estimular

stipuler [stipyle] *vt* estipular

stock [stɔk] *nm Com (de marchandises)* stock *m*, existencias *fpl*; *(d'une entreprise)* stock *m*; *Fig (réserve)* reserva *f*; **en s.** en stock, en depósito

stocker [stɔke] *vt* almacenar

stop [stɔp] **1** *exclam (arrêtez-vous)* ¡alto!; *(j'en ai assez)* ¡basta! **2** *nm (panneau, signe télégraphique)* estop *m*; *(auto-stop)* autoestop *m*; *(feu)* luz *f* de freno; **j'y suis allé en s.** me fui a dedo

stopper [stɔpe] **1** *vt* detener **2** *vi* detenerse

stratagème [strataʒɛm] *nm* estratagema *f*

stratège [strateʒ] *nm* estratega *m*

stratégie [strateʒi] *nf* estrategia *f*

stratégique [strateʒik] *adj* estratégico(a)

stress [strɛs] *nm* estrés *m*

stressé, -e [strese] *adj* estresado(a)

strict, -e [strikt] *adj* estricto(a)

strident, -e [stridã, -ãt] *adj* estridente

structure [stryktyr] *nf* estructura *f*

structurer [stryktyre] *vt* estructurar

studieux, -euse [stydjø, -øz] *adj (personne)* estudioso(a); *(vacances)* dedicado(a) a estudiar

studio [stydjo] *nm* estudio *m*

stupéfaction [stypefaksjõ] *nf* estupefacción *f*, asombro *m*

stupéfait, -e [stypefɛ, -ɛt] *adj* estupefacto(a), asombrado(a)

stupéfiant, -e [stypefjã, -ãt] **1** *adj* asombroso(a) **2** *nm* estupefaciente *m*

stupéfier [66] [stypefje] *vt* dejar estupefacto(a), asombrar

stupeur [stypœr] *nf* estupor *m*, asombro *m*

stupide [stypid] *adj* estúpido(a)

stupidité [stypidite] *nf* estupidez *f*

style [stil] *nm* estilo *m*

styliste [stilist] *nmf* estilista *mf*

stylo [stilo] *nm* boli *m* ▪ **s. (à) bille** bolígrafo *m*; **s. (à) plume** pluma *f*

su, -e *pp voir* **savoir**

subdiviser [sybdivize] *vt* subdividir

subir [sybir] *vt* sufrir; *(examen)* pasar
subit, -e [sybi, -it] *adj* súbito(a)
subjectif, -ive [sybʒɛktif, -iv] *adj* subjetivo(a)
subjuguer [sybʒyge] *vt* subyugar
sublime [syblim] *adj* sublime
submerger [45] [sybmɛrʒe] *vt (inonder)* sumergir; *(sujet: émotion)* invadir; **être submergé de travail** estar agobiado(a) de trabajo
subsistance [sybzistãs] *nf* subsistencia *f*
subsister [sybziste] *vt* subsistir
substance [sypstãs] *nf* sustancia *f*, substancia *f*; **en s.** en resumen
substantiel, -elle [sypstãsjɛl] *adj (repas)* sustancioso(a); *(avantage)* sustancioso(a), sustancial
substituer [sypstitɥe] **1** *vt* **s. A à B** substituir B por A **2 se substituer** *vpr* **se s. à** substituir
substitut [sypstity] *nm* sustituto *m*; *Jur* teniente *mf* fiscal
substitution [sypstitysjɔ̃] *nf* sustitución *f*, substitución *f*
subtil, -e [syptil] *adj* sutil
subtilité [syptilite] *nf* sutileza *f*
subvenir [70] [sybvənir] *vi* **s. aux besoins de qn** satisfacer las necesidades de alguien
subvention [sybvãsjɔ̃] *nf* subvención *f*
subventionner [sybvãsjɔne] *vt* subvencionar
subversif, -ive [sybvɛrsif, -iv] *adj* subversivo(a)
succéder [34] [syksede] **1** *vi* **s. à** suceder a **2 se succéder** *vpr* sucederse
succès [syksɛ] *nm* éxito *m*; **avoir du s.** tener éxito; **auteur à s.** autor *m* de éxito
successeur [syksesœr] *nm* sucesor *m*
successif, -ive [syksesif, -iv] *adj* sucesivo(a)
succession [syksesjɔ̃] *nf* sucesión *f*; **prendre la s. (de)** suceder (a)
succinct, -e [syksɛ̃, -ɛ̃t] *adj (résumé)* sucinto(a); *(repas)* escaso(a)

succomber [sykɔ̃be] *vi* sucumbir (**à** a)
succulent, -e [sykylã, -ãt] *adj (repas)* suculento(a)
succursale [sykyrsal] *nf* sucursal *f*
sucer [16] [syse] *vt* chupar
sucette [sysɛt] *nf (confiserie)* pirulí *m*, piruleta *f*; *(de bébé)* chupete *m*
sucre [sykr] *nm* azúcar *m o f*; *(morceau)* azucarillo *m* ■ **s. glace** azúcar glas; **s. en morceaux** terrones *mpl* de azúcar; **s. d'orge** pirulí *m*; **s. en poudre** azúcar en polvo
sucrer [sykre] *vt* azucarar, echar azúcar a
sucreries [sykrəri] *nfpl (friandises)* dulces *mpl*, golosinas *fpl*
sucrier [sykrije] *nm (récipient)* azucarero *m*
sud [syd] **1** *adj inv* sur *inv* **2** *nm* sur *m*; **au s. de** al sur de
sud-africain, -e *(mpl* **sud-africains,** *fpl* **sud-africaines)** [sydafrikɛ̃, -ɛn] **1** *adj* sudafricano(a) **2** *nm,f* **S.** sudafricano(a) *m,f*
sud-américain, -e *(mpl* **sud-américains,** *fpl* **sud-américaines)** [sydamerikɛ̃, -ɛn] **1** *adj* sudamericano(a) **2** *nm,f* **S.** sudamericano(a) *m,f*
sud-est [sydɛst] **1** *adj* sudeste *inv*, sureste *inv* **2** *nm* sudeste *m*, sureste *m*
sud-ouest [sydwɛst] **1** *adj inv* sudoeste *inv*, suroeste *inv* **2** *nm* sudoeste *m*, suroeste *m*
Suède [sɥɛd] *nf* **la S.** Suecia
suédois, -e [sɥedwa, -az] **1** *adj* sueco(a) **2** *nm,f* **S.** sueco(a) *m,f* **3** *nm (langue)* sueco *m*
suer [sɥe] *vi (transpirer)* sudar; *Fam* **faire s. qn** dar la lata a alguien
sueur [sɥœr] *nf* sudor *m*; **être en s.** estar sudando
suffire [19b] [syfir] **1** *vi* bastar (**à/ pour** a/para) **2** *v impersonnel* **il lui suffit de chanter pour être heureux** le basta con cantar para ser feliz; **ça suffit!** *(arrête)* ¡basta! **3 se suffire** *vpr*

se s. (à soi-même) bastarse (a sí mismo(a))

suffisamment [syfizamã] *adv* suficientemente; **s. de livres** suficientes libros

suffisant, -e [syfizã, -ãt] *adj (quantité)* suficiente; *(air, ton)* de suficiencia

suffoquer [syfɔke] **1** *vt (sujet: chaleur)* sofocar; *(sujet: colère)* dejar sin respiración; *(stupéfier)* dejar impresionado(a) **2** *vi* asfixiarse; *Fig* **s. de colère** encenderse de cólera

suffrage [syfraʒ] *nm (élection)* sufragio *m*; *(voix)* voto *m*; **au s. universel** por sufragio universal

suggérer [34] [sygʒere] *vt* sugerir; **je te suggère d'agir rapidement** te sugiero que actúes con rapidez

suggestif, -ive [sygʒestif, -iv] *adj* sugestivo(a), sugerente

suggestion [sygʒestjɔ̃] *nf (conseil)* sugerencia *f*; *Psy* sugestión *f*

suicide [sɥisid] **1** *nm* suicidio *m* **2** *adj inv* suicida

suicider [sɥiside] **se suicider** *vpr* suicidarse

suie [sɥi] *nf* hollín *m*

suinter [sɥɛ̃te] *vi* rezumar; *(plaie)* supurar

suis *voir* être, suivre

Suisse [sɥis] *nf* **la S.** Suiza; **la S. alémanique** la Suiza alemana; **la S. romande** la Suiza francesa

suisse [sɥis] **1** *adj* suizo(a) **2** *nmf* **S.** suizo(a) *m,f*

suite [sɥit] *nf (ce qui vient après)* continuación *f*; *(série)* serie *f*, sucesión *f*; *(escorte)* séquito *m*; *(appartement)* & *Mus* suite *f*; **suites** *(conséquences)* consecuencias *fpl*; **donner s. à** *(demande)* dar curso a; **à la s. de** *(demande)* después de; **s. à** como consecuencia de; *(lettre)* en contestación a; **de s.** *(d'affilée)* seguido(a); **par s. de** a consecuencia de; **par la s.** después

suivant, -e [sɥivã, -ãt] *adj* & *nm,f* siguiente *mf*

suivi, -e [sɥivi] **1** *adj (efforts, relation)* constante; *(raisonnement)* estructurado(a) **2** *nm* seguimiento *m*

suivre [65] [sɥivr] **1** *vt* seguir; *(succéder à)* suceder a; *(longer)* bordear; *(malade)* atender, llevar; *(discours, conversation)* escuchar; *(match)* mirar; **là je ne te suis plus** no te sigo **2** *vi* seguir; **à s.** *(feuilleton)* continuará; **faire s.** *(lettre)* remítase al destinatario **3** **se suivre** *vpr (se succéder)* sucederse

sujet¹, -ette [syʒɛ, -ɛt] **1** *adj* **être s. à** *(maladie)* sufrir de **2** *nm,f (d'un monarque)* súbdito(a) *m,f*

sujet² *nm (question, thème)* tema *m*; *(cobaye)* & *Gram* sujeto *m*; **à ce s.** al respecto; **au s. de** a propósito de; **c'est à quel s.?** ¿de qué se trata?; **s. de conversation** tema de conversación

super [syper] **1** *adj inv Fam* genial **2** *exclam Fam* ¡genial! **3** *nm (essence)* súper *f*

superbe [syperb] *adj* magnífico(a)

supercherie [syperʃəri] *nf* superchería *f*

supérette [syperɛt] *nf* mini supermercado *m*

superficie [syperfisi] *nf* superficie *f*

superficiel, -elle [syperfisjɛl] *adj* superficial

superflu, -e [syperfly] *adj* superfluo(a)

supérieur, -e [syperjœr] **1** *adj* superior (**à** a); *(air)* de superioridad **2** *nm,f* superior(ora) *m,f*

supériorité [syperjɔrite] *nf* superioridad *f*

supermarché [sypermarʃe] *nm* supermercado *m*

superposer [syperpoze] **1** *vt* superponer **2** **se superposer** *vpr* superponerse

superproduction [syperprɔdyksjɔ̃] *nf* superproducción *f*

superpuissance [syperpɥisãs] *nf* superpotencia *f*

supersonique [sypersɔnik] *adj* supersónico(a)

superstitieux, -euse [syperstisjø, -øz] *adj* supersticioso(a)
superstition [syperstisjɔ̃] *nf* superstición *f*
superviser [sypervize] *vt* supervisar
supplanter [syplɑ̃te] *vt (personne)* suplantar; *(chose)* substituir a
suppléant, -e [sypleɑ̃, -ɑ̃t] *adj & nm,f* suplente *mf*
suppléer [24] [syplee] *vt* suplir
supplément [syplemɑ̃] *nm* suplemento *m*; **le service est en s.** *(au restaurant)* servicio no incluido
supplémentaire [syplemɑ̃ter] *adj* suplementario(a); *(heure)* extraordinario(a)
supplice [syplis] *nm* suplicio *m*
supplier [66] [syplije] *vt* **s. qn de faire qch** suplicar a alguien que haga algo; **je t'en/vous en supplie** te lo/se lo suplico
support [sypɔr] *nm* soporte *m*
supportable [sypɔrtabl] *adj* soportable
supporter¹ [sypɔrte] **1** *vt* soportar **2 se supporter** *vpr (l'un l'autre)* soportarse
supporter² [sypɔrter] *nm* hincha *mf*
supposer [sypoze] *vt* suponer; **à s. que** en el supuesto de que
supposition [sypozisjɔ̃] *nf* suposición *f*
suppression [sypresjɔ̃] *nf* supresión *f*
supprimer [syprime] *vt* suprimir; *(douleur)* eliminar; **s. qch à qn** retirar algo a alguien
suprématie [sypremasi] *nf* supremacía *f*
suprême [syprem] *adj* supremo(a)
sur [syr] *prép* (**a**) *(à la surface de)* en; *(au-dessus de)* encima de, sobre; **il est assis s. une chaise** está sentado en una silla; **un pont s. la rivière** un puente sobre el río
(**b**) *(dans la direction de)* a, hacia; **s. la gauche** a o hacia la izquierda; **la fenêtre donne s. la mer** la ventana da al mar

(**c**) *(grâce à)* de; **il vit s. les revenus de ses parents** vive del dinero de sus padres
(**d**) *(au sujet de)* sobre; **un débat s. la drogue** un debate sobre la droga
(**e**) *(indique la proportion)* **s. douze invités, six sont venus** de doce invitados han venido seis; **un mètre s. deux** un metro por dos; **une fois s. deux** una de cada dos veces
(**f**) **s. ce** en esto
sûr, -e [syr] *adj* seguro(a); *(personne)* de confianza; *(goût, instinct)* bueno(a); **être s. de qch/que** estar seguro(a) de algo/que; **être s. de soi** estar seguro(a) de sí mismo(a); **être s. et certain de qch** estar segurísimo(a) de algo; **bien sûr!** ¡por supuesto!
surcharge [syrʃarʒ] *nf (d'un véhicule)* sobrecarga *f*; *(de bagages)* exceso *m*, sobrepeso *m*; *(de travail)* exceso *m*
surcharger [45] [syrʃarʒe] *vt (véhicule)* sobrecargar; **s. qn de travail** abrumar a alguien con demasiado trabajo
surcroît [syrkrwa] *nm* aumento *m*; **de s.** de recargo
surdité [syrdite] *nf* sordera *f*
surélever [46] [syrelve] *vt* sobrealzar
surestimer [syrestime] **1** *vt* sobreestimar **2 se surestimer** *vpr* sobreestimarse
sûreté [syrte] *nf* seguridad *f*; **en s.** a salvo
surexcité, -e [syreksite] *adj* sobreexcitado(a)
surf [sœrf] *nm* surf *m*
surface [syrfas] *nf* superficie *f*; **refais s.** *(réapparaître)* reaparecer; *(se remettre)* salir a flote ■ **grande s.** hipermercado *m*, gran superficie
surfait, -e [syrfɛ, -ɛt] *adj* sobreestimado(a)
surfer [sœrfe] *vi* hacer surf
surgelé, -e [syrʒəle] **1** *adj* congelado(a) **2** *nm* producto *m* congelado
surgir [syrʒir] *vi* surgir

surhumain, -e [syrymɛ̃, -ɛn] *adj* sobrehumano(a)

sur-le-champ [syrləʃɑ̃] *adv* en el acto

surlendemain [syrlɑ̃dmɛ̃] *nm* le s. a los dos días

surligner [syrliɲe] *vt* marcar con rotulador fluorescente

surligneur [syrliɲœr] *nm* marcador *m*, subrayador *m*

surmener [46] [syrməne] 1 *vt* agotar 2 se surmener *vpr* agotarse

surmonter [syrmɔ̃te] *vt* (être placé sur) coronar; (obstacle, peur) superar

surnaturel, -elle [syrnatyrɛl] 1 *adj* (phénomène, pouvoir) sobrenatural; (talent) prodigioso(a) 2 *nm* le s. lo sobrenatural

surnom [syrnɔ̃] *nm* sobrenombre *m*, apodo *m*

surpasser [syrpase] 1 *vt* superar 2 se surpasser *vpr* superarse

surpeuplé, -e [syrpœple] *adj* superpoblado(a)

surplomb [syrplɔ̃] *nm* desplome *m*; en s. voladizo(a), salidizo(a)

surplomber [syrplɔ̃be] *vt* dominar

surplus [syrply] *nm* excedente *m*

surprenant, -e [syrprənɑ̃, -ɑ̃t] *adj* sorprendente

surprendre [58] [syrprɑ̃dr] *vt* sorprender; (secret) descubrir

surprise [syrpriz] *nf* sorpresa *f*; faire une s. à qn dar una sorpresa a alguien; par s. por sorpresa

surréaliste [syrrealist] *nmf* surrealista *mf*

sursaut [syrso] *nm* (mouvement brusque) sobresalto *m*; (d'énergie) arranque *m*; en s. de un sobresalto

sursauter [syrsote] *vi* sobresaltarse

sursis [syrsi] *nm* (délai) aplazamiento *m*; Jur condena *f* condicional; six mois avec s. pena *f* de seis meses con remisión condicional

surtout [syrtu] *adv* sobre todo; n'y touche s. pas no se te ocurra tocar esto; Fam s. que sobre todo porque

surveillance [syrvɛjɑ̃s] *nf* vigilancia *f*

surveillant, -e [syrvɛjɑ̃, -ɑ̃t] *nm,f* (gardien) vigilante *m*; Scol = persona, generalmente un estudiante, encargada de la disciplina en un colegio

surveiller [syrveje] *vt* (enfant, santé, suspect) vigilar; (études, travaux) supervisar; (langage, ligne) cuidar 2 se surveiller *vpr* cuidarse

survenir [70] [syrvənir] *vi* sobrevenir

survêtement [syrvɛtmɑ̃] *nm* chandal *m*

survie [syrvi] *nf* (d'un malade) vida *f*; (de l'âme) & Fig supervivencia *f*

survivant, -e [syrvivɑ̃, -ɑ̃t] *adj & nm,f* superviviente *mf*

survivre [72] [syrvivr] *vi* sobrevivir (à a)

survoler [syrvɔle] *vt* (territoire) sobrevolar; (texte) echar un vistazo a

susceptible [sysɛptibl] *adj* susceptible (de de)

susciter [sysite] *vt* suscitar

suspect, -e [syspɛ, -ɛkt] 1 *adj* (personne) sospechoso(a) (de de); (douteux) dudoso(a) 2 *nm,f* sospechoso(a) *m,f*

suspecter [syspɛkte] *vt* sospechar; s. qn de qch sospechar algo de alguien; s. qn de faire qch sospechar que alguien hace algo

suspendre [syspɑ̃dr] 1 *vt* suspender; (accrocher) colgar (à de) 2 se suspendre *vpr* se s. à suspenderse de, colgarse de

suspens [syspɑ̃] en suspens *adv* (en l'air) suspendido(a); (en attente) pendiente

suspense [syspɛns] *nm* suspense *m*

suspension [syspɑ̃sjɔ̃] *nf* suspensión *f*; en s. en suspensión

suture [sytyr] *nf* voir point

SVP [ɛsvepe] (abrév s'il vous plaît) por favor

symbole [sɛ̃bɔl] *nm* símbolo *m*; être le s. de qch (personnification) ser estandarte de algo

symbolique [sɛ̃bɔlik] 1 *adj* simbólico(a) 2 *nf* simbología *f*

symboliser [sɛ̃bɔlize] *vt* simbolizar

sympa [sɛ̃pa] *adj Fam (personne, maison)* majo(a); **cette soirée était très s.** ha estado muy bien la fiesta

sympathie [sɛ̃pati] *nf (entente, amitié)* simpatía *f*; **témoigner sa s. à qn** *(compassion)* expresar su simpatía a alguien

sympathique [sɛ̃patik] *adj (personne)* simpático(a); *(soirée)* agradable; *(maison, lieu)* acogedor(ora)

sympathiser [sɛ̃patize] *vi* simpatizar (**avec** con)

symphonie [sɛ̃fɔni] *nf* sinfonía *f*

symptôme [sɛ̃ptom] *nm* síntoma *m*

synagogue [sinagɔg] *nf* sinagoga *f*

synchroniser [sɛ̃krɔnize] *vt* sincronizar

syndicaliste [sɛ̃dikalist] *nmf* sindicalista *mf*

syndicat [sɛ̃dika] *nm* sindicato *m* ▪ **s. de copropriétaires** comunidad *f* de propietarios; **s. d'initiative** oficina *f* de turismo

syndiqué, -e [sɛ̃dike] *adj* sindicado(a)

syndrome [sɛ̃drom] *nm* síndrome *m*

synthèse [sɛ̃tez] *nf* síntesis *f inv*

synthétique [sɛ̃tetik] *adj* sintético(a)

synthétiseur [sɛ̃tetizœr] *nm* sintetizador *m*

Syrie [siri] *nf* **la S.** Siria

syrien, -enne [sirjɛ̃, -ɛn] **1** *adj* sirio(a) **2** *nm,f* **S.** sirio(a) *m,f*

systématique [sistematik] *adj* sistemático(a)

système [sistem] *nm* sistema *m* ▪ *Ordinat* **s. d'exploitation** sistema operativo

Tt

T, t [te] *nm inv (lettre)* T *f*, t *f*

ta [ta] *voir* **ton**

tabac [taba] *nm (plante)* tabaco *m*; *(magasin)* estanco *m*; *Fam* **faire un t.** ser un exitazo

table [tabl] *nf (meuble)* mesa *f*; **à t.!** ¡a comer!; **mettre/débarrasser la t.** poner/quitar la mesa; **se mettre à t.** sentarse a la mesa ▪ **t. de chevet** *ou* **de nuit** mesilla *f* de noche; **t. des matières** índice *m*; **t. de multiplication** tabla *f* de multiplicar; **t. d'opération** mesa de operaciones; **t. ronde** mesa redonda

tableau, -x [tablo] *nm* cuadro *m*; *(d'école)* pizarra *f*, encerado *m*; *(panneau)* tablón *m*, tablero *m* ▪ **t. d'affichage** tablón de anuncios; *Sp* marcador *m*; **t. de bord** *(de voiture)* salpicadero *m*; *(d'avion)* cuadro de mandos; **t. noir** pizarra *f*

tabler [table] *vi* **t. sur** contar con

tablette [tablet] *nf (étagère)* tabla *f*; *(de salle de bains)* repisa *f*; *(de chocolat)* tableta *f*

tablier [tablije] *nm (de cuisinière)* delantal *m*; *(d'écolier)* bata *f*; *Fig* **rendre son t.** cortarse la coleta

tabouret [tabure] *nm* taburete *m*

tache [taʃ] *nf* mancha *f*; *(souillure morale)* tacha *f* ▪ **taches de rousseur** pecas *fpl*

tâche [taʃ] *nf* tarea *f*, labor *f*

tacher [taʃe] **1** *vt* manchar **2 se tacher** *vpr (personne)* mancharse

tâcher [taʃe] *vi* **t. de faire qch** procurar hacer algo

tacheté, -e [taʃte] *adj* moteado(a) (**de** de)

tact [takt] *nm* tacto *m*

tactique [taktik] **1** *adj* táctico(a) **2** *nf* táctica *f*

Tahiti [taiti] *n* Tahití

taille [taj] *nf (coupe) (de pierre)* talla *f*; *(d'arbres)* tala *f*; *(dimension) (d'une personne)* estatura *f*; *(de vêtements)* talla *f*; *(d'un objet)* tamaño *m*; *(milieu du corps)* talle *m*, cintura *f*; **quelle t. faites-vous?** ¿qué talla usa?; **à ma t.** de mi talla

taille-crayon *(pl* **taille-crayons)** [tajkrejɔ̃] *nm* sacapuntas *m inv*

tailler [taje] **1** *vt (pierre)* tallar; *(arbres)* talar; *(crayon)* sacar punta a; *(vêtement)* cortar **2 se tailler** *vpr Fam (s'enfuir)* huir

tailleur [tajœr] *nm (couturier)* sastre *m*; *(vêtement)* traje *m* (sastre o de chaqueta)

taire [55b] [ter] **1** *vt* callar **2 se taire** *vpr (ne pas parler)* callarse; **tais-toi!** ¡cállate!

talc [talk] *nm* talco *m*

talent [talɑ̃] *nm* talento *m*

talentueux, -euse [talɑ̃tɥø, -øz] *adj* talentoso(a); **être très t.** tener mucho talento

talkie-walkie *(pl* **talkies-walkies)** [tokiwoki] *nm* walkie-talkie *m*

talon [talɔ̃] *nm (du pied, de chaussette)* talón *m*; *(de chaussure) Esp* tacón *m*, *Am* taco *m*; *(de chèque)* matriz *f* ■ **talons aiguilles** *Esp* tacones de aguja, *Am* tacos aguja; **talons hauts** *Esp* tacones altos, *Am* tacos altos; **talons plats** *Esp* tacones bajos, *Am* tacos bajos

tambour [tɑ̃bur] *nm (de machine à laver, de frein)* & *Mus* tambor *m*; **battre le t.** tocar el tambor

tambourin [tɑ̃burɛ̃] *nm (cerceau à grelots)* pandereta *f*; *(tambour)* tamboril *m*

tampon [tɑ̃pɔ̃] *nm (masse de tissu)* bayeta *f*, paño *m*; *(cachet)* sello *m*, tampón *m*; *(bouchon)* tapón *m*, *Am* tapa *f*; *(de wagon)* tope *m*; *Fig* **servir de t. entre** *(médiateur)* servir de colchón entre ■ **t. encreur** tampón;

t. hygiénique tampón (higiénico)

tamponner [tɑ̃pɔne] *vt (surface)* frotar con un paño; *(plaie)* limpiar; *(document)* sellar; *(heurter)* topar con

tandem [tɑ̃dɛm] *nm* tándem *m*; **en t.** *(à deux)* a dúo

tandis [tɑ̃di(s)] **tandis que** *conj* mientras que

tanière [tanjɛr] *nf* guarida *f*

tank [tɑ̃k] *nm* tanque *m*

tanner [tane] *vt (peau)* curtir; *Fam (personne)* dar la tabarra a

tant [tɑ̃] *adv* **(a)** *(quantité, nombre)* **t. de** tanto(a); **t. d'élèves** tantos alumnos; **t. que ça?** ¿tanto?
(b) *(tellement)* tanto; **il l'aime t.** la quiere tanto
(c) *(valeur indéfinie)* tanto; **ça coûte t.** esto cuesta tanto
(d) *(jour indéfini)* **le t.** tal día
(e) *(comparatif)* **t.... que** tanto... como; **t. les premiers que les seconds** tanto los primeros como los segundos
(f) *(valeur temporelle)* **t. que** mientras; **amuse-toi t. que tu peux** disfruta mientras puedas
(g) *(expressions)* **en t. que** como; **t. bien que mal** a trancas y barrancas, mal que bien; **t. mieux** tanto mejor; **t. mieux pour elle!** ¡mejor para ella!; **t. pis** qué se le va a hacer; **t. pis pour lui!** ¡peor para él!; **t. qu'à faire...** ya que estás/estamos/*etc*...; **un t. soit peu** un poquito

tante [tɑ̃t] *nf* tía *f*

tantinet [tɑ̃tinɛ] *nm Fam* **un t. radin** un poquito tacaño; **un t. trop long** un pelín largo

tantôt [tɑ̃to] *adv (cet après-midi)* esta tarde; **t.... t.** unas veces... otras

taon [tɑ̃] *nm* tábano *m*

tapage [tapaʒ] *nm (bruit)* escándalo *m*, alboroto *m* ■ **t. nocturne** escándalo nocturno

tapageur, -euse [tapaʒœr, -øz] *adj (hôte, enfant)* escandaloso(a), alborotador(ora); *(luxe, liaison, publicité)* escandaloso(a)

tape [tap] *nf* cachete *m*

taper [tape] **1** *vt (donner un coup à)* golpear; *(texte)* pasar a máquina **2** *vi (donner un coup)* golpear; *(à la porte)* llamar; *(à la machine)* escribir a máquina; *Fam (soleil)* pegar; **t. du pied** dar golpecitos con el pie; **il s'est fait t. dessus** le pegaron **3** *se taper vpr Fam (corvée)* hacerse

tapis [tapi] *nm (pour le sol)* alfombra *f*; **mettre qch sur le t.** poner algo sobre el tapete ■ **t. de bain** alfombra de baño; **t. roulant** *(pour marchandises, pour bagages)* cinta *f* transportadora; *(pour piétons)* tapiz *m* deslizante; **t. de sol** (colchoneta *f*) aislante *m*; *Ordinat* **t. de souris** alfombrilla *f* (para el ratón)

tapisser [tapise] *vt (mur)* empapelar; *Fig (recouvrir)* cubrir (**de** de)

tapisserie [tapisri] *nf (tenture)* tapiz *m*; *(papier peint)* empapelado *m*

tapoter [tapɔte] **1** *vt* dar golpecitos en **2** *vi* **t. sur qch** dar golpecitos en algo

taquin, -e [takɛ̃, -in] *adj & nm,f* guasón(ona) *m,f*

taquiner [takine] *vt* pinchar

tard [tar] *adv* tarde; **au plus t.** a más tardar; **sur le t.** tardíamente

tarder [tarde] *vi* **t. à faire qch** tardar en hacer algo; **il me tarde de te revoir/qu'elle revienne** tengo muchas ganas de verte/de que vuelva

tardif, -ive [tardif, -iv] *adj* tardío(a)

tare [tar] *nf* tara *f*

tarif [tarif] *nm (prix, tableau des prix)* tarifa *f*; *(douanier)* arancel *m* (aduanero); **plein t.** tarifa normal

tarir [tarir] **1** *vt* agotar **2** *vi (source, ressources)* agotarse; *Fig* **ne pas t. d'éloges sur** hacerse lenguas de

tarte [tart] *nf (gâteau)* tarta *f*; *Fam (gifle)* torta *f*

tartelette [tartəlɛt] *nf* tartaleta *f*

tartine [tartin] *nf (de pain)* rebanada *f* de pan untada; **t. beurrée/de confiture** rebanada de pan con mantequilla/con mermelada

tartiner [tartine] *vt* untar

tas [tɑ] *nm* montón *m*, *Andes, Carib* ruma *f*; *Fam* **un t. de** *(beaucoup de)* un montón de

tasse [tɑs] *nf* taza *f*; *Fam* **boire la t.** *(en nageant)* tragar agua ■ **t. à café** taza de café

tasser [tɑse] **1** *vt (neige, terre)* apisonar; *(choses, personnes)* apretujar **2** *se tasser vpr (terrain)* hundirse; *(vieillard)* achaparrarse; *(se serrer)* apiñarse, apretujarse; *Fam* **les choses se tassent** las cosas se van arreglando

tâter [tɑte] **1** *vt (toucher)* tentar; *Fig (sonder)* tantear **2** *se tâter vpr Fam (hésiter)* pensarlo

tâtonner [tɑtɔne] *vi (pour se diriger)* tantear; *Fig (chercher)* dar palos de ciego

tâtons [tɑtɔ̃] **à tâtons** *adv* a tientas

tatouage [tatwaʒ] *nm* tatuaje *m*

tatouer [tatwe] *vt* tatuar

taudis [todi] *nm (logement misérable)* tugurio *m*, cuchitril *m*; *Péj (maison mal tenue)* leonera *f*

taupe [top] *nf (animal, espion)* topo *m*

taureau, -x [tɔro] *nm* toro *m*; *Astrol* **T.** Tauro *m*

tauromachie [tɔrɔmaʃi] *nf* tauromaquia *f*

taux [to] *nm (cours)* tasa *f*, tipo *m*; *(de cholestérol, d'alcool)* índice *m* ■ **t. de change** tipo de cambio; **t. d'intérêt** tipo de interés; **t. de natalité** índice de natalidad

taxe [taks] *nf* impuesto *m*, contribución *f* ■ **t. d'habitation** = impuesto aplicado a la persona que reside en una vivienda; **t. sur la valeur ajoutée** impuesto sobre el valor añadido

taxer [takse] *vt (produit)* tasar; *(importations)* gravar

taxi [taksi] *nm (voiture)* taxi *m*; *(chauffeur)* taxista *mf*, *CAm, Méx* ruletero *m*

tchèque [tʃɛk] **1** *adj* checo(a) **2** *nmf* **T.** checo(a) *m,f* **3** *nm (langue)* checo *m*

te [tə]

Delante de vocal o h muda se utiliza **t'**.

pron personnel te; **te voilà** aquí estás
technicien, -enne [tɛknisjɛ̃, -ɛn] *nm,f* técnico(a) *m,f*
technique [tɛknik] **1** *adj* técnico(a) **2** *nf* técnica *f*
technologie [tɛknɔlɔʒi] *nf* tecnología *f*
technologique [tɛknɔlɔʒik] *adj* tecnológico(a)
teckel [tekɛl] *nm* teckel *m*
tee-shirt (*pl* **tee-shirts**) [tiʃœrt] *nm* camiseta *f*, *CSur* remera *f*
teindre [54] [tɛ̃dr] **1** *vt* teñir **2 se teindre** *upr* **se t. (les cheveux) en blond** teñirse (el pelo) de rubio
teint, -e [tɛ̃, tɛ̃t] **1** *pp voir* **teindre 2** *nm* tez *f* **3** *nf* **teinte** *(couleur)* color *m*
teinter [tɛ̃te] *vt* teñir
teinture [tɛ̃tyr] *nf (action de teindre)* tintura *f*; *(colorant)* tinte *m*
teinturerie [tɛ̃tyrri] *nf* tintorería *f*, tinte *m*
tel, telle [tɛl] **1** *adj* **(a)** *(valeur indéterminée)* tal; **t. ou t.** tal o cual **(b)** *(semblable)* semejante; **de telles personnes** semejantes personas; **je n'ai rien dit de t.** no he dicho nada semejante **(c)** *(en intensif)* tal; **un t. bonheur** una felicidad tal **(d) t. que** *(introduit un exemple, une comparaison)* como; **des métaux tels que le cuivre** metales como el cobre; **il est t. que je l'avais toujours rêvé** es tal (y) como siempre lo soñé **(e) t. quel** tal cual; **tout est resté t. quel depuis son départ** todo ha permanecido tal cual desde que se marchó **2** *pron indéfini* **un t., une telle** fulano *m*, fulanita *f*
télé [tele] *nf Fam* tele *f*
télécommande [telekɔmɑ̃d] *nf* mando *m* a distancia, telemando *m*
télécommunications [telekɔmynikasjɔ̃] *nfpl* telecomunicaciones *fpl*
télécopie [telekɔpi] *nf* fax *m*

télécopieur [telekɔpjœr] *nm* fax *m* *(aparato)*
téléfilm [telefilm] *nm* telefilm *m*, telefilme *m*
télégramme [telegram] *nm* telegrama *m*
télégraphe [telegraf] *nm* telégrafo *m*
téléguider [telegide] *vt* teledirigir
télépathie [telepati] *nf* telepatía *f*
téléphérique [teleferik] *nm* teleférico *m*
téléphone [telefɔn] *nm* teléfono *m* ■ **t. cellulaire** teléfono celular; **t. mobile** *ou* **portable** teléfono móvil; **t. sans fil** teléfono inalámbrico
téléphoner [telefɔne] **1** *vi* llamar (por teléfono); **t. à qn** llamar (por teléfono) a alguien **2 se téléphoner** *upr* llamarse por teléfono
téléphonique [telefɔnik] *adj* telefónico(a)
télescope [teleskɔp] *nm* telescopio *m*
télescopique [teleskɔpik] *adj* telescópico(a)
télésiège [telesjɛʒ] *nm* telesilla *m*
téléski [teleski] *nm* telesquí *m*
téléspectateur, -trice [telespɛktatœr, -tris] *nm,f* telespectador(ora) *m,f*
télétravail [teletravaj] *nm* teletrabajo *m*
téléviseur [televizœr] *nm* televisor *m*
télévision [televizjɔ̃] *nf* televisión *f* ■ **t. par câble** televisión por cable; **t. par satellite** televisión por *ou* vía satélite
télex [telɛks] *nm* télex *m inv*
telle [tɛl] *voir* **tel**
tellement [tɛlmɑ̃] *adv (si)* tan (**que** que); *(tant)* tanto (**que** que); **elle est t. gentille!** ¡es tan simpática!; **t. mieux** mucho mejor; **elle a t. changé!** ¡ha cambiado tanto!; **t. de** tanto(a); **j'ai t. de choses à faire!** ¡tengo tantas cosas que hacer!; **aimes-tu le chocolat? – pas t.** ¿te gusta el chocolate? – no mucho
téméraire [temerɛr] *adj* temerario(a)
témérité [temerite] *nf* temeridad *f*
témoignage [temwaɲaʒ] *nm (récit)* &

Jur testimonio *m*; *(gage)* muestra *f*, prueba *f*; **en t. de** como muestra o prueba de

témoigner [temwaɲe] **1** *vt (sentiment)* mostrar, manifestar; **t. que** *(révéler)* demostrar que; *(attester)* declarar que **2** *vi Jur* declarar, testificar (**en faveur de/contre** a favor de/en contra de)

témoin [temwɛ̃] **1** *nm* testigo *mf*; *(voyant)* indicador *m*; **être t. de qch** ser testigo de algo **2** *adj (appartement)* piloto *inv*

tempérament [tɑ̃peramɑ̃] *nm* temperamento *m*

température [tɑ̃peratyr] *nf* temperatura *f*; **avoir de la t.** tener fiebre; **prendre sa t.** tomarse la temperatura

tempéré, -e [tɑ̃pere] *adj (climat)* templado(a); *(caractère)* temperado(a)

tempérer [34] [tɑ̃pere] *vt* temperar

tempête [tɑ̃pɛt] *nf* tormenta *f*, *Fig (agitation)* tempestad *f*; **t. de neige** tormenta de nieve

temple [tɑ̃pl] *nm* templo *m*

temporaire [tɑ̃pɔrɛr] *adj* temporal

temporel, -elle [tɑ̃pɔrɛl] *adj* temporal

temps [tɑ̃] *nm* tiempo *m*; *(de l'année, de l'histoire)* época *f*; **avoir le t. de faire qch** tener tiempo de hacer algo; **avoir tout son t.** tener todo el tiempo del mundo; **ces t.-ci, ces derniers t.** últimamente; **il est t. de faire qch** es hora de hacer algo; **chaque chose en son t.** cada cosa a su tiempo; **perdre son t.** perder el tiempo; **prends ton t.** tómate tu tiempo; **travailler à plein t.** trabajar a jornada completa; **un certain t.** cierto tiempo; **au t. des Romains** en la época de los romanos; **à t.** a tiempo; **de mon t.** en mis tiempos o mi época; **de t. à autre, de t. en t.** de vez en cuando; **en même t.** al mismo tiempo; **tout le t.** todo el tiempo, todo el rato ■ **t. libre** tiempo libre; **t. mort** *(pause)* pausa *f*; *Sp* tiempo muerto

tenace [tənas] *adj* tenaz

ténacité [tenasite] *nf* tenacidad *f*

tenailles [tənaj] *nfpl* tenazas *fpl*

tendance [tɑ̃dɑ̃s] *nf* tendencia *f*; **avoir t. à faire qch** tener tendencia a hacer algo

tendre¹ [tɑ̃dr] *adj (aliment, personne)* tierno(a); *(bois)* blando(a); *(couleur)* suave; *(parole)* cariñoso(a)

tendre² [tɑ̃dr] **1** *vt (corde, muscles)* tensar; *(étendre)* tender; **t. qch à qn** *(donner)* tender algo a alguien; **t. la main à qn** tender la mano a alguien; **t. l'oreille** prestar atención **2 se tendre** *vpr* tensarse

tendresse [tɑ̃drɛs] *nf (sentiment)* ternura *f*, cariño *m*

tendu, -e [tɑ̃dy] *adj (fil, corde)* tenso(a), tirante; *(personne, atmosphère, rapports)* tenso(a); *(main)* tendido(a)

teneur [tənœr] *nf (d'une lettre)* contenido *m*; *(pourcentage)* proporción *f*, cantidad *f* (**en** de)

tenir [70] [tənir] **1** *vt (à la main, sur ses genoux)* tener; *(maintenir)* sujetar; *(par la discipline)* controlar; *(conserver)* mantener; *(promesse)* cumplir; *(commerce, restaurant)* llevar; **je te tiens!** ¡te tengo!; **t. qn par la main** llevar a alguien de la mano; **t. la porte ouverte** mantener la puerta abierta; **t. le coup** aguantar (la prueba); **t. qn pour responsable de** hacer a alguien responsable de; **t. qch de qn** *(apprendre)* saber algo por alguien

2 *vi* **(a)** *(être solide)* aguantar, resistir; *(durer)* durar; *(rentrer)* caber; **t. bon** aguantar; **t. debout** tenerse en pie; *Fig* **ça ne tient pas debout** eso no se lo cree nadie; **ça tient toujours pour...?** ¿sigue en pie lo de...?; **tiens!** *(prends)* ¡toma!; *(justement)* ¡anda!; *(pour attirer l'attention)* ¡mira!

(b) **t. à** *(ami)* estar ligado(a) a; *(réputation)* mirar por; *(avoir pour cause)* deberse a; **t. à faire qch** insistir en hacer algo; **je tiens à vous**

remercier se lo agradezco muchísimo; **je n'y tiens pas** no me apetece

(**c**) **t. de** *(ressembler à)* salir a; *(relever de)* parecer; **il tient de son père** sale a su padre; **t. du miracle** parecer milagro

3 *v impersonnel* **il ne tient qu'à lui de...** depende de él que...

4 se tenir *vpr (se trouver)* estar; *(avoir lieu)* tener lugar, celebrarse; *(être cohérent)* concordar; *(se conduire)* portarse, comportarse; *(s'agripper)* agarrarse; **tiens-toi droit!** ¡ponte derecho!; **se t. par la main** ir de la mano; **tiens-toi bien!** ¡pórtate bien!; **tiens-toi tranquille!** ¡estate quieto!; **s'en t. à qch** atenerse a algo

tennis [tenis] **1** *nm (sport)* tenis *m inv*
■ **t. de table** tenis de mesa **2** *nf (chaussure)* zapatilla *f* de deporte

tension [tɑ̃sjɔ̃] *nf* tensión *f*; *(désaccord)* tensión *f*, tirantez *f*; **avoir de la t.** tener la tensión alta ■ **t. artérielle** tensión arterial

tentant, -e [tɑ̃tɑ̃, -ɑ̃t] *adj* tentador(ora)

tentation [tɑ̃tasjɔ̃] *nf* tentación *f*

tentative [tɑ̃tativ] *nf* intento *m*, tentativa *f*; **t. de suicide** intento de suicidio

tente [tɑ̃t] *nf (de camping)* tienda *f* de campaña; *(de cirque)* carpa *f*

tenter [tɑ̃te] *vt (attirer)* tentar; **t. la traversée de qch** intentar atravesar algo; **t. de faire qch** intentar hacer algo; **être tenté de faire qch** estar tentado(a) de hacer algo

tenture [tɑ̃tyr] *nf* colgadura *f*

tenu, -e [təny] *adj* **bien/mal t.** *(en ordre)* bien/mal atendido(a); **être t. de faire qch** tener que hacer algo

ténu, -e [teny] *adj* tenue

tenue [təny] *nf (habillement)* ropa *f*; *(militaire)* uniforme *m*; *(manières)* modales *mpl*; *(maintien du corps)* postura *f*; *(d'une maison)* cuidado *m*; *(de la comptabilité)* teneduría *f*; **un peu de t.!** ¡compórtate! ■ *Aut* **t. de**

route adherencia *f* (a la carretera); **t. de soirée** traje *m* de noche

ter [tɛr] *adv* ter; *Mus* tres veces

terme [tɛrm] *nm (fin, mot, élément)* término *m*; *(délai)* plazo *m*; *Com* vencimiento *m*; **mettre un t. à qch** poner término a algo; *Fin* **à t.** a plazos; **à long t.** a largo plazo; **naître avant t.** nacer prematuro(a); **en d'autres termes** en otras palabras

terminaison [tɛrminɛzɔ̃] *nf Gram* terminación *f*

terminal, -e, -aux, -ales [tɛrminal, -o] **1** *adj* terminal **2** *nm Ordinat* terminal *m*; *(dock, aérogare)* terminal *f* **3** *nf* **terminale** *Scol* = último curso de secundaria que se realiza a los dieciséis años, ≃ segundo *m* de Bachillerato

terminer [tɛrmine] **1** *vt* terminar, acabar **2 se terminer** *vpr* terminarse, acabarse (**en/par** en/con)

terminologie [tɛrminɔlɔʒi] *nf* terminología *f*

terminus [tɛrminys] *nm* término *m*, final *m* (de línea)

terne [tɛrn] *adj (couleur, regard)* apagado(a); *(vie, conversation)* monótono(a); *(personne)* insignificante

ternir [tɛrnir] *vt (couleurs)* desteñir; *Fig (réputation)* empañar

terrain [tɛrɛ̃] *nm* terreno *m*; **gagner du t.** ganar terreno ■ **t. d'aviation** campo *m* de aviación; **t. à bâtir** solar *m*; **t. de camping** terreno de camping; **t. de foot** campo *m* de fútbol; **t. vague** solar

terrasse [tɛras] *nf* terraza *f*; *(toit)* terraza *f*, azotea *f*

terrasser [tɛrase] *vt (adversaire)* derribar; *(sujet: maladie)* abatir

terre [tɛr] *nf* tierra *f*; *(sol)* tierra *f*, suelo *m*; **la T.** la Tierra; **par t.** *(sans mouvement)* en el suelo; *(avec mouvement)* al suelo ■ **t. battue** tierra batida; **t. cuite** terracota *f*

terre-plein *(pl* **terre-pleins)** [tɛrplɛ̃] *nm* terraplén *m*

terrer [tere] **se terrer** *vpr* encerrarse

terrestre [terɛstr] *adj* terrestre; *(globe)* terráqueo(a); *(plaisir, paradis)* terrenal

terreur [terœr] *nf* terror *m*

terrible [teribl] *adj (affreux)* terrible; *(appétit, effort)* tremendo(a); *Fam (excellent)* bestial; **le film n'était pas t.** la película estuvo regular

terrien, -enne [terjɛ̃, -ɛn] **1** *adj (paysan)* rural **2** *nm,f (habitant de la Terre)* terrícola *mf*

terrier [terje] *nm (de lapin)* madriguera *f*; *(chien)* terrier *m*

terrifiant, -e [terifjɑ̃, -ɑ̃t] *adj* aterrador(ora)

terrifier [66] [terifje] *vt* aterrorizar

terrine [terin] *nf* terrina *f*

territoire [teritwar] *nm* territorio *m*; **t. d'outre-mer** territorio francés de ultramar

territorial, -e, -aux, -ales [teritɔrjal, -o] *adj (eaux)* jurisdiccional; *(armée)* de reserva

terroir [terwar] *nm* región *f*

terroriser [terɔrize] *vt* aterrorizar

terrorisme [terɔrism] *nm* terrorismo *m*

terroriste [terɔrist] *adj & nmf* terrorista *mf*

tertiaire [tersjɛr] *adj* terciario(a)

tes [te] *voir* **ton**

test [tɛst] *nm* test *m* ■ **t. de dépistage** prueba *f*; **t. de grossesse** test *o* prueba de embarazo

testament [tɛstamɑ̃] *nm* testamento *m*; **l'Ancien/le Nouveau T.** el Antiguo/el Nuevo Testamento

tester [tɛste] *vt* someter a un test

testicule [tɛstikyl] *nm* testículo *m*

tête [tɛt] *nf* cabeza *f*; *(d'arbre)* copa *f*; *(d'une liste)* principio *m*; *(visage)* cara *f*; **être en t. (de)** estar a la cabeza (de); **être t. en l'air** ser distraído(a); **faire une drôle de t.** poner una cara rara; **faire la t.** enfurruñarse; **prendre la t. de qch** *(parti, entreprise)* asumir la presidencia de algo; **il est à la t. de l'entreprise** está al frente de la empresa; **la t. la première** de cabeza; **de t.** *(calculer)* mentalmente; **de la t. aux pieds** de la cabeza a los pies ■ **t. de lit** cabecera *f*

tête-à-tête [tɛtatɛt] *nm inv (entrevue)* mano a mano *m*; **en t.** en privado, a solas

téter [34] [tete] *vt* mamar

tétine [tetin] *nf (de biberon)* tetina *f*; *(sucette)* chupete *m*; *(mamelle)* teta *f*

têtu, -e [tety] *adj* testarudo(a)

texte [tɛkst] *nm* texto *m*

textile [tɛkstil] **1** *adj* textil **2** *nm (matière)* tejido *m*; *(industrie)* textil *m*

texto [tɛksto] *nm Fam* mensaje *m* (de texto)

texture [tɛkstyr] *nf* textura *f*

TGV [teʒeve] *nm (abrév* **train à grande vitesse**) = tren de alta velocidad francés, ≃ AVE *m*

thaïlandais, -e [tajlɑ̃dɛ, -ɛz] **1** *adj* tailandés(esa) **2** *nm,f* **T.** tailandés(esa) *m,f*

Thaïlande [tajlɑ̃d] *nf* la **T.** Tailandia

thé [te] *nm* té *m* ■ **t. à la menthe** té con menta

théâtral, -e, -aux, -ales [teatral, -o] *adj* teatral

théâtre [teatr] *nm* teatro *m*

théière [tejɛr] *nf* tetera *f*

thème [tɛm] *nm (sujet) & Mus* tema *m*; *(traduction)* traducción *f* inversa

théologie [teɔlɔʒi] *nf* teología *f*

théorie [teɔri] *nf* teoría *f*; **en t.** en teoría, teóricamente

théorique [teɔrik] *adj* teórico(a)

thérapeutique [terapøtik] *adj* terapéutico(a)

thérapie [terapi] *nf* terapia *f*

thermal, -e, -aux, -ales [termal, -o] *adj* termal

thermique [termik] *adj* térmico(a)

thermomètre [termɔmɛtr] *nm* termómetro *m*

Thermos® [termos] *nf (bouteille)* **T.** termo *m*

thermostat [termɔsta] *nm* termostato *m*

thèse [tɛz] *nf* tesis *f inv*; **t. de doctorat** tesis doctoral

thon [tɔ̃] *nm* atún *m*

thym [tɛ̃] *nm* tomillo *m*

Tibet [tibɛ] *nm* **le T.** el Tíbet

tic [tik] *nm (nerveux)* tic *m*; *(de langage)* muletilla *f*

ticket [tikɛ] *nm* billete *m* ■ **t. de caisse** tíquet *m* de compra

tiède [tjɛd] *adj (boisson, eau)* templado(a), tibio(a); *(vent)* templado(a)

tiédir [tjedir] *vi* templar; **faire t. qch** templar algo

tien, tienne [tjɛ̃, tjɛn] **1** *(mpl* **les tiens**, *fpl* **les tiennes)** *pron possessif* el (la) tuyo(a); **c'est mon problème, pas le t.** no es mi problema, no el tuyo; **tu pourrais y mettre un peu du t.!** ¡podrías poner un poco de tu parte!; **à la tienne!** ¡(a tu) salud!; **les tiens** *(ta famille)* los tuyos

tiercé [tjɛrse] *nm* = apuesta a los tres caballos ganadores de una carrera

tiers, tierce [tjɛr, tjɛrs] **1** *adj* **une tierce personne** una tercera persona, un tercero **2** *nm (personne)* tercero *m*; *(portion)* tercio *m*, tercera parte *f*

tiers-monde [tjɛrmɔ̃d] *nm* tercer mundo *m*

tige [tiʒ] *nf (d'une plante)* tallo *m*; *(de métal)* varilla *f*

tigre, -esse [tigr, -ɛs] *nm,f* tigre *m* (tigresa *f*)

tilleul [tijœl] *nm (arbre)* tilo *m*; *(infusion)* tila *f*

timbre [tɛ̃br] *nm (de la poste, tampon)* sello *m*; *(cachet)* sello *m*, timbre *m*; *(d'un instrument, de la voix)* timbre *m* ■ **t. fiscal** timbre fiscal

timbrer [tɛ̃bre] *vt (tamponner)* timbrar, sellar; *(lettre)* sellar

timide [timid] *adj & nmf* tímido(a) *m,f*

timidité [timidite] *nf* timidez *f*

tinter [tɛ̃te] *vi (cloche)* tañer; *(horloge, sonnette)* sonar; *(pièces de monnaie)* tintinear

tir [tir] *nm* tiro *m*; *(salve)* disparo *m* ■ **t. à l'arc** tiro con arco

tirage [tiraʒ] *nm (impression)* impresión *f*; *(d'un journal, d'un livre)* tirada *f*; *Phot* positivado *m*; *(du loto)* sorteo *m*; *(d'une cheminée)* tiro *m* ■ **t. au sort** sorteo

tirailler [tiraje] **1** *vt (tirer)* tirar de; *Fig* **être tiraillé entre…** debatirse entre… **2** *vi (faire feu)* tirotear

tiré, -e [tire] *adj (traits)* cansado(a)

tire-bouchon *(pl* **tire-bouchons)** [tirbuʃɔ̃] *nm* sacacorchos *m inv*; **en t.** en forma de tirabuzón

tirelire [tirlir] *nf* hucha *f*

tirer [tire] **1** *vt (remorque)* tirar de; *(rideaux)* correr; *(trait)* trazar; *(revue, livre)* editar; *(avec une arme, cartes)* tirar; *(numéro)* sacar, extraer; **t. les cartes** echar las cartas; **t. qch de qch** *(faire sortir)* sacar algo de algo; **t. qn de** *(situation, embarras)* sacar a alguien de; **t. qch de qn** *(obtenir)* obtener algo de alguien; **t. une conclusion de qch** sacar una conclusión de algo
2 *vi (avec une arme, au football)* disparar **(sur** contra); *(cheminée)* tirar; **t. sur qch** *(corde)* tirar de algo; *(couleur)* tirar a algo
3 *se tirer vpr Fam (s'en aller)* abrirse; **se t. de qch** salir (bien) de algo; **il s'en est bien tiré** *(il a réussi)* lo ha hecho bastante bien; *(il a été peu puni)* ha salido bien parado

tireur, -euse [tirœr, -øz] *nm,f* tirador(ora) *m,f* ■ **tireuse de cartes** echadora *f* de cartas; **t. d'élite** tirador de élite

tiroir [tirwar] *nm* cajón *m*

tisane [tizan] *nf* infusión *f*, tisana *f*

tisser [tise] *vt* tejer

tissu [tisy] *nm (étoffe)* & *Biol* tejido *m*; **un t. de mensonges** una sarta de mentiras

titre [titr] *nm* título *m*; *(dans la presse)* titular *m*; **à t. de** a título de; **à juste t.** con razón ■ **t. de transport** título de transporte; **gros t.** gran titular

tituber [titybe] *vi* tambalearse

titulaire [tityler] *adj & nmf* titular *mf* (**de** de)

titulariser [titylarize] *vt* titularizar

toast [tost] *nm (pain grillé)* tostada *f; (discours)* brindis *m;* **porter un t. à** brindar por

toboggan [tɔbɔgã] *nm* tobogán *m; (viaduc)* viaducto *m; Can (traîneau)* trineo *m*

toc [tɔk] *nm Fam* bisutería *f;* **en t. de** bisutería

toi [twa] *pron personnel (complément d'objet)* te; *(après une préposition)* ti; *(sujet, dans une comparatif)* tú; **réveille-t.!** ¡despiértate!; **c'est t.?** ¿eres tú?; **t. aussi/non plus** tú también/tampoco; **il est à t.** es tuyo(a); **avec t.** contigo; **après t.** después de ti; **et tu es content de t.** ¡estarás satisfecho contigo mismo!; **il vous a invités, Pierre et t.** os invitó a Pierre y a ti

toile [twal] *nf (étoffe) (de lin)* hilo *m; (de bâche)* lona *f, (tableau)* lienzo *m* ■ **t. d'araignée** telaraña *f;* **t. cirée** hule *m*

toilette [twalɛt] *nf (soins de propreté)* aseo *m; (parure, vêtements)* vestuario *m;* **faire sa t.** lavarse; **toilettes** *(W-C)* servicios *mpl*

toi-même [twamɛm] *pron personnel* tú mismo(a)

toit [twa] *nm (toiture)* tejado *m; Fig (maison)* techo ■ **t. ouvrant** techo corredizo

toiture [twatyr] *nf* techumbre *f,* techado *m*

tôle [tol] *nf (de métal)* chapa *f*

tolérance [tɔlerãs] *nf* tolerancia *f*

tolérant, -e [tɔlerã, -ãt] *adj* tolerante

tolérer [34] [tɔlere] *vt* tolerar

tomate [tɔmat] *nf (fruit)* tomate *m; (plante)* tomatera *f*

tombe [tɔ̃b] *nf* tumba *f*

tombeau, -x [tɔ̃bo] *nm* tumba *f*

tombée [tɔ̃be] *nf* **à la t. du jour** *ou* **de la nuit** al anochecer

tomber [tɔ̃be] *vi (aux être) (choir)* caer, caerse; *(décliner) (colère, en-*

thousiasme) decaer; *(vent)* amainar; *(fièvre)* bajar; **t. sur qn** *(rencontrer)* encontrarse con alguien; *(attaquer)* caer encima de alguien; **t. bien/mal** *(événement)* venir bien/mal; *(personne)* caer bien/mal; **faire t. qn** tirar a alguien; **laisser t.** *(abandonner)* abandonar; *Fam* **laisse t.!** ¡déjalo!; **t. de fatigue** caerse de cansancio; **t. amoureux** enamorarse; **t. malade** ponerse enfermo(a)

tome [tɔm] *nm* tomo *m*

ton¹, ta [tɔ̃, ta] *(pl* **tes** [te]*)*

Antes de vocal o h muda se emplea **ton** en lugar de **ta**.

adj possessif tu; **enlève ta veste** quítate la chaqueta; **tes affaires** tus cosas

ton² *nm* tono *m*

tonalité [tɔnalite] *nf* tonalidad *f; (au téléphone)* línea *f,* señal *f* sonora

tondeuse [tɔ̃døz] *nf (à gazon)* cortacéspedes *m inv; (pour cheveux)* maquinilla *f; (pour animaux)* esquiladora *f*

tondre [tɔ̃dr] *vt (gazon)* cortar; *(cheveux)* rapar; *(animal)* esquilar

tonifier [66] [tɔnifje] *vt* tonificar

tonique [tɔnik] **1** *adj* tónico(a) **2** *nm* tónico *m*

tonne [tɔn] *nf* tonelada *f; Fam* **des tonnes de** un montón de

tonneau, -x [tɔno] *nm (récipient)* tonel *m; (accident)* vuelta *f* de campana; *Naut* tonelada *f*

tonner [tɔne] *vi (orage)* tronar; *(canon)* retumbar; **t. contre qn** *(personne)* tronar contra alguien

tonnerre [tɔnɛr] *nm* trueno *m*

tonus [tɔnys] *nm* tono *m;* **avoir du t.** estar entonado(a)

top [tɔp] *nm* señal *f; Fam* **l'équipe est au t. niveau** el equipo está en su mejor momento

topographie [tɔpɔgrafi] *nf* topografía *f*

toque [tɔk] *nf (de cuisinier)* gorro *m; (de magistrat)* birrete *m,* bonete *m*

torche [tɔrʃ] *nf* antorcha *f*, tea *f* ■ **t. électrique** linterna *f*

torchon [tɔrʃɔ̃] *nm (serviette)* trapo *m*; *(de cuisine)* paño *m*

tordre [tɔrdr] **1** *vt* retorcer; *(barre de fer)* torcer; *(visage)* desfigurar; *(linge)* escurrir **2 se tordre** *vpr* **se t. la cheville** torcerse el tobillo; **se t. de douleur** retorcerse de dolor; *Fam* **se t. (de rire)** desternillarse de risa

tordu, -e [tɔrdy] *adj Fam (esprit, idée)* retorcido(a); *(personne)* chalado(a)

tornade [tɔrnad] *nf* tornado *m*

torpille [tɔrpij] *nf* torpedo *m*

torpiller [tɔrpije] *vt* torpedear; *Fig* sabotear

torrent [tɔrɑ̃] *nm* torrente *m*; *Fig* **des torrents de** *(lumière)* chorros de; *(larmes)* ríos de; *(injures)* una lluvia de

torrentiel, -elle [tɔrɑ̃sjɛl] *adj* torrencial

torride [tɔrid] *adj* tórrido(a)

torse [tɔrs] *nm* torso *m*

tort [tɔr] *nm (erreur)* fallo *m*; *(préjudice)* perjuicio *m*, daño *m*; **avoir t.** no tener razón; **avoir t. de faire qch** equivocarse al hacer algo; **être en ou dans son t.** tener la culpa; **faire du t. à qn** perjudicar a alguien; **à t.** sin razón; **à t. et à travers** *(parler, dépenser)* a tontas y a locas

torticolis [tɔrtikɔli] *nm* tortícolis *m inv*

tortiller [tɔrtije] **1** *vt* retorcer **2 se tortiller** *vpr* retorcerse

tortionnaire [tɔrsjɔnɛr] *nmf* torturador(ora) *m,f*

tortue [tɔrty] *nf* tortuga *f*

torture [tɔrtyr] *nf* tortura *f*, tormento *m*

torturer [tɔrtyre] *vt* torturar, atormentar

tôt [to] *adv (de bonne heure)* temprano; *(vite)* pronto, temprano; **au plus t.** cuanto antes

total, -e, -aux, -ales [tɔtal, -o] **1** *adj* total **2** *nm* total *m*; **au t.** *(en tout)* en total; *(au bout du compte)* a fin de cuentas, al final

totaliser [tɔtalize] *vt* totalizar

totalitaire [tɔtalitɛr] *adj* totalitario(a)

totalité [tɔtalite] *nf* totalidad *f*; **en t.** en total

touchant, -e [tuʃɑ̃, -ɑ̃t] *adj* conmovedor(ora)

touche [tuʃ] *nf (de clavier)* tecla *f*; *(de peinture)* pincelada *f*; *(à la pêche)* picada *f*; *(au football, au rugby) (zone)* banda *f*; *(sortie du ballon)* saque *m*; *(en escrime)* toque *m*; *Fig* **une t. de qch** *(note)* un toque de algo ■ *Ordinat* **t. de fonction** tecla de función

toucher [tuʃe] **1** *nm* tacto *m* **2** *vt* tocar; *(cible, but)* dar en; *(chèque, argent)* cobrar; *(gros lot)* ganar; *(sujet: crise)* afectar; *(concerner)* atañer; *(émouvoir)* emocionar **3** *vi* **t. à** tocar; *(être contigu à)* lindar con; *Fig (être relatif à)* rozar; **t. à sa fin** tocar su fin **4 se toucher** *vpr (être l'un contre l'autre)* tocarse

touffe [tuf] *nf (d'herbe)* mata *f*; *(de cheveux)* mechón *m*

touffu, -e [tufy] *adj (barbe, forêt)* tupido(a); *(arbre)* frondoso(a); *Fig (discours)* denso(a)

toujours [tuʒur] *adv* siempre; *(encore)* todavía; **ils s'aimeront t.** se querrán siempre; **t. plus** cada vez más; **il n'est t. pas arrivé** todavía no ha llegado; **tu peux t. lui écrire** siempre puedes escribirle; **pour t.** para siempre; **t. est-il que...** pero la verdad es que...

tour¹ [tur] *nm (périmètre)* contorno *m*; *(rotation), Pol & Sp* vuelta *f*; *(promenade)* paseo *m*; *(attraction, plaisanterie)* número *m*; *(alternance)* turno *m*, vez *f*; *(des événements)* giro *m*, cariz *m*; *(machine-outil)* torno *m*; **c'est ton t.** te toca a ti; **t. de taille** contorno de cintura; **faire le t. de qch** *(lieu)* dar la vuelta a algo; *(question)* ver algo en profundidad; **faire le t. du monde** dar la vuelta al mundo; **faire un t.** dar una vuelta; **fermer qch à double t.** cerrar algo con doble vuelta o con dos vueltas; **à t. de rôle** por turno ■ **t. de force** hazaña *f*, proeza *f*

tour² *nf* torre *f*; **laT. Eiffel** la torre Eiffel

tourbillon [turbijɔ̃] *nm* torbellino *m*; *(d'eau)* remolino *m*; **t. de poussière** polvareda *f*

tourbillonner [turbijɔne] *vi* arremolinarse

tourisme [turism] *nm* turismo *m*

touriste [turist] *nmf* turista *mf*

touristique [turistik] *adj* turístico(a)

tourment [turmɑ̃] **1** *vt* atormentar **2 se tourmenter** *vpr* atormentarse

tournage [turnaʒ] *nm Cin* rodaje *m*

tournant, -e [turnɑ̃, -ɑ̃t] **1** *adj (porte, fauteuil)* giratorio(a); *(mouvement)* envolvente **2** *nm (virage)* curva *f*, *Fig (moment décisif)* momento *m* crucial

tourne-disque *(pl* tourne-disques) [turnədisk] *nm* tocadiscos *m inv*

tournée [turne] *nf (du facteur)* ronda *f*; *(d'un artiste)* gira *f*; *(d'un représentant)* viaje *m* de negocios; *Fam (au café)* ronda *f*

tourner [turne] **1** *vt (clé, manivelle, poignée)* girar, dar vueltas a; *(sauce)* revolver; *(pages)* pasar; *(tête) Esp* volver, *Am* voltear, *RP* dar vuelta; *(obstacle)* rodear; *Cin* rodar; *(poterie)* tornear; **t. le dos à qn** volver la espalda a alguien; **t. qch en ridicule** ridiculizar algo

2 *vi (terre, roue, personne)* girar, dar vueltas (**autour de** alrededor de); *(moteur, compteur)* estar andando; *(route, automobiliste)* torcer, doblar; *(vent, chance)* cambiar; *(lait)* cortarse; *Fam (entreprise)* marchar; *Fig* **t. autour de qn** rondar a alguien; **mal t.** acabar mal; *Fam* **il y a quelque chose qui ne tourne pas rond** algo no marcha bien

3 se tourner *vpr* volverse (**vers** hacia); *Fig* **se t. vers** recurrir a

tournesol [turnəsɔl] *nm* girasol *m*

tournevis [turnəvis] *nm* destornillador *m*, *Méx* desarmador *m*

tourniquet [turnikɛ] *nm* torniquete *m*; *(du métro)* molinete *m*

tournoi [turnwa] *nm* torneo *m*

tournoyer [32] [turnwaje] *vi* arremolinarse

tournure [turnyr] *nf (formulation)* giro *m*; **prendre mauvaise t.** tomar mal cariz; **prendre t.** tomar forma

Toussaint [tusɛ̃] *nf* laT. el día deTodos los Santos

tousser [tuse] *vi* toser

tout, toute *(mpl* tous, *fpl* toutes) [tu, tut]

Cuando **tous** es pronombre, como en **3 (b)**, se pronuncia [tus].

1 *adj (entier)* todo(a); **toute la journée** todo el día

2 *adj indéfini* (**a**) *(exprime la totalité)* todos(as); **tous les hommes** todos los hombres; **tous les trois** los tres (**b**) *(chaque)* cada; **tous les jours** cada día, todos los días; **tous les deux mois** cada dos meses (**c**) *(n'importe quel)* cualquier; **à toute heure** a cualquier hora; **t. autre** cualquier otro(a); **t. autre que lui** cualquier otro en su lugar

3 *pron indéfini* (**a**) *(au singulier)* todo; **je t'ai t. dit** te lo he dicho todo; **c'est t.** (esto) es todo; **t. est là** todo está ahí; **t. ou rien** todo o nada (**b**) *(au pluriel)* todos(as); **ils voulaient tous la voir** todos querían verla

4 *adv* (**a**) *(entièrement, très)* **t. petit** muy pequeño; **t. nu** (completamente) desnudo; **t. seuls** (completamente) solos; **t. au début** al principio; **t. en haut** arriba del todo; **t. près** muy cerca

(**b**) *(avec un gérondif)* **ils parlaient t. en marchant** hablaban mientras andaban

(**c**) *(expressions)* **t. à coup** de repente; **t. à fait** *(complètement)* completamente, totalmente; *(exactement)* exactamente; **t. à l'heure** *(dans le futur)* ahora mismo, dentro de un momento; *(dans le passé)* ahora mismo, hace un momento; **à t. à l'heure!** ¡hasta luego!; **t. de même** *(cependant)* de todos modos; **t. de suite** enseguida, inmediatamente

5 *nm* **le t.** *(l'ensemble)* un todo; **le t., c'est de…** lo principal es…; **pas du t.** en absoluto; **du t. au t.** completamente, de cabo a rabo

toutefois [tutfwa] *adv* sin embargo, no obstante; **si t. tu changeais d'avis** si (es que) cambias de idea

tout-puissant, toute-puissante *(mpl* **tout-puissants,** *fpl* **toutes-puissantes)** [tupɥisã, tutpɥisãt] *adj* todopoderoso(a)

tout-terrain [tuterɛ̃] *adj inv* todoterreno

toux [tu] *nf* tos *f*

toxicomane [tɔksikɔman] *nmf* toxicómano(a) *m,f*

toxique [tɔksik] *adj* tóxico(a)

trac [trak] *nm* nerviosismo *m (antes de examinarse o salir a escena);* **avoir le t.** estar nervioso(a)

tracasser [trakase] **1** *vt* preocupar **2 se tracasser** *vpr* preocuparse

trace [tras] *nf (empreinte)* huella *f,* rastro *m; (marque, vestige)* huella *f; (très petite quantité)* huella *f,* traza *f*

tracé [trase] *nm* trazado *m*

tracer [16] [trase] *vt* trazar

tract [trakt] *nm* octavilla *f; (de propagande politique)* panfleto *m*

tractations [traktɑsjɔ̃] *nfpl* tratos *mpl*

tracter [trakte] *vt* remolcar

tracteur [traktœr] *nm* tractor *m*

tradition [tradisjɔ̃] *nf* tradición *f*

traditionnel, -elle [tradisjɔnɛl] *adj* tradicional

traducteur, -trice [tradyktœr, -tris] *nm,f* traductor(ora) *m,f*

traduction [tradyksjɔ̃] *nf* traducción *f* ■ **t. assistée par ordinateur** traducción asistida por ordenador *o Am* computadora; **t. simultanée** traducción *o* interpretación *f* simultánea

traduire [18] [tradɥir] **1** *vt* traducir **(en** a); *Jur* **t. qn en justice** llevar a alguien a los tribunales **2 se traduire** *vpr (terme)* traducirse; *Fig* **se t. par** *(se manifester)* manifestarse en forma de

trafic [trafik] *nm* tráfico *m*

trafiquant, -e [trafikã, -ãt] *nm,f* traficante *mf*

tragédie [traʒedi] *nf* tragedia *f*

tragique [traʒik] *adj* trágico(a)

trahir [trair] **1** *vt* traicionar **2 se trahir** *vpr* traicionarse

trahison [traizɔ̃] *nf* traición *f*

train [trɛ̃] *nm (véhicule, chemin de fer) & Tech* tren *m; (allure)* marcha *f,* paso *m;* **aller bon t.** ir a buen paso; **être en t. de faire qch** estar haciendo algo; **je suis en t. de lire** estoy leyendo; **mettre qch en t.** poner algo en marcha ■ **t. d'atterrissage** tren de aterrizaje; **t. de banlieue** tren de cercanías; **t. corail** ≃ tren estrella; **t. de vie** tren de vida

traînant, -e [trɛnã, -ãt] *adj (voix, pas)* cansino(a)

traîne [trɛn] *nf (d'une robe)* cola *f; Fam* **être à la t.** ir rezagado(a)

traîneau, -x [trɛno] *nm* trineo *m*

traînée [trɛne] *nf (trace)* reguero *m*

traîner [trɛne] **1** *vt* arrastrar; *(forcer à aller)* llevar a rastras **2** *vi (pendre)* colgar; *(ne pas être rangé)* estar tirado(a); *(s'attarder)* rezagarse; *(errer)* callejear, vagabundear; *(maladie, affaire)* ir para largo; **faire t. qch** dar largas a algo **3 se traîner** *vpr (ramper, marcher avec peine)* arrastrarse; *(durer)* hacerse largo(a)

traire [28] [trɛr] *vt* ordeñar

trait [trɛ] *nm (ligne)* trazo *m; (caractéristique)* rasgo *m;* **traits** *(du visage)* rasgos, facciones *fpl;* **avoir les traits tirés** tener cara de cansado(a); **à grands traits** a grandes rasgos; **avoir t. à qch** referirse a algo ■ **t. d'esprit** agudeza *f;* **t. d'union** guión *m*

traite [trɛt] *nf (des vaches)* ordeño *m; Fin* letra *f* de cambio; *(d'esclaves)* trata *f;* **d'une seule t.** de un tirón, de una tirada

traité [trete] *nm* tratado *m*

traitement [trɛtmã] *nm* tratamiento *m; (envers quelqu'un)* trato *m; (rémunération)* paga *f* ■ *Ordinat* **t.**

des données proceso *m* de datos; **t. de l'information** procesamiento *m* de la información; **t. de texte** tratamiento de textos

traiter [trete] **1** *vt* tratar; *Ordinat (données)* procesar; **t. qn d'imbécile** tratar a alguien de imbécil **2** *vi* **t. avec** *(négocier)* tratar con; **t. de** *(avoir pour sujet)* tratar de

traiteur [tretœr] *nm* = tienda que vende comidas y platos preparados individuales o para banquetes

traître, -esse [tretr, -es] *nm,f* traidor(ora) *m,f*; **en t.** a traición

trajectoire [traʒɛktwar] *nf* trayectoria *f*

trajet [traʒɛ] *nm* trayecto *m*

tramer [trame] **1** *vt* tramar **2 se tramer** *vpr* tramarse

trampoline [trãpɔlin] *nm* cama *f* elástica

tramway [tramwɛ] *nm* tranvía *m*

tranchant, -e [trãʃã, -ãt] **1** *adj (instrument)* cortante, *Esp* afilado(a), *Am* filoso(a); *(personne)* cortante; *(ton)* tajante **2** *nm* filo *m*

tranche [trãʃ] *nf (de pain)* rebanada *f*; *(de jambon)* loncha *f*, lonja *f*; *(de saucisson)* rodaja *f*; *(d'un livre, d'une pièce de monnaie)* canto *m*; *(période)* intervalo *m*; *(de paiement)* plazo *m*

tranchée [trãʃe] *nf* trinchera *f*

trancher [trãʃe] **1** *vt* cortar; *(pain)* rebanar; *Fig (question)* zanjar **2** *vi Fig (décider)* decidirse; **t. avec** *ou* **sur** *(contraster)* contrastar con

tranquille [trãkil] *adj* tranquilo(a); **laisser qn t.** dejar a alguien tranquilo o en paz; **rester** *ou* **se tenir t.** quedarse o estarse quieto(a)

tranquillisant [trãkilizã] *nm* tranquilizante *m*

tranquilliser [trãkilize] **1** *vt* tranquilizar **2 se tranquilliser** *vpr* tranquilizarse

tranquillité [trãkilite] *nf* tranquilidad *f*; **en toute t.** con toda tranquilidad

transaction [trãzaksjɔ̃] *nf* transacción *f*

transat [trãzat] **1** *nm Fam* tumbona *f*, *RP* reposera *f* **2** *nf* regata *f* transatlántica

transatlantique [trãzatlãtik] **1** *adj* transatlántico(a) **2** *nm (paquebot)* transatlántico *m* **3** *nf* regata *f* transatlántica

transcription [trãskripsjɔ̃] *nf* transcripción *f*

transcrire [30] [trãskrir] *vt* transcribir

transe [trãs] *nf* **être en t.** estar en trance; *Fig* estar fuera de sí

transférer [34] [trãsfere] *vt* transferir; *(prisonnier)* trasladar

transfert [trãsfer] *nm (de fonds, de marchandises)* & *Psy* transferencia *f*; *(de prisonniers, de population)* traslado *m*

transformateur [trãsfɔrmatœr] *nm Él* transformador *m*

transformation [trãsfɔrmasjɔ̃] *nf* transformación *f* (**en** en)

transformer [trãsfɔrme] **1** *vt* transformar (**en** en) **2 se transformer** *vpr* transformarse (**en** en)

transfusion [trãsfyzjɔ̃] *nf* **t. (sanguine)** transfusión *f* (**de sangre** o sanguínea)

transgresser [trãsgrese] *vt* transgredir, quebrantar

transi, -e [trãzi] *adj* **être t. (de froid)** estar aterido(a) (de frío)

transistor [trãzistɔr] *nm* transistor *m*

transit [trãzit] *nm* tránsito *m*; **en t.** en tránsito

transition [trãzisjɔ̃] *nf* transición *f*

transitoire [trãzitwar] *adj* transitorio(a)

transmettre [47] [trãsmɛtr] **1** *vt* transmitir **2 se transmettre** *vpr* transmitirse

transmission [trãsmisjɔ̃] *nf* transmisión *f*

transparaître [20] [trãsparɛtr] *vi* transparentarse

transparence [trãsparãs] *nf* transparencia *f*

transparent, -e [trãsparã, -ãt] *adj* transparente

transpercer [16] [trɑ̃spɛrse] *vt*
traspasar

transpiration [trɑ̃spirasjɔ̃] *nf* transpiración *f*, sudor *m*

transpirer [trɑ̃spire] *vi* transpirar, sudar

transplanter [trɑ̃splɑ̃te] *vt* (*arbre,
organe*) trasplantar; (*population,
usine*) trasladar

transport [trɑ̃spɔr] *nm* transporte *m*;
(*de prisonniers, de troupes*) traslado *m*
■ **transports en commun** transportes públicos

transporter [trɑ̃spɔrte] *vt* llevar;
(*voyageurs, marchandises*) transportar; (*prisonniers, troupes*) trasladar

transporteur [trɑ̃spɔrtœr] *nm* (*personne*) transportista *mf* ■ **t. routier**
transportista

transposer [trɑ̃spoze] *vt* (*mots*)
transponer; (*intrigue*) trasladar; (*à
l'écran*) llevar

trapèze [trapez] *nm* trapecio *m*

trappe [trap] *nf* (*ouverture*) trampa *f*,
trampilla *f*; (*piège*) trampa *f*

trapu, -e [trapy] *adj* (*personne*)
achaparrado(a)

traquer [trake] *vt* (*animal*) acorralar;
(*personne*) acosar

traumatisant, -e [tromatizɑ̃, -ɑ̃t] *adj*
traumatizante

traumatiser [tromatize] *vt* trauma-
tizar

traumatisme [tromatism] *nm* (*psychique*) trauma *m*; (*physique*) traumatismo *m* ■ **t. crânien** traumatismo
craneal

travail [travaj] *nm* trabajo *m*; (*de
l'accouchement*) parto *m*; **se mettre
au t.** ponerse a trabajar; **t. à la
chaîne** producción *f* en cadena; **t. au
noir** trabajo clandestino; **travaux**
trabajos; (*de construction*) obras *fpl*;
les travaux des champs las faenas
del campo ■ **travaux dirigés**
seminario *m*; **travaux manuels**
trabajos manuales; **travaux ménagers** tareas *fpl* domésticas; **travaux
pratiques** prácticas *fpl*; **travaux
publics** obras públicas

travailler [travaje] **1** *vi* trabajar (**sur** *ou*
à en); (*à l'école*) estudiar; (*bois*)
alabearse **2** *vt* trabajar; (*tracasser*)
atormentar

travailleur, -euse [travajœr, -øz] *nm,f*
trabajador(ora) *m,f* ■ **t. immigré**
trabajador inmigrante; **t. indépendant** trabajador autónomo

travers [traver] *nm* defecto *m*; **à t. la
fenêtre** a través de la ventana; **au t.
de** a través de; **de t.** (*marcher*) de
través; (*placer*) torcido(a); (*comprendre*) al revés; (*regarder*) con
malos ojos; **aller de t.** (*aller mal*) ir
mal; **avaler de t.** atragantarse; **faire
tout de t.** no hacer nada a derechas;
en t. de través; **être/se mettre en t. de**
estar atravesado(a)/atravesarse en

traversée [traverse] *nf* travesía *f*

traverser [traverse] *vt* atravesar; (*rue*)
cruzar

travesti [travesti] *nm* travestí *m*

travestir [travestir] **1** *vt* disfrazar (**en**
de) **2 se travestir** *vpr* (*pour un bal*)
disfrazarse (**en** de); (*en femme*)
travestirse

trébucher [trebyʃe] *vi* tropezar, dar
un traspiés; **t. sur** *ou* **contre qch**
tropezar con o contra algo; *Fig* **t. sur
qch** tropezar con algo

trèfle [trefl] *nm* trébol *m*

treillis [treji] *nm* (*clôture*) enrejado *m*;
(*toile*) arpillera *f*; *Mil* traje *m* de faena

treize [trez] **1** *adj* & *nmf* trece **2** *nm inv*
trece *m*; *voir aussi* **six**

treizième [trezjem] **1** *adj* & *nmf*
decimotercero(a) *m,f* **2** *nm* deci-
motercera parte *f*, decimotercero *m*;
voir aussi **sixième**

tréma [trema] *nm* diéresis *f inv*

tremblement [trɑ̃bləmɑ̃] *nm* temblor
m ■ **t. de terre** terremoto *m*

trembler [trɑ̃ble] *vi* temblar

trembloter [trɑ̃blote] *vi* (*personne*)
temblequear; (*voix, lumière*) temblar

trémousser [tremuse] **se trémousser**
vpr menearse

tremper [trɑ̃pe] **1** *vt* (*mouiller*) mojar;
(*métal*) templar; **t. qch dans** empapar

algo en **2** *vi (linge)* estar en remojo, remojarse; **faire t. qch** poner algo a remojo; *Fig* **t. dans qch** estar implicado(a) en algo

tremplin [trɑ̃plɛ̃] *nm* trampolín *m*

trentaine [trɑ̃tɛn] *nf* treintena; **avoir la t.** estar en los treinta

trente [trɑ̃t] **1** *adj inv* treinta **2** *nm inv* treinta *m*; *voir aussi* **six**

trentième [trɑ̃tjɛm] **1** *adj & nmf* trigésimo(a) *m,f* **2** *nm* treintavo *m*, treintava parte *f*; *voir aussi* **sixième**

très [trɛ] *adv* muy; **t. malade** muy enfermo; **t. facilement** muy fácilmente; **arriver t. en retard** llegar muy tarde o con mucho retraso; **avoir t. envie de** tener muchas ganas de; **avoir t. faim** tener mucha hambre

trésor [trezɔr] *nm* tesoro *m*; **des trésors d'ingéniosité** ingeniosidad a raudales ■ **le T. public** el Tesoro Público

trésorerie [trezɔrri] *nf* tesorería *f*

trésorier, -ère [trezɔrje, -ɛr] *nm,f* tesorero(a) *m,f*

tressaillir [67] [tresajir] *vi* estremecerse

tresse [trɛs] *nf* trenza *f*

tresser [trese] *vt* trenzar

trêve [trɛv] *nf* tregua *f*; **t. de plaisanteries** basta de bromas; **sans t.** sin tregua

tri [tri] *nm (de lettres)* clasificación *f*; *(de candidats)* selección *f*; **faire le t. dans qch** poner orden en algo ■ *Ordinat* **t. alphabétique** clasificación alfabética

triangle [trijɑ̃gl] *nm* triángulo *m*

triangulaire [trijɑ̃gylɛr] *adj* triangular

tribord [tribɔr] *nm* estribor *m*; **à t.** a estribor

tribu [triby] *nf* tribu *f*

tribunal, -aux [tribynal, -o] *nm* tribunal *m* ■ **t. de commerce** tribunal de comercio; **t. correctionnel** sala *f* de lo penal; **t. d'instance** juzgado *m* municipal; **t. de**

grande instance audiencia *f* provincial/regional

tribune [tribyn] *nf* tribuna *f*

tribut [triby] *nm* tributo *m*

tricher [triʃe] *vi (au jeu)* hacer trampas; *(à un examen)* copiar; **t. sur qch** *(mentir)* mentir sobre algo

tricherie [triʃri] *nf* trampa *f*; *(tromperie)* engaño *m* (**sur** sobre)

tricheur, -euse [triʃœr, -øz] *nm,f (au jeu)* tramposo(a) *m,f*; *(à un examen)* copión(ona) *m,f*

tricolore [trikɔlɔr] *adj* tricolor; *(français)* francés(esa)

tricot [triko] *nm (étoffe)* punto *m*; *(ouvrage)* labor *f*; *(vêtement)* jersey *m*; **faire du t.** hacer punto

tricoter [trikɔte] **1** *vt* **t. qch** hacer algo de punto, tejer algo **2** *vi* hacer punto, tejer

trier [66] [trije] *vt (classer)* clasificar; *(sélectionner)* seleccionar

trilingue [trilɛ̃g] *adj* trilingüe

trimestre [trimɛstr] *nm* trimestre *m*

trimestriel, -elle [trimɛstrijɛl] *adj* trimestral

trinquer [trɛ̃ke] *vi (boire)* brindar; *Fam (subir un dommage)* pagar el pato; **t. à qch/à la santé de qn** beber por algo/a la salud de alguien

trio [trijo] *nm* trío *m*

triomphal, -e, -aux, -ales [trijɔ̃fal, -o] *adj* triunfal

triomphant, -e [trijɔ̃fɑ̃, -ɑ̃t] *adj* triunfante

triomphe [trijɔ̃f] *nm* triunfo *m*

triompher [trijɔ̃fe] *vi* triunfar (**de** sobre); *(jubiler)* cantar victoria

triple [tripl] **1** *adj* triple; **en t. exemplaire** por triplicado **2** *nm* triple *m*

tripler [triple] **1** *vt* triplicar **2** *vi* triplicarse

triplés, -ées [triple] *nm,fpl* trillizos(as) *m,fpl*, *Méx* triates *mfpl*

triste [trist] *adj* triste; **être t. de faire qch** estar triste por hacer algo

tristesse [tristɛs] *nf* tristeza *f*

trivial, -e, -aux, -ales [trivjal, -o] *adj*

(vulgaire) grosero(a), ordinario(a), *CSur* guarango(a); *(banal)* trivial

troc [trɔk] *nm* trueque *m*

trois [trwa] **1** *adj* tres **2** *nm* tres *m*; *voir aussi* **six**

troisième [trwazjɛm] **1** *adj & nmf* tercero(a) *m,f* **2** *nf Scol* = curso de secundaria que se realiza a los catorce años, *Esp* ≃ tercero *m* de ESO; *(vitesse)* tercera *f*; *voir aussi* **sixième**

troisièmement [trwazjɛmmɑ̃] *adv* en tercer lugar

trombe [trɔ̃b] *nf* tromba *f*; **il pleut des trombes** llueve a cántaros; **en t.** disparado(a)

trombone [trɔ̃bɔn] *nm (agrafe)* clip *m*; *(instrument de musique)* trombón *m*

trompe [trɔ̃p] *nf* trompa *f*

tromper [trɔ̃pe] **1** *vt* engañar; *(vigilance)* burlar **2 se tromper** *vpr* equivocarse; **se t. d'adresse** equivocarse de dirección

tromperie [trɔ̃pri] *nf* engaño *m*, engañifa *f*

trompette [trɔ̃pɛt] *nf* trompeta *f*

trompettiste [trɔ̃petist] *nmf* trompetista *mf*

trompeur, -euse [trɔ̃pœr, -øz] *adj (personne)* embustero(a); *(chose)* engañoso(a)

tronc [trɔ̃] *nm* tronco *m*; *(d'église)* cepillo *m*

tronçon [trɔ̃sɔ̃] *nm (morceau)* trozo *m*; *(de route)* tramo *m*

trône [tron] *nm* trono *m*

trôner [trone] *vi (être assis)* reinar; *(être en évidence)* llamar la atención

trop [tro] *adv* demasiado; **t. loin** demasiado lejos; **avoir t. chaud** tener demasiado calor; **t. de** demasiado(a); **t. d'inconvénients** demasiados inconvenientes; **pas t.** no mucho, no demasiado; **sans t. savoir pourquoi** sin saber muy bien por qué; **de t., en t.** de más

trophée [trɔfe] *nm* trofeo *m*

tropical, -e, -aux, -ales [trɔpikal, -o] *adj* tropical

tropique [trɔpik] *nm* trópico *m*

trop-plein *(pl* **trop-pleins**) [trɔplɛ̃] *nm (d'un récipient)* sobrante *m*; *(d'un barrage)* rebosadero *m*; *(d'énergie)* exceso *m*

troquer [trɔke] *vt* **t. qch contre qch** trocar algo por algo

trot [tro] *nm* trote *m*; **au t.** al trote

trotter [trɔte] *vi* trotar

trottoir [trɔtwar] *nm* acera *f*, *CAm, Col* andén *m*, *Méx* banqueta *f*, *Perú, RP* vereda *f*

trou [tru] *nm* agujero *m*; *(dans le sol)* hoyo *m*; *(temps libre)* hueco *m*; *Fam (prison)* trullo *m* ■ **t. d'air** bolsa *f* de aire; **t. de mémoire** laguna *f*

troublant, -e [trublɑ̃, -ɑ̃t] *adj (ressemblance)* inquietante; *(sourire, femme)* turbador(ora), perturbador(ora)

trouble [trubl] **1** *adj* turbio(a) **2** *nm (désordre)* confusión *f*; *(émotion)* turbación *f*, confusión *f*; **troubles** *(sociaux)* disturbios *mpl*; *(de la santé)* trastornos *mpl*

troubler [truble] **1** *vt (personne)* turbar, perturbar; *(eau)* enturbiar; *(vue)* nublar **2 se troubler** *vpr (personne)* turbarse; *(eau)* enturbiarse

trouer [true] *vt* agujerear

troupe [trup] *nf (de soldats)* tropa *f*; *(de théâtre)* compañía *f*, troupe *f*

troupeau, -x [trupo] *nm (de bétail)* rebaño *m*; *(d'animaux sauvages)* manada *f*, *Péj (de personnes)* manada *f*, *Méx* titipuchal *m*, *RP* horda *f*

trousse [trus] *nf* estuche *m*; **être aux trousses de qn** estar persiguiendo a alguien ■ **t. à outils** estuche de herramientas; **t. de secours** botiquín *m* de primeros auxilios; **t. de toilette** bolsa *f* de aseo

trousseau, -x [truso] *nm (de mariée)* ajuar *m*; *(de clefs)* manojo *m*

trouvaille [truvaj] *nf* hallazgo *m*

trouver [truve] **1** *vt* encontrar; **t. que** creer que; **aller t. qn** ir a ver a alguien **2 se trouver** *vpr* encontrarse; **se t. mal** desmayarse; **il**

se trouve que... resulta que...

trucage [trykaʒ] *nm (de dés) & Cin* trucaje *m; (des élections)* amaño *m*

truffe [tryf] *nf (champignon)* trufa *f; (museau)* morro *m*

truffer [tryfe] *vt* trufar; **truffé de** repleto(a) de

truite [trɥit] *nf* trucha *f*

truquage [trykaʒ] = **trucage**

truquer [tryke] *vt (dés) & Cin* trucar; *(élections)* amañar

trust [trœst] *nm* trust *m*

tsar [tsar, dzar] *nm* zar *m*

tsigane [tsigan] = **tzigane**

tu¹, -e *pp voir* **taire**

tu² [ty] *pron personnel* tú; **tu devrais partir** deberías marcharte; **as-tu fait les courses?** ¿has hecho la compra?; **dire tu à qn** tratar de tú a alguien, tutear a alguien

tuba [tyba] *nm (instrument de musique)* tuba *f; (de plongée)* tubo *m*

tube [tyb] *nm* tubo *m; Fam (chanson)* éxito *m* ■ **t. cathodique** tubo catódico; **t. à essai** tubo de ensayo

tuer [tɥe] **1** *vt* matar **2 se tuer** *vpr* matarse; **se t. au travail** matarse a trabajar

tuerie [tyri] *nf* matanza *f*

tue-tête [tytɛt] **à tue-tête** *adv (chanter)* a voz en grito; *(crier)* hasta desgañitarse

tueur, -euse [tɥœr, -øz] *nm,f (meurtrier)* asesino(a) *m,f* ■ **t. à gages** asesino a sueldo

tulipe [tylip] *nf* tulipán *m*

tumeur [tymœr] *nf* tumor *m*

tunique [tynik] *nf* túnica *f*

Tunisie [tynizi] *nf* **la T.** Túnez

tunisien, -enne [tynizjɛ̃, -ɛn] **1** *adj* tunecino(a) **2** *nm,f* **T.** tunecino(a) *m,f*

tunnel [tynɛl] *nm* túnel *m;* **le t. sous la Manche** el túnel del canal de la Mancha

turban [tyrbɑ̃] *nm* turbante *m*

turbulent, -e [tyrbylɑ̃, -ɑ̃t] *adj* turbulento(a); *(enfant)* revoltoso(a)

turc, turque [tyrk] **1** *adj* turco(a) **2** *nm,f* **T.** turco(a) *m,f* **3** *nm (langue)* turco *m*

Turquie [tyrki] *nf* **la T.** Turquía

turquoise [tyrkwaz] *adj inv* turquesa *inv*

tuteur, -trice [tytœr, -tris] *nm,f* tutor(ora) *m,f*

tutoyer [32] [tytwaje] **1** *vt* tutear **2 se tutoyer** *vpr* tutearse

tuyau, -x [tɥijo] *nm* tubo *m; (d'une plume, d'une cheminée, d'un orgue)* cañón *m; Fam (renseignement)* soplo *m* ■ **t. d'arrosage** manga *f o* manguera *f* de riego; **t. d'échappement** tubo de escape

TVA [tevea] *nf (abrév* taxe sur la valeur ajoutée*)* IVA *m*

type [tip] *nm* tipo *m; Fam* **un chic t.** un tipo estupendo

typique [tipik] *adj* típico(a)

typographie [tipɔgrafi] *nf* tipografía *f*

tyran [tirɑ̃] *nm* tirano(a) *m,f*

tyranniser [tiranize] *vt* tiranizar

tzigane [tsigan, dzigan] **1** *adj* cíngaro(a) **2** *nmf* **T.** cíngaro(a) *m,f*

Uu

U, u [y] *nm inv (lettre)* U *f*, u *f*

UE [yə] *nf (abrév* **Union européenne)** UE *f*

ulcère [ylsɛr] *nm* úlcera *f*

ULM [yɛlɛm] *nm inv (abrév* **ultraléger motorisé)** ultraligero *m*

ultérieur, -e [ylterjœr] *adj* ulterior

ultérieurement [ylterjœrmɑ̃] *adv* posteriormente

ultimatum [yltimatɔm] *nm* ultimátum *m*

ultime [yltim] *adj* último(a)

ultramoderne [yltramɔdɛrn] *adj* ultramoderno(a)

ultrason [yltrasɔ̃] *nm* ultrasonido *m*

ultraviolet, -ette [yltravjɔlɛ, -ɛt] **1** *adj* ultravioleta *inv* **2** *nm* rayo *m* ultravioleta

un, une [œ̃, yn] **1** *art indéfini (pl des* [de]) un (una); **il y a des agrafes dans le tiroir** hay grapas en el cajón **2** *pron indéfini* **l'un d'entre eux** uno de ellos; **l'un ou l'autre, l'une ou l'autre** uno u otro, una u otra **3** *adj* un (una) **4** *nm inv* uno *m*; *voir aussi* **six**

unanime [ynanim] *adj* unánime

unanimité [ynanimite] *nf* unanimidad *f*; **à l'u.** por unanimidad

une [yn] *voir* **un**

uni, -e [yni] *adj (famille)* unido(a); *(surface, mer)* llano(a); *(couleur)* liso(a)

unifier [66] [ynifje] *vt* unificar

uniforme [ynifɔrm] **1** *adj* uniforme **2** *nm* uniforme *m*

uniformiser [ynifɔrmize] *vt* uniformar

unilatéral, -e, -aux, -ales [ynilateral, -o] *adj* unilateral

union [ynjɔ̃] *nf* unión *f* ■ **l'U. européenne** la Unión Europea; **u. libre** unión libre; *Anciennement* **l'U. soviétique** la Unión soviética

unique [ynik] *adj* único(a)

uniquement [ynikmɑ̃] *adv* únicamente

unir [ynir] **1** *vt* unir **(à a) 2 s'unir** *vpr* unirse **(à a)**

unisson [ynisɔ̃] **à l'unisson** *adv* al unísono

unitaire [yniter] *adj* unitario(a)

unité [ynite] *nf* unidad *f* ■ *Ordinat* **u. centrale** unidad central

univers [yniver] *nm* universo *m*

universel, -elle [yniversɛl] *adj* universal

universitaire [yniversiter] **1** *adj* universitario(a) **2** *nmf* profesor(ora) *m,f* de universidad

université [yniversite] *nf* universidad *f*

uranium [yranjɔm] *nm* uranio *m*

urbain, -e [yrbɛ̃, -ɛn] *adj (de la ville)* urbano(a)

urbaniser [yrbanize] *vt* urbanizar

urbanisme [yrbanism] *nm* urbanismo *m*

urgence [yrʒɑ̃s] *nf* urgencia *f*; **les urgences** *(d'un hôpital)* urgencias; **d'u.** urgentemente

urgent, -e [yrʒɑ̃, -ɑ̃t] *adj* urgente

urne [yrn] *nf* urna *f*

Uruguay [yrygwɛ] *nm* **l'U.** Uruguay

usage [yzaʒ] *nm* uso *m*; **faire de l'u.** durar mucho; **il est d'u. de...** es costumbre...

usagé, -e [yzaʒe] *adj* usado(a)

usager [yzaʒe] *nm* usuario(a) *m,f*

usé, -e [yze] *adj (vêtement)* gastado(a); *(eaux)* residual; *(personne)* estropeado(a); *(plaisanterie)* manido(a)

user [yze] **1** *vt (vêtement, santé)* gastar; *(personne, yeux)* estropear **2 s'user** *vpr (chaussures, vêtement)* gastarse, desgastarse; *(personne)* agotarse

usine [yzin] *nf* fábrica *f*

ustensile [ystɑ̃sil] *nm* utensilio *m*
■ **u. de cuisine** utensilio de cocina

usuel, -elle [yzɥɛl] *adj* común

usure¹ [yzyr] *nf (détérioration, affaiblissement)* desgaste *m*

usure² *nf (intérêt d'un prêt)* usura *f*

usurper [yzyrpe] *vt* usurpar

utile [ytil] *adj* útil; **être u. à qch/à qn** ser útil para algo/a alguien

utilisateur, -trice [ytilizatœr, -tris] *nm,f* usuario(a) *m,f*

utilisation [ytilizasjɔ̃] *nf* utilización *f*

utiliser [ytilize] *vt* utilizar

utilitaire [ytiliter] *adj* utilitario(a)

utilité [ytilite] *nf* utilidad *f*; **d'u. publique** de interés público, de utilidad pública

utopie [ytɔpi] *nf* utopía *f*

UV [yve] **1** *nf Univ (abrév* **unité de valeur)** asignatura *f* **2** *nm (abrév* **ultraviolet)** rayo *m* UVA

Vv

V, v [ve] *nm inv (lettre)* V *f*, v *f*

va *voir* **aller**

vacance [vakɑ̃s] **1** *nf (d'un poste)* vacante *f*; *(du pouvoir)* vacío *m* **2** *nfpl* **vacances** *(congés)* vacaciones *fpl*; **être en vacances** estar de vacaciones
■ **grandes vacances** vacaciones de verano; **vacances scolaires** vacaciones escolares

vacancier, -ère [vakɑ̃sje, -ɛr] *nm,f* persona *f* de vacaciones; *(d'été)* veraneante *mf*

vacant, -e [vakɑ̃, -ɑ̃t] *adj (poste)* vacante; *(logement)* desocupado(a), vacío(a)

vacarme [vakarm] *nm* jaleo *m*, estrépito *m*, *Am* escándalo *m*

vaccin [vaksɛ̃] *nm* vacuna *f*

vaccination [vaksinasjɔ̃] *nf* vacunación *f*

vacciner [vaksine] *vt* vacunar; **se faire v. (contre)** vacunarse (de)

vache [vaʃ] **1** *nf* vaca *f*; *Fam* **la v.!** *(exprime la surprise)* ¡hala! **2** *adj Fam* **être v.** *(sévère)* ser un hueso

vaciller [vasije] *vi* vacilar

vagabond, -e [vagabɔ̃, -ɔ̃d] **1** *adj (chien, personne)* vagabundo(a); *(humeur, imagination)* errabundo(a) **2** *nm,f* vagabundo(a) *m,f*

vague¹ [vag] *adj (idée, promesse)* vago(a)

vague² *nf* ola *f*

vaille, vailles *etc voir* **valoir**

vain, -e [vɛ̃, vɛn] *adj* vano(a); **en v.** en vano

vaincre [68] [vɛ̃kr] *vt* vencer

vaincu, -e [vɛ̃ky] *nm,f* vencido(a) *m,f*

vainement [vɛnmɑ̃] *adv* vanamente

vainqueur [vɛ̃kœr] *nm* vencedor(ora) *m,f*

vais *voir* **aller**

vaisseau, -x [vɛso] *nm (veine)* vaso *m*; *(bateau)* nave *f* ■ **v. spatial** nave espacial

vaisselle [vɛsɛl] *nf* vajilla *f*; **faire la v.** fregar los platos

valable [valabl] *adj (carte, raison)* válido(a)

valet [valε] *nm (serviteur)* sirviente *m*; *(aux cartes)* sota *f* ■ **v. d'écurie** mozo *m* de cuadra; **v. de ferme** gañán *m*

valeur [valœr] *nf* valor *m*; **de (grande) v.** de (gran) valor, (muy) valioso(a); **mettre qch en v.** poner algo de relieve

valide [valid] *adj* válido(a); *(personne)* sano(a)

valider [valide] *vt* validar

validité [validite] *nf* validez *f*

valise [valiz] *nf* maleta *f*, *Méx* petaca *f*, *RP* valija *f*

vallée [vale] *nf* valle *m*

valoir [69a] [valwar] **1** *vi* valer; *(équivaloir à)* equivaler a; **v. cher** costar caro(a); *Com* à **v. sur** a cuenta de; **faire v. qch** *(faire état de)* hacer valer algo; **v. le coup** valer la pena **2** *v impersonnel* **il vaut mieux que/ faire qch** más vale que/hacer algo **3 se valoir** *upr* ser tal para cual

valse [vals] *nf* vals *m*

valve [valv] *nf* válvula *f*

vampire [vãpir] *nm* vampiro *m*

vandalisme [vãdalism] *nm* vandalismo *m*

vanille [vanij] *nf* vainilla *f*

vanité [vanite] *nf* vanidad *f*

vaniteux, -euse [vanitø, -øz] *adj & nm,f* vanidoso(a) *m,f*

vanter [vãte] **1** *vt* alabar **2 se vanter** *upr* jactarse, *Cuba*, *RP* compadrear (**de**)

vapeur [vapœr] *nf* vapor *m*; *Culin* à **la v.** al vapor

vaporisateur [vaporizatœr] *nm* vaporizador *m*

vaporiser [vaporize] *vt* vaporizar

vaquer [vake] *vi* **v. à** ocuparse de

varappe [varap] *nf* escalada *f* libre

variable [varjabl] *adj* variable

variation [varjasjõ] *nf* variación *f*

varicelle [varisεl] *nf* varicela *f*

varié, -e [varje] *adj* variado(a)

varier [66] [varje] *vt & vi* variar

variété [varjete] *nf* variedad *f*; **variétés** *(spectacle)* variedades

variole [varjɔl] *nf* viruela *f*, viruelas *fpl*

vas *voir* **aller**

vase¹ [vɑz] *nm* florero *m*, jarrón *m*

vase² *nf* cieno *m*

vaste [vast] *adj* vasto(a), amplio(a)

Vatican [vatikã] *nm* **le V.** el Vaticano

vaut *voir* **valoir**

vautrer [votre] **se vautrer** *upr* revolcarse; **être vautré** *(avachi)* estar tirado(a)

veau, -x [vo] *nm (animal)* ternero *m*, becerro *m*; *(viande)* ternera *f*; *(peau)* becerro *m*

vécu, -e [veky] **1** *pp voir* **vivre** **2** *adj (histoire, expérience)* vivido(a)

vedette [vədεt] *nf (bateau)* lancha *f* motora; *(artiste)* estrella *f*, vedette *f*; *(personnalité)* figura *f*

végétal, -e, -aux, -ales [veʒetal, -o] **1** *adj* vegetal **2** *nm* vegetal *m*

végétarien, -enne [veʒetarjɛ̃, -εn] *adj & nm,f* vegetariano(a) *m,f*

végétation [veʒetasjõ] *nf* vegetación *f*; *Méd* **végétations** vegetaciones

véhémence [veemãs] *nf* vehemencia *f*

véhément, -e [veemã, -ãt] *adj* vehemente

véhicule [veikyl] *nm* vehículo *m*

veille [vεj] *nf (jour précédent)* día *m* anterior, víspera *f*; *(éveil)* vigilia *f*, velo *m*; **la v. au soir** la tarde de la víspera; *Ordinat* **en v.** en reposo

veillée [veje] *nf (soirée)* velada *f*; *(d'un mort)* velatorio *m*

veiller [veje] **1** *vt* velar **2** *vi (rester éveillé)* velar; **v. à qch** cuidar de algo; **v. à faire qch** asegurarse de hacer algo; **v. sur qn** cuidar de alguien

veine [vεn] *nf (inspiration, du bois)* & *Anat* vena *f*; *(de la pierre)* vena *f*, veta *f*; *Fam (chance)* potra *f*

véliplanchiste [veliplãʃist] *nmf* windsurfista *mf*

vélo [velo] *nm Fam* bici *f* ■ **v. de course** bici de carreras

vélomoteur [velomotœr] *nm* velomotor *m*

velours [vəlur] *nm* terciopelo *m* ■ **v. côtelé** pana *f*

velouté, -e [vəlute] **1** *adj (peau, pêche)*

ateroopelado(a); *(vin)* suave; *(crème)*
untuoso(a) **2** *nm (potage)* crema *f*
velu, -e [vǝly] *adj* velludo(a)
vendange [vãdãʒ] *nf (récolte)*
vendimia *f*; **faire les vendanges**
vendimiar
vendanger [45] [vãdãʒe] *vt & vi*
vendimiar
vendeur, -euse [vãdœr, -øz] *nm,f*
vendedor(ora) *m,f*; *(employé de
magasin)* dependiente(a) *m,f*
vendre [vãdr] *vt* vender
vendredi [vãdrǝdi] *nm* viernes *m inv*;
le v. saint el Viernes Santo; *voir aussi*
samedi
vénéneux, -euse [venenø, -øz] *adj*
venenoso(a)
vénérable [venerabl] *adj* venerable
vengeance [vãʒãs] *nf* venganza *f*
venger [45] [vãʒe] **1** *vt* vengar **2 se
venger** *vpr* vengarse **(de/sur** de/en)
venimeux, -euse [vǝnimø, -øz] *adj*
venenoso(a)
venin [vǝnɛ̃] *nm* veneno *m*
venir [70] [vǝnir] *vi (aux être)* venir;
(arriver) llegar; **viens me voir** ven a
verme; **v. à qn** *(idée)* ocurrírsele a
alguien; **à v.** *(futur)* venidero(a); **en v.
aux mains** llegar a las manos; **où
veux-tu en v.?** ¿dónde quieres ir a
parar?; **si elle venait à mourir…** si
ella llegara a morir…; **v. de faire qch**
acabar de hacer algo; **elle vient
d'arriver** acaba de llegar
vent [vã] *nm* viento *m*; *(gaz intestinal)*
ventosidad *f*, gas *m*; *Fam* **être dans le
v.** estar de moda
vente [vãt] *nf* venta *f* ■ **v. aux
enchères** subasta *f*; **v. par
correspondance** venta por correo
ventilateur [vãtilatœr] *nm* ventilador
m
ventilation [vãtilãsjɔ̃] *nf (d'une pièce)*
ventilación *f*
ventre [vãtr] *nm (abdomen)* barriga
f, estómago *m*; *(intestins)* vientre
m; **prendre du v.** echar barriga;
avoir mal au v. tener dolor de
estómago

ventriloque [vãtrilɔk] *adj & nmf*
ventrílocuo(a) *m,f*
venu, -e *pp voir* **venir**
ver [vɛr] *nm* gusano *m*; *Fig* **tirer les
vers du nez à qn** hacer hablar a
alguien ■ **v. solitaire** solitaria *f*; **v. de
terre** lombriz *f* de tierra
véranda [verãda] *nf* porche *m*
acristalado
verbe [vɛrb] *nm* verbo *m*
verdict [verdikt] *nm Jur* sentencia *f*;
Fig veredicto *m*
verdir [verdir] *vi* verdear
verdure [verdyr] *nf (végétation,
couleur)* verdor *m*; *(plantes potagères)*
verdura *f*
verger [verʒe] *nm* vergel *m*
verglas [vergla] *nm* hielo *m* (en la
calzada)
véridique [veridik] *adj* verídico(a)
vérification [verifikasjɔ̃] *nf*
comprobación *f*, verificación *f*
vérifier [66] [verifje] *vt* comprobar,
verificar
véritable [veritabl] *adj* verdadero(a);
(or, cuir) auténtico(a)
vérité [verite] *nf* verdad *f*; **en v.** en
realidad
verni, -e [verni] *adj (chaussures)* de
charol; *(meuble, poterie)* barni-
zado(a); *(ongles)* pintado(a); *Fam*
être v. *(chanceux)* tener chiripa
vernir [vernir] **1** *vt (meuble, poterie)*
barnizar **2 se vernir** *vpr* **se v. les
ongles** pintarse las uñas
vernis [verni] *nm (pour meuble,
poterie)* barniz *m*; *(pour cuir)* charol *m*
■ **v. à ongles** esmalte *m* de uñas
vernissage [vernisaʒ] *nm (d'une
exposition)* vernissage *m*
verra, verrai *etc voir* **voir**
verre [vɛr] *nm (matière)* vidrio *m*;
(récipient, dose) vaso *m*, copa *f*; *(de
vue)* cristal *m*; *(boisson alcoolisée)*
copa *f*; **boire** *ou* **prendre un v.** tomar
una copa ■ **verres de contact** lentes
mpl o fpl de contacto; **v. à pied** copa
verrière [verjer] *nf (baie vitrée) &
Archit* vidriera *f*

verrou [veʁu] nm cerrojo m; **être sous les verrous** estar en la cárcel
verrouiller [veʁuje] vt (porte) cerrar con cerrojo; (quartier) cercar
verrue [veʁy] nf verruga f
vers¹ [veʁ] nm verso m
vers² prép (en direction de) a, hacia; (aux environs de) (dans le temps) hacia, sobre; (dans l'espace) hacia
versant [veʁsɑ̃] nm vertiente f
verse [veʁs] **à verse** adv **pleuvoir à v.** llover a cántaros
Verseau [veʁso] nm Astrol Acuario m
versement [veʁsəmɑ̃] nm pago m; (sur un compte) abono m, ingreso m
verser [veʁse] vt (dans un récipient) echar; (sang, larmes) derramar; (payer) pagar; **v. de l'argent sur son compte** ingresar dinero en su cuenta
version [veʁsjɔ̃] nf (interprétation, variante) versión f; (traduction) traducción f directa ■ **v. originale** versión original
verso [veʁso] nm verso m
vert, -e [veʁ, veʁt] **1** adj verde; (vieillard) lozano(a) **2** nm (couleur) verde m
vertical, -e, -aux, -ales [veʁtikal, -o] **1** adj vertical **2** nf **verticale: à la verticale** en vertical
vertige [veʁtiʒ] nm (peur du vide) vértigo m; (étourdissement) mareo m
vertigineux, -euse [veʁtiʒinø, -øz] adj vertiginoso(a)
vertu [veʁty] nf virtud f; **en v. de** en virtud de
vertueux, -euse [veʁtɥø, -øz] adj virtuoso(a)
verveine [veʁvɛn] nf verbena f
vessie [vesi] nf vejiga f
veste [vɛst] nf Esp chaqueta f, Am saco m
vestiaire [vɛstjɛʁ] nm (d'un théâtre) guardarropa m; **vestiaires** (de sportifs) vestuario m
vestibule [vɛstibyl] nm vestíbulo m
vestiges [vɛstiʒ] nmpl vestigios mpl
veston [vɛstɔ̃] nm Esp chaqueta f (de hombre), Am saco m

vêtement [vɛtmɑ̃] nm prenda f, vestido m; **les vêtements** la ropa
vétéran [veteʁɑ̃] nm veterano m
vétérinaire [veteʁinɛʁ] adj & nmf veterinario(a) m,f
vêtir [71] [vetiʁ] **1** vt vestir; **chaudement vêtu** bien abrigado(a) **2 se vêtir** upr vestirse
veto [veto] nm veto m; **mettre son v. à qch** vetar algo
vétuste [vetyst] adj vetusto(a)
veuf, veuve [vœf, vœv] adj & nm,f viudo(a) m,f
veuille etc voir **vouloir**
veut voir **vouloir**
veuve [vœv] voir **veuf**
vexer [vɛkse] **1** vt ofender **2 se vexer** upr ofenderse, molestarse
VF [veef] nf (abrév version française) versión f doblada
viable [vjabl] adj viable
viaduc [vjadyk] nm viaducto m
viande [vjɑ̃d] nf carne f
vibration [vibʁasjɔ̃] nf vibración f
vibrer [vibʁe] vi vibrar
vice [vis] nm vicio m
vice versa [visversa] adv viceversa
vicieux, -euse [visjø, -øz] adj (personne, conduite, regard) vicioso(a); (animal) resabiado(a); (attaque) traicionero(a)
victime [viktim] nf víctima f
victoire [viktwaʁ] nf victoria f
victorieux, -euse [viktɔʁjø, -øz] adj victorioso(a); (mine, air) triunfante
vidange [vidɑ̃ʒ] nf vaciado m; (d'un moteur) cambio m de aceite
vidanger [45] [vidɑ̃ʒe] vt vaciar; (d'un moteur) cambiar el aceite a
vide [vid] **1** adj vacío(a) **2** nm vacío m; **faire le v.** hacer el vacío; Fig (dans son esprit) no pensar en nada; **parler dans le v.** (sans auditeur) hablar para las paredes; **sous v.** al vacío
vidéo [video] **1** nf vídeo m **2** adj inv de vídeo
vidéocassette [videokasɛt] nf cinta f de vídeo, videocasete m
vide-ordures [vidɔʁdyʁ] nm inv Esp

conducto *m* de basuras, *Am* ducto *m* de basura; *Méx* tiradero *m*

vider [vide] **1** *vt (sac, verre)* vaciar; *(lieu)* abandonar; *(salle, immeuble)* desalojar; *(poulet, poisson)* limpiar; *Fam (épuiser)* agotar; *Fam (expulser)* echar, *Am* botar **2 se vider** *vpr* vaciarse

videur [vidœr] *nm* segura *m*

vie [vi] *nf* vida *f*; **être en v.** estar vivo(a); **gagner sa v.** ganarse la vida; **avoir la v. dure** *(être résistant)* tener más vidas que un gato

vieil [vjɛj] *voir* **vieux**

vieillard [vjejar] *nm* anciano *m*

vieille [vjɛj] *voir* **vieux**

vieillerie [vjejri] *nf (objet)* antigualla *f*

vieillesse [vjejɛs] *nf* vejez *f*

vieillir [vjejir] **1** *vi (personne, vin)* envejecer; *(tradition, mot)* quedarse anticuado(a) **2** *vt (faire paraître plus vieux)* avejentar

vieillot, -otte [vjejo, -ɔt] *adj* rancio(a)

Vienne [vjɛn] *n* Viena

viens, vient *voir* **venir**

vierge [vjɛrʒ] **1** *adj* virgen; *(page)* en blanco; *(casier judiciaire)* limpio(a) **2** *nf* virgen *f*; *Astrol* **V.** Virgo *m*

vietnamien, -enne [vjetnamjɛ̃, -ɛn] **1** *adj* vietnamita **2** *nm,f* **V.** vietnamita *mf* **3** *nm (langue)* vietnamita *m*

vieux, vieille [vjø, vjɛj]

Delante de los nombres masculinos que empiezan por vocal o h muda se utiliza **vieil** en lugar de **vieux**.

1 *adj* viejo(a); *(meuble, maison, histoire)* antiguo(a); *(vin)* añejo(a); *(connaissance)* de toda la vida **2** *nm,f (personne âgée)* viejo *m,f*; *Fam* **mon v.** *(à un ami)* tío

vif, vive [vif, viv] **1** *adj* vivo(a); *(froid)* intenso(a); *(reproche)* violento(a); *(sensation)* fuerte **2** *nm* **entrer dans le v. du sujet** entrar en materia; **à v.** *(plaie)* en carne viva; *Fig (nerfs)* a flor de piel

vigilance [viʒilɑ̃s] *nf* vigilancia *f*

vigilant, -e [viʒilɑ̃, -ɑ̃t] *adj* vigilante

vigile [viʒil] *nm (veilleur)* vigilante *m*; *(policier privé)* guardia *m* jurado

vigne [viɲ] *nf (plante)* vid *f*; *(vignoble)* viña *f*

vigneron, -onne [viɲərɔ̃, -ɔn] *nm,f* viñador(ora) *m,f*

vignette [viɲɛt] *nf (motif)* viñeta *f*; *(sur un médicament)* etiqueta *f*

vignoble [viɲɔbl] *nm* viñedo *m*

vigoureux, -euse [vigurø, -øz] *adj* vigoroso(a)

vigueur [vigœr] *nf* vigor *m*; **être en v.** estar en vigor, estar vigente

vilain, -e [vilɛ̃, -ɛn] *adj (mauvais, grossier)* malo(a); *(laid, grave)* feo(a)

villa [vila] *nf* chalé *m*, villa *f*

village [vilaʒ] *nm* pueblo *m*

villageois, -e [vilaʒwa, -az] *adj & nm,f* aldeano(a) *m,f*, lugareño(a) *m,f*

ville [vil] *nf* ciudad *f*; **aller en v.** *(au centre)* ir al centro

vin [vɛ̃] *nm* vino *m* ■ **v. blanc** vino blanco; **v. rosé** vino rosado; **v. rouge** vino tinto

vinaigre [vinɛgr] *nm* vinagre *m*

vinaigrette [vinegrɛt] *nf* vinagreta *f*

vingt [vɛ̃] **1** *adj inv* veinte **2** *nm inv* veinte *m*; *voir aussi* **six**

vingtaine [vɛ̃tɛn] *nf* veintena *f*

vingtième [vɛ̃tjɛm] **1** *adj & nmf* vigésimo(a) *m,f* **2** *nm* vigésimo *m*, veinteava parte *f*; *voir aussi* **sixième**

vinicole [vinikɔl] *adj* vinícola

viol [vjɔl] *nm* violación *f*

violation [vjɔlasjɔ̃] *nf* violación *f* ■ **v. de domicile** allanamiento *m* de morada

violence [vjɔlɑ̃s] *nf* violencia *f*; **violences** *(sévices)* malos tratos *mpl*; **se faire v.** forzarse

violent, -e [vjɔlɑ̃, -ɑ̃t] *adj* violento(a)

violer [vjɔle] *vt* violar

violet, -ette [vjɔlɛ, -ɛt] **1** *adj* violeta **2** *nm* violeta *m*

violeur [vjɔlœr] *nm* violador *m*

violon [vjɔlɔ̃] *nm* violín *m*

violoncelle [vjɔlɔ̃sɛl] *nm* violoncelo *m*, violonchelo *m*

violoncelliste [vjɔlɔ̃sɛlist] *nmf* violonchelista *mf*, violoncelista *mf*

violoniste [vjɔlɔnist] *nmf* violinista *mf*

vipère [viper] *nf* víbora *f*

virage [viraʒ] *nm (sur la route)* curva *f*; *Fig (changement de direction)* viraje *m*

virement [virmɑ̃] *nm (d'argent)* transferencia *f* ■ **v. bancaire** transferencia bancaria; **v. postal** giro *m* postal

virer [vire] **1** *vi* **v. à** *(couleur)* tirar a; **v. à droite** *(véhicule)* girar a la derecha *Naut* **v. de bord** virar de bordo **2** *vt (argent)* transferir (**sur** a); *Fam (renvoyer)* echar, *Am* botar

virgule [virgyl] *nf* coma *f*

viril, -e [viril] *adj* viril, varonil

virilité [virilite] *nf* virilidad *f*

virtuel, -elle [virtɥɛl] *adj* virtual

virtuose [virtɥoz] *nmf* virtuoso(a) *m,f*

virulent, -e [virylɑ̃, -ɑ̃t] *adj* virulento(a)

virus [virys] *nm Méd & Ordinat* virus *m inv*

vis¹ *etc voir* **vivre**

vis² [vis] *nf* tornillo *m*

visa [viza] *nm (cachet)* visado *m*

visage [vizaʒ] *nm* rostro *m*

vis-à-vis [vizavi] **1** *nm (personne)* vecino(a) *m,f* de enfrente; **sans v.** *(immeuble)* sin nada enfrente **2** vis-à-vis de *prép (en face de)* enfrente de; *(à l'égard de)* con respecto a

viser [vize] **1** *vt (cible)* apuntar a; *(poste)* aspirar a; *(personne)* concernir; *(document)* visar **2** *vi (pour tirer)* apuntar; **v. à faire qch** pretender hacer algo

visibilité [vizibilite] *nf* visibilidad *f*

visible [vizibl] *adj* visible; *(évident)* patente

visière [vizjɛr] *nf* visera *f*

vision [vizjɔ̃] *nf* visión *f*; **avoir des visions** ver visiones

visionnaire [vizjɔnɛr] *adj & nmf* visionario(a) *m,f*

visionner [vizjɔne] *vt* visionar

visite [vizit] *nf* visita *f*; *(d'un expert)* inspección *f*; **avoir de la v.** tener

visita; **rendre v. à qn** hacer una visita a alguien ■ **v. médicale** revisión *f* médica

visiter [vizite] *vt* visitar

visiteur, -euse [vizitœr, -øz] *nm,f (touriste)* visitante *mf*; **avoir un v.** *(chez soi)* tener visita

vison [vizɔ̃] *nm* visón *m*

visqueux, -euse [viskø, -øz] *adj* viscoso(a)

visser [vise] *vt (avec des vis)* atornillar; *(couvercle)* apretar

visualiser [vizɥalize] *vt* visualizar

visuel, -elle [vizɥɛl] *adj* visual

vit *voir* **vivre**

vital, -e, -aux, -ales [vital, -o] *adj* vital

vitalité [vitalite] *nf* vitalidad *f*

vitamine [vitamin] *nf* vitamina *f*

vite [vit] *adv (rapidement)* de prisa, deprisa; *(tôt)* pronto; **faire v.** apresurarse; **v.!** ¡deprisa!

vitesse [vites] *nf* velocidad *f*; *(d'un moteur)* marcha *f*, velocidad *f*; **à toute v.** a toda velocidad; **en v.** rápidamente ■ **v. de croisière** velocidad de crucero; **v. de pointe** velocidad punta

viticole [vitikɔl] *adj* vitícola

viticulteur, -trice [vitikyltœr, -tris] *nm,f* viticultor(ora) *m,f*

vitrail, -aux [vitraj, -o] *nm* vidriera *f (de iglesia)*

vitre [vitr] *nf (carreau)* cristal *m*; *(d'une voiture)* luna *f*; *(d'un train)* ventanilla *f*; **faire les vitres** limpiar los cristales

vitré, -e [vitre] *adj* **porte vitrée** cristalera *f*

vitrine [vitrin] *nf (d'une boutique)* escaparate *m*; *(meuble)* vitrina *f*

vivace [vivas] *adj (plante)* vivaz; *(sentiment)* tenaz

vivacité [vivasite] *nf (d'esprit, d'un enfant)* vivacidad *f*; *(d'un coloris)* viveza *f*; *(de propos)* violencia *f*

vivant, -e [vivɑ̃, -ɑ̃t] **1** *adj* vivo(a); *(quartier)* animado(a); *(portrait)* activo(a) **2** *nm* **les vivants** los vivos; **du v. de qn** en vida de alguien

vive¹ [viv] *voir* **vif**

vive² *exclam* **v….!** ¡viva…!

vivement [vivmɑ̃] **1** *adv* *(agir)* con presteza; *(affecter)* vivamente **2** *exclam* **v. les vacances!** ¡que lleguen pronto las vacaciones!; **v. que ce soit fini!** ¡que se termine ya!

vivisection [viviseksjɔ̃] *nf* vivisección *f*

vivre [72] [vivr] **1** *vt & vi* vivir **2** *nmpl* **vivres** *(provisions)* víveres *mpl*

VO [veo] *nf (abrév* **version originale)** VO *f*

vocal, -e, -aux, -ales [vɔkal, -o] *adj voir* **corde**

vocation [vɔkɑsjɔ̃] *nf* vocación *f*; **avoir la v.** tener vocación

vociférer [34] [vɔsifere] *vt & vi* vociferar

vœu, -x [vø] *nm (promesse) & Rel* voto *m*; *(souhait)* deseo *m*; **vœux** felicitaciones *fpl*; **meilleurs vœux** *(de bonne année)* feliz Año Nuevo

vogue [vɔg] *nf* fama *f*; **en v.** en boga

voici [vwasi] *prép (introduit ce dont on va parler)* aquí está; **le v.** aquí está; **v. mon père** éste es mi padre; **le v. qui arrive** míralo, ahora o aquí llega; **vous cherchiez des allumettes? en v.** ¿buscabas cerillas? aquí hay; **v. ce qui s'est passé** he aquí lo que pasó, esto es lo que pasó; **v. trois mois (que)** hace tres meses que

voie [vwa] *nf* vía *f*; *(sur une route)* carril *m*; *Fig (chemin)* camino *m*; *(moyen)* medio *m*; **mettre qn sur la v.** encaminar a alguien; **en v. de développement** en vías de desarrollo ▪ *Jur* **voies de fait** vías de hecho; **v. ferrée** vía férrea; **v. de garage** vía muerta; **la V. lactée** la Vía Láctea; **v. navigable** vía navegable; **v. publique** vía pública; **voies respiratoires** vías respiratorias; **v. sans issue** callejón *m* sin salida

voilà [vwala] *prép (reprend ce dont on a parlé)* esto es; *(introduit ce dont on va parler)* he ahí, esto es; *(il y a)* hace;

le v. ahí está; vous cherchiez de l'encre? en v. ¿buscabas tinta? ahí hay; **nous y arrivés** ya hemos llegado; **v. ce qui s'est passé** esto es lo que pasó; **v. où je voulais en venir** ahí es donde quería llegar; **v. trois mois (que)** hace tres meses (que)

voile¹ [vwal] *nf (d'un bateau)* vela *f*; **faire de la v.** practicar la vela

voile² *nm (tissu, coiffure)* velo *m*; *(de brume)* capa *f* ▪ *Anat* **v. du palais** velo del paladar

voilé, -e [vwale] *adj (femme, statue)* con velo; *(allusion, regard)* velado(a); *(son, voix)* tomado(a); *(ciel)* brumoso(a); *(roue)* torcido(a)

voiler [vwale] **1** *vt (avec un voile)* tapar con un velo; *(vérité, regard)* velar **2 se voiler** *upr (femme)* ponerse un velo; *(yeux, voix, astre)* velarse; *(roue)* torcerse

voilier [vwalje] *nm* velero *m*

voir [73a] [vwar] **1** *vt* ver; **je ne la vois pas en secrétaire** no la veo como secretaria; **aller v. qn** ir a ver a alguien; **faire v. qch à qn** mostrar o enseñar algo a alguien; **v. page…** véase página…; **ça n'a rien à v.** *(dans une conversation)* eso no tiene nada que ver; **on verra bien** ya veremos; *Fam* **voyons** v. veamos; **…, voyons!** *(pour raisonner quelqu'un)* …, hombre!; *très Fam* **va te faire v.!** ¡vete a la porra!

2 *vi* ver; **v. mal** ver mal

3 se voir *upr* verse; **ça se voit** *(c'est clair)* se nota

voisin, -e [vwazɛ̃, -in] **1** *adj (pays, ville)* vecino(a) (**de** de); *(semblable)* parecido(a) (**de** a) **2** *nm,f* vecino(a) *m,f*

voisinage [vwazinaʒ] *nm (voisins)* vecindad *f*; *(environs)* cercanía *f*

voiture [vwatyr] *nf Esp* coche *m*, *Am* carro *m*, *RP* auto *m* ▪ **v. de fonction** coche de servicio; **v. fumeurs** vagón *m* de fumadores; **v. de location** coche de alquiler; **v. non-fumeurs**

vagón de no fumadores; **v. de sport** coche deportivo

voix [vwa] *nf* voz *f*; *(suffrage)* voto *m*; **à v. basse/haute** en voz baja/alta; **mettre qch aux v.** someter algo a votación

vol¹ [vɔl] *nm (d'un oiseau, d'un avion)* vuelo *m*; **au v.** al vuelo; **à v. d'oiseau** en línea recta

vol² *nm (délit)* robo *m* ▪ **v. à main armée** robo a mano armada

volaille [vɔlaj] *nf (oiseaux)* aves *fpl* (de corral); *(oiseau)* ave *f* (de corral)

volant, -e [vɔlɑ̃, -ɑ̃t] **1** *adj (animal, machine)* volador(ora); *(brigade, pont)* volante; *(page)* suelto(a) **2** *nm* volante *m*, *Andes* timón *m*

volatiliser [vɔlatilize] **se volatiliser** *upr* volatilizarse

volcan [vɔlkɑ̃] *nm* volcán *m*

volcanique [vɔlkanik] *adj* volcánico(a)

volée [vɔle] *nf (d'oiseaux)* vuelo *m*; *(de flèches)* ráfaga *f*; *Sp* volea *f*; *(de cloches)* campanada *f*; *(de marches)* tramo *m*; **v. de coups,** *Fam* **v.** paliza *f*, *Am* golpiza *f*; **sonner les cloches à la v.** repicar las campanas

voler¹ [vɔle] *vi (oiseau, avion)* volar

voler² *vt (objet, personne)* robar

volet [vɔlɛ] *nm (de maison)* postigo *m*; *(d'un dépliant)* hoja *f*; *(d'une émission)* episodio *m*

voleur, -euse [vɔlœr, -øz] *nm,f* ladrón(ona) *m,f*; **au v.!** ¡al ladrón!

volière [vɔljɛr] *nf* pajarera *f*

volley-ball *(pl* **volley-balls)** [vɔlebol] *nm* balonvolea *m*

volontaire [vɔlɔ̃tɛr] **1** *adj (activité, omission)* voluntario(a); *(caractère)* voluntarioso(a) **2** *nmf* voluntario(a) *m,f*

volonté [vɔlɔ̃te] *nf* voluntad *f*; **à v.** a voluntad; **bonne/mauvaise v.** buena/mala voluntad

volontiers [vɔlɔ̃tje] *adv (avec plaisir)* con mucho gusto

volte-face [vɔltəfas] *nf inv (demi-tour)* media vuelta *f*; **faire v.** dar media

vuelta; *Fig* cambiar radicalmente de opinión

voltiger [45] [vɔltiʒe] *vi (acrobate)* hacer acrobacias; *(insectes, oiseaux, feuilles)* revolotear

volume [vɔlym] *nm* volumen *m*

volumineux, -euse [vɔlyminø, -øz] *adj* voluminoso(a)

volupté [vɔlypte] *nf* voluptuosidad *f*

voluptueux, -euse [vɔlyptɥø, -øz] *adj* voluptuoso(a)

vomir [vɔmir] *vi & vt* vomitar

vont *voir* **aller**

vorace [vɔras] *adj* voraz

vos [vo] *voir* **votre**

vote [vɔt] *nm (suffrage, voix)* voto *m*; *(élection)* votación *f* ▪ **v. à main levée** votación a mano alzada

voter [vɔte] *vi & vt* votar

votre [vɔtr] *(pl* **vos** [vo]) *adj possessif (tutoiement)* vuestro(a); *(vouvoiement)* su; **vos meubles** vuestros/sus muebles

vôtre [vɔtr] *(pl* **les vôtres)** **1** *pron possessif (tutoiement)* el (la) vuestro(a); *(vouvoiement)* el (la) suyo(a); **c'est notre problème, pas le v.** es nuestro problema, no el vuestro/suyo; **mettez-y un peu du v.!** ¡poned/ponga/pongan un poco de vuestra/su parte!; **les vôtres** *(famille)* los vuestros/suyos

voudra, voudrai *etc voir* **vouloir**

vouer [vwe] **1** *vt (promettre)* profesar; *(consacrer)* consagrar; **être voué à** *(condamné)* estar condenado(a) a **2 se vouer** *upr* **se v. à qch** consagrarse a algo

vouloir [74] [vulwar] **1** *vt* querer; **je veux qu'il parte maintenant** quiero que se vaya ahora; **sans le v.** sin querer; **je veux bien** *(d'accord)* vale; **voudriez-vous...?** ¿le importaría...?; **veuillez vous asseoir** siéntense, por favor; **ne pas v. de qch/de qn** no querer algo/a alguien; **v. du bien à qn** desearle algo bueno a alguien; **en v. à qn** *(d'avoir fait qch)* estar resentido(a) contra alguien (por haber hecho algo)

2 se vouloir *upr* **s'en v.** de qch/de faire qch dolerle a alguien algo/hacer algo

voulu, -e [vuly] **1** *pp voir* **vouloir**
2 *adj (requis)* debido(a); *(délibéré)* deseado(a)

vous [vu] *pron personnel* (**a**) *(plusieurs personnes tutoyées)* vosotros(as); *(complément d'objet direct, de verbe pronominal)* os; **v. êtes en retard** llegáis tarde; **avez-v. du feu?** ¿tenéis fuego?; **il v. l'a donné** os lo ha dado; **v. devez v. occuper de lui** debéis ocuparos de él; **à v.** *(possessif)* vuestro(a)
(**b**) *(plusieurs personnes vouvoyées)* ustedes; *(complément d'objet direct)* los (las); *(complément de verbe pronominal)* se; **v. êtes en retard** llegan tarde; **avez-v. du feu?** ¿tienen fuego?; **il v. l'a donné** se lo ha dado; **v. devez v. occuper de lui** deben ocuparse de él; **à v.** *(possessif)* suyo(a)
(**c**) *(une seule personne vouvoyée)* usted; *(complément d'objet direct)* lo (la); *(complément de verbe pronominal)* se; **v. êtes en retard** llega tarde; **avez-v. du feu?** ¿tiene fuego?; **il v. l'a donné** se lo ha dado; **v. devez v. occuper de lui** debe ocuparse de él; **à v.** *(possessif)* suyo(a)

vous-même [vumɛm] *pron personnel* usted mismo(a)

vous-mêmes [vumɛm] *pron personnel (plusieurs personnes tutoyées)* vosotros(as) mismos(as); *(plusieurs personnes vouvoyées)* ustedes mismos(as)

voûte [vut] *nf* bóveda *f*

voûter [vute] **se voûter** *upr* encorvarse

vouvoyer [32] [vuvwaje] **1** *vt* tratar de usted **2 se vouvoyer** *upr* tratarse de usted

voyage [vwajaʒ] *nm* viaje *m*; **être/partir en v.** estar/salir de viaje ■ **v. d'affaires** viaje de negocios; **v. de**

noces viaje de novios; **v. organisé** viaje organizado; **v. scolaire** viaje de estudios

voyager [45] [vwajaʒe] *vi* viajar

voyageur, -euse [vwajaʒœr, -øz] *nm,f* viajero(a) *m,f* ■ **v. de commerce** viajante *mf* (de comercio)

voyant, -e [vwajɑ̃, -ɑ̃t] **1** *adj* vistoso(a) **2** *nm,f (devin)* vidente *mf* **3** *nm* **v. (lumineux)** piloto *m*, indicador *m* luminoso

voyou [vwaju] *nm* golfo *m*

vrac [vrak] **en vrac** *adv (au poids)* a granel; *(en désordre)* en desorden

vrai, -e [vrɛ] **1** *adj* verdadero(a); *(authentique)* auténtico(a); *(naturel)* natural; **il est v. que** es verdad o cierto que; *Fam* **c'est pas v.!** *(exprime la surprise)* ¿de verdad?; *(exprime l'agacement)* ¡no es posible! **2** *nm* **à v. dire, à dire v.** a decir verdad

vraiment [vrɛmɑ̃] *adv (véritablement)* verdaderamente; *(très)* realmente, muy

vraisemblable [vrɛsɑ̃blabl] *adj (plausible)* verosímil; *(probable)* probable

vrombir [vrɔ̃bir] *vi* zumbar

VTT [vetete] *nm (abrév* **vélo tout-terrain)** BTT *f*

vu, -e [vy] **1** *pp voir* **voir**
2 *adj* **être mal vu (de qn)** estar mal considerado(a) (por alguien)
3 *prép* en vista de; **vu que…** dado que…

vue [vy] *nf* vista *f*; *(idée)* visión *f*; **avec v. sur la mer** con vista al mar; **connaître qn de v.** conocer a alguien de vista; **perdre qn de v.** perder a alguien de vista; **à première v.** a primera vista; **à v. d'œil** a ojos vistas; **en v. de faire qch** con vistas a hacer algo

vulgaire [vylgɛr] *adj* vulgar

vulgarité [vylgarite] *nf* vulgaridad *f*

vulnérable [vylnerabl] *adj* vulnerable

Ww

W, w [dublǝve] *nm inv (lettre)* W *f*, w *f*
wagon [vagɔ̃] *nm* vagón *m*
wagon-lit *(pl* **wagons-lits**) [vagɔ̃li]
nm Esp coche *m* cama, *Am* carro *m o*
vagón *m* dormitorio
wagon-restaurant *(pl* **wagons-restaurants**) [vagɔ̃rɛstorɑ̃] *nm* vagón
m restaurante
Walkman® [wokman] *nm* walkman® *m*

wallon, -onne [walɔ̃n, -ɔn] **1** *adj*
valón(ona) **2** *nm,f* **W.** valón(ona) *m,f*
3 *nm (langue)* valón *m*
watt [wat] *nm* vatio *m*
W-C [vese, dublǝvese] *nmpl* WC *m*
week-end *(pl* **week-ends**) [wikɛnd]
nm fin *m* de semana
whisky [wiski] *nm* whisky *m*

Xx

X, x [iks] *nm inv (lettre)* X *f*, x *f*
xénophobe [gzenɔfɔb] *adj & nmf*
xenófobo(a) *m,f*

xénophobie [gzenɔfɔbi] *nf* xenofobia *f*
xylophone [ksilɔfɔn, gzilɔfɔn] *nm*
xilófono *m*

Yy

Y, y [igrɛk] *nm inv (lettre)* Y *f*, y *f*
y [i] **1** *adv* j'y vais demain iré mañana;
mets-y du sel échale o ponle sal; on
ne peut pas couper cet arbre, des
oiseaux y font leur nid no podemos
talar este árbol porque algunos
pájaros anidan en él **2** *pron* pensez-y
piénselo, piense en ello; n'y

compte pas no cuentes con ello
yacht [jot] *nm* yate *m*
yaourt [jaurt] *nm* yogurt *m*
yen [jɛn] *nm* yen *m*
yeux [jø] *voir* œil
yoga [jɔga] *nm* yoga *m*
yoghourt, yogourt [jogurt] = **yaourt**
Yo-Yo® [jojo] *nm inv* yoyó *m*

Zz

Z, z [zɛd] *nm inv (lettre)* Z *f*, z *f* .
Zaïre [zair] *nm Anciennement* **le Z.** (el)
Zaire
zèbre [zɛbr] *nm (animal)* cebra *f*
zélé, -e [zele] *adj* celoso(a)
(trabajador)
zèle [zɛl] *nm* celo *m*; *Péj* **faire du z.**
pasarse
zéro [zero] **1** *nm* cero *m*; *Fam
(personne)* cero *m* a la izquierda;
deux buts à z. dos goles a cero; *Fam*
avoir le moral à z. tener la moral por
los suelos; **repartir à z.** volver a
empezar desde cero **2** *adj* cero
zeste [zɛst] *nm* corteza *f*, cáscara *f (de*

cítricos); **un z. de citron** una tira de
corteza de limón
zigzag [zigzag] *nm* zigzag *m*
zigzaguer [zigzage] *vi* zigzaguear
zinc [zɛ̃g] *nm (matière)* cinc *m*, zinc *m*
zodiaque [zɔdjak] *nm* zodíaco *m*
zone [zon] *nf (région)* zona *f*; *Fam Péj
(faubourg)* barriada *f* ■ *Ordinat* **z. de
dialogue** ventana *f* de diálogo; **z.
industrielle** zona industrial; *Ordinat*
z. tampon buffer *m*
zoo [zo(o)] *nm* zoo *m*
zoologie [zɔɔlɔʒi] *nf* zoología *f*
zoom [zum] *nm* zoom *m*

Imprimé en Italie par

LA TIPOGRAFICA VARESE
Società per Azioni
Varese
Dépôt legal : Mai 2010
304481-02/11015482 - Mai 2011